Dios me Ama

NUEVO TESTAMENTO
CON SALMOS Y
PROVERBIOS

Pongan todas sus preocupaciones y ansiedades en las manos de Dios, porque él cuida de ustedes.
1 PEDRO 5:7

FAMILY Christian Stores

Nueva Traducción Viviente®

Tyndale House Publishers, Inc.
Carol Stream, Illinois, EE. UU.

a Family Christian Stores Foundation

Visite las emocionantes páginas de Tyndale en Internet:
www.nuevatraduccionviviente.com y www.tyndaleespanol.com.

ISBN 978-1-4143-3946-7 (Edición James Fund)

Impreso en los Estados Unidos de América

16 15 14 13 12 11
7 6 5 4 3

Contenido

Introducción

¿QUÉ ES LA BIBLIA?

La Biblia es la Palabra de Dios. En sus manos usted tiene el libro más poderoso que jamás se haya escrito. La vida de millones de personas ha sido transformada por el mensaje revolucionario que se encuentra en estas páginas. Eso sucede porque este libro, la Biblia, viene de Dios. Esto no significa que Dios haya dictado todo el contenido de la Biblia palabra por palabra (en la Biblia solamente encontramos unos cuantos casos de dictado, por ejemplo Apocalipsis 14:13 y 19:9). Por lo general, los escritores de la Biblia tenían la libertad de escribir usando su estilo personal y su propio vocabulario. Sin embargo, el control del Espíritu Santo estuvo presente en todo el proceso y por eso aquello que los autores escribieron fue precisamente lo que Dios quiso que escribieran.

El proceso que Dios utilizó para comunicar su mensaje se llama «inspiración», una palabra que se encuentra en 2 Timoteo 3:16: «Toda la Escritura es inspirada por Dios...». Las tres palabras «inspirada por Dios» son la traducción de una sola palabra griega que literalmente significa «exhalada por Dios».

La inspiración ha sido explicada de esta manera: «Así como el Espíritu Santo vino sobre el vientre de la Virgen María y el poder del Altísimo la cubrió de tal manera que su niño no tuvo pecado y fue el Hijo del Hombre, igualmente el Espíritu Santo vino sobre la mente de cada uno de los autores de las Escrituras y por lo tanto lo que ellos produjeron no tiene errores y es la Palabra de Dios».

La Biblia es la Palabra de Dios y por lo tanto habla con su autoridad. Nos dice qué creer y cómo vivir con el fin de complacerlo: «Toda la Escritura es inspirada por Dios y es útil para enseñarnos lo que es verdad y para hacernos ver lo que está mal en nuestra vida. Nos corrige cuando estamos equivocados y nos enseña a hacer lo correcto. Dios la usa para preparar y capacitar a su pueblo para que haga toda buena obra» (2 Timoteo 3:16-17). Además, en Juan 10:35, Jesús dice: «Y ustedes bien saben que las Escrituras no pueden ser modificadas». En este versículo, el verbo griego que se tradujo como «modificar», también se puede traducir como «quebrantar» [la ley o un mandamiento]. Entonces, según Jesús, la Biblia tiene la autoridad infalible y absoluta de la ley divina. No puede ser falsa. No puede engañar. No puede quebrantarse o infringirse sin impunidad.

Porque la Biblia es la Palabra de Dios, su mensaje es siempre vigente y actual. Dios es eterno e infinito, y por lo tanto, el mensaje de su Palabra también lo es. La Biblia es más que una colección de documentos antiguos sobre historia, ética o sabiduría. Es la Palabra viviente de un Dios viviente para su pueblo viviente. ¡Es la carta de amor de Dios para usted!

El escritor de la carta a los Hebreos dice: «Pues la palabra de Dios es viva y poderosa. Es más cortante que cualquier espada de dos filos; penetra entre el alma y el espíritu, entre la articulación y la médula del hueso. Deja al descubierto nuestros pensamientos y deseos más íntimos» (Hebreos 4:12). Millones de personas han visto sus vidas transformadas debido a este libro extraordinario.

La Biblia da respuesta a sus preguntas. Alguna vez se ha preguntado:

- ¿Existe Dios? Si existe, ¿cómo es?
- Si existe, ¿le importo? ¿Cómo puedo conocerlo?
- ¿Por qué estoy aquí? ¿Tiene mi vida un propósito?
- ¿Dónde pertenezco? ¿Alguien me ama?
- ¿Por qué hay tanta maldad y sufrimiento en el mundo?

La Biblia contesta todas estas preguntas y muchas más, pero es más que un libro de respuestas para cuando las dificultades de la vida son abrumadoras. La Biblia también está llena de historias de personas cuyas vidas fueron transformadas por Dios, y quienes a su vez sirvieron de instrumento para transformar el mundo a su alrededor. Contiene poesía y bellas canciones, profecías y las promesas de Dios para su pueblo. Aún más importante, contiene la historia de cómo Dios visitó nuestro mundo en la persona de su Hijo, Jesucristo, para transformar todo por completo.

La Biblia es una biblioteca que narra una gran historia. La Biblia es el libro de mayor venta y el más traducido de la historia. Aunque por lo general, está encuadernado en un solo volumen, es realmente una colección de libros, sesenta y seis en total: treinta y nueve en el Antiguo Testamento y veintisiete en el Nuevo Testamento. Estos sesenta y seis libros fueron escritos en el transcurso de mil quinientos años por cuarenta autores de diferentes profesiones, en tres idiomas y en tres continentes. (Esta edición está compuesta por los veintisiete libros del Nuevo Testamento junto con dos del Antiguo Testamento [el libro de Salmos y el libro de Proverbios]).

Uno de los aspectos más extraordinarios de la Biblia es que a pesar de su variedad, su mensaje tiene una unidad asombrosa y milagrosa. Su mensaje y sus temas siempre son los mismos. La unidad de la Biblia es igual a la de una historia. El argumento de una historia tiene sentido y unión debido a los acontecimientos que se entrelazan de manera significativa. Un suceso da comienzo a otro a medida que el argumento se desarrolla de principio a fin, y en el camino encontramos sorpresas, desilusiones y conflictos.

La gran historia de la Biblia es una historia de pecado y de salvación. Comienza con el relato de cómo el Dios eterno creó un mundo perfecto y armonioso. Dios dio a la humanidad un bello lugar para vivir y le proveyó todas sus necesidades, pero el tesoro más preciado era su amistad con los hombres.

Sin embargo, ese comienzo perfecto fue arruinado cuando los seres humanos desobedecieron a Dios y se rebelaron en su contra. Esta rebelión rompió su relación con Dios, y él los condenó, junto con la tierra y todas sus criaturas, a juicio y a la muerte (ver Romanos 5:12-14). Sin embargo, Dios no abandonó a su creación desobediente, sino que se dispuso redimir a la humanidad caída.

Los libros del Antiguo Testamento fueron escritos cientos de años antes de que Jesús naciera, y señalaban hacia el nacimiento de un «Mesías» o Salvador. De hecho, el Antiguo Testamento describe muchas promesas específicas acerca del nacimiento, la vida, la muerte y la resurrección de esta persona especial quien salvaría a su pueblo. Ese Mesías sería un hombre, y también «Emanuel» (Isaías 7:14), que en hebreo significa «Dios está con nosotros». Es más, un profeta lo llamó «Consejero Maravilloso, Dios Poderoso, Padre Eterno, Príncipe de Paz» (Isaías 9:6); lo cual significa que este Salvador sería Dios y hombre.

Centenares de profecías se cumplen en la persona de Jesucristo, incluyendo el lugar de su nacimiento, la manera de su concepción (su nacimiento sería un milagro, pues nacería de una virgen), el nombre del pueblo en el cual crecería y el hecho de que sería crucificado y que resucitaría de los muertos al tercer día.

La historia de Jesús es el núcleo de los libros del Nuevo Testamento. Cuando Jesús murió para pagar la pena por nuestro pecado, removió la barrera que este causaba entre Dios y el hombre, e hizo posible que nuestra relación con Dios se pudiera restaurar. Jesús resucitó de entre los muertos y vive hoy, tanto en el cielo, intercediendo continuamente ante Dios por nosotros, como también en la vida de sus seguidores. Jesús da vida eterna a todos los que se arrepienten de sus pecados y confían en él para ser salvos. (Lea «Pasos hacia la paz con Dios» en la página 655).

Dónde comenzar. La Biblia no está organizada como una enciclopedia de manera que usted pueda buscar bajo la sección «J» y leer sobre Jesús o sobre la justicia. Lo más indicado es leer cada libro individualmente, párrafo por párrafo, tal como fue escrita originalmente. No hay ninguna regla que diga que tiene que leer el Nuevo Testamento de corrido desde la primera página (aunque eso no sería mala idea). Como es una colección de libros, puede comenzar prácticamente en cualquier parte. Si usted hasta ahora está comenzando a leer la Biblia, consulte los planes de lectura diaria que se encuentran al final de este Nuevo Testamento (vea la página 651).

Aprender la forma de leer y de encontrar pasajes en la Biblia no es una tarea difícil. Cada libro está dividido en capítulos, y cada capítulo está dividido en versículos. De tal manera que Marcos 5:7-9 se refiere al Evangelio según San Marcos, capítulo 5, versículos 7 al 9. Marcos 5:7, 9 se refiere al capítulo 5, versículos 7 y 9 incluidos. Los libros están citados por su nombre al principio de este volumen, y para hacerlo incluso más sencillo, hemos indicado los números de las páginas en donde se encuentran.

El Evangelio de Lucas es un buen lugar para comenzar la lectura. Es una biografía fascinante de Jesús el Mesías, escrita por un médico, amigo de muchos de los discípulos y compañero de Pablo en algunos de sus viajes.

Para continuar, podrá leer acerca del crecimiento de la comunidad cristiana en el libro de Hechos, también escrito por el doctor Lucas. Esta aventura continúa la historia donde el Evangelio de Lucas termina y describe cómo los primeros cristianos predican la Buena Noticia de Jesús por todo el mundo.

Después, puede leer el libro de Romanos. Esta es una de las muchas cartas que escribió el apóstol Pablo. La envió a una comunidad de cristianos del primer siglo en Roma. En ella, Pablo explica claramente por qué no podemos alcanzar a Dios por nuestra propia cuenta, y cómo los pecadores pueden encontrar la paz con Dios. Una vez que termine Romanos, lea algunos de los libros más cortos del Nuevo Testamento.

Como ya mencionamos, esta edición solamente tiene dos libros del Antiguo Testamento: Salmos y Proverbios. Lea estos regularmente. El libro de Salmos es una colección de oraciones y canciones conmovedoras, escritas en tiempos de alegría y de tribulación. El rey David y otros claman a Dios expresando sus tristezas, temores, desaliento y arrepentimiento, y Dios responde con su gracia y compasión. Puede usar estos poemas para conocer mejor a Dios, para alabarlo, y para abrirle su corazón. El libro de Proverbios está lleno de sabiduría, útil para todos los aspectos de la vida: desde amistades, familia y amor hasta finanzas y negocios.

Cómo entender lo que lee. Antes y después de leer su Biblia, pídale al Espíritu Santo que abra su corazón y su mente para que ame y conozca la verdad, y para que la ponga en práctica. A veces no comprenderá lo que lee, pero Dios le revelará el significado más adelante mediante otros versículos, sucesos o conversaciones.

A medida que descubra la manera en que Dios obró en la vida de las personas en el pasado, pídale que lo guíe y que le muestre lo que él quiere que usted haga en respuesta a estas verdades. ¿Cómo quiere Dios que usted cambie su vida? ¿Cómo quiere Dios usar sus talentos?

Santiago 1:22-25 dice: «No sólo escuchen la palabra de Dios, tienen que ponerla en práctica. De lo contrario, solamente se engañan a sí mismos. Pues, si escuchas la palabra pero no la obedeces, sería como ver tu cara en un espejo: te ves a ti mismo, luego te alejas y te olvidas cómo eres. Pero si miras atentamente en la ley perfecta que te hace libre y la pones en práctica y no olvidas lo que escuchaste, entonces Dios te bendecirá por tu obediencia».

Si no está seguro de quién es Dios, o incluso de que él existe, lea más adelante «Una palabra para los dudosos y los escépticos», en la página A12. A continuación encontrará otros tres pasos importantes que le ayudarán a entender su Biblia.

Piense. El primer paso es pensar cuidadosamente acerca de lo que el autor escribió: ¿qué es lo que dice?, ¿cuál es el punto obvio? Escribir el pasaje en sus propias palabras le será de ayuda. También puede subrayar las frases importantes que resumen lo que el autor dice y después tratar de comprender lo que quiso expresar.

Interprete. El segundo paso es tratar de interpretar lo que el autor quiso decir cuando escribió el pasaje. Considere la audiencia para la cual fue escrito: ¿cuáles eran sus necesidades, desafíos, problemas y preguntas? (La introducción de cada libro le ayudará a entender esto).

¿Por qué el autor escribió tal cosa? Por ejemplo, en el Evangelio de Juan, el autor dice al final que habían muchas otras cosas que Jesús hizo pero que él no las escribió; sin embargo, «... éstas se escribieron para que ustedes sigan creyendo que Jesús es el Mesías, el Hijo de Dios, y para que, al creer en él, tengan vida por el poder de su nombre» (Juan 20:31, página 169).

A la luz de este versículo, cuando lea la historia de Jesús calmando la tormenta en el lago (Mateo 8:23-27, Lucas 8:22-26), pregúntese por qué Juan incluyó esta historia en su Evangelio. Si este segundo paso le cuesta trabajo, tenga paciencia. Tómese su tiempo y vuelva a leer el pasaje hasta que el significado sea claro.

Aplique. Mientras lee hágase las siguientes preguntas:

- ¿Qué verdad sobre Dios, Jesucristo y el Espíritu Santo enseña este pasaje? ¿Qué verdad enseña sobre la salvación?
- ¿En qué áreas de mi vida debo aumentar mi confianza en Dios?
- De acuerdo con este pasaje, ¿qué debo dejar de hacer y qué debo empezar a hacer?
- ¿Qué actitudes debo cambiar?
- ¿Cómo puedo poner hoy en práctica estas verdades?

No tema subrayar pasajes en su Biblia o escribir notas en un cuaderno. Eso le ayudará a localizar los pasajes que tienen un significado especial para usted. Para aumentar su conocimiento, únase a un estudio bíblico y comparta con otros que también estén interesados en conocer mejor a Jesús.

Una palabra para los dudosos y los escépticos. Aunque no tenga la seguridad de que Dios existe, comience la lectura pidiéndole que, si él es real y verdadero, se muestre a sí mismo. Pídale también que le revele la verdad sobre lo que usted es ante él. Jesús promete: «Pues todo el que pide, recibe; todo el que busca, encuentra; y a todo el que llama, se le abrirá la puerta» (Mateo 7:8), «los que el Padre me ha dado, vendrán a mí, y jamás los rechazaré» (Juan 6:37).

INTRODUCCIÓN AL EVANGELIO SEGÚN SAN MATEO

Propósito: Demostrar que Jesús es el Mesías, el Rey eterno.

Autor: Mateo, hijo de Alfeo, nombre griego derivado del hebreo que significa «regalo de Dios»; también conocido como Leví.

Destinatarios: Inicialmente los judíos, quienes esperaban al Mesías prometido en las Escrituras.

Fecha: Aproximadamente 60–65 d. C.

Contexto: Mateo era un cobrador de impuestos que se convirtió en discípulo de Jesús.

Versículo clave: «No malinterpreten la razón por la cual he venido. No vine para abolir la ley de Moisés o los escritos de los profetas. Al contrario, vine para cumplir sus propósitos» (5:17).

Personas claves: Jesús, María, José, Juan el Bautista, los discípulos, los líderes religiosos, Caifás, Pilato, María Magdalena.

El pueblo judío estaba esperando al líder que había sido anunciado siglos antes por los profetas. Este Salvador se conocía como el Mesías y, sobre la base de algunas de las profecías, el pueblo creía que sería un rey poderoso que los liberaría del Imperio romano. Sin embargo, pasaban por alto profecías que anunciaban que este rey sería rechazado y condenado a muerte. No sorprende, entonces, que fueran pocos los que reconocieran a Jesús como el Mesías: nació en un establo, y José, su padre terrenal, era un humilde carpintero. Estos no parecían los símbolos de un gran rey, ni la cruz parecía un adecuado final para la vida de ese glorioso rey.

Mateo comienza presentando la genealogía de Jesús y un relato de su nacimiento e infancia. Después de ser bautizado por Juan el Bautista y de alcanzar la victoria sobre las tentaciones de Satanás en el desierto, Jesús elige a 12 de sus seguidores y los designa sus apóstoles. Mateo muestra la autoridad de Jesús sobre la enfermedad, los demonios y la muerte.

Aunque mucha gente seguía a Jesús, no todos estaban contentos con su creciente popularidad, ni con su atrevida declaración de ser Dios. En particular, los líderes religiosos judíos se sentían amenazados por este reclamo de divinidad y también por el hecho de que los denunciaba como hipócritas, porque exigían perfección a los demás aunque ellos no la practicaban. Jesús continúa presentando su mensaje a pesar de que la oposición aumentaba.

Mateo relata los acontecimientos decisivos de los últimos días de Jesús en la tierra: la Última Cena, los juicios, la Crucifixión y el entierro. Sin embargo la historia no termina con la derrota: Jesús resucitó, venció a la muerte, y luego dio a sus discípulos el mandato de continuar su obra y de llevar las Buenas Noticias a la gente en todas las naciones.

En el «Sermón del monte» (capítulos 5–7), Jesús enseña los fundamentos del reino de Dios. Este sermón no es un código de reglas, sino un estilo de vida en obediencia a Dios. Se trata de seguir a Dios con todo el corazón y de poner a los demás antes que a uno mismo. Vivir de esta manera no es un sueño imposible, sino el resultado de la acción del Espíritu Santo en y por medio de cada persona que se ha entregado a Jesús.

Mateo

Antepasados de Jesús el Mesías

1 El siguiente es un registro de los antepasados de Jesús el Mesías, descendiente de David* y de Abraham:

[2] Abraham fue el padre de Isaac.
Isaac fue el padre de Jacob.
Jacob fue el padre de Judá y de sus hermanos.
[3] Judá fue el padre de Fares y de Zara (la madre fue Tamar).
Fares fue el padre de Esrom.
Esrom fue el padre de Ram.*
[4] Ram fue el padre de Aminadab.
Aminadab fue el padre de Naasón.
Naasón fue el padre de Salmón.
[5] Salmón fue el padre de Booz (su madre fue Rahab).
Booz fue el padre de Obed (su madre fue Rut).
Obed fue el padre de Isaí.
[6] Isaí fue el padre del rey David.
David fue el padre de Salomón (su madre fue Betsabé, la viuda de Urías).
[7] Salomón fue el padre de Roboam.
Roboam fue el padre de Abías.
Abías fue el padre de Asá.*
[8] Asá fue el padre de Josafat.
Josafat fue el padre de Yoram.*
Yoram fue el padre* de Uzías.
[9] Uzías fue el padre de Jotam.
Jotam fue el padre de Acaz.
Acaz fue el padre de Ezequías.
[10] Ezequías fue el padre de Manasés.
Manasés fue el padre de Amós.*
Amós fue el padre de Josías.
[11] Josías fue el padre de Joaquín* y de sus hermanos (quienes nacieron en el tiempo del destierro a Babilonia).
[12] Luego del destierro a Babilonia:
Joaquín fue el padre de Salatiel.
Salatiel fue el padre de Zorobabel.
[13] Zorobabel fue el padre de Abiud.
Abiud fue el padre de Eliaquim.
Eliaquim fue el padre de Azor.
[14] Azor fue el padre de Sadoc.
Sadoc fue el padre de Aquim.
Aquim fue el padre de Eliud.
[15] Eliud fue el padre de Eleazar.
Eleazar fue el padre de Matán.
Matán fue el padre de Jacob.
[16] Jacob fue el padre de José, esposo de María.
María dio a luz a Jesús, quien es llamado el Mesías.

[17] Todos los que aparecen en la lista abarcan catorce generaciones desde Abraham

1:1 En griego *Jesús el Mesías, hijo de David.* **1:3** En griego *Aram,* una variante de Ram; también en 1:4. Ver 1 Cr 2:9-10. **1:7** En griego *Asaf,* una variante de Asá; también en 1:8. Ver 1 Cr 3:10. **1:8a** En griego *Joram,* una variante de Yoram; también en 1:8b. Ver 1 Re 22:50 y la nota en 1 Cr 3:11. **1:8b** O *antepasado;* también en 1:11. **1:10** En griego *Amós,* una variante de Amón; también en 1:10b. Ver 1 Cr 3:14. **1:11** En griego *Jeconías,* una variante de Joaquín; también en 1:12. Ver 2 Re 24:6 y la nota en 1 Cr 3:16.

hasta David, catorce desde David hasta el destierro a Babilonia, y catorce desde el destierro a Babilonia hasta el Mesías.

Nacimiento de Jesús el Mesías

[18]Este es el relato de cómo nació Jesús el Mesías. Su madre, María, estaba comprometida para casarse con José, pero antes de que la boda se realizara, mientras todavía era virgen, quedó embarazada mediante el poder del Espíritu Santo. [19]José, su prometido, era un hombre bueno y no quiso avergonzarla en público; por lo tanto, decidió romper el compromiso* en privado.

[20]Mientras consideraba esa posibilidad, un ángel del Señor se le apareció en un sueño. «José, hijo de David —le dijo el ángel—, no tengas miedo de recibir a María por esposa, porque el niño que lleva dentro de ella fue concebido por el Espíritu Santo. [21]Y tendrá un hijo y lo llamarás Jesús,* porque él salvará a su pueblo de sus pecados».

[22]Todo eso sucedió para que se cumpliera el mensaje del Señor a través de su profeta:

[23] «¡Miren! ¡La virgen concebirá un niño!
Dará a luz un hijo,
y lo llamarán Emanuel,*
que significa "Dios está con nosotros"».

[24]Cuando José despertó, hizo como el ángel del Señor le había ordenado y recibió a María por esposa, [25]pero no tuvo relaciones sexuales con ella hasta que nació su hijo; y José le puso por nombre Jesús.

Visitantes del oriente

2 Jesús nació en Belén de Judea durante el reinado de Herodes. Por ese tiempo, algunos sabios* de países del oriente llegaron a Jerusalén y preguntaron: [2]«¿Dónde está el rey de los judíos que acaba de nacer? Vimos su estrella mientras salía* y hemos venido a adorarlo».

[3]Cuando el rey Herodes oyó eso, se perturbó profundamente igual que todos en Jerusalén. [4]Mandó llamar a los principales sacerdotes y maestros de la ley religiosa y les preguntó:

—¿Dónde se supone que nacerá el Mesías?

[5]—En Belén de Judea —le dijeron— porque eso es lo que escribió el profeta:

[6] "Y tú, Belén, en la tierra de Judá,
no eres la menor entre las ciudades reinantes* de Judá,
porque de ti saldrá un gobernante
que será el pastor de mi pueblo Israel"*.

[7]Luego Herodes convocó a los sabios a una reunión privada y, por medio de ellos, se enteró del momento en el que había aparecido la estrella por primera vez. [8]Entonces les dijo: «Vayan a Belén y busquen al niño con esmero. Cuando lo encuentren, vuelvan y díganme dónde está para que yo también vaya y lo adore».

[9]Después de esa reunión, los sabios siguieron su camino, y la estrella que habían visto en el oriente los guió hasta Belén. Iba delante de ellos y se detuvo sobre el lugar donde estaba el niño. [10]Cuando vieron la estrella, ¡se llenaron de alegría! [11]Entraron en la casa y vieron al niño con su madre, María, y se inclinaron y lo adoraron. Luego abrieron sus cofres de tesoro y le dieron regalos de oro, incienso y mirra.

[12]Cuando llegó el momento de irse, volvieron a su tierra por otro camino, ya que Dios les advirtió en un sueño que no regresaran a Herodes.

1:19 En griego *divorciarse de ella.* **1:21** *Jesús* significa «El Señor salva». **1:23** Is 7:14; 8:8, 10 (versión griega). **2:1** O *astrólogos reales;* en griego dice *magos;* también en 2:7, 16. **2:2** O *estrella en el oriente.* **2:6a** En griego *los gobernantes.* **2:6b** Mi 5:2; 2S 5:2.

Huida a Egipto

[13]Después de que los sabios se fueron, un ángel del Señor se le apareció a José en un sueño. «¡Levántate! Huye a Egipto con el niño y su madre —dijo el ángel—. Quédate allí hasta que yo te diga que regreses, porque Herodes buscará al niño para matarlo».

[14]Esa noche José salió para Egipto con el niño y con María, su madre, [15]y se quedaron allí hasta la muerte de Herodes. Así se cumplió lo que el Señor había dicho por medio del profeta: «De Egipto llamé a mi Hijo»*.

[16]Cuando Herodes se dio cuenta de que los sabios se habían burlado de él, se puso furioso. Entonces, basado en lo que dijeron los sabios sobre la primera aparición de la estrella, Herodes envió soldados para matar a todos los niños que vivieran en Belén y en sus alrededores y que tuvieran dos años o menos. [17]Esta acción brutal cumplió lo que Dios había anunciado por medio del profeta Jeremías:

[18] «En Ramá se oyó una voz,
llanto y gran lamento.
Raquel llora por sus hijos,
se niega a que la consuelen,
porque están muertos»*.

Regreso a Nazaret

[19]Cuando Herodes murió, un ángel del Señor se le apareció en un sueño a José en Egipto. [20]«¡Levántate! —dijo el ángel— Lleva al niño y a su madre de regreso a la tierra de Israel, porque ya murieron los que trataban de matar al niño».

[21]Entonces José se levantó y regresó a la tierra de Israel con Jesús y su madre; [22]pero cuando se enteró de que el nuevo gobernante de Judea era Arquelao, hijo de Herodes, tuvo miedo de ir allí. Entonces, luego de ser advertido en un sueño, se fue a la región de Galilea. [23]Después la familia fue a vivir a una ciudad llamada Nazaret y así se cumplió lo que los profetas habían dicho: «Lo llamarán nazareno».

Juan el Bautista prepara el camino

3 En esos días, Juan el Bautista llegó al desierto de Judea y comenzó a predicar. Su mensaje era el siguiente: [2]«Arrepiéntanse de sus pecados y vuelvan a Dios, porque el reino del cielo está cerca*». [3]El profeta Isaías se refería a Juan cuando dijo:

«Es una voz que clama en el desierto:
"¡Preparen el camino para la venida
del SEÑOR!
¡Ábranle camino!"»*.

[4]Juan usaba ropa tejida con pelo rústico de camello y llevaba puesto un cinturón de cuero alrededor de la cintura. Se alimentaba con langostas y miel silvestre. [5]Gente de Jerusalén, de toda Judea y de todo el valle del Jordán salía para ver y escuchar a Juan; [6]y cuando confesaban sus pecados, él las bautizaba en el río Jordán.

[7]Cuando Juan vio que muchos fariseos y saduceos venían a mirarlo bautizar,* los enfrentó. «¡Camada de víboras! —exclamó— ¿Quién les advirtió que huyeran de la ira divina que se acerca? [8]Demuestren con su forma de vivir que se han arrepentido de sus pecados y han vuelto a Dios. [9]No se digan simplemente el uno al otro: "Estamos a salvo porque somos descendientes de Abraham". Eso no significa nada, porque les digo que Dios puede crear hijos de Abraham de estas piedras. [10]Ahora mismo el hacha del juicio de Dios está lista para cortar las raíces de los árboles. Así es, todo

2:15 Os 11:1. **2:18** Jr 31:15. **3:2** O *ha llegado,* o *viene pronto.* **3:3** Is 40:3 (versión griega).
3:7 O *que venían para ser bautizados.*

árbol que no produzca buenos frutos será cortado y arrojado al fuego.

[11]»Yo bautizo con* agua a los que se arrepienten de sus pecados y vuelven a Dios, pero pronto viene alguien que es superior a mí, tan superior que ni siquiera soy digno de ser su esclavo y llevarle las sandalias. Él los bautizará con el Espíritu Santo y con fuego.* [12]Está listo para separar el trigo de la paja con su rastrillo. Luego limpiará la zona donde se trilla y juntará el trigo en su granero, pero quemará la paja en un fuego interminable».

Bautismo de Jesús

[13]Luego Jesús fue de Galilea al río Jordán para que Juan lo bautizara, [14]pero Juan intentó convencerlo de que no lo hiciera.

—Yo soy el que necesita que tú me bautices —dijo Juan—, entonces, ¿por qué vienes tú a mí?

[15]Pero Jesús le dijo:

—Así debe hacerse, porque tenemos que cumplir con todo lo que Dios exige.*

Entonces Juan aceptó bautizarlo.

[16]Después del bautismo, mientras Jesús salía del agua, los cielos se abrieron* y vio al Espíritu de Dios que descendía sobre él como una paloma. [17]Y una voz dijo desde el cielo: «Éste es mi Hijo amado, quien me da un gran gozo».

Tentación de Jesús

4 Luego el Espíritu llevó a Jesús al desierto para que allí lo tentara el diablo. [2]Durante cuarenta días y cuarenta noches ayunó y después tuvo mucha hambre.

[3]En ese tiempo, el diablo* se le acercó y le dijo:

—Si eres el Hijo de Dios, di a estas piedras que se conviertan en pan.

[4]Jesús le dijo:

—¡No! Las Escrituras dicen:

"La gente no vive sólo de pan,
sino de cada palabra que sale de la boca de Dios"*.

[5]Después el diablo lo llevó a la santa ciudad, Jerusalén, al punto más alto del templo, [6]y dijo:

—Si eres el Hijo de Dios, ¡tírate! Pues las Escrituras dicen:

"Él ordenará a sus ángeles que te protejan.
Y te sostendrán con sus manos
para que ni siquiera te lastimes el pie con una piedra"*.

[7]Jesús le respondió:

—Las Escrituras también dicen: "No pondrás a prueba al SEÑOR tu Dios"*.

[8]Luego el diablo lo llevó a la cima de una montaña muy alta y le mostró todos los reinos del mundo y la gloria que hay en ellos.

[9]—Te daré todo esto —dijo— si te arrodillas y me adoras.

[10]—Vete de aquí, Satanás —le dijo Jesús—, porque las Escrituras dicen:

"Adora al SEÑOR tu Dios
y sírvele sólo a él"*.

[11]Entonces el diablo se fue, y llegaron ángeles a cuidar a Jesús.

Comienzo del ministerio de Jesús

[12]Cuando Jesús oyó que habían arrestado a Juan, salió de Judea y regresó a Galilea. [13]Primero fue a Nazaret, luego salió de allí y siguió hasta Capernaúm, junto al mar de Galilea, en la región de Zabulón y Neftalí. [14]Así se cumplió lo que Dios dijo por medio del profeta Isaías:

[15] «En la tierra de Zabulón y Neftalí,
junto al mar, más allá del río Jordán,

3:11a O *en.* **3:11b** O *en el Espíritu Santo y en fuego.* **3:15** O *porque debemos cumplir con toda justicia.* **3:16** Algunos manuscritos dicen *se abrieron a él.* **4:3** En griego *el tentador.* **4:4** Dt 8:3. **4:6** Sal 91:11-12. **4:7** Dt 6:16. **4:10** Dt 6:13.

en Galilea, donde viven tantos
gentiles*,
[16] la gente que estaba en la oscuridad
ha visto una gran luz.
Y para aquellos que vivían en la tierra
donde la muerte arroja su
sombra,
ha brillado una luz»*.

[17]A partir de entonces, Jesús comenzó a predicar: «Arrepiéntanse de sus pecados y vuelvan a Dios, porque el reino del cielo está cerca*».

Primeros discípulos

[18]Cierto día, mientras Jesús caminaba por la orilla del mar de Galilea, vio a dos hermanos —a Simón, también llamado Pedro, y a Andrés— que echaban la red al agua, porque vivían de la pesca. [19]Jesús los llamó: «Vengan, síganme, ¡y yo les enseñaré cómo pescar personas!». [20]Y enseguida dejaron las redes y lo siguieron.

[21]Un poco más adelante por la orilla, vio a otros dos hermanos, Santiago y Juan, sentados en una barca junto a su padre, Zebedeo, reparando las redes. También los llamó para que lo siguieran. [22]Ellos, dejando atrás la barca y a su padre, lo siguieron de inmediato.

Multitudes siguen a Jesús

[23]Jesús viajó por toda la región de Galilea enseñando en las sinagogas, anunciando la Buena Noticia del reino, y sanando a la gente de toda clase de enfermedades y dolencias. [24]Las noticias acerca de él corrieron y llegaron tan lejos como Siria, y pronto la gente comenzó a llevarle a todo el que estuviera enfermo. Y él los sanaba a todos, cualquiera fuera la enfermedad o el dolor que tuvieran, o si estaban poseídos por demonios, o eran epilépticos o paralíticos. [25]Numerosas multitudes lo seguían a todas partes: gente de Galilea, de las Diez Ciudades,* de Jerusalén, de toda Judea y del este del río Jordán.

El Sermón del monte

5 Cierto día, al ver que las multitudes se reunían, Jesús subió a la ladera de la montaña y se sentó. Sus discípulos se juntaron a su alrededor, [2]y él comenzó a enseñarles.

Las bienaventuranzas

[3] «Dios bendice a los que son pobres
en espíritu y se dan cuenta de la
necesidad que tienen de él,
porque el reino del cielo les
pertenece.
[4] Dios bendice a los que lloran,
porque serán consolados.
[5] Dios bendice a los que son humildes,
porque heredarán toda la tierra.
[6] Dios bendice a los que tienen hambre
y sed de justicia,
porque serán saciados.
[7] Dios bendice a los compasivos,
porque serán tratados con
compasión.
[8] Dios bendice a los que tienen corazón
puro,
porque ellos verán a Dios.
[9] Dios bendice a los que procuran la paz,
porque serán llamados hijos de
Dios.
[10] Dios bendice a los que son perseguidos
por hacer lo correcto,
porque el reino del cielo les
pertenece.

[11]»Dios los bendice a ustedes cuando la gente les hace burla y los persigue y miente acerca de ustedes* y dice toda clase de cosas malas en su contra porque son mis seguidores. [12]¡Alégrense! ¡Estén contentos, porque les espera una gran

4:15 *Gentil[es]*, que no es judío. **4:15-16** Is 9:1-2 (versión griega). **4:17** O *ha venido*, o *viene pronto*. **4:25** En griego *Decápolis*. **5:11** Algunos manuscritos no incluyen *miente acerca de ustedes*.

recompensa en el cielo! Y recuerden que a los antiguos profetas los persiguieron de la misma manera.

Enseñanza acerca de la sal y de la luz

13»Ustedes son la sal de la tierra. Pero ¿para qué sirve la sal si ha perdido su sabor? ¿Pueden lograr que vuelva a ser salada? La descartarán y la pisotearán como algo que no tiene ningún valor.

14»Ustedes son la luz del mundo, como una ciudad en lo alto de una colina que no puede esconderse. 15Nadie enciende una lámpara y luego la pone debajo de una canasta. En cambio, la coloca en un lugar alto donde ilumina a todos los que están en la casa. 16De la misma manera, dejen que sus buenas acciones brillen a la vista de todos, para que todos alaben a su Padre celestial.

Enseñanza acerca de la ley

17»No malinterpreten la razón por la cual he venido. No vine para abolir la ley de Moisés o los escritos de los profetas. Al contrario, vine para cumplir sus propósitos. 18Les digo la verdad, hasta que desaparezcan el cielo y la tierra, no desaparecerá ni el más mínimo detalle de la ley de Dios hasta que su propósito se cumpla. 19Entonces, si no hacen caso al más insignificante mandamiento y les enseñan a los demás a hacer lo mismo, serán llamados los más insignificantes en el reino del cielo; pero el que obedece las leyes de Dios y las enseña será llamado grande en el reino del cielo.

20»Les advierto: a menos que su justicia supere a la de los maestros de la ley religiosa y a la de los fariseos, nunca entrarán en el reino del cielo.

Enseñanza acerca del enojo

21»Han oído que a nuestros antepasados se les dijo: "No asesines. Si cometes asesinato quedarás sujeto a juicio"*. 22Pero yo digo: aun si te enojas con alguien,* ¡quedarás sujeto a juicio! Si llamas a alguien idiota,* corres peligro de que te lleven ante el tribunal; y si maldices a alguien,* corres peligro de caer en los fuegos del infierno.*

23»Por lo tanto, si presentas una ofrenda en el altar del templo y de pronto recuerdas que alguien tiene algo contra ti, 24deja la ofrenda allí en el altar. Anda y reconcíliate con esa persona. Luego ven y presenta tu ofrenda a Dios.

25»Cuando vayas camino al juicio con tu adversario, resuelvan rápidamente las diferencias. De no ser así, el que te acusa podría entregarte al juez, quien te entregará a un oficial y te meterán en la cárcel. 26Si eso sucede, te aseguro que no te pondrán en libertad hasta que hayas pagado el último centavo.*

Enseñanza acerca del adulterio

27»Han oído el mandamiento que dice: "No cometas adulterio"*. 28Pero yo digo que el que mira con pasión sexual a una mujer, ya ha cometido adulterio con ella en el corazón. 29Por lo tanto, si tu ojo —incluso tu ojo bueno*— te hace caer en pasiones sexuales, sácatelo y tíralo. Es preferible que pierdas una parte de tu cuerpo y no que todo tu cuerpo sea arrojado al infierno. 30Y si tu mano —incluso tu mano más fuerte*— te hace pecar, córtala y tírala. Es preferible que pierdas una parte del cuerpo y no que todo tu cuerpo sea arrojado al infierno.

5:21 Ex 20:13; Dt 5:17. **5:22a** Algunos manuscritos incluyen *sin causa*. **5:22b** El griego emplea un término arameo de desprecio: *Si le dices a tu hermano: "Raca"*. **5:22c** En griego *Si dices: "Necio"*. **5:22d** En griego *Gehenna;* también en 5:29, 30. **5:26** En griego *los últimos kodrantes* [es decir, cuadrantes]. **5:27** Ex 20:14; Dt 5:18. **5:29** En griego *tu ojo derecho*. **5:30** En griego *tu mano derecha*.

Enseñanza acerca del divorcio

[31]»Han oído la ley que dice: "Un hombre puede divorciarse de su esposa con sólo darle por escrito un aviso de divorcio"*. [32]Pero yo digo que un hombre que se divorcia de su esposa, a menos que ella le haya sido infiel, hace que ella cometa adulterio; y el que se casa con una divorciada también comete adulterio.

Enseñanza acerca de los juramentos

[33]»También han oído que a nuestros antepasados se les dijo: "No rompas tus juramentos; debes cumplir con los juramentos que le haces al SEÑOR"*. [34]Pero yo digo: ¡no hagas juramentos! No digas: "¡Por el cielo!", porque el cielo es el trono de Dios. [35]Y no digas: "¡Por la tierra!", porque la tierra es donde descansa sus pies. Tampoco digas: "¡Por Jerusalén!", porque Jerusalén es la ciudad del gran Rey. [36]Ni siquiera digas: "¡Por mi cabeza!", porque no puedes hacer que ninguno de tus cabellos se vuelva blanco o negro. [37]Simplemente di: "Sí, lo haré" o "No, no lo haré". Cualquier otra cosa proviene del maligno.

Enseñanza acerca de la venganza

[38]»Han oído la ley que dice que el castigo debe ser acorde a la gravedad del daño: "Ojo por ojo, y diente por diente"*. [39]Pero yo digo: no resistas a la persona mala. Si alguien te da una bofetada en la mejilla derecha, ofrécele también la otra mejilla. [40]Si te demandan ante el tribunal y te quitan la camisa, dales también tu abrigo. [41]Si un soldado te exige que lleves su equipo por un kilómetro,* llévalo dos. [42]Dale a los que te pidan y no des la espalda a quienes te pidan prestado.

Enseñanza acerca de amar a los enemigos

[43]»Han oído la ley que dice: "Ama a tu prójimo"* y odia a tu enemigo. [44]Pero yo digo: ¡ama a tus enemigos!* ¡Ora por los que te persiguen! [45]De esa manera, estarás actuando como verdadero hijo de tu Padre que está en el cielo. Pues él da la luz de su sol tanto a los malos como a los buenos y envía la lluvia sobre los justos y los injustos por igual. [46]Si sólo amas a quienes te aman, ¿qué recompensa hay por eso? Hasta los corruptos cobradores de impuestos hacen lo mismo. [47]Si eres amable sólo con tus amigos,* ¿en qué te diferencias de cualquier otro? Hasta los paganos hacen lo mismo. [48]Pero tú debes ser perfecto, así como tu Padre en el cielo es perfecto.

Enseñanza acerca de dar a los necesitados

6 »¡Tengan cuidado! No hagan sus buenas acciones en público para que los demás los admiren, porque perderán la recompensa de su Padre, que está en el cielo. [2]Cuando le des a alguien que pasa necesidad, no hagas lo que hacen los hipócritas que tocan la trompeta en las sinagogas y en las calles para llamar la atención a sus actos de caridad. Les digo la verdad, no recibirán otra recompensa más que ésa. [3]Pero tú, cuando le des a alguien que pasa necesidad, que no sepa tu mano izquierda lo que hace tu derecha. [4]Entrega tu ayuda en privado, y tu Padre, quien todo lo ve, te recompensará.

Enseñanza acerca de la oración y el ayuno

[5]»Cuando ores, no hagas como los hipócritas a quienes les encanta orar en

5:31 Dt 24:1. **5:33** Nm 30:2. **5:38** En griego *la ley que dice: "Ojo por ojo y diente por diente"*. Ex 21:24; Lv 24:20; Dt 19:21. **5:41** En griego *milion* [1478 metros ó 4854 pies]. **5:43** Lv 19:18. **5:44** Algunos manuscritos incluyen *Bendigan a quienes los maldicen. Hagan el bien a todos los que los odian.* Comparar Lc 6:27-28. **5:47** En griego *tus hermanos*.

público, en las esquinas de las calles y en las sinagogas donde todos pueden verlos. Les digo la verdad, no recibirán otra recompensa más que ésa. [6]Pero tú, cuando ores, apártate a solas, cierra la puerta detrás de ti y ora a tu Padre en privado. Entonces, tu Padre, quien todo lo ve, te recompensará.

[7]»Cuando ores, no parlotees de manera interminable como hacen los seguidores de otras religiones. Piensan que sus oraciones recibirán respuesta sólo por repetir las mismas palabras una y otra vez. [8]No seas como ellos, porque tu Padre sabe exactamente lo que necesitas, incluso antes de que se lo pidas. [9]Ora de la siguiente manera:

Padre nuestro que estás en el cielo,
que sea siempre santo tu nombre.
[10] Que tu reino venga pronto.
Que se cumpla tu voluntad en la tierra
como se cumple en el cielo.
[11] Danos hoy el alimento que
necesitamos,*
[12] y perdona nuestros pecados,
así como hemos perdonado a los
que pecan contra nosotros.
[13] No permitas que cedamos ante la
tentación,*
sino rescátanos del maligno.*

[14]»Si perdonas a los que pecan contra ti, tu Padre celestial te perdonará a ti; [15]pero si te niegas a perdonar a los demás, tu Padre no perdonará tus pecados.

[16]»Cuando ayunes, que no sea evidente, porque así hacen los hipócritas; pues tratan de tener una apariencia miserable y andan desarreglados para que la gente los admire por sus ayunos. Les digo la verdad, no recibirán otra recompensa más que ésa. [17]Pero tú, cuando ayunes, lávate la cara y péinate. [18]Así, nadie se dará cuenta de que estás ayunando, excepto tu Padre, quien sabe lo que haces en privado; y tu Padre, quien todo lo ve, te recompensará.

Enseñanza acerca del dinero y las posesiones

[19]»No almacenes tesoros aquí en la tierra, donde las polillas se los comen y el óxido los destruye, y donde los ladrones entran y roban. [20]Almacena tus tesoros en el cielo, donde las polillas y el óxido no pueden destruir, y los ladrones no entran a robar. [21]Donde esté tu tesoro, allí estarán también los deseos de tu corazón.

[22]»Tu ojo es una lámpara que da luz a tu cuerpo. Cuando tu ojo es bueno, todo tu cuerpo está lleno de luz; [23]pero cuando tu ojo es malo, todo tu cuerpo está lleno de oscuridad; y si la luz que crees tener en realidad es oscuridad, ¡qué densa es esa oscuridad!

[24]»Nadie puede servir a dos amos. Pues odiará a uno y amará al otro; será leal a uno y despreciará al otro. No se puede servir a Dios y al dinero.

[25]»Por eso les digo que no se preocupen por la vida diaria, si tendrán suficiente alimento y bebida, o suficiente ropa para vestirse. ¿Acaso no es la vida más que la comida y el cuerpo más que la ropa? [26]Miren los pájaros. No plantan ni cosechan ni guardan comida en graneros, porque el Padre celestial los alimenta. ¿Y no son ustedes para él mucho más valiosos que ellos? [27]¿Acaso con todas sus preocupaciones pueden añadir un solo momento a su vida?

[28]»¿Y por qué preocuparse por la ropa? Miren cómo crecen los lirios del campo. No trabajan ni cosen su ropa; [29]sin embargo, ni Salomón con toda su

6:11 O *Danos hoy nuestro alimento para este día;* o *Danos hoy nuestro alimento para mañana.*
6:13a O *Y líbranos de ser puestos a prueba.* **6:13b** O *del mal.* Algunos manuscritos incluyen *Pues tuyo es el reino y el poder y la gloria por siempre. Amén.*

gloria se vistió tan hermoso como ellos. [30]Si Dios cuida de manera tan maravillosa a las flores silvestres que hoy están y mañana se echan al fuego, tengan por seguro que cuidará de ustedes. ¿Por qué tienen tan poca fe?

[31]»Así que no se preocupen por todo eso diciendo: "¿Qué comeremos?, ¿qué beberemos?, ¿qué ropa nos pondremos?". [32]Esas cosas dominan el pensamiento de los incrédulos, pero su Padre celestial ya conoce todas sus necesidades. [33]Busquen el reino de Dios* por encima de todo lo demás y lleven una vida justa, y él les dará todo lo que necesiten.

[34]»Así que no se preocupen por el mañana, porque el día de mañana traerá sus propias preocupaciones. Los problemas del día de hoy son suficientes por hoy.

No juzgar a los demás

7 »No juzguen a los demás, y no serán juzgados. [2]Pues serán tratados de la misma forma en que traten a los demás.* El criterio que usen para juzgar a otros es el criterio con el que se les juzgará a ustedes.*

[3]»¿Y por qué te preocupas por la astilla en el ojo de tu amigo,* cuando tú tienes un tronco en el tuyo? [4]¿Cómo puedes pensar en decirle a tu amigo:* "Déjame ayudarte a sacar la astilla de tu ojo", cuando tú no puedes ver más allá del tronco que está en tu propio ojo? [5]¡Hipócrita! Primero quita el tronco de tu ojo; después verás lo suficientemente bien para ocuparte de la astilla en el ojo de tu amigo.

[6]»No desperdicies lo que es santo en gente que no es santa.* ¡No arrojes tus perlas a los cerdos! Pisotearán las perlas y luego se darán vuelta y te atacarán.

Oración eficaz

[7]»Sigue pidiendo y recibirás lo que pides; sigue buscando y encontrarás; sigue llamando, y la puerta se te abrirá. [8]Pues todo el que pide, recibe; todo el que busca, encuentra; y a todo el que llama, se le abrirá la puerta.

[9]»Ustedes, los que son padres, si sus hijos les piden un pedazo de pan, ¿acaso les dan una piedra en su lugar? [10]O si les piden un pescado, ¿les dan una serpiente? ¡Claro que no! [11]Así que si ustedes, gente pecadora, saben dar buenos regalos a sus hijos, cuánto más su Padre celestial dará buenos regalos a quienes le pidan.

La regla de oro

[12]»Haz a los demás todo lo que quieras que te hagan a ti. Ésa es la esencia de todo lo que se enseña en la ley y en los profetas.

La puerta angosta

[13]»Sólo puedes entrar en el reino de Dios a través de la puerta angosta. La carretera al infierno* es amplia y la puerta es ancha para los muchos que escogen ese camino. [14]Sin embargo, la puerta de acceso a la vida es muy angosta y el camino es difícil, y son sólo unos pocos los que alguna vez lo encuentran.

El árbol y su fruto

[15]»Ten cuidado de los falsos profetas que vienen disfrazados de ovejas inofensivas pero en realidad son lobos feroces. [16]Puedes identificarlos por su fruto, es decir, por la manera en que se comportan. ¿Acaso puedes recoger uvas de los espinos o higos de los cardos? [17]Un buen árbol produce frutos buenos y un árbol malo produce frutos malos. [18]Un buen

6:33 Algunos manuscritos no incluyen *de Dios*. **7:2a** O *Pues Dios los juzgará como ustedes juzgan a los demás.* **7:2b** O *La misma medida que dan será la que recibirán.* **7:3** En griego *el ojo de tu hermano;* también en 7:5. **7:4** En griego *tu hermano.* **7:6** En griego *No den lo sagrado a los perros.* **7:13** En griego *La senda que conduce a la destrucción.*

árbol no puede producir frutos malos y un árbol malo no puede producir frutos buenos. [19]Por lo tanto, todo árbol que no produce frutos buenos se corta y se arroja al fuego. [20]Así es, de la misma manera que puedes identificar un árbol por su fruto, puedes identificar a la gente por sus acciones.

Verdaderos discípulos

[21]»No todo el que me llama: "¡Señor, Señor!" entrará en el reino del cielo. Sólo entrarán aquellos que verdaderamente hacen la voluntad de mi Padre que está en el cielo. [22]El día del juicio, muchos me dirán: "¡Señor, Señor! Profetizamos en tu nombre, expulsamos demonios en tu nombre e hicimos muchos milagros en tu nombre". [23]Pero yo les responderé: "Nunca los conocí. Aléjense de mí, ustedes, que violan las leyes de Dios".

Edificar sobre un cimiento sólido

[24]»Todo el que escucha mi enseñanza y la sigue es sabio, como la persona que construye su casa sobre una roca sólida. [25]Aunque llueva a cántaros y suban las aguas de la inundación y los vientos golpeen contra esa casa, no se vendrá abajo porque está construida sobre un lecho de roca. [26]Sin embargo, el que oye mi enseñanza y no la obedece es un necio, como la persona que construye su casa sobre la arena. [27]Cuando vengan las lluvias y lleguen las inundaciones y los vientos golpeen contra esa casa, se derrumbará con un gran estruendo».

[28]Cuando Jesús terminó de decir esas cosas, las multitudes quedaron asombradas de su enseñanza, [29]porque lo hacía con verdadera autoridad, algo completamente diferente de lo que hacían los maestros de la ley religiosa.

Jesús sana a un leproso

8 Al bajar Jesús por la ladera del monte, grandes multitudes lo seguían. [2]De repente, un leproso se le acercó y se arrodilló delante de él.

—Señor —dijo el hombre—, si tú quieres, puedes sanarme y dejarme limpio.

[3]Jesús extendió la mano y lo tocó:

—Sí quiero —dijo—. ¡Queda sano!

Al instante, la lepra desapareció.

[4]—No se lo cuentes a nadie —le dijo Jesús—. En cambio, preséntate ante el sacerdote y deja que te examine. Lleva contigo la ofrenda que exige la ley de Moisés a los que son sanados de lepra.* Esto será un testimonio público de que has quedado limpio.

La fe de un oficial romano

[5]Cuando Jesús regresó a Capernaúm, un oficial romano* se le acercó y le rogó:

[6]—Señor, mi joven siervo* está en cama, paralizado y con terribles dolores.

[7]—Iré a sanarlo —dijo Jesús.

[8]—Señor —dijo el oficial—, no soy digno de que entres en mi casa. Tan sólo pronuncia la palabra desde donde estás y mi siervo se sanará. [9]Lo sé porque estoy bajo la autoridad de mis oficiales superiores y tengo autoridad sobre mis soldados. Sólo tengo que decir: "Vayan", y ellos van o "vengan", y ellos vienen. Y si les digo a mis esclavos: "Hagan esto", lo hacen.

[10]Al oírlo, Jesús quedó asombrado. Se dirigió a los que lo seguían y dijo: «Les digo la verdad, ¡no he visto una fe como ésta en todo Israel! [11]Y les digo que muchos gentiles* vendrán de todas partes del mundo —del oriente y del occidente— y se sentarán con Abraham, Isaac y Jacob en la fiesta del reino del cielo. [12]Pero muchos israelitas —para quienes se preparó el reino— serán arrojados a la

8:4 Ver Lv 14:2-32. **8:5** En griego *un centurión;* similar en 8:8, 13. **8:6** O *hijo;* también en 8:13. **8:11** *Gentil[es],* que no es judío.

oscuridad de afuera, donde habrá llanto y rechinar de dientes».

[13]Entonces Jesús le dijo al oficial romano: «Vuelve a tu casa. Debido a que creíste, ha sucedido». Y el joven siervo quedó sano en esa misma hora.

Jesús sana a mucha gente

[14]Cuando Jesús llegó a la casa de Pedro, la suegra de Pedro estaba enferma en cama con mucha fiebre. [15]Jesús le tocó la mano y la fiebre se fue. Entonces ella se levantó y le preparó una comida.

[16]Aquella noche, le llevaron a Jesús muchos endemoniados. Él expulsó a los espíritus malignos con una simple orden y sanó a todos los enfermos. [17]Así se cumplió la palabra del Señor por medio del profeta Isaías, quien dijo:

«Se llevó nuestras enfermedades
y quitó nuestras dolencias»*.

Lo que cuesta seguir a Jesús

[18]Cuando Jesús vio a la multitud que lo rodeaba, dio instrucciones a sus discípulos de que cruzaran al otro lado del lago.

[19]Entonces uno de los maestros de la ley religiosa le dijo:

—Maestro, te seguiré a donde quiera que vayas.

[20]Jesús le respondió:

—Los zorros tienen cuevas donde vivir y los pájaros tienen nidos, pero el Hijo del Hombre* no tiene ni siquiera un lugar donde recostar la cabeza.

[21]Otro de sus discípulos dijo:

—Señor, deja que primero regrese a casa y entierre a mi padre.

[22]Jesús le dijo:

—Sígueme ahora. Deja que los muertos espirituales entierren a sus muertos.*

Jesús calma la tormenta

[23]Luego Jesús entró en la barca y comenzó a cruzar el lago con sus discípulos. [24]De repente, se desató sobre el lago una fuerte tormenta, con olas que entraban en el barco; pero Jesús dormía. [25]Los discípulos fueron a despertarlo:

—Señor, ¡sálvanos! ¡Nos vamos a ahogar! —gritaron.

[26]—¿Por qué tienen miedo? —preguntó Jesús—. ¡Tienen tan poca fe!

Entonces se levantó y reprendió al viento y a las olas y, de repente, hubo una gran calma.

[27]Los discípulos quedaron asombrados y preguntaron: «¿Quién es este hombre? ¡Hasta el viento y las olas lo obedecen!».

Jesús sana a dos endemoniados

[28]Cuando Jesús llegó al otro lado del lago, a la región de los gadarenos,* dos hombres que estaban poseídos por demonios salieron a su encuentro. Vivían en un cementerio y eran tan violentos que nadie podía pasar por esa zona.

[29]Comenzaron a gritarle: «¿Por qué te entrometes con nosotros, Hijo de Dios? ¿Has venido aquí para torturarnos antes del tiempo establecido por Dios?».

[30]Sucedió que a cierta distancia había una gran manada de cerdos alimentándose. [31]Entonces los demonios suplicaron:

—Si nos echas afuera, envíanos a esa manada de cerdos.

[32]—Muy bien, ¡vayan! —les ordenó Jesús.

Entonces los demonios salieron de los hombres y entraron en los cerdos, y toda la manada se lanzó al lago por el precipicio y se ahogó en el agua.

[33]Los hombres que cuidaban los cerdos huyeron a la ciudad cercana y contaron a todos lo que había sucedido con los

8:17 Is 53:4. **8:20** «Hijo del Hombre» es un título que Jesús empleaba para referirse a sí mismo. **8:22** En griego *Deja que los muertos entierren a sus propios muertos.* **8:28** Otros manuscritos dicen *gergesenos;* incluso otros dicen *gerasenos.* Comparar Mc 5:1; Lc 8:26.

endemoniados. [34]Entonces toda la ciudad salió al encuentro de Jesús, pero le rogaron que se fuera y los dejara en paz.

Jesús sana a un hombre paralítico

9 Jesús subió a una barca y regresó al otro lado del lago, a su propia ciudad. [2]Unos hombres le llevaron a un paralítico en una camilla. Al ver la fe de ellos, Jesús le dijo al paralítico: «¡Ánimo, hijo mío! Tus pecados son perdonados».

[3]Entonces algunos de los maestros de la ley religiosa decían en su interior: «¡Es una blasfemia! ¿Acaso se cree que es Dios?».

[4]Jesús sabía* lo que ellos estaban pensando, así que les preguntó: «¿Por qué tienen pensamientos tan malvados en el corazón? [5]¿Qué es más fácil decir: "Tus pecados son perdonados" o "Ponte de pie y camina"? [6]Así que les demostraré que el Hijo del Hombre* tiene autoridad en la tierra para perdonar pecados». Entonces Jesús miró al paralítico y dijo: «¡Ponte de pie, toma tu camilla y vete a tu casa!».

[7]¡El hombre se levantó de un salto y se fue a su casa! [8]Al ver esto, el temor se apoderó de la multitud; y alababan a Dios por enviar a un hombre con tanta autoridad.*

Jesús llama a Mateo

[9]Mientras caminaba, Jesús vio a un hombre llamado Mateo sentado en su cabina de cobrador de impuestos. «Sígueme y sé mi discípulo», le dijo Jesús. Entonces Mateo se levantó y lo siguió.

[10]Más tarde, Mateo invitó a Jesús y a sus discípulos a una cena en su casa, junto con muchos cobradores de impuestos y otros pecadores de mala fama. [11]Cuando los fariseos vieron esto, preguntaron a los discípulos: «¿Por qué su maestro come con semejante escoria?*».

[12]Cuando Jesús los oyó, les dijo: «La gente sana no necesita médico, los enfermos sí». [13]Luego añadió: «Ahora vayan y aprendan el significado de la siguiente Escritura: "Quiero que tengan compasión, no que ofrezcan sacrificios"*. Pues no he venido a llamar a los que se creen justos, sino a los que saben que son pecadores».

Discusión acerca del ayuno

[14]Un día los discípulos de Juan el Bautista se acercaron a Jesús y le preguntaron:

—¿Por qué tus discípulos no ayunan,* como lo hacemos nosotros y los fariseos?

[15]Jesús respondió:

—¿Acaso los invitados de una boda están de luto mientras festejan con el novio? Por supuesto que no, pero un día el novio será llevado, y entonces sí ayunarán.

[16]»Además, ¿a quién se le ocurriría remendar una prenda vieja con tela nueva? Pues el remiendo nuevo encogería y se desprendería de la tela vieja, lo cual dejaría una rotura aún mayor que la anterior.

[17]»Y nadie pone vino nuevo en cueros viejos. Pues los cueros viejos se reventarían por la presión y el vino se derramaría, y los cueros quedarían arruinados. El vino nuevo se guarda en cueros nuevos para preservar a ambos.

Jesús sana en respuesta a la fe

[18]Mientras Jesús decía esas cosas, el líder de una sinagoga se le acercó y se arrodilló delante de él. «Mi hija acaba de morir —le dijo—, pero tú puedes traerla nuevamente a la vida sólo con venir y poner tu mano sobre ella».

9:4 Algunos manuscritos dicen *vio*. **9:6** «Hijo del Hombre» es un título que Jesús empleaba para referirse a sí mismo. **9:8** En griego *por darle semejante autoridad a los seres humanos*. **9:11** En griego *con cobradores de impuestos y pecadores?* **9:13** Os 6:6 (versión griega). **9:14** Algunos manuscritos dicen *ayunan a menudo*.

[19]Entonces Jesús y sus discípulos se levantaron y fueron con él. [20]Justo en ese momento, una mujer quien hacía doce años que sufría de una hemorragia continua se le acercó por detrás. Tocó el fleco de la túnica de Jesús [21]porque pensó: «Si tan sólo toco su túnica, quedaré sana».

[22]Jesús se dio vuelta, y cuando la vio le dijo: «¡Ánimo, hija! Tu fe te ha sanado». Y la mujer quedó sana en ese instante.

[23]Cuando Jesús llegó a la casa del oficial, vio a una ruidosa multitud y escuchó la música del funeral. [24]«¡Salgan de aquí! —les dijo— La niña no está muerta; sólo duerme»; pero la gente se rió de él. [25]Sin embargo, una vez que hicieron salir a todos, Jesús entró y tomó la mano de la niña, ¡y ella se puso de pie! [26]La noticia de este milagro corrió por toda la región.

Jesús sana a unos ciegos

[27]Cuando Jesús salió de la casa de la niña, lo siguieron dos hombres ciegos, quienes gritaban: «¡Hijo de David, ten compasión de nosotros!».

[28]Entraron directamente a la casa donde Jesús se hospedaba, y él les preguntó:

—¿Creen que puedo darles la vista?

—Sí, Señor —le dijeron—, lo creemos.

[29]Entonces él les tocó los ojos y dijo:

—Debido a su fe, así se hará.

[30]Entonces sus ojos se abrieron, ¡y pudieron ver! Jesús les advirtió severamente: «No se lo cuenten a nadie»; [31]pero ellos, en cambio, salieron e hicieron correr su fama por toda la región.

[32]Cuando se fueron, un hombre que no podía hablar, poseído por un demonio, fue llevado a Jesús. [33]Entonces Jesús expulsó al demonio y después el hombre comenzó a hablar. Las multitudes quedaron asombradas. «¡Jamás sucedió algo así en Israel», exclamaron.

[34]Sin embargo, los fariseos dijeron: «Puede expulsar demonios porque el príncipe de los demonios le da poder».

La necesidad de obreros

[35]Jesús recorrió todas las ciudades y aldeas de esa región, enseñando en las sinagogas y anunciando la Buena Noticia acerca del reino; y sanaba toda clase de enfermedades y dolencias. [36]Cuando vio a las multitudes, les tuvo compasión, porque estaban confundidas y desamparadas, como ovejas sin pastor. [37]A sus discípulos les dijo: «La cosecha es grande, pero los obreros son pocos. [38]Así que oren al Señor que está a cargo de la cosecha; pídanle que envíe más obreros a sus campos».

Jesús envía a los doce apóstoles

10 Jesús reunió a sus doce discípulos y les dio autoridad para expulsar espíritus malignos* y para sanar toda clase de enfermedades y dolencias. [2]Los nombres de los doce apóstoles son los siguientes:

Primero, Simón (también llamado Pedro),
luego Andrés (el hermano de Pedro),
Santiago (hijo de Zebedeo),
Juan (el hermano de Santiago),
[3] Felipe,
Bartolomé,
Tomás,
Mateo (el cobrador de impuestos),
Santiago (hijo de Alfeo),
Tadeo,*
[4] Simón (el zelote),*
Judas Iscariote (quien después lo traicionó).

[5]Jesús envió a los doce apóstoles con las siguientes instrucciones: «No vayan a los gentiles* ni a los samaritanos, [6]sino

10:1 En griego *impuros.* **10:3** Otros manuscritos dicen *Lebeo;* incluso otros dicen *Lebeo, a quien se llama Tadeo.* **10:4** En griego *el cananeo,* término arameo para designar a los judíos nacionalistas. **10:5** *Gentil[es],* que no es judío.

sólo al pueblo de Israel, las ovejas perdidas de Dios. [7]Vayan y anúncienles que el reino del cielo está cerca.* [8]Sanen a los enfermos, resuciten a los muertos, curen a los leprosos y expulsen a los demonios. ¡Den tan gratuitamente como han recibido!

[9]»No lleven nada de dinero en el cinturón, ni monedas de oro, ni de plata, ni siquiera de cobre. [10]No lleven bolso de viaje con una muda de ropa ni con sandalias, ni siquiera lleven un bastón. No duden en aceptar la hospitalidad, porque los que trabajan merecen que se les dé alimento.

[11]»Cada vez que entren en una ciudad o una aldea, busquen a una persona digna y quédense en su casa hasta que salgan de ese lugar. [12]Cuando entren en el hogar, bendíganlo. [13]Si resulta ser un hogar digno, dejen que su bendición siga allí; si no lo es, retiren la bendición. [14]Si cualquier casa o ciudad se niega a darles la bienvenida o a escuchar su mensaje, sacúdanse el polvo de los pies al salir. [15]Les digo la verdad, el día del juicio les irá mejor a las ciudades perversas de Sodoma y Gomorra que a esa ciudad.

[16]»Miren, los envío como ovejas en medio de lobos. Por lo tanto, sean astutos como serpientes e inofensivos como palomas. [17]Tengan cuidado, porque los entregarán a los tribunales y los azotarán con látigos en las sinagogas. [18]Serán sometidos a juicio delante de gobernantes y reyes por ser mis seguidores; pero esa será una oportunidad para que les hablen a los gobernantes y a otros incrédulos acerca de mí.* [19]Cuando los arresten, no se preocupen por cómo responder o qué decir. Dios les dará las palabras apropiadas en el momento preciso. [20]Pues no serán ustedes los que hablen, sino que el Espíritu de su Padre hablará por medio de ustedes.

[21]»Un hermano traicionará a muerte a su hermano, un padre traicionará a su propio hijo, los hijos se rebelarán contra sus padres y harán que los maten. [22]Todas las naciones los odiarán a ustedes por ser mis seguidores,* pero todo el que se mantenga firme hasta el fin será salvo. [23]Cuando los persigan en una ciudad, huyan a la siguiente. Les digo la verdad, el Hijo del Hombre* regresará antes de que hayan llegado a todas las ciudades de Israel.

[24]»Los alumnos* no son superiores a su maestro, y los esclavos no son superiores a su amo. [25]Los alumnos deben parecerse a su maestro, y los esclavos deben parecerse a su amo. Si a mí, el amo de la casa, me han llamado príncipe de los demonios,* a los miembros de mi casa los llamarán con nombres todavía peores.

[26]»Así que no tengan miedo de aquellos que los amenazan; pues llegará el tiempo en que todo lo que está encubierto será revelado y todo lo secreto se dará a conocer a todos. [27]Lo que ahora les digo en la oscuridad grítenlo por todas partes cuando llegue el amanecer. Lo que les susurro al oído grítenlo desde las azoteas, para que todos lo escuchen.

[28]»No teman a los que quieren matarles el cuerpo; no pueden tocar el alma. Teman sólo a Dios, quien puede destruir tanto el alma como el cuerpo en el infierno.* [29]¿Cuánto cuestan dos gorriones: una moneda de cobre?* Sin embargo, ni un solo gorrión puede caer a tierra sin que el Padre lo sepa. [30]En cuanto a ustedes, cada cabello de su cabeza está

10:7 O *ha venido,* o *viene pronto.* **10:18** O *Pero éste será su testimonio en contra de los gobernantes y otros incrédulos.* **10:22** En griego *por causa de mi nombre.* **10:23** «Hijo del Hombre» es un título que Jesús empleaba para referirse a sí mismo. **10:24** O *discípulos.* **10:25** En griego *Beelzeboul;* otros manuscritos dicen *Beezeboul;* la versión latina dice *Beelzebú.* **10:28** En griego *Gehenna.* **10:29** En griego *un asarion* [es decir, un «as», moneda romana equivalente a 1/16 de un denario].

contado. [31]Así que no tengan miedo; para Dios ustedes son más valiosos que toda una bandada de gorriones.

[32]»Todo aquel que me reconozca en público aquí en la tierra también lo reconoceré delante de mi Padre en el cielo; [33]pero al que me niegue aquí en la tierra también yo lo negaré delante de mi Padre en el cielo.

[34]»¡No crean que vine a traer paz a la tierra! No vine a traer paz, sino espada.

[35] "He venido a poner a un hombre
contra su padre,
a una hija contra su madre
y a una nuera contra su suegra.
[36] ¡Sus enemigos estarán dentro de su
propia casa!"*.

[37]»Si amas a tu padre o a tu madre más que a mí, no eres digno de ser mío; si amas a tu hijo o a tu hija más que a mí, no eres digno de ser mío. [38]Si te niegas a tomar tu cruz y a seguirme, no eres digno de ser mío. [39]Si te aferras a tu vida, la perderás; pero, si entregas tu vida por mí, la salvarás.

[40]»El que los recibe a ustedes me recibe a mí, y el que me recibe a mí recibe al Padre, quien me envió. [41]Si reciben a un profeta como a alguien que habla de parte de Dios,* recibirán la misma recompensa que un profeta. Si reciben a un justo debido a su justicia, recibirán una recompensa similar a la de él. [42]Y si le dan siquiera un vaso de agua fresca a uno de mis seguidores más insignificantes, les aseguro que recibirán una recompensa».

Jesús y Juan el Bautista

11 Cuando Jesús terminó de darles esas instrucciones a los doce discípulos, salió a enseñar y a predicar en las ciudades de toda la región.

[2]Juan el Bautista, quien estaba en prisión, oyó acerca de todas las cosas que hacía el Mesías. Entonces envió a sus discípulos para que le preguntaran a Jesús:

[3]—¿Eres tú el Mesías a quien hemos esperado* o debemos seguir buscando a otro?

[4]Jesús les dijo:

—Regresen a Juan y cuéntenle lo que han oído y visto: [5]los ciegos ven, los cojos caminan bien, los leprosos son curados, los sordos oyen, los muertos resucitan, y a los pobres se les predica la Buena Noticia. [6]Y díganle: "Dios bendice a los que no se apartan por causa de mí"*.

[7]Mientras los discípulos de Juan se iban, Jesús comenzó a hablar acerca de él a las multitudes: «¿A qué clase de hombre fueron a ver al desierto? ¿Acaso era una caña débil sacudida con la más leve brisa? [8]¿O esperaban ver a un hombre vestido con ropa costosa? No, la gente que usa ropa costosa vive en los palacios. [9]¿Buscaban a un profeta? Así es, y él es más que un profeta. [10]Juan es el hombre al que se refieren las Escrituras cuando dicen:

"Mira, envío a mi mensajero por
anticipado,
y él preparará el camino delante
de ti"*.

[11]»Les digo la verdad, de todos los que han vivido, nadie es superior a Juan el Bautista. Sin embargo, hasta la persona más insignificante en el reino del cielo es superior a él. [12]Desde los días en que Juan el Bautista comenzó a predicar hasta ahora, el reino del cielo ha venido avanzando con fuerza, y gente violenta lo está atacando.* [13]Pues, antes de que viniera Juan, todos los profetas y la ley de Moisés anunciaban este tiempo;

10:35-36 Mi 7:6. **10:41** En griego *reciben a un profeta en nombre de un profeta.* **11:3** En griego *¿Eres tú el que viene?* **11:6** O *que no son ofendidos por mí.* **11:10** Mal 3:1. **11:12** O *El reino del cielo sufre violencia.*

[14]y si ustedes están dispuestos a aceptar lo que les digo, él es Elías, aquel que los profetas dijeron que vendría.* [15]¡Todo el que tenga oídos para oír, que escuche y entienda!

[16]»¿Con qué puedo comparar a esta generación? Se parece a los niños que juegan en la plaza. Se quejan ante sus amigos:

[17] "Tocamos canciones de bodas,
y no bailaron;
entonces tocamos canciones fúnebres,
y no se lamentaron".

[18]»Pues Juan no dedicaba el tiempo a comer y beber, y ustedes dicen: "Está poseído por un demonio". [19]El Hijo del Hombre,* por su parte, festeja y bebe, y ustedes dicen: "¡Es un glotón y un borracho y es amigo de cobradores de impuestos y de otros pecadores!". Pero la sabiduría demuestra estar en lo cierto por medio de sus resultados».

Juicio para los incrédulos

[20]Luego Jesús comenzó a denunciar a las ciudades en las que había hecho tantos milagros, porque no se habían arrepentido de sus pecados ni se habían vuelto a Dios. [21]«¡Qué aflicción les espera, Corazín y Betsaida! Pues, si en las perversas ciudades de Tiro y de Sidón se hubieran hecho los milagros que hice entre ustedes, hace tiempo sus habitantes se habrían arrepentido de sus pecados vistiéndose con ropa de tela áspera y echándose ceniza sobre la cabeza en señal de remordimiento. [22]Les digo que el día del juicio, a Tiro y a Sidón les irá mejor que a ustedes.

[23]»Y ustedes, los de Capernaúm, ¿serán honrados en el cielo? No, descenderán al lugar de los muertos.* Pues, si hubiera hecho en la perversa ciudad de Sodoma los milagros que hice entre ustedes, la ciudad estaría aquí hasta el día de hoy. [24]Les digo que, el día del juicio, aun a Sodoma le irá mejor que a ustedes».

Jesús da gracias al Padre

[25]En esa ocasión, Jesús hizo la siguiente oración: «Oh Padre, Señor del cielo y de la tierra, gracias por esconder estas cosas de los que se creen sabios e inteligentes, y por revelárselas a los que son como niños. [26]Sí, Padre, ¡te agradó hacerlo de esa manera!

[27]»Mi Padre me ha confiado todo. Nadie conoce verdaderamente al Hijo excepto el Padre, y nadie conoce verdaderamente al Padre excepto el Hijo y aquellos a quienes el Hijo decide revelarlo».

[28]Luego dijo Jesús: «Vengan a mí todos los que están cansados y llevan cargas pesadas, y yo les daré descanso. [29]Pónganse mi yugo. Déjenme enseñarles, porque yo soy humilde y tierno de corazón, y encontrarán descanso para el alma. [30]Pues mi yugo es fácil de llevar y la carga que les doy es liviana».

Discusión acerca del día de descanso

12 Por ese tiempo, Jesús caminaba en el día de descanso por unos terrenos sembrados. Sus discípulos tenían hambre, entonces comenzaron a arrancar unas espigas de grano y a comérselas. [2]Algunos fariseos los vieron y protestaron:

—Mira, tus discípulos violan la ley al cosechar granos en el día de descanso.

[3]—¿No han leído en las Escrituras lo que hizo David cuando él y sus compañeros tuvieron hambre? [4]Entró en la casa de Dios, y él y sus compañeros violaron la ley al comer los panes sagrados, que sólo a los sacerdotes se les permitía comer. [5]¿Y no han leído en la ley de Moisés

11:14 Ver Ml 4:5. **11:19** «Hijo del Hombre» es un título que Jesús empleaba para referirse a sí mismo.
11:23 En griego *al Hades*.

que los sacerdotes de turno en el templo pueden trabajar en el día de descanso? [6]Les digo, ¡aquí hay uno que es superior al templo! [7]Ustedes no habrían condenado a mis discípulos —quienes son inocentes— si conocieran el significado de la Escritura que dice: "Quiero que tengan compasión, no que ofrezcan sacrificios"*. [8]Pues el Hijo del Hombre* es Señor, ¡incluso del día de descanso!

Jesús sana en el día de descanso

[9]Luego Jesús entró en la sinagoga de ellos, [10]y allí vio a un hombre que tenía una mano deforme. Los fariseos le preguntaron a Jesús:

—¿Permite la ley que una persona trabaje sanando en el día de descanso?

(Esperaban que él dijera que sí para poder levantar cargos en su contra).

[11]Él les respondió:

—Si tuvieran una oveja y ésta cayera en un pozo de agua en el día de descanso, ¿no trabajarían para sacarla de allí? Por supuesto que lo harían. [12]¡Y cuánto más valiosa es una persona que una oveja! Así es, la ley permite que una persona haga el bien en el día de descanso.

[13]Después le dijo al hombre: «Extiende la mano». Entonces el hombre la extendió, y la mano quedó restaurada, ¡igual que la otra! [14]Entonces los fariseos convocaron a una reunión para tramar cómo matar a Jesús.

Jesús, el Siervo elegido de Dios

[15]Pero Jesús sabía lo que ellos tenían en mente. Entonces salió de esa región, y mucha gente lo siguió. Sanó a todos los enfermos de esa multitud, [16]pero les advirtió que no revelaran quién era él. [17]Con eso se cumplió la profecía de Isaías acerca de él:

[18] «Miren a mi Siervo, al que he elegido.
Él es mi Amado, quien me complace.
Pondré mi Espíritu sobre él,
y proclamará justicia a las naciones.
[19] No peleará ni gritará,
ni levantará su voz en público.
[20] No aplastará la caña más débil
ni apagará una vela que titila.
Al final, hará que la justicia salga victoriosa.
[21] Y su nombre será la esperanza
de todo el mundo»*.

Jesús y el príncipe de los demonios

[22]Luego le llevaron a Jesús a un hombre ciego y mudo que estaba poseído por un demonio. Jesús sanó al hombre para que pudiera hablar y ver. [23]La multitud quedó llena de asombro, y preguntaba: «¿Será posible que Jesús sea el Hijo de David, el Mesías?».

[24]Pero cuando los fariseos oyeron del milagro, dijeron: «Con razón puede expulsar demonios. Él recibe su poder de Satanás,* el príncipe de los demonios».

[25]Jesús conocía sus pensamientos y les contestó: «Todo reino dividido por una guerra civil está condenado al fracaso. Una ciudad o una familia dividida por peleas se desintegrará. [26]Si Satanás expulsa a Satanás, está dividido y pelea contra sí mismo; su propio reino no sobrevivirá. [27]Entonces, si mi poder proviene de Satanás, ¿qué me dicen de sus propios exorcistas quienes también expulsan demonios? Así que ellos los condenarán a ustedes por lo que acaban de decir. [28]Sin embargo, si yo expulso a los demonios por el Espíritu de Dios, entonces el reino de Dios ha llegado y está entre ustedes. [29]Pues, ¿quién tiene suficiente poder para entrar en la casa de un

12:7 Os 6:6 (versión griega). **12:8** «Hijo del Hombre» es un título que Jesús empleaba para referirse a sí mismo. **12:18-21** Is 42:1-4 (versión griega para el 42:4). **12:24** En griego *Beelzeboul;* también en 12:27. Otros manuscritos dicen *Beezeboul;* la versión latina dice *Beelzebú*.

hombre fuerte como Satanás y saquear sus bienes? Sólo alguien aún más fuerte, alguien que pudiera atarlo y después saquear su casa.

[30]»El que no está conmigo, a mí se opone, y el que no trabaja conmigo, en realidad, trabaja en mi contra.

[31]»Por eso les digo, cualquier pecado y blasfemia pueden ser perdonados, excepto la blasfemia contra el Espíritu Santo, que jamás será perdonada. [32]El que hable en contra del Hijo del Hombre puede ser perdonado, pero el que hable contra el Espíritu Santo jamás será perdonado, ya sea en este mundo o en el que vendrá.

[33]»A un árbol se le identifica por su fruto. Si el árbol es bueno, su fruto será bueno. Si el árbol es malo, su fruto será malo. [34]¡Camada de víboras! ¿Cómo podrían hombres malvados como ustedes hablar de lo que es bueno y correcto? Pues lo que está en el corazón determina lo que uno dice. [35]Una persona buena produce cosas buenas del tesoro de su buen corazón, y una persona mala produce cosas malas del tesoro de su mal corazón. [36]Les digo lo siguiente: el día del juicio, tendrán que dar cuenta de toda palabra inútil que hayan dicho. [37]Las palabras que digas te absolverán o te condenarán».

La señal de Jonás

[38]Un día, algunos maestros de la ley religiosa y algunos fariseos se acercaron a Jesús y le dijeron:

—Maestro, queremos que nos muestres alguna señal milagrosa para probar tu autoridad.

[39]Jesús les respondió:

—Sólo una generación maligna y adúltera exigiría una señal milagrosa; pero la única que les daré será la señal del profeta Jonás. [40]Así como Jonás estuvo en el vientre del gran pez durante tres días y tres noches, el Hijo del Hombre estará en el corazón de la tierra durante tres días y tres noches.

[41]»El día del juicio los habitantes de Nínive se levantarán contra esta generación y la condenarán, porque ellos se arrepintieron de sus pecados al escuchar la predicación de Jonás. Ahora alguien superior a Jonás está aquí, pero ustedes se niegan a arrepentirse. [42]La reina de Saba* también se levantará contra esta generación el día del juicio y la condenará, porque vino de una tierra lejana para oír la sabiduría de Salomón. Ahora alguien superior a Salomón está aquí, pero ustedes se niegan a escuchar.

[43]»Cuando un espíritu maligno* sale de una persona, va al desierto en busca de descanso, pero no lo encuentra. [44]Entonces dice: "Volveré a la persona de la cual salí". De modo que regresa y encuentra su antigua casa vacía, barrida y en orden. [45]Entonces el espíritu busca a otros siete espíritus más malignos que él, y todos entran en la persona y viven allí. Y entonces esa persona queda peor que antes. Eso es lo que le ocurrirá a esta generación maligna.

La verdadera familia de Jesús

[46]Mientras Jesús hablaba a la multitud, su madre y sus hermanos estaban afuera y pedían hablar con él. [47]Alguien le dijo a Jesús: «Tu madre y tus hermanos están afuera y desean hablar contigo»*.

[48]Jesús preguntó: «¿Quién es mi madre? ¿Quiénes son mis hermanos?». [49]Luego señaló a sus discípulos y dijo: «Miren, estos son mi madre y mis hermanos. [50]Pues todo el que hace la voluntad de mi Padre que está en el cielo es mi hermano y mi hermana y mi madre».

12:42 En griego *La reina del sur.* **12:43** En griego *impuro.* **12:47** Algunos manuscritos no incluyen el versículo 47. Comparar Mc 3:32 y Lc 8:20.

Parábola del agricultor que esparce semilla

13 Más tarde ese mismo día, Jesús salió de la casa y se sentó junto al lago. [2]Pronto se reunió una gran multitud alrededor de él, así que entró en una barca. Se sentó allí y enseñó mientras la gente estaba de pie en la orilla. [3]Contó muchas historias en forma de parábola como la siguiente:

«¡Escuchen! Un agricultor salió a sembrar. [4]A medida que esparcía las semillas por el campo, algunas cayeron sobre el camino y los pájaros vinieron y se las comieron. [5]Otras cayeron en tierra poco profunda con roca debajo de ella. Las semillas germinaron con rapidez porque la tierra era poco profunda; [6]pero pronto las plantas se marchitaron bajo el calor del sol y, como no tenían raíces profundas, murieron. [7]Otras semillas cayeron entre espinos, los cuales crecieron y ahogaron los brotes; [8]pero otras semillas cayeron en tierra fértil, ¡y produjeron una cosecha que fue treinta, sesenta y hasta cien veces más numerosa de lo que se había sembrado! [9]Todo el que tenga oídos para oír, que escuche y entienda».

[10]Sus discípulos vinieron y le preguntaron:

—¿Por qué usas parábolas cuando hablas con la gente?

[11]—A ustedes se les permite entender los secretos* del reino del cielo —les contestó—, pero a otros no. [12]A los que escuchan mis enseñanzas se les dará más comprensión, y tendrán conocimiento en abundancia; pero a los que no escuchan se les quitará aun lo poco que entiendan. [13]Por eso uso estas parábolas:

Pues ellos miran, pero en realidad no ven.
Oyen, pero en realidad no escuchan ni entienden.

[14]»De esa forma, se cumple la profecía de Isaías que dice:

"Cuando ustedes oigan lo que digo, no entenderán.
Cuando vean lo que hago, no comprenderán.
[15] Pues el corazón de este pueblo está endurecido,
y sus oídos no pueden oír,
y han cerrado los ojos,
así que sus ojos no pueden ver,
y sus oídos no pueden oír,
y sus corazones no pueden entender,
y no pueden volver a mí
para que yo los sane"*.

[16]»Pero benditos son los ojos de ustedes, porque ven; y sus oídos, porque oyen. [17]Les digo la verdad, muchos profetas y muchas personas justas anhelaron ver lo que ustedes ven, pero no lo vieron; y anhelaron oír lo que ustedes oyen, pero no lo oyeron.

[18]»Escuchen ahora la explicación de la parábola acerca del agricultor que salió a sembrar: [19]Las semillas que cayeron en el camino representan a los que oyen el mensaje del reino y no lo entienden. Entonces viene el maligno y arrebata la semilla que fue sembrada en el corazón. [20]Las semillas sobre la tierra rocosa representan a los que oyen el mensaje y de inmediato lo reciben con alegría; [21]pero, como no tienen raíces profundas, no duran mucho. En cuanto tienen problemas o son perseguidos por creer la palabra de Dios, caen. [22]Las semillas que cayeron entre los espinos representan a los que oyen la palabra de Dios, pero muy pronto el mensaje queda desplazado por las preocupaciones de esta vida y el atractivo de la riqueza, así que no se produce ningún fruto. [23]Las semillas que cayeron en la buena tierra representan a los que

13:11 En griego *los misterios*. **13:14-15** Is 6:9-10 (versión griega).

de verdad oyen y entienden la palabra de Dios, ¡y producen una cosecha treinta, sesenta y hasta cien veces más numerosa de lo que se había sembrado!

Parábola del trigo y la maleza

[24]La siguiente es otra historia que contó Jesús: «El reino del cielo es como un agricultor que sembró buena semilla en su campo. [25]Pero aquella noche, mientras los trabajadores dormían, vino su enemigo, sembró hierbas malas entre el trigo y se escabulló. [26]Cuando el cultivo comenzó a crecer y a producir granos, la maleza también creció.

[27]»Los empleados del agricultor fueron a hablar con él y le dijeron: "Señor, el campo donde usted sembró la buena semilla está lleno de maleza. ¿De dónde salió?".

[28]»"¡Eso es obra de un enemigo!", exclamó el agricultor.

"¿Arrancamos la maleza?", le preguntaron.

[29]»"No —contestó el amo—, si lo hacen, también arrancarán el trigo. [30]Dejen que ambas crezcan juntas hasta la cosecha. Entonces les diré a los cosechadores que separen la maleza, la aten en manojos y la quemen, y que pongan el trigo en el granero"».

Parábola de la semilla de mostaza

[31]La siguiente es otra ilustración que usó Jesús: «El reino del cielo es como una semilla de mostaza sembrada en un campo. [32]Es la más pequeña de todas las semillas, pero se convierte en la planta más grande del huerto; crece hasta llegar a ser un árbol y vienen los pájaros y hacen nidos en las ramas».

Parábola de la levadura

[33]Jesús también usó la siguiente ilustración: «El reino del cielo es como la levadura que utilizó una mujer para hacer pan. Aunque puso sólo una pequeña porción de levadura en tres medidas de harina, la levadura impregnó toda la masa».

[34]Jesús siempre usaba historias e ilustraciones como esas cuando hablaba con las multitudes. De hecho, nunca les habló sin usar parábolas. [35]Así se cumplió lo que había dicho Dios por medio del profeta:

«Les hablaré en parábolas.
Les explicaré cosas escondidas
desde la creación del mundo*».

Explicación de la parábola del trigo y la maleza

[36]Luego, Jesús dejó a las multitudes afuera y entró en la casa. Sus discípulos le dijeron:

—Por favor, explícanos la historia de la maleza en el campo.

[37]Jesús respondió:

—El Hijo del Hombre* es el agricultor que siembra la buena semilla. [38]El campo es el mundo, y la buena semilla representa a la gente del reino. La maleza representa a las personas que pertenecen al maligno. [39]El enemigo que sembró la maleza entre el trigo es el diablo. La cosecha es el fin del mundo,* y los cosechadores son los ángeles.

[40]»Tal como se separa la maleza y se quema en el fuego, así será en el fin del mundo. [41]El Hijo del Hombre enviará a sus ángeles, y ellos quitarán del reino todo lo que produzca pecado y a todos aquellos que hagan lo malo. [42]Y los ángeles los arrojarán al horno ardiente, donde habrá llanto y rechinar de dientes. [43]Entonces los justos brillarán como el sol en el reino de su Padre. ¡Todo el que tenga oídos para oír, que escuche y entienda!

13:35 Algunos manuscritos no incluyen *del mundo.* Sal 78:2. **13:37** «Hijo del Hombre» es un título que Jesús empleaba para referirse a sí mismo. **13:39** O *del siglo;* también en 13:40, 49.

Parábolas del tesoro escondido y de la perla

[44]»El reino del cielo es como un tesoro escondido que un hombre descubrió en un campo. En medio de su entusiasmo, lo escondió nuevamente y vendió todas sus posesiones a fin de juntar el dinero suficiente para comprar el campo.

[45]»Además el reino del cielo es como un comerciante en busca de perlas de primera calidad. [46]Cuando descubrió una perla de gran valor, vendió todas sus posesiones y la compró.

Parábola de la red para pescar

[47]»También el reino del cielo es como una red para pescar, que se echó al agua y atrapó toda clase de peces. [48]Cuando la red se llenó, los pescadores la arrastraron a la orilla, se sentaron y agruparon los peces buenos en cajas, pero desecharon los que no servían. [49]Así será en el fin del mundo. Los ángeles vendrán y separarán a los perversos de los justos, [50]y arrojarán a los malos en el horno ardiente, donde habrá llanto y rechinar de dientes. [51]¿Entienden todas estas cosas?

—Sí —le dijeron—, las entendemos.

[52]Entonces añadió:

—Todo maestro de la ley religiosa que se convierte en un discípulo del reino del cielo es como el propietario de una casa, que trae de su depósito joyas de la verdad tanto nuevas como viejas.

Jesús es rechazado en Nazaret

[53]Cuando Jesús terminó de contar esas historias e ilustraciones, salió de esa región. [54]Regresó a Nazaret, su pueblo. Cuando enseñó allí en la sinagoga, todos quedaron asombrados, y decían: «¿De dónde saca esa sabiduría y el poder para hacer milagros?». [55]Y se burlaban: «No es más que el hijo del carpintero, y conocemos a María, su madre, y a sus hermanos: Santiago, José,* Simón y Judas. [56]Todas sus hermanas viven aquí mismo entre nosotros. ¿Dónde aprendió todas esas cosas?». [57]Se sentían profundamente ofendidos y se negaron a creer en él.

Entonces Jesús les dijo: «Un profeta recibe honra en todas partes menos en su propio pueblo y entre su propia familia». [58]Por lo tanto, hizo sólo unos pocos milagros allí debido a la incredulidad de ellos.

Muerte de Juan el Bautista

14 Cuando Herodes Antipas, el gobernante de Galilea,* oyó hablar de Jesús, [2]les dijo a sus consejeros: «¡Este debe ser Juan el Bautista que resucitó de los muertos! Por eso puede hacer semejantes milagros».

[3]Pues Herodes había arrestado y encarcelado a Juan como un favor para su esposa, Herodías (ex esposa de Felipe, el hermano de Herodes). [4]Juan venía diciendo a Herodes: «Es contra la ley de Dios que te cases con ella». [5]Herodes quería matar a Juan pero temía que se produjera un disturbio, porque toda la gente creía que Juan era un profeta.

[6]Pero durante la fiesta de cumpleaños de Herodes, la hija de Herodías bailó una danza que a él le agradó mucho; [7]entonces le prometió con un juramento que le daría cualquier cosa que ella quisiera. [8]Presionada por su madre, la joven dijo: «Quiero en una bandeja la cabeza de Juan el Bautista». [9]Entonces el rey se arrepintió de lo que había dicho; pero debido al juramento que había hecho delante de sus invitados, dio las órdenes necesarias. [10]Así fue que decapitaron a Juan en la prisión, [11]trajeron su cabeza en una bandeja y se la dieron a la joven, quien se la llevó a su madre. [12]Después, los discípulos de Juan llegaron a buscar

13:55 Otros manuscritos dicen *Joses;* incluso otros dicen *Juan.* **14:1** En griego *Herodes el tetrarca.* Herodes Antipas era un hijo del rey Herodes y gobernaba sobre Galilea.

su cuerpo y lo enterraron. Luego fueron a contarle a Jesús lo que había sucedido.

Jesús alimenta a cinco mil

[13]En cuanto Jesús escuchó la noticia, salió en una barca a un lugar alejado para estar a solas; pero las multitudes oyeron hacia dónde se dirigía y lo siguieron a pie desde muchas ciudades. [14]Cuando Jesús bajó de la barca, vio a la gran multitud, tuvo compasión de ellos y sanó a los enfermos.

[15]Esa tarde, los discípulos se le acercaron y le dijeron:

—Éste es un lugar alejado y ya se está haciendo tarde. Despide a las multitudes para que puedan ir a las aldeas a comprarse comida.

[16]Jesús les dijo:

—Eso no es necesario; denles ustedes de comer.

[17]—¡Pero lo único que tenemos son cinco panes y dos pescados! —le respondieron.

[18]—Tráiganlos aquí —dijo Jesús.

[19]Luego le dijo a la gente que se sentara sobre la hierba. Jesús tomó los cinco panes y los dos pescados, miró hacia el cielo y los bendijo. Después partió los panes en trozos y se los dio a sus discípulos, quienes los distribuyeron entre la gente. [20]Todos comieron cuanto quisieron, y después los discípulos juntaron doce canastas con lo que sobró. [21]Aquel día, ¡unos cinco mil hombres se alimentaron, además de las mujeres y los niños!

Jesús camina sobre el agua

[22]Inmediatamente después, Jesús insistió en que los discípulos regresaran a la barca y cruzaran al otro lado del lago mientras él enviaba a la gente a casa. [23]Después de despedir a la gente, subió a las colinas para orar a solas. Mientras estaba allí solo, cayó la noche.

[24]Mientras tanto, los discípulos se encontraban en problemas lejos de tierra firme, ya que se había levantado un fuerte viento y luchaban contra grandes olas. [25]A eso de las tres de la madrugada,* Jesús se acercó a ellos caminando sobre el agua. [26]Cuando los discípulos lo vieron caminar sobre el agua, quedaron aterrados. Llenos de miedo, clamaron: «¡Es un fantasma!».

[27]Pero Jesús les habló de inmediato:

—No tengan miedo —dijo—. ¡Tengan ánimo! ¡Yo estoy aquí!*

[28]Entonces Pedro lo llamó:

—Señor, si realmente eres tú, ordéname que vaya hacia ti caminando sobre el agua.

[29]—Sí, ven —dijo Jesús.

Entonces Pedro se bajó por el costado de la barca y caminó sobre el agua hacia Jesús, [30]pero cuando vio el fuerte* viento y las olas, se aterrorizó y comenzó a hundirse.

—¡Sálvame, Señor! —gritó.

[31]De inmediato, Jesús extendió la mano y lo agarró.

—Tienes tan poca fe —le dijo Jesús—. ¿Por qué dudaste de mí?

[32]Cuando subieron de nuevo a la barca, el viento se detuvo. [33]Entonces los discípulos lo adoraron.

—¡De verdad eres el Hijo de Dios! —exclamaron.

[34]Después de cruzar el lago, arribaron a Genesaret. [35]Cuando la gente reconoció a Jesús, la noticia de su llegada corrió rápidamente por toda la región, y pronto la gente llevó a todos los enfermos para que fueran sanados. [36]Le suplicaban que permitiera a los enfermos tocar al menos el fleco de su túnica, y todos los que tocaban a Jesús eran sanados.

Jesús enseña acerca de la pureza interior

15 En ese momento, algunos fariseos y maestros de la ley religiosa

14:25 En griego *En la cuarta vigilia de la noche.* **14:27** O *¡El "Yo Soy" está aquí!* En griego dice *Yo soy.* Ver Ex 3:14. **14:30** Algunos manuscritos no incluyen *fuerte.*

llegaron desde Jerusalén para ver a Jesús.

[2]—¿Por qué tus discípulos desobedecen nuestra antigua tradición? —le preguntaron—. No respetan la ceremonia de lavarse las manos antes de comer.

[3]Jesús les respondió:

—¿Y por qué ustedes, por sus tradiciones, violan los mandamientos directos de Dios? [4]Por ejemplo, Dios dice: "Honra a tu padre y a tu madre"* y "Cualquiera que hable irrespetuosamente de su padre o de su madre tendrá que morir"*. [5]Sin embargo, ustedes dicen que está bien que uno les diga a sus padres: "Lo siento, no puedo ayudarlos porque he jurado darle a Dios lo que les hubiera dado a ustedes". [6]De esta manera, ustedes afirman que no hay necesidad de honrar a los padres;* y entonces anulan la palabra de Dios por el bien de su propia tradición. [7]¡Hipócritas! Isaías tenía razón cuando profetizó acerca de ustedes, porque escribió:

[8] "Este pueblo me honra con sus labios,
pero su corazón está lejos de mí.
[9] Su adoración es una farsa
porque enseñan ideas humanas
como si fueran mandatos de
Dios"*.

[10]Luego Jesús llamó a la multitud para que se acercara y oyera. «Escuchen —les dijo—, y traten de entender. [11]Lo que entra por la boca no es lo que los contamina; ustedes se contaminan por las palabras que salen de la boca».

[12]Entonces los discípulos se acercaron y le preguntaron:

—¿Te das cuenta que has ofendido a los fariseos con lo que acabas de decir?

[13]Jesús contestó:

—Toda planta que no fue plantada por mi Padre celestial será arrancada de raíz, [14]así que no les hagan caso. Son guías ciegos que conducen a los ciegos, y si un ciego guía a otro, los dos caerán en una zanja.

[15]Entonces Pedro le dijo a Jesús:

—Explícanos la parábola que dice que la gente no se contamina por lo que come.

[16]—¿Todavía no lo entienden? —preguntó Jesús—.[17]Todo lo que comen pasa a través del estómago y luego termina en la cloaca, [18]pero las palabras que ustedes dicen provienen del corazón; eso es lo que los contamina. [19]Pues del corazón salen los malos pensamientos, el asesinato, el adulterio, toda inmoralidad sexual, el robo, la mentira y la calumnia. [20]Esas cosas son las que los contaminan. Comer sin lavarse las manos nunca los contaminará.

La fe de una mujer gentil

[21]Luego Jesús salió de Galilea y se dirigió al norte, a la región de Tiro y Sidón. [22]Una mujer de los gentiles,* que vivía allí, se le acercó y le rogó: «¡Ten misericordia de mí, oh Señor, Hijo de David! Pues mi hija está poseída por un demonio que la atormenta terriblemente».

[23]Pero Jesús no le contestó ni una palabra. Entonces sus discípulos le pidieron que la despidiera. «Dile que se vaya —dijeron—. Nos está molestando con sus súplicas».

[24]Entonces Jesús le dijo a la mujer:

—Fui enviado para ayudar solamente a las ovejas perdidas de Dios, el pueblo de Israel.

[25]Ella se acercó y lo adoró, y le rogó una vez más:

—¡Señor, ayúdame!

[26]Jesús le respondió:

15:4a Ex 20:12; Dt 5:16. **15:4b** Ex 21:17 (versión griega); Lv 20:9 (versión griega). **15:6** En griego *su padre;* otros manuscritos dicen *su padre o su madre.* **15:8-9** Is 29:13 (versión griega). **15:22** *Gentil[es],* que no es judío. En griego *cananea.*

—No está bien tomar la comida de los hijos y arrojársela a los perros.

[27]—Es verdad, Señor —respondió la mujer—, pero hasta a los perros se les permite comer las sobras que caen bajo la mesa de sus amos.

[28]—Apreciada mujer —le dijo Jesús—, tu fe es grande. Se te concede lo que pides.

Y al instante la hija se sanó.

Jesús sana a mucha gente

[29]Jesús regresó al mar de Galilea, subió a una colina y se sentó. [30]Una inmensa multitud le llevó a personas cojas, ciegas, lisiadas, mudas y a muchas más. Las pusieron delante de Jesús y él las sanó a todas. [31]¡La multitud quedó asombrada! Los que no podían hablar, ahora hablaban; los lisiados quedaron sanos, los cojos caminaban bien y los ciegos podían ver; y alababan al Dios de Israel.

Jesús alimenta a cuatro mil

[32]Entonces Jesús llamó a sus discípulos y les dijo:

—Siento compasión por ellos. Han estado aquí conmigo durante tres días y no les queda nada para comer. No quiero despedirlas con hambre, no sea que se desmayen por el camino.

[33]Los discípulos contestaron:

—¿Dónde conseguiríamos comida suficiente aquí en el desierto para semejante multitud?

[34]—¿Cuánto pan tienen? —preguntó Jesús.

—Siete panes y unos pocos pescaditos —contestaron ellos.

[35]Entonces Jesús le dijo a la gente que se sentara en el suelo. [36]Tomó luego los siete panes y los pescados, dio gracias a Dios por ellos y los partió en trozos. Se los dio a los discípulos, quienes repartieron la comida entre la multitud.

[37]Todos comieron cuanto quisieron. Después los discípulos recogieron siete canastas grandes con la comida que sobró. [38]Aquel día, cuatro mil hombres recibieron alimento, además de las mujeres y los niños. [39]Entonces Jesús envió a todos a sus casas, subió a una barca y cruzó a la región de Magadán.

Los líderes demandan una señal milagrosa

16 Cierto día, los fariseos y saduceos se acercaron a Jesús para ponerlo a prueba, exigiéndole que les mostrara una señal milagrosa del cielo para demostrar su autoridad.

[2]Él respondió: «Ustedes conocen el dicho: "Si el cielo está rojo por la noche, mañana habrá buen clima; [3]si el cielo está rojo por la mañana, habrá mal clima todo el día". Saben interpretar las señales del clima en los cielos, pero no saben interpretar las señales de los tiempos.* [4]Sólo una generación malvada y adúltera reclamaría una señal milagrosa, pero la única señal que les daré es la del profeta Jonás*». Luego Jesús los dejó y se fue.

La levadura de los fariseos y de los saduceos

[5]Más tarde, cuando ya habían cruzado al otro lado del lago, los discípulos descubrieron que se habían olvidado de llevar pan. [6]«¡Atención! —les advirtió Jesús—. Tengan cuidado con la levadura de los fariseos y con la de los saduceos».

[7]Al oír esto, comenzaron a discutir entre sí pues no habían traído nada de pan. [8]Jesús supo lo que hablaban, así que les dijo: «¡Tienen tan poca fe! ¿Por qué discuten los unos con los otros por no tener pan? [9]¿Todavía no entienden? ¿No recuerdan los cinco mil que alimenté con

16:2-3 Varios manuscritos no incluyen ninguna de las palabras de 16:2-3 después de *Él respondió.*
16:4 En griego *la señal de Jonás.*

cinco panes y las canastas con sobras que recogieron? [10]¿Ni los cuatro mil que alimenté con siete panes ni las grandes canastas con sobras que recogieron? [11]¿Por qué no pueden entender que no hablo de pan? Una vez más les digo: "Tengan cuidado con la levadura de los fariseos y de los saduceos"».

[12]Entonces, al fin, comprendieron que no les hablaba de la levadura del pan, sino de las enseñanzas engañosas de los fariseos y de los saduceos.

Declaración de Pedro acerca de Jesús

[13]Cuando Jesús llegó a la región de Cesarea de Filipo, les preguntó a sus discípulos:

—¿Quién dice la gente que es el Hijo del Hombre?*

[14]—Bueno —contestaron—, algunos dicen Juan el Bautista, otros dicen Elías, y otros dicen Jeremías o algún otro profeta.

[15]Entonces les preguntó:

—Y ustedes, ¿quién dicen que soy?

[16]Simón Pedro contestó:

—Tú eres el Mesías,* el Hijo del Dios viviente.

[17]Jesús respondió:

—Bendito eres, Simón hijo de Juan,* porque mi Padre que está en el cielo te lo ha revelado. No lo aprendiste de ningún ser humano. [18]Ahora te digo que tú eres Pedro (que quiere decir "roca"),* y sobre esta roca edificaré mi iglesia, y el poder de la muerte* no la conquistará. [19]Y te daré las llaves del reino del cielo. Todo lo que prohíbas* en la tierra será prohibido en el cielo, y todo lo que permitas* en la tierra será permitido en el cielo.

[20]Luego advirtió severamente a los discípulos que no le contaran a nadie que él era el Mesías.

Jesús predice su muerte

[21]A partir de entonces, Jesús* empezó a decir claramente a sus discípulos que era necesario que fuera a Jerusalén, y que sufriría muchas cosas terribles a manos de los ancianos, de los principales sacerdotes y de los maestros de la ley religiosa. Lo matarían, pero al tercer día resucitaría.

[22]Entonces Pedro lo llevó aparte y comenzó a reprenderlo* por decir semejantes cosas.

—¡Dios nos libre, Señor! —dijo—. Eso jamás te sucederá a ti.

[23]Jesús se dirigió a Pedro y le dijo:

—¡Aléjate de mí, Satanás! Representas una trampa peligrosa para mí. Ves las cosas solamente desde el punto de vista humano, no desde el punto de vista de Dios.

[24]Luego Jesús dijo a sus discípulos: «Si alguno de ustedes quiere ser mi seguidor, tiene que abandonar su manera egoísta de vivir, tomar su cruz y seguirme. [25]Si tratas de aferrarte a la vida, la perderás, pero si entregas tu vida por mi causa, la salvarás. [26]¿Y qué beneficio obtienes si ganas el mundo entero pero pierdes tu propia alma?* ¿Hay algo que valga más que tu alma? [27]Pues el Hijo del Hombre vendrá con sus ángeles en la gloria de su Padre y juzgará a cada persona de acuerdo con sus acciones. [28]Les digo la verdad, algunos de los que están aquí ahora no morirán antes de ver al Hijo del Hombre llegar en su reino».

16:13 «Hijo del Hombre» es un título que Jesús empleaba para referirse a sí mismo. **16:16** O *el Cristo.* Tanto *Cristo* (término griego) como *Mesías* (término hebreo) quieren decir «el Ungido». **16:17** En griego *Simón bar-Jonás;* ver Jn 1:42; 21:15-17. **16:18a** En griego *que tú eres Pedro.* **16:18b** En griego *y las puertas del Hades no la conquistarán.* **16:19a** O *ates,* o *cierres.* **16:19b** O *desates,* o *abras.* **16:21** Algunos manuscritos dicen *Jesús el Mesías.* **16:22** O *comenzó a corregirlo.* **16:26** O *tu propio ser?;* también en el 16:26b.

La transfiguración

17 Seis días después, Jesús tomó a Pedro y a los dos hermanos, Santiago y Juan, y los llevó a una montaña alta para estar a solas. [2]Mientras los hombres observaban, la apariencia de Jesús se transformó a tal punto que la cara le brillaba como el sol y su ropa se volvió tan blanca como la luz. [3]De repente, aparecieron Moisés y Elías y comenzaron a conversar con Jesús.

[4]Pedro exclamó: «Señor, ¡es maravilloso que estemos aquí! Si deseas, haré tres enramadas como recordatorios:* una para ti, una para Moisés y la otra para Elías».

[5]No había terminado de hablar cuando una nube brillante los cubrió, y desde la nube una voz dijo: «Este es mi Hijo muy amado, quien me da gran gozo. Escúchenlo a él». [6]Los discípulos estaban aterrados y cayeron rostro en tierra.

[7]Entonces Jesús se les acercó y los tocó. «Levántense —les dijo—, no tengan miedo». [8]Cuando levantaron la vista, Moisés y Elías habían desaparecido, y vieron sólo a Jesús.

[9]Mientras descendían de la montaña, Jesús les ordenó: «No le cuenten a nadie lo que han visto hasta que el Hijo del Hombre* se haya levantado de los muertos».

[10]Luego sus discípulos le preguntaron:

—¿Por qué los maestros de la ley religiosa insisten en que Elías debe regresar antes de que venga el Mesías?*

[11]Jesús contestó:

—Es cierto que Elías viene primero a fin de dejar todo preparado. [12]Pero les digo, Elías ya vino, pero no fue reconocido y ellos prefirieron maltratarlo. De la misma manera, también harán sufrir al Hijo del Hombre.

[13]Entonces los discípulos se dieron cuenta de que hablaba de Juan el Bautista.

Jesús sana a un muchacho endemoniado

[14]Al pie del monte, les esperaba una gran multitud. Un hombre vino y se arrodilló delante de Jesús y le dijo: [15]«Señor, ten misericordia de mi hijo. Le dan ataques y sufre terriblemente. A menudo cae al fuego o al agua. [16]Así que lo llevé a tus discípulos, pero no pudieron sanarlo».

[17]Jesús dijo: «¡Gente corrupta y sin fe! ¿Hasta cuándo tendré que estar con ustedes? ¿Hasta cuándo tendré que soportarlos? Tráiganme aquí al muchacho». [18]Entonces Jesús reprendió al demonio, y el demonio salió del joven. A partir de ese momento, el muchacho estuvo bien.

[19]Más tarde, los discípulos le preguntaron a Jesús en privado:

—¿Por qué nosotros no pudimos expulsar el demonio?

[20]—Ustedes no tienen la fe suficiente —les dijo Jesús—. Les digo la verdad, si tuvieran fe, aunque fuera tan pequeña como una semilla de mostaza, podrían decirle a esta montaña: "Muévete de aquí hasta allá", y la montaña se movería. Nada sería imposible.*

Jesús predice otra vez su muerte

[22]Luego, cuando volvieron a reunirse en Galilea, Jesús les dijo: «El Hijo del Hombre será traicionado y entregado en manos de sus enemigos. [23]Lo matarán, pero al tercer día se levantará de los muertos». Y los discípulos se llenaron de profundo dolor.

17:4 En griego *tres tabernáculos.* **17:9** «Hijo del Hombre» es un título que Jesús empleaba para referirse a sí mismo. **17:10** En griego *que Elías debe venir primero?* **17:20** Algunos manuscritos incluyen el versículo 21: *Pero esta clase de demonio no se va sino con oración y ayuno.* Comparar Mc 9:29.

El pago del impuesto del templo

[24]Cuando llegaron a Capernaúm, los cobradores del impuesto* del templo se acercaron a Pedro y le preguntaron:

—¿Tu maestro no paga el impuesto del templo?

[25]—Sí, lo paga —contestó Pedro.

Luego entró en la casa, pero antes de tener oportunidad de hablar, Jesús le preguntó:

—¿Qué te parece, Pedro?* Los reyes, ¿cobran impuestos a su propia gente o a la gente que han conquistado?*

[26]—Se los cobran a los que han conquistado —contestó Pedro.

—Muy bien —dijo Jesús—, entonces, ¡los ciudadanos quedan exentos! [27]Sin embargo, no queremos que se ofendan, así que desciende al lago y echa el anzuelo. Abre la boca del primer pez que saques y allí encontrarás una gran moneda de plata.* Tómala y paga mi impuesto y el tuyo.

El más importante en el reino

18 Por ese tiempo, los discípulos se acercaron a Jesús y le preguntaron:

—¿Quién es el más importante en el reino del cielo?

[2]Jesús llamó a un niño pequeño y lo puso en medio de ellos. [3]Entonces dijo:

—Les digo la verdad, a menos que se aparten de sus pecados y se vuelvan como niños, nunca entrarán en el reino del cielo. [4]Así que el que se vuelva tan humilde como este pequeño, es el más importante en el reino del cielo.

[5]»Todo el que recibe de mi parte* a un niño pequeño como éste, me recibe a mí; [6]pero si hacen que uno de estos pequeños que confía en mí caiga en pecado, sería mejor para ustedes que se aten una gran piedra de molino alrededor del cuello y se ahoguen en las profundidades del mar.

[7]»¡Qué aflicción le espera al mundo, porque tienta a la gente a pecar! Las tentaciones son inevitables, ¡pero qué aflicción le espera al que provoca la tentación! [8]Por lo tanto, si tu mano o tu pie te hace pecar, córtatelo y tíralo. Es preferible entrar en la vida eterna con una sola mano o un solo pie que ser arrojado al fuego eterno con las dos manos y los dos pies. [9]Y si tu ojo te hace pecar, sácatelo y tíralo. Es preferible entrar en la vida eterna con un solo ojo que tener los dos ojos y ser arrojado al fuego del infierno.*

[10]»Cuidado con despreciar a cualquiera de estos pequeños. Les digo que, en el cielo, sus ángeles siempre están en la presencia de mi Padre celestial.*

Parábola de la oveja perdida

[12]»Si un hombre tiene cien ovejas y una de ellas se extravía, ¿qué hará? ¿No dejará las otras noventa y nueve en las colinas y saldrá a buscar la perdida? [13]Si la encuentra, les digo la verdad, se alegrará más por esa que por las noventa y nueve que no se extraviaron. [14]De la misma manera, no es la voluntad de mi Padre celestial que ni siquiera uno de estos pequeñitos perezca.

Cómo corregir a otro creyente

[15]»Si un creyente* peca contra ti,* háblale en privado y hazle ver su falta. Si te escucha y confiesa el pecado, has recuperado a esa persona; [16]pero si no te

17:24 En griego *[el impuesto] de dos dracmas;* también en 17:24b. Ver Ex 30:13-16; Ne 10:32-33. **17:25a** En griego *Simón?* **17:25b** En griego *a sus hijos o a extraños?* **17:27** En griego *un estatero* [moneda griega equivalente a cuatro dracmas]. **18:5** En griego *en mi nombre.* **18:9** En griego *el Gehenna de fuego.* **18:10** Algunos manuscritos incluyen el versículo 11: *Y el Hijo del Hombre vino a salvar a los que están perdidos.* Comparar Lc 19:10. **18:15a** En griego *Si tu hermano.* **18:15b** Algunos manuscritos no incluyen *contra ti.*

hace caso, toma a uno o dos más contigo y vuelve a hablarle, para que los dos o tres testigos puedan confirmar todo lo que digas. [17]Si aún así la persona se niega a escuchar, lleva el caso ante la iglesia. Luego, si la persona no acepta la decisión de la iglesia, trata a esa persona como a un pagano o como a un corrupto cobrador de impuestos.

[18]»Les digo la verdad, todo lo que prohíban* en la tierra será prohibido en el cielo, y todo lo que permitan* en la tierra será permitido en el cielo.

[19]»También les digo lo siguiente: si dos de ustedes se ponen de acuerdo aquí en la tierra con respecto a cualquier cosa que pidan, mi Padre que está en el cielo lo hará. [20]Pues donde se reúnen dos o tres en mi nombre, yo estoy allí entre ellos.

Parábola del deudor que no perdona

[21]Luego Pedro se le acercó y preguntó:

—Señor, ¿cuántas veces debo perdonar a alguien* que peca contra mí? ¿Siete veces?

[22]—No siete veces —respondió Jesús—, sino setenta veces siete.*

[23]»Por lo tanto, el reino del cielo se puede comparar a un rey que decidió poner al día las cuentas con los siervos que le habían pedido prestado dinero. [24]En el proceso, le trajeron a uno de sus deudores que le debía millones de monedas de plata.* [25]No podía pagar, así que su amo ordenó que lo vendieran —junto con su esposa, sus hijos y todo lo que poseía— para pagar la deuda.

[26]»El hombre cayó de rodillas ante su amo y le suplicó: "Por favor, tenme paciencia y te lo pagaré todo". [27]Entonces el amo sintió mucha lástima por él, y lo liberó y le perdonó la deuda.

[28]»Pero cuando el hombre salió de la presencia del rey, fue a buscar a un compañero, también siervo, que le debía unos pocos miles de monedas de plata.* Lo tomó del cuello y le exigió que le pagara de inmediato.

[29]»El compañero cayó de rodillas ante él y le rogó que le diera un poco más de tiempo. "Ten paciencia conmigo, y yo te pagaré", le suplicó. [30]Pero el acreedor no estaba dispuesto a esperar. Hizo arrestar al hombre y lo puso en prisión hasta que pagara toda la deuda.

[31]»Cuando algunos de los otros siervos vieron eso, se disgustaron mucho. Fueron ante el rey y le contaron todo lo que había sucedido. [32]Entonces el rey llamó al hombre al que había perdonado y le dijo: "¡Siervo malvado! Te perdoné esa tremenda deuda porque me lo rogaste. [33]¿No deberías haber tenido compasión de tu compañero así como yo tuve compasión de ti?". [34]Entonces el rey, enojado, envió al hombre a la prisión para que lo torturaran hasta que pagara toda la deuda.

[35]»Eso es lo que les hará mi Padre celestial a ustedes si se niegan a perdonar de corazón a sus hermanos.

Discusión acerca del divorcio y del matrimonio

19 Cuando Jesús terminó de decir esas cosas, salió de Galilea y descendió a la región de Judea, al oriente del río Jordán. [2]Grandes multitudes lo siguieron, y él sanó a los enfermos.

[3]Unos fariseos se acercaron y trataron de tenderle una trampa con la siguiente pregunta:

18:18a O *aten*, o *cierren*. **18:18b** O *desaten*, o *abran*. **18:21** En griego *mi hermano*. **18:22** O *setenta y siete veces*. **18:24** En griego *10.000 talentos* [340 toneladas métricas ó 375 toneladas (de EE. UU.) de plata]. **18:28** En griego *cien denarios*. Un denario equivalía a la paga de un obrero por una jornada completa de trabajo.

—¿Se permite que un hombre se divorcie de su esposa por cualquier motivo?

[4]Jesús respondió:

—¿No han leído las Escrituras? Allí está escrito que, desde el principio, "Dios los hizo hombre y mujer"* [5]—y agregó—: "Esto explica por qué el hombre deja a su padre y a su madre, y se une a su esposa, y los dos se convierten en uno solo"*. [6]Como ya no son dos sino uno, que nadie separe lo que Dios ha unido.

[7]—Entonces —preguntaron— ¿por qué dice Moisés en la ley que un hombre podría darle a su esposa un aviso de divorcio por escrito y despedirla?*

[8]Jesús contestó:

—Moisés permitió el divorcio sólo como una concesión ante la dureza del corazón de ustedes, pero no fue la intención original de Dios. [9]Y les digo lo siguiente: el que se divorcia de su esposa y se casa con otra comete adulterio, a menos que la esposa le haya sido infiel.*

[10]Entonces los discípulos le dijeron:

—Si así son las cosas, ¡será mejor no casarse!

[11]—No todos pueden aceptar esta palabra —dijo Jesús—. Sólo aquellos que reciben la ayuda de Dios. [12]Algunos nacen como eunucos, a otros los hacen eunucos, y otros optan por no casarse* por amor al reino del cielo. El que pueda, que lo acepte.

Jesús bendice a los niños

[13]Cierto día, algunos padres llevaron a sus niños a Jesús para que pusiera sus manos sobre ellos y orara por ellos. Pero los discípulos regañaron a los padres por molestar a Jesús.

[14]Pero Jesús les dijo: «Dejen que los niños vengan a mí. ¡No los detengan! Pues el reino del cielo pertenece a los que son como estos niños». [15]Entonces les puso las manos sobre la cabeza y los bendijo antes de irse.

El hombre rico

[16]Alguien se acercó a Jesús con la siguiente pregunta:

—Maestro,* ¿qué buena acción tengo que hacer para tener la vida eterna?

[17]—¿Por qué me preguntas a mí sobre lo que es bueno? —respondió Jesús—. Sólo hay Uno que es bueno; pero para contestar a tu pregunta, si deseas recibir la vida eterna, cumple* los mandamientos.

[18]—¿Cuáles? —preguntó el hombre.

Y Jesús le contestó:

—"No cometas asesinato; no cometas adulterio; no robes; no des falso testimonio; [19]honra a tu padre y a tu madre; ama a tu prójimo como a ti mismo"*.

[20]—He obedecido todos esos mandamientos —respondió el joven—. ¿Qué más debo hacer?

[21]Jesús le dijo:

—Si deseas ser perfecto, anda, vende todas tus posesiones y entrega el dinero a los pobres, y tendrás tesoro en el cielo. Después ven y sígueme.

[22]Cuando el joven escuchó lo que Jesús le dijo, se fue triste porque tenía muchas posesiones.

[23]Entonces Jesús dijo a sus discípulos: «Les digo la verdad, es muy difícil que una persona rica entre en el reino del cielo. [24]Lo repito: es más fácil que un camello pase por el ojo de una aguja que un rico entre en el reino de Dios».

[25]Los discípulos quedaron atónitos.

—Entonces, ¿quién podrá ser salvo? —preguntaron.

[26]Jesús los miró y les dijo:

19:4 Gn 1:27; 5:2. **19:5** Gn 2:24. **19:7** Ver Dt 24:1. **19:9** Algunos manuscritos incluyen *Y el que se casa con una mujer divorciada comete adulterio.* Comparar Mt 5:32. **19:12** En griego *y algunos se hacen eunucos ellos mismos.* **19:16** Algunos manuscritos dicen *Maestro bueno.* **19:17** Algunos manuscritos dicen *continúa cumpliendo.* **19:18-19** Ex 20:12-16; Dt 5:16-20; Lv 19:18.

—Humanamente hablando es imposible, pero para Dios todo es posible.

[27]Entonces Pedro le dijo:

—Nosotros hemos dejado todo para seguirte. ¿Qué recibiremos a cambio?

[28]Jesús contestó:

—Les aseguro que, cuando el mundo se renueve* y el Hijo del Hombre* se siente sobre su trono glorioso, ustedes, que han sido mis seguidores, también se sentarán en doce tronos para juzgar a las doce tribus de Israel. [29]Y todo el que haya dejado casas o hermanos o hermanas o padre o madre o hijos o bienes por mi causa recibirá cien veces más a cambio y heredará la vida eterna. [30]Pero muchos que ahora son los más importantes, en ese día serán los menos importantes, y aquellos que ahora parecen menos importantes, en ese día serán los más importantes.*

Parábola de los trabajadores del viñedo

20 »El reino del cielo es como un propietario que salió temprano por la mañana con el fin de contratar trabajadores para su viñedo. [2]Acordó pagar el salario* normal de un día de trabajo y los envió a trabajar.

[3]»A las nueve de la mañana, cuando pasaba por la plaza, vio a algunas personas que estaban allí sin hacer nada. [4]Entonces las contrató y les dijo que, al final del día, les pagaría lo que fuera justo. [5]Así que fueron a trabajar al viñedo. El propietario hizo lo mismo al mediodía y a las tres de la tarde.

[6]»A las cinco de la tarde, se encontraba nuevamente en la ciudad y vio a otros que estaban allí. Les preguntó: "¿Por qué ustedes no trabajaron hoy?".

[7]»Ellos contestaron: "Porque nadie nos contrató".

»El propietario les dijo: "Entonces vayan y únanse a los otros en mi viñedo".

[8]»Aquella noche, le dijo al capataz que llamara a los trabajadores y les pagara, comenzando por los últimos que había contratado. [9]Cuando recibieron su paga los que habían sido contratados a las cinco de la tarde, cada uno recibió el salario por una jornada completa. [10]Cuando los que habían sido contratados primero llegaron a recibir su paga, supusieron que recibirían más; pero a ellos también se les pagó el salario de un día. [11]Cuando recibieron la paga, protestaron contra el propietario: [12]"Aquellos trabajaron sólo una hora, sin embargo, se les ha pagado lo mismo que a nosotros, que trabajamos todo el día bajo el intenso calor".

[13]»Él le respondió a uno de ellos: "Amigo, ¡no he sido injusto! ¿Acaso tú no acordaste conmigo que trabajarías todo el día por el salario acostumbrado? [14]Toma tu dinero y vete. Quise pagarle a este último trabajador lo mismo que a ti. [15]¿Acaso es contra la ley que yo haga lo que quiero con mi dinero? ¿Te pones celoso porque soy bondadoso con otros?".

[16]»Así que los que ahora son últimos, ese día serán los primeros, y los primeros serán los últimos.

Jesús vuelve a predecir su muerte

[17]Mientras Jesús subía a Jerusalén, llevó a los doce discípulos aparte y les contó en privado lo que le iba a suceder. [18]«Escuchen —les dijo—, subimos a Jerusalén, donde el Hijo del Hombre* será traicionado y entregado a los principales sacerdotes y a los maestros de

19:28a O *en la regeneración.* **19:28b** «Hijo del Hombre» es un título que Jesús empleaba para referirse a sí mismo. **19:30** En griego *Pero muchos de los que son primeros serán los últimos; y los últimos, los primeros.* **20:2** En griego *denario,* la paga por una jornada completa de trabajo; similar en 20:9, 10, 13. **20:18** «Hijo del Hombre» es un título que Jesús empleaba para referirse a sí mismo.

la ley religiosa. Lo condenarán a muerte. [19]Luego lo entregarán a los romanos* para que se burlen de él, lo azoten con un látigo y lo crucifiquen; pero al tercer día, se levantará de los muertos».

Jesús enseña acerca del servicio a los demás

[20]Entonces la madre de Santiago y de Juan, hijos de Zebedeo, se acercó con sus hijos a Jesús. Se arrodilló respetuosamente para pedirle un favor.

[21]—¿Cuál es tu petición? —le preguntó Jesús.

La mujer contestó:

—Te pido por favor que permitas que, en tu reino, mis dos hijos se sienten en lugares de honor a tu lado, uno a tu derecha y el otro a tu izquierda.

[22]Jesús les respondió:

—¡No saben lo que piden! ¿Acaso pueden beber de la copa amarga de sufrimiento que yo estoy a punto de beber?

—Claro que sí —contestaron ellos—, ¡podemos!

[23]Jesús les dijo:

—Es cierto, beberán de mi copa amarga; pero no me corresponde a mí decir quién se sentará a mi derecha o a mi izquierda. Mi Padre preparó esos lugares para quienes él ha escogido.

[24]Cuando los otros diez discípulos oyeron lo que Santiago y Juan habían pedido, se indignaron. [25]Así que Jesús los reunió a todos y les dijo: «Ustedes saben que los gobernantes de este mundo tratan a su pueblo con prepotencia y los funcionarios hacen alarde de su autoridad frente a los súbditos. [26]Pero entre ustedes será diferente. El que quiera ser líder entre ustedes deberá ser sirviente, [27]y el que quiera ser el primero entre ustedes deberá convertirse en esclavo. [28]Pues ni aun el Hijo del Hombre vino para que le sirvan, sino para servir a otros y para dar su vida en rescate por muchos».

Jesús sana a dos hombres ciegos

[29]Mientras Jesús y sus discípulos salían de la ciudad de Jericó, una gran multitud los seguía. [30]Dos hombres ciegos estaban sentados junto al camino. Cuando oyeron que Jesús venía en dirección a ellos, comenzaron a gritar: «¡Señor, Hijo de David, ten compasión de nosotros!».

[31]«¡Cállense!», les gritó la multitud.

Sin embargo, los dos ciegos gritaban aún más fuerte: «¡Señor, Hijo de David, ten compasión de nosotros!».

[32]Cuando Jesús los oyó, se detuvo y los llamó:

—¿Qué quieren que haga por ustedes?

[33]—Señor —dijeron—, ¡queremos ver!

[34]Jesús se compadeció de ellos y les tocó los ojos. ¡Al instante pudieron ver! Luego lo siguieron.

Entrada triunfal de Jesús

21 Mientras Jesús y los discípulos se acercaban a Jerusalén, llegaron a la ciudad de Betfagé, en el monte de los Olivos. Jesús mandó a dos de ellos que se adelantaran. [2]«Vayan a la aldea que está allí —les dijo—. En cuanto entren, verán una burra atada junto con su cría. Desaten a los dos animales y tráiganmelos. [3]Si alguien les pregunta qué están haciendo, simplemente digan: "El Señor los necesita", entonces les permitirá llevárselos de inmediato».

[4]Eso ocurrió para se cumpliera la profecía que decía:

[5]«Dile a la gente de Jerusalén:*
"Mira, tu Rey viene hacia ti.
Es humilde y llega montado en un
burro:
montado en la cría de una burra"»*.

20:19 En griego *los gentiles.* (*Gentil[es]*, que no es judío). **21:5a** En griego *Dile a la hija de Sión.* Is 62:11. **21:5b** Za 9:9.

[6]Los dos discípulos hicieron tal como Jesús les había ordenado. [7]Llevaron la burra y su cría, pusieron sus prendas sobre la cría, y Jesús se sentó allí.*

[8]De la multitud presente, la mayoría tendió sus prendas sobre el camino delante de él, y otros cortaron ramas de los árboles y las extendieron sobre el camino. [9]Jesús estaba en el centro de la procesión, y toda la gente que lo rodeaba gritaba:

«¡Alaben a Dios* por el Hijo de David!
¡Bendiciones al que viene en el nombre del SEÑOR!
¡Alaben a Dios en el cielo más alto!»*.

[10]Toda la ciudad de Jerusalén estaba alborotada a medida que Jesús entraba. «¿Quién es éste?», preguntaban.

[11]Y las multitudes contestaban: «Es Jesús, el profeta de Nazaret de Galilea».

Jesús limpia el templo

[12]Jesús entró en el templo y comenzó a echar a todos los que compraban y vendían animales para el sacrificio. Volcó las mesas de los cambistas y las sillas de los que vendían palomas. [13]Les dijo: «Las Escrituras declaran: "Mi templo será llamado casa de oración", ¡pero ustedes lo han convertido en una cueva de ladrones!»*.

[14]Los ciegos y los cojos se acercaron a Jesús en el templo y él los sanó. [15]Los principales sacerdotes y los maestros de la ley religiosa vieron esos milagros maravillosos y oyeron que hasta los niños en el templo gritaban: «Alaben a Dios por el Hijo de David».

Sin embargo, los líderes estaban indignados. [16]Le preguntaron a Jesús:

—¿Oyes lo que dicen esos niños?

—Sí —contestó Jesús—. ¿No han leído las Escrituras? Pues dicen: "A los niños y a los bebés les has enseñado a darte alabanza"*.

[17]Luego regresó a Betania, donde pasó la noche.

Jesús maldice la higuera

[18]Por la mañana, cuando Jesús regresaba a Jerusalén, tuvo hambre [19]y vio que había una higuera junto al camino. Se acercó para ver si tenía higos, pero sólo había hojas. Entonces le dijo: «¡Que jamás vuelva a dar fruto!». De inmediato, la higuera se marchitó.

[20]Al ver eso los discípulos quedaron asombrados y le preguntaron:

—¿Cómo se marchitó tan rápido la higuera?

[21]Entonces Jesús les dijo:

—Les digo la verdad, si tienen fe y no dudan, pueden hacer cosas como ésa y mucho más. Hasta pueden decirle a esta montaña: "Levántate y échate al mar", y sucederá. [22]Ustedes pueden orar por cualquier cosa, y si tienen fe la recibirán.

Desafían la autoridad de Jesús

[23]Cuando Jesús regresó al templo y comenzó a enseñar, se le acercaron los principales sacerdotes y los ancianos.

—¿Con qué autoridad haces todas estas cosas? —le reclamaron—. ¿Quién te dio el derecho?

[24]—Les diré con qué autoridad hago estas cosas si me contestan una pregunta —respondió Jesús—. [25]La autoridad de Juan para bautizar, ¿provenía del cielo o era meramente humana?

Ellos discutieron el asunto unos con otros: «Si decimos que provenía del cielo, nos preguntará por qué no le creímos a Juan; [26]pero si decimos que era

21:7 En griego *sobre ellas, y se sentó encima de ellas.* **21:9a** En griego *Hosanna,* exclamación de alabanza que quiere decir literalmente «salva ahora»; también en el 21:9b, 15. **21:9b** Sal 118:25-26; 148:1. **21:13** Is 56:7; Jr 7:11. **21:16** Sal 8:2.

meramente humana, la multitud se volverá contra nosotros porque todos creen que Juan era un profeta». [27]Entonces finalmente contestaron:

—No sabemos.

Y Jesús respondió:

—Entonces yo tampoco les diré con qué autoridad hago estas cosas.

Parábola de los dos hijos

[28]»¿Pero qué piensan de lo siguiente? Un hombre con dos hijos le dijo al mayor: "Hijo, ve a trabajar al viñedo hoy". [29]El hijo le respondió: "No, no iré", pero más tarde cambió de idea y fue. [30]Entonces el padre le dijo al otro hijo: "Ve tú", y él le dijo: "Sí, señor, iré"; pero no fue.

[31]»¿Cuál de los dos obedeció al padre?

Ellos contestaron:

—El primero.*

Luego Jesús explicó el significado:

—Les digo la verdad, los corruptos cobradores de impuestos y las prostitutas entrarán en el reino de Dios antes que ustedes. [32]Pues Juan el Bautista vino y les mostró a ustedes la manera correcta de vivir, pero ustedes no le creyeron, mientras que los cobradores de impuestos y las prostitutas sí le creyeron. Aun viendo lo que ocurría, ustedes se negaron a creerle y a arrepentirse de sus pecados.

Parábola de los agricultores malvados

[33]»Ahora, escuchen otra historia. Cierto propietario plantó un viñedo, lo cercó con un muro, cavó un hoyo para extraer el jugo de las uvas y construyó una torre de vigilancia. Luego les alquiló el viñedo a unos agricultores arrendatarios y se mudó a otro país. [34]Llegado el tiempo de la cosecha de la uva, envió a sus siervos para recoger su parte de la cosecha. [35]Pero los agricultores agarraron a los siervos, golpearon a uno, mataron a otro y apedrearon a un tercero. [36]Entonces el dueño de la tierra envió a un grupo más numeroso de siervos para recoger lo que era suyo, pero el resultado fue el mismo.

[37]»Finalmente, el dueño envió a su propio hijo porque pensó: "Sin duda, respetarán a mi hijo".

[38]»Sin embargo, cuando los agricultores vieron que venía el hijo, se dijeron unos a otros: "Aquí viene el heredero de esta propiedad. Vamos, matémoslo y nos quedaremos con la propiedad". [39]Entonces lo agarraron, lo arrastraron fuera del viñedo y lo asesinaron.

[40]Jesús preguntó:

—Cuando el dueño del viñedo regrese, ¿qué les parece que hará con esos agricultores?

[41]Los líderes religiosos contestaron:

—A los hombres malvados les dará una muerte horrible y alquilará el viñedo a otros que le darán su porción después de cada cosecha.

[42]Entonces Jesús les preguntó:

—¿Nunca leyeron en las Escrituras:

"La piedra que los constructores
rechazaron
ahora se ha convertido en la piedra
principal.
Esto es obra del Señor
y es maravilloso verlo"?*

[43]»Les digo que a ustedes se les quitará el reino de Dios y se le dará a una nación que producirá el fruto esperado. [44]Cualquiera que tropiece con esa piedra se hará pedazos, y la piedra aplastará a quienes les caiga encima.*

[45]Cuando los principales sacerdotes y los fariseos oyeron esa parábola, se dieron

21:29-31 Otros manuscritos dicen —*El segundo.* Incluso en otros manuscritos, el primer hijo dice «Sí», pero no hace nada; el segundo dice «No», pero luego se arrepiente y va; y la respuesta a la pregunta de Jesús es que el segundo hijo obedeció a su padre. **21:42** Sal 118:22-23. **21:44** Algunos manuscritos antiguos no incluyen este versículo. Comparar Lc 20:18.

cuenta de que contaba esa historia en contra de ellos, pues ellos eran los agricultores malvados. [46]Querían arrestarlo, pero tenían miedo de las multitudes, que consideraban que Jesús era un profeta.

Parábola de la gran fiesta

22 Jesús también les contó otras parábolas. Dijo: [2]«El reino del cielo también puede ilustrarse mediante la historia de un rey que preparó una gran fiesta de bodas para su hijo. [3]Cuando el banquete estuvo listo, el rey envió a sus sirvientes para llamar a los invitados. ¡Pero todos se negaron a asistir!

[4]»Entonces envió a otros sirvientes a decirles: "La fiesta está preparada. Se han matado los toros y las reses engordadas, y todo está listo. ¡Vengan al banquete!". [5]Pero las personas a quienes había invitado no hicieron caso y siguieron su camino: uno se fue a su granja y otro a su negocio. [6]Otros agarraron a los mensajeros, los insultaron y los mataron.

[7]»El rey se puso furioso, y envió a su ejército para destruir a los asesinos y quemar su ciudad. [8]Y les dijo a los sirvientes: "La fiesta de bodas está lista y las personas a las que invité no son dignas de tal honor. [9]Ahora salgan a las esquinas de las calles e inviten a todos los que vean". [10]Entonces los sirvientes llevaron a todos los que pudieron encontrar, tanto buenos como malos, y la sala del banquete se llenó de invitados.

[11]»Cuando el rey entró para recibir a los invitados, notó que había un hombre que no estaba vestido apropiadamente para una boda. [12]"Amigo —le preguntó—, ¿cómo es que estás aquí sin ropa de bodas?". Pero el hombre no tuvo respuesta. [13]Entonces el rey dijo a sus asistentes: "Átenlo de pies y manos y arrójenlo a la oscuridad de afuera, donde habrá llanto y rechinar de dientes".

[14]»Pues muchos son los llamados, pero pocos los elegidos».

Los impuestos para el César

[15]Entonces los fariseos se juntaron para tramar cómo hacer que Jesús cayera en la trampa de decir algo por lo cual pudiera ser arrestado. [16]Enviaron a algunos de sus discípulos, junto con los partidarios de Herodes, a buscarlo.

—Maestro —dijeron—, sabemos lo honesto que eres. Enseñas con verdad el camino de Dios. Eres imparcial y no tienes favoritismos. [17]Ahora bien, dinos qué piensas de lo siguiente: ¿Es correcto que paguemos impuestos al César o no?

[18]Pero Jesús conocía sus malas intenciones.

—¡Hipócritas! —dijo—. ¿Por qué intentan atraparme? [19]Veamos, muéstrenme la moneda que se usa para el impuesto.

Cuando le entregaron una moneda romana,* [20]les preguntó:

—¿A quién pertenecen la imagen y el título grabados en la moneda?

[21]—Al César —contestaron.

—Bien —dijo—, entonces den al César lo que pertenece al César y den a Dios lo que pertenece a Dios.

[22]Su respuesta los dejó asombrados, y se marcharon.

Discusión acerca de la resurrección

[23]Ese mismo día, se acercaron a Jesús algunos saduceos, líderes religiosos que dicen que no hay resurrección después de la muerte. Le plantearon la siguiente pregunta:

[24]—Maestro, Moisés dijo: "Si un hombre muere sin haber tenido hijos, su hermano debe casarse con la viuda y darle un hijo para que el nombre del hermano continúe"*. [25]Ahora bien, supongamos que había siete hermanos. El mayor

22:19 En griego *un denario*. **22:24** Dt 25:5-6.

se casó y murió sin dejar hijos, entonces su hermano se casó con la viuda. [26]El segundo hermano también murió, y el tercero se casó con ella. Lo mismo sucedió con los siete. [27]Por último, la mujer también murió. [28]Entonces dinos, ¿de quién será esposa en la resurrección? Pues los siete estuvieron casados con ella.

[29]Jesús contestó:

—El error de ustedes es que no conocen las Escrituras y no conocen el poder de Dios. [30]Pues cuando los muertos resuciten, no se casarán ni se entregarán en matrimonio. En este sentido, serán como los ángeles del cielo.

[31]»Ahora bien, en cuanto a si habrá una resurrección de los muertos, ¿nunca han leído acerca de esto en las Escrituras? Mucho después de que Abraham, Isaac y Jacob murieran, Dios dijo:* [32]"Yo soy el Dios de Abraham, el Dios de Isaac y el Dios de Jacob"*. Por lo tanto, él es Dios de los que están vivos, no de los muertos.

[33]Cuando las multitudes lo escucharon, quedaron atónitas ante su enseñanza.

El mandamiento más importante

[34]En cuanto los fariseos oyeron que había silenciado a los saduceos con esa respuesta, se juntaron para interrogarlo nuevamente. [35]Uno de ellos, experto en la ley religiosa, intentó tenderle una trampa con la siguiente pregunta:

[36]—Maestro, ¿cuál es el mandamiento más importante en la ley de Moisés?

[37]Jesús contestó:

—"Amarás al Señor tu Dios con todo tu corazón, con toda tu alma y con toda tu mente"*. [38]Este es el primer mandamiento y el más importante. [39]Hay un segundo mandamiento que es igualmente importante: "Amarás a tu prójimo como a ti mismo"*. [40]Toda la ley y las exigencias de los profetas se basan en estos dos mandamientos.

¿De quién es hijo el Mesías?

[41]Entonces, rodeado por los fariseos, Jesús les hizo una pregunta:

[42]—¿Qué piensan del Mesías? ¿De quién es hijo?

Ellos contestaron:

—Es hijo de David.

[43]Jesús les respondió:

—Entonces, ¿por qué David, mientras hablaba bajo la inspiración del Espíritu, llama al Mesías "mi Señor"? Pues David dijo:

[44] "El Señor le dijo a mi Señor:
'Siéntate en el lugar de honor a mi derecha,
hasta que humille a tus enemigos y los ponga por debajo de tus pies'"*.

[45]»Si David llamó al Mesías "mi Señor", ¿cómo es posible que el Mesías sea su hijo?

[46]Nadie pudo responderle, y a partir de entonces, ninguno se atrevió a hacerle más preguntas.

Jesús critica a los líderes religiosos

23 Entonces Jesús les dijo a las multitudes y a sus discípulos: [2]«Los maestros de la ley religiosa y los fariseos son los intérpretes oficiales de la ley de Moisés.* [3]Por lo tanto, practiquen y obedezcan todo lo que les digan, pero no sigan su ejemplo. Pues ellos no hacen lo que enseñan. [4]Aplastan a la gente bajo el peso de exigencias religiosas insoportables y jamás mueven un dedo para aligerar la carga.

[5]»Todo lo que hacen es para aparentar. En los brazos se ponen anchas cajas de oración con versículos de la Escritura,

22:31 En griego *¿no han leído acerca de esto? Dios dijo.* **22:32** Ex 3:6. **22:37** Dt 6:5. **22:39** Lv 19:18. **22:44** Sal 110:1. **23:2** En griego *y los fariseos se sientan en el asiento de Moisés.*

y usan túnicas con flecos muy largos.* [6]Y les encanta sentarse a la mesa principal en los banquetes y ocupar los asientos de honor en las sinagogas. [7]Les encanta recibir saludos respetuosos cuando caminan por las plazas y que los llamen "Rabí"*.

[8]»Pero ustedes, no permitan que nadie los llame "Rabí", porque tienen un solo maestro y todos ustedes son hermanos por igual. [9]Además, aquí en la tierra, no se dirijan a nadie llamándolo "Padre", porque sólo Dios, que está en el cielo, es su Padre espiritual. [10]Y no permitan que nadie los llame "Maestro", porque ustedes tienen un solo Maestro, el Mesías. [11]El más importante entre ustedes debe ser el sirviente de los demás; [12]pero aquellos que se exaltan a sí mismos serán humillados, y los que se humillan a sí mismos serán exaltados.

[13]»¡Qué aflicción les espera, maestros de la ley religiosa y fariseos! ¡Hipócritas! Pues le cierran la puerta del reino del cielo en la cara a la gente. Ustedes no entrarán ni tampoco dejan que los demás entren.*

[15]»¡Qué aflicción les espera, maestros de la ley religiosa y fariseos! ¡Hipócritas! Pues cruzan tierra y mar para ganar un solo seguidor, ¡y luego lo convierten en un hijo del infierno* dos veces peor que ustedes mismos!

[16]»¡Guías ciegos! ¡Qué aflicción les espera! Pues dicen que no significa nada jurar "por el templo de Dios" pero que el que jura "por el oro del templo" está obligado a cumplir ese juramento. [17]¡Ciegos tontos! ¿Qué es más importante, el oro o el templo que lo hace sagrado? [18]Y dicen que jurar "por el altar" no impone una obligación, pero jurar "por las ofrendas que están sobre el altar" sí la impone. [19]¡Qué ciegos son! Pues, ¿qué es más importante, la ofrenda sobre el altar o el altar que hace que la ofrenda sea sagrada? [20]Cuando juran "por el altar", juran por el altar y por todo lo que hay encima. [21]Cuando juran "por el templo", no sólo juran por el templo sino por Dios, quien vive allí. [22]Y cuando juran "por el cielo", juran por el trono y por Dios, quien se sienta en el trono.

[23]»¡Qué aflicción les espera, maestros de la ley religiosa y fariseos! ¡Hipócritas! Pues se cuidan de dar el diezmo sobre el más mínimo ingreso de sus jardines de hierbas,* pero pasan por alto los aspectos más importantes de la ley: la justicia, la misericordia y la fe. Es cierto que deben diezmar, pero sin descuidar las cosas más importantes. [24]¡Guías ciegos! ¡Cuelan el agua para no tragarse por accidente un mosquito, pero se tragan un camello!*

[25]»¡Qué aflicción les espera, maestros de la ley religiosa y fariseos! ¡Hipócritas! ¡Pues se cuidan de limpiar la parte exterior de la taza y del plato pero ustedes están sucios por dentro, llenos de avaricia y se permiten todo tipo de excesos! [26]¡Fariseo ciego! Primero lava el interior de la taza y del plato,* y entonces el exterior también quedará limpio.

[27]»¡Qué aflicción les espera, maestros de la ley religiosa y fariseos! ¡Hipócritas! Pues son como tumbas blanqueadas: hermosas por fuera, pero llenas de huesos de muertos y de toda clase de impurezas

23:5 En griego *Agrandan sus filacterias y alargan sus borlas.* **23:7** *Rabí,* del arameo, significa «amo», «maestro»; también en 23:8. **23:13** Algunos manuscritos incluyen el versículo 14: *¡Qué aflicción les espera a ustedes, líderes de la ley religiosa y fariseos! ¡Hipócritas! Con todo descaro engañan a las viudas y se apoderan de sus propiedades, y luego pretenden ser piadosos al hacer largas oraciones en público. Por esta causa, recibirán un severo castigo.* Comparar con Mc 12:40 y Lc 20:47. **23:15** En griego *Gehenna;* también en 23:33. **23:23** En griego *diezman la menta, el eneldo y el comino.* **23:24** Ver Lv 11:4, 23, donde se prohíbe comer tanto mosquitos como camellos. **23:26** Algunos manuscritos no incluyen *y del plato.*

por dentro. [28]Por fuera parecen personas rectas, pero por dentro, el corazón está lleno de hipocresía y desenfreno.

[29]»¡Qué aflicción les espera, maestros de la ley religiosa y fariseos! ¡Hipócritas! Edifican tumbas a los profetas que sus antepasados mataron, y adornan los monumentos de la gente justa que sus antepasados destruyeron. [30]Luego dicen: "Si hubiéramos vivido en los días de nuestros antepasados, jamás nos habríamos unido a ellos para matar a los profetas".

[31]»Así que al decir eso, dan testimonio en contra de ustedes mismos, que en verdad son descendientes de aquellos que asesinaron a los profetas. [32]Sigan adelante y terminen lo que sus antepasados comenzaron. [33]¡Serpientes! ¡Hijos de víboras! ¿Cómo escaparán del juicio del infierno?

[34]»Por lo tanto, les envío profetas, hombres sabios y maestros de la ley religiosa. A algunos los matarán crucificándolos, y a otros los azotarán con látigos en las sinagogas y los perseguirán de ciudad en ciudad. [35]Como consecuencia, se les hará responsables del asesinato de toda la gente justa de todos los tiempos, desde el asesinato del justo Abel hasta el de Zacarías, hijo de Berequías, a quien mataron en el templo, entre el santuario y el altar. [36]Les digo la verdad, ese juicio caerá sobre esta misma generación.

Lamento de Jesús por Jerusalén

[37]»¡Oh, Jerusalén, Jerusalén, la ciudad que mata a los profetas y apedrea a los mensajeros de Dios! Cuántas veces quise juntar a tus hijos como la gallina protege a sus pollitos debajo de sus alas, pero no me dejaste. [38]Y ahora, mira, tu casa está abandonada y desolada.* [39]Pues te digo lo siguiente: no volverás a verme hasta que digas: "¡Bendiciones al que viene en el nombre del SEÑOR!"»*.

Jesús predice la destrucción del templo

24 Cuando Jesús salía del terreno del templo, sus discípulos le señalaron los diversos edificios del templo. [2]Pero él les respondió: «¿Ven todos esos edificios? Les digo la verdad, serán demolidos por completo. ¡No quedará ni una sola piedra sobre otra!».

[3]Más tarde, Jesús se sentó en el monte de los Olivos. Sus discípulos se le acercaron en privado y le dijeron:

—Dinos, ¿cuándo sucederá todo eso? ¿Qué señal marcará tu regreso y el fin del mundo?*

[4]Jesús les dijo:

—No dejen que nadie los engañe, [5]porque muchos vendrán en mi nombre y afirmarán: "Yo soy el Mesías", y engañarán a muchos. [6]Oirán de guerras y de amenazas de guerras, pero no se dejen llevar por el pánico. Es verdad, esas cosas deben suceder, pero el fin no vendrá inmediatamente después. [7]Una nación entrará en guerra con otra, y un reino con otro reino. Habrá hambres y terremotos en muchas partes del mundo. [8]Sin embargo, todo eso es sólo el comienzo de los dolores del parto, luego vendrán más.

[9]»Entonces los arrestarán, los perseguirán y los matarán. En todo el mundo los odiarán por ser mis seguidores.* [10]Muchos se apartarán de mí, se traicionarán unos a otros y se odiarán. [11]Aparecerán muchos falsos profetas y engañarán a mucha gente. [12]Abundará el pecado por todas partes, y el amor de muchos se enfriará; [13]pero el que se mantenga firme hasta el fin será salvo. [14]Y se predicará la Buena Noticia acerca del reino por todo el mundo, de manera que todas las naciones* la oirán; y entonces vendrá el fin.

[15]»Llegará el día cuando verán de lo que habló el profeta Daniel: el objeto

23:38 Algunos manuscritos no incluyen *y desolada*. **23:39** Sal 118:26. **24:3** O *del siglo?* **24:9** En griego *por causa de mi nombre*. **24:14** O *todos los grupos étnicos*.

sacrílego que causa profanación* de pie en el Lugar Santo. (Lector, ¡presta atención!). [16]Entonces los que estén en Judea huyan a las colinas. [17]La persona que esté en la azotea no baje a la casa para empacar. [18]La persona que esté en el campo no regrese ni para buscar un abrigo. [19]¡Qué terribles serán esos días para las mujeres embarazadas y para las madres que amamantan! [20]Y oren para que la huída no sea en invierno o en día de descanso. [21]Pues habrá más angustia que en cualquier otro momento desde el principio del mundo. Y jamás habrá una angustia tan grande. [22]De hecho, a menos que se acorte ese tiempo de calamidad, ni una sola persona sobrevivirá; pero se acortará por el bien de los elegidos de Dios.

[23]»Entonces, si alguien les dice: "Miren, aquí está el Mesías" o "Allí está", no lo crean. [24]Pues se levantarán falsos mesías y falsos profetas y realizarán grandes señales y milagros para engañar, de ser posible, aun a los elegidos de Dios. [25]Miren, que les he advertido esto de antemano.

[26]»Por lo tanto, si alguien les dice: "Miren, el Mesías está en el desierto", ni se molesten en ir a buscarlo. O bien, si les dicen: "Miren, se esconde aquí", ¡no lo crean! [27]Pues, así como el relámpago destella en el oriente y brilla en el occidente, así será cuando venga el Hijo del Hombre.* [28]Así como los buitres, cuando se juntan, indican que hay un cadáver cerca, de la misma manera, esas señales revelan que el fin está cerca.*

[29]»Inmediatamente después de la angustia de esos días,

"El sol se oscurecerá,
la luna no dará luz,
las estrellas caerán del cielo,
y los poderes de los cielos serán sacudidos"*.

[30]»Y entonces, por fin, aparecerá en los cielos la señal de que el Hijo del Hombre viene, y habrá un profundo lamento entre todos los pueblos de la tierra. Verán al Hijo del Hombre venir en las nubes del cielo con poder y gran gloria.* [31]Enviará a sus ángeles con un potente toque de trompeta y reunirán a los elegidos de todas partes del mundo,* desde los extremos más lejanos de la tierra y del cielo.

[32]»Ahora, aprendan una lección de la higuera. Cuando las ramas echan brotes y comienzan a salir las hojas, ustedes saben que el verano se acerca. [33]De la misma manera, cuando vean que suceden todas estas cosas, sabrán que su regreso está muy cerca, a las puertas. [34]Les digo la verdad, no pasará esta generación* hasta que todas estas cosas sucedan. [35]El cielo y la tierra desaparecerán, pero mis palabras no desaparecerán jamás.

[36]»Sin embargo, nadie sabe el día ni la hora en que sucederán estas cosas, ni siquiera los ángeles en el cielo ni el propio Hijo.* Sólo el Padre lo sabe.

[37]»Cuando el Hijo del Hombre regrese, será como en los días de Noé. [38]En esos días, antes del diluvio, la gente disfrutaba de banquetes, fiestas y casamientos, hasta el momento en que Noé entró en su barco. [39]La gente no se daba cuenta de lo que iba a suceder hasta que llegó el diluvio y arrasó con todos. Así será cuando venga el Hijo del Hombre.

[40]»Dos hombres estarán trabajando juntos en el campo; uno será llevado, el otro será dejado. [41]Dos mujeres estarán moliendo harina en el molino; una será llevada, la otra será dejada.

24:15 En griego *la abominación de la desolación.* Ver Dn 9:27; 11:31; 12:11. **24:27** «Hijo del Hombre» es un título que Jesús empleaba para referirse a sí mismo. **24:28** En griego *Donde hay un animal muerto, allí se juntan los buitres.* **24:29** Ver Is 13:10; 34:4; Jl 2:10. **24:30** Ver Dn 7:13. **24:31** En griego *de los cuatro vientos.* **24:34** O *esta era,* o *esta nación.* **24:36** Algunos manuscritos no incluyen *ni el propio Hijo.*

[42]»¡Así que ustedes también deben estar alerta!, porque no saben qué día vendrá su Señor. [43]Entiendan lo siguiente: si el dueño de una casa supiera exactamente a qué hora viene un ladrón, se mantendría alerta y no dejaría que asaltara su casa. [44]Ustedes también deben estar preparados todo el tiempo, porque el Hijo del Hombre vendrá cuando menos lo esperen.

[45]»Un sirviente fiel y sensato es aquel a quien el amo puede darle la responsabilidad de dirigir a los demás sirvientes y alimentarlos. [46]Si el amo regresa y encuentra que el sirviente ha hecho un buen trabajo, habrá una recompensa. [47]Les digo la verdad, el amo pondrá a ese sirviente a cargo de todo lo que posee. [48]¿Pero qué tal si el sirviente es malo y piensa: "Mi amo no regresará por un tiempo" [49]y comienza a golpear a los otros sirvientes, a parrandear y a emborracharse? [50]El amo regresará inesperadamente y sin previo aviso, [51]cortará al sirviente en pedazos y le asignará un lugar con los hipócritas. En ese lugar habrá llanto y rechinar de dientes.

Parábola de las diez damas de honor

25 »Entonces, el reino del cielo será como diez damas de honor* que tomaron sus lámparas y salieron para encontrarse con el novio. [2]Cinco de ellas eran necias y cinco sabias. [3]Las cinco que eran necias no llevaron suficiente aceite de oliva para sus lámparas, [4]pero las otras cinco fueron tan sabias que llevaron aceite extra. [5]Como el novio se demoró, a todas les dio sueño y se durmieron.

[6]»A la medianoche, se despertaron ante el grito de: "¡Miren, ya viene el novio! ¡Salgan a recibirlo!".

[7]»Todas las damas de honor se levantaron y prepararon sus lámparas. [8]Entonces las cinco necias les pidieron a las otras: "Por favor, dennos un poco de aceite, porque nuestras lámparas se están apagando".

[9]»Sin embargo, las sabias contestaron: "No tenemos suficiente para todas. Vayan a una tienda y compren un poco para ustedes".

[10]»Pero durante el lapso en que se fueron a comprar aceite, llegó el novio. Entonces las que estaban listas entraron con él a la fiesta de bodas y se cerró la puerta con llave. [11]Más tarde, cuando regresaron las otras cinco damas de honor, se quedaron afuera, y llamaron: "¡Señor, Señor! ¡Ábrenos la puerta!".

[12]»Él les respondió: "Créanme, ¡no las conozco!".

[13]»¡Así que ustedes también deben estar alerta! Porque no saben el día ni la hora de mi regreso.

Parábola de los tres siervos

[14]»También el reino del cielo puede ilustrarse mediante la historia de un hombre que tenía que emprender un largo viaje. Reunió a sus siervos y les confió su dinero mientras estuviera ausente. [15]Lo dividió en proporción a las capacidades de cada uno. Al primero le dio cinco bolsas de plata;* al segundo, dos bolsas de plata; al último, una bolsa de plata. Luego se fue de viaje.

[16]»El siervo que recibió las cinco bolsas de plata comenzó a invertir el dinero y ganó cinco más. [17]El que tenía las dos bolsas de plata también salió a trabajar y ganó dos más. [18]Pero el siervo que recibió una sola bolsa de plata cavó un hoyo en la tierra y allí escondió el dinero de su amo.

[19]»Después de mucho tiempo, el amo regresó de su viaje y los llamó para que

25:1 O *vírgenes;* también en el 25:7, 11. **25:15** En griego *cinco talentos;* lo mismo se repite en toda la historia. Un talento equivale a 34 kilogramos ó 75 libras.

rindieran cuentas de cómo habían usado su dinero. [20]El siervo al cual le había confiado las cinco bolsas de plata se presentó con cinco más y dijo: "Amo, usted me dio cinco bolsas de plata para invertir, y he ganado cinco más".

[21]»El amo lo llenó de elogios. "Bien hecho, mi buen siervo fiel. Has sido fiel en administrar esta pequeña cantidad, así que ahora te daré muchas más responsabilidades. ¡Ven a celebrar conmigo!"*.

[22]»Se presentó el siervo que había recibido las dos bolsas de plata y dijo: "Amo, usted me dio dos bolsas de plata para invertir, y he ganado dos más".

[23]»El amo dijo: "Bien hecho, mi buen siervo fiel. Has sido fiel en administrar esta pequeña cantidad, así que ahora te daré muchas más responsabilidades. ¡Ven a celebrar conmigo!".

[24]»Por último se presentó el siervo que tenía una sola bolsa de plata y dijo: "Amo, yo sabía que usted era un hombre severo, que cosecha lo que no sembró y recoge las cosechas que no cultivó. [25]Tenía miedo de perder su dinero, así que lo escondí en la tierra. Mire, aquí está su dinero de vuelta".

[26]»Pero el amo le respondió: "¡Siervo perverso y perezoso! Si sabías que cosechaba lo que no sembré y recogía lo que no cultivé, [27]¿por qué no depositaste mi dinero en el banco? Al menos hubiera podido obtener algún interés de él".

[28]»Entonces ordenó: "Quítenle el dinero a este siervo y dénselo al que tiene las diez bolsas de plata. [29]A los que usan bien lo que se les da, se les dará aún más y tendrán en abundancia; pero a los que no hacen nada se les quitará aun lo poco que tienen. [30]Ahora bien, arrojen a este siervo inútil a la oscuridad de afuera, donde habrá llanto y rechinar de dientes".

El juicio final

[31]»Cuando el Hijo del Hombre* venga en su gloria acompañado por todos los ángeles, entonces se sentará sobre su trono glorioso. [32]Todas las naciones* se reunirán en su presencia, y él separará a la gente como un pastor separa a las ovejas de las cabras. [33]Pondrá las ovejas a su derecha y las cabras a su izquierda.

[34]»Entonces el Rey dirá a los que estén a su derecha: "Vengan, ustedes, que son benditos de mi Padre, hereden el reino preparado para ustedes desde la creación del mundo. [35]Pues tuve hambre, y me alimentaron. Tuve sed, y me dieron de beber. Fui extranjero, y me invitaron a su hogar. [36]Estuve desnudo, y me dieron ropa. Estuve enfermo, y me cuidaron. Estuve en prisión, y me visitaron".

[37]»Entonces esas personas justas responderán: "Señor, ¿en qué momento te vimos con hambre y te alimentamos, o con sed y te dimos algo de beber, o [38]te vimos como extranjero y te brindamos hospitalidad, o te vimos desnudo y te dimos ropa, [39]o te vimos enfermo o en prisión, y te visitamos?".

[40]»Y el Rey dirá: "Les digo la verdad, cuando hicieron alguna de estas cosas al más insignificante de éstos, mis hermanos, ¡me lo hicieron a mí!".

[41]»Luego el Rey se dirigirá a los de la izquierda y dirá: "¡Fuera de aquí, ustedes, los malditos, al fuego eterno preparado para el diablo y sus demonios!* [42]Pues tuve hambre, y no me alimentaron. Tuve sed, y no me dieron de beber. [43]Fui extranjero, y no me invitaron a su hogar. Estuve desnudo, y no me dieron ropa. Estuve enfermo y en prisión, y no me visitaron".

[44]»Entonces ellos responderán: "Señor, ¿en qué momento te vimos con hambre

25:21 En griego *Entra en el gozo de tu amo* [o *tu Señor*]; también en 25:23. **25:31** «Hijo del Hombre» es un título que Jesús empleaba para referirse a sí mismo. **25:32** O *Todos los grupos étnicos*. **25:41** En griego *el diablo y sus ángeles*.

o con sed o como extranjero o desnudo o enfermo o en prisión y no te ayudamos?".

[45]»Y él responderá: "Les digo la verdad, cuando se negaron a ayudar al más insignificante de éstos, mis hermanos, se negaron a ayudarme a mí".

[46]»Y ellos irán al castigo eterno, pero los justos entrarán en la vida eterna.

Conspiración para matar a Jesús

26 Cuando Jesús terminó de hablar todas esas cosas, dijo a sus discípulos: [2]«Como ya saben, la Pascua comienza en dos días, y el Hijo del Hombre* será entregado para que lo crucifiquen».

[3]En ese mismo momento, los principales sacerdotes y los ancianos estaban reunidos en la residencia de Caifás, el sumo sacerdote, [4]tramando cómo capturar a Jesús en secreto y matarlo. [5]«Pero no durante la celebración de la Pascua —acordaron—, no sea que la gente cause disturbios».

Jesús ungido en Betania

[6]Mientras tanto, Jesús se encontraba en Betania, en la casa de Simón, un hombre que había tenido lepra. [7]Mientras comía,* entró una mujer con un hermoso frasco de alabastro que contenía un perfume costoso, y lo derramó sobre la cabeza de Jesús.

[8]Los discípulos se indignaron al ver esto. «¡Qué desperdicio! —dijeron— [9]Podría haberse vendido a un alto precio y el dinero dado a los pobres».

[10]Jesús, consciente de esto, les respondió: «¿Por qué critican a esta mujer por hacer algo tan bueno conmigo? [11]Siempre habrá pobres entre ustedes, pero a mí no siempre me tendrán. [12]Ella ha derramado este perfume sobre mí a fin de preparar mi cuerpo para el entierro. [13]Les digo la verdad, en cualquier lugar del mundo donde se predique la Buena Noticia, se recordará y se hablará de lo que hizo esta mujer».

Judas acuerda traicionar a Jesús

[14]Entonces Judas Iscariote, uno de los doce discípulos, fue a ver a los principales sacerdotes [15]y preguntó: «¿Cuánto me pagarán por traicionar a Jesús?». Y ellos le dieron treinta piezas de plata. [16]A partir de ese momento, Judas comenzó a buscar una oportunidad para traicionar a Jesús.

La última cena

[17]El primer día del Festival de los Panes sin Levadura, los discípulos se acercaron a Jesús y le preguntaron:

—¿Dónde quieres que te preparemos la cena de Pascua?

[18]—Al entrar en la ciudad —les dijo—, verán a cierto hombre. Díganle: "El Maestro dice: 'Mi tiempo ha llegado y comeré la cena de Pascua con mis discípulos en tu casa'".

[19]Entonces los discípulos hicieron como Jesús les dijo y prepararon la cena de Pascua allí.

[20]Al anochecer, Jesús se sentó a la mesa* con los doce discípulos.* [21]Mientras comían, les dijo:

—Les digo la verdad, uno de ustedes me traicionará.

[22]Ellos, muy afligidos, le preguntaron uno por uno:

—¿Seré yo, Señor?

[23]Jesús contestó:

—Uno de ustedes que acaba de comer de este plato conmigo me traicionará. [24]Pues el Hijo del Hombre tiene que morir, tal como lo declararon las Escrituras hace mucho tiempo. ¡Pero qué terrible será para el que lo traiciona! ¡Para ese

26:2 «Hijo del Hombre» es un título que Jesús empleaba para referirse a sí mismo. **26:7** O *estaba reclinado.* **26:20a** O *Jesús se reclinó.* **26:20b** Algunos manuscritos dicen *los Doce.*

hombre sería mucho mejor no haber nacido!

[25]Judas, el que lo iba a traicionar, también preguntó:

—¿Seré yo, Rabí?*

Y Jesús le dijo:

—Tú lo has dicho.

[26]Mientras comían, Jesús tomó un poco de pan y lo bendijo. Luego lo partió en trozos, lo dio a sus discípulos y dijo: «Tómenlo y cómanlo, porque esto es mi cuerpo».

[27]Y tomó en sus manos una copa de vino y dio gracias a Dios por ella. Se la dio a ellos y dijo: «Cada uno de ustedes beba de la copa, [28]porque esto es mi sangre, la cual confirma el pacto* entre Dios y su pueblo. Es derramada como sacrificio para perdonar los pecados de muchos. [29]Acuérdense de lo que les digo: no volveré a beber vino hasta el día en que lo beba nuevo con ustedes en el reino de mi Padre».

[30]Luego cantaron un himno y salieron al monte de los Olivos.

Jesús predice la negación de Pedro

[31]En el camino, Jesús les dijo: «Esta noche, todos ustedes me abandonarán, porque las Escrituras dicen:

"Dios golpeará* al Pastor,
y las ovejas del rebaño se
dispersarán".

[32]»Sin embargo, después de ser levantado de los muertos, iré delante de ustedes a Galilea y allí los veré».

[33]Pedro declaró:

—Aunque todos te abandonen, yo jamás te abandonaré.

[34]Jesús respondió:

—Te digo la verdad, Pedro: esta misma noche, antes de que cante el gallo, negarás tres veces que me conoces.

[35]—¡No! —insistió Pedro—. Aunque tenga que morir contigo, ¡jamás te negaré!

Y los demás discípulos juraron lo mismo.

Jesús ora en Getsemaní

[36]Entonces Jesús fue con ellos al huerto de olivos llamado Getsemaní y dijo: «Siéntense aquí mientras voy allí para orar». [37]Se llevó a Pedro y a los hijos de Zebedeo, Santiago y Juan, y comenzó a afligirse y angustiarse. [38]Les dijo: «Mi alma está destrozada de tanta tristeza, hasta el punto de la muerte. Quédense aquí y velen conmigo».

[39]Él se adelantó un poco más y se inclinó rostro en tierra mientras oraba: «¡Padre mío! Si es posible, que pase de mí esta copa de sufrimiento. Sin embargo, quiero que se haga tu voluntad, no la mía».

[40]Luego volvió a los discípulos y los encontró dormidos. Le dijo a Pedro: «¿No pudieron velar conmigo ni siquiera una hora? [41]Velen y oren para que no cedan ante la tentación, porque el espíritu está dispuesto, pero el cuerpo es débil».

[42]Entonces Jesús los dejó por segunda vez y oró: «¡Padre mío! Si no es posible que pase esta copa* a menos que yo la beba, entonces hágase tu voluntad». [43]Cuando regresó de nuevo adonde estaban ellos, los encontró dormidos porque no podían mantener los ojos abiertos.

[44]Así que se fue a orar por tercera vez, repitió lo mismo. [45]Luego se acercó a sus discípulos y les dijo: «¡Adelante, duerman y descansen! Pero miren, ha llegado la hora y el Hijo del Hombre es traicionado y entregado en manos de pecadores. [46]Levántense, vamos. ¡Miren, el que me traiciona ya está aquí!».

26:25 *Rabí,* del arameo, significa «amo», «maestro»; también en 26:49. **26:28** Algunos manuscritos dicen *el nuevo pacto.* **26:31** En griego *Golpearé.* Za 13:7. **26:42** En griego *Si esto no puede pasar.*

Traicionan y arrestan a Jesús

[47]Mientras Jesús hablaba, llegó Judas, uno de los doce discípulos, junto con una multitud de hombres armados con espadas y palos. Los habían enviado los principales sacerdotes y los ancianos del pueblo. [48]El traidor, Judas, había acordado con ellos una señal: «Sabrán a cuál arrestar cuando lo salude con un beso». [49]Entonces Judas fue directamente a Jesús.

—¡Saludos, Rabí! —exclamó, y le dio el beso.

[50]Jesús le dijo:

—Amigo mío, adelante, haz lo que viniste a hacer.

Entonces los otros agarraron a Jesús y lo arrestaron. [51]Pero uno de los hombres que estaban con Jesús sacó su espada e hirió al esclavo del sumo sacerdote cortándole una oreja.

[52]«Guarda tu espada —le dijo Jesús—. Los que usan la espada morirán a espada. [53]¿No te das cuenta de que yo podría pedirle a mi Padre que enviara miles* de ángeles para que nos protejan, y él los enviaría de inmediato? [54]Pero si lo hiciera, ¿cómo se cumplirían las Escrituras, que describen lo que tiene que suceder ahora?».

[55]Luego Jesús le dijo a la multitud: «¿Acaso soy un peligroso revolucionario, para que vengan con espadas y palos para arrestarme? ¿Por qué no me arrestaron en el templo? Estuve enseñando allí todos los días. [56]Pero todo esto sucede para que se cumplan las palabras de los profetas registradas en las Escrituras». En ese momento, todos los discípulos lo abandonaron y huyeron.

Jesús ante el Concilio

[57]Luego la gente que había arrestado a Jesús lo llevó a la casa de Caifás, el sumo sacerdote, donde se habían reunido los maestros de la ley religiosa y los ancianos. [58]Mientras tanto, Pedro lo siguió de lejos y llegó al patio del sumo sacerdote. Entró, se sentó con los guardias y esperó para ver cómo acabaría todo.

[59]Adentro, los principales sacerdotes y todo el Concilio Supremo* intentaban encontrar testigos que mintieran acerca de Jesús para poder ejecutarlo. [60]Sin embargo, aunque encontraron a muchos que accedieron a dar un falso testimonio, no pudieron usar el testimonio de ninguno. Finalmente, se presentaron dos hombres [61]y declararon: «Este hombre dijo: "Puedo destruir el templo de Dios y reconstruirlo en tres días"».

[62]Entonces el sumo sacerdote se puso de pie y le dijo a Jesús: «Bien, ¿no vas a responder a estos cargos? ¿Qué tienes que decir a tu favor?». [63]Pero Jesús guardó silencio. Entonces el sumo sacerdote le dijo:

—Te exijo, en el nombre del Dios viviente, que nos digas si eres el Mesías, el Hijo de Dios.

[64]Jesús respondió:

—Tú lo has dicho; y en el futuro verán al Hijo del Hombre sentado en el lugar de poder, a la derecha de Dios,* y viniendo en las nubes del cielo.*

[65]Entonces el sumo sacerdote se rasgó las vestiduras en señal de horror y dijo: «¡Blasfemia! ¿Para qué necesitamos más testigos? Todos han oído la blasfemia que dijo. [66]¿Cuál es el veredicto?».

«¡Culpable! —gritaron— ¡Merece morir!».

[67]Entonces comenzaron a escupirle en la cara a Jesús y a darle puñetazos. Algunos le daban bofetadas [68]y se burlaban: «¡Profetízanos, Mesías! ¿Quién te golpeó esta vez?».

26:53 En griego *doce legiones.* **26:59** En griego *el Sanedrín.* **26:64a** En griego *sentado a la derecha de poder.* Ver Sal 110:1. **26:64b** Ver Dn 7:13.

Pedro niega a Jesús

[69]Mientras tanto, Pedro estaba sentado afuera en el patio. Una sirvienta se acercó y le dijo:

—Tú eras uno de los que estaban con Jesús, el galileo.

[70]Pero Pedro lo negó frente a todos.

—No sé de qué hablas —le dijo.

[71]Más tarde, cerca de la puerta, lo vio otra sirvienta, quien les dijo a los que estaban por ahí: «Este hombre estaba con Jesús de Nazaret*».

[72]Nuevamente, Pedro lo negó, esta vez con un juramento. «Ni siquiera conozco al hombre», dijo.

[73]Un poco más tarde, algunos de los otros que estaban allí se acercaron a Pedro y dijeron:

—Seguro que tú eres uno de ellos; nos damos cuenta por el acento galileo que tienes.

[74]Pedro juró:

—¡Que me caiga una maldición si les miento! ¡No conozco al hombre!

Inmediatamente, el gallo cantó.

[75]De repente, las palabras de Jesús pasaron rápidamente por la mente de Pedro: «Antes de que cante el gallo, negarás tres veces que me conoces». Y Pedro salió llorando amargamente.

Judas se ahorca

27 Muy temprano por la mañana, los principales sacerdotes y los ancianos del pueblo se juntaron nuevamente para tramar de qué manera ejecutar a Jesús. [2]Luego, lo ataron, se lo llevaron y lo entregaron a Pilato, el gobernador romano.

[3]Cuando Judas, quien lo había traicionado, se dio cuenta de que habían condenado a muerte a Jesús, se llenó de remordimiento. Así que devolvió las treinta piezas de plata a los principales sacerdotes y a los ancianos.

[4]—He pecado —declaró—, porque traicioné a un hombre inocente.

—¿Qué nos importa? —contestaron—. Ese es tu problema.

[5]Entonces Judas tiró las monedas de plata en el templo, salió y se ahorcó.

[6]Los principales sacerdotes recogieron las monedas. «No sería correcto poner este dinero en el tesoro del templo —dijeron—, ya que se usó para pagar un asesinato*». [7]Luego de discutir unos instantes, finalmente decidieron comprar el campo del alfarero y convertirlo en un cementerio para extranjeros. [8]Por eso todavía se llama el Campo de Sangre. [9]Así se cumplió la profecía de Jeremías que dice:

«Tomaron* las treinta piezas de plata
—el precio que el pueblo de Israel le puso a él—
[10] y compraron el campo del alfarero,
como indicó el Señor»*.

Juicio de Jesús ante Pilato

[11]Jesús se encontraba frente a Pilato, el gobernador romano.

—¿Eres tú el rey de los judíos? —le preguntó el gobernador.

—Tú lo has dicho —contestó Jesús.

[12]Entonces, cuando los principales sacerdotes y los ancianos presentaron sus acusaciones contra él, Jesús guardó silencio.

[13]—¿No oyes todas las acusaciones que presentan en tu contra? —le preguntó Pilato.

[14]Para sorpresa del gobernador, Jesús no respondió a ninguno de esos cargos.

[15]Ahora bien, era costumbre del gobernador cada año, durante la celebración de la Pascua, poner en libertad a un preso —el que la gente quisiera— y

26:71 O *Jesús nazareno.* **27:6** En griego *ya que es el precio de sangre.* **27:9** O *Tomé.* **27:9-10** En griego *como me ordenó el Señor.* Za 11:12-13; Jr 32:6-9.

entregarlo a la multitud.[16]Ese año, había un preso de mala fama, un hombre llamado Barrabás.* [17]Al reunirse la multitud frente a la casa de Pilato aquella mañana, él les preguntó: «¿A quién quieren que ponga en libertad, a Barrabás o a Jesús, llamado el Mesías?». [18](Él sabía muy bien que los líderes religiosos judíos habían arrestado a Jesús por envidia).

[19]Justo en ese momento, cuando Pilato estaba sentado en el tribunal, su esposa le envió el siguiente mensaje: «Deja en paz a ese hombre inocente. Anoche sufrí una pesadilla terrible con respecto a él».

[20]Mientras tanto, los principales sacerdotes y los ancianos persuadieron a la multitud para que pidiera la libertad de Barrabás y que se ejecutara a Jesús. [21]Así que el gobernador volvió a preguntar:

—¿A cuál de estos dos quieren que les deje en libertad?

—¡A Barrabás! —contestó la multitud a gritos.

[22]—Entonces, ¿qué hago con Jesús, llamado el Mesías? —preguntó Pilato.

—¡Crucifícalo! —le contestaron a gritos.

[23]—¿Por qué? —insistió Pilato—. ¿Qué crimen ha cometido?

Pero la turba rugió aún más fuerte:

—¡Crucifícalo!

[24]Pilato vio que no lograba nada y que se armaba un disturbio. Así que mandó a buscar un recipiente con agua y se lavó las manos delante de la multitud a la vez que decía:

—Soy inocente de la sangre de este hombre. La responsabilidad es de ustedes.

[25]Y la gente respondió a gritos:

—¡Nos haremos responsables de su muerte, nosotros y nuestros hijos!*

[26]Así fue que Pilato dejó a Barrabás en libertad. Mandó azotar a Jesús con un látigo que tenía puntas de plomo, y después lo entregó a los soldados romanos para que lo crucificaran.

Los soldados se burlan de Jesús

[27]Algunos de los soldados del gobernador llevaron a Jesús al cuartel* y llamaron a todo el regimiento. [28]Le quitaron la ropa y le pusieron un manto escarlata. [29]Armaron una corona con ramas de espinos y se la pusieron en la cabeza y le colocaron una caña de junco en la mano derecha como si fuera un cetro. Luego se arrodillaron burlonamente delante de él mientras se mofaban: «¡Viva el rey de los judíos!». [30]Lo escupieron, le quitaron la caña de junco y lo golpearon en la cabeza con ella. [31]Cuando al fin se cansaron de hacerle burla, le quitaron el manto y volvieron a ponerle su propia ropa. Luego lo llevaron para crucificarlo.

La crucifixión

[32]En el camino, se encontraron con un hombre llamado Simón, quien era de Cirene,* y los soldados lo obligaron a llevar la cruz de Jesús. [33]Salieron a un lugar llamado Gólgota (que significa «Lugar de la Calavera»). [34]Los soldados le dieron a Jesús vino mezclado con hiel amarga, pero cuando la probó, se negó a beberla.

[35]Después de clavarlo en la cruz, los soldados sortearon su ropa tirando los dados.* [36]Luego se sentaron alrededor e hicieron guardia mientras él estaba colgado allí. [37]Encima de la cabeza de Jesús, colocaron un letrero, que anunciaba el cargo en su contra. Decía: «Este es Jesús, el Rey de los judíos». [38]Con él

27:16 Algunos manuscritos dicen *Jesús Barrabás;* también en 27:17. **27:25** En griego —*¡Su sangre sea sobre nosotros y sobre nuestros hijos!* **27:27** O *al pretorio.* **27:32** *Cirene* era una ciudad al norte de África. **27:35** En griego *echando suertes.* Unos cuantos manuscritos tardíos incluyen *Así se cumplió la palabra del profeta: «Dividieron entre sí mis vestidos y echaron suertes sobre mi túnica».* Ver Sal 22:18.

crucificaron a dos revolucionarios,* uno a su derecha y otro a su izquierda.

[39]La gente que pasaba por allí gritaba insultos y movía la cabeza en forma burlona. [40]«¡Pero mírate ahora! —le gritaban— Dijiste que ibas a destruir el templo y a reconstruirlo en tres días. Muy bien, si eres el Hijo de Dios, sálvate a ti mismo y bájate de la cruz».

[41]Los principales sacerdotes, los maestros de la ley religiosa y los ancianos también se burlaban de Jesús. [42]«Salvó a otros —se mofaban—, ¡pero no puede salvarse a sí mismo! Con que es el Rey de Israel, ¿no? ¡Que baje de la cruz ahora mismo y creeremos en él! [43]Confió en Dios, entonces, ¡que Dios lo rescate ahora si lo quiere! Pues dijo: "Soy el Hijo de Dios"». [44]Hasta los revolucionarios que estaban crucificados con Jesús se burlaban de él de la misma manera.

Muerte de Jesús

[45]Al mediodía, la tierra se llenó de oscuridad hasta las tres de la tarde. [46]A eso de las tres de la tarde, Jesús clamó en voz fuerte: «*Eli, Eli,* ¿lama sabactani?*», que significa: «Dios mío, Dios mío, ¿por qué me has abandonado?»*.

[47]Algunos que pasaban por allí entendieron mal y pensaron que estaba llamando al profeta Elías. [48]Uno de ellos corrió y empapó una esponja en vino agrio, la puso sobre una caña de junco y la levantó para que pudiera beber. [49]Pero los demás dijeron: «¡Espera! A ver si Elías viene a salvarlo»*.

[50]Entonces Jesús volvió a gritar y entregó su espíritu. [51]En ese momento, la cortina del santuario del templo se rasgó en dos, de arriba a abajo. La tierra tembló, las rocas se partieron en dos, [52]y las tumbas se abrieron. Los cuerpos de muchos hombres y mujeres justos que habían muerto resucitaron. [53]Salieron del cementerio luego de la resurrección de Jesús, entraron en la santa ciudad de Jerusalén y se aparecieron a mucha gente.

[54]El oficial romano* y los otros soldados que estaban en la crucifixión quedaron aterrorizados por el terremoto y por todo lo que había sucedido. Dijeron: «¡Este hombre era verdaderamente el Hijo de Dios!».

[55]Muchas mujeres que habían llegado desde Galilea con Jesús para cuidar de él, miraban de lejos. [56]Entre ellas estaban María Magdalena, María (la madre de Santiago y José), y la madre de Santiago y Juan, los hijos de Zebedeo.

Entierro de Jesús

[57]Al acercarse la noche, José, un hombre rico de Arimatea que se había convertido en seguidor de Jesús, [58]fue a ver a Pilato y le pidió el cuerpo de Jesús. Pilato emitió una orden para que se lo entregaran. [59]José tomó el cuerpo y lo envolvió en un largo lienzo de lino limpio. [60]Lo colocó en una tumba nueva, su propia tumba que había sido tallada en la roca. Luego hizo rodar una gran piedra para tapar la entrada y se fue. [61]Tanto María Magdalena como la otra María estaban sentadas frente a la tumba y observaban.

La guardia en la tumba

[62]Al día siguiente, que era el día de descanso,* los principales sacerdotes y los fariseos fueron a ver a Pilato. [63]Le dijeron:

—Señor, recordamos lo que dijo una vez ese mentiroso cuando todavía estaba con vida: "Luego de tres días resucitaré

27:38 O *criminales;* también en 27:44. **27:46a** Algunos manuscritos dicen *Eloi, Eloi.* **27:46b** Sal 22:1. **27:49** Algunos manuscritos incluyen *Y otro tomó una lanza y le traspasó el costado, y corrió agua y sangre.* Comparar Jn 19:34. **27:54** En griego *El centurión.* **27:62** O *Al día siguiente, luego de la preparación.*

de los muertos". [64]Por lo tanto, le pedimos que selle la tumba hasta el tercer día. Eso impedirá que sus discípulos vayan y roben su cuerpo, y luego le digan a todo el mundo que él resucitó de los muertos. Si eso sucede, estaremos peor que al principio.

[65]Pilato les respondió:

—Tomen guardias y aseguren la tumba lo mejor que puedan.

[66]Entonces ellos sellaron la tumba y pusieron guardias para que la protegieran.

La resurrección

28 El domingo por la mañana temprano,* cuando amanecía el nuevo día, María Magdalena y la otra María fueron a visitar la tumba.

[2]¡De repente, se produjo un gran terremoto! Pues un ángel del Señor descendió del cielo, corrió la piedra a un lado y se sentó sobre ella. [3]Su rostro brillaba como un relámpago, y su ropa era blanca como la nieve. [4]Los guardias temblaron de miedo cuando lo vieron y cayeron desmayados por completo.

[5]Entonces, el ángel les habló a las mujeres: «¡No teman! —dijo— Sé que buscan a Jesús el que fue crucificado. [6]¡No está aquí! Ha resucitado tal como dijo que sucedería. Vengan, vean el lugar donde estaba su cuerpo. [7]Y ahora, vayan rápidamente y cuéntenles a sus discípulos que ha resucitado y que va delante de ustedes a Galilea. Allí lo verán. Recuerden lo que les he dicho».

[8]Las mujeres se fueron a toda prisa. Estaban asustadas pero a la vez llenas de gran alegría, y se apresuraron para dar el mensaje del ángel a los discípulos. [9]Mientras iban, Jesús les salió al encuentro y las saludó. Ellas corrieron hasta él, abrazaron sus pies y lo adoraron. [10]Entonces Jesús les dijo: «¡No teman! Digan a mis hermanos que vayan a Galilea, y allí me verán».

El informe de los guardias

[11]Mientras las mujeres estaban en camino, algunos de los guardias entraron en la ciudad y les contaron a los principales sacerdotes lo que había sucedido. [12]Se convocó a una reunión con los ancianos, y decidieron dar a los soldados un gran soborno. [13]Les dijeron: «Ustedes deben decir: "Los discípulos de Jesús vinieron durante la noche, mientras dormíamos, y robaron el cuerpo". [14]Si llega a oídos del gobernador, nosotros los respaldaremos, así no se meterán en problemas». [15]Entonces los guardias aceptaron el soborno y dijeron lo que les habían ordenado. Su historia corrió por todas partes entre los judíos y la siguen contando hasta el día de hoy.

La gran comisión

[16]Entonces los once discípulos salieron hacia Galilea y se dirigieron al monte que Jesús les había indicado. [17]Cuando vieron a Jesús, lo adoraron, ¡pero algunos de ellos dudaban!

[18]Jesús se acercó y dijo a sus discípulos: «Se me ha dado toda autoridad en el cielo y en la tierra. [19]Por lo tanto, vayan y hagan discípulos de todas las naciones,* bautizándolos en el nombre del Padre y del Hijo y del Espíritu Santo. [20]Enseñen a los nuevos discípulos a obedecer todos los mandatos que les he dado. Y tengan por seguro esto: que estoy con ustedes siempre, hasta el fin de los tiempos».

28:1 En griego *Luego del día de descanso, el primer día de la semana.* **28:19** O *todos los grupos étnicos.*

INTRODUCCIÓN AL EVANGELIO SEGÚN SAN MARCOS

Propósito: Presentar la persona, la obra, y las enseñanzas de Jesús.

Autor: Juan Marcos. No fue uno de los 12 discípulos, pero acompañó a Pablo en su primer viaje misionero (Hechos 13:13)

Destinatarios: Los cristianos en Roma, donde fue escrito el Evangelio.

Fecha: Aproximadamente 55–65 d. C.

Contexto: Imperio romano bajo el gobierno de Tiberio César. El mensaje de Jesús estaba dispersándose por todas las naciones.

Versículo clave: «Pues ni aun el Hijo del Hombre vino para que le sirvan, sino para servir a otros y para dar su vida en rescate por muchos» (10:45).

El Evangelio según San Marcos fue escrito para alentar a los cristianos en Roma (Italia) y para mostrar que Jesús es el Mesías (esta palabra hebrea se traduce «Cristo» en griego). Este Evangelio enfatiza el ministerio público del Señor. Después de relatar la manera en que Juan el Bautista preparó el camino para Jesús anunciando la llegada del Mesías, vemos a Jesús confrontado a los demonios, sanando a los enfermos, perdonando y sanando a un paralítico, y calmando al mar tormentoso.

Después de ser rechazado por la gente en su pueblo de Nazaret, Jesús envió a sus discípulos a compartir las Buenas Noticias de salvación: que Jesús es el Hijo de Dios y que vino a morir para pagar la sentencia por nuestros pecados. Alimentó a 5000 hombres, sanó a un hombre sordo, y luego alimentó a otra multitud de 4000 personas. Muchos siguieron a Jesús al ver sus milagros y disfrutar de su compasión. Sin embargo, la oposición aumentaba en proporción directa a su creciente popularidad. Para un gran número de personas, entre ellos los líderes judíos, el mensaje de Jesús era demasiado radical y significaba una amenaza a su poder y a su estilo de vida egocéntrico. Jesús también confrontó con bondad a un joven rico, porque sus riquezas le impedían seguir a Dios.

Los acontecimientos suceden rápidamente y Marcos relata la Última Cena, la Crucifixión y la Resurrección. Este autor nos muestra a Jesús en acción: sirviendo, sacrificando su vida, y salvándonos. Mientras lee este libro, pregúntese si hay algo que le impide seguir a Jesús de todo corazón, y si lo hay, abandónelo. Luego prepárese para la acción y acepte el desafío de servir a Dios y a otros en el mundo en el que vive.

Marcos

Juan el Bautista prepara el camino

1 Esta es la Buena Noticia acerca de Jesús el Mesías, el Hijo de Dios.* Comenzó [2]tal como el profeta Isaías había escrito:

«Mira, envío mi mensajero delante de ti,
y él preparará tu camino.*
[3] Es una voz que clama en el desierto:
"¡Preparen el camino para la venida del SEÑOR!
¡Ábranle camino!"»*.

[4]Ese mensajero era Juan el Bautista. Estaba en el desierto y predicaba que la gente debía ser bautizada para demostrar que se había arrepentido de sus pecados y vuelto a Dios para ser perdonada. [5]Toda la gente de Judea, incluidos los habitantes de Jerusalén, salían para ver y oír a Juan; y cuando confesaban sus pecados, él los bautizaba en el río Jordán. [6]Juan usaba ropa tejida con pelo rústico de camello y llevaba puesto un cinturón de cuero alrededor de la cintura. Se alimentaba con langostas y miel silvestre.

[7]Juan anunciaba: «Pronto viene alguien que es superior a mí, tan superior que ni siquiera soy digno de inclinarme como un esclavo y desatarle las correas de sus sandalias. [8]Yo los bautizo con* agua, ¡pero él los bautizará con el Espíritu Santo!».

Bautismo y tentación de Jesús

[9]Cierto día, Jesús llegó de Nazaret de Galilea, y Juan lo bautizó en el río Jordán. [10]Cuando Jesús salió del agua, vio que el cielo se abría y el Espíritu Santo descendía sobre él* como una paloma. [11]Y una voz dijo desde el cielo: «Tú eres mi Hijo muy amado y me das gran gozo».

[12]Luego el Espíritu lo impulsó a ir al desierto, [13]donde Jesús fue tentado por Satanás durante cuarenta días. Estaba a la intemperie entre los animales salvajes, y los ángeles lo cuidaban.

[14]Más tarde, después del arresto de Juan, Jesús entró en Galilea, donde predicó la Buena Noticia de Dios.* [15]«¡Por fin ha llegado el tiempo prometido por Dios! —anunciaba—. ¡El reino de Dios está cerca! ¡Arrepiéntanse de sus pecados y crean la Buena Noticia!».

Primeros discípulos

[16]Cierto día, mientras Jesús caminaba por la orilla del mar de Galilea, vio a Simón* y a su hermano Andrés que echaban la red al agua, porque vivían de la pesca. [17]Jesús los llamó: «Vengan, síganme, ¡y yo les enseñaré cómo pescar

1:1 Algunos manuscritos no incluyen *el Hijo de Dios*. **1:2** Ml 3:1. **1:3** Is 40:3 (versión griega). **1:8** O *en;* también en 1:8b. **1:10** O *hacia él,* o *en él.* **1:14** Algunos manuscritos dicen *la Buena Noticia del reino de Dios.* **1:16** *Simón* es llamado «Pedro» desde 3:16 en adelante.

personas!». [18]Y enseguida dejaron las redes y lo siguieron.

[19]Un poco más adelante por la orilla, Jesús vio a Santiago y a Juan, hijos de Zebedeo, en una barca, reparando las redes. [20]Los llamó de inmediato y ellos también lo siguieron, dejando a su padre Zebedeo en la barca con los hombres contratados.

Jesús expulsa a un espíritu maligno

[21]Jesús y sus compañeros fueron al pueblo de Capernaúm. Cuando llegó el día de descanso, Jesús entró en la sinagoga y comenzó a enseñar. [22]La gente quedó asombrada de su enseñanza, porque lo hacía con verdadera autoridad, algo completamente diferente de lo que hacían los maestros de la ley religiosa.

[23]De pronto, un hombre en la sinagoga, que estaba poseído por un espíritu maligno,* comenzó a gritar: [24]«¿Por qué te entrometes con nosotros, Jesús de Nazaret? ¿Has venido a destruirnos? ¡Yo sé quién eres: el Santo de Dios!».

[25]«¡Cállate! —lo interrumpió Jesús y le ordenó—: ¡Sal de este hombre!». [26]En ese mismo momento, el espíritu soltó un alarido, dio convulsiones al hombre y luego salió de él.

[27]El asombro se apoderó de la gente, y todos comenzaron a hablar de lo que había ocurrido. «¿Qué clase de enseñanza nueva es ésta? —se preguntaban con emoción—. ¡Tiene tanta autoridad! ¡Hasta los espíritus malignos obedecen sus órdenes!». [28]Las noticias acerca de Jesús corrieron velozmente por toda la región de Galilea.

Jesús sana a mucha gente

[29]Después Jesús salió de la sinagoga con Santiago y Juan, y fueron a la casa de Simón y Andrés. [30]Resulta que la suegra de Simón estaba enferma en cama con mucha fiebre. Se lo contaron a Jesús de inmediato. [31]Él se acercó a la cama, la tomó de la mano y la ayudó a sentarse. Entonces la fiebre se fue, y ella les preparó una comida.

[32]Esa tarde, después de la puesta del sol, le llevaron a Jesús muchos enfermos y endemoniados. [33]El pueblo entero se juntó en la puerta para mirar. [34]Entonces Jesús sanó a mucha gente que padecía de diversas enfermedades y expulsó a muchos demonios, pero como los demonios sabían quién era él, no los dejó hablar.

Jesús predica en Galilea

[35]A la mañana siguiente, antes del amanecer, Jesús se levantó y fue a un lugar aislado para orar. [36]Más tarde, Simón y los otros salieron a buscarlo. [37]Cuando lo encontraron, le dijeron:

—Todos te están buscando.

[38]Jesús les respondió:

—Debemos seguir adelante e ir a otras ciudades, y en ellas también predicaré porque para eso he venido.

[39]Así que recorrió toda la región de Galilea, predicando en las sinagogas y expulsando demonios.

Jesús sana a un leproso

[40]Un hombre con lepra se acercó, se arrodilló ante Jesús y le suplicó que lo sanara.

—Si tú quieres, puedes sanarme y dejarme limpio —dijo.

[41]Movido a compasión,* Jesús extendió la mano y lo tocó.

—Sí quiero —dijo—. ¡Queda sano!

[42]Al instante, la lepra desapareció y el hombre quedó sano. [43]Entonces Jesús lo despidió con una firme advertencia:

[44]—No se lo cuentes a nadie. En cambio, preséntate ante el sacerdote y deja que te examine. Lleva contigo la ofrenda que exige la ley de Moisés a los que son

1:23 En griego *impuro;* también en 1:26, 27. **1:41** Algunos manuscritos dicen *Por enojo.*

sanados de lepra.* Esto será un testimonio público de que has quedado limpio.

[45]Pero el hombre hizo correr la voz proclamando a todos lo que había sucedido. Como resultado, grandes multitudes pronto rodearon a Jesús, de modo que ya no pudo entrar abiertamente en ninguna ciudad. Tenía que quedarse en lugares apartados, pero aún así gente de todas partes seguía acudiendo a él.

Jesús sana a un paralítico

2 Cuando Jesús regresó a Capernaúm varios días después, enseguida corrió la voz de que había vuelto a casa. [2]Pronto la casa donde se hospedaba estaba tan llena de visitas que no había lugar ni siquiera frente a la puerta. Mientras él les predicaba la palabra de Dios, [3]llegaron cuatro hombres cargando a un paralítico en una camilla. [4]Como no podían llevarlo hasta Jesús debido a la multitud, abrieron un agujero en el techo, encima de donde estaba Jesús. Luego bajaron al hombre en la camilla, justo delante de Jesús. [5]Al ver la fe de ellos, Jesús le dijo al paralítico: «Hijo mío, tus pecados son perdonados».

[6]Algunos de los maestros de la ley religiosa que estaban allí sentados pensaron: [7]«¿Qué es lo que dice? ¡Es una blasfemia! ¡Sólo Dios puede perdonar pecados!».

[8]En ese mismo instante, Jesús supo lo que pensaban, así que les preguntó: «¿Por qué cuestionan eso en su corazón? [9]¿Qué es más fácil decirle al paralítico: "Tus pecados son perdonados" o "Ponte de pie, toma tu camilla y camina"? [10]Así que les demostraré que el Hijo del Hombre* tiene autoridad en la tierra para perdonar pecados». Entonces Jesús miró al paralítico y dijo: [11]«¡Ponte de pie, toma tu camilla y vete a tu casa!».

[12]Y el hombre se levantó de un salto, tomó su camilla y salió caminando entre los espectadores, que habían quedado atónitos. Todos estaban asombrados y alababan a Dios, exclamando: «¡Jamás hemos visto algo así!».

Jesús llama a Leví (Mateo)

[13]Entonces Jesús salió de nuevo a la orilla del lago y enseñó a las multitudes que se acercaban a él. [14]Mientras caminaba, vio a Leví, hijo de Alfeo, sentado en su cabina de cobrador de impuestos. «Sígueme y sé mi discípulo», le dijo Jesús. Entonces Leví se levantó y lo siguió.

[15]Más tarde, Leví invitó a Jesús y a sus discípulos a una cena en su casa, junto con muchos cobradores de impuestos y otros pecadores de mala fama. (Había mucha de esa clase de gente entre los seguidores de Jesús). [16]Cuando los maestros de la ley religiosa, que eran fariseos,* lo vieron comer con los cobradores de impuestos y otros pecadores, preguntaron a los discípulos: «¿Por qué come con semejante escoria?*».

[17]Cuando Jesús los oyó, les dijo: «La gente sana no necesita médico, los enfermos sí. No he venido a llamar a los que se creen justos, sino a los que saben que son pecadores».

Discusión sobre el ayuno

[18]Cierta vez que los discípulos de Juan y los fariseos ayunaban, algunas personas se acercaron a Jesús y le preguntaron:

—¿Por qué tus discípulos no ayunan, como lo hacen los discípulos de Juan y los fariseos?

[19]Jesús les contestó:

—¿Acaso los invitados de una boda ayunan mientras festejan con el novio? Por supuesto que no. No pueden ayunar mientras el novio está con ellos; [20]pero

1:44 Ver Lv 14:2-32. **2:10** «Hijo del Hombre» es un título que Jesús empleaba para referirse a sí mismo. **2:16a** En griego *los escribas de los fariseos.* **2:16b** En griego *con cobradores de impuestos y pecadores?*

un día el novio será llevado, y entonces sí ayunarán.

[21]»Además, ¿a quién se le ocurriría remendar una prenda vieja con tela nueva? Pues el remiendo nuevo encogería y se desprendería de la tela vieja, lo cual dejaría una rotura aún mayor que la anterior.

[22]»Y nadie pone vino nuevo en cueros viejos. Pues el vino reventaría los cueros, y tanto el vino como los cueros se echarían a perder. El vino nuevo necesita cueros nuevos.

Discusión sobre el día de descanso

[23]Cierto día de descanso, mientras Jesús caminaba por unos terrenos sembrados, sus discípulos comenzaron a arrancar espigas de grano para comer. [24]Entonces los fariseos le dijeron a Jesús:

—Mira, ¿por qué tus discípulos violan la ley al cosechar granos en el día de descanso?

[25]Jesús les dijo:

—¿Acaso no han leído en las Escrituras lo que hizo David cuando él y sus compañeros tuvieron hambre? [26]Entró en la casa de Dios (en el tiempo que Abiatar era sumo sacerdote) y violó la ley al comer los panes sagrados que sólo a los sacerdotes se les permite comer, y también les dio una porción a sus compañeros.

[27]Después Jesús les dijo:

—El día de descanso se hizo para satisfacer las necesidades de la gente, y no para que la gente satisfaga los requisitos del día de descanso. [28]Así que el Hijo del Hombre es Señor, ¡incluso del día de descanso!

Jesús sana en el día de descanso

3 Jesús entró de nuevo en la sinagoga y vio a un hombre que tenía una mano deforme. [2]Como era el día de descanso, los enemigos de Jesús lo vigilaban de cerca. Si sanaba la mano del hombre, tenían pensado acusarlo por trabajar en el día de descanso.

[3]Jesús le dijo al hombre con la mano deforme: «Ven y ponte de pie frente a todos». [4]Luego se dirigió a sus acusadores y les preguntó: «¿Permite la ley hacer buenas acciones en el día de descanso o es un día para hacer el mal? ¿Es un día para salvar la vida o para destruirla?». Pero ellos no quisieron contestarle.

[5]Jesús miró con enojo a los que lo rodeaban, profundamente entristecido por la dureza de su corazón. Entonces le dijo al hombre: «Extiende la mano». Así que el hombre la extendió, ¡y la mano quedó restaurada! [6]Los fariseos salieron enseguida y se reunieron con los partidarios de Herodes para tramar cómo matar a Jesús.

La multitud sigue a Jesús

[7]Jesús fue al lago con sus discípulos, y una gran multitud lo siguió. La gente llegaba de toda Galilea, Judea, [8]Jerusalén, Idumea, del este del río Jordán y de lugares tan al norte como Tiro y Sidón. Las noticias sobre sus milagros corrían por todas partes, y una enorme cantidad de personas llegó para verlo.

[9]Jesús encargó a sus discípulos que prepararan una barca para que la multitud no lo apretujara. [10]Ese día sanó a tanta gente, que todos los enfermos empujaban hacia adelante para poder tocarlo. [11]Y cuando los que estaban poseídos por espíritus malignos* lo veían, los espíritus los arrojaban al suelo frente a él y gritaban: «¡Tú eres el Hijo de Dios!»; [12]pero Jesús ordenó severamente a los espíritus que no revelaran quién era él.

Jesús escoge a los doce apóstoles

[13]Tiempo después Jesús subió a un monte y llamó a los que quería que lo

3:11 En griego *impuros;* también en 3:30.

acompañaran. Todos ellos se acercaron a él. [14]Luego nombró a doce de ellos y los llamó sus apóstoles.* Ellos lo acompañarían, y él los enviaría a predicar [15]y les daría autoridad para expulsar demonios. [16]Estos son los doce que escogió:

Simón (a quien llamó Pedro),
[17] Santiago y Juan (los hijos de Zebedeo, a quienes Jesús apodó «hijos del trueno»*),
[18] Andrés,
Felipe,
Bartolomé,
Mateo,
Tomás,
Santiago (hijo de Alfeo),
Tadeo,
Simón (el zelote*),
[19] Judas Iscariote (quien después lo traicionó).

Jesús y el príncipe de los demonios

[20]Cierta vez, Jesús entró en una casa y las multitudes empezaron a juntarse nuevamente. Pronto ni él ni sus discípulos encontraron un momento para comer. [21]Cuando sus familiares oyeron lo que sucedía, intentaron llevárselo. «Está fuera de sí», decían.

[22]Pero los maestros de la ley religiosa que habían llegado de Jerusalén decían: «Está poseído por Satanás,* el príncipe de los demonios. De él recibe el poder para expulsar los demonios».

[23]Jesús los llamó para que se acercaran y respondió con una ilustración. «¿Cómo puede Satanás expulsar a Satanás? —preguntó—. [24]Un reino dividido por una guerra civil, acabará destruido. [25]De la misma manera una familia dividida por peleas se desintegrará. [26]Si Satanás está dividido y pelea contra sí mismo, ¿cómo podrá mantenerse en pie? Nunca sobreviviría. [27]Permítanme darles otra ilustración. ¿Quién tiene suficiente poder para entrar en la casa de un hombre fuerte como Satanás y saquear sus bienes? Sólo alguien aún más fuerte, alguien que pudiera atarlo y después saquear su casa.

[28]»Les digo la verdad, cualquier pecado y blasfemia pueden ser perdonados, [29]pero todo el que blasfeme contra el Espíritu Santo jamás será perdonado. Éste es un pecado que acarrea consecuencias eternas». [30]Les dijo esto porque ellos decían: «Está poseído por un espíritu maligno».

La verdadera familia de Jesús

[31]Luego la madre y los hermanos de Jesús vinieron a verlo. Se quedaron afuera y le mandaron a decir que saliera para hablar con ellos. [32]Había una multitud sentada alrededor de Jesús, y alguien dijo: «Tu madre y tus hermanos* están afuera y te llaman».

[33]Jesús respondió: «¿Quién es mi madre? ¿Quiénes son mis hermanos?». [34]Entonces miró a los que estaban a su alrededor y dijo: «Miren, estos son mi madre y mis hermanos. [35]Todo el que hace la voluntad de Dios es mi hermano y mi hermana y mi madre».

Parábola del agricultor que esparce semillas

4 Una vez más Jesús comenzó a enseñar a la orilla del lago. Pronto se reunió una gran multitud alrededor de él, así que entró en una barca. Luego se sentó en la barca, mientras que toda la gente permanecía en la orilla. [2]Les enseñaba por medio de historias que contaba en forma de parábola, como la siguiente:

3:14 Algunos manuscritos no incluyen *y los llamó sus apóstoles.* **3:17** En griego *a quienes llamó Boanerges, que significa hijos del trueno.* **3:18** En griego *el cananeo,* un término arameo para referirse a los judíos nacionalistas. **3:22** En griego *Beelzeboul;* otros manuscritos dicen *Beezeboul;* la versión latina dice *Beelzebú.* **3:32** Algunos manuscritos incluyen *y hermanas.*

[3]«¡Escuchen! Un agricultor salió a sembrar. [4]A medida que esparcía la semilla por el campo, algunas cayeron sobre el camino y los pájaros vinieron y se las comieron. [5]Otras cayeron en tierra poco profunda con roca debajo de ella. Las semillas germinaron con rapidez porque la tierra era poco profunda; [6]pero pronto las plantas se marchitaron bajo el calor del sol y, como no tenían raíces profundas, murieron. [7]Otras semillas cayeron entre espinos, los cuales crecieron y ahogaron los brotes, así que esos brotes no produjeron grano. [8]Pero otras semillas cayeron en tierra fértil, y germinaron y crecieron, ¡y produjeron una cosecha que fue treinta, sesenta y hasta cien veces más numerosa de lo que se había sembrado!». [9]Luego les dijo: «El que tenga oídos para oír, que escuche y entienda».

[10]Más tarde, cuando Jesús se quedó a solas con los doce discípulos y con las demás personas que se habían reunido, le preguntaron el significado de las parábolas.

[11]Él contestó: «A ustedes se les permite entender el secreto* del reino de Dios; pero utilizo parábolas para hablarles a los de afuera, [12]para que se cumplan las Escrituras:

"Cuando ellos vean lo que hago,
no aprenderán nada.
Cuando oigan lo que digo,
no entenderán.
De lo contrario, se volverían a mí
y serían perdonados"*».

[13]Luego Jesús les dijo: «Si no pueden entender el significado de esta parábola, ¿cómo entenderán las demás parábolas? [14]El agricultor siembra las semillas al llevar la palabra de Dios a otros. [15]Las semillas que cayeron en el camino representan a los que oyen el mensaje, pero enseguida viene Satanás y las quita. [16]Las semillas sobre la tierra rocosa representan a los que oyen el mensaje y de inmediato lo reciben con alegría; [17]pero como no tienen raíces profundas, no duran mucho. En cuanto tienen problemas o son perseguidos por creer la palabra de Dios, caen. [18]Las semillas que cayeron entre los espinos representan a los que oyen la palabra de Dios, [19]pero muy pronto el mensaje queda desplazado por las preocupaciones de esta vida, el atractivo de la riqueza y el deseo por otras cosas, así que no se produce ningún fruto. [20]Y las semillas que cayeron en la buena tierra representan a los que oyen y aceptan la palabra de Dios, ¡y producen una cosecha treinta, sesenta y hasta cien veces más numerosa de lo que se había sembrado!».

Parábola de la lámpara

[21]Entonces Jesús les preguntó: «¿Acaso alguien encendería una lámpara y luego la pondría debajo de una canasta o de una cama? ¡Claro que no! Una lámpara se coloca en un lugar alto, donde su luz alumbre. [22]Pues todo lo que está escondido tarde o temprano se descubrirá y todo secreto saldrá a la luz. [23]El que tenga oídos para oír debería escuchar y entender».

[24]Luego agregó: «Presten mucha atención a lo que oyen. Cuanto más atentamente escuchen, tanto más entendimiento les será dado,* y se les dará aún más. [25]A los que escuchan mis enseñanzas se les dará más entendimiento; pero a los que no escuchan, se les quitará aun lo poco que entiendan».

Parábola de la semilla que crece

[26]Jesús también dijo: «El reino de Dios es como un agricultor que esparce semilla en la tierra. [27]Día y noche, sea que él

4:11 En griego *misterio.* **4:12** Is 6:9-10 (versión griega). **4:24** O *La medida que ustedes den será la medida que recibirán.*

esté dormido o despierto, la semilla brota y crece, pero él no entiende cómo sucede. [28]La tierra produce las cosechas por sí sola. Primero aparece una hoja, luego se forma la espiga y finalmente el grano madura. [29]Tan pronto como el grano está listo, el agricultor lo corta con la hoz porque ha llegado el tiempo de la cosecha».

Parábola de la semilla de mostaza

[30]Jesús dijo: «¿Cómo puedo describir el reino de Dios? ¿Qué relato emplearé para ilustrarlo? [31]Es como una semilla de mostaza sembrada en la tierra. Es la más pequeña de todas las semillas, [32]pero se convierte en la planta más grande del huerto; sus ramas llegan a ser tan grandes que los pájaros hacen nidos bajo su sombra».

[33]Jesús empleó muchas historias e ilustraciones similares para enseñar a la gente, tanto como pudieran entender. [34]De hecho, durante su ministerio público nunca enseñó sin usar parábolas; pero después, cuando estaba a solas con sus discípulos, les explicaba todo a ellos.

Jesús calma la tormenta

[35]Al atardecer, Jesús dijo a sus discípulos: «Crucemos al otro lado del lago». [36]Así que dejaron a las multitudes y salieron con Jesús en la barca (aunque otras barcas los siguieron). [37]Pronto se desató una tormenta feroz y olas violentas entraban en la barca, la cual empezó a llenarse de agua.

[38]Jesús estaba dormido en la parte posterior de la barca, con la cabeza recostada en una almohada. Los discípulos lo despertaron: «¡Maestro! ¿No te importa que nos ahoguemos?», gritaron.

[39]Cuando Jesús se despertó, reprendió al viento y dijo a las olas: «¡Silencio! ¡Cálmense!». De repente, el viento se detuvo y hubo una gran calma. [40]Luego él les preguntó: «¿Por qué tienen miedo? ¿Todavía no tienen fe?».

[41]Los discípulos estaban completamente aterrados. «¿Quién es este hombre? —se preguntaban unos a otros—. ¡Hasta el viento y las olas lo obedecen!».

Jesús sana a un hombre endemoniado

5 Entonces llegaron al otro lado del lago, a la región de los gerasenos.* [2]Cuando Jesús bajó de la barca, un hombre poseído por un espíritu maligno* salió del cementerio a su encuentro. [3]Este hombre vivía entre las cuevas de entierro y ya nadie podía sujetarlo ni siquiera con cadenas. [4]Siempre que lo ataban con cadenas y grilletes —lo cual le hacían a menudo—, él rompía las cadenas de sus muñecas y destrozaba los grilletes. No había nadie con suficiente fuerza para someterlo. [5]Día y noche vagaba entre las cuevas donde enterraban a los muertos y por las colinas, aullando y cortándose con piedras afiladas.

[6]Cuando Jesús todavía estaba a cierta distancia, el hombre lo vio, corrió a su encuentro y se inclinó delante de él. [7]Dando un alarido, gritó: «¿Por qué te entrometes conmigo, Jesús, Hijo del Dios Altísimo? ¡En el nombre de Dios, te suplico que no me tortures!». [8]Pues Jesús ya le había dicho al espíritu: «Sal de este hombre, espíritu maligno».

[9]Entonces Jesús le preguntó:

—¿Cómo te llamas?

Y él contestó:

—Me llamo Legión, porque somos muchos los que estamos dentro de este hombre.

[10]Entonces los espíritus malignos le suplicaron una y otra vez que no los enviara a un lugar lejano.

[11]Sucedió que había una gran manada de cerdos alimentándose en una ladera

5:1 Otros manuscritos dicen *gadarenos;* incluso otros dicen *gergesenos.* Ver Mt 8:28; Lc 8:26. **5:2** En griego *impuro;* también en 5:8, 13.

cercana. [12]«Envíanos a esos cerdos —suplicaron los espíritus—. Déjanos entrar en ellos».

[13]Entonces Jesús les dio permiso. Los espíritus malignos salieron del hombre y entraron en los cerdos, y toda la manada de unos dos mil cerdos se lanzó al lago por el precipicio y se ahogó en el agua.

[14]Los hombres que cuidaban los cerdos huyeron a la ciudad cercana y sus alrededores, difundiendo la noticia mientras corrían. La gente salió corriendo para ver lo que había pasado. [15]Pronto una multitud se juntó alrededor de Jesús, y todos vieron al hombre que había estado poseído por la legión de demonios. Se encontraba sentado allí, completamente vestido y en su sano juicio, y todos tuvieron miedo. [16]Entonces los que habían visto lo sucedido, les contaron a los otros lo que había ocurrido con el hombre poseído por los demonios y con los cerdos; [17]y la multitud comenzó a rogarle a Jesús que se fuera y los dejara en paz.

[18]Mientras Jesús entraba en la barca, el hombre que había estado poseído por los demonios le suplicaba que le permitiera acompañarlo. [19]Pero Jesús le dijo: «No. Ve a tu casa y a tu familia y diles todo lo que el Señor ha hecho por ti y lo misericordioso que ha sido contigo». [20]Así que el hombre salió a visitar las Diez Ciudades* de esa región y comenzó a proclamar las grandes cosas que Jesús había hecho por él; y todos quedaban asombrados de lo que les decía.

Jesús sana en respuesta a la fe

[21]Jesús entró de nuevo en la barca y regresó al otro lado del lago, donde una gran multitud se juntó alrededor de él en la orilla. [22]Entonces llegó uno de los líderes de la sinagoga local, llamado Jairo. Cuando vio a Jesús, cayó a sus pies [23]y le rogó con fervor: «Mi hijita se está muriendo —dijo—. Por favor, ven y pon tus manos sobre ella para que se sane y viva».

[24]Jesús fue con él, y toda la gente lo siguió, apretujada a su alrededor. [25]Una mujer de la multitud hacía doce años que sufría una hemorragia continua. [26]Había sufrido mucho con varios médicos y, a lo largo de los años, había gastado todo lo que tenía para poder pagarles, pero nunca mejoró. De hecho, se puso peor. [27]Ella había oído de Jesús, así que se le acercó por detrás entre la multitud y tocó su túnica. [28]Pues pensó: «Si tan sólo tocara su túnica, quedaré sana». [29]Al instante, la hemorragia se detuvo, y ella pudo sentir en su cuerpo que había sido sanada de su terrible condición.

[30]Jesús se dio cuenta de inmediato de que había salido poder sanador de él, así que se dio vuelta y preguntó a la multitud: «¿Quién tocó mi túnica?».

[31]Sus discípulos le dijeron: «Mira a la multitud que te apretuja por todos lados. ¿Cómo puedes preguntar: "¿Quién me tocó?"?».

[32]Sin embargo, él siguió mirando a su alrededor para ver quién lo había hecho. [33]Entonces la mujer, asustada y temblando al darse cuenta de lo que le había pasado, se le acercó y se arrodilló delante de él y le confesó lo que había hecho. [34]Y él le dijo: «Hija, tu fe te ha sanado. Ve en paz. Se acabó tu sufrimiento».

[35]Mientras él todavía hablaba con ella, llegaron mensajeros de la casa de Jairo, el líder de la sinagoga y le dijeron: «Tu hija está muerta. Ya no tiene sentido molestar al Maestro».

[36]Jesús oyó* lo que decían y le dijo a Jairo: «No tengas miedo. Sólo ten fe».

[37]Jesús detuvo a la multitud y no dejó que nadie fuera con él excepto Pedro, Santiago y Juan (el hermano de Santiago).

5:20 En griego *Decápolis*. **5:36** O *ignoró*.

[38]Cuando llegaron a la casa del líder de la sinagoga, Jesús vio el alboroto y que había muchos llantos y lamentos. [39]Entró y preguntó: «¿Por qué tanto alboroto y llanto? La niña no está muerta; sólo duerme».

[40]La gente se rió de él; pero él hizo que todos salieran y llevó al padre y a la madre de la muchacha y a sus tres discípulos a la habitación donde estaba la niña. [41]La tomó de la mano y le dijo: «*Talita cum*» (que significa «¡niña, levántate!»). [42]Entonces la niña, que tenía doce años, ¡enseguida se puso de pie y caminó! Los presentes quedaron conmovidos y totalmente asombrados. [43]Jesús dio órdenes estrictas de que no le dijeran a nadie lo que había sucedido y entonces les dijo que le dieran de comer a la niña.

Jesús es rechazado en Nazaret

6 Jesús salió de esa región y regresó con sus discípulos a Nazaret, su pueblo. [2]El siguiente día de descanso, comenzó a enseñar en la sinagoga, y muchos de los que lo oían quedaban asombrados. Preguntaban: «¿De dónde sacó toda esa sabiduría y el poder para realizar semejantes milagros?». [3]Y se burlaban: «Es un simple carpintero, hijo de María* y hermano de Santiago, José,* Judas y Simón. Y sus hermanas viven aquí mismo entre nosotros». Se sentían profundamente ofendidos y se negaron a creer en él.

[4]Entonces Jesús les dijo: «Un profeta recibe honra en todas partes menos en su propio pueblo y entre sus parientes y su propia familia». [5]Y, debido a la incredulidad de ellos, Jesús no pudo hacer ningún milagro allí, excepto poner sus manos sobre algunos enfermos y sanarlos. [6]Y estaba asombrado de su incredulidad.

Jesús envía a los doce discípulos

Después Jesús fue de aldea en aldea enseñando a la gente. [7]Reunió a sus doce discípulos, comenzó a enviarlos de dos en dos y les dio autoridad para expulsar espíritus malignos.* [8]Les dijo que no llevaran nada para el viaje —ni comida, ni bolso de viaje, ni dinero*— sino sólo un bastón. [9]Les permitió llevar sandalias pero no una muda de ropa.

[10]Les dijo: «Por todo lugar que vayan, quédense en la misma casa hasta salir de la ciudad. [11]Pero si en algún lugar se niegan a recibirlos o a escucharlos, sacúdanse el polvo de los pies al salir para mostrar que abandonan a esas personas a su suerte».

[12]Entonces los discípulos salieron y decían a todos que se arrepintieran de sus pecados y volvieran a Dios. [13]También expulsaban muchos demonios y sanaban a muchos enfermos ungiéndolos con aceite de oliva.

Muerte de Juan el Bautista

[14]El rey Herodes Antipas pronto oyó hablar de Jesús, porque todos hablaban de él. Algunos decían:* «Éste debe ser Juan el Bautista que resucitó de los muertos. Por eso puede hacer semejantes milagros». [15]Otros decían: «Es Elías». Incluso otros afirmaban: «Es un profeta como los grandes profetas del pasado».

[16]Cuando Herodes oyó hablar de Jesús, dijo: «Juan, el hombre que yo decapité, ha regresado de los muertos».

[17]Pues Herodes había enviado soldados para arrestar y encarcelar a Juan para hacerle un favor a Herodías. Él se casó con ella a pesar de que era esposa de su hermano, Felipe. [18]Juan le había estado diciendo a Herodes: «Es contra la ley de Dios que te cases con la esposa de tu

6:3a Algunos manuscritos dicen *Él es sólo el hijo del carpintero y de María.* **6:3b** La mayoría de los manuscritos dicen *Joses;* ver Mt 13:55. **6:7** En griego *impuros.* **6:8** En griego *ni monedas de cobre en su cinturón.* **6:14** Algunos manuscritos dicen *Él decía.*

hermano». [19]Por eso Herodías le guardaba rencor a Juan y quería matarlo; pero sin el visto bueno de Herodes, ella no podía hacer nada, [20]porque Herodes respetaba a Juan y lo protegía porque sabía que era un hombre bueno y santo. Herodes se inquietaba mucho siempre que hablaba con Juan, pero aun así le gustaba escucharlo.

[21]Finalmente, Herodías tuvo su oportunidad en el cumpleaños de Herodes. Él dio una fiesta para los altos funcionarios de su gobierno, los oficiales del ejército y los ciudadanos prominentes de Galilea. [22]Luego la hija del rey, también llamada Herodías,* entró y bailó una danza que agradó mucho a Herodes y a sus invitados. «Pídeme lo que quieras —le dijo el rey a la muchacha— y te lo daré». [23]Incluso juró: «Te daré cualquier cosa que me pidas, ¡hasta la mitad de mi reino!».

[24]Ella salió y le preguntó a su madre:

—¿Qué debo pedir?

Su madre le dijo:

—¡Pide la cabeza de Juan el Bautista!

[25]Así que la muchacha regresó de prisa y le dijo al rey:

—¡Quiero ahora mismo la cabeza de Juan el Bautista en una bandeja!

[26]Entonces el rey se arrepintió profundamente de lo que había dicho, pero debido a los juramentos que había hecho delante de sus invitados, no le podía negar lo que pedía. [27]Así que envió de inmediato a un verdugo a la prisión para que le cortara la cabeza a Juan y luego se la trajera. El soldado decapitó a Juan en la prisión, [28]trajo su cabeza en una bandeja y se la dio a la muchacha, quien se la llevó a su madre. [29]Cuando los discípulos de Juan oyeron lo que había sucedido, fueron a buscar el cuerpo y lo pusieron en una tumba.

Jesús alimenta a cinco mil

[30]Los apóstoles regresaron de su viaje y le contaron a Jesús todo lo que habían hecho y enseñado. [31]Entonces Jesús les dijo: «Vayamos solos a un lugar tranquilo para descansar un rato». Lo dijo porque había tanta gente que iba y venía que Jesús y sus apóstoles no tenían tiempo ni para comer.

[32]Así que salieron en la barca a un lugar tranquilo, donde pudieran estar a solas; [33]pero muchos los reconocieron y los vieron salir, y gente de muchos pueblos corrió a lo largo de la orilla y llegó antes que ellos. [34]Cuando Jesús salió de la barca, vio a la gran multitud y tuvo compasión de ellos, porque eran como ovejas sin pastor. Entonces comenzó a enseñarles muchas cosas.

[35]Al atardecer, los discípulos se le acercaron y le dijeron:

—Este es un lugar alejado y ya se está haciendo tarde. [36]Despide a las multitudes para que puedan ir a las granjas y aldeas cercanas a comprar algo de comer.

[37]Jesús les dijo:

—Denles ustedes de comer.

—¿Con qué? —preguntaron—. ¡Tendríamos que trabajar durante meses para ganar suficiente* a fin de comprar comida para toda esta gente!

[38]—¿Cuánto pan tienen? —preguntó—. Vayan y averigüen.

Ellos regresaron e informaron:

—Tenemos cinco panes y dos pescados.

[39]Entonces Jesús les dijo a los discípulos que sentaran a la gente en grupos sobre la hierba verde. [40]Así que se sentaron en grupos de cincuenta y de cien.

[41]Jesús tomó los cinco panes y los dos pescados, miró hacia el cielo y los bendijo. Luego, a medida que partía los panes en trozos, se los daba a sus discípulos para que los distribuyeran entre la gente.

6:22 Algunos manuscritos dicen *la hija de la propia Herodías.* **6:37** En griego *Esto costaría doscientos denarios.* Un denario equivalía a la paga de un obrero por una jornada completa de trabajo.

También dividió los pescados para que cada persona tuviera su porción. [42]Todos comieron cuanto quisieron, [43]y después los discípulos juntaron doce canastas con lo que sobró de pan y pescado. [44]¡Un total de cinco mil hombres y sus familias se alimentaron de esos panes!

Jesús camina sobre el agua

[45]Inmediatamente después, Jesús insistió en que sus discípulos regresaran a la barca y comenzaran a cruzar el lago hacia Betsaida mientras él enviaba a la gente a casa. [46]Después de despedirse de la gente, subió a las colinas para orar a solas.

[47]Muy tarde esa misma noche, los discípulos estaban en la barca en medio del lago y Jesús estaba en tierra, solo. [48]Jesús vio que ellos se encontraban en serios problemas, pues remaban con mucha fuerza y luchaban contra el viento y las olas. A eso de las tres de la madrugada,* Jesús se acercó a ellos caminando sobre el agua. Su intención era pasarlos de largo, [49]pero cuando los discípulos lo vieron caminar sobre el agua, gritaron de terror pues pensaron que era un fantasma. [50]Todos quedaron aterrados al verlo.

Pero Jesús les habló de inmediato: «¡Tengan ánimo! ¡Yo estoy aquí!* ¡No tengan miedo!».

[51]Entonces subió a la barca, y el viento se detuvo. Ellos estaban totalmente asombrados [52]porque todavía no entendían el significado del milagro de los panes. Tenían el corazón demasiado endurecido para comprenderlo.

[53]Después de cruzar el lago, arribaron a Genesaret. Llevaron la barca hasta la orilla [54]y bajaron. Los habitantes reconocieron a Jesús enseguida [55]y corrieron por toda la región llevando a los enfermos en camillas hasta donde oían que él estaba. [56]Por donde iba —fueran aldeas, ciudades o granjas— le llevaban enfermos a las plazas. Le suplicaban que permitiera a los enfermos tocar al menos el fleco de su túnica, y todos los que tocaban a Jesús eran sanados.

Jesús enseña sobre la pureza interior

7 Cierto día, algunos fariseos y maestros de la ley religiosa llegaron desde Jerusalén para ver a Jesús. [2]Notaron que algunos de sus discípulos no seguían el ritual judío de lavarse las manos antes de comer. [3](Los judíos, sobre todo los fariseos, no comen si antes no han derramado agua sobre el hueco de sus manos,* como exigen sus tradiciones antiguas. [4]Tampoco comen nada del mercado sin antes sumergir sus manos* en agua. Ésa es sólo una de las tantas tradiciones a las que se han aferrado, tal como el lavado ceremonial de vasos, jarras y vasijas de metal).*

[5]Entonces los fariseos y maestros de la ley religiosa le preguntaron:

—¿Por qué tus discípulos no siguen nuestra antigua tradición? Ellos comen sin antes realizar la ceremonia de lavarse las manos.

[6]Jesús contestó:

—¡Hipócritas! Isaías tenía razón cuando profetizó acerca de ustedes, porque escribió:

"Este pueblo me honra con sus labios,
pero su corazón está lejos de mí.
[7] Su adoración es una farsa
porque enseñan ideas humanas
como si fueran mandatos de
Dios"*.

[8]»Pues ustedes pasan por alto la ley de Dios y la reemplazan con su propia tradición.

6:48 En griego *Cerca de la cuarta vigilia de la noche.* **6:50** O *¡El "Yo Soy" está aquí!* En griego dice *Yo soy.* Ver Ex 3:14. **7:3** En griego *han lavado con el puño.* **7:4a** Algunos manuscritos dicen *rociarse.* **7:4b** Algunos manuscritos incluyen *y divanes del comedor.* **7:7** Is 29:13 (versión griega).

[9]Entonces dijo:

—Ustedes esquivan hábilmente la ley de Dios para aferrarse a su propia tradición. [10]Por ejemplo, Moisés les dio la siguiente ley de Dios: "Honra a tu padre y a tu madre" y "Cualquiera que hable irrespetuosamente de su padre o de su madre* tendrá que morir"*. [11]Sin embargo, ustedes dicen que está bien que uno le diga a sus padres: "Lo siento, no puedo ayudarlos porque he jurado darle a Dios lo que les hubiera dado a ustedes"*. [12]De esta manera, ustedes permiten que la gente desatienda a sus padres necesitados. [13]Y entonces anulan la palabra de Dios para transmitir su propia tradición. Y este es sólo un ejemplo entre muchos otros.

[14]Luego Jesús llamó a la multitud para que se acercara y oyera. «Escuchen, todos ustedes, y traten de entender. [15]Lo que entra en el cuerpo no es lo que los contamina; ustedes se contaminan por lo que sale de su corazón»*.

[17]Luego Jesús entró en una casa para alejarse de la multitud, y sus discípulos le preguntaron qué quiso decir con la parábola que acababa de emplear. [18]«¿Ustedes tampoco entienden? —preguntó—. ¿No se dan cuenta de que la comida que introducen en su cuerpo no puede contaminarlos? [19]La comida no entra en su corazón, sólo pasa a través del estómago y luego termina en la cloaca». (Al decir eso, declaró que toda clase de comida es aceptable a los ojos de Dios).

[20]Y entonces agregó: «Es lo que sale de su interior lo que los contamina. [21]Pues de adentro, del corazón de la persona, salen los malos pensamientos, la inmoralidad sexual, el robo, el asesinato, [22]el adulterio, la avaricia, la perversidad, el engaño, los deseos sensuales, la envidia, la calumnia, el orgullo y la necedad. [23]Todas esas vilezas provienen de adentro; esas son las que los contaminan».

La fe de una mujer no judía

[24]Luego Jesús salió de Galilea y se dirigió al norte, a la región de Tiro.* No quería que nadie supiera en qué casa se hospedaba, pero no pudo ocultarlo. [25]Enseguida una mujer que había oído de él se acercó y cayó a sus pies. Su hijita estaba poseída por un espíritu maligno,* [26]y ella le suplicó que expulsara al demonio de su hija.

Como la mujer no era judía, sino nacida en la región de Fenicia que está en Siria, [27]Jesús le dijo:

—Primero debo alimentar a los hijos, a mi propia familia, los judíos.* No está bien tomar la comida de los hijos y arrojársela a los perros.

[28]—Es verdad, Señor —respondió ella—, pero hasta a los perros que están debajo de la mesa se les permite comer las sobras del plato de los hijos.

[29]—¡Buena respuesta! —le dijo Jesús—. Ahora vete a tu casa, porque el demonio ha salido de tu hija.

[30]Cuando ella llegó a su casa, encontró a su hijita tranquila recostada en la cama, y el demonio se había ido.

Jesús sana a un sordo

[31]Jesús salió de Tiro y subió hasta Sidón antes de regresar al mar de Galilea y a la región de las Diez Ciudades.* [32]Le trajeron a un hombre sordo con un defecto del habla, y la gente le suplicó a Jesús que pusiera sus manos sobre el hombre para sanarlo.

7:10a Ex 20:12; Dt 5:16. **7:10b** Ex 21:17 (versión griega); Lv 20:9 (versión griega). **7:11** En griego *"Lo que pudiera haberte dado es corbán"* (*esto es, un regalo*). **7:15** Algunos manuscritos incluyen el versículo 16: *El que tenga oídos debe escuchar y entender.* Comparar 4:9, 23. **7:24** Algunos manuscritos incluyen *y Sidón.* **7:25** En griego *impuro.* **7:27** En griego *Permite que los hijos coman primero.* **7:31** En griego *Decápolis.*

[33]Jesús lo llevó aparte de la multitud para poder estar a solas con él. Metió sus dedos en los oídos del hombre. Después escupió sobre sus propios dedos y tocó la lengua del hombre. [34]Mirando al cielo, suspiró y dijo: «*Efatá*», que significa «¡Ábranse!». [35]Al instante el hombre pudo oír perfectamente bien y se le desató la lengua, de modo que hablaba con total claridad.

[36]Jesús le dijo a la multitud que no lo contaran a nadie, pero cuanto más les pedía que no lo hicieran, tanto más hacían correr la voz. [37]Quedaron completamente asombrados y decían una y otra vez: «Todo lo que él hace es maravilloso. Hasta hace oír a los sordos y da la capacidad de hablar al que no puede hacerlo».

Jesús alimenta a cuatro mil

8 En esos días, se reunió otra gran multitud, y de nuevo la gente quedó sin alimentos. Jesús llamó a sus discípulos y les dijo:

[2]—Siento compasión por ellos. Han estado aquí conmigo durante tres días y no les queda nada para comer. [3]Si los envío a sus casas con hambre, se desmayarán en el camino porque algunos han venido desde muy lejos.

[4]Sus discípulos respondieron:

—¿Cómo vamos a conseguir comida suficiente para darles de comer aquí en el desierto?

[5]—¿Cuánto pan tienen? —preguntó Jesús.

—Siete panes —contestaron ellos.

[6]Entonces Jesús le dijo a la gente que se sentara en el suelo. Luego tomó los siete panes, dio gracias a Dios por ellos, los partió en trozos y se los dio a sus discípulos, quienes repartieron el pan entre la multitud. [7]También encontraron unos pescaditos, así que Jesús los bendijo y pidió a sus discípulos que los repartieran.

[8]Todos comieron cuanto quisieron. Después los discípulos recogieron siete canastas grandes con la comida que sobró. [9]Ese día había unas cuatro mil personas en la multitud, y Jesús las envió a sus casas luego de que comieron. [10]Inmediatamente después, subió a una barca con sus discípulos y cruzó a la región de Dalmanuta.

Los fariseos exigen una señal milagrosa

[11]Cuando los fariseos oyeron que Jesús había llegado, se acercaron y comenzaron a discutir con él. Para ponerlo a prueba, exigieron que les mostrara una señal milagrosa del cielo que demostrara su autoridad.

[12]Cuando Jesús oyó esto, suspiró profundamente en su espíritu y dijo: «¿Por qué esta gente sigue exigiendo una señal milagrosa? Les digo la verdad, no daré ninguna señal a esta generación». [13]Luego regresó a la barca y los dejó y cruzó al otro lado del lago.

La levadura de los fariseos y de Herodes

[14]Pero los discípulos se habían olvidado de llevar comida y sólo tenían un pan en la barca. [15]Mientras cruzaban el lago, Jesús les advirtió: «¡Atención! ¡Tengan cuidado con la levadura de los fariseos y con la de Herodes!».

[16]Al oír esto, comenzaron a discutir entre sí, pues no habían traído nada de pan. [17]Jesús supo lo que hablaban, así que les dijo:

—¿Por qué discuten por no tener pan? ¿Todavía no saben ni entienden? ¿Tienen el corazón demasiado endurecido para comprenderlo? [18]"Tienen ojos, ¿y no pueden ver? Tienen oídos, ¿y no pueden oír?"* ¿No recuerdan nada en absoluto?

8:18 Jr 5:21.

[19]Cuando alimenté a los cinco mil con cinco panes, ¿cuántas canastas con sobras recogieron después?

—Doce —contestaron ellos.

[20]—Y cuando alimenté a los cuatro mil con siete panes, ¿cuántas canastas grandes con sobras recogieron?

—Siete —dijeron.

[21]—¿Todavía no entienden? —les preguntó.

Jesús sana a un ciego

[22]Cuando llegaron a Betsaida, algunas personas le llevaron a un hombre ciego ante Jesús y le suplicaron que lo tocara y lo sanara. [23]Jesús tomó al ciego de la mano y lo llevó fuera de la aldea. Luego escupió en los ojos del hombre, puso sus manos sobre él y le preguntó:

—¿Puedes ver algo ahora?

[24]El hombre miró a su alrededor y dijo:

—Sí, veo a algunas personas, pero no puedo verlas con claridad; parecen árboles que caminan.

[25]Entonces Jesús puso nuevamente sus manos sobre los ojos del hombre y fueron abiertos. Su vista fue totalmente restaurada y podía ver todo con claridad. [26]Jesús lo envió a su casa y le dijo:

—No pases por la aldea cuando regreses a tu casa.

Declaración de Pedro acerca de Jesús

[27]Jesús y sus discípulos salieron de Galilea y fueron a las aldeas cerca de Cesarea de Filipo. Mientras caminaban, él les preguntó:

—¿Quién dice la gente que soy?

[28]—Bueno —contestaron—, algunos dicen Juan el Bautista, otros dicen Elías, y otros dicen que eres uno de los otros profetas.

[29]Entonces les preguntó:

—Y ustedes, ¿quién dicen que soy?

Pedro contestó:

—Tú eres el Mesías.*

[30]Pero Jesús les advirtió que no le contaran a nadie acerca de él.

Jesús predice su muerte

[31]Entonces Jesús comenzó a decirles que el Hijo del Hombre* tendría que sufrir muchas cosas terribles y ser rechazado por los ancianos, por los principales sacerdotes y por los maestros de la ley religiosa. Lo matarían, pero tres días después resucitaría. [32]Mientras hablaba abiertamente de eso con sus discípulos, Pedro lo llevó aparte y empezó a reprenderlo por decir semejantes cosas.*

[33]Jesús se dio la vuelta, miró a sus discípulos y reprendió a Pedro: «¡Aléjate de mí, Satanás! —dijo—. Ves las cosas solamente desde el punto de vista humano, no del punto de vista de Dios».

[34]Entonces llamó a la multitud para que se uniera a los discípulos, y dijo: «Si alguno de ustedes quiere ser mi seguidor, tiene que abandonar su manera egoísta de vivir, tomar su cruz y seguirme. [35]Si tratas de aferrarte a la vida, la perderás; pero si entregas tu vida por mi causa y por causa de la Buena Noticia, la salvarás. [36]¿Y qué beneficio obtienes si ganas el mundo entero pero pierdes tu propia alma?* [37]¿Hay algo que valga más que tu alma?* [38]Si alguien se avergüenza de mí y de mi mensaje en estos días de adulterio y de pecado, el Hijo del Hombre se avergonzará de esa persona cuando regrese en la gloria de su Padre con sus santos ángeles».

9 Jesús continuó diciendo: «¡Les digo la verdad, algunos de los que están

8:29 O *el Cristo.* Tanto *Cristo* (término griego) como *Mesías* (término hebreo) quieren decir «el Ungido». **8:31** «Hijo del Hombre» es un título que Jesús empleaba para referirse a sí mismo. **8:32** O *comenzó a corregirlo.* **8:36** O *te pierdes a ti mismo?* **8:37** O *tú mismo?*

aquí ahora no morirán antes de ver el reino de Dios llegar con gran poder!».

La transfiguración

[2]Seis días después, Jesús tomó a Pedro, a Santiago y a Juan y los llevó a una montaña alta para estar a solas. Mientras los hombres observaban, la apariencia de Jesús se transformó, [3]y su ropa se volvió blanca resplandeciente, más de lo que cualquier blanqueador terrenal jamás podría lograr. [4]Después aparecieron Elías y Moisés y comenzaron a conversar con Jesús.

[5]Pedro exclamó: «Rabí,* ¡es maravilloso que estemos aquí! Hagamos tres enramadas como recordatorios:* una para ti, una para Moisés y la otra para Elías». [6]Dijo esto porque realmente no sabía qué otra cosa decir, pues todos estaban aterrados.

[7]Luego una nube los cubrió y, desde la nube, una voz dijo: «Éste es mi Hijo muy amado. Escúchenlo a él». [8]De pronto, cuando miraban ellos a su alrededor, Moisés y Elías se habían ido, y vieron sólo a Jesús con ellos.

[9]Mientras descendían de la montaña, él les dijo que no le contaran a nadie lo que habían visto hasta que el Hijo del Hombre* se levantara de los muertos. [10]Así que guardaron el secreto, pero a menudo se preguntaban qué quería decir con «levantarse de los muertos».

[11]Entonces le preguntaron:

—¿Por qué los maestros de la ley religiosa insisten en que Elías debe regresar antes de que venga el Mesías?*

[12]Jesús contestó:

—Es cierto que Elías viene primero a fin de dejar todo preparado. Sin embargo, ¿por qué las Escrituras dicen que el Hijo del Hombre debe sufrir mucho y ser tratado con total desprecio? [13]Pero les digo, Elías ya vino, y ellos prefirieron maltratarlo, tal como lo predijeron las Escrituras.

Jesús sana a un muchacho endemoniado

[14]Cuando regresaron adonde estaban los demás discípulos, vieron que los rodeaba una gran multitud y que algunos maestros de la ley religiosa discutían con ellos. [15]Cuando la multitud vio a Jesús, todos se llenaron de asombro y corrieron a saludarlo.

[16]—¿Sobre qué discuten? —preguntó Jesús.

[17]Un hombre de la multitud tomó la palabra y dijo:

—Maestro, traje a mi hijo para que lo sanaras. Está poseído por un espíritu maligno que no le permite hablar. [18]Y, siempre que este espíritu se apodera de él, lo tira violentamente al suelo y él echa espuma por la boca, rechina los dientes y se pone rígido.* Así que les pedí a tus discípulos que echaran fuera al espíritu maligno, pero no pudieron hacerlo.

[19]Jesús les dijo:* «¡Gente sin fe! ¿Hasta cuándo tendré que estar con ustedes? ¿Hasta cuándo tendré que soportarlos? Tráiganme al muchacho».

[20]Así que se lo llevaron. Cuando el espíritu maligno vio a Jesús, le dio una violenta convulsión al muchacho, quien cayó al piso retorciéndose y echando espuma por la boca.

[21]—¿Hace cuánto tiempo que le pasa esto? —preguntó Jesús al padre del muchacho.

—Desde que era muy pequeño —contestó él—. [22]A menudo el espíritu lo arroja al fuego o al agua para matarlo. Ten misericordia de nosotros y ayúdanos si puedes.

[23]—¿Cómo que "si puedo"? —preguntó Jesús—. Todo es posible si uno cree.

9:5a *Rabí,* del arameo, significa «amo», «maestro». **9:5b** En griego *tres tabernáculos.* **9:9** «Hijo del Hombre» es un título que Jesús empleaba para referirse a sí mismo. **9:11** En griego *que Elías debe venir primero?* **9:18** O *se pone débil.* **9:19** O *dijo a sus discípulos.*

[24]Al instante el padre clamó:

—¡Sí, creo, pero ayúdame a superar mi incredulidad!

[25]Cuando Jesús vio que aumentaba el número de espectadores, reprendió al espíritu maligno.* «Escucha, espíritu que impides que este muchacho oiga y hable —dijo—. ¡Te ordeno que salgas de este muchacho y nunca más entres en él!».

[26]Entonces el espíritu gritó, dio otra convulsión violenta al muchacho y salió de él. El muchacho quedó como muerto. Un murmullo recorrió la multitud: «Está muerto», decía la gente. [27]Pero Jesús lo tomó de la mano, lo levantó, y el muchacho se puso de pie.

[28]Más tarde, cuando Jesús quedó a solas en la casa con sus discípulos, ellos le preguntaron:

—¿Por qué nosotros no pudimos expulsar ese espíritu maligno?

[29]Jesús contestó:

—Esa clase sólo puede ser expulsada con oración.*

Jesús predice otra vez su muerte

[30]Saliendo de esa región, viajaron por Galilea. Jesús no quería que nadie supiera que él estaba allí, [31]porque deseaba pasar más tiempo con sus discípulos y enseñarles. Les dijo: «El Hijo del Hombre será traicionado y entregado en manos de sus enemigos. Lo matarán, pero tres días después se levantará de los muertos».[32]Ellos no entendieron lo que quería decir, sin embargo, tenían miedo de preguntarle.

El más importante en el reino

[33]Después de llegar a Capernaúm e instalarse en una casa, Jesús preguntó a sus discípulos: «¿Qué venían conversando en el camino?». [34]Pero no le contestaron porque venían discutiendo sobre quién de ellos era el más importante. [35]Jesús se sentó y llamó a los doce discípulos y dijo: «Quien quiera ser el primero, debe tomar el último lugar y ser el sirviente de todos los demás».

[36]Entonces puso a un niño pequeño en medio de ellos. Y, tomándolo en sus brazos, les dijo: [37]«Todo el que recibe de mi parte* a un niño pequeño como éste me recibe a mí, y todo el que me recibe, no sólo me recibe a mí, sino también a mi Padre, quien me envió».

Uso del nombre de Jesús

[38]Juan le dijo a Jesús:

—Maestro, vimos a alguien usar tu nombre para expulsar demonios, pero le dijimos que no lo hiciera, porque no pertenece a nuestro grupo.

[39]—¡No lo detengan! —dijo Jesús—. Nadie que haga un milagro en mi nombre podrá luego hablar mal de mí. [40]Todo el que no está en contra de nosotros está a nuestro favor. [41]Si alguien les da a ustedes incluso un vaso de agua porque pertenecen al Mesías, les digo la verdad, esa persona ciertamente será recompensada.

[42]»Si tú haces que uno de estos pequeños que confían en mí caiga en pecado, sería mejor que te arrojaran al mar con una gran piedra de molino atada al cuello. [43]Si tu mano te hace pecar, córtatela. Es preferible entrar en la vida eterna con una sola mano que en el fuego inextinguible del infierno* con las dos manos.* [45]Si tu pie te hace pecar, córtatelo. Es preferible entrar en la vida eterna con un solo pie que ser arrojado al infierno con los dos pies.* [47]Y si tu ojo te hace

9:25 En griego *impuro.* **9:29** Algunos manuscritos dicen *con oración y ayuno.* **9:37** En griego *en mi nombre.* **9:43a** En griego *Gehenna;* también en 9:45, 47. **9:43b** Algunos manuscritos incluyen el versículo 44: *"donde los gusanos nunca mueren y el fuego nunca se apaga"*. Ver 9:48. **9:45** Algunos manuscritos incluyen el versículo 46: *"donde los gusanos nunca mueren y el fuego nunca se apaga"*. Ver 9:48.

pecar, sácatelo. Es preferible entrar en el reino de Dios con un solo ojo que tener los dos ojos y ser arrojado al infierno, [48]"donde los gusanos nunca mueren y el fuego nunca se apaga"*.

[49]»Pues cada uno será probado con fuego.* [50]La sal es buena para condimentar, pero si pierde su sabor, ¿cómo la harán salada de nuevo? Entre ustedes deben tener las cualidades de la sal y vivir en paz unos con otros.

Discusión sobre el divorcio y el matrimonio

10 Luego Jesús salió de Capernaúm, descendió a la región de Judea y entró en la zona que está al este del río Jordán. Una vez más, las multitudes lo rodearon, y él les enseñaba como de costumbre.

[2]Unos fariseos se acercaron y trataron de tenderle una trampa con la siguiente pregunta:

—¿Está bien permitir que un hombre se divorcie de su esposa?

[3]Jesús les contestó con otra pregunta:

—¿Qué dijo Moisés en la ley sobre el divorcio?

[4]—Bueno, él lo permitió —contestaron—. Dijo que un hombre puede darle a su esposa un aviso de divorcio por escrito y despedirla.*

[5]Jesús les respondió:

—Moisés escribió ese mandamiento sólo como una concesión ante la dureza del corazón de ustedes, [6]pero desde el principio de la creación "Dios los hizo hombre y mujer"*. [7]"Esto explica por qué un hombre deja a su padre y a su madre, y se une a su esposa,* [8]y los dos se convierten en uno solo"*. Como ya no son dos sino uno, [9]que nadie separe lo que Dios ha unido.

[10]Más tarde, cuando quedó a solas con sus discípulos en la casa, ellos sacaron el tema de nuevo. [11]Él les dijo: «El que se divorcia de su esposa y se casa con otra comete adulterio contra ella; [12]y si una mujer se divorcia de su marido y se casa con otro, comete adulterio».

Jesús bendice a los niños

[13]Cierto día, algunos padres llevaron a sus niños a Jesús para que los tocara y los bendijera, pero los discípulos regañaron a los padres por molestarlo.

[14]Cuando Jesús vio lo que sucedía, se enojó con sus discípulos y les dijo: «Dejen que los niños vengan a mí. ¡No los detengan! Pues el reino de Dios pertenece a los que son como estos niños. [15]Les digo la verdad, el que no reciba el reino de Dios como un niño nunca entrará en él». [16]Entonces tomó a los niños en sus brazos y después de poner sus manos sobre la cabeza de ellos, los bendijo.

El hombre rico

[17]Cuando Jesús estaba por emprender su camino a Jerusalén, un hombre se le acercó corriendo, se arrodilló y le preguntó:

—Maestro bueno, ¿qué debo hacer para heredar la vida eterna?

[18]—¿Por qué me llamas bueno? —preguntó Jesús—. Sólo Dios es verdaderamente bueno; [19]pero para contestar a tu pregunta, tú conoces los mandamientos: «No asesines; no cometas adulterio; no robes; no des falso testimonio; no estafes a nadie; honra a tu padre y a tu madre»*.

[20]—Maestro —respondió el hombre—, he obedecido todos esos mandamientos desde que era joven.

[21]Jesús miró al hombre y sintió profundo amor por él.

9:48 Is 66:24. **9:49** En griego *salado con fuego;* otros manuscritos incluyen *y cada sacrificio será salado con sal.* **10:4** Ver Dt 24:1. **10:6** Ver Gn 1:27; 5:2. **10:7** Algunos manuscritos no incluyen *y se une a su esposa.* **10:7-8** Gn 2:24. **10:19** Ex 20:12-16; Dt 5:16-20.

—Hay una cosa que todavía no has hecho —le dijo—. Anda y vende todas tus posesiones y entrega el dinero a los pobres, y tendrás tesoro en el cielo. Después ven y sígueme.

[22]Al oír esto, el hombre puso cara larga y se fue triste porque tenía muchas posesiones.

[23]Jesús miró a su alrededor y dijo a sus discípulos: «¡Qué difícil es para los ricos entrar en el reino de Dios!». [24]Los discípulos quedaron asombrados de sus palabras. Pero Jesús volvió a decir: «Queridos hijos, es muy difícil* entrar en el reino de Dios. [25]De hecho, ¡es más fácil que un camello pase por el ojo de una aguja que un rico entre en el reino de Dios!».

[26]Los discípulos quedaron atónitos.

—Entonces, ¿quién podrá ser salvo? —preguntaron.

[27]Jesús los miró fijamente y dijo:

—Humanamente hablando, es imposible, pero no para Dios. Con Dios, todo es posible.

[28]Entonces Pedro comenzó a hablar.

—Nosotros hemos dejado todo para seguirte —dijo.

[29]—Así es —respondió Jesús—, y les aseguro que todo el que haya dejado casa o hermanos o hermanas o madre o padre o hijos o bienes por mi causa y por la Buena Noticia [30]recibirá ahora a cambio cien veces más el número de casas, hermanos, hermanas, madres, hijos y bienes, junto con persecución; y en el mundo que vendrá, esa persona tendrá la vida eterna. [31]Pero muchos que ahora son los más importantes, en ese día serán los menos importantes, y aquellos que ahora parecen menos importantes, en ese día serán los más importantes.*

Jesús predice nuevamente su muerte

[32]Subían rumbo a Jerusalén, y Jesús caminaba delante de ellos. Los discípulos estaban llenos de asombro y la gente que los seguía, abrumada de temor. Jesús tomó a los doce discípulos aparte y, una vez más, comenzó a describir todo lo que estaba por sucederle. [33]«Escuchen —les dijo—, subimos a Jerusalén, donde el Hijo del Hombre* será traicionado y entregado a los principales sacerdotes y a los maestros de la ley religiosa. Lo condenarán a muerte y lo entregarán a los romanos.* [34]Se burlarán de él, lo escupirán, lo azotarán con un látigo y lo matarán; pero después de tres días, resucitará».

Jesús enseña sobre el servicio a los demás

[35]Entonces Santiago y Juan, hijos de Zebedeo, se le acercaron y dijeron:

—Maestro, queremos que nos hagas un favor.

[36]—¿Cuál es la petición? —preguntó él.

[37]Ellos contestaron:

—Cuando te sientes en tu trono glorioso, nosotros queremos sentarnos en lugares de honor a tu lado, uno a tu derecha y el otro a tu izquierda.

[38]Jesús les dijo:

—¡No saben lo que piden! ¿Acaso pueden beber de la copa amarga de sufrimiento que yo estoy a punto de beber? ¿Acaso pueden ser bautizados con el bautismo de sufrimiento con el cual yo tengo que ser bautizado?

[39]—Claro que sí —contestaron ellos—, ¡podemos!

Entonces Jesús les dijo:

—Es cierto, beberán de mi copa amarga y serán bautizados con mi bautismo de sufrimiento; [40]pero no me corresponde

10:24 Algunos manuscritos dicen *muy difícil para aquellos que confían en las riquezas.* **10:31** En griego *Pero muchos que son primeros serán los últimos; y los últimos serán primeros.* **10:33a** «Hijo del Hombre» es un título que Jesús empleaba para referirse a sí mismo. **10:33b** En griego *los gentiles.* (*Gentil[es],* que no es judío).

a mí decir quién se sentará a mi derecha o a mi izquierda. Dios preparó esos lugares para quienes él ha escogido.

[41]Cuando los otros diez discípulos oyeron lo que Santiago y Juan habían pedido, se indignaron. [42]Así que Jesús los reunió a todos y les dijo: «Ustedes saben que los gobernantes de este mundo tratan a su pueblo con prepotencia y los funcionarios hacen alarde de su autoridad frente a los súbditos. [43]Pero entre ustedes será diferente. El que quiera ser líder entre ustedes deberá ser sirviente, [44]y el que quiera ser el primero entre ustedes deberá ser esclavo de los demás. [45]Pues ni aun el Hijo del Hombre vino para que le sirvan, sino para servir a otros y para dar su vida en rescate por muchos».

Jesús sana al ciego Bartimeo

[46]Después llegaron a Jericó y mientras Jesús y sus discípulos salían de la ciudad, una gran multitud los siguió. Un mendigo ciego llamado Bartimeo (hijo de Timeo) estaba sentado junto al camino. [47]Cuando Bartimeo oyó que Jesús de Nazaret estaba cerca, comenzó a gritar: «¡Jesús, Hijo de David, ten compasión de mí!».

[48]«¡Cállate!», muchos le gritaban, pero él gritó aún más fuerte: «¡Hijo de David, ten compasión de mí!».

[49]Cuando Jesús lo oyó, se detuvo y dijo: «Díganle que se acerque».

Así que llamaron al ciego. «Anímate —le dijeron—. ¡Vamos, él te llama!». [50]Bartimeo echó a un lado su abrigo, se levantó de un salto y se acercó a Jesús.

[51]—¿Qué quieres que haga por ti? —preguntó Jesús.

—Mi Rabí* —dijo el hombre ciego—, ¡quiero ver!

[52]Y Jesús le dijo:

—Puedes irte, pues tu fe te ha sanado.

Al instante el hombre pudo ver y siguió a Jesús por el camino.*

Entrada triunfal de Jesús

11 Mientras Jesús y los discípulos se acercaban a Jerusalén, llegaron a las ciudades de Betfagé y Betania, en el monte de los Olivos. Jesús mandó a dos de ellos que se adelantaran. [2]«Vayan a la aldea que está allí —les dijo—. En cuanto entren, verán un burrito atado, que nadie ha montado jamás. Desátenlo y tráiganlo aquí. [3]Si alguien les pregunta: "¿Qué están haciendo?" simplemente digan: "El Señor lo necesita y él lo devolverá pronto"».

[4]Los dos discípulos salieron y encontraron el burrito en la calle, atado frente a la puerta principal. [5]Mientras lo desataban, algunos que estaban allí les preguntaron: «¿Qué están haciendo, por qué desatan ese burrito?». [6]Ellos contestaron lo que Jesús había dicho y se les dio permiso para llevarlo. [7]Así que llevaron el burrito a Jesús y pusieron sus prendas encima y él se sentó allí.

[8]Muchos de la multitud tendían sus prendas sobre el camino delante de él y otros extendían ramas frondosas que habían cortado en los campos. [9]Jesús estaba en el centro de la procesión, y la gente que lo rodeaba gritaba:

«¡Alaben a Dios!*
¡Bendiciones al que viene en el nombre del SEÑOR!
[10] ¡Bendiciones al reino que viene, el reino de nuestro antepasado David!
¡Alaben a Dios en el cielo más alto!»*.

[11]Así Jesús llegó a Jerusalén y entró en el templo. Después de mirar todo

10:51 En griego se emplea el término hebreo *Raboní*, que significa «maestro». **10:52** O *en el camino*. **11:9** En griego *Hosanna*, una exclamación de alabanza que literalmente significa «salva ahora»; también en 11:10. **11:9-10** Sal 118:25-26; 148:1.

detenidamente a su alrededor, salió porque ya era tarde. Después regresó a Betania con los doce discípulos.

Jesús maldice la higuera

[12]A la mañana siguiente, cuando salían de Betania, Jesús tuvo hambre. [13]Vio que, a cierta distancia, había una higuera frondosa, así que se acercó para ver si encontraba higos; pero sólo tenía hojas porque aún no había comenzado la temporada de los higos. [14]Entonces Jesús dijo al árbol: «¡Que nadie jamás vuelva a comer tu fruto!». Y los discípulos lo oyeron.

Jesús limpia el templo

[15]Cuando llegaron de nuevo a Jerusalén, Jesús entró en el templo y comenzó a echar a los que compraban y vendían animales para los sacrificios. Volcó las mesas de los cambistas y las sillas de los que vendían palomas, [16]y les prohibió a todos que usaran el templo como un mercado.* [17]Les dijo: «Las Escrituras declaran: "Mi templo será llamado casa de oración para todas las naciones", pero ustedes lo han convertido en una cueva de ladrones»*.

[18]Cuando los principales sacerdotes y los maestros de la ley religiosa oyeron lo que Jesús había hecho, comenzaron a planificar cómo matarlo; pero tenían miedo de Jesús, porque la gente estaba asombrada de su enseñanza.

[19]Esa tarde Jesús y los discípulos salieron* de la ciudad.

[20]A la mañana siguiente, al pasar junto a la higuera que él había maldecido, los discípulos notaron que se había marchitado desde la raíz. [21]Pedro recordó lo que Jesús había dicho al árbol el día anterior y exclamó:

—¡Mira, Rabí!* ¡La higuera que maldijiste se marchitó y murió!

[22]Entonces Jesús dijo a los discípulos:

—Tengan fe en Dios. [23]Les digo la verdad, ustedes pueden decir a esta montaña: "Levántate y échate al mar", y sucederá; pero deben creer de verdad que ocurrirá y no tener ninguna duda en el corazón. [24]Les digo, ustedes pueden orar por cualquier cosa y si creen que lo han recibido, será suyo. [25]Cuando estén orando, primero perdonen a todo aquel contra quien guarden rencor, para que su Padre que está en el cielo también les perdone a ustedes sus pecados.*

Desafían la autoridad de Jesús

[27]Nuevamente entraron en Jerusalén. Mientras Jesús caminaba por la zona del templo, los principales sacerdotes, los maestros de la ley religiosa y los ancianos se le acercaron.

[28]—¿Con qué autoridad haces todas estas cosas? —le reclamaron—. ¿Quién te dio el derecho de hacerlas?

[29]—Les diré con qué autoridad hago estas cosas si me contestan una pregunta —respondió Jesús—. [30]La autoridad de Juan para bautizar, ¿provenía del cielo o era meramente humana? ¡Contéstenme!

[31]Ellos discutieron el asunto unos con otros: «Si decimos que provenía del cielo, preguntará por qué nosotros no le creímos a Juan. [32]¿Pero nos atrevemos a decir que era meramente humana?». Pues tenían temor de lo que haría la gente, porque todos creían que Juan era un profeta. [33]Entonces finalmente contestaron:

—No sabemos.

Y Jesús respondió:

—Entonces yo tampoco les diré con qué autoridad hago estas cosas.

11:16 O *llevaran mercancías a través del templo.* **11:17** Is 56:7; Jer 7:11. **11:19** En griego *ellos salieron;* otros manuscritos dicen *él salió.* **11:21** *Rabí,* del arameo, significa «amo», «maestro». **11:25** Algunos manuscritos incluyen el versículo 26: *Pero si ustedes se niegan a perdonar, su Padre que está en el cielo no les perdonará sus pecados.* Comparar Mt 6:15.

Parábola de los agricultores malvados

12 Después Jesús comenzó a enseñarles con historias: «Un hombre plantó un viñedo. Lo cercó con un muro, cavó un hoyo para extraer el jugo de las uvas y construyó una torre de vigilancia. Luego les alquiló el viñedo a unos agricultores arrendatarios y se mudó a otro país. [2]Llegado el tiempo de la cosecha de la uva, envió a uno de sus siervos para recoger su parte de la cosecha; [3]pero los agricultores agarraron al siervo, le dieron una paliza y lo mandaron de regreso con las manos vacías. [4]Entonces el dueño envió a otro siervo, pero lo insultaron y le pegaron en la cabeza. [5]Al próximo siervo que envió, lo mataron. Envió a otros, a unos los golpearon y a otros los mataron, [6]hasta que le quedó sólo uno, su hijo, a quien amaba profundamente. Finalmente, el dueño lo envió porque pensó: "Sin duda, respetarán a mi hijo".

[7]»Los agricultores se dijeron unos a otros: "Aquí viene el heredero de esta propiedad. ¡Matémoslo y nos quedaremos con la propiedad!". [8]Así que lo agarraron, lo asesinaron y tiraron su cuerpo fuera del viñedo.

[9]»¿Qué creen qué hará el dueño del viñedo? —preguntó Jesús—. Les diré: irá y matará a esos agricultores y alquilará el viñedo a otros. [10]¿Nunca leyeron en las Escrituras:

"La piedra que los constructores
rechazaron
ahora se ha convertido en la piedra
principal.
[11] Esto es obra del Señor
y es maravilloso verlo"*?».

[12]Los líderes religiosos* querían arrestar a Jesús porque se dieron cuenta de que contaba esa historia en contra de ellos, pues ellos eran los agricultores malvados; pero tenían miedo de la multitud, así que lo dejaron y se marcharon.

Los impuestos para el César

[13]Después los ancianos enviaron a algunos fariseos y partidarios de Herodes para hacer que Jesús cayera en la trampa de decir algo por lo cual pudiera ser arrestado.

[14]—Maestro —dijeron—, sabemos lo honesto que eres. Eres imparcial y no tienes favoritismos. Enseñas con verdad el camino de Dios. Ahora dinos, ¿es correcto que paguemos impuestos al César o no? [15]¿Debemos o no pagarlos?

Jesús se dio cuenta de su hipocresía y dijo:

—¿Por qué intentan atraparme? Muéstrenme una moneda romana,* y les diré.

[16]Cuando se la dieron, les preguntó:

—¿A quién pertenecen la imagen y el título grabados en la moneda?

—Al César —contestaron.

[17]—Bien —dijo Jesús—, entonces den al César lo que pertenece al César y den a Dios lo que pertenece a Dios.

Su respuesta los dejó totalmente asombrados.

Discusión sobre la resurrección

[18]Después se acercaron a Jesús algunos saduceos, líderes religiosos que dicen que no hay resurrección después de la muerte. Le plantearon la siguiente pregunta:

[19]—Maestro, Moisés nos dio una ley que dice que, si un hombre muere y deja a una esposa sin hijos, su hermano debe casarse con la viuda y darle un hijo para que el nombre del hermano continúe.* [20]Ahora bien, supongamos que había siete hermanos. El mayor se casó y murió sin dejar hijos. [21]Entonces el segundo hermano se casó con la viuda, pero

12:10-11 Sal 118:22-23. **12:12** En griego *Ellos.* **12:15** En griego *un denario.* **12:19** Ver Dt 25:5-6.

también murió sin dejar hijos. Luego el tercer hermano se casó con ella. [22]Lo mismo sucedió con los siete y aún no había hijos. Por último, la mujer también murió. [23]Entonces dinos, ¿de quién será esposa en la resurrección? Pues los siete estuvieron casados con ella.

[24]Jesús contestó:

—El error de ustedes es que no conocen las Escrituras y no conocen el poder de Dios. [25]Pues, cuando los muertos resuciten, no se casarán ni se entregarán en matrimonio. En este sentido, serán como los ángeles del cielo.

[26]»Ahora bien, en cuanto a si los muertos resucitarán, ¿nunca han leído acerca de esto en los escritos de Moisés, en la historia de la zarza que ardía? Mucho después de que Abraham, Isaac y Jacob murieron, Dios le dijo a Moisés:* "Yo soy el Dios de Abraham, el Dios de Isaac y el Dios de Jacob"*. [27]Por lo tanto, él es Dios de los que están vivos, no de los muertos. Ustedes han cometido un grave error.

El mandamiento más importante

[28]Uno de los maestros de la ley religiosa estaba allí escuchando el debate. Se dio cuenta de que Jesús había contestado bien, entonces le preguntó:

—De todos los mandamientos, ¿cuál es el más importante?

[29]Jesús contestó:

—El mandamiento más importante es: "¡Escucha, oh Israel! El SEÑOR nuestro Dios es el único SEÑOR. [30]Amarás al SEÑOR tu Dios con todo tu corazón, con toda tu alma, con toda tu mente y con todas tus fuerzas"*. [31]El segundo es igualmente importante: "Amarás a tu prójimo como a ti mismo"*. Ningún otro mandamiento es más importante que éstos.

[32]El maestro de la ley religiosa respondió:

—Bien dicho, Maestro. Has hablado la verdad al decir que hay sólo un Dios y ningún otro. [33]Además yo sé que es importante amarlo con todo mi corazón y todo mi entendimiento y todas mis fuerzas, y amar a mi prójimo como a mí mismo. Esto es más importante que presentar todas las ofrendas quemadas y sacrificios exigidos en la ley.

[34]Al ver cuánto entendía el hombre, Jesús le dijo:

—No estás lejos del reino de Dios.

Y, a partir de entonces, nadie se atrevió a hacerle más preguntas.

¿De quién es hijo el Mesías?

[35]Tiempo después, Jesús estaba enseñando al pueblo en el templo y preguntó: «¿Por qué afirman los maestros de la ley religiosa que el Mesías es hijo de David? [36]Pues el propio David, mientras hablaba bajo la inspiración del Espíritu Santo, dijo:

"El SEÑOR le dijo a mi Señor:
'Siéntate en el lugar de honor a mi
derecha,
hasta que humille a tus enemigos
y los ponga por debajo de tus
pies'"*.

[37]Ya que David mismo llamó al Mesías "mi Señor", ¿cómo es posible que el Mesías sea su hijo?». La gran multitud se deleitaba al escucharlo.

[38]Jesús también enseñó: «¡Cuídense de los maestros de la ley religiosa! Pues les gusta pavonearse en túnicas largas y sueltas y recibir saludos respetuosos cuando caminan por las plazas. [39]¡Y cómo les encanta ocupar los asientos de honor en las sinagogas y sentarse a la mesa principal en los banquetes! [40]Sin embargo, estafan descaradamente a las viudas para apoderarse de sus

12:26a En griego *Moisés, en la historia de la zarza? Dios le dijo.* **12:26b** Ex 3:6. **12:29-30** Dt 6:4-5. **12:31** Lv 19:18. **12:36** Sal 110:1.

propiedades y luego pretenden ser piadosos haciendo largas oraciones en público. Por eso serán castigados con más severidad».

La ofrenda de la viuda

[41]Jesús se sentó cerca de la caja de las ofrendas del templo y observó mientras la gente depositaba su dinero. Muchos ricos echaban grandes cantidades. [42]Entonces llegó una viuda pobre y echó dos monedas pequeñas.*

[43]Jesús llamó a sus discípulos y les dijo: «Les digo la verdad, esta viuda pobre ha dado más que todos los demás que ofrendan. [44]Pues ellos dieron una mínima parte de lo que les sobraba, pero ella, con lo pobre que es, dio todo lo que tenía para vivir».

Jesús predice la destrucción del templo

13 Cuando Jesús salía del templo ese día, uno de sus discípulos le dijo:

—Maestro, ¡mira estos magníficos edificios! Observa las impresionantes piedras en los muros.

[2]Jesús respondió:

—Sí, mira estos grandes edificios, pero serán demolidos por completo. ¡No quedará ni una sola piedra sobre otra!

[3]Más tarde, Jesús se sentó en el monte de los Olivos, al otro lado del valle del templo. Pedro, Santiago, Juan y Andrés se le acercaron en privado y le preguntaron:

[4]—Dinos, ¿cuándo sucederá todo eso? ¿Qué señal nos indicará que esas cosas están por cumplirse?

[5]Jesús contestó:

—No dejen que nadie los engañe, [6]porque muchos vendrán en mi nombre y afirmarán: "Yo soy el Mesías"*. Engañarán a muchos. [7]Y ustedes oirán de guerras y de amenazas de guerras, pero no se dejen llevar por el pánico. Es verdad, esas cosas deben suceder, pero el fin no vendrá inmediatamente después. [8]Una nación entrará en guerra con otra, y un reino con otro reino. Habrá terremotos en muchas partes del mundo, y también hambres; pero eso es sólo el comienzo de los dolores del parto, luego vendrán más.

[9]»Cuando esas cosas comiencen a suceder, ¡tengan cuidado! Los entregarán a los tribunales y los golpearán en las sinagogas. Serán sometidos a juicio ante gobernantes y reyes por ser mis seguidores, pero esa será una oportunidad para que ustedes les hablen de mí.* [10]Pues la Buena Noticia primero tiene que ser predicada a todas las naciones.* [11]Cuando los arresten y los sometan a juicio, no se preocupen de antemano por lo que van a decir. Sólo hablen lo que Dios les diga en ese momento, porque no serán ustedes los que hablen, sino el Espíritu Santo.

[12]»Un hermano traicionará a muerte a su hermano, un padre traicionará a su propio hijo, y los hijos se rebelarán contra sus padres y harán que los maten. [13]Todos los odiarán a ustedes por ser mis seguidores,* pero el que se mantenga firme hasta el fin será salvo.

[14]»Llegará el día cuando verán el objeto sacrílego que causa profanación* de pie en un lugar donde él* no debe estar. (Lector, ¡presta atención!). Entonces los que estén en Judea huyan a las colinas. [15]La persona que esté en la azotea no baje a la casa para empacar. [16]El que esté en el campo no regrese ni para buscar un abrigo. [17]¡Qué terribles serán esos días para las mujeres embarazadas y para las

12:42 En griego *dos leptas, que es un kodrante* [es decir, un cuadrante]. **13:6** En griego *y afirmarán: "Yo soy"*. **13:9** O *Pero ese será su testimonio contra ellos.* **13:10** O *todos los grupos étnicos.* **13:13** En griego *por causa de mi nombre.* **13:14a** En griego *la abominación de la desolación.* Ver Dn 9:27; 11:31; 12:11. **13:14b** O *esto.*

madres que amamantan! [18]Y oren para que la huída no sea en invierno. [19]Pues habrá más angustia en esos días que en cualquier otro momento desde que Dios creó al mundo. Y jamás habrá una angustia tan grande. [20]De hecho, a menos que el Señor acorte ese tiempo de calamidad, ni una sola persona sobrevivirá; pero por el bien de los elegidos, él ha acortado esos días.

[21]»Entonces, si alguien les dice: "Miren, aquí está el Mesías" o "Allí está", no lo crean. [22]Pues se levantarán falsos mesías y falsos profetas y realizarán señales y milagros para engañar, de ser posible, aun a los elegidos de Dios. [23]¡Tengan cuidado! ¡Les he advertido esto de antemano!

[24]»En ese tiempo, después de la angustia de esos días,

el sol se oscurecerá,
la luna no dará luz,
[25] las estrellas caerán del cielo,
y los poderes de los cielos serán sacudidos.*

[26]»Entonces todos verán al Hijo del Hombre* venir en las nubes con gran poder y gloria.* [27]Y él enviará a sus ángeles para que reúnan a los elegidos de todas partes del mundo,* desde los extremos más lejanos de la tierra y del cielo.

[28]»Ahora, aprendan una lección de la higuera. Cuando las ramas echan brotes y comienzan a salir las hojas, ustedes saben que el verano se acerca. [29]De la misma manera, cuando vean que suceden todas estas cosas, sabrán que su regreso está muy cerca, a las puertas. [30]Les digo la verdad, no pasará esta generación* hasta que todas estas cosas sucedan. [31]El cielo y la tierra desaparecerán, pero mis palabras no desaparecerán jamás.

[32]»Sin embargo, nadie sabe el día ni la hora en que sucederán esas cosas, ni siquiera los ángeles en el cielo ni el propio Hijo. Sólo el Padre lo sabe. [33]Y, ya que ustedes tampoco saben cuándo llegará ese tiempo, ¡manténganse en guardia! ¡Estén alerta!*

[34]»La venida del Hijo del Hombre puede ilustrarse mediante la historia de un hombre que tenía que emprender un largo viaje. Cuando salió de casa, dio instrucciones a cada uno de sus esclavos sobre el trabajo que debían hacer y le dijo al portero que esperara su regreso. [35]¡Ustedes también deben estar alerta! Pues no saben cuándo regresará el amo de la casa: si en la tarde, a medianoche, durante la madrugada o al amanecer. [36]Que no los encuentre dormidos cuando llegue sin previo aviso. [37]Les digo a ustedes lo que digo a todos: ¡Manténganse despiertos esperándolo a él!

Jesús es ungido en Betania

14 Faltaban dos días para la Pascua y el Festival de los Panes sin Levadura. Los principales sacerdotes y los maestros de la ley religiosa seguían buscando una oportunidad para capturar a Jesús en secreto y matarlo. [2]«Pero no durante la celebración de la Pascua —acordaron—, no sea que la gente cause disturbios».

[3]Mientras tanto, Jesús se encontraba en Betania, en la casa de Simón, un hombre que había tenido lepra. Mientras comía,* entró una mujer con un hermoso frasco de alabastro que contenía un perfume costoso, preparado con esencias de nardo. Ella abrió el frasco y derramó el perfume sobre la cabeza de Jesús.

[4]Algunos que estaban a la mesa se indignaron. «¿Por qué desperdiciar un

13:24-25 Ver Is 13:10; 34:4; Jl 2:10. **13:26a** «Hijo del Hombre» es un título que Jesús empleaba para referirse a sí mismo. **13:26b** Ver Dn 7:13. **13:27** En griego *desde los cuatro vientos.* **13:30** O *esta era,* o *esta nación.* **13:33** Algunos manuscritos incluyen *y oren.* **14:3** O *estaba reclinado.*

perfume tan costoso? —preguntaron—. [5]¡Podría haberse vendido por el salario de un año* y el dinero dado a los pobres!». Así que la regañaron severamente.

[6]Pero Jesús respondió: «Déjenla en paz. ¿Por qué la critican por hacer algo tan bueno conmigo? [7]Siempre habrá pobres entre ustedes, y pueden ayudarlos cuando quieran, pero a mí no siempre me tendrán. [8]Ella hizo lo que pudo y ungió mi cuerpo en preparación para el entierro. [9]Les digo la verdad, en cualquier lugar del mundo donde se predique la Buena Noticia, se recordará y se hablará de lo que hizo esta mujer».

Judas acuerda traicionar a Jesús

[10]Entonces Judas Iscariote, uno de los doce discípulos, fue a ver a los principales sacerdotes para llegar a un acuerdo de cómo entregarles a Jesús a traición. [11]Ellos quedaron complacidos cuando oyeron la razón de su visita y le prometieron darle dinero. Entonces él comenzó a buscar una oportunidad para traicionar a Jesús.

La última cena

[12]El primer día del Festival de los Panes sin Levadura, cuando se sacrifica el cordero de la Pascua, los discípulos de Jesús le preguntaron: «¿Dónde quieres que vayamos a prepararte la cena de Pascua?».

[13]Así que Jesús envió a dos de ellos a Jerusalén con las siguientes instrucciones: «Al entrar en la ciudad, se encontrarán con un hombre que lleva un cántaro de agua. Síganlo. [14]En la casa donde él entre, díganle al dueño: "El Maestro pregunta: '¿Dónde está el cuarto de huéspedes para que pueda comer la cena de Pascua con mis discípulos?' ". [15]Él los llevará a un cuarto grande en el piso de arriba, que ya está listo. Allí deben preparar nuestra cena». [16]Entonces los dos discípulos entraron en la ciudad y encontraron todo como Jesús les había dicho y allí prepararon la cena de Pascua.

[17]Por la noche, Jesús llegó con los doce discípulos.* [18]Mientras estaban a la mesa,* comiendo, Jesús dijo: «Les digo la verdad, uno de ustedes que está aquí comiendo conmigo me traicionará».

[19]Ellos, muy afligidos, le preguntaron uno por uno: «¿Seré yo?».

[20]Él contestó: «Es uno de ustedes doce que come de este plato conmigo. [21]Pues el Hijo del Hombre* tiene que morir, tal como lo declararon las Escrituras hace mucho tiempo. Pero qué aflicción le espera a aquel que lo traiciona. ¡Para ese hombre sería mucho mejor no haber nacido!».

[22]Mientras comían, Jesús tomó un poco de pan y lo bendijo. Luego lo partió en trozos, lo dio a sus discípulos y dijo: «Tómenlo, porque esto es mi cuerpo».

[23]Y tomó en sus manos una copa de vino y dio gracias a Dios por ella. Se la dio a ellos, y todos bebieron de la copa. [24]Y les dijo: «Esto es mi sangre, la cual confirma el pacto* entre Dios y su pueblo. Es derramada como sacrificio por muchos. [25]Les digo la verdad, no volveré a beber vino hasta el día en que lo beba nuevo en el reino de Dios».

[26]Luego cantaron un himno y salieron al monte de los Olivos.

Jesús predice la negación de Pedro

[27]En el camino, Jesús les dijo: «Todos ustedes me abandonarán, porque las Escrituras dicen:

14:5 En griego *trescientos denarios*. Un denario equivalía a la paga de un obrero por una jornada completa de trabajo. **14:17** En griego *los Doce*. **14:18** O *se reclinaban*. **14:21** «Hijo del Hombre» es un título que Jesús empleaba para referirse a sí mismo. **14:24** Algunos manuscritos dicen *el nuevo pacto*.

"Dios golpeará* al Pastor,
y las ovejas se dispersarán".

[28]Sin embargo, después de ser levantado de los muertos, iré delante de ustedes a Galilea y allí los veré».

[29]Pedro le dijo:

—Aunque todos te abandonen, yo jamás lo haré.

[30]Jesús respondió:

—Te digo la verdad, Pedro: esta misma noche, antes de que cante el gallo dos veces, negarás tres veces que me conoces.

[31]—¡No! —exclamó Pedro enfáticamente—. Aunque tenga que morir contigo, ¡jamás te negaré!

Y los demás juraron lo mismo.

Jesús ora en Getsemaní

[32]Fueron al huerto de olivos llamado Getsemaní, y Jesús dijo: «Siéntense aquí mientras yo voy a orar». [33]Se llevó a Pedro, a Santiago y a Juan y comenzó a afligirse y angustiarse profundamente. [34]Les dijo: «Mi alma está destrozada de tanta tristeza, hasta el punto de la muerte. Quédense aquí y velen conmigo».

[35]Se adelantó un poco más y cayó en tierra. Pidió en oración que, si fuera posible, pasara de él la horrible hora que le esperaba. [36]«Abba, Padre* —clamó—, todo es posible para ti. Te pido que quites esta copa de sufrimiento de mí. Sin embargo, quiero que se haga tu voluntad, no la mía».

[37]Luego volvió y encontró a los discípulos dormidos. Le dijo a Pedro: «Simón, ¿estás dormido? ¿No pudiste velar conmigo ni siquiera una hora? [38]Velen y oren para que no cedan ante la tentación, porque el espíritu está dispuesto, pero el cuerpo es débil».

[39]Entonces Jesús los dejó otra vez e hizo la misma oración que antes. [40]Cuando regresó de nuevo adonde estaban ellos, los encontró dormidos porque no podían mantener los ojos abiertos. Y no sabían qué decir.

[41]Cuando volvió a ellos por tercera vez, les dijo: «Adelante, duerman, descansen; pero no, la hora ha llegado. El Hijo del Hombre es traicionado y entregado en manos de pecadores. [42]Levántense, vamos. ¡Miren, el que me traiciona ya está aquí!».

Traicionan y arrestan a Jesús

[43]En ese mismo instante, mientras Jesús todavía hablaba, llegó Judas, uno de los doce discípulos, junto con una multitud de hombres armados con espadas y palos. Los habían enviado los principales sacerdotes, los maestros de la ley religiosa y los ancianos. [44]El traidor, Judas, había acordado previamente con ellos una señal: «Sabrán a cuál arrestar cuando yo lo salude con un beso. Entonces podrán llevárselo bajo custodia». [45]En cuanto llegaron, Judas se acercó a Jesús. «¡Rabí!»* —exclamó, y le dio el beso.

[46]Entonces los otros agarraron a Jesús y lo arrestaron; [47]pero uno de los hombres que estaba con Jesús sacó su espada e hirió al esclavo del sumo sacerdote cortándole una oreja.

[48]Jesús les preguntó: «¿Acaso soy un peligroso revolucionario, para que vengan con espadas y palos para arrestarme? [49]¿Por qué no me arrestaron en el templo? Estuve enseñando allí entre ustedes todos los días. Pero estas cosas suceden para que se cumpla lo que dicen las Escrituras acerca de mí».

[50]Entonces todos sus discípulos lo abandonaron y huyeron. [51]Un joven que los seguía sólo llevaba puesta una camisa de noche de lino. Cuando la turba in-

14:27 En griego *Golpearé*. Za 13:7. **14:36** *Abba* es un término arameo para la palabra «padre».
14:45 *Rabí*, del arameo, significa «amo», «maestro».

tentó agarrarlo, [52]su camisa de noche se deslizó y huyó desnudo.

Jesús ante el Concilio

[53]Llevaron a Jesús a la casa del sumo sacerdote, donde se habían reunido los principales sacerdotes, los ancianos y los maestros de la ley religiosa. [54]Mientras tanto, Pedro lo siguió de lejos y entró directamente al patio del sumo sacerdote. Allí se sentó con los guardias para calentarse junto a la fogata.

[55]Adentro, los principales sacerdotes y todo el Concilio Supremo* intentaban encontrar pruebas contra Jesús para poder ejecutarlo, pero no pudieron encontrar ninguna. [56]Había muchos falsos testigos que hablaban en contra de él, pero todos se contradecían. [57]Finalmente unos hombres se pusieron de pie y dieron el siguiente falso testimonio: [58]«Nosotros lo oímos decir: "Yo destruiré este templo hecho con manos humanas y en tres días construiré otro, no hecho con manos humanas"». [59]¡Pero aun así sus relatos no coincidían!

[60]Entonces el sumo sacerdote se puso de pie ante todos y le preguntó a Jesús: «Bien, ¿no vas a responder a estos cargos? ¿Qué tienes que decir a tu favor?». [61]Pero Jesús se mantuvo callado y no contestó. Entonces el sumo sacerdote le preguntó:

—¿Eres tú el Mesías, el Hijo del Bendito?

[62]Jesús dijo:

—Yo Soy.* Y ustedes verán al Hijo del Hombre sentado en el lugar de poder, a la derecha de Dios,* y viniendo en las nubes del cielo.*

[63]Entonces el sumo sacerdote se rasgó las vestiduras en señal de horror y dijo: «¿Para qué necesitamos más testigos? [64]Todos han oído la blasfemia que dijo. ¿Cuál es el veredicto?».

«¡Culpable! —gritaron todos—. ¡Merece morir!».

[65]Entonces algunos comenzaron a escupirle, y le vendaron los ojos y le daban puñetazos. «¡Profetízanos!», se burlaban. Y los guardias lo abofeteaban mientras se lo llevaban.

Pedro niega a Jesús

[66]Mientras tanto, Pedro estaba abajo, en el patio. Una de las sirvientas que trabajaba para el sumo sacerdote pasó [67]y vio que Pedro se calentaba junto a la fogata. Se quedó mirándolo y dijo:

—Tú eres uno de los que estaban con Jesús de Nazaret.*

[68]Pero Pedro lo negó y dijo:

—No sé de qué hablas.

Y salió afuera, a la entrada. En ese instante, cantó un gallo.*

[69]Cuando la sirvienta vio a Pedro parado allí, comenzó a decirles a los otros: «¡No hay duda de que este hombre es uno de ellos!». [70]Pero Pedro lo negó otra vez.

Un poco más tarde, algunos de los otros que estaban allí confrontaron a Pedro y dijeron:

—Seguro que tú eres uno de ellos, porque eres galileo.

[71]Pedro juró:

—¡Que me caiga una maldición si les miento! ¡No conozco a ese hombre del que hablan!

[72]Inmediatamente, el gallo cantó por segunda vez.

De repente, las palabras de Jesús pasaron rápidamente por la mente de Pedro: «Antes de que cante el gallo dos veces, negarás tres veces que me conoces»; y se echó a llorar.

14:55 En griego *el Sanedrín.* **14:62a** O *—El "Yo Soy" está aquí;* o *—Yo soy el Señor.* Ver Ex 3:14. **14:62b** En griego *a la derecha del poder.* Ver Sal 110:1. **14:62c** Ver Dn 7:13. **14:67** O *Jesús nazareno.* **14:68** Algunos manuscritos no incluyen *En ese instante, cantó un gallo.*

Juicio de Jesús ante Pilato

15 Muy temprano por la mañana, los principales sacerdotes, los ancianos y los maestros de la ley religiosa —todo el Concilio Supremo*— se reunieron para hablar del próximo paso. Ataron a Jesús, se lo llevaron y lo entregaron a Pilato, el gobernador romano.

[2]Pilato le preguntó a Jesús:

—¿Eres tú el rey de los judíos?

—Tú lo has dicho —contestó Jesús.

[3]Entonces los principales sacerdotes siguieron acusándolo de muchos delitos, [4]y Pilato le preguntó: «¿No vas a contestarles? ¿Qué me dices de las acusaciones que presentan en tu contra?». [5]Entonces, para sorpresa de Pilato, Jesús no dijo nada.

[6]Ahora bien, era costumbre del gobernador cada año, durante la celebración de la Pascua, poner en libertad a un preso, el que la gente pidiera. [7]Uno de los presos en ese tiempo era Barrabás, un revolucionario que había cometido un asesinato durante un levantamiento. [8]La multitud acudió a Pilato y le pidió que soltara a un preso como era la costumbre.

[9]«¿Quieren que les deje en libertad a este "rey de los judíos"?» —preguntó Pilato. [10](Pues ya se había dado cuenta de que los principales sacerdotes habían arrestado a Jesús por envidia). [11]Sin embargo, en ese momento, los principales sacerdotes incitaron a la multitud para que exigiera la libertad de Barrabás en lugar de la de Jesús. [12]Pilato les preguntó:

—Entonces, ¿qué hago con este hombre al que ustedes llaman rey de los judíos?

[13]—¡Crucifícalo! —le contestaron a gritos.

[14]—¿Por qué? —insistió Pilato—. ¿Qué crimen ha cometido?

Pero la turba rugió aún más fuerte:

—¡Crucifícalo!

[15]Entonces Pilato, para calmar a la multitud, dejó a Barrabás en libertad. Y mandó azotar a Jesús con un látigo que tenía puntas de plomo, y después lo entregó a los soldados romanos para que lo crucificaran.

Los soldados se burlan de Jesús

[16]Los soldados llevaron a Jesús al patio del cuartel general del gobernador (llamado pretorio) y llamaron a todo el regimiento. [17]Lo vistieron con un manto púrpura y armaron una corona con ramas de espinos y se la pusieron en la cabeza. [18]Entonces lo saludaban y se mofaban: «¡Viva el rey de los judíos!». [19]Y lo golpeaban en la cabeza con una caña de junco, le escupían y se ponían de rodillas para adorarlo burlonamente. [20]Cuando al fin se cansaron de hacerle burla, le quitaron el manto púrpura y volvieron a ponerle su propia ropa. Luego lo llevaron para crucificarlo.

La crucifixión

[21]Un hombre llamado Simón, que pasaba por allí pero era de Cirene,* venía del campo justo en ese momento, y los soldados lo obligaron a llevar la cruz de Jesús. (Simón era el padre de Alejandro y de Rufo). [22]Y llevaron a Jesús a un lugar llamado Gólgota (que significa «Lugar de la Calavera»). [23]Le ofrecieron vino mezclado con mirra, pero él lo rechazó.

[24]Después los soldados lo clavaron en la cruz. Dividieron su ropa y tiraron los dados* para ver quién se quedaba con cada prenda. [25]Eran las nueve de la mañana cuando lo crucificaron. [26]Un letrero anunciaba el cargo en su contra. Decía: «El Rey de los judíos». [27]Con él

15:1 En griego *el Sanedrín;* también en 15:43. **15:24** En griego *echaron suertes.* Ver Sal 22:18. **15:21** *Cirene* era una ciudad al norte de África.

crucificaron a dos revolucionarios,* uno a su derecha y otro a su izquierda.*

[29]La gente que pasaba por allí gritaba insultos y movía la cabeza en forma burlona. «¡Eh! ¡Pero mírate ahora! —le gritaban—. Dijiste que ibas a destruir el templo y a reconstruirlo en tres días. [30]¡Muy bien, sálvate a ti mismo y bájate de la cruz!».

[31]Los principales sacerdotes y los maestros de la ley religiosa también se burlaban de Jesús. «Salvó a otros —se mofaban—, ¡pero no puede salvarse a sí mismo! [32]¡Que este Mesías, este Rey de Israel, baje de la cruz para que podamos verlo y creerle!». Hasta los hombres que estaban crucificados con Jesús se burlaban de él.

Muerte de Jesús

[33]Al mediodía, la tierra se llenó de oscuridad hasta las tres de la tarde. [34]Luego, a las tres de la tarde, Jesús clamó con voz fuerte: «*Eloi, Eloi, ¿lema sabactani?*», que significa: «Dios mío, Dios mío, ¿por qué me has abandonado?»*.

[35]Algunos que pasaban por allí entendieron mal y pensaron que estaba llamando al profeta Elías. [36]Uno de ellos corrió y empapó una esponja en vino agrio, la puso sobre una caña de junco y la levantó para que él pudiera beber. «¡Esperen! —dijo—. ¡A ver si Elías viene a bajarlo!».

[37]Entonces Jesús soltó otro fuerte grito y dio su último suspiro. [38]Y la cortina del santuario del templo se rasgó en dos, de arriba abajo.

[39]El oficial romano* que estaba frente a él,* al ver cómo había muerto, exclamó: «¡Este hombre era verdaderamente el Hijo de Dios!».

[40]Algunas mujeres miraban de lejos, entre ellas, María Magdalena, María (la madre de Santiago el menor y de José*), y Salomé. [41]Eran seguidoras de Jesús y lo habían cuidado mientras estaba en Galilea. También estaban allí muchas otras mujeres que habían venido con él a Jerusalén.

Entierro de Jesús

[42]Todo eso sucedió el viernes —el día de preparación*— anterior al día de descanso. Al acercarse la noche, [43]José de Arimatea se arriesgó y fue a ver a Pilato y pidió el cuerpo de Jesús. (José era miembro honorable del Concilio Supremo y esperaba la venida del reino de Dios). [44]Pilato no podía creer que Jesús ya hubiera muerto, así que llamó al oficial romano y le preguntó si ya había muerto. [45]El oficial lo confirmó, así que Pilato le dijo a José que podía llevarse el cuerpo. [46]José compró un largo lienzo de lino. Luego bajó el cuerpo de Jesús de la cruz, lo envolvió en el lienzo y lo colocó en una tumba que había sido tallada en la roca. Después hizo rodar una piedra en la entrada. [47]María Magdalena y María, la madre de José, vieron dónde ponían el cuerpo de Jesús.

La resurrección

16 El sábado al atardecer, cuando terminó el día de descanso, María Magdalena, Salomé y María, la madre de Santiago, fueron a comprar especias para el entierro, a fin de ungir el cuerpo de Jesús. [2]El domingo por la mañana* muy temprano, justo al amanecer, fueron

15:27a O *dos criminales.* **15:27b** Algunos manuscritos incluyen el versículo 28: *Y se cumplió la Escritura que dice: «Fue contado entre los rebeldes».* Ver Is 53:12; comparar también Lc 22:37. **15:34** Sal 22:1. **15:39a** En griego *centurión;* similar en 15:44, 45. **15:39b** Algunos manuscritos incluyen *oyó su grito y.* **15:40** En griego *Joses;* también en 15:47. Ver Mt 27:56. **15:42** En griego *Era el día de la preparación.* **16:2** En griego *El primer día de la semana;* también en 16:9.

a la tumba. [3]En el camino, se preguntaban unas a otras: «¿Quién nos correrá la piedra de la entrada de la tumba?»; [4]pero cuando llegaron, se fijaron y vieron que la piedra, que era muy grande, ya estaba corrida.

[5]Cuando entraron en la tumba, vieron a un joven vestido con un manto blanco, sentado al lado derecho. Las mujeres estaban asustadas, [6]pero el ángel les dijo: «No se alarmen. Ustedes buscan a Jesús de Nazaret,* el que fue crucificado. ¡No está aquí! ¡Ha resucitado! Miren, aquí es donde pusieron su cuerpo. [7]Ahora vayan y cuéntenles a sus discípulos, incluido Pedro, que Jesús va delante de ustedes a Galilea. Allí lo verán, tal como les dijo antes de morir».

[8]Las mujeres, desconcertadas, huyeron temblando de la tumba y no dijeron nada a nadie porque estaban muy asustadas.*

[9]*Después de que Jesús resucitó el domingo por la mañana temprano, la primera persona que lo vio fue María Magdalena, la mujer de quien él había expulsado siete demonios. [10]Ella fue a ver a los discípulos, quienes estaban lamentándose y llorando, y les dijo lo que había sucedido. [11]Sin embargo, cuando les dijo que Jesús estaba vivo y que lo había visto, ellos no le creyeron.

[12]Tiempo después, Jesús se apareció en otra forma a dos de sus seguidores que iban caminando desde Jerusalén hacia el campo. [13]Ellos regresaron corriendo para contárselo a los demás, pero ninguno les creyó.

[14]Incluso más tarde, se apareció a los once discípulos mientras comían juntos. Los reprendió por su obstinada incredulidad, porque se habían negado a creer a los que lo habían visto después de que resucitó.*

[15]Entonces les dijo: «Vayan por todo el mundo y prediquen la Buena Noticia a todos.[16]El que crea y sea bautizado será salvo, pero el que se niegue a creer, será condenado. [17]Estas señales milagrosas acompañarán a los que creen: expulsarán demonios en mi nombre y hablarán nuevos idiomas.* [18]Podrán tomar serpientes en las manos sin que nada les pase y, si beben algo venenoso, no les hará daño. Pondrán sus manos sobre los enfermos, y ellos sanarán».

[19]Cuando el Señor Jesús terminó de hablar con ellos, fue levantado al cielo y se sentó en el lugar de honor, a la derecha de Dios. [20]Y los discípulos fueron por todas partes y predicaron, y el Señor actuaba por medio de ellos confirmando con muchas señales milagrosas lo que decían.

16:6 O *Jesús nazareno.* **16:8** Los manuscritos más antiguos y confiables del Evangelio de Marcos terminan aquí en el versículo 8. Otros manuscritos incluyen varios finales del Evangelio. Algunos incluyen un «final breve»: *Luego ellas informaron todo eso a Pedro y a sus compañeros brevemente. Tiempo después, Jesús mismo los envió del oriente al occidente con el sagrado e inagotable mensaje de salvación que da vida eterna. Amén.* **16:9-20** Algunos manuscritos incluyen un «final largo», es decir los versículos 9-20. **16:14** Algunos manuscritos antiguos incluyen: *Y ellos se disculparon diciendo: «Esta época de desorden e incredulidad está bajo Satanás, que no permite que la verdad y el poder de Dios conquisten a los espíritus malignos [impuros]. Por consiguiente, revela tu justicia ahora». Esto es lo que ellos le dijeron a Cristo. Y Cristo les respondió: «El período de años del poder de Satanás se ha cumplido, pero pronto otras cosas terribles ocurrirán. Y yo fui entregado a la muerte para beneficio de los que han pecado, a fin de que puedan volver a la verdad y no pequen más, y así puedan heredar la gloria celestial, que es espiritual, incorruptible y justa».* **16:17** O *nuevas lenguas;* algunos manuscritos no incluyen *nuevas.*

El mundo de Jesús

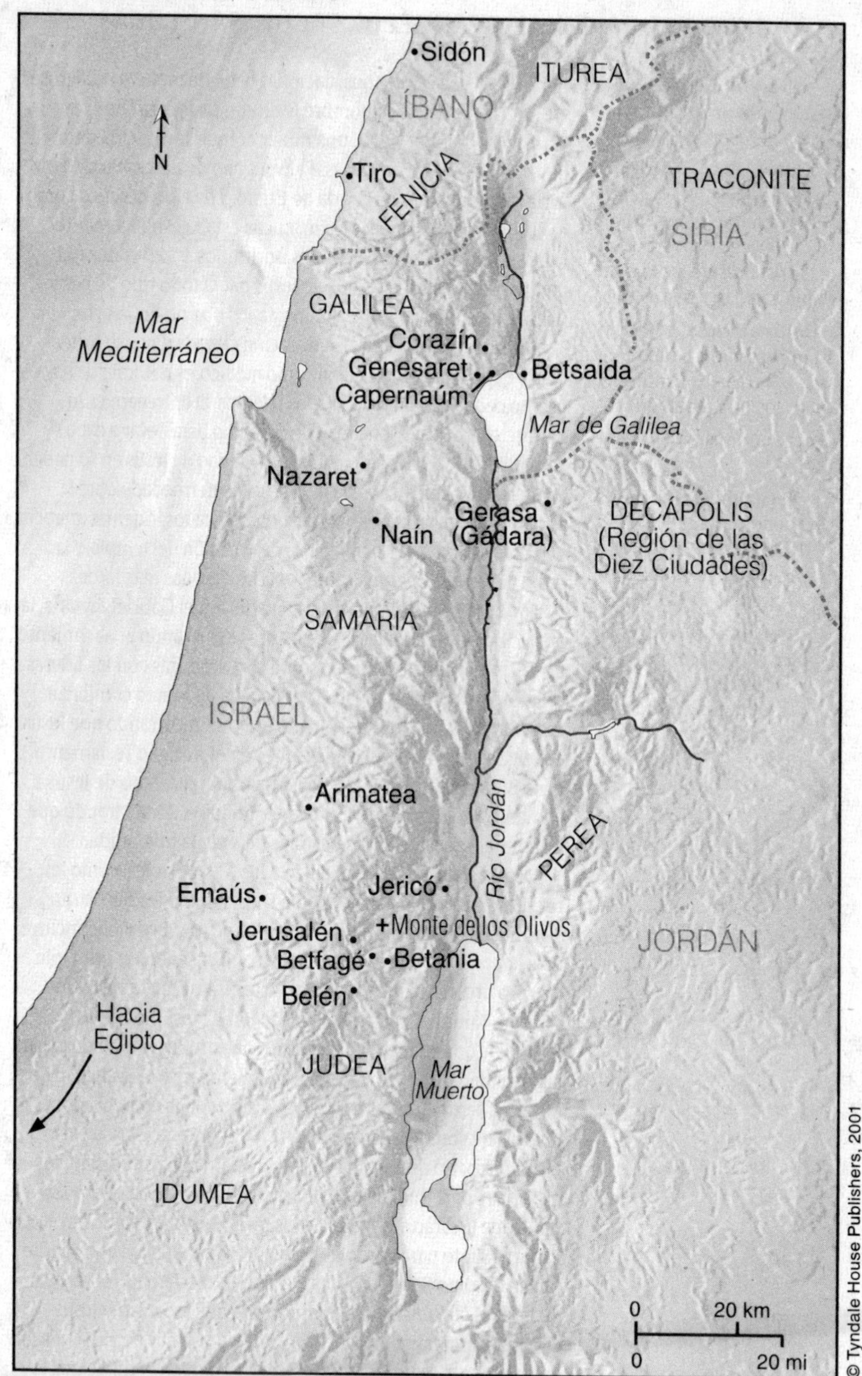

Las líneas segmentadas (--------) indican las fronteras modernas.
Los nombres modernos están escritos en gris.

INTRODUCCIÓN AL EVANGELIO SEGÚN SAN LUCAS

Propósito: Presentar a Cristo como un ser humano y el perfecto Salvador.

Autor: Lucas, un médico (Colosenses 4:14) gentil (alguien que no es judío), griego convertido al cristianismo, amigo de Pablo y escritor de Hechos.

Destinatarios: Teófilo (el nombre significa «uno que ama a Dios»), los gentiles, y todos los que aman a Dios.

Fecha: Aproximadamente 60 d. C.

Versículo clave: «Jesús respondió: "… el Hijo del Hombre vino a buscar y a salvar a los que están perdidos"» (19:9–10).

Personas clave: Jesús, Elisabet, Zacarías, Juan el Bautista, María, los discípulos, Herodes el Grande, Pilato y María Magdalena.

Hace 2000 años, nació un bebé de manera milagrosa y recibió el nombre Jesús. Su padre era Dios y su madre, María, una mujer común favorecida para llevar en su vientre al Mesías. El Evangelio de Lucas narra la historia más completa de la vida de Cristo, y ha sido descrito como el libro más bello jamás escrito. Lucas estaba especialmente interesado en los pobres y en los oprimidos, y los relatos que comparte muestran el amor de Jesús hacia todo tipo de personas, incluyendo a los necesitados y a los que no tenían voz.

Lucas era una persona de educación elevada y, por su formación y experiencia profesional como médico, es natural que haya escrito con precisión. Dios usa los talentos, el entrenamiento, los intereses, y la personalidad de cada uno para llevar a cabo su voluntad. En su Evangelio vemos la divinidad de Jesús en su poder sobre los demonios, sobre la muerte y la enfermedad, sobre la naturaleza, y en su poder para perdonar pecados. Además anuncia con precisión su propia muerte, la destrucción del templo, y la caída de Jerusalén (lo cual ocurrió varias décadas más tarde).

Por Lucas conocemos el anuncio del ángel Gabriel a María, la aparición de los ángeles a los pastores declarando el nacimiento de Jesús, y el debate de Jesús sobre las Escrituras con los líderes religiosos a sus doce años. La genealogía de Mateo comienza con Abraham, el padre del pueblo judío, demostrando que Jesús era el Mesías prometido siglos antes en el Antiguo Testamento de la Biblia. El doctor Lucas registra los antepasados de Jesús comenzando desde Adán, el primer hombre, demostrando que Jesús es el Salvador de los pecados de *toda* la humanidad.

Lucas relata cómo Jesús eligió a los 12 apóstoles, cómo les reveló su identidad como Hijo de Dios, y cómo les dijo lo que significaba ser sus discípulos. El autor de este Evangelio incluye más «parábolas» (historias sencillas que enseñan un principio moral o una verdad importante) de Jesús que cualquier otro escritor. También narra cómo la misión de Jesús lo llevó a Jerusalén, donde fue crucificado en nuestro lugar a fin de pagar la penalidad de nuestros pecados. Sin embargo, el Evangelio de Lucas no termina con un final triste sino con la conmovedora historia de cómo Jesús derrotó a la muerte y regresó a la vida. Jesús demostró que estaba vivo, apareciéndose a sus discípulos en varias oportunidades; en una de ellas, comió con ellos y les pidió que tocaran sus manos y sus pies. Luego prometió enviar al Espíritu Santo para consolar y guiar a todos aquellos que confiaran en él como Salvador. Lucas termina describiendo el regreso de Jesús al cielo. Mientras lee, recuerde que ese mismo Jesús vive hoy y aún transforma vidas. Entréguese a él y permita que el Espíritu Santo reine con libertad en su vida, con el fin de que lo transforme y lo guíe diariamente.

Lucas

Introducción

1 Muchas personas han intentado escribir un relato de los hechos que se han cumplido entre nosotros. [2]Se valieron de los informes que circulan entre nosotros dados por testigos oculares, los primeros discípulos.* [3]Después de investigar todo con esmero desde el principio, yo también decidí escribir un relato cuidadoso para ti, muy honorable Teófilo, [4]para que puedas estar seguro de la veracidad de todo lo que te han enseñado.

Anuncio del nacimiento de Juan el Bautista

[5]Cuando Herodes era rey en Judea, hubo un sacerdote judío llamado Zacarías. Era miembro del grupo sacerdotal de Abías; y su esposa, Elisabet, también pertenecía a la familia sacerdotal de Aarón. [6]Zacarías y Elisabet eran justos a los ojos de Dios y cuidadosos en obedecer todos los mandamientos y las ordenanzas del Señor. [7]No tenían hijos porque Elisabet no podía quedar embarazada y los dos eran ya muy ancianos.

[8]Cierto día, Zacarías se encontraba sirviendo a Dios en el templo, porque su grupo de sacerdotes estaba de turno esa semana. [9]Como era costumbre entre los sacerdotes, le tocó por sorteo entrar en el santuario del Señor y quemar el incienso. [10]Mientras el incienso se quemaba, una gran multitud estaba afuera orando.

[11]Y mientras Zacarías estaba en el santuario, se le apareció un ángel del Señor, de pie a la derecha del altar del incienso. [12]Cuando Zacarías lo vio, se alarmó y se llenó de temor, [13]pero el ángel le dijo:

—¡No tengas miedo, Zacarías! Dios ha oído tu oración. Tu esposa, Elisabet, te dará un hijo, y lo llamarás Juan. [14]Tendrás gran gozo y alegría, y muchos se alegrarán de su nacimiento, [15]porque él será grande a los ojos del Señor. No deberá beber vino ni ninguna bebida alcohólica y será lleno del Espíritu Santo aun antes de nacer.* [16]Y hará que muchos israelitas vuelvan al Señor su Dios. [17]Será un hombre con el espíritu y el poder de Elías; preparará a la gente para la venida del Señor. Inclinará el corazón de los padres* hacia los hijos* y hará que los rebeldes acepten la sabiduría de los justos.

[18]Zacarías le dijo al ángel:

—¿Cómo puedo estar seguro de que ocurrirá esto? Ya soy muy anciano, y mi esposa también es de edad avanzada.

[19]Entonces el ángel dijo:

—¡Yo soy Gabriel! Estoy en la presencia misma de Dios. ¡Fue él quien me envió a darte esta buena noticia! [20]Pero ahora, como no creíste lo que te dije, te

1:2 En griego *de aquellos que, desde un principio, fueron siervos de la palabra.* **1:15** O *aun desde su nacimiento.* **1:17a** En griego esta palabra se refiere sólo a los hombres. **1:17b** Ver Ml 4:5-6.

quedarás mudo, sin poder hablar hasta que nazca el niño. Te aseguro que mis palabras se cumplirán a su debido tiempo.

[21]Mientras tanto, la gente esperaba a que Zacarías saliera del santuario y se preguntaba por qué tardaba tanto. [22]Cuando por fin salió, no podía hablarles. Entonces, por las señas que hacía y su silencio, se dieron cuenta de que seguramente había tenido una visión en el santuario.

[23]Cuando Zacarías terminó su semana de servicio en el templo, regresó a su casa. [24]Poco tiempo después, su esposa, Elisabet, quedó embarazada y permaneció recluida en su casa durante cinco meses. [25]«¡Qué bondadoso es el Señor! —exclamó ella—. Me ha quitado la vergüenza de no tener hijos».

Anuncio del nacimiento de Jesús

[26]Cuando Elisabet estaba en su sexto mes de embarazo, Dios envió al ángel Gabriel a Nazaret, una aldea de Galilea, [27]a una virgen llamada María. Ella estaba comprometida para casarse con un hombre llamado José, descendiente del rey David. [28]Gabriel se le apareció y dijo: «¡Saludos, mujer favorecida! ¡El Señor está contigo!»*.

[29]Confusa y perturbada, María trató de pensar lo que el ángel quería decir.

[30]—No tengas miedo, María —le dijo el ángel—, ¡porque has hallado el favor de Dios! [31]Concebirás y darás a luz un hijo, y le pondrás por nombre Jesús. [32]Él será muy grande y lo llamarán Hijo del Altísimo. El Señor Dios le dará el trono de su antepasado David. [33]Y reinará sobre Israel* para siempre; ¡su reino no tendrá fin!

[34]—¿Pero cómo podrá suceder esto? —le preguntó María al ángel—. Soy virgen.

[35]El ángel le contestó:

—El Espíritu Santo vendrá sobre ti, y el poder del Altísimo te cubrirá con su sombra. Por lo tanto, el bebé que nacerá será santo y será llamado Hijo de Dios. [36]Además, tu parienta Elisabet, ¡quedó embarazada en su vejez! Antes la gente decía que ella era estéril, pero ha concebido un hijo y ya está en su sexto mes de embarazo. [37]Pues nada es imposible para Dios.*

[38]María respondió:

—Soy la sierva del Señor. Que se cumpla todo lo que has dicho acerca de mí.

Y el ángel la dejó.

María visita a Elisabet

[39]Pocos días después, María fue de prisa a la zona montañosa de Judea, al pueblo [40]donde vivía Zacarías. Entró en la casa y saludó a Elisabet. [41]Al escuchar el saludo de María, el bebé de Elisabet saltó en su vientre y Elisabet se llenó del Espíritu Santo.

[42]Elisabet dio un grito de alegría y le exclamó a María:

—Dios te ha bendecido más que todas las mujeres, y tu hijo es bendito. [43]¿Por qué tengo este honor, que la madre de mi Señor venga a visitarme? [44]Cuando escuché tu saludo, el bebé saltó de alegría en mi vientre. [45]Eres bendita porque creíste que el Señor haría lo que te dijo.

El Magníficat: Canción de alabanza de María

[46]María respondió:

—Oh, cuánto alaba mi alma al Señor.
[47] ¡Cuánto mi espíritu se alegra en Dios mi Salvador!
[48] Pues se fijó en su humilde sierva,

1:28 Algunos manuscritos incluyen *Bendita eres entre las mujeres.* **1:33** En griego *sobre la casa de Jacob.* **1:37** Algunos manuscritos dicen *Pues la palabra de Dios nunca dejará de cumplirse.*

y de ahora en adelante todas las
generaciones me llamarán
bendita.
49 Pues el Todopoderoso es santo
y ha hecho grandes cosas por mí.
50 Él muestra misericordia de generación
en generación
a todos los que le temen.
51 ¡Su brazo poderoso ha hecho cosas
tremendas!
Dispersó a los orgullosos y a los
altaneros.
52 A príncipes derrocó de sus tronos
y exaltó a los humildes.
53 Al hambriento llenó de cosas buenas
y a los ricos despidió con las manos
vacías.
54 Ayudó a su siervo Israel
y no se olvidó de ser misericordioso.
55 Pues lo prometió a nuestros
antepasados,
a Abraham y a sus descendientes
para siempre.

56 Y María se quedó con Elisabet unos tres meses y luego regresó a su casa.

Nacimiento de Juan el Bautista

57 Cuando se cumplió el tiempo para que naciera el bebé, Elisabet dio a luz un hijo varón. 58 Todos sus vecinos y parientes se alegraron al enterarse de que Dios había sido tan misericordioso con ella.

59 Cuando el bebé cumplió ocho días, todos se reunieron para la ceremonia de circuncisión. Querían ponerle por nombre Zacarías como su padre, 60 pero Elisabet dijo:

—¡No! ¡Su nombre es Juan!

61 —¿Cómo? —exclamaron—. No hay nadie en tu familia con ese nombre.

62 Entonces, le preguntaron por gestos al padre cómo quería que se llamara. 63 Zacarías pidió con señas que le dieran una tablilla para escribir y, para sorpresa de todos, escribió: «Su nombre es Juan». 64 Al instante Zacarías pudo hablar de nuevo y comenzó a alabar a Dios.

65 Todo el vecindario se llenó de temor reverente, y la noticia de lo que había sucedido corrió por todas las colinas de Judea. 66 Los que la oían meditaban sobre los acontecimientos y se preguntaban: «¿Qué llegará a ser este niño?». Pues la mano del Señor estaba sobre él de una manera especial.

Profecía de Zacarías

67 Entonces su padre, Zacarías, se llenó del Espíritu Santo y dio la siguiente profecía:

68 «Alaben al Señor, el Dios de Israel,
porque ha visitado y redimido a su
pueblo.
69 Nos envió un poderoso Salvador*
del linaje real de su siervo David,
70 como lo prometió
mediante sus santos profetas hace
mucho tiempo.
71 Ahora seremos rescatados de nuestros
enemigos
y de todos los que nos odian.
72 Él ha sido misericordioso con nuestros
antepasados
al recordar su pacto sagrado,
73 el pacto que prometió mediante un
juramento
a nuestro antepasado Abraham.
74 Hemos sido rescatados de nuestros
enemigos
para poder servir a Dios sin temor,
75 en santidad y justicia,
mientras vivamos.

76 »Y tú, mi pequeño hijo,
serás llamado profeta del Altísimo,
porque prepararás el camino para el
Señor.
77 Dirás a su pueblo cómo encontrar la
salvación

1:69 En griego *has levantado un cuerno de salvación para nosotros.*

mediante el perdón de sus pecados.
78 Gracias a la tierna misericordia de Dios,
desde el cielo, la luz matinal está a punto de brillar entre nosotros,*
79 para dar luz a los que están en oscuridad y en sombra de muerte,
y para guiarnos al camino de la paz».

80Juan creció y se fortaleció en espíritu. Y vivió en el desierto hasta que comenzó su ministerio público a Israel.

Nacimiento de Jesús

2 En esos días, Augusto, el emperador de Roma, decretó que se hiciera un censo en todo el Imperio romano. 2(Este fue el primer censo que se hizo cuando Cirenio era gobernador de Siria). 3Todos regresaron a los pueblos de sus antepasados a fin de inscribirse para el censo. 4Como José era descendiente del rey David, tuvo que ir a Belén de Judea, el antiguo hogar de David. Viajó hacia allí desde la aldea de Nazaret de Galilea. 5Llevó consigo a María, su prometida, cuyo embarazo ya estaba avanzado.

6Mientras estaban allí, llegó el momento para que naciera el bebé. 7María dio a luz a su primer hijo, un varón. Lo envolvió en tiras de tela y lo acostó en un pesebre, porque no había alojamiento disponible para ellos.

Pastores y ángeles

8Esa noche había unos pastores en los campos cercanos, que estaban cuidando sus rebaños de ovejas. 9De repente, apareció entre ellos un ángel del Señor, y el resplandor de la gloria del Señor los rodeó. Los pastores estaban aterrados, 10pero el ángel los tranquilizó. «No tengan miedo —dijo—. Les traigo buenas noticias que darán gran alegría a toda la gente. 11¡El Salvador —sí, el Mesías, el Señor— ha nacido hoy en Belén, la ciudad de David! 12Y lo reconocerán por la siguiente señal: encontrarán a un niño envuelto en tiras de tela, acostado en un pesebre».

13De pronto, se unió a ese ángel una inmensa multitud —los ejércitos celestiales— que alababan a Dios y decían:

14 «Gloria a Dios en el cielo más alto
y paz en la tierra para aquellos en quienes Dios se complace».

15Cuando los ángeles regresaron al cielo, los pastores se dijeron unos a otros: «¡Vayamos a Belén! Veamos esto que ha sucedido y que el Señor nos anunció».

16Fueron de prisa a la aldea y encontraron a María y a José. Y allí estaba el niño, acostado en el pesebre. 17Después de verlo, los pastores contaron a todos lo que había sucedido y lo que el ángel les había dicho acerca del niño. 18Todos los que escucharon el relato de los pastores quedaron asombrados, 19pero María guardaba todas estas cosas en el corazón y pensaba en ellas con frecuencia. 20Los pastores regresaron a sus rebaños, glorificando y alabando a Dios por lo que habían visto y oído. Todo sucedió tal como el ángel les había dicho.

Presentación de Jesús en el templo

21Ocho días después, cuando el bebé fue circuncidado, le pusieron por nombre Jesús, el nombre que había dado el ángel aun antes de que el niño fuera concebido.

22Luego llegó el tiempo para la ofrenda de purificación, como exigía la ley de Moisés después del nacimiento de un niño; así que sus padres lo llevaron a Jerusalén para presentarlo al Señor. 23La ley del Señor dice: «Si el primer hijo de una mujer es varón, habrá que dedicarlo al SEÑOR»*. 24Así que ellos ofrecieron el sacrificio requerido en la ley del Señor,

1:78 O *la Luz Matinal del Cielo está a punto de visitarnos.* **2:23** Ex 13:2.

que consistía en «un par de tórtolas o dos pichones de paloma»*.

Profecía de Simeón

[25]En ese tiempo, había en Jerusalén un hombre llamado Simeón. Era justo y devoto, y esperaba con anhelo que llegara el Mesías y rescatara a Israel. El Espíritu Santo estaba sobre él [26]y le había revelado que no moriría sin antes ver al Mesías del Señor. [27]Ese día, el Espíritu lo guió al templo. De manera que, cuando María y José llegaron para presentar al bebé Jesús ante el Señor como exigía la ley, [28]Simeón estaba allí. Tomó al niño en sus brazos y alabó a Dios diciendo:

[29] «Soberano Señor, permite ahora que
tu siervo muera en paz,
como prometiste.
[30] He visto tu salvación,
[31] la que preparaste para toda la gente.
[32] Él es una luz para revelar a Dios a las
naciones,
¡y es la gloria de tu pueblo Israel!».

[33]Los padres de Jesús estaban asombrados de lo que se decía de él. [34]Entonces Simeón les dio su bendición y le dijo a María, la madre del bebé: «Este niño está destinado a provocar la caída de muchos en Israel, pero también será la alegría de muchos otros. Fue enviado como una señal de Dios, pero muchos se le opondrán. [35]Como resultado, saldrán a la luz los pensamientos más profundos de muchos corazones, y una espada atravesará tu propia alma».

Profecía de Ana

[36]En el templo también estaba Ana, una profetisa muy anciana, hija de Fanuel, de la tribu de Aser. Su esposo había muerto cuando sólo llevaban siete años de casados. [37]Después ella vivió como viuda hasta la edad de ochenta y cuatro años.* Nunca salía del templo, sino que permanecía allí de día y de noche adorando a Dios en ayuno y oración. [38]Llegó justo en el momento que Simeón hablaba con María y José, y comenzó a alabar a Dios. Habló del niño a todos los que esperaban que Dios rescatara a Jerusalén.

[39]Una vez que los padres de Jesús cumplieron con todas las exigencias de la ley del Señor, regresaron a su casa en Nazaret de Galilea. [40]Allí el niño crecía sano y fuerte. Estaba lleno de sabiduría, y el favor de Dios estaba sobre él.

Jesús habla con los maestros

[41]Cada año, los padres de Jesús iban a Jerusalén para el festival de la Pascua. [42]Cuando Jesús tenía doce años, asistieron al festival como siempre. [43]Una vez terminada la celebración, emprendieron el regreso a Nazaret, pero Jesús se quedó en Jerusalén. Al principio, sus padres no se dieron cuenta, [44]porque creyeron que estaba entre los otros viajeros; pero cuando se hizo de noche y no aparecía, comenzaron a buscarlo entre sus parientes y amigos.

[45]Como no pudieron encontrarlo, regresaron a Jerusalén para buscarlo allí. [46]Tres días después, por fin lo encontraron en el templo, sentado entre los maestros religiosos, escuchándolos y haciéndoles preguntas. [47]Todos los que lo oían quedaban asombrados de su entendimiento y de sus respuestas.

[48]Sus padres no sabían qué pensar.

—Hijo, ¿por qué nos has hecho esto? —le dijo su madre—. Tu padre y yo hemos estado desesperados buscándote por todas partes.

[49]—¿Pero por qué tuvieron que buscarme? —les preguntó—. ¿No sabían que tengo que estar en la casa de mi Padre?*

2:24 Lv 12:8. **2:37** O *Ella había sido viuda por ochenta y cuatro años.* **2:49** O *¿No se dieron cuenta de que debo ocuparme de los asuntos de mi Padre?*

[50]Pero ellos no entendieron lo que les quiso decir.

[51]Luego regresó con sus padres a Nazaret, y vivió en obediencia a ellos. Y su madre guardó todas esas cosas en el corazón.

[52]Jesús crecía en sabiduría y en estatura, y en el favor de Dios y de toda la gente.

Juan el Bautista prepara el camino

3 Era el año quince del reinado de Tiberio, el emperador de Roma. Poncio Pilato era gobernador de Judea; Herodes Antipas gobernaba* Galilea; su hermano Felipe gobernaba* Iturea y Traconite; y Lisanias gobernaba Abilinia. [2]Anás y Caifás eran los sumos sacerdotes. En ese tiempo, un mensaje de Dios llegó a Juan, hijo de Zacarías, que vivía en el desierto. [3]Entonces Juan fue de un lugar a otro, por ambos lados del río Jordán, predicando que la gente debía ser bautizada para demostrar que se había arrepentido de sus pecados y vuelto a Dios para ser perdonada. [4]Isaías había hablado de Juan cuando dijo:

«Es una voz que clama en el desierto:
"¡Preparen el camino para la venida
del SEÑOR!
¡Ábranle camino!
[5] Los valles serán rellenados,
y las montañas y las colinas,
allanadas.
Las curvas serán enderezadas,
y los lugares ásperos, suavizados.
[6] Y entonces todas las personas verán
la salvación enviada por Dios"»*.

[7]Cuando las multitudes acudieron a Juan para que los bautizara, les dijo:

—¡Camada de víboras! ¿Quién les advirtió que huyeran de la ira de Dios que se acerca? [8]Demuestren con su forma de vivir que se han arrepentido de sus pecados y han vuelto a Dios. No se digan simplemente el uno al otro: "Estamos a salvo porque somos descendientes de Abraham". Eso no significa nada, porque les digo que Dios puede crear hijos de Abraham de estas mismas piedras. [9]Ahora mismo el hacha del juicio de Dios está lista para cortar las raíces de los árboles. Así es, todo árbol que no produzca buenos frutos será cortado y arrojado al fuego.

[10]Las multitudes preguntaron:

—¿Qué debemos hacer?

[11]Juan contestó:

—Si tienes dos camisas, da una a los pobres. Si tienes comida, comparte con los que tienen hambre.

[12]Hasta los corruptos recaudadores de impuestos vinieron a bautizarse y preguntaron:

—Maestro, ¿qué debemos hacer?

[13]Él les contestó:

—No recauden más impuestos de lo que el gobierno requiere.

[14]—¿Qué debemos hacer nosotros? —preguntaron algunos soldados.

Juan les contestó:

—No extorsionen ni hagan falsas acusaciones, y estén satisfechos con su salario.

[15]Todos esperaban que el Mesías viniera pronto, y tenían muchas ganas de saber si Juan era el Mesías. [16]Juan contestó a sus preguntas diciendo: «Yo los bautizo con* agua, pero pronto viene alguien que es superior a mí, tan superior que ni siquiera soy digno de ser su esclavo y desatarle las correas de sus sandalias. Él los bautizará con el Espíritu Santo y con fuego.* [17]Él está listo para separar el trigo de la paja con su rastrillo. Luego

3:1a En griego *Herodes era tetrarca de.* Herodes Antipas era hijo del rey Herodes. **3:1b** En griego *era tetrarca de;* también en 3:1c. **3:4-6** Is 40:3-5 (versión griega). **3:16a** O *en.* **3:16b** O *en el Espíritu Santo y en fuego.*

limpiará la zona donde se trilla y juntará el trigo en su granero, pero quemará la paja en un fuego interminable». [18]Juan usó muchas advertencias similares al anunciar la Buena Noticia al pueblo.

[19]También Juan criticó públicamente a Herodes Antipas, el gobernador de Galilea,* por haberse casado con Herodías, la esposa de su hermano, y por muchas otras injusticias que había cometido. [20]Así que Herodes metió a Juan en la cárcel, agregando a sus muchos pecados uno más.

Bautismo de Jesús

[21]Cierto día, en que las multitudes se bautizaban, Jesús mismo fue bautizado. Mientras él oraba, los cielos se abrieron, [22]y el Espíritu Santo, en forma visible, descendió sobre él como una paloma. Y una voz dijo desde el cielo: «Tú eres mi Hijo muy amado y me das un gran gozo»*.

Antepasados de Jesús

[23]Jesús tenía unos treinta años cuando comenzó su ministerio público.

Jesús era conocido como el hijo de José.
José era hijo de Elí.
[24] Elí era hijo de Matat.
Matat era hijo de Leví.
Leví era hijo de Melqui.
Melqui era hijo de Jana.
Jana era hijo de José.
[25] José era hijo de Matatías.
Matatías era hijo de Amós.
Amós era hijo de Nahum.
Nahum era hijo de Esli.
Esli era hijo de Nagai.
[26] Nagai era hijo de Maat.
Maat era hijo de Matatías.
Matatías era hijo de Semei.
Semei era hijo de Josec.
Josec era hijo de Judá.
[27] Judá era hijo de Joana.
Joana era hijo de Resa.
Resa era hijo de Zorobabel.
Zorobabel era hijo de Salatiel.
Salatiel era hijo de Neri.
[28] Neri era hijo de Melqui.
Melqui era hijo de Adi.
Adi era hijo de Cosam.
Cosam era hijo de Elmodam.
Elmodam era hijo de Er.
[29] Er era hijo de Josué.
Josué era hijo de Eliezer.
Eliezer era hijo de Jorim.
Jorim era hijo de Matat.
Matat era hijo de Leví.
[30] Leví era hijo de Simeón.
Simeón era hijo de Judá.
Judá era hijo de José.
José era hijo de Jonán.
Jonán era hijo de Eliaquim.
[31] Eliaquim era hijo de Melea.
Melea era hijo de Mainán.
Mainán era hijo de Matata.
Matata era hijo de Natán.
Natán era hijo de David.
[32] David era hijo de Isaí.
Isaí era hijo de Obed.
Obed era hijo de Booz.
Booz era hijo de Salmón.*
Salmón era hijo de Naasón.
[33] Naasón era hijo de Aminadab.
Aminadab era hijo de Admín.
Admín era hijo de Arní.*
Arní era hijo de Esrom.
Esrom era hijo de Fares.
Fares era hijo de Judá.
[34] Judá era hijo de Jacob.
Jacob era hijo de Isaac.
Isaac era hijo de Abraham.

3:19 En griego *Herodes tetrarca.* **3:22** Algunos manuscritos dicen *mi hijo, y hoy me he convertido en tu padre.* **3:32** En griego *Sala*, una variante de Salmón; también en 3:32b. Ver Rt 4:22. **3:33** Algunos manuscritos dicen *Aminadab era hijo de Aram. Arní* y *Aram* son variantes de Ram. Ver 1 Cr 2:9-10.

Abraham era hijo de Taré.
Taré era hijo de Nacor.
35 Nacor era hijo de Serug.
Serug era hijo de Ragau.
Ragau era hijo de Peleg.
Peleg era hijo de Heber.
Heber era hijo de Sala.
36 Sala era hijo de Cainán.
Cainán era hijo de Arfaxad.
Arfaxad era hijo de Sem.
Sem era hijo de Noé.
Noé era hijo de Lamec.
37 Lamec era hijo de Matusalén.
Matusalén era hijo de Enoc.
Enoc era hijo de Jared.
Jared era hijo de Mahalaleel.
Mahalaleel era hijo de Cainán.
38 Cainán era hijo de Enós.*
Enós era hijo de Set.
Set era hijo de Adán.
Adán era hijo de Dios.

Tentación de Jesús

4 Entonces Jesús, lleno del Espíritu Santo, regresó del río Jordán. Y el Espíritu lo llevó al desierto,* [2]donde fue tentado por el diablo durante cuarenta días. Jesús no comió nada en todo ese tiempo y comenzó a tener mucha hambre.

[3]Entonces el diablo le dijo:

—Si eres el Hijo de Dios, dile a esta piedra que se transforme en pan.

[4]Jesús le dijo:

—¡No! Las Escrituras dicen: "La gente no vive sólo de pan"*.

[5]Entonces el diablo lo llevó a una parte alta y desplegó ante él todos los reinos del mundo en un solo instante.

[6]—Te daré la gloria de estos reinos y autoridad sobre ellos —le dijo el diablo—, porque son míos para dárselos a quien yo quiera. [7]Te daré todo esto si me adoras.

[8]Jesús le respondió:

—Las Escrituras dicen:

"Adora al SEÑOR tu Dios
y sírvele sólo a él"*.

[9]Entonces el diablo lo llevó a Jerusalén, al punto más alto del templo, y dijo:

—Si eres el Hijo de Dios, ¡tírate! [10]Pues las Escrituras dicen:

"Él ordenará a sus ángeles que te
protejan y te guarden.
11 Y te sostendrán con sus manos
para que ni siquiera te lastimes el
pie con una piedra"*.

[12]Jesús le respondió:

—Las Escrituras también dicen: "No pondrás a prueba al SEÑOR tu Dios"*.

[13]Cuando el diablo terminó de tentar a Jesús, lo dejó hasta la siguiente oportunidad.

Jesús es rechazado en Nazaret

[14]Entonces Jesús regresó a Galilea lleno del poder del Espíritu Santo. Las noticias acerca de él corrieron rápidamente por toda la región. [15]Enseñaba con frecuencia en las sinagogas y todos lo elogiaban.

[16]Cuando llegó a Nazaret, la aldea donde creció, fue como de costumbre a la sinagoga el día de descanso y se puso de pie para leer las Escrituras. [17]Le dieron el rollo del profeta Isaías. Jesús lo desenrolló y encontró el lugar donde está escrito lo siguiente:

18 «El Espíritu del SEÑOR está sobre mí,
porque me ha ungido para llevar la
Buena Noticia a los pobres.
Me ha enviado a proclamar que los
cautivos serán liberados,
que los ciegos verán,
que los oprimidos serán puestos en
libertad,

3:38 En griego *Enós*, una variante de Enosh; también en 3:38b. Ver Gn 5:6. **4:1** Algunos manuscritos dicen *hacia el desierto*. **4:4** Dt 8:3. **4:8** Dt 6:13. **4:10-11** Sal 91:11-12. **4:12** Dt 6:16.

19 y que ha llegado el tiempo del favor del SEÑOR»*.

[20]Lo enrolló de nuevo, se lo entregó al ayudante y se sentó. Todas las miradas en la sinagoga se fijaron en él. [21]Después Jesús comenzó a hablarles: «La Escritura que acaban de oír, ¡se ha cumplido este mismo día!».

[22]Todos hablaban bien de él y estaban asombrados de la gracia con la que salían las palabras de su boca. «¿Cómo puede ser? —preguntaban—. ¿No es éste el hijo de José?».

[23]Entonces Jesús les dijo: «Seguramente ustedes me citarán el proverbio que dice: "Médico, cúrate a ti mismo" para decirme: "Haz milagros aquí en tu propio pueblo como los que hiciste en Capernaúm." [24]Pero les digo la verdad, ningún profeta es aceptado en su propio pueblo.

[25]»Sin duda había muchas viudas necesitadas en Israel en el tiempo de Elías, cuando los cielos se cerraron por tres años y medio y un hambre terrible devastó la tierra. [26]Sin embargo, Elías no fue enviado a ninguna de ellas. En cambio, lo enviaron a una extranjera, a una viuda de Sarepta en la tierra de Sidón. [27]También había muchos leprosos en Israel en el tiempo del profeta Eliseo, pero el único sanado fue Naamán, un sirio».

[28]Al oír eso la gente de la sinagoga se puso furiosa. [29]Se levantaron de un salto, lo atacaron y lo llevaron a la fuerza hasta el borde del cerro sobre el cual estaba construida la ciudad. Querían arrojarlo por el precipicio, [30]pero él pasó por en medio de la multitud y siguió su camino.

Jesús expulsa un demonio

[31]Después Jesús fue a Capernaúm, una ciudad de Galilea, y enseñaba en la sinagoga cada día de descanso. [32]Allí también la gente quedó asombrada de su enseñanza, porque hablaba con autoridad.

[33]Cierta vez que Jesús estaba en la sinagoga, un hombre poseído por un demonio, un espíritu maligno,* comenzó a gritarle a Jesús:

[34]—¡Vete! ¿Por qué te entrometes con nosotros, Jesús de Nazaret? ¿Has venido a destruirnos? ¡Yo sé quién eres: el Santo de Dios!

[35]—¡Cállate! —lo interrumpió Jesús y le ordenó—: ¡Sal de este hombre!

En ese mismo momento, el demonio arrojó al hombre al suelo mientras la multitud miraba; luego salió de él sin hacerle más daño.

[36]La gente, asombrada, exclamó: «¡Qué poder y autoridad tienen las palabras de este hombre! Hasta los espíritus malignos le obedecen y huyen a su orden». [37]Las noticias acerca de Jesús corrieron por cada aldea de toda la región.

Jesús sana a mucha gente

[38]Después de salir de la sinagoga ese día, Jesús fue a la casa de Simón, donde encontró a la suegra de Simón muy enferma, con mucha fiebre. «Por favor, sánala», le suplicaron todos. [39]De pie junto a su cama, Jesús reprendió a la fiebre y la fiebre se fue de la mujer. Ella se levantó de inmediato y les preparó una comida.

[40]Esa tarde, al ponerse el sol, la gente de toda la aldea llevó ante Jesús a sus parientes enfermos. Cualquiera que fuera la enfermedad, el toque de su mano los sanaba a todos. [41]Muchos estaban poseídos por demonios, los cuales salieron a su orden gritando: «¡Eres el Hijo de Dios!». Pero como ellos sabían que él era el Mesías, los reprendió y no los dejó hablar.

4:18-19 O *y a proclamar el año aceptable del* SEÑOR. Is 61:1-2 (versión griega); 58:6. **4:33** En griego *impuro;* también en 4:36.

Jesús continúa predicando

[42]Muy temprano a la mañana siguiente, Jesús salió a un lugar aislado. Las multitudes lo buscaron por todas partes y, cuando por fin lo encontraron, le suplicaron que no se fuera. [43]Él les respondió: «Debo predicar la Buena Noticia del reino de Dios también en otras ciudades, porque para eso fui enviado». [44]Así que siguió recorriendo la región, predicando en las sinagogas de toda Judea.*

Primeros discípulos

5 Cierto día, mientras Jesús predicaba en la orilla del mar de Galilea,* grandes multitudes se abalanzaban sobre él para escuchar la palabra de Dios. [2]Jesús notó dos barcas vacías en la orilla porque los pescadores las habían dejado mientras lavaban sus redes. [3]Al subir a una de las barcas, Jesús le pidió a Simón,* el dueño de la barca, que la empujara al agua. Luego se sentó en la barca y desde allí enseñaba a las multitudes.

[4]Cuando terminó de hablar, le dijo a Simón:

—Ahora ve a las aguas más profundas y echa tus redes para pescar.

[5]—Maestro —respondió Simón—, hemos trabajado mucho durante toda la noche y no hemos pescado nada; pero si tú lo dices, echaré las redes nuevamente.

[6]Y esta vez las redes se llenaron de tantos peces, ¡que comenzaron a romperse! [7]Un grito de auxilio atrajo a los compañeros de la otra barca, y pronto las dos barcas estaban llenas de peces y a punto de hundirse.

[8]Cuando Simón Pedro se dio cuenta de lo que había sucedido, cayó de rodillas delante de Jesús y le dijo:

—Señor, por favor, aléjate de mí, soy demasiado pecador para estar cerca de ti.

[9]Pues estaba muy asombrado por la cantidad de peces que habían sacado, al igual que los otros que estaban con él. [10]Sus compañeros, Santiago y Juan, hijos de Zebedeo, también estaban asombrados.

Jesús respondió a Simón: «¡No tengas miedo! ¡De ahora en adelante, pescarás personas!». [11]Y, en cuanto llegaron a tierra firme, dejaron todo y siguieron a Jesús.

Jesús sana a un leproso

[12]En una de las aldeas, Jesús conoció a un hombre que tenía una lepra muy avanzada. Cuando el hombre vio a Jesús, se inclinó rostro en tierra y le suplicó que lo sanara.

—¡Señor! —le dijo—, ¡si tú quieres puedes sanarme y dejarme limpio!

[13]Jesús extendió la mano y lo tocó:

—Sí quiero —dijo—. ¡Queda sano!

Al instante, la lepra desapareció. [14]Entonces Jesús le dio instrucciones de que no dijera a nadie lo que había sucedido. Le dijo: «Preséntate ante el sacerdote y deja que te examine. Lleva contigo la ofrenda que exige la ley de Moisés a los que son sanados de lepra.* Esto será un testimonio público de que has quedado limpio».

[15]Sin embargo, a pesar de las instrucciones de Jesús, la noticia de su poder corrió aún más, y grandes multitudes llegaron para escucharlo predicar y ser sanados de sus enfermedades. [16]Así que Jesús muchas veces se alejaba al desierto para orar.

Jesús sana a un hombre paralítico

[17]Cierto día, mientras Jesús enseñaba, algunos fariseos y maestros de la ley religiosa estaban sentados cerca. (Al parecer, esos hombres habían llegado de todas las aldeas de Galilea y Judea, y también de Jerusalén). Y el poder sanador del Señor estaba presente con fuerza en Jesús.

4:44 Algunos manuscritos dicen *Galilea.* **5:1** En griego *lago de Genesaret,* otro nombre para el mar de Galilea. **5:3** *Simón* es llamado «Pedro» desde 6:14 en adelante. **5:14** Ver Lv 14:2-32.

[18]Unos hombres llegaron cargando a un paralítico en una camilla. Trataron de llevarlo dentro a donde estaba Jesús, [19]pero no pudieron acercarse a él debido a la multitud. Entonces subieron al techo y quitaron algunas tejas. Luego bajaron al enfermo en su camilla hasta ponerlo en medio de la multitud, justo frente a Jesús. [20]Al ver la fe de ellos, Jesús le dijo al hombre: «Joven, tus pecados son perdonados».

[21]Entonces los fariseos y los maestros de la ley religiosa decían para sí: «¿Quién se cree que es? ¡Es una blasfemia! ¡Sólo Dios puede perdonar pecados!».

[22]Jesús supo lo que pensaban, así que les preguntó: «¿Por qué cuestionan eso en su corazón? [23]¿Qué es más fácil decir: "Tus pecados son perdonados" o "Ponte de pie y camina"? [24]Así que les demostraré que el Hijo del Hombre* tiene autoridad en la tierra para perdonar pecados».

Entonces Jesús miró al paralítico y dijo: «¡Ponte de pie, toma tu camilla y vete a tu casa!».

[25]Al instante, delante de todos, el hombre se levantó de un salto, tomó su camilla y se fue a su casa alabando a Dios. [26]El asombro se apoderó de todos, y quedaron pasmados. Y alababan a Dios exclamando: «¡Hoy hemos visto cosas maravillosas!».

Jesús llama a Leví (Mateo)

[27]Tiempo después, al salir de la ciudad, Jesús vio a un cobrador de impuestos llamado Leví sentado en su cabina de cobrador. «Sígueme y sé mi discípulo», le dijo Jesús. [28]Entonces Leví se levantó, dejó todo y lo siguió.

[29]Más tarde, Leví dio un banquete en su casa, con Jesús como invitado de honor. Muchos de los cobradores de impuestos, compañeros de Leví, y otros invitados comieron con ellos. [30]Así que los fariseos y los maestros de la ley religiosa les reclamaron severamente a los discípulos de Jesús diciéndoles: «¿Por qué comen y beben con semejante escoria?*».

[31]Jesús les contestó: «La gente sana no necesita médico, los enfermos sí. [32]No he venido a llamar a los que se creen justos, sino a los que saben que son pecadores y necesitan arrepentirse».

Discusión acerca del ayuno

[33]Cierto día, algunas personas le dijeron a Jesús:

—Los discípulos de Juan el Bautista ayunan y oran con frecuencia, igual que los discípulos de los fariseos. ¿Por qué tus discípulos están siempre comiendo y bebiendo?

[34]Jesús contestó:

—¿Acaso los invitados de una boda ayunan mientras festejan con el novio? Por supuesto que no; [35]pero un día el novio será llevado, y entonces sí ayunarán.

[36]Luego Jesús les dio la siguiente ilustración: «Nadie quita un pedazo de tela de una prenda nueva y la usa para remendar una prenda vieja; pues la prenda nueva se arruinaría y el remiendo nuevo no haría juego con la prenda vieja.

[37]»Nadie pone vino nuevo en cueros viejos; pues el vino nuevo reventaría los cueros, el vino se derramaría, y los cueros quedarían arruinados. [38]El vino nuevo debe guardarse en cueros nuevos. [39]Ni nadie que prueba el vino añejo parece querer el vino nuevo. Pues dicen: "El añejo es mejor"».

Discusión acerca del día de descanso

6 Cierto día de descanso, mientras Jesús caminaba por unos terrenos sembrados, sus discípulos arrancaron unas espigas de grano, las frotaron entre sus manos para sacarles la cáscara y

5:24 «Hijo del Hombre» es un título que Jesús empleaba para referirse a sí mismo. **5:30** En griego *con cobradores de impuestos y pecadores?*

se comieron los granos. [2]Algunos fariseos dijeron:

—¿Por qué violan la ley al cosechar granos en el día de descanso?

[3]Jesús les respondió:

—¿Acaso no han leído en las Escrituras lo que hizo David cuando él y sus compañeros tuvieron hambre? [4]Entró en la casa de Dios y violó la ley al comer los panes sagrados que sólo los sacerdotes pueden comer, y también les dio una porción a sus compañeros.

[5]Entonces Jesús agregó:

—El Hijo del Hombre* es Señor incluso del día de descanso.

Jesús sana en un día de descanso

[6]Otro día de descanso, un hombre que tenía la mano derecha deforme estaba en la sinagoga mientras Jesús enseñaba. [7]Los maestros de la ley religiosa y los fariseos vigilaban a Jesús de cerca. Si sanaba la mano del hombre, tenían pensado acusarlo por trabajar en el día de descanso.

[8]Pero Jesús sabía lo que pensaban y le dijo al hombre con la mano deforme: «Ven y ponte de pie frente a todos». Así que el hombre pasó adelante. [9]Entonces Jesús les dijo a sus acusadores: «Tengo una pregunta para ustedes: ¿Permite la ley hacer buenas acciones en el día de descanso o es un día para hacer el mal? ¿Es un día para salvar la vida o para destruirla?».

[10]Miró uno por uno a los que lo rodeaban y luego le dijo al hombre: «Extiende la mano». Entonces el hombre la extendió, ¡y la mano quedó restaurada! [11]Al ver esto, los enemigos de Jesús se llenaron de rabia y comenzaron a discutir para decidir qué harían con él.

Jesús escoge a los doce apóstoles

[12]Cierto día, poco tiempo después, Jesús subió a un monte a orar y oró a Dios toda la noche. [13]Al amanecer, llamó a todos sus discípulos y escogió a doce de ellos para que fueran apóstoles. Sus nombres son los siguientes:

[14] Simón (a quien llamó Pedro),
Andrés (hermano de Pedro),
Santiago,
Juan,
Felipe,
Bartolomé,
[15] Mateo,
Tomás,
Santiago (hijo de Alfeo),
Simón (a quien llamaban el zelote),
[16] Judas (hijo de Santiago),
Judas Iscariote (quien después lo traicionó).

Multitudes siguen a Jesús

[17]Cuando descendieron del monte, los discípulos se quedaron con Jesús en un amplio lugar llano, rodeados de muchos seguidores y de las multitudes. Había gente de toda Judea y Jerusalén, y de lugares tan al norte como las costas de Tiro y Sidón. [18]Habían llegado para oírlo y para ser sanados de sus enfermedades; y los que eran atormentados por espíritus malignos* fueron sanados. [19]Todos trataban de tocarlo, porque de él salía poder sanador, y los sanó a todos.

Las bienaventuranzas

[20]Entonces Jesús se volvió hacia sus discípulos y les dijo:

«Dios los bendice a ustedes, que son pobres,
porque el reino de Dios les pertenece.
[21] Dios los bendice a ustedes, que ahora tienen hambre,
porque serán saciados.

6:5 «Hijo del Hombre» es un título que Jesús empleaba para referirse a sí mismo. **6:18** En griego *impuros.*

Dios los bendice a ustedes, que ahora lloran,
porque a su debido tiempo reirán.

[22]»Qué bendiciones les esperan cuando la gente los odie y los excluya, cuando se burlen de ustedes y los maldigan, como si fuera gente maligna, porque siguen al Hijo del Hombre. [23]Cuando les suceda eso, pónganse contentos. ¡Sí, salten de alegría, porque les espera una gran recompensa en el cielo! Y recuerden que los antepasados de ellos trataron a los antiguos profetas de la misma manera.

Tristeza anunciada

[24] »Qué aflicción les espera a ustedes,
los que son ricos,
porque su única felicidad es aquí y ahora.
[25] Qué aflicción les espera a ustedes,
los que ahora están gordos y prósperos,
porque tienen un horrible tiempo de hambre por delante.
Qué aflicción les espera a ustedes, los que ahora se ríen,
porque su risa se convertirá en luto y dolor.
[26] Qué aflicción les espera a ustedes,
los que son elogiados por las multitudes,
porque sus antepasados también elogiaron a falsos profetas.

El amor hacia los enemigos

[27]»A los que están dispuestos a escuchar, les digo: ¡amen a sus enemigos! Hagan bien a quienes los odian. [28]Bendigan a quienes los maldicen. Oren por aquellos que los lastiman. [29]Si alguien te da una bofetada en una mejilla, ofrécele también la otra mejilla. Si alguien te exige el abrigo, ofrécele también la camisa. [30]Dale a cualquiera que te pida; y cuando te quiten las cosas, no trates de recuperarlas. [31]Traten a los demás como les gustaría que ellos los trataran a ustedes.

[32]»Si sólo aman a quienes los aman a ustedes, ¿qué mérito tienen? ¡Hasta los pecadores aman a quienes los aman a ellos! [33]Y si sólo hacen bien a los que son buenos con ustedes, ¿qué mérito tienen? ¡Hasta los pecadores hacen eso! [34]Y si prestan dinero solamente a quienes pueden devolverlo, ¿qué mérito tienen? Hasta los pecadores prestan a otros pecadores a cambio de un reembolso completo.

[35]»¡Amen a sus enemigos! Háganles bien. Presten sin esperar nada a cambio. Entonces su recompensa del cielo será grande, y se estarán comportando verdaderamente como hijos del Altísimo, pues él es bondadoso con los que son desagradecidos y perversos. [36]Deben ser compasivos, así como su Padre es compasivo.

No juzgar a los demás

[37]»No juzguen a los demás, y no serán juzgados. No condenen a otros, para que no se vuelva en su contra. Perdonen a otros, y ustedes serán perdonados. [38]Den, y recibirán. Lo que den a otros les será devuelto por completo: apretado, sacudido para que haya lugar para más, desbordante y derramado sobre el regazo. La cantidad que den determinará la cantidad que recibirán a cambio*».

[39]Luego Jesús les dio la siguiente ilustración: «¿Puede un ciego guiar a otro ciego? ¿No caerán los dos en una zanja? [40]Los alumnos* no son superiores a su maestro, pero el alumno que complete su entrenamiento se volverá como su maestro.

[41]»¿Y por qué te preocupas por la astilla en el ojo de tu amigo* cuando tú tienes un tronco en el tuyo? [42]¿Cómo puedes decir: "Amigo,* déjame ayudarte

6:38 O *La medida que den será la medida que les devolverán.* **6:40** O *discípulos.* **6:41** En griego *por el ojo de tu hermano*; también en 6:42. **6:42** En griego *Hermano.*

a sacar la astilla de tu ojo", cuando tú no puedes ver más allá del tronco que está en tu propio ojo? ¡Hipócrita! Primero quita el tronco de tu ojo; después verás lo suficientemente bien para ocuparte de la astilla en el ojo de tu amigo.

El árbol y su fruto

[43]»Un buen árbol no puede producir frutos malos, y un árbol malo no puede producir frutos buenos. [44]Al árbol se le identifica por su fruto. Los higos no se recogen de los espinos, y las uvas no se cosechan de las zarzas. [45]Una persona buena produce cosas buenas del tesoro de su buen corazón, y una persona mala produce cosas malas del tesoro de su mal corazón. Lo que uno dice brota de lo que hay en el corazón.

Edificar sobre un cimiento sólido

[46]»Así que, ¿por qué siguen llamándome "¡Señor, Señor!" cuando no hacen lo que digo? [47]Les mostraré cómo es cuando una persona viene a mí, escucha mi enseñanza y después la sigue. [48]Es como una persona que, para construir una casa, cava hondo y echa los cimientos sobre roca sólida. Cuando suben las aguas de la inundación y golpean contra esa casa, ésta queda intacta porque está bien construida. [49]Pero el que oye y no obedece es como una persona que construye una casa sin cimientos. Cuando las aguas de la inundación azoten esa casa, se derrumbará en un montón de escombros».

La fe de un oficial romano

7 Cuando Jesús terminó de decir todo eso a la gente, regresó a Capernaúm. [2]En ese tiempo, un apreciado esclavo de un oficial romano* estaba enfermo y a punto de morir. [3]Cuando el oficial oyó hablar de Jesús, envió a unos respetados ancianos judíos a pedirle que fuera a sanar a su esclavo. [4]De todo corazón, le suplicaron a Jesús que ayudara al hombre. Le dijeron: «Si alguien merece tu ayuda, es él; [5]pues ama al pueblo judío y hasta construyó una sinagoga para nosotros».

[6]Entonces Jesús fue con ellos; pero, justo antes de que llegaran a la casa, el oficial envió a unos amigos a decir: «Señor, no te molestes en venir a mi casa, porque no soy digno de tanto honor. [7]Ni siquiera soy digno de ir a tu encuentro. Tan sólo pronuncia la palabra desde donde estás y mi siervo se sanará. [8]Lo sé porque estoy bajo la autoridad de mis oficiales superiores y tengo autoridad sobre mis soldados. Sólo tengo que decir: "Vayan", y ellos van, o "vengan", y ellos vienen. Y si les digo a mis esclavos: "Hagan esto", lo hacen».

[9]Al oírlo, Jesús quedó asombrado. Se dirigió a la multitud que lo seguía y dijo: «Les digo, ¡no he visto una fe como ésta en todo Israel!». [10]Cuando los amigos del oficial regresaron a la casa, encontraron al esclavo completamente sano.

Jesús resucita al hijo de una viuda

[11]Poco después, Jesús fue con sus discípulos a la aldea de Naín, y una multitud numerosa lo siguió. [12]Cuando Jesús llegó a la entrada de la aldea, salía una procesión fúnebre. El joven que había muerto era el único hijo de una viuda, y una gran multitud de la aldea la acompañaba. [13]Cuando el Señor la vio, su corazón rebosó de compasión. «No llores», le dijo. [14]Luego se acercó al ataúd y lo tocó y los que cargaban el ataúd se detuvieron. «Joven —dijo Jesús—, te digo, levántate». [15]¡Entonces el joven muerto se incorporó y comenzó a hablar! Y Jesús lo regresó a su madre.

[16]Un gran temor se apoderó de la multitud, y alababan a Dios diciendo: «Un profeta poderoso se ha levantado entre

7:2 En griego *centurión;* similar en 7:6.

nosotros» y «Dios ha visitado hoy a su pueblo». [17]Y las noticias acerca de Jesús corrieron por toda Judea y sus alrededores.

Jesús y Juan el Bautista

[18]Los discípulos de Juan el Bautista le contaron todo lo que Jesús hacía. Entonces Juan llamó a dos de sus discípulos [19]y los envió al Señor para que le preguntaran: «¿Eres tú el Mesías* a quien hemos esperado o debemos seguir buscando a otro?».

[20]Los dos discípulos de Juan encontraron a Jesús y le dijeron: «Juan el Bautista nos envió a preguntarte: "¿Eres tú el Mesías a quien hemos esperado o debemos seguir buscando a otro?"».

[21]En ese preciso momento Jesús sanó a muchas personas de enfermedades, dolencias, y expulsó espíritus malignos y le devolvió la vista a muchos ciegos. [22]Luego les dijo a los discípulos de Juan: «Regresen a Juan y cuéntenle lo que han visto y oído: los ciegos ven, los cojos caminan bien, los leprosos son curados, los sordos oyen, los muertos resucitan, y a los pobres se les predica la Buena Noticia. [23]Y díganle: "Dios bendice a los que no se apartan por causa de mí*"».

[24]Después de que los discípulos de Juan se fueron, Jesús comenzó a hablar acerca de él a las multitudes. «¿A qué clase de hombre fueron a ver al desierto? ¿Acaso era una caña débil sacudida por la más leve brisa? [25]¿O esperaban ver a un hombre vestido con ropa costosa? No, la gente que usa ropa elegante y vive rodeada de lujos se encuentra en los palacios. [26]¿Buscaban a un profeta? Así es, y él es más que un profeta. [27]Juan es el hombre al que se refieren las Escrituras cuando dicen:

"Mira, envío a mi mensajero por
anticipado,
y él preparará el camino delante
de ti"*.

[28]»Les digo que de todos los hombres que han vivido, nadie es superior a Juan. Sin embargo, hasta la persona más insignificante en el reino de Dios es superior a él».

[29]Cuando oyeron esto, todos —hasta los cobradores de impuestos— coincidieron en que el camino de Dios era el correcto,* porque fueron bautizados por Juan; [30]pero los fariseos y los expertos en la ley religiosa no aceptaron el plan de Dios para ellos, porque rechazaron el bautismo de Juan.

[31]«¿Con qué puedo comparar a la gente de esta generación? —preguntó Jesús—. ¿Cómo los puedo describir? [32]Se parecen a los niños que juegan en la plaza. Se quejan ante sus amigos:

"Tocamos canciones de bodas,
y no bailaron;
entonces tocamos canciones fúnebres,
y no lloraron".

[33]»Pues Juan el Bautista no pasaba el tiempo comiendo pan y bebiendo vino, y ustedes dicen: "Está poseído por un demonio". [34]El Hijo del Hombre,* por su parte, festeja y bebe, y ustedes dicen: "Es un glotón y un borracho, ¡y es amigo de cobradores de impuestos y de otros pecadores!". [35]Pero la sabiduría demuestra estar en lo cierto por la vida de quienes la siguen*».

Una mujer pecadora unge a Jesús

[36]Uno de los fariseos invitó a Jesús a cenar, así que Jesús fue a su casa y se sentó a comer.* [37]Cuando cierta mujer

7:19 En griego *¿Eres tú el que viene?;* también en 7:20. **7:23** O *que no se ofenden por mí.* **7:27** Ml 3:1. **7:29** O *alabaron a Dios por su justicia.* **7:34** «Hijo del Hombre» es un título que Jesús empleaba para referirse a sí mismo. **7:35** O *Pero la sabiduría es justificada por todos sus hijos.* **7:36** O *y se reclinó.*

de mala vida que vivía en la ciudad se enteró de que Jesús estaba comiendo allí, llevó un hermoso frasco de alabastro lleno de un costoso perfume. [38]Llorando, se arrodilló detrás de él a sus pies. Sus lágrimas cayeron sobre los pies de Jesús, y ella los secó con sus cabellos. No cesaba de besarle los pies y les ponía perfume.

[39]Cuando el fariseo que lo había invitado vio esto, dijo para sí: «Si este hombre fuera profeta, sabría qué tipo de mujer lo está tocando. ¡Es una pecadora!».

[40]Entonces Jesús respondió a los pensamientos del fariseo:

—Simón —le dijo—, tengo algo que decirte.

—Adelante, Maestro —respondió Simón.

[41]Entonces Jesús le contó la siguiente historia:

—Un hombre prestó dinero a dos personas, quinientas piezas de plata* a una y cincuenta piezas a la otra. [42]Sin embargo, ninguna de las dos pudo devolver el dinero, así que el hombre perdonó amablemente a ambas y les canceló la deuda. ¿Quién crees que lo amó más?

[43]Simón contestó:

—Supongo que la persona a quien le perdonó la deuda más grande.

—Correcto —dijo Jesús.

[44]Luego se volvió a la mujer y le dijo a Simón:

—Mira a esta mujer que está arrodillada aquí. Cuando entré en tu casa, no me ofreciste agua para lavarme el polvo de los pies, pero ella los lavó con sus lágrimas y los secó con sus cabellos. [45]Tú no me saludaste con un beso, pero ella, desde el momento en que entré, no ha dejado de besarme los pies. [46]Tú no tuviste la cortesía de ungir mi cabeza con aceite de oliva, pero ella ha ungido mis pies con un perfume exquisito.

[47]»Te digo que sus pecados —que son muchos— han sido perdonados, por eso ella me demostró tanto amor; pero una persona a quien se le perdona poco, demuestra poco amor.

[48]Entonces Jesús le dijo a la mujer: «Tus pecados son perdonados».

[49]Los hombres que estaban sentados a la mesa se decían entre sí: «¿Quién es este hombre que anda perdonando pecados?».

[50]Y Jesús le dijo a la mujer: «Tu fe te ha salvado; ve en paz».

Las mujeres que seguían a Jesús

8 Poco después, Jesús comenzó un recorrido por las ciudades y aldeas cercanas, predicando y anunciando la Buena Noticia acerca del reino de Dios. Llevó consigo a sus doce discípulos, [2]junto con algunas mujeres que habían sido sanadas de espíritus malignos y enfermedades. Entre ellas estaban María Magdalena, de quien él había expulsado siete demonios; [3]Juana, la esposa de Chuza, administrador de Herodes; Susana; y muchas otras que contribuían con sus propios recursos al sostén de Jesús y sus discípulos.

Parábola del sembrador

[4]Cierto día, Jesús contó una historia en forma de parábola a una gran multitud, proveniente de varias ciudades, que se había reunido para escucharlo: [5]«Un agricultor salió a sembrar. A medida que esparcía las semillas por el campo, algunas cayeron sobre el camino, donde las pisotearon y los pájaros se las comieron. [6]Otras cayeron entre las rocas. Comenzaron a crecer, pero la planta pronto se marchitó y murió por falta de humedad. [7]Otras semillas cayeron entre espinos, los cuales crecieron junto con

7:41 En griego *quinientos denarios*. Un denario equivalía a la paga de un obrero por una jornada completa de trabajo.

ellas y ahogaron los brotes. [8]Pero otras semillas cayeron en tierra fértil. Estas semillas crecieron, ¡y produjeron una cosecha que fue cien veces más numerosa de lo que se había sembrado!». Después de haber dicho esto, exclamó: «El que tenga oídos para oír, que escuche y entienda».

[9]Sus discípulos le preguntaron qué significaba esta parábola. [10]Él respondió: «A ustedes se les permite entender los secretos* del reino de Dios, pero utilizo parábolas para enseñarles a los demás y para que se cumplan las Escrituras:

"Cuando miren, no verán realmente.
Cuando oigan, no entenderán"*.

[11]»Éste es el significado de la parábola: la semilla es la palabra de Dios. [12]Las semillas que cayeron en el camino representan a los que oyen el mensaje, pero viene el diablo, se lo quita del corazón e impide que crean y sean salvos. [13]Las semillas sobre la tierra rocosa representan a los que oyen el mensaje y lo reciben con alegría; pero como no tienen raíces profundas, creen por un tiempo y luego se apartan cuando enfrentan la tentación. [14]Las semillas que cayeron entre los espinos representan a los que oyen el mensaje, pero muy pronto el mensaje queda desplazado por las preocupaciones, las riquezas y los placeres de esta vida. Así que nunca crecen hasta la madurez. [15]Y las semillas que cayeron en la buena tierra representan a las personas sinceras, de buen corazón, que oyen la palabra de Dios, se aferran a ella y con paciencia producen una cosecha enorme.

Parábola de la lámpara

[16]»Nadie enciende una lámpara y luego la cubre con un tazón o la esconde debajo de la cama. Una lámpara se coloca en un lugar alto, donde todos los que entran a la casa puedan ver su luz. [17]Pues todo lo secreto tarde o temprano se descubrirá, y todo lo oculto saldrá a la luz y se dará a conocer a todos.

[18]»Así que presten atención a cómo oyen. A los que escuchan mis enseñanzas se les dará más entendimiento; pero a los que no escuchan, se les quitará aun lo que piensan que entienden».

La verdadera familia de Jesús

[19]Entonces la madre y los hermanos de Jesús vinieron a verlo, pero no pudieron acercarse a él debido a la gran cantidad de gente. [20]Alguien le dijo a Jesús:

—Tu madre y tus hermanos están afuera y quieren verte.

[21]Jesús respondió:

—Mi madre y mis hermanos son todos los que oyen la palabra de Dios y la obedecen.

Jesús calma la tormenta

[22]Cierto día Jesús les dijo a sus discípulos: «Crucemos al otro lado del lago». Así que subieron a una barca y salieron. [23]Mientras navegaban, Jesús se recostó para dormir una siesta. Pronto se desató una tormenta feroz sobre el lago. La barca se llenaba de agua y estaban realmente en peligro.

[24]Los discípulos fueron a despertarlo: «¡Maestro! ¡Maestro! ¡Nos vamos a ahogar!», gritaron.

Cuando Jesús se despertó, reprendió al viento y a las tempestuosas olas. De repente la tormenta se detuvo, y todo quedó en calma. [25]Entonces les preguntó: «¿Dónde está su fe?».

Los discípulos quedaron aterrados y asombrados. «¿Quién es este hombre? —se preguntaban unos a otros—. Cuando da una orden, ¡hasta el viento y las olas lo obedecen!».

8:10a En griego *misterios.* **8:10b** Is 6:9 (versión griega).

Jesús sana a un hombre endemoniado

[26]Luego llegaron a la región de los gerasenos,* al otro lado del lago de Galilea. [27]Mientras Jesús bajaba de la barca, un hombre que estaba poseído por demonios salió a su encuentro. Por mucho tiempo, había estado desnudo y sin hogar, y vivía en un cementerio, en las afueras de la ciudad.

[28]En cuanto vio a Jesús, soltó un alarido y cayó al suelo frente a él, y gritó: «¿Por qué te entrometes conmigo, Jesús, Hijo del Dios Altísimo? ¡Por favor, te suplico que no me tortures!». [29]Pues Jesús ya le había ordenado al espíritu maligno* que saliera del hombre. Ese espíritu a menudo tomaba control de él. Aun cuando el hombre estaba bajo custodia, con cadenas y grilletes, simplemente los rompía y se escapaba al desierto, totalmente controlado por el demonio.

[30]Jesús le preguntó:

—¿Cómo te llamas?

—Legión —contestó, porque estaba lleno de muchos demonios.

[31]Los demonios seguían suplicándole a Jesús que no los enviara al abismo sin fondo.*

[32]Sucedió que había una gran manada de cerdos alimentándose en una ladera cercana, y los demonios le suplicaron que les permitiera entrar en los cerdos.

Entonces Jesús les dio permiso. [33]Así que los demonios salieron del hombre y entraron en los cerdos, y toda la manada se lanzó al lago por el precipicio y se ahogó.

[34]Cuando los que cuidaban los cerdos vieron lo sucedido, huyeron a la ciudad cercana y sus alrededores, difundiendo la noticia mientras corrían. [35]La gente salió corriendo para ver lo que había pasado. Pronto una multitud se juntó alrededor de Jesús, y todos vieron al hombre liberado de los demonios. Estaba sentado a los pies de Jesús, completamente vestido y en su sano juicio, y todos tuvieron miedo. [36]Entonces los que habían visto lo sucedido, les contaron a los otros cómo había sido sanado el hombre poseído por demonios. [37]Y todos los habitantes de la región de los gerasenos le suplicaron a Jesús que se fuera y los dejara en paz, porque una gran ola de miedo se apoderó de ellos.

Entonces Jesús regresó a la barca y se fue y cruzó nuevamente al otro lado del lago. [38]El hombre que había sido liberado de los demonios le suplicaba que le permitiera acompañarlo. Pero Jesús lo envió a su casa diciéndole: [39]«No, regresa a tu familia y diles todo lo que Dios ha hecho por ti». Entonces el hombre fue por toda la ciudad proclamando las grandes cosas que Jesús había hecho por él.

Jesús sana en respuesta a la fe

[40]Del otro lado del lago, las multitudes recibieron a Jesús porque lo estaban esperando. [41]Y un hombre llamado Jairo, líder de la sinagoga local, se acercó y cayó a los pies de Jesús mientras rogaba que lo acompañara a su casa. [42]Su única hija, que tenía unos doce años, estaba muriendo.

Mientras Jesús iba con Jairo, las multitudes lo rodeaban. [43]Una mujer de la multitud hacía doce años que sufría una hemorragia continua* y no encontraba ninguna cura. [44]Acercándose a Jesús por detrás, le tocó el fleco de la túnica. Al instante, la hemorragia se detuvo.

[45]«¿Quién me tocó?», preguntó Jesús.

Todos negaron, y Pedro dijo:

—Maestro, la multitud entera se apretuja contra ti.

8:26 Otros manuscritos dicen *gadarenos;* incluso otros dicen *gergesenos;* también en 8:37. Ver Mt 8:28; Mc 5:1. **8:29** En griego *impuro.* **8:31** O *el abismo*, o *el averno.* **8:43** Algunos manuscritos incluyen *y había gastado todo lo que tenía en médicos.*

[46]Pero Jesús dijo:

—Alguien me tocó a propósito, porque yo sentí que salió poder sanador de mí.

[47]Cuando la mujer se dio cuenta de que no podía permanecer oculta, comenzó a temblar y cayó de rodillas frente a Jesús. A oídos de toda la multitud, ella le explicó por qué lo había tocado y cómo había sido sanada al instante. [48]«Hija —le dijo Jesús—, tu fe te ha sanado. Ve en paz».

[49]Mientras él todavía hablaba con ella, llegó un mensajero de la casa de Jairo, el líder de la sinagoga y le dijo: «Tu hija está muerta. Ya no tiene sentido molestar al Maestro».

[50]Cuando Jesús oyó lo que había sucedido, le dijo a Jairo: «No tengas miedo. Sólo ten fe, y ella será sanada».

[51]Cuando llegaron a la casa, Jesús no dejó que nadie entrara con él excepto Pedro, Juan, Santiago, y el padre y la madre de la niña. [52]La casa estaba llena de personas que lloraban y se lamentaban, pero Jesús dijo: «¡Dejen de llorar! No está muerta; sólo duerme».

[53]La multitud se rió de él, porque todos sabían que había muerto. [54]Entonces Jesús la tomó de la mano y dijo en voz fuerte: «¡Niña, levántate!». [55]En ese momento, le volvió la vida,* ¡y se puso de pie enseguida! Entonces Jesús les dijo que le dieran de comer a la niña. [56]Sus padres quedaron conmovidos, pero Jesús insistió en que no le dijeran a nadie lo que había sucedido.

Jesús envía a los doce discípulos

9 Cierto día, Jesús reunió a sus doce discípulos* y les dio poder y autoridad para expulsar a todos los demonios y sanar enfermedades. [2]Luego los envió para que anunciaran a todos acerca del reino de Dios y sanaran a los enfermos. [3]Les dio las siguientes instrucciones: «No lleven nada para el viaje, ni bastón, ni bolso de viaje, ni comida, ni dinero,* ni siquiera una muda de ropa. [4]Por todo lugar que vayan, quédense en la misma casa hasta salir de la ciudad. [5]Y si en algún pueblo se niegan a recibirlos, sacúdanse el polvo de los pies al salir para mostrar que abandonan a esas personas a su suerte».

[6]Entonces ellos comenzaron su recorrido por las aldeas para predicar la Buena Noticia y sanar a los enfermos.

La confusión de Herodes

[7]Cuando Herodes Antipas, el gobernante de Galilea,* oyó hablar de todo lo que Jesús hacía, quedó perplejo. Algunos decían que Juan el Bautista había resucitado de los muertos. [8]Otros pensaban que Jesús era Elías o algún otro profeta, levantado de los muertos.

[9]«Decapité a Juan —decía Herodes—, así que, ¿quién es este hombre de quien oigo tantas historias?». Y siguió tratando de ver a Jesús.

Jesús alimenta a cinco mil

[10]Cuando los apóstoles regresaron, le contaron a Jesús todo lo que habían hecho. Luego él se retiró con ellos sin llamar la atención hacia la ciudad de Betsaida, [11]pero las multitudes descubrieron adónde iba y lo siguieron. Jesús los recibió y les enseñó acerca del reino de Dios y sanó a los que estaban enfermos.

[12]Al atardecer, los doce discípulos se le acercaron y le dijeron:

—Despide a las multitudes para que puedan conseguir comida y encontrar alojamiento para la noche en las aldeas y granjas cercanas. En este lugar alejado no hay nada para comer.

[13]Jesús les dijo:

8:55 O *su espíritu.* **9:1** En griego *los Doce;* otros manuscritos dicen *los doce apóstoles.* **9:3** O *monedas de plata.* **9:7** En griego *Herodes el tetrarca.* Herodes Antipas era hijo del rey Herodes y gobernador de Galilea.

—Denles ustedes de comer.

—Pero lo único que tenemos son cinco panes y dos pescados —le respondieron—. ¿O esperas que vayamos y compremos suficiente comida para toda esta gente?

[14]Pues había alrededor de cinco mil hombres allí.

Jesús les respondió:

—Díganles que se sienten en grupos de unos cincuenta cada uno.

[15]Entonces todos se sentaron. [16]Jesús tomó los cinco panes y los dos pescados, miró hacia el cielo y los bendijo. Luego, a medida que partía los panes en trozos, se los daba a sus discípulos junto con los pescados para que los distribuyeran entre la gente. [17]Todos comieron cuanto quisieron, y después los discípulos juntaron doce canastas con lo que sobró.

Declaración de Pedro acerca de Jesús

[18]Cierto día, Jesús se alejó de las multitudes para orar a solas. Sólo estaban con él sus discípulos, y les preguntó:

—¿Quién dice la gente que soy?

[19]—Bueno —contestaron—, algunos dicen Juan el Bautista, otros dicen Elías, y otros dicen que eres uno de los otros antiguos profetas, que volvió de la muerte.

[20]Entonces les preguntó:

—Y ustedes, ¿quién dicen que soy?

Pedro contestó:

—¡Tú eres el Mesías* enviado por Dios!

Jesús predice su muerte

[21]Jesús les advirtió a sus discípulos que no dijeran a nadie quién era él.

[22]—El Hijo del Hombre* tendrá que sufrir muchas cosas terribles —les dijo—. Será rechazado por los ancianos, por los principales sacerdotes y por los maestros de la ley religiosa. Lo matarán pero al tercer día resucitará.

[23]Entonces dijo a la multitud: «Si alguno de ustedes quiere ser mi seguidor, tiene que abandonar su manera egoísta de vivir, tomar su cruz cada día y seguirme. [24]Si tratas de aferrarte a la vida, la perderás, pero si entregas tu vida por mi causa, la salvarás. [25]¿Y qué beneficio obtienes si ganas el mundo entero, pero te pierdes o te destruyes a ti mismo? [26]Si alguien se avergüenza de mí y de mi mensaje, el Hijo del Hombre se avergonzará de esa persona cuando regrese en su gloria y en la gloria del Padre y de los santos ángeles. [27]Les digo la verdad, algunos de los que están aquí ahora no morirán sin antes ver el reino de Dios».

La transfiguración

[28]Cerca de ocho días después, Jesús llevó a Pedro, a Juan y a Santiago a una montaña para orar. [29]Y mientras oraba, la apariencia de su rostro se transformó y su ropa se volvió blanca resplandeciente. [30]De repente aparecieron dos hombres, Moisés y Elías, y comenzaron a hablar con Jesús. [31]Se veían llenos de gloria. Y hablaban sobre la partida de Jesús de este mundo, lo cual estaba a punto de cumplirse en Jerusalén.

[32]Pedro y los otros se durmieron. Cuando despertaron, vieron la gloria de Jesús y a los dos hombres de pie junto a él. [33]Cuando Moisés y Elías comenzaron a irse, Pedro, sin saber siquiera lo que decía, exclamó: «Maestro, ¡es maravilloso que estemos aquí! Hagamos tres enramadas como recordatorios:* una para ti, una para Moisés y la otra para Elías». [34]Pero no había terminado de hablar cuando una nube los cubrió y, mientras los cubría, se llenaron de miedo.

[35]Entonces, desde la nube, una voz dijo: «Este es mi Hijo, mi Elegido.* Es-

9:20 O *el Cristo.* Tanto *Mesías* (un término hebreo) como *Cristo* (un término griego) significan «el Ungido». **9:22** «Hijo del Hombre» es un título que Jesús empleaba para referirse a sí mismo. **9:33** En griego *tres tabernáculos.* **9:35** Algunos manuscritos dicen *Este es mi Hijo muy amado.*

cúchenlo a él». [36]Cuando la voz terminó de hablar, Jesús estaba allí solo. En aquel tiempo, no le contaron a nadie lo que habían visto.

Jesús sana a un muchacho endemoniado

[37]Al día siguiente, después que bajaron del monte, una gran multitud salió al encuentro de Jesús. [38]Un hombre de la multitud le exclamó:

—Maestro, te suplico que veas a mi hijo, el único que tengo. [39]Un espíritu maligno sigue apoderándose de él, haciéndolo gritar. Le causa tales convulsiones que echa espuma por la boca; lo sacude violentamente y casi nunca lo deja en paz. [40]Le supliqué a tus discípulos que expulsaran ese espíritu, pero no pudieron hacerlo.

[41]—Gente corrupta y sin fe —dijo Jesús—, ¿hasta cuándo tendré que estar con ustedes y soportarlos?

Entonces le dijo al hombre:

—Tráeme a tu hijo aquí.

[42]Cuando el joven se acercó, el demonio lo arrojó al piso y le dio una violenta convulsión; pero Jesús reprendió al espíritu maligno* y sanó al muchacho. Después lo devolvió a su padre. [43]El asombro se apoderó de la gente al ver esa majestuosa demostración del poder de Dios.

Jesús predice nuevamente su muerte

Mientras todos se maravillaban de las cosas que él hacía, Jesús dijo a sus discípulos: [44]«Escúchenme y recuerden lo que digo. El Hijo del Hombre será traicionado y entregado en manos de sus enemigos». [45]Sin embargo, ellos no entendieron lo que quiso decir. El significado de lo que decía estaba oculto de ellos, por eso no pudieron entender y tenían miedo de preguntarle.

El más importante en el reino

[46]Entonces los discípulos comenzaron a discutir entre ellos acerca de quién era el más importante. [47]Pero Jesús conocía lo que ellos pensaban, así que trajo a un niño y lo puso a su lado. [48]Luego les dijo: «Todo el que recibe de mi parte* a un niño pequeño como éste, me recibe a mí; y todo el que me recibe a mí, también recibe al Padre, quien me envió. El más insignificante entre ustedes es el más importante».

En el nombre de Jesús

[49]Juan le dijo a Jesús:

—Maestro, vimos a alguien usar tu nombre para expulsar demonios, pero le dijimos que no lo hiciera porque no pertenece a nuestro grupo.

[50]Jesús le dijo:

—¡No lo detengan! Todo el que no está en contra de ustedes, está a su favor.

Oposición de los samaritanos

[51]Cuando se acercaba el tiempo de ascender al cielo, Jesús salió con determinación hacia Jerusalén. [52]Envió mensajeros por delante a una aldea de Samaria para que se hicieran los preparativos para su llegada, [53]pero los habitantes de la aldea no recibieron a Jesús porque iba camino a Jerusalén. [54]Cuando Santiago y Juan vieron eso, le dijeron a Jesús: «Señor, ¿quieres que hagamos bajar fuego del cielo para que los consuma?».* [55]Entonces Jesús se volvió a ellos y los reprendió.* [56]Así que siguieron de largo hacia otro pueblo.

9:42 En griego *impuro.* **9:48** En griego *en mi nombre.* **9:54** Algunos manuscritos incluyen *como hizo Elías.* **9:55** Algunos manuscritos incluyen una conclusión expandida al versículo 55 y una oración adicional en el versículo 56: *Y él dijo: «Ustedes no se dan cuenta de cómo es su corazón.* [56]*Pues el Hijo del Hombre no vino a destruir vidas, sino a salvarlas».*

Lo que cuesta seguir a Jesús

[57]Mientras caminaban, alguien le dijo a Jesús:

—Te seguiré a cualquier lugar que vayas.

[58]Jesús le respondió:

—Los zorros tienen cuevas donde vivir y los pájaros tienen nidos, pero el Hijo del Hombre no tiene ni siquiera un lugar donde recostar la cabeza.

[59]Dijo a otro:

—Ven, sígueme.

El hombre aceptó, pero le dijo:

—Señor, deja que primero regrese a casa y entierre a mi padre.

[60]Jesús le dijo:

—¡Deja que los muertos espirituales entierren a sus propios muertos!* Tu deber es ir y predicar acerca del reino de Dios.

[61]Otro dijo:

—Sí, Señor, te seguiré, pero primero deja que me despida de mi familia.

[62]Jesús le dijo:

—El que pone la mano en el arado y luego mira atrás no es apto para el reino de Dios.

Jesús envía a sus discípulos

10 Después el Señor escogió a otros setenta y dos* discípulos y los envió de dos en dos delante de él a todas las ciudades y los lugares que tenía pensado visitar. [2]Y les dio las siguientes instrucciones: «La cosecha es grande, pero los obreros son pocos. Así que oren al Señor que está a cargo de la cosecha; pídanle que envíe más obreros a sus campos. [3]Ahora vayan, y recuerden que los envío como ovejas en medio de lobos. [4]No lleven con ustedes nada de dinero, ni bolso de viaje, ni un par de sandalias de repuesto; y no se detengan a saludar a nadie por el camino.

[5]»Cuando entren en la casa de alguien, primero digan: "La paz de Dios sea sobre esta casa". [6]Si los que viven en la casa son gente de paz, la bendición permanecerá; si no lo son, la bendición regresará a ustedes. [7]No cambien de una casa a otra. Quédense en un lugar, coman y beban lo que les den. No duden en aceptar la hospitalidad, porque los que trabajan merecen recibir su salario.

[8]»Si entran en un pueblo donde los reciben bien, coman todo lo que les ofrezcan. [9]Sanen a los enfermos y díganles: "El reino de Dios ahora está cerca de ustedes". [10]Pero si un pueblo se niega a recibirlos bien, salgan a las calles y digan: [11]"Nos limpiamos de los pies hasta el polvo de su ciudad para mostrar que los abandonamos a su suerte. Y sepan esto: ¡el reino de Dios está cerca!". [12]Les aseguro que, el día del juicio, le irá mejor a la perversa Sodoma que a ese pueblo.

[13]»¡Qué aflicción les espera, Corazín y Betsaida! Pues, si en las perversas ciudades de Tiro y de Sidón se hubieran hecho los milagros que hice entre ustedes, hace tiempo sus habitantes se habrían arrepentido de sus pecados vistiéndose de tela áspera y echándose ceniza sobre la cabeza en señal de remordimiento. [14]Así es, el día del juicio, les irá mejor a Tiro y Sidón que a ustedes. [15]Y ustedes, los de Capernaúm, ¿serán honrados en el cielo? No, descenderán al lugar de los muertos*».

[16]Entonces dijo a sus discípulos: «El que acepta el mensaje de ustedes me acepta también a mí. El que los rechaza a ustedes a mí me rechaza. Y el que me rechaza a mí rechaza a Dios, quien me envió».

[17]Cuando los setenta y dos discípulos regresaron, le informaron llenos de alegría:

—¡Señor, hasta los demonios nos obedecen cuando usamos tu nombre!

[18]—Sí —les dijo—. Vi a Satanás caer del cielo como un rayo. [19]Miren, les he dado autoridad sobre todos los poderes

9:60 En griego *Deja que los muertos entierren a sus muertos.* **10:1** Algunos manuscritos dicen *setenta;* también en 10:17. **10:15** En griego *al Hades.*

del enemigo; pueden caminar entre serpientes y escorpiones y aplastarlos. Nada les hará daño. [20]Pero no se alegren de que los espíritus malignos los obedezcan; alégrense porque sus nombres están escritos en el cielo.

Jesús da gracias al Padre

[21]En esa misma ocasión, Jesús se llenó del gozo del Espíritu Santo y dijo: «Oh Padre, Señor del cielo y de la tierra, gracias por esconder estas cosas de los que se creen sabios e inteligentes y por revelárselas a los que son como niños. Sí, Padre, te agradó hacerlo de esa manera.

[22]»Mi Padre me ha confiado todo. Nadie conoce verdaderamente al Hijo excepto el Padre, y nadie conoce verdaderamente al Padre excepto el Hijo y aquellos a quienes el Hijo decide revelarlo».

[23]Después, cuando estuvieron a solas, se volvió a sus discípulos y les dijo: «Benditos los ojos que ven lo que ustedes han visto. [24]Les digo que muchos profetas y reyes anhelaron ver lo que ustedes ven, pero no lo vieron; y anhelaron oír lo que ustedes oyen, pero no lo oyeron».

El mandamiento más importante

[25]Cierto día, un experto en la ley religiosa se levantó para probar a Jesús con la siguiente pregunta:

—Maestro, ¿qué debo hacer para heredar la vida eterna?

[26]Jesús contestó:

—¿Qué dice la ley de Moisés? ¿Cómo la interpretas?

[27]El hombre contestó:

—"Amarás al Señor tu Dios con todo tu corazón, con toda tu alma, con toda tu fuerza y con toda tu mente" y "Amarás a tu prójimo como a ti mismo"*.

[28]—¡Correcto! —le dijo Jesús—. ¡Haz eso y vivirás!

[29]El hombre quería justificar sus acciones, entonces le preguntó a Jesús:

—¿Y quién es mi prójimo?

Parábola del buen samaritano

[30]Jesús respondió con una historia:

—Un hombre judío bajaba de Jerusalén a Jericó y fue atacado por ladrones. Le quitaron la ropa, le pegaron y lo dejaron medio muerto al costado del camino.

[31]»Un sacerdote pasó por allí de casualidad, pero cuando vio al hombre en el suelo, cruzó al otro lado del camino y siguió de largo. [32]Un ayudante del templo* pasó y lo vio allí tirado, pero también siguió de largo por el otro lado.

[33]»Entonces pasó un samaritano despreciado y, cuando vio al hombre, sintió compasión por él. [34]Se le acercó y le alivió las heridas con vino y aceite de oliva, y se las vendó. Luego subió al hombre en su propio burro y lo llevó hasta un alojamiento, donde cuidó de él. [35]Al día siguiente, le dio dos monedas de plata* al encargado de la posada y le dijo: "Cuida de este hombre. Si los gastos superan esta cantidad, te pagaré la diferencia la próxima vez que pase por aquí".

[36]—Ahora bien, ¿cuál de los tres te parece que fue el prójimo del hombre atacado por los bandidos? —preguntó Jesús.

[37]El hombre contestó:

—El que mostró compasión.

Entonces Jesús le dijo:

—Así es, ahora ve y haz lo mismo.

Jesús visita a Marta y a María

[38]Durante el viaje a Jerusalén, Jesús y sus discípulos llegaron a cierta aldea donde una mujer llamada Marta los recibió en su casa. [39]Su hermana María se sentó a los pies del Señor a escuchar

10:27 Dt 6:5; Lv 19:18. **10:32** En griego *Un levita.* **10:35** En griego *dos denarios.* Un denario equivalía a la paga de un obrero por una jornada completa de trabajo.

sus enseñanzas, [40]pero Marta estaba distraída con los preparativos para la gran cena. Entonces se acercó a Jesús y le dijo:

—Maestro, ¿no te parece injusto que mi hermana esté aquí sentada mientras yo hago todo el trabajo? Dile que venga a ayudarme.

[41]El Señor le dijo:

—Mi apreciada Marta, ¡estás preocupada y tan inquieta con todos los detalles! [42]Hay una sola cosa por la que vale la pena preocuparse. María la ha descubierto, y nadie se la quitará.

Enseñanza acerca de la oración

11 Una vez, Jesús estaba orando en cierto lugar. Cuando terminó, uno de sus discípulos se le acercó y le dijo:

—Señor, enséñanos a orar, así como Juan les enseñó a sus discípulos.

[2]Jesús dijo:

—Deberían orar de la siguiente manera:*

Padre, que siempre sea santificado tu nombre.
Que tu reino venga pronto.
[3] Danos cada día el alimento que necesitamos*
[4] y perdónanos nuestros pecados, así como nosotros perdonamos a los que pecan contra nosotros.
Y no permitas que cedamos ante la tentación.*

[5]Luego utilizó la siguiente historia para enseñarles más acerca de la oración: «Supongan que uno de ustedes va a la casa de un amigo a medianoche para pedirle que le preste tres panes. Le dices: [6]"Acaba de llegar de visita un amigo mío y no tengo nada para darle de comer". [7]Supongan que ese amigo grita desde el dormitorio: "No me molestes. La puerta ya está cerrada, y mi familia y yo estamos acostados. No puedo ayudarte". [8]Les digo que, aunque no lo haga por amistad, si sigues tocando a la puerta el tiempo suficiente, él se levantará y te dará lo que necesitas debido a tu audaz insistencia.*

[9]»Así que les digo, sigan pidiendo y recibirán lo que piden; sigan buscando y encontrarán; sigan llamando, y la puerta se les abrirá. [10]Pues todo el que pide, recibe; todo el que busca, encuentra; y a todo el que llama, se le abrirá la puerta.

[11]»Ustedes, los que son padres, si sus hijos les piden* un pescado, ¿les dan una serpiente en su lugar? [12]O si les piden un huevo, ¿les dan un escorpión? ¡Claro que no! [13]Así que si ustedes, gente pecadora, saben dar buenos regalos a sus hijos, cuánto más su Padre celestial dará el Espíritu Santo a quienes lo pidan».

Jesús y el príncipe de los demonios

[14]Cierto día, Jesús expulsó un demonio de un hombre que no podía hablar y, cuando el demonio salió, el hombre comenzó a hablar. Las multitudes quedaron asombradas, [15]pero algunos dijeron: «Con razón puede expulsar demonios. Él recibe su poder de Satanás,* el príncipe de los demonios». [16]Otros, con la intención de poner a Jesús a prueba, le exigían que les mostrara alguna señal milagrosa del cielo para demostrar su autoridad.

[17]Jesús conocía sus pensamientos, así que dijo: «Todo reino dividido por una guerra civil está condenado al fracaso. Una familia dividida por peleas se desintegrará. [18]Ustedes dicen que mi poder proviene de Satanás, pero si Satanás está

11:2 Algunos manuscritos incluyen frases adicionales al padrenuestro, como aparece en Mt 6:9-13. **11:3** O *Danos cada día el alimento para ese día;* o *Danos cada día nuestro alimento para mañana.* **11:4** O *líbranos de ser puestos a prueba.* **11:8** O *para evitar la vergüenza,* o *para que su reputación no se vea dañada.* **11:11** Algunos manuscritos incluyen *pan, ¿les darán una piedra? O [si les piden].* **11:15** En griego *Beelzeboul;* también en 11:18,19. Otros manuscritos dicen *Beezeboul;* la versión latina dice *Beelzebú.*

dividido y pelea contra sí mismo, ¿cómo puede sobrevivir su reino? [19]Entonces, si mi poder proviene de Satanás, ¿qué me dicen de sus propios exorcistas quienes también expulsan demonios? Así que ellos los condenarán a ustedes por lo que acaban de decir. [20]Sin embargo, si yo expulso a los demonios por el poder de Dios,* entonces el reino de Dios ha llegado y está entre ustedes. [21]Cuando un hombre fuerte, como Satanás, está armado y protege su palacio, sus posesiones están seguras, [22]hasta que alguien aún más fuerte lo ataca y lo vence, le quita sus armas y se lleva sus pertenencias.

[23]»El que no está conmigo a mí se opone, y el que no trabaja conmigo, en realidad, trabaja en mi contra.

[24]»Cuando un espíritu maligno* sale de una persona, va al desierto en busca de descanso, pero como no lo encuentra, dice: "Volveré a la persona de la cual salí". [25]De modo que regresa y encuentra que su antigua casa está barrida y en orden. [26]Entonces el espíritu busca a otros siete espíritus más malignos que él, y todos entran en la persona y viven allí. Y entonces esa persona queda peor que antes».

[27]Mientras él hablaba, una mujer de la multitud exclamó: «¡Que Dios bendiga a tu madre, el vientre del cual saliste y los pechos que te amamantaron!».

[28]Jesús respondió: «Pero aún más bendito es todo el que escucha la palabra de Dios y la pone en práctica».

La señal de Jonás

[29]Al apretujarse la multitud contra Jesús, él dijo: «Esta generación maligna sigue pidiéndome que le muestre una señal milagrosa, pero la única que le daré será la señal de Jonás. [30]Lo que le sucedió a él fue una señal para los habitantes de Nínive de que Dios lo había enviado. Lo que le suceda al Hijo del Hombre* será una señal para la gente de este tiempo de que él fue enviado por Dios.

[31]»El día del juicio, la reina de Saba* se levantará contra esta generación y la condenará, porque vino de una tierra lejana para oír la sabiduría de Salomón. Ahora alguien superior a Salomón está aquí, pero ustedes se niegan a escuchar. [32]Los habitantes de Nínive también se levantarán contra esta generación el día del juicio y la condenarán, porque ellos se arrepintieron de sus pecados al escuchar la predicación de Jonás. Ahora alguien superior a Jonás está aquí, pero ustedes se niegan a arrepentirse.

La lámpara del cuerpo

[33]»Nadie enciende una lámpara y luego la esconde o la pone debajo de una canasta.* En cambio, una lámpara se coloca en un lugar alto donde todos los que entren en la casa puedan ver su luz.

[34]»Tu ojo es una lámpara que da luz a tu cuerpo. Cuando tu ojo es bueno, todo tu cuerpo está lleno de luz; pero cuando tu ojo es malo, tu cuerpo está lleno de oscuridad. [35]Asegúrate de que la luz que crees tener no sea en realidad oscuridad. [36]Si estás lleno de luz, sin rincones oscuros, entonces toda tu vida será radiante, como si un reflector te llenara con su luz».

Jesús critica a los líderes religiosos

[37]Mientras Jesús hablaba, uno de los fariseos lo invitó a comer en su casa. Jesús fue y se sentó a la mesa.* [38]Su anfitrión se sorprendió de que se sentara a la mesa sin antes realizar la ceremonia de lavarse las manos que exigía la

11:20 En griego *por el dedo de Dios.* **11:24** En griego *impuro.* **11:30** «Hijo del Hombre» es un título que Jesús empleaba para referirse a sí mismo. **11:31** En griego *la reina del sur.* **11:33** Algunos manuscritos no incluyen *o la pone debajo de una canasta.* **11:37** O *se reclinó.*

costumbre judía. [39]Entonces el Señor le dijo: «Ustedes, los fariseos, son tan cuidadosos para limpiar la parte exterior de la taza y del plato pero ustedes están sucios por dentro, ¡llenos de avaricia y de perversidad! [40]¡Necios! ¿No hizo Dios tanto el interior como el exterior? [41]Por lo tanto, limpien el interior dando de sus bienes a los pobres, y quedarán completamente limpios.

[42]»¡Qué aflicción les espera, fariseos! Pues se cuidan de dar el diezmo sobre el más mínimo ingreso de sus jardines de hierbas,* pero pasan por alto la justicia y el amor de Dios. Es cierto que deben diezmar, pero sin descuidar las cosas más importantes.

[43]»¡Qué aflicción les espera, fariseos! Pues les encanta ocupar los asientos de honor en las sinagogas y recibir saludos respetuosos cuando caminan por las plazas. [44]¡Sí, qué aflicción les espera! Pues son como tumbas escondidas en el campo. Las personas caminan sobre ellas sin saber de la corrupción que están pisando».

[45]—Maestro —le dijo un experto en la ley religiosa—, nos has insultado a nosotros también con lo que has dicho.

[46]—Sí —dijo Jesús—, ¡qué aflicción les espera también a ustedes, expertos en la ley religiosa! Pues aplastan a la gente bajo el peso de exigencias religiosas insoportables y jamás mueven un dedo para aligerar la carga. [47] ¡Qué aflicción les espera! Pues levantan monumentos a los profetas que sus propios antepasados mataron tiempo atrás. [48] Por lo cual, ustedes quedan como testigos que aprueban lo que hicieron sus antepasados. Ellos mataron a los profetas, ¡y ustedes se convierten en cómplices al edificar los monumentos! [49] Esto es lo que Dios en su sabiduría dijo acerca de ustedes:* "Les enviaré profetas y apóstoles, pero ellos matarán a unos y perseguirán a otros".

[50]»Como consecuencia, a esta generación se le hará responsable del asesinato de todos los profetas de Dios desde la creación del mundo, [51] desde el asesinato de Abel hasta el de Zacarías, a quien mataron entre el altar y el santuario. Sí, de verdad se culpará a esta generación.

[52] »¡Qué aflicción les espera a ustedes, expertos en la ley religiosa! Pues le quitan a la gente la llave del conocimiento. Ustedes mismos no entran al reino e impiden que otros entren.

[53]Mientras Jesús se retiraba, los maestros de la ley religiosa y los fariseos se pusieron agresivos y trataron de provocarlo con muchas preguntas. [54]Querían tenderle una trampa para que dijera algo que pudieran usar en su contra.

Advertencia contra la hipocresía

12 Mientras tanto, las multitudes crecieron hasta que miles de personas se arremolinaban y se atropellaban unas a otras. Jesús primero se dirigió a sus discípulos y les advirtió: «Tengan cuidado con la levadura de los fariseos, es decir, su hipocresía. [2]Llegará el tiempo en que todo lo que está encubierto será revelado y todo lo secreto se dará a conocer a todos. [3]Todo lo que hayan dicho en la oscuridad se oirá a plena luz, y todo lo que hayan susurrado a puerta cerrada, ¡se gritará desde los techos para que todo el mundo lo oiga!

[4]»Queridos amigos, no teman a los que quieren matarles el cuerpo, después de eso, no pueden hacerles nada más. [5]Les diré a quién temer: teman a Dios, quien tiene el poder de quitarles la vida y luego arrojarlos al infierno.* Claro, él es a quien deben temer.

11:42 En griego *diezman la menta, la ruda y cada hierba.* **11:49** En griego *Por lo tanto, la sabiduría de Dios dijo.* **12:5** En griego *Gehenna.*

[6]»¿Cuánto cuestan cinco gorriones: dos monedas de cobre?* Sin embargo, Dios no se olvida de ninguno de ellos. [7]Y, en cuanto a ustedes, cada cabello de su cabeza está contado. Así que no tengan miedo; para Dios ustedes son más valiosos que toda una bandada de gorriones.

[8]»Les digo la verdad, a todo el que me reconozca en público aquí en la tierra, el Hijo del Hombre* también lo reconocerá en presencia de los ángeles de Dios. [9]Pero el que me niegue aquí en la tierra será negado delante de los ángeles de Dios. [10]El que hable en contra del Hijo del Hombre puede ser perdonado, pero el que blasfeme contra el Espíritu Santo no será perdonado.

[11]»Cuando sean sometidos a juicio en las sinagogas y delante de gobernantes y autoridades, no se preocupen por cómo defenderse o qué decir, [12]porque el Espíritu Santo les enseñará en ese momento lo que hay que decir».

Parábola del rico insensato

[13]Entonces alguien de la multitud exclamó:

—Maestro, por favor, dile a mi hermano que divida la herencia de nuestro padre conmigo.

[14]Jesús le respondió:

—Amigo, ¿quién me puso por juez sobre ustedes para decidir cosas como ésa?

[15]Y luego dijo: «¡Tengan cuidado con toda clase de avaricia! La vida no se mide por cuánto tienen».

[16]Luego les contó una historia: «Un hombre rico tenía un campo fértil que producía buenas cosechas. [17]Se dijo a sí mismo: "¿Qué debo hacer? No tengo lugar para almacenar todas mis cosechas". [18]Entonces pensó: "Ya sé. Tiraré abajo mis graneros y construiré unos más grandes. Así tendré lugar suficiente para almacenar todo mi trigo y mis otros bienes. [19]Luego me pondré cómodo y me diré a mí mismo: 'Amigo mío, tienes almacenado para muchos años. ¡Relájate! ¡Come y bebe y diviértete!' ".

[20]»Pero Dios le dijo: "¡Necio! Vas a morir esta misma noche. ¿Y quién se quedará con todo aquello por lo que has trabajado?".

[21]»Así es, el que almacena riquezas terrenales pero no es rico en su relación con Dios, es un necio».

Enseñanza acerca del dinero y las posesiones

[22]Luego, dirigiéndose a sus discípulos, dijo: «Por eso les digo que no se preocupen por la vida diaria, si tendrán suficiente alimento para comer o suficiente ropa para vestirse. [23]Pues la vida es más que la comida, y el cuerpo es más que la ropa. [24]Miren los cuervos. No plantan ni cosechan ni guardan comida en graneros, porque Dios los alimenta. ¡Y ustedes son para él mucho más valiosos que cualquier pájaro! [25]¿Acaso con todas sus preocupaciones pueden añadir un solo momento a su vida? [26]Y, si por mucho preocuparse no se logra algo tan pequeño como eso, ¿de qué sirve preocuparse por cosas más grandes?

[27]»Miren cómo crecen los lirios. No trabajan ni cosen su ropa; sin embargo, ni Salomón con toda su gloria se vistió tan hermoso como ellos. [28]Y, si Dios cuida de manera tan maravillosa a las flores que hoy están y mañana se echan al fuego, tengan por seguro que cuidará de ustedes. ¿Por qué tienen tan poca fe?

[29]»No se inquieten por lo que van a comer o lo que van a beber. No se preocupen por esas cosas. [30] Esas cosas dominan el pensamiento de los incrédulos

12:6 En griego *Dos ases* [moneda romana equivalente a 1/16 de un denario]. **12:8** «Hijo del Hombre» es un título que Jesús empleaba para referirse a sí mismo.

en todo el mundo, pero su Padre ya conoce sus necesidades. 31 Busquen el reino de Dios por encima de todo lo demás, y él les dará todo lo que necesiten.

32 »Así que no se preocupe, pequeño rebaño. Pues al Padre le da mucha felicidad entregarles el reino.

33 »Vendan sus posesiones y den a los que pasan necesidad. ¡Eso almacenará tesoros para ustedes en el cielo! Y las bolsas celestiales nunca se ponen viejas ni se agujerean. El tesoro de ustedes estará seguro; ningún ladrón podrá robarlo y ninguna polilla, destruirlo. 34 Donde esté su tesoro, allí estarán también los deseos de su corazón.

Preparados para la venida del Señor

35 »Estén vestidos, listos para servir y mantengan las lámparas encendidas, 36 como si esperaran el regreso de su amo de la fiesta de bodas. Entonces estarán listos para abrirle la puerta y dejarlo entrar en el momento que llegue y llame. 37 Los siervos que estén listos y a la espera de su regreso serán recompensados. Les digo la verdad, él mismo les indicará dónde sentarse, se pondrá el delantal y les servirá mientras están a la mesa y comen. 38 Puede ser que llegue en la mitad de la noche o durante la madrugada,* pero cualquiera que sea la hora que llegue, recompensará a los siervos que estén preparados.

39 »Entiendan lo siguiente: si el dueño de una casa supiera exactamente a qué hora viene un ladrón, no dejaría que asaltara su casa. 40 Ustedes también deben estar preparados todo el tiempo, porque el Hijo del Hombre vendrá cuando menos lo esperen.

41 Pedro preguntó:

—Señor, ¿esa ilustración es sólo para nosotros o es para todos?

42 Y el Señor respondió:

—Un siervo fiel y sensato es aquel a quien el amo puede darle la responsabilidad de dirigir a los demás siervos y alimentarlos. 43 Si el amo regresa y encuentra que el siervo ha hecho un buen trabajo, habrá una recompensa. 44 Les digo la verdad, el amo pondrá a ese siervo a cargo de todo lo que posee. 45 ¿Pero qué tal si el siervo piensa: "Mi amo no regresará por un tiempo" y comienza a golpear a los otros siervos, a parrandear y a emborracharse? 46 El amo regresará inesperadamente y sin previo aviso, cortará al siervo en pedazos y lo expulsará junto con los infieles.

47 »Un siervo que sabe lo que su amo quiere, pero no se prepara ni cumple las instrucciones, será severamente castigado. 48 Pero alguien que no lo sabe y hace algo malo, será castigado levemente. Alguien a quien se le ha dado mucho, mucho se le pedirá a cambio; y alguien a quien se le ha confiado mucho, aún más se le exigirá.

Jesús causa división

49 »Yo he venido para encender con fuego el mundo, ¡y quisiera que ya estuviera en llamas! 50 Me espera un terrible bautismo de sufrimiento, y estoy bajo una carga pesada hasta que se lleve a cabo. 51 ¿Piensan que vine a traer paz a la tierra? No, ¡vine a causar división entre las personas! 52 De ahora en adelante, las familias estarán divididas, tres a mi favor y dos en mi contra, o dos a favor y tres en contra.

53 "Habrá divisiones, el padre estará
contra el hijo
y el hijo contra el padre;
la madre contra la hija
y la hija contra la madre;
la suegra contra la nuera,
y la nuera contra la suegra"*.

12:38 En griego *en la segunda o la tercera vigilia.*

12:53 Mi 7:6.

[54]Entonces Jesús se dirigió a la multitud y dijo: «Cuando ustedes ven que se forman nubes en el occidente, dicen: "Viene la lluvia". Y tienen razón. [55]Cuando sopla viento del sur, dicen: "Hoy será un día de mucho calor". Y así sucede. [56]¡Necios! Saben interpretar las señales del clima en la tierra y en los cielos, pero no saben interpretar los tiempos presentes.

[57]»¿Por qué no pueden decidir por ustedes mismos lo que es correcto? [58]Cuando vayan camino al juicio con el que los acusa, traten de resolver el asunto antes de llegar. De no ser así, su acusador podría arrastrarlos ante el juez, quien los entregará a un oficial, que los meterá en la cárcel. [59]Y, si eso sucede, no los pondrán en libertad hasta que hayan pagado el último centavo*».

Un llamado al arrepentimiento

13 En esos días, le informaron a Jesús que Pilato había asesinado a varias personas de Galilea mientras ofrecían sacrificios en el templo. [2]«¿Piensan que esos galileos eran peores pecadores que todas las demás personas de Galilea? —preguntó Jesús—. ¿Por eso sufrieron? [3]¡De ninguna manera! Y ustedes también perecerán a menos que se arrepientan de sus pecados y vuelvan a Dios. [4]¿Y qué piensan de los dieciocho que murieron cuando la torre de Siloé les cayó encima? ¿Acaso eran los peores pecadores de Jerusalén? [5]No, y les digo de nuevo, a menos que se arrepientan, ustedes también perecerán».

Parábola de la higuera estéril

[6]Luego Jesús les contó la siguiente historia: «Un hombre plantó una higuera en su jardín, y regresó varias veces para ver si había dado algún fruto, pero siempre quedaba decepcionado. [7]Finalmente le dijo al jardinero: "Llevo tres años esperando, ¡y no ha producido ni un solo higo! Córtala, sólo ocupa espacio en mi jardín".

[8]»El jardinero respondió: "Señor, dale otra oportunidad. Déjala un año más, y le daré un cuidado especial y mucho fertilizante. [9]Si el año próximo da higos, bien. Si no, entonces puedes cortarla».

Jesús sana en el día de descanso

[10]Cierto día de descanso, mientras Jesús enseñaba en la sinagoga, [11]vio a una mujer que estaba lisiada a causa de un espíritu maligno. Había estado encorvada durante dieciocho años y no podía ponerse derecha. [12]Cuando Jesús la vio, la llamó y le dijo: «Apreciada mujer, ¡estás sanada de tu enfermedad!». [13]Luego la tocó y, al instante, ella pudo enderezarse. ¡Cómo alabó ella al Señor!

[14]En cambio, el líder a cargo de la sinagoga se indignó de que Jesús la sanara en un día de descanso. «Hay seis días en la semana para trabajar —dijo a la multitud—. Vengan esos días para ser sanados, no el día de descanso».

[15]Así que el Señor respondió: «¡Hipócritas! Cada uno de ustedes trabaja el día de descanso. ¿Acaso no desatan su buey o su burro y lo sacan del establo el día de descanso y lo llevan a tomar agua? [16]Esta apreciada mujer, una hija de Abraham, estuvo esclavizada por Satanás durante dieciocho años. ¿No es justo que sea liberada, aun en el día de descanso?».

[17]Esto avergonzó a sus enemigos, pero toda la gente se alegraba de las cosas maravillosas que él hacía.

Parábola de la semilla de mostaza

[18]Entonces Jesús dijo: «¿A qué se parece el reino de Dios? ¿Cómo puedo ilustrarlo? [19]Es como una pequeña semilla

12:59 En griego *último lepton* [la más pequeña de las monedas judías].

de mostaza que un hombre sembró en un jardín; crece y se convierte en un árbol, y los pájaros hacen nidos en las ramas».

Parábola de la levadura

[20]También preguntó: «¿A qué otra cosa se parece el reino de Dios? [21]Es como la levadura que utilizó una mujer para hacer pan. Aunque puso sólo una pequeña porción de levadura en tres medidas de harina, la levadura impregnó toda la masa».

La puerta angosta

[22]Jesús iba enseñando por ciudades y aldeas mientras seguía adelante, camino a Jerusalén. [23]Alguien le preguntó:

—Señor, ¿sólo unos pocos se salvarán?

Él contestó:

[24]—Esfuércense por entrar por la puerta angosta del reino de Dios, porque muchos tratarán de entrar pero fracasarán. [25]Cuando el señor de la casa haya cerrado la puerta, será demasiado tarde. Ustedes quedarán afuera llamando y rogando: "¡Señor, ábrenos la puerta!", pero él contestará: "No los conozco ni sé de dónde vienen". [26]Entonces ustedes dirán: "Pero comimos y bebimos contigo, y enseñaste en nuestras calles". [27]Entonces él responderá: "Les digo que no sé quiénes son ni de dónde vienen. Aléjense de mí, todos ustedes, que hacen maldad".

[28]»Habrá llanto y rechinar de dientes, porque verán a Abraham y a Isaac y a Jacob junto con todos los profetas en el reino de Dios, pero ustedes serán echados fuera. [29]Y vendrán personas de todas partes del mundo —del Oriente y del Occidente, del Norte y del Sur— para ocupar sus lugares en el reino de Dios. [30]Y tomen en cuenta lo siguiente: algunos que ahora parecen menos importantes, en ese día serán los más importantes; y algunos que ahora son los más importantes, en ese día serán los menos importantes.*

Lamento de Jesús por Jerusalén

[31]En ese tiempo, algunos fariseos le dijeron:

—¡Sal de aquí si quieres vivir! ¡Herodes Antipas quiere matarte!

[32]Jesús respondió:

—Vayan y díganle a ese zorro que seguiré expulsando demonios y sanando a la gente hoy y mañana; y al tercer día cumpliré mi propósito. [33]Sí, hoy, mañana y pasado mañana debo seguir mi camino. Pues, después de todo, ¡no se debe matar a un profeta de Dios en un lugar que no sea Jerusalén!

[34]»¡Oh, Jerusalén, Jerusalén, la ciudad que mata a los profetas y apedrea a los mensajeros de Dios! Cuántas veces quise juntar a tus hijos como la gallina protege a sus pollitos debajo de sus alas, pero no me dejaste. [35]Y ahora, mira, tu casa está abandonada. Y no volverás a verme hasta que digas: "Bendiciones al que viene en el nombre del SEÑOR"*.

Jesús sana en el día de descanso

14 Cierto día de descanso, Jesús fue a cenar en la casa de un líder de los fariseos, y la gente lo observaba de cerca. [2]Había allí un hombre que tenía hinchados los brazos y las piernas.* [3]Jesús preguntó a los fariseos y a los expertos de la ley religiosa: «¿Permite o no la ley sanar a la gente el día de descanso?». [4]Como ellos se negaron a contestar, Jesús tocó al hombre enfermo, lo sanó y lo despidió. [5]Después se dirigió a ellos y dijo: «¿Quién de ustedes no trabaja el día de descanso? Si tu hijo* o tu buey cae en un pozo,

13:30 En griego *algunos que son últimos serán primeros, y algunos que son primeros serán últimos.*
13:35 Sal 118:26. **14:2** O *que tenía hidropesía.* **14:5** Algunos manuscritos dicen *burro.*

¿acaso no corres para sacarlo?». [6]Una vez más, ellos no pudieron responder.

Jesús enseña acerca de la humildad

[7]Cuando Jesús vio que todos los invitados a la cena trataban de sentarse en los lugares de honor, cerca de la cabecera de la mesa, les dio el siguiente consejo: [8]«Cuando te inviten a una fiesta de bodas, no te sientes en el lugar de honor. ¿Qué pasaría si invitaron a alguien más distinguido que tú? [9]El anfitrión vendría y te diría: "Cédele tu asiento a esta persona". Te sentirías avergonzado, ¡y tendrías que sentarte en cualquier otro lugar que haya quedado libre al final de la mesa!

[10]»Más bien, ocupa el lugar más humilde, al final de la mesa. Entonces, cuando el anfitrión te vea, vendrá y te dirá: "¡Amigo, tenemos un lugar mejor para ti!" Entonces serás honrado delante de todos los demás invitados. [11]Pues aquellos que se exaltan a sí mismos serán humillados, y los que se humillan a sí mismos serán exaltados».

[12]Luego Jesús se dirigió al anfitrión: «Cuando ofrezcas un almuerzo o des un banquete —le dijo—, no invites a tus amigos, hermanos, parientes y vecinos ricos. Pues ellos también te invitarán a ti, y ésa será tu única recompensa. [13]Al contrario, invita al pobre, al lisiado, al cojo y al ciego. [14]Luego, en la resurrección de los justos, Dios te recompensará por invitar a los que no podían devolverte el favor».

Parábola de la gran fiesta

[15]Al oír esto, un hombre que estaba sentado a la mesa con Jesús exclamó: «¡Qué bendición será participar de un banquete* en el reino de Dios!».

[16]Jesús respondió con la siguiente historia: «Un hombre preparó una gran fiesta y envió muchas invitaciones. [17]Cuando el banquete estuvo listo, envió a su sirviente a decirles a los invitados: "Vengan, el banquete está preparado"; [18]pero todos comenzaron a poner excusas. Uno dijo: "Acabo de comprar un campo y debo ir a inspeccionarlo. Por favor, discúlpame". [19]Otro dijo: "Acabo de comprar cinco yuntas de bueyes y quiero ir a probarlas. Por favor, discúlpame". [20]Otro dijo: "Acabo de casarme, así que no puedo ir".

[21]»El sirviente regresó y le informó a su amo lo que le habían dicho. Su amo se puso furioso y le dijo: "Ve rápido a las calles y callejones de la ciudad e invita a los pobres, a los lisiados, a los ciegos y a los cojos". [22]Después de hacerlo, el sirviente informó: "Todavía queda lugar para más personas". [23]Entonces su amo dijo: "Ve por los senderos y detrás de los arbustos y a cualquiera que veas, insístele que venga para que la casa esté llena. [24]Pues ninguno de mis primeros invitados probará ni una migaja de mi banquete"».

El costo de ser discípulo

[25]Una gran multitud seguía a Jesús. Él se dio vuelta y les dijo: [26]«Si quieres ser mi discípulo, debes aborrecer a los demás —a tu padre y madre, esposa e hijos, hermanos y hermanas— sí, hasta tu propia vida. De lo contrario, no puedes ser mi discípulo. [27]Además, si no cargas tu propia cruz y me sigues, no puedes ser mi discípulo.

[28]»Sin embargo, no comiences sin calcular el costo. Pues, ¿quién comenzaría a construir un edificio sin primero calcular el costo para ver si hay suficiente dinero para terminarlo? [29]De no ser así, tal vez termines sólo los cimientos antes de quedarte sin dinero, y entonces todos se reirán de ti. [30]Dirán: "¡Ahí está el que comenzó un edificio y no pudo terminarlo!".

14:15 En griego *comer pan*.

[31]»¿O qué rey entraría en guerra con otro rey sin primero sentarse con sus consejeros para evaluar si su ejército de diez mil puede vencer a los veinte mil soldados que marchan contra él? [32]Y, si no puede, enviará una delegación para negociar las condiciones de paz mientras el enemigo todavía esté lejos. [33]Así que no puedes convertirte en mi discípulo sin dejar todo lo que posees.

[34]»La sal es buena para condimentar, pero si pierde su sabor, ¿cómo la harán salada de nuevo? [35] La sal sin sabor no sirve ni para la tierra ni para el abono. Se tira. ¡El que tenga oídos para oír debe escuchar y entender!».

Parábola de la oveja perdida

15 Los cobradores de impuestos y otros pecadores de mala fama a menudo venían a escuchar las enseñanzas de Jesús. [2]Por eso los fariseos y los maestros de la ley religiosa se quejaban de que Jesús se juntaba con semejantes pecadores, ¡y hasta comía con ellos!

[3]Entonces Jesús les contó la siguiente historia: [4]«Si un hombre tiene cien ovejas y una de ellas se pierde, ¿qué hará? ¿No dejará las otras noventa y nueve en el desierto y saldrá a buscar la perdida hasta que la encuentre? [5]Y, cuando la encuentre, la cargará con alegría en sus hombros y la llevará a su casa. [6]Cuando llegue, llamará a sus amigos y vecinos y les dirá: "Alégrense conmigo porque encontré mi oveja perdida". [7]De la misma manera, ¡hay más alegría en el cielo por un pecador perdido que se arrepiente y regresa a Dios que por noventa y nueve justos que no se extraviaron!

Parábola de la moneda perdida

[8]»O supongamos que una mujer tiene diez monedas de plata* y pierde una. ¿No encenderá una lámpara y barrerá toda la casa y buscará con cuidado hasta que la encuentre? [9]Y, cuando la encuentre, llamará a sus amigos y vecinos y les dirá: "¡Alégrense conmigo porque encontré mi moneda perdida!". [10]De la misma manera, hay alegría en presencia de los ángeles de Dios cuando un solo pecador se arrepiente».

Parábola del hijo perdido

[11]Para ilustrar mejor esa enseñanza, Jesús les contó la siguiente historia: «Un hombre tenía dos hijos. [12]El hijo menor le dijo al padre: "Quiero la parte de mi herencia ahora, antes de que mueras". Entonces el padre accedió a dividir sus bienes entre sus dos hijos.

[13]»Pocos días después, el hijo menor empacó sus pertenencias y se mudó a una tierra distante, donde derrochó todo su dinero en una vida desenfrenada. [14]Al mismo tiempo que se le acabó el dinero, hubo una gran hambruna en todo el país, y él comenzó a morirse de hambre. [15]Convenció a un agricultor local de que lo contratara, y el hombre lo envió al campo para que diera de comer a sus cerdos. [16]El joven llegó a tener tanta hambre que hasta las algarrobas con las que alimentaba a los cerdos le parecían buenas para comer, pero nadie le dio nada.

[17]»Cuando finalmente entró en razón, se dijo a sí mismo: "En casa, hasta los jornaleros tienen comida de sobra, ¡y aquí estoy yo, muriéndome de hambre! [18]Volveré a la casa de mi padre y le diré: 'Padre, he pecado contra el cielo y contra ti. [19]Ya no soy digno de que me llamen tu hijo. Te ruego que me contrates como jornalero'".

[20]»Entonces regresó a la casa de su padre, y cuando todavía estaba lejos, su padre lo vio llegar. Lleno de amor y de

15:8 En griego *diez dracmas*. Una dracma equivalía a la paga de una jornada completa de trabajo.

compasión, corrió hacia su hijo, lo abrazó y lo besó. [21]Su hijo le dijo: "Padre, he pecado contra el cielo y contra ti, y ya no soy digno de que me llamen tu hijo"*.

[22]»Sin embargo, su padre dijo a los sirvientes: "Rápido, traigan la mejor túnica que haya en la casa y vístanlo. Consigan un anillo para su dedo y sandalias para sus pies. [23]Maten el ternero que hemos engordado. Tenemos que celebrar con un banquete, [24]porque este hijo mío estaba muerto y ahora ha vuelto a la vida; estaba perdido y ahora ha sido encontrado". Entonces comenzó la fiesta.

[25]»Mientras tanto, el hijo mayor estaba trabajando en el campo. Cuando regresó, oyó el sonido de música y baile en la casa, [26]y preguntó a uno de los sirvientes qué pasaba. [27]"Tu hermano ha vuelto —le dijo— y tu padre mató el ternero engordado. Celebramos porque llegó a salvo".

[28]»El hermano mayor se enojó y no quiso entrar. Su padre salió y le suplicó que entrara, [29]pero él respondió: "Todos estos años, he trabajado para ti como un burro y nunca me negué a hacer nada de lo que me pediste. Y, en todo ese tiempo, no me diste ni un cabrito para festejar con mis amigos. [30]Sin embargo, cuando este hijo tuyo regresa después de haber derrochado tu dinero en prostitutas, ¡matas el ternero engordado para celebrar!".

[31]»Su padre le dijo: "Mira, querido hijo, tú siempre has estado a mi lado y todo lo que tengo es tuyo. [32]Teníamos que celebrar este día feliz. ¡Pues tu hermano estaba muerto y ha vuelto a la vida! ¡Estaba perdido y ahora ha sido encontrado!"».

Parábola del administrador astuto

16 Jesús les contó la siguiente historia a sus discípulos: «Había cierto hombre rico que tenía un administrador que manejaba sus negocios. Un día llegó la noticia de que el administrador estaba malgastando el dinero de su patrón. [2]Entonces el patrón lo llamó y le dijo: "¿Qué es esto que oigo acerca de ti? Prepara un informe final porque voy a despedirte".

[3]»El administrador pensó: "¿Y ahora qué haré? Mi jefe me ha despedido. No tengo fuerzas para cavar zanjas y soy demasiado orgulloso para mendigar. [4]Ah, ya sé cómo asegurarme de que tendré muchos amigos que me recibirán en sus casas cuando mi patrón me despida.

[5]»Entonces invitó a todo el que le debía dinero a su patrón para conversar sobre la situación. Le preguntó al primero: "¿Cuánto debes a mi patrón?"[6]El hombre contestó: "Le debo tres mil litros de aceite de oliva". Entonces el administrador le dijo: "Toma la factura y cámbiala a mil quinientos litros".*

[7]»Le preguntó al siguiente: "¿Cuánto le debes tú?" "Le debo mil medidas de trigo", respondió. "Toma la factura y cámbiala a ochocientas medidas", le dijo.*

[8]»El hombre rico tuvo que admirar a este pícaro deshonesto por su astucia. Y la verdad es que los hijos de este mundo son más astutos al lidiar con el mundo que los rodea que los hijos de la luz. [9]Aquí está la lección: usen sus recursos mundanos para beneficiar a otros y para hacer amigos. Entonces, cuando esas posesiones terrenales se acaben, ellos les darán la bienvenida a un hogar eterno.*

[10]»Si son fieles en las cosas pequeñas, serán fieles en las grandes; pero si son deshonestos en las cosas pequeñas, no actuarán con honradez en las responsabilidades más grandes. [11]Entonces, si no son confiables con las riquezas mundanas, ¿quién les confiará las verdaderas

15:21 Algunos manuscritos incluyen *Por favor, contrátame como jornalero.* **16:6** En griego *cien batos [...] cincuenta [batos].* **16:7** En griego *cien coros [...] ochenta [coros].* **16:9** O *serán bienvenidos en los hogares eternos.*

riquezas del cielo?; [12]y si no son fieles con las cosas de otras personas, ¿por qué se les debería confiar lo que es de ustedes?

[13]»Nadie puede servir a dos amos. Pues odiará a uno y amará al otro; será leal a uno y despreciará al otro. No se puede servir a Dios y al dinero».

[14]Los fariseos, que amaban mucho su dinero, oyeron todo eso y se burlaron de Jesús. [15]Entonces él les dijo: «A ustedes les encanta aparecer como personas rectas en público, pero Dios conoce el corazón. Lo que este mundo honra es detestable a los ojos de Dios.

[16]»Hasta el tiempo de Juan el Bautista, la ley de Moisés y el mensaje de los profetas fueron sus guías; pero ahora se predica la Buena Noticia del reino de Dios, y todos están ansiosos por entrar.* [17]Eso no significa que la ley haya perdido su fuerza. Es más fácil que el cielo y la tierra desaparezcan, a que el más pequeño punto de la ley de Dios sea anulado.

[18]»Por ejemplo, un hombre que se divorcia de su esposa y se casa con otra comete adulterio; y el que se case con una mujer divorciada de su esposo comete adulterio».

Parábola del rico y Lázaro

[19]Jesús dijo: «Había un hombre rico que se vestía con gran esplendor en púrpura y lino de la más alta calidad y vivía rodeado de lujos. [20]Tirado a la puerta de su casa había un hombre pobre llamado Lázaro, quien estaba cubierto de llagas. [21]Mientras Lázaro estaba tendido, deseando comer las sobras de la mesa del hombre rico, los perros venían y le lamían las llagas abiertas.

[22]»Con el tiempo, el hombre pobre murió, y los ángeles lo llevaron a estar con Abraham.* El hombre rico también murió y fue enterrado, [23]y su alma fue al lugar de los muertos.* Allí, en medio del tormento, vio a Abraham a lo lejos con Lázaro junto a él.

[24]»El hombre rico gritó: "¡Padre Abraham, ten piedad! Envíame a Lázaro para que moje la punta de su dedo en agua y refresque mi lengua. Estoy en angustia en estas llamas".

[25]»Abraham le dijo: "Hijo, recuerda que tuviste todo lo que quisiste durante tu vida, y Lázaro no tuvo nada. Ahora él está aquí recibiendo consuelo y tú estás en angustia. [26]Además, hay un gran abismo que nos separa. Ninguno de nosotros puede cruzar hasta allí, y ninguno de ustedes puede cruzar hasta aquí".

[27]»Entonces el hombre rico dijo: "Por favor, padre Abraham, al menos envíalo a la casa de mi padre. [28]Tengo cinco hermanos y quiero advertirles que no terminen en este lugar de tormento".

[29]»Abraham le dijo: "Moisés y los profetas ya les advirtieron. Tus hermanos pueden leer lo que ellos escribieron".

[30]»El hombre rico respondió: "¡No, padre Abraham! Pero si se les envía a alguien de los muertos ellos se arrepentirán de sus pecados y volverán a Dios".

[31]»Pero Abraham le dijo: "Si no escuchan a Moisés y a los profetas, no escucharán por más que alguno se levantara de los muertos"».

Enseñanzas acerca del perdón y la fe

17 Cierto día, Jesús dijo a sus discípulos: «Siempre habrá tentaciones para pecar, ¡pero qué aflicción le espera a la persona que provoca la tentación! [2]Sería mejor que se arrojara al mar con una piedra de molino alrededor del cuello que hacer que uno de estos pequeños caiga en pecado. [3]Así que, ¡cuídense!

»Si un creyente* peca, repréndelo; luego, si hay arrepentimiento, perdónalo.

16:16 O *y a todos se les urge entrar.* **16:22** En griego *al seno de Abraham.* **16:23** En griego *al Hades.* **17:3** En griego *Si tu hermano.*

[4]Aun si la persona te agravia siete veces al día y cada vez regresa y te pide perdón, debes perdonarla».

[5]Los apóstoles le dijeron al Señor:

—Muéstranos cómo aumentar nuestra fe.

[6]El Señor respondió:

—Si tuvieran fe, aunque fuera tan pequeña como una semilla de mostaza, podrían decirle a este árbol: "Desarráigate y échate al mar", ¡y les obedecería!

[7] »Cuando un sirviente vuelve de arar o de cuidar las ovejas, ¿acaso su patrón le dice: "Ven y come conmigo"? [8]No, le dirá: "Prepara mi comida, ponte el delantal y sírveme mientras como. Luego puedes comer tú". [9]¿Y le agradece el amo al sirviente por hacer lo que se le dijo que hiciera? Por supuesto que no. [10]De la misma manera, cuando ustedes me obedecen, deben decir: "Somos siervos indignos que simplemente cumplimos con nuestro deber".

Diez leprosos son sanados

[11]Mientras Jesús seguía camino a Jerusalén, llegó a la frontera entre Galilea y Samaria. [12]Al entrar en una aldea, diez leprosos se quedaron a la distancia, [13]gritando:

—¡Jesús! ¡Maestro! ¡Ten compasión de nosotros!

[14]Jesús los miró y dijo:

—Vayan y preséntense a los sacerdotes.*

Y, mientras ellos iban, quedaron limpios de la lepra.

[15]Uno de ellos, cuando vio que estaba sano, volvió a Jesús, y exclamó: «¡Alaben a Dios!». [16]Y cayó al suelo, a los pies de Jesús, y le agradeció por lo que había hecho. Ese hombre era samaritano.

[17]Jesús preguntó: «¿No sané a diez hombres? ¿Dónde están los otros nueve? [18]¿Ninguno volvió para darle gloria a Dios excepto este extranjero?». [19]Y Jesús le dijo al hombre: «Levántate y sigue tu camino. Tu fe te ha sanado»*.

La venida del reino

[20]Un día, los fariseos le preguntaron a Jesús:

—¿Cuándo vendrá el reino de Dios?

Jesús contestó:

—No pueden descubrir el reino de Dios por medio de señales visibles.* [21]Nunca podrán decir: "¡Aquí está!" o "¡Está por allí!", porque el reino de Dios ya está entre ustedes.*

[22]Entonces dijo a sus discípulos: «Se acerca el tiempo en que desearán ver el día que el Hijo del Hombre regrese,* pero no lo verán. [23]Algunos les dirán: "Miren, allí está el Hijo del Hombre" o "Aquí está", pero no los sigan. [24]Pues, así como el relámpago destella e ilumina el cielo de un extremo a otro, así será el día cuando venga el Hijo del Hombre. [25]Pero primero el Hijo del Hombre tiene que sufrir terriblemente* y ser rechazado por esta generación.

[26]»Cuando el Hijo del Hombre regrese, será como en los días de Noé. [27]En esos días, la gente disfrutaba de banquetes, fiestas y casamientos, hasta el momento en que Noé entró en su barco y llegó el diluvio y los destruyó a todos.

[28]»El mundo será como en los días de Lot, cuando las personas se ocupaban de sus quehaceres diarios —comían y bebían, compraban y vendían, cultivaban y edificaban— [29]hasta la mañana en que Lot salió de Sodoma. Entonces llovió del cielo fuego y azufre ardiente, y destruyó

17:14 Ver Lv 14:2-32. **17:19** O *Tu fe te ha salvado.* **17:20** O *por sus especulaciones.* **17:21** O *está dentro de ustedes,* o *está a su alcance.* **17:22** O *desearán aunque sea un día con el Hijo del Hombre.* «Hijo del Hombre» es un título que Jesús empleaba para referirse a sí mismo. **17:25** O *sufrir muchas cosas.*

a todos. [30]Sí, será "todo como siempre" hasta el día en que se manifieste el Hijo del Hombre. [31]Ese día, la persona que esté en la azotea no baje a la casa para empacar. La persona que esté en el campo no regrese a su casa. [32]¡Recuerden lo que le pasó a la esposa de Lot! [33]Si se aferran a su vida, la perderán; pero si dejan de aferrarse a su vida, la salvarán. [34]Esa noche, dos personas estarán durmiendo en una misma cama; una será llevada y la otra, dejada. [35]Dos mujeres estarán moliendo harina juntas en un molino; una será llevada, la otra será dejada».*

[37]Los discípulos le preguntaron:

—¿Dónde sucederá eso, Señor?*

Jesús les contestó:

—Así como los buitres, cuando se juntan, indican que hay un cadáver cerca, de la misma manera, esas señales revelan que el fin está cerca.*

Parábola de la viuda persistente

18 Cierto día, Jesús les contó una historia a sus discípulos para mostrarles que siempre debían orar y nunca darse por vencidos. [2]«Había un juez en cierta ciudad —dijo—, que no tenía temor de Dios ni se preocupaba por la gente. [3]Una viuda de esa ciudad acudía a él repetidas veces para decirle: "Hágame justicia en este conflicto con mi enemigo". [4]Durante un tiempo, el juez no le hizo caso, hasta que finalmente se dijo a sí mismo: "No temo a Dios ni me importa la gente, [5]pero esta mujer me está volviendo loco. Me ocuparé de que reciba justicia, ¡porque me está agotando con sus constantes peticiones!"».

[6]Entonces el Señor dijo: «Aprendan una lección de este juez injusto. [7]Si hasta él dio un veredicto justo al final, ¿acaso no creen que Dios hará justicia a su pueblo escogido que clama a él día y noche? ¿Seguirá aplazando su respuesta? [8]Les digo, ¡que pronto les hará justicia! Pero cuando el Hijo del Hombre* regrese, ¿a cuántas personas con fe encontrará en la tierra?».

Parábola del fariseo y el cobrador de impuestos

[9]Luego Jesús contó la siguiente historia a algunos que tenían mucha confianza en su propia rectitud y despreciaban a los demás: [10]«Dos hombres fueron al templo a orar. Uno era fariseo, y el otro era un despreciado cobrador de impuestos. [11]El fariseo, de pie, apartado de los demás, hizo la siguiente oración:* "Te agradezco Dios, que no soy un pecador como todos los demás. Pues no engaño, no peco y no cometo adulterio. ¡Para nada soy como ese cobrador de impuestos! [12]Ayuno dos veces a la semana y te doy el diezmo de mis ingresos".

[13]»En cambio, el cobrador de impuestos se quedó a la distancia y ni siquiera se atrevía a levantar la mirada al cielo mientras oraba. Sino que golpeó su pecho en señal de dolor mientras decía: "Oh, Dios, ten compasión de mí, porque soy un pecador". [14]Les digo que fue este pecador —y no el fariseo— quien regresó a su casa justificado delante de Dios. Pues los que se exaltan a sí mismos serán humillados, y los que se humillan serán exaltados».

Jesús bendice a los niños

[15]Cierto día, algunos padres llevaron a sus hijitos a Jesús para que él los tocara y los bendijera; pero cuando los discípulos

17:35 Algunos manuscritos incluyen el versículo 36: *Dos hombres estarán trabajando en el campo; uno será llevado, el otro será dejado.* Comparar Mt 24:40. **17:37a** En griego *—¿Dónde, Señor?* **17:37b** En griego *—Donde hay un cadáver, allí se juntan los buitres.* **18:8** «Hijo del Hombre» es un título que Jesús empleaba para referirse a sí mismo. **18:11** Algunos manuscritos dicen *se puso de pie e hizo esta oración para sí mismo.*

vieron esto, regañaron a los padres por molestarlo.

[16]Entonces Jesús llamó a los niños y dijo a los discípulos: «Dejen que los niños vengan a mí. ¡No los detengan! Pues el reino de Dios pertenece a los que son como estos niños. [17]Les digo la verdad, el que no reciba el reino de Dios como un niño nunca entrará en él».

El hombre rico

[18]Cierta vez, un líder religioso le hizo a Jesús la siguiente pregunta:

—Maestro bueno, ¿qué debería hacer para heredar la vida eterna?

[19]—¿Por qué me llamas bueno? —le preguntó Jesús—. Sólo Dios es verdaderamente bueno; [20]pero para contestar a tu pregunta, tú conoces los mandamientos: "No cometas adulterio; no asesines; no robes; no des falso testimonio; honra a tu padre y a tu madre"*.

[21]El hombre respondió:

—He obedecido todos esos mandamientos desde que era joven.

[22]Cuando Jesús oyó su respuesta, le dijo:

—Hay una cosa que todavía no has hecho. Vende todas tus posesiones y entrega el dinero a los pobres, y tendrás tesoro en el cielo. Después ven y sígueme.

[23]Cuando el hombre oyó esto, se puso triste porque era muy rico.

[24]Jesús lo vio* y dijo: «¡Qué difícil es para los ricos entrar en el reino de Dios! [25]De hecho, ¡es más fácil que un camello pase por el ojo de una aguja que un rico entre en el reino de Dios!».

[26]Los que lo oyeron, dijeron: «Entonces, ¿quién podrá ser salvo?».

[27]Él contestó: «Lo que es imposible para las personas es posible para Dios».

[28]Pedro dijo:

—Nosotros hemos dejado nuestros hogares para seguirte.

[29]—Así es —respondió Jesús—, y les aseguro que todo el que haya dejado casa o esposa o hermanos o padres o hijos por causa del reino de Dios [30]recibirá mucho más en esta vida y tendrá la vida eterna en el mundo que vendrá.

Jesús predice otra vez su muerte

[31]Jesús llevó a los doce discípulos aparte y dijo: «Escuchen, subimos a Jerusalén, donde todas las predicciones de los profetas acerca del Hijo del Hombre se harán realidad. [32]Será entregado a los romanos,* y se burlarán de él, lo tratarán de manera vergonzosa y lo escupirán. [33]Lo azotarán con un látigo y lo matarán, pero al tercer día resucitará».

[34]Sin embargo, ellos no entendieron nada de esto. La importancia de sus palabras estaba oculta de ellos, y no captaron lo que decía.

Jesús sana a un mendigo ciego

[35]Al acercarse Jesús a Jericó, un mendigo ciego estaba sentado junto al camino. [36]Cuando oyó el ruido de la multitud que pasaba, preguntó qué sucedía. [37]Le dijeron que Jesús de Nazaret,* pasaba por allí. [38]Entonces comenzó a gritar: «¡Jesús, hijo de David, ten compasión de mí!».

[39]«¡Cállate!», le gritaba la gente que estaba más adelante.

Sin embargo, él gritó aún más fuerte: «¡Hijo de David, ten compasión de mí!».

[40]Cuando Jesús lo oyó, se detuvo y ordenó que le trajeran al hombre. Al acercarse el ciego, Jesús le preguntó:

[41]—¿Qué quieres que haga por ti?

—Señor —le dijo—, ¡quiero ver!

[42]Jesús le dijo:

18:20 Ex 20:12-16; Dt 5:16-20. **18:24** Algunos manuscritos dicen *Cuando Jesús vio lo triste que estaba el hombre.* **18:32** En griego *los gentiles.* (*Gentil[es]*, que no es judío). **18:37** O *Jesús nazareno.*

—Bien, recibe la vista. Tu fe te ha sanado.

[43]Al instante el hombre pudo ver y siguió a Jesús mientras alababa a Dios. Y todos los que lo vieron también alabaron a Dios.

Jesús y Zaqueo

19 Jesús entró en Jericó y comenzó a pasar por la ciudad. [2]Había allí un hombre llamado Zaqueo. Era jefe de los cobradores de impuestos de la región y se había hecho muy rico. [3]Zaqueo trató de mirar a Jesús pero era de poca estatura y no podía ver por encima de la multitud. [4]Así que se adelantó corriendo y se subió a una higuera sicómoro que estaba junto al camino, porque Jesús iba a pasar por allí.

[5]Cuando Jesús pasó, miró a Zaqueo y lo llamó por su nombre: «¡Zaqueo! —le dijo—, ¡baja enseguida! Debo hospedarme hoy en tu casa».

[6]Zaqueo bajó rápidamente y, lleno de entusiasmo y alegría, llevó a Jesús a su casa; [7]pero la gente estaba disgustada, y murmuraba: «Fue a hospedarse en la casa de un pecador de mala fama».

[8]Mientras tanto, Zaqueo se puso de pie delante del Señor y dijo:

—Señor, daré la mitad de mi riqueza a los pobres y, si estafé a alguien con sus impuestos, le devolveré cuatro veces más.

[9]Jesús respondió:

—La salvación ha venido hoy a esta casa, porque este hombre ha demostrado ser un verdadero hijo de Abraham. [10]Pues el Hijo del Hombre* vino a buscar y a salvar a los que están perdidos.

Parábola de los diez siervos

[11]La multitud escuchaba todo lo que Jesús decía, y como ya se acercaba a Jerusalén, les contó una historia para corregir la idea de que el reino de Dios comenzaría de inmediato. [12]Les dijo: «Un hombre de la nobleza fue llamado a un país lejano para ser coronado rey y luego regresar. [13]Antes de partir, reunió a diez de sus siervos y dividió entre ellos cinco kilos de plata,* diciéndoles: "Inviertan esto por mí mientras estoy de viaje"; [14]pero sus súbditos lo odiaban y enviaron una delegación tras él a decir: "No queremos que él sea nuestro rey".

[15]»Después de que lo coronaran rey, volvió y llamó a los siervos a quienes les había dado el dinero. Quería saber qué ganancias habían tenido. [16]El primer siervo informó: "Amo, invertí su dinero, ¡y multipliqué diez veces el monto inicial!".

[17]»"¡Bien hecho! —exclamó el rey—. Eres un buen siervo. Has sido fiel con lo poco que te confié, así que como recompensa serás gobernador de diez ciudades".

[18]»El siguiente siervo informó: "Amo, invertí su dinero y multipliqué cinco veces el monto original".

[19]»"¡Bien hecho! —exclamó el rey—. Serás gobernador de cinco ciudades".

[20]»Pero el tercer siervo trajo sólo la suma original y dijo: "Amo, escondí su dinero para protegerlo. [21]Tenía miedo, porque usted es un hombre muy difícil de tratar, que toma lo que no es suyo y cosecha lo que no sembró".

[22]»"¡Siervo perverso! —dijo el rey a gritos—. Tus propias palabras te condenan. Si sabías que era un hombre duro que tomo lo que no es mío y cosecho lo que no sembré, [23]¿por qué no depositaste mi dinero en el banco? Al menos hubiera podido obtener algún interés de él".

[24]»Luego, dirigiéndose a los otros que estaban cerca, el rey ordenó: "Quiten el

19:10 «Hijo del Hombre» es un título que Jesús empleaba para referirse a sí mismo. **19:13** En griego *diez minas;* una mina equivalía aproximadamente a tres meses de salario.

dinero de este siervo y dénselo al que tiene cinco kilos".

[25]»"Pero amo —le dijeron—, él ya tiene cinco kilos".

[26]»"Sí —respondió el rey—, y a los que usan bien lo que se les da, se les dará aún más; pero a los que no hacen nada se les quitará aun lo poco que tienen. [27]En cuanto a esos enemigos míos que no querían que yo fuera su rey, tráiganlos y ejecútenlos aquí mismo en mi presencia"».

Entrada triunfal de Jesús

[28]Después de contar esa historia, Jesús siguió rumbo a Jerusalén, caminando delante de sus discípulos. [29]Al llegar a las ciudades de Betfagé y Betania, en el monte de los Olivos, mandó a dos discípulos que se adelantaran. [30]«Vayan a la aldea que está allí —les dijo—. Al entrar, verán un burrito atado, que nadie ha montado jamás. Desátenlo y tráiganlo aquí. [31]Si alguien les pregunta: "¿Por qué desatan al burrito?", simplemente digan: "El Señor lo necesita"».

[32]Así que ellos fueron y encontraron el burrito tal como lo había dicho el Señor. [33]Y, efectivamente, mientras lo desataban, los dueños les preguntaron:

—¿Por qué desatan ese burrito?

[34]Y los discípulos simplemente contestaron:

—El Señor lo necesita.

[35]Entonces le llevaron el burrito a Jesús y pusieron sus prendas encima para que él lo montara.

[36]A medida que Jesús avanzaba, la multitud tendía sus prendas sobre el camino delante de él. [37]Cuando llegó a donde comienza la bajada del monte de los Olivos, todos sus seguidores empezaron a gritar y a cantar mientras alababan a Dios por todos los milagros maravillosos que habían visto.

[38] «¡Bendiciones al Rey que viene en el
nombre del SEÑOR!
¡Paz en el cielo y gloria en el cielo
más alto!»*.

[39]Algunos de los fariseos que estaban entre la multitud decían:

—¡Maestro, reprende a tus seguidores por decir cosas como ésas!

[40]Jesús les respondió:

—Si ellos se callaran, las piedras a lo largo del camino se pondrían a aclamar.

Jesús llora por Jerusalén

[41]Al acercarse a Jerusalén, Jesús vio la ciudad delante de él y comenzó a llorar, diciendo: [42]«¡Cómo quisiera que hoy tú, entre todos los pueblos, entendieras el camino de la paz! Pero ahora es demasiado tarde, y la paz está oculta a tus ojos. [43]No pasará mucho tiempo antes de que tus enemigos construyan murallas que te rodeen y te encierren por todos lados. [44]Te aplastarán contra el suelo, y a tus hijos contigo. Tus enemigos no dejarán una sola piedra en su lugar, porque no aceptaste tu oportunidad de salvación».

Jesús limpia el templo

[45]Luego Jesús entró en el templo y comenzó a echar a los que vendían animales para los sacrificios. [46]Les dijo: «Las Escrituras declaran: "Mi templo será una casa de oración", pero ustedes lo han convertido en una cueva de ladrones»*.

[47]Después de eso, enseñó todos los días en el templo, pero los principales sacerdotes y los maestros de la ley religiosa, junto con los otros líderes del pueblo, comenzaron a planificar cómo matarlo; [48]pero no se les ocurría nada, porque el pueblo prestaba mucha atención a cada palabra que él decía.

19:38 Sal 118:26; 148:1. **19:46** Is 56:7; Jr 7:11.

La autoridad de Jesús es desafiada

20 Cierto día, mientras Jesús enseñaba a la gente y predicaba la Buena Noticia en el templo, los principales sacerdotes, los maestros de la ley religiosa y los ancianos se le acercaron.

[2]—¿Con qué autoridad haces todas estas cosas? —le reclamaron—. ¿Quién te dio el derecho?

[3]—Primero, déjenme hacerles una pregunta —les respondió él—. [4]La autoridad de Juan para bautizar, ¿provenía del cielo o era meramente humana?

[5]Ellos discutieron el asunto unos con otros: «Si decimos que provenía del cielo, preguntará por qué nosotros no le creímos a Juan, [6]pero si decimos que era meramente humana, la gente nos apedreará, porque están convencidos de que Juan era un profeta». [7]Entonces finalmente contestaron que no sabían.

[8]Jesús respondió:

—Entonces yo tampoco les diré con qué autoridad hago estas cosas.

Parábola de los agricultores malvados

[9]Jesús se dirigió nuevamente a la gente y les contó la siguiente historia: «Un hombre plantó un viñedo, lo alquiló a unos agricultores arrendatarios y se mudó a vivir a otro país por varios años. [10]Llegado el tiempo de la cosecha de la uva, envió a uno de sus siervos para recoger su parte de la cosecha; pero los agricultores atacaron al siervo, le dieron una paliza y lo mandaron de regreso con las manos vacías. [11]Así que el dueño envió a otro siervo, pero a éste también lo insultaron, le dieron una paliza y lo despacharon con las manos vacías. [12]Se envió a un tercer hombre, a quien lastimaron y echaron a patadas.

[13]»"¿Qué haré? —se preguntó el dueño—. ¡Ya sé! Enviaré a mi querido hijo. Sin duda a él lo respetarán".

[14]»Sin embargo, cuando los agricultores vieron al hijo, se dijeron unos a otros: "Aquí viene el heredero de esta propiedad. ¡Matémoslo y nos quedaremos con la propiedad!". [15]Entonces lo arrastraron fuera del viñedo y lo asesinaron.

»¿Qué creen ustedes que hará con ellos el dueño del viñedo? —preguntó Jesús—. [16]Les diré: irá y matará a esos agricultores y alquilará el viñedo a otros».

—¡Qué terrible que suceda algo así! —protestaron los oyentes.

[17]Jesús los miró y les dijo:

—Entonces, ¿a qué se refiere la siguiente Escritura:

"La piedra que los constructores
rechazaron
ahora se ha convertido en la piedra
principal"?*

[18]Todo el que tropiece con esa piedra se hará pedazos, y la piedra aplastará a quienes les caiga encima.

[19]Los maestros de la ley religiosa y principales sacerdotes querían arrestar a Jesús en ese mismo momento, porque se dieron cuenta de que contaba esa historia en contra de ellos, pues ellos eran los agricultores malvados; pero tenían miedo de la reacción de la gente.

Los impuestos para el César

[20]Esperando su oportunidad, los líderes mandaron espías que se hicieron pasar por hombres sinceros. Trataban de hacer que Jesús dijera algo que pudieran informar al gobernador de Roma para que lo arrestara.

[21]—Maestro —le dijeron—, sabemos que dices y enseñas lo que es correcto y no te dejas influir por lo que piensan otros. Enseñas con verdad el camino de Dios. [22]Ahora dinos, ¿es correcto que paguemos impuestos al César o no?

20:17 Sal 118:22.

[23]Jesús se dio cuenta de la trampa y dijo:

[24]—Muéstrenme una moneda romana.* ¿A quién pertenecen la imagen y el título grabados en la moneda?

—Al César —contestaron.

[25]—Bien —dijo—, entonces den al César lo que pertenece al César y den a Dios lo que pertenece a Dios.

[26]Así que no pudieron atraparlo por lo que decía en público. En cambio, quedaron asombrados de su respuesta y se callaron.

Discusión sobre la resurrección

[27]Después se acercaron a Jesús algunos saduceos, líderes religiosos que dicen que no hay resurrección de los muertos. [28]Le plantearon la siguiente pregunta:

—Maestro, Moisés nos dio una ley que dice que si un hombre muere y deja a una esposa sin haber tenido hijos, su hermano debe casarse con la viuda y darle un hijo para que el nombre del hermano continúe.* [29]Ahora bien, supongamos que había siete hermanos. El mayor se casó y murió sin dejar hijos. [30]Entonces el segundo hermano se casó con la viuda, pero él también murió. [31]Luego el tercer hermano se casó con ella. Lo mismo sucedió con los siete, quienes murieron sin dejar hijos. [32]Por último, la mujer también murió. [33]Entonces dinos, ¿de quién será esposa en la resurrección? ¡Pues los siete estuvieron casados con ella!

[34]Jesús respondió:

—El matrimonio es para las personas aquí en la tierra; [35]pero en el mundo que vendrá, los que sean dignos de ser levantados de los muertos no se casarán, ni se darán en casamiento, [36]ni volverán a morir. En este sentido, serán como ángeles. Ellos son hijos de Dios e hijos de la resurrección.

[37]»Ahora bien, en cuanto a si los muertos resucitarán, hasta Moisés demostró esto cuando escribió acerca de la zarza que ardía. Mucho después de que Abraham, Isaac y Jacob murieron, él se refirió al Señor* como "el Dios de Abraham, el Dios de Isaac y el Dios de Jacob"*. [38]Por lo tanto, él es Dios de los que están vivos, no de los muertos, porque todos están vivos para él.

[39]«¡Bien dicho, Maestro!», comentaron algunos de los maestros de la ley religiosa que estaban allí. [40]Y después nadie se atrevió a hacerle más preguntas.

¿De quién es hijo el Mesías?

[41]Entonces Jesús les planteó una pregunta: «¿Cómo es que se dice que el Mesías es hijo de David? [42]Pues David mismo escribió en el libro de los Salmos:

> "El SEÑOR le dijo a mi Señor:
> Siéntate en el lugar de honor a mi derecha,
> [43] hasta que humille a tus enemigos
> y los ponga por debajo de tus pies"*.

[44]»Si David llamó al Mesías "Señor", ¿cómo es posible que el Mesías sea su hijo?».

[45]Entonces, mientras la multitud escuchaba, se dirigió a sus discípulos y les dijo: [46]«¡Cuídense de los maestros de la ley religiosa! Pues les gusta pavonearse en túnicas largas y sueltas y les encanta recibir saludos respetuosos cuando caminan por las plazas. ¡Y cómo les encanta ocupar los asientos de honor en las sinagogas y sentarse a la mesa principal en los banquetes! [47]Sin embargo, estafan descaradamente a las viudas para apoderarse de sus propiedades y luego pretenden ser piadosos haciendo largas oraciones en público. Por eso, serán castigados con más severidad».

20:24 En griego *un denario.* **20:28** Ver Dt 25:5-6. **20:37a** En griego *cuando escribió acerca del arbusto. Él se refirió al Señor.* **20:37b** Ex 3:6. **20:42-43** Sal 110:1.

La ofrenda de la viuda

21 Mientras Jesús estaba en el templo, observó a los ricos que depositaban sus ofrendas en la caja de las ofrendas. [2]Luego pasó una viuda pobre y echó dos monedas pequeñas.*

[3]«Les digo la verdad —dijo Jesús—, esta viuda pobre ha dado más que todos los demás. [4]Pues ellos dieron una mínima parte de lo que les sobraba, pero ella, con lo pobre que es, dio todo lo que tenía».

Jesús predice el futuro

[5]Algunos de sus discípulos comenzaron a hablar acerca del majestuoso trabajo hecho en piedra del templo y de las decoraciones conmemorativas que adornaban las paredes. Pero Jesús les dijo: [6]«Viene el tiempo cuando todo esto será demolido por completo. ¡No quedará ni una sola piedra sobre otra!».

[7]—Maestro —le preguntaron—, ¿cuándo sucederá todo eso? ¿Qué señal nos indicará que esas cosas están por ocurrir?

[8]Él les contestó:

—No dejen que nadie los engañe, porque muchos vendrán en mi nombre y afirmarán: "Yo soy el Mesías"* y dirán: "El tiempo ha llegado"; pero no les crean. [9]Cuando oigan de guerras y de levantamientos, no se dejen llevar por el pánico. Es verdad, esas cosas deben suceder primero, pero el fin no vendrá inmediatamente después.

[10]Luego agregó:

—Una nación entrará en guerra con otra, y un reino con otro reino. [11]Habrá grandes terremotos, hambres y plagas en muchos países, y sucederán cosas aterradoras y grandes señales milagrosas del cielo.

[12]»Pero antes de que ocurra todo eso, habrá un tiempo de gran persecución. Los arrastrarán a las sinagogas y a las prisiones, y serán sometidos a juicio ante reyes y gobernantes, todo por ser mis seguidores; [13]pero esa será una oportunidad para que ustedes les hablen de mí.* [14]Así que no se preocupen de antemano por cómo contestarán los cargos en su contra, [15]porque yo les daré las palabras apropiadas y tal sabiduría que ninguno de sus adversarios podrá responderles o refutarlos. [16]Aun sus seres más cercanos —padres, hermanos, familiares y amigos— los traicionarán. Incluso a algunos de ustedes los matarán. [17]Todos los odiarán por ser mis seguidores,* [18]pero ni un solo cabello de su cabeza perecerá. [19]Al mantenerse firmes, ganarán su alma.

[20]»Cuando vean a Jerusalén rodeada de ejércitos, entonces sabrán que ha llegado el tiempo de su destrucción. [21]Entonces los que estén en Judea huyan a las colinas. Los que estén en Jerusalén deben salir, y los que estén en el campo no deben volver a la ciudad. [22]Pues serán días de la venganza de Dios, y las palabras proféticas de las Escrituras se cumplirán. [23]Que terribles serán esos días para las mujeres embarazadas y para las madres que amamantan. Pues habrá desastre en la tierra y gran enojo contra este pueblo. [24]Los matarán a espada o serán enviados cautivos a todas las naciones del mundo. Y Jerusalén será pisoteada por los gentiles* hasta que el tiempo de los gentiles llegue a su fin.

[25]»Y habrá señales extrañas en el sol, en la luna y en las estrellas. Y aquí en la tierra, las naciones del mundo estarán en caos, perplejas por los mares rugientes y las mareas extrañas. [26]La gente quedará aterrada de lo que verá venir sobre la tierra, porque los poderes de los cielos

21:2 En griego *dos lepta* [la más pequeña de las monedas judías]. **21:8** En griego *afirmarán: "Yo soy"*. **21:13** O *Este será su testimonio contra ellos.* **21:17** En griego *por causa de mi nombre.* **21:24** *Gentil[es],* que no es judío.

serán sacudidos. [27]Entonces todos verán al Hijo del Hombre* venir en una nube con poder y gran gloria.* [28]Por lo tanto, cuando todas estas cosas comiencen a suceder, pónganse de pie y levanten la mirada, ¡porque la salvación está cerca!

[29]Luego les dio la siguiente ilustración:

—Fíjense en la higuera o en cualquier otro árbol. [30]Cuando brotan las hojas, ustedes saben que el verano se acerca sin que nadie les diga. [31]De la misma manera, cuando vean que suceden todas estas cosas, sabrán que el reino de Dios está cerca. [32]Les digo la verdad, no pasará esta generación hasta que hayan sucedido todas estas cosas. [33]El cielo y la tierra desaparecerán, pero mis palabras no desaparecerán jamás.

[34]»¡Tengan cuidado! No dejen que su corazón se entorpezca con parrandas y borracheras, ni por las preocupaciones de esta vida. No dejen que ese día los agarre desprevenidos, [35]como una trampa. Pues ese día vendrá sobre cada ser viviente de la tierra. [36]Manténganse siempre alerta. Y oren para que sean suficientemente fuertes para escapar de los horrores que vendrán y para presentarse delante del Hijo del Hombre.

[37]Cada día Jesús iba al templo a enseñar y cada tarde regresaba a pasar la noche en el monte de los Olivos. [38]Todas las mañanas, desde muy temprano, las multitudes se reunían en el templo para escucharlo.

Judas acuerda traicionar a Jesús

22 Se acercaba el Festival de los Panes sin Levadura, también llamado Pascua. [2]Los principales sacerdotes y los maestros de la ley religiosa tramaban de qué manera matar a Jesús, pero tenían miedo de la reacción de la gente.

[3]Entonces Satanás entró en Judas Iscariote, uno de los doce discípulos, [4]quien fue a ver a los principales sacerdotes y a los capitanes de la guardia del templo para hablar con ellos sobre la mejor manera de traicionar a Jesús. [5]Ellos quedaron complacidos y prometieron darle dinero. [6]Judas aceptó y comenzó a buscar una oportunidad para traicionar a Jesús de modo que ellos pudieran arrestarlo cuando las multitudes no estuvieran rodeándolo.

La última cena

[7]Llegó el Festival de los Panes sin Levadura, cuando se sacrifica el cordero de la Pascua. [8]Jesús mandó que Pedro y Juan se adelantaran y les dijo:

—Vayan y preparen la cena de Pascua, para que podamos comerla juntos.

[9]—¿Dónde quieres que la preparemos? —le preguntaron.

[10]Él contestó:

—En cuanto entren en Jerusalén, les saldrá al encuentro un hombre que lleva un cántaro de agua. Síganlo. En la casa donde él entre, [11]díganle al dueño: "El Maestro pregunta: ¿Dónde está el cuarto de huéspedes en el que puedo comer la cena de Pascua con mis discípulos?". [12]Él los llevará a un cuarto grande en el piso de arriba, que ya está listo. Allí deben preparar nuestra cena.

[13]Ellos fueron a la ciudad y encontraron todo como Jesús les había dicho y allí prepararon la cena de Pascua.

[14]Cuando llegó la hora, Jesús y los apóstoles se sentaron juntos a la mesa.* [15]Jesús dijo: «He tenido muchos deseos de comer esta Pascua con ustedes antes de que comiencen mis sufrimientos. [16]Pues ahora les digo que no volveré a comerla hasta que su significado se cumpla en el reino de Dios».

[17]Luego tomó en sus manos una copa

21:27a «Hijo del Hombre» es un título que Jesús empleaba para referirse a sí mismo.
21:27b Ver Dn 7:13. **22:14** O *reclinaron juntos.*

de vino y le dio gracias a Dios por ella. Entonces dijo: «Tomen esto y repártanlo entre ustedes. [18]Pues no volveré a beber vino hasta que venga el reino de Dios».

[19]Tomó un poco de pan y dio gracias a Dios por él. Luego lo partió en trozos, lo dio a sus discípulos y dijo: «Esto es mi cuerpo, el cual es entregado por ustedes. Hagan esto en memoria de mí».

[20]Después de la cena, tomó en sus manos otra copa de vino y dijo: «Esta copa es el nuevo pacto entre Dios y su pueblo, un acuerdo confirmado con mi sangre, la cual es derramada como sacrificio por ustedes.*

[21]»Pero aquí en esta mesa, sentado entre nosotros como un amigo, está el hombre que me traicionará. [22]Pues está establecido que el Hijo del Hombre* tiene que morir. ¡Pero qué aflicción le espera a aquel que lo traiciona!». [23]Los discípulos comenzaron a preguntarse unos a otros quién sería capaz de hacer semejante cosa.

[24]Después comenzaron a discutir quién sería el más importante entre ellos. [25]Jesús les dijo: «En este mundo, los reyes y los grandes hombres tratan a su pueblo con prepotencia; sin embargo, son llamados "amigos del pueblo". [26]Pero entre ustedes será diferente. El más importante de ustedes deberá tomar el puesto más bajo, y el líder debe ser como un sirviente. [27]¿Quién es más importante: el que se sienta a la mesa o el que la sirve? El que se sienta a la mesa, por supuesto. ¡Pero en este caso no!, pues yo estoy entre ustedes como uno que sirve.

[28]»Ustedes han estado conmigo durante mis tiempos de prueba. [29]Así como mi Padre me concedió un reino, yo ahora les concedo el derecho [30]de comer y beber a mi mesa en mi reino, y se sentarán sobre tronos y juzgarán a las doce tribus de Israel.

Jesús predice la negación de Pedro

[31]»Simón, Simón, Satanás ha pedido zarandear a cada uno de ustedes como si fueran trigo; [32]pero yo he rogado en oración por ti, Simón, para que tu fe no falle, de modo que cuando te arrepientas y vuelvas a mí fortalezcas a tus hermanos».

[33]Pedro dijo:

—Señor, estoy dispuesto a ir a prisión contigo y aun a morir contigo.

[34]Jesús le respondió:

—Pedro, déjame decirte algo. Mañana por la mañana, antes de que cante el gallo, negarás tres veces que me conoces.

[35]Entonces Jesús les preguntó:

—Cuando los envié a predicar la Buena Noticia y no tenían dinero ni bolso de viaje ni otro par de sandalias, ¿les faltó algo?

—No —respondieron ellos.

[36]—Pero ahora —les dijo—, tomen su dinero y un bolso de viaje; y si no tienen espada, ¡vendan su capa y compren una! [37]Pues ha llegado el tiempo en que se cumpla la siguiente profecía acerca de mí: "Fue contado entre los rebeldes"*. Así es, todo lo que los profetas escribieron acerca de mí se cumplirá.

[38]—Mira Señor —le respondieron—, contamos con dos espadas entre nosotros.

—Es suficiente —les dijo.

Jesús ora en el monte de los Olivos

[39]Luego, acompañado por sus discípulos, Jesús salió del cuarto en el piso de arriba y, como de costumbre, fue al monte de los Olivos. [40]Allí les dijo: «Oren para que no cedan a la tentación».

[41]Se alejó a una distancia como de un tiro de piedra, se arrodilló y oró: [42]«Padre,

22:19-20 Algunos manuscritos no incluyen los versículos 22:19b-20: *el cual es entregado por ustedes [...] la cual es derramada como sacrificio por ustedes.* **22:22** «Hijo del Hombre» es un título que Jesús empleaba para referirse a sí mismo. **22:37** Is 53:12.

si quieres, te pido que quites esta copa de sufrimiento de mí. Sin embargo, quiero que se haga tu voluntad, no la mía». [43]Entonces apareció un ángel del cielo y lo fortaleció. [44]Oró con más fervor, y estaba en tal agonía de espíritu que su sudor caía a tierra como grandes gotas de sangre.*

[45]Finalmente se puso de pie y regresó adonde estaban sus discípulos, pero los encontró dormidos, exhaustos por la tristeza. [46]«¿Por qué duermen? —les preguntó—. Levántense y oren para que no cedan ante la tentación».

Traicionan y arrestan a Jesús

[47]Mientras Jesús hablaba, se acercó una multitud liderada por Judas, uno de los doce discípulos. Judas caminó hacia Jesús para saludarlo con un beso. [48]Entonces Jesús le dijo: «Judas, ¿con un beso traicionas al Hijo del Hombre?».

[49]Cuando los otros discípulos vieron lo que estaba por suceder, exclamaron: «Señor, ¿peleamos? ¡Trajimos las espadas!». [50]Y uno de ellos hirió al esclavo del sumo sacerdote cortándole la oreja derecha.

[51]Pero Jesús dijo: «Basta». Y tocó la oreja del hombre y lo sanó.

[52]Entonces Jesús habló a los principales sacerdotes, a los capitanes de la guardia del templo y a los ancianos, que habían venido a buscarlo. «¿Acaso soy un peligroso revolucionario, para que vengan con espadas y palos para arrestarme? —les preguntó—. [53]¿Por qué no me arrestaron en el templo? Estuve allí todos los días, pero éste es el momento de ustedes, el tiempo en que reina el poder de la oscuridad».

Pedro niega a Jesús

[54]Entonces lo arrestaron y lo llevaron a la casa del sumo sacerdote. Y Pedro los siguió de lejos. [55]Los guardias encendieron una fogata en medio del patio y se sentaron alrededor, y Pedro se sumó al grupo. [56]Una sirvienta lo vio a la luz de la fogata y comenzó a mirarlo fijamente. Por fin dijo: «Este hombre era uno de los seguidores de Jesús».

[57]Pero Pedro lo negó: «¡Mujer, ni siquiera lo conozco!».

[58]Después de un rato, alguien más lo vio y dijo:

—Seguramente tú eres uno de ellos.

—¡No, hombre, no lo soy! —contestó.

[59]Alrededor de una hora más tarde, otra persona insistió: «Seguro éste es uno de ellos porque también es galileo».

[60]Pero Pedro dijo: «¡Hombre, no sé de qué hablas!». Inmediatamente, mientras aún hablaba, el gallo cantó.

[61]En ese momento, el Señor se volvió y miró a Pedro. De repente, las palabras del Señor pasaron rápidamente por la mente de Pedro: «Mañana por la mañana, antes de que cante el gallo, negarás tres veces que me conoces». [62]Y Pedro salió del patio, llorando amargamente.

[63]Los guardias que estaban a cargo de Jesús comenzaron a burlarse de él y a golpearlo. [64]Le vendaron los ojos y le decían: «¡Profetízanos! ¿Quién te golpeó esta vez?». [65]Y le lanzaban todo tipo de insultos.

Jesús ante el Concilio

[66]Al amanecer, todos los ancianos del pueblo se reunieron, incluidos los principales sacerdotes y los maestros de la ley religiosa. Llevaron a Jesús ante el Concilio Supremo* [67]y le dijeron:

—Dinos, ¿eres tú el Mesías?

Él les respondió:

—Si lo dijera, no me creerían; [68]y si yo les hiciera una pregunta, ustedes no me la contestarían. [69]Sin embargo, desde

22:43-44 Los versículos 43 y 44 no están incluidos en muchos manuscritos antiguos. **22:66** En griego *ante el Sanedrín.*

ahora, el Hijo del Hombre estará sentado en el lugar de poder, a la derecha de Dios.*

[70]Todos gritaron:

—¿Entonces afirmas que eres el Hijo de Dios?

Y él contestó:

—Ustedes dicen que lo soy.

[71]«¿Para qué necesitamos otros testigos? —dijeron—. Nosotros mismos lo oímos decirlo».

Juicio de Jesús ante Pilato

23 Entonces todo el Concilio llevó a Jesús ante Pilato, el gobernador romano. [2]Comenzaron a presentar su caso: «Este hombre ha estado llevando al pueblo por mal camino al decirles que no paguen los impuestos al gobierno romano y al afirmar que él es el Mesías, un rey».

[3]Entonces Pilato le preguntó:

—¿Eres tú el rey de los judíos?

Jesús contestó:

—Tú lo has dicho.

[4]Pilato se dirigió a los principales sacerdotes y a la multitud y les dijo:

—¡No encuentro ningún delito en este hombre!

[5]Pero insistían:

—Con sus enseñanzas causa disturbios por donde va, en toda Judea, desde Galilea hasta Jerusalén.

[6]—Ah, ¿es galileo? —preguntó Pilato.

[7]Cuando le dijeron que sí, Pilato lo mandó a Herodes Antipas, porque Galilea estaba bajo la jurisdicción de Herodes, y dio la casualidad de que se encontraba en Jerusalén en ese momento.

[8]Herodes se alegró mucho por la oportunidad de ver a Jesús, porque había oído hablar de él y hacía tiempo que quería verlo realizar un milagro. [9]Herodes le hizo una pregunta tras otra, pero Jesús se negó a contestar. [10]Mientras tanto, los principales sacerdotes y los maestros de la ley religiosa se quedaron allí gritando sus acusaciones. [11]Entonces Herodes y sus soldados comenzaron a burlarse de Jesús y a ridiculizarlo. Finalmente le pusieron un manto real y lo enviaron de regreso a Pilato. [12](Herodes y Pilato, quienes habían sido enemigos anteriormente, ese día se hicieron amigos).

[13]Entonces Pilato llamó a los principales sacerdotes y a los otros líderes religiosos, junto con el pueblo, [14]y anunció su veredicto: «Me trajeron a este hombre porque lo acusan de encabezar una revuelta. Detenidamente lo he examinado al respecto en presencia de ustedes y lo encuentro inocente. [15]Herodes llegó a la misma conclusión y me lo devolvió. Este hombre no ha hecho nada que merezca la pena de muerte. [16]Así que lo haré azotar y luego lo pondré en libertad»*.

[18]Pero un gran clamor surgió de la multitud, y a una voz la gente gritó: «¡Mátalo y suéltanos a Barrabás!». [19](Barrabás estaba en prisión por haber participado en un levantamiento contra el gobierno en Jerusalén, y por asesinato). [20]Pilato discutió con ellos porque quería poner en libertad a Jesús, [21]pero la multitud seguía gritando: «¡Crucifícalo! ¡Crucifícalo!».

[22]Por tercera vez insistió Pilato: «¿Por qué? ¿Qué crimen ha cometido? No encuentro ninguna razón para condenarlo a muerte. Lo haré azotar y luego lo soltaré».

[23]Pero la turba gritó cada vez más fuerte, exigiendo que Jesús fuera crucificado, y sus voces prevalecieron. [24]Entonces Pilato sentenció a Jesús a muerte como la gente reclamaba. [25]Como habían pedido, puso en libertad a Barrabás, el que

22:69 Ver Sal 110:1. **23:16** Algunos manuscritos incluyen el versículo 17: *Ahora bien, era necesario que él pusiera en libertad a un preso y lo entregara a ellos durante la celebración de la Pascua.* Comparar con Mt 27:15; Mc 15:6; Jn 18:39.

estaba preso por levantamiento y asesinato. Y les entregó a Jesús para que hicieran con él como quisieran.

La crucifixión

[26]Cuando ellos se llevaban a Jesús, sucedió que un hombre llamado Simón, que era de Cirene,* venía del campo. Los soldados lo agarraron, pusieron la cruz sobre él y lo obligaron a cargarla detrás de Jesús. [27]Una gran multitud lo seguía, incluidas muchas mujeres que lloraban desconsoladas. [28]Entonces Jesús se dio la vuelta y les dijo: «Hijas de Jerusalén, no lloren por mí; lloren más bien por ustedes y por sus hijos. [29]Pues vienen días cuando dirán: "¡Dichosas las mujeres que no tienen hijos, los vientres que no dieron a luz y los pechos que no amamantaron!". [30]La gente suplicará a los montes: "¡Caigan sobre nosotros!" y rogará a las colinas: "¡Entiérrennos!"*. [31]Pues, si estas cosas suceden cuando el árbol está verde, ¿qué pasará cuando esté seco?»*.

[32]Llevaron a otros dos, ambos criminales, para ser ejecutados con Jesús. [33]Cuando llegaron a un lugar llamado «La Calavera»,* lo clavaron en la cruz y a los criminales también, uno a su derecha y otro a su izquierda.

[34]Jesús dijo: «Padre, perdónalos, porque no saben lo que hacen»*. Y los soldados sortearon su ropa, tirando los dados.*

[35]La multitud observaba, y los líderes se burlaban. «Salvó a otros —decían—, que se salve a sí mismo si de verdad es el Mesías de Dios, el Elegido». [36]Los soldados también se burlaban de él, al ofrecerle vino agrio para beber. [37]Y exclamaron: «Si eres el rey de los judíos, ¡sálvate a ti mismo!». [38]Encima de su cabeza, colocaron un letrero que decía: «Este es el Rey de los judíos».

[39]Uno de los criminales colgados junto a él se burló: «¿Así que eres el Mesías? Demuéstralo salvándote a ti mismo, ¡y a nosotros también!».

[40]Pero el otro criminal protestó: «¿Ni siquiera temes a Dios ahora que estás condenado a muerte? [41]Nosotros merecemos morir por nuestros crímenes, pero este hombre no ha hecho nada malo». [42]Luego dijo:

—Jesús, acuérdate de mí cuando vengas en tu reino.

[43]Jesús respondió:

—Te aseguro que hoy estarás conmigo en el paraíso.

Muerte de Jesús

[44]Ya era alrededor del mediodía, y la tierra se llenó de oscuridad hasta las tres de la tarde. [45]La luz del sol desapareció. Y, de repente, la cortina del santuario del templo se rasgó por la mitad. [46]Después Jesús gritó: «Padre, ¡encomiendo mi espíritu en tus manos!»*. Y con esas palabras dio su último suspiro.

[47]Cuando el oficial romano* encargado de la ejecución vio lo que había sucedido, adoró a Dios y dijo: «Este hombre era inocente* de verdad». [48]Y cuando todas las multitudes que habían venido a observar la ejecución vieron lo que había sucedido, regresaron a casa con gran dolor;* [49]pero los amigos de Jesús, incluidas las mujeres que lo habían seguido desde Galilea, se quedaron mirando de lejos.

23:26 *Cirene* era una ciudad del norte de África. **23:30** Os 10:8. **23:31** O *Si a mí, el árbol viviente, me hacen estas cosas, ¿qué les sucederá a ustedes, el árbol seco?* **23:33** A veces se traduce *Calvario,* que proviene de la palabra latina «calavera». **23:34a** Esta oración no está incluida en muchos manuscritos antiguos. **23:34b** En griego *echando suertes.* Ver Sal 22:18. **23:46** Sal 31:5. **23:47a** En griego *el centurión.* **23:47b** O *justo.* **23:48** En griego *regresaron a casa golpeándose el pecho.*

Entierro de Jesús

[50]Había un hombre bueno y justo llamado José. Era miembro del Concilio Supremo judío, [51]pero no había estado de acuerdo con la decisión y las acciones de los otros líderes religiosos. Era de la ciudad de Judea llamada Arimatea y esperaba la venida del reino de Dios. [52]Fue a Pilato y le pidió el cuerpo de Jesús. [53]Luego bajó el cuerpo de la cruz, lo envolvió en un largo lienzo de lino y lo colocó en una tumba nueva que había sido tallada en la roca. [54]Esto sucedió el viernes por la tarde, el día de preparación,* cuando el día de descanso estaba por comenzar.

[55]Mientras llevaban el cuerpo, las mujeres de Galilea iban detrás y vieron la tumba donde lo colocaron. [56]Luego fueron a sus casas y prepararon especias y ungüentos para ungir el cuerpo de Jesús; pero cuando terminaron ya había comenzado el día de descanso, así que descansaron como ordena la ley.

La resurrección

24 El domingo, muy temprano por la mañana,* las mujeres fueron a la tumba, llevando las especias que habían preparado. [2]Encontraron que la piedra de la entrada estaba corrida a un costado. [3]Entonces entraron, pero no encontraron el cuerpo del Señor Jesús. [4]Mientras estaban allí perplejas, de pronto aparecieron dos hombres vestidos con vestiduras resplandecientes.

[5]Las mujeres quedaron aterradas y se inclinaron rostro en tierra. Entonces los hombres preguntaron: «¿Por qué buscan entre los muertos a alguien que está vivo? [6]¡Él no está aquí! ¡Ha resucitado! Recuerden lo que les dijo en Galilea, [7]que el Hijo del Hombre* debía ser traicionado y entregado en manos de hombres pecadores, y ser crucificado, y que resucitaría al tercer día».

[8]Entonces ellas recordaron lo que Jesús había dicho. [9]Así que regresaron corriendo de la tumba a contarles a los once discípulos y a todos los demás lo que había sucedido. [10]Fueron María Magdalena, Juana, María la madre de Santiago y varias mujeres más quienes contaron a los apóstoles lo que pasó. [11]Pero a los hombres el relato les pareció una tontería, y no les creyeron. [12]Sin embargo, Pedro se levantó de un salto y corrió a la tumba para ver por sí mismo. Agachándose, miró hacia adentro y vio sólo los lienzos de lino, vacíos; luego regresó a la casa, preguntándose qué habría ocurrido.

De camino a Emaús

[13]Ese mismo día, dos de los seguidores de Jesús iban camino al pueblo de Emaús, a unos once kilómetros* de Jerusalén. [14]Al ir caminando, hablaban acerca de las cosas que habían sucedido. [15]Mientras conversaban y hablaban, de pronto Jesús mismo se apareció y comenzó a caminar con ellos; [16]pero Dios impidió que lo reconocieran.

[17]Él les preguntó:

—¿De qué vienen discutiendo tan profundamente por el camino?

Se detuvieron de golpe, con sus rostros cargados de tristeza. [18]Entonces uno de ellos, llamado Cleofas, contestó:

—Tú debes de ser la única persona en Jerusalén que no oyó acerca de las cosas que han sucedido allí en los últimos días.

[19]—¿Qué cosas? —preguntó Jesús.

—Las cosas que le sucedieron a Jesús, el hombre de Nazaret —le dijeron—. Era un profeta que hizo milagros poderosos,

23:54 En griego *Era el día de la preparación.* **24:1** En griego *Pero el primer día de la semana, muy temprano por la mañana.* **24:7** «Hijo del Hombre» es un título que Jesús empleaba para referirse a sí mismo. **24:13** En griego *60 estadios* [7 millas].

y también era un gran maestro a los ojos de Dios y de todo el pueblo. [20]Sin embargo, los principales sacerdotes y otros líderes religiosos lo entregaron para que fuera condenado a muerte, y lo crucificaron. [21]Nosotros teníamos la esperanza de que fuera el Mesías que había venido para rescatar a Israel. Todo esto sucedió hace tres días.

[22]»No obstante algunas mujeres de nuestro grupo de seguidores fueron a su tumba esta mañana temprano y regresaron con noticias increíbles. [23]Dijeron que el cuerpo había desaparecido y que habían visto a ángeles, quienes les dijeron, ¡que Jesús está vivo! [24]Algunos de nuestros hombres corrieron para averiguarlo, y efectivamente el cuerpo no estaba, tal como las mujeres habían dicho.

[25]Entonces Jesús les dijo:

—¡Qué necios son! Les cuesta tanto creer todo lo que los profetas escribieron en las Escrituras. [26]¿Acaso no profetizaron claramente que el Mesías tendría que sufrir todas esas cosas antes de entrar en su gloria?

[27]Entonces Jesús los guió por los escritos de Moisés y de todos los profetas, explicándoles lo que las Escrituras decían acerca de él mismo.

[28]Para entonces ya estaban cerca de Emaús y del final del viaje. Jesús hizo como que iba a seguir adelante, [29]pero ellos le suplicaron: «Quédate con nosotros esta noche, ya que se está haciendo tarde». Entonces los acompañó a la casa. [30]Al sentarse a comer,* tomó el pan y lo bendijo. Luego lo partió y se lo dio a ellos. [31]De pronto, se les abrieron los ojos y lo reconocieron. Y, en ese instante, Jesús desapareció.

[32]Entonces se dijeron el uno al otro: «¿No ardía nuestro corazón cuando nos hablaba en el camino y nos explicaba las Escrituras?». [33]En menos de una hora, estaban de regreso a Jerusalén. Allí encontraron a los once discípulos y los otros que se habían reunido con ellos, [34]quienes decían: «¡El Señor ha resucitado de verdad! Se le apareció a Pedro*».

Jesús se aparece a los discípulos

[35]Luego los dos de Emaús les contaron cómo Jesús se les había aparecido mientras iban por el camino y cómo lo habían reconocido cuando partió el pan. [36]Entonces, justo mientras contaban la historia, de pronto Jesús mismo apareció de pie en medio de ellos. «La paz sea con ustedes», les dijo.[37]Pero todos quedaron asustados y temerosos; ¡pensaban que veían un fantasma!

[38]«¿Por qué están asustados? —les preguntó—. ¿Por qué tienen el corazón lleno de dudas? [39]Miren mis manos. Miren mis pies. Pueden ver que de veras soy yo. Tóquenme y asegúrense de que no soy un fantasma, pues los fantasmas no tienen cuerpo, como ven que yo tengo». [40]Mientras hablaba, él les mostró sus manos y sus pies.

[41]Aun así, ellos seguían sin creer, llenos de alegría y asombro. Entonces les preguntó: «¿Tienen aquí algo para comer?». [42]Le dieron un pedazo de pescado asado, [43]y él lo comió mientras ellos miraban.

[44]Entonces dijo: «Cuando estaba con ustedes antes, les dije que tenía que cumplirse todo lo escrito acerca de mí en la ley de Moisés, en los profetas y en los Salmos». [45]Entonces les abrió la mente para que entendieran las Escrituras, [46]y dijo: «Efectivamente, se escribió hace mucho tiempo que el Mesías debería sufrir, morir y resucitar al tercer día. [47]También se escribió que este mensaje se proclamaría con la autoridad de su nombre a todas las naciones,* comenzando con Jerusalén:

24:30 O *Al reclinarse.* **24:34** En griego *Simón.* **24:47** O *todos los grupos étnicos.*

"Hay perdón de pecados para todos los que se arrepientan". [48]Ustedes son testigos de todas estas cosas.

[49]»Ahora enviaré al Espíritu Santo, tal como prometió mi Padre; pero quédense aquí en la ciudad hasta que el Espíritu Santo venga y los llene con poder del cielo».

La ascensión

[50]Entonces Jesús los llevó a Betania, levantó sus manos al cielo y los bendijo. [51]Mientras los bendecía, los dejó y fue levantado al cielo. [52]Entonces ellos lo adoraron y regresaron a Jerusalén llenos de gran alegría; [53]y pasaban todo su tiempo en el templo, adorando a Dios.

«Luego, dirigiéndose a sus discípulos, dijo: "Por eso les digo que no se preocupen por la vida diaria, si tendrán suficiente alimento para comer o suficiente ropa para vestirse [...] ¿Acaso con todas sus preocupaciones pueden añadir un solo momento a su vida? Y, si por mucho preocuparse no se logra algo tan pequeño como eso, ¿de qué sirve preocuparse por cosas más grandes? [...] No se inquieten por lo que van a comer o lo que van a beber. No se preocupen por esas cosas. Esas cosas dominan el pensamiento de los incrédulos en todo el mundo, pero su Padre ya conoce sus necesidades. Busquen el reino de Dios por encima de todo lo demás, y él les dará todo lo que necesiten».

LUCAS 12:22, 25-26, 29-31

INTRODUCCIÓN AL EVANGELIO SEGÚN SAN JUAN

Propósito: Mostrar de manera concluyente que Jesús es el Hijo de Dios y que todos los que creen en su nombre serán salvos.

Autor: El apóstol Juan, hijo de Zebedeo, hermano del apóstol Santiago, ambos llamados «hijos del trueno».

Destinatarios: Cristianos principiantes y personas que buscan la verdad.

Fecha: Aproximadamente 85–90 d. C.

Contexto: Después de la destrucción de Jerusalén en el 70 d. C.

Versículo clave: «Mi propósito es darles una vida plena y abundante» (10:10).

Dios es amor, es eterno y es sin límites. Es y siempre será el Creador y Señor de todo lo que existe. Fue por amor a la humanidad que nació como hombre en esta partícula del universo llamada Tierra. Murió en la cruz como Salvador y Mesías para ofrecernos vida eterna y perdón de los pecados. En el relato de Juan, Jesús se proclama claramente como Dios al decir cosas como: «Yo soy el camino, la verdad y la vida; nadie puede ir al Padre si no es por medio de mí» (14:6), y «El Padre y yo somos uno» (10:30). Estas declaraciones tan concretas no nos dejan la opción de considerar a Jesús solamente como un buen hombre, un maestro o un profeta, y nada más. Un hombre realmente bueno no hubiera hecho las declaraciones que hizo Jesús si no hubieran sido verdaderas.

Juan eligió ocho milagros de Jesús para respaldar estas afirmaciones y para demostrar que Jesús es el único que puede ofrecernos vida eterna. Juan expresó el propósito de su Evangelio en el 20:30-31: «Los discípulos vieron a Jesús hacer muchas otras señales milagrosas además de las registradas en este libro. Pero éstas se escribieron para que ustedes sigan creyendo que Jesús es el Mesías, el Hijo de Dios, y para que, al creer en él, tengan vida por el poder de su nombre».

Por medio de estos milagros, Jesús manifestó su misericordia y su amor. Sanó a un muchacho que estaba a punto de morir y a un paralítico, alimentó a más de 5000 personas con sólo cinco porciones de pan y dos peces, dio vista a los ciegos, regresó de la muerte a su amigo Lázaro, y dio a sus discípulos una impresionante pesca. Vale la pena destacar que la palabra que Juan usó para denominar los milagros fue «señal», lo cual indica que cada milagro apuntaba más allá, a una realidad espiritual. Por ejemplo, después de alimentar a los 5000, declaró: «Yo soy el pan de vida» (6:32–35), y cuando le dio la vista a un hombre que había nacido ciego, dijo: «Yo soy la luz del mundo» (8:12).

La señal milagrosa más grande, por supuesto, es la resurrección de Jesús, y Juan ofrece un testimonio conmovedor del hallazgo de la tumba vacía. Después registra varias apariciones de Jesús resucitado.

Juan, un seguidor devoto de Jesús, nos entrega una imagen poderosa de Jesucristo, el Hijo eterno de Dios. En su relato, Jesús se presenta como el buen pastor (10:1–18), el agua de vida (4:13–14; 7:37–38), el pan de vida (6:32–35), la luz del mundo (8:12), el YO SOY (8:58), la puerta (10:9), la vida (11:25), y la vid verdadera (15:1–11). Mientras lee su historia, tome la decisión de creer en él y de seguirlo con todo su corazón.

Juan

Prólogo: Cristo, la Palabra eterna

1 [1] En el principio la Palabra ya existía.
La Palabra estaba con Dios,
y la Palabra era Dios.
[2] El que es la Palabra existía en el
principio con Dios.
[3] Dios creó todas las cosas por medio
de él,
y nada fue creado sin él.
[4] La Palabra le dio vida a todo lo
creado,*
y su vida trajo luz a todos.
[5] La luz brilla en la oscuridad,
y la oscuridad jamás podrá
apagarla.*

[6]Dios envió a un hombre llamado Juan el Bautista,* [7]para que contara acerca de la luz, a fin de que todos creyeran por su testimonio. [8]Juan no era la luz; era sólo un testigo para hablar de la luz. [9]Aquel que es la luz verdadera, quien da luz a todos, venía al mundo.

[10]Vino al mismo mundo que él había creado, pero el mundo no lo reconoció. [11]Vino a los de su propio pueblo, y hasta ellos lo rechazaron; [12]pero a todos los que creyeron en él y lo recibieron, les dio el derecho de llegar a ser hijos de Dios. [13]Ellos nacen de nuevo, no mediante un nacimiento físico como resultado de la pasión o de la iniciativa humana, sino por medio de un nacimiento que proviene de Dios.

[14]Entonces la Palabra se hizo hombre* y vino a vivir entre nosotros. Estaba lleno de fidelidad y amor inagotable.* Y hemos visto su gloria, la gloria del único Hijo del Padre.

[15]Juan dio testimonio de él cuando clamó a las multitudes: «A él me refería yo cuando decía: "Alguien viene después de mí que es muy superior a mí porque existe desde mucho antes que yo"».

[16]De su abundancia, todos hemos recibido una bendición inmerecida tras otra.* [17]Pues la ley fue dada por medio de Moisés, pero el amor inagotable de Dios y su fidelidad vinieron por medio de Jesucristo. [18]Nadie ha visto jamás a Dios; pero el Hijo, el Único, él mismo es Dios y* está íntimamente ligado al Padre. Él nos ha revelado a Dios.

El testimonio de Juan el Bautista

[19]Este fue el testimonio que dio Juan cuando los líderes judíos enviaron sacerdotes y ayudantes del templo* desde Jerusalén para preguntarle:

1:3-4 O *y nada de lo que fue creado, fue creado sino por medio de él. La Palabra dio vida a todo.* **1:5** O *y la oscuridad no la ha entendido.* **1:6** En griego *un hombre llamado Juan.* **1:14a** En griego *se hizo carne.* **1:14b** O *gracia y verdad;* también en 1:17. **1:16** O *recibimos la gracia de Cristo en lugar de la gracia de la ley;* en griego dice *recibimos gracia sobre gracia.* **1:18** Algunos manuscritos dicen *pero el único Hijo.* **1:19** En griego *y levitas.*

—¿Quién eres?

[20]Él dijo con toda franqueza:

—Yo no soy el Mesías.

[21]—Bien. Entonces, ¿quién eres? —preguntaron—. ¿Eres Elías?

—No —contestó.

—¿Eres el Profeta que estamos esperando?*

—No.

[22]—Entonces, ¿quién eres? Necesitamos alguna respuesta para los que nos enviaron. ¿Qué puedes decirnos de ti mismo?

[23]Juan contestó con las palabras del profeta Isaías:

«Soy una voz que clama en el desierto:
"¡Abran camino para la llegada del
Señor!"»*.

[24]Entonces los fariseos que habían sido enviados [25]le preguntaron:

—Si no eres el Mesías, ni Elías, ni el Profeta, ¿con qué derecho bautizas?

[26]Juan les dijo:

—Yo bautizo con* agua, pero aquí mismo, en medio de la multitud, hay alguien a quien ustedes no reconocen. [27]Aunque su servicio viene después del mío, yo ni siquiera soy digno de ser su esclavo, ni de desatar las correas de sus sandalias.

[28]Ese encuentro ocurrió en Betania, una región situada al este del río Jordán, donde Juan estaba bautizando.

Jesús, el cordero de Dios

[29]Al día siguiente, Juan vio que Jesús se le acercaba y dijo: «¡Miren! ¡El cordero de Dios, que quita el pecado del mundo! [30]A él me refería cuando yo decía: "Después de mí, vendrá un hombre que es superior a mí porque existe desde mucho antes que yo". [31]No lo reconocí como el Mesías, aunque estuve bautizando con agua para que él fuera revelado a Israel».

[32]Entonces Juan dio testimonio: «Vi al Espíritu Santo descender del cielo como una paloma y reposar sobre él. [33]Yo no sabía que era el Mesías, pero cuando Dios me envió a bautizar con agua, me dijo: "Aquél, sobre quien veas que el Espíritu desciende y reposa, es el que bautizará con el Espíritu Santo". [34]Vi que eso sucedió con Jesús, por eso doy testimonio de que él es el Elegido de Dios*».

Los primeros discípulos

[35]Al día siguiente, Juan estaba otra vez allí con dos de sus discípulos. [36]Al pasar Jesús, Juan lo miró y declaró: «¡Miren! ¡Ahí está el cordero de Dios!». [37]Cuando los dos discípulos de Juan lo oyeron, siguieron a Jesús.

[38]Jesús miró a su alrededor y vio que ellos lo seguían.

—¿Qué quieren? —les preguntó.

Ellos contestaron:

—Rabí —que significa "Maestro"—, ¿dónde te hospedas?

[39]—Vengan y vean —les dijo.

Eran como las cuatro de la tarde cuando lo acompañaron al lugar donde se hospedaba, y se quedaron el resto del día con él.

[40]Andrés, hermano de Simón Pedro, era uno de estos hombres que, al oír lo que Juan dijo, siguieron a Jesús. [41]Andrés fue a buscar a su hermano Simón y le dijo: «Hemos encontrado al Mesías» (que significa «Cristo»*).

[42]Luego Andrés llevó a Simón, para que conociera a Jesús. Jesús miró fijamente a Simón y le dijo: «Tu nombre es Simón hijo de Juan, pero te llamarás Cefas» (que significa «Pedro»*).

1:21 En griego *¿Eres tú el Profeta?* Ver Dt 18:15, 18; Ml 4:5-6. **1:23** Is 40:3. **1:26** O *en;* también en 1:31, 33. **1:34** Algunos manuscritos dicen *el Hijo de Dios*. **1:41** Tanto *Mesías* (un término hebreo) como *Cristo* (un término griego) significan «el Ungido». **1:42** Tanto el nombre *Cefas* (del arameo) como el nombre *Pedro* (del griego) significan «roca».

[43]Al día siguiente, Jesús decidió ir a Galilea. Encontró a Felipe y le dijo: «Ven, sígueme». [44]Felipe era de Betsaida, el pueblo natal de Andrés y Pedro.

[45]Felipe fue a buscar a Natanael y le dijo:

—¡Hemos encontrado a aquel de quien Moisés* y los profetas escribieron! Se llama Jesús, el hijo de José, de Nazaret.

[46]—¡Nazaret! —exclamó Natanael—. ¿Acaso puede salir algo bueno de Nazaret?

—Ven y compruébalo tú mismo —le respondió Felipe.

[47]Mientras ellos se acercaban, Jesús dijo:

—Aquí viene un verdadero hijo de Israel, un hombre totalmente íntegro.

[48]—¿Cómo es que me conoces? —le preguntó Natanael.

—Pude verte debajo de la higuera antes de que Felipe te encontrara —contestó Jesús.

[49]Entonces Natanael exclamó:

—Rabí, ¡tú eres el Hijo de Dios, el Rey de Israel!

[50]Jesús le preguntó:

—¿Crees eso sólo porque te dije que te había visto debajo de la higuera? Verás cosas más grandes que ésta.

[51]Y agregó: «Les digo la verdad, todos ustedes verán el cielo abierto y a los ángeles de Dios subiendo y bajando sobre el Hijo del Hombre, quien es la escalera entre el cielo y la tierra»*.

La boda de Caná

2 Al día siguiente,* se celebró una boda en la aldea de Caná de Galilea. La madre de Jesús estaba presente, [2]y también fueron invitados a la fiesta Jesús y sus discípulos. [3]Durante la celebración, se acabó el vino, entonces la madre de Jesús le dijo:

—Se quedaron sin vino.

[4]—Apreciada mujer, ése no es nuestro problema —respondió Jesús—. Todavía no ha llegado mi momento.

[5]Sin embargo, su madre les dijo a los sirvientes: «Hagan lo que él les diga».

[6]Cerca de allí había seis tinajas de piedra, que se usaban para el lavado ceremonial de los judíos. Cada tinaja tenía una capacidad de entre setenta y cinco a ciento trece litros.* [7]Jesús les dijo a los sirvientes: «Llenen las tinajas con agua». Una vez que las tinajas estuvieron llenas, [8]les dijo: «Ahora saquen un poco y llévenselo al maestro de ceremonias». Así que los sirvientes siguieron sus indicaciones.

[9]Cuando el maestro de ceremonias probó el agua que ahora era vino, sin saber de dónde provenía (aunque, por supuesto, los sirvientes sí lo sabían), mandó a llamar al novio. [10]«Un anfitrión siempre sirve el mejor vino primero —le dijo—, y una vez que todos han bebido bastante, comienza a ofrecer el vino más barato. ¡Pero tú has guardado el mejor vino hasta ahora!».

[11]Esta señal milagrosa en Caná de Galilea marcó la primera vez que Jesús reveló su gloria. Y sus discípulos creyeron en él.

[12]Después de la boda, se fue unos días a Capernaúm con su madre, sus hermanos y sus discípulos.

Jesús despeja el templo

[13]Se acercaba la fecha de la celebración de la Pascua judía, así que Jesús fue a Jerusalén. [14]Vio que en la zona del templo había unos comerciantes que vendían ganado, ovejas y palomas para los sacrificios; vio a otros que estaban en sus mesas cambiando dinero extranjero. [15]Jesús se hizo un látigo con unas cuerdas y expulsó

1:45 En griego *Moisés en la ley.* **1:51** En griego *subiendo y bajando sobre el Hijo del Hombre;* ver Gn 28:10-17. «Hijo del Hombre» es un título que Jesús empleaba para referirse a sí mismo. **2:1** En griego *Al tercer día;* ver 1:35, 43. **2:6** En griego *2 ó 3 medidas* [entre 20 y 30 galones].

a todos del templo. Echó las ovejas y el ganado, arrojó por el suelo las monedas de los cambistas y les volteó las mesas. [16]Luego se dirigió a los que vendían palomas y les dijo: «Saquen todas esas cosas de aquí. ¡Dejen de convertir la casa de mi Padre en un mercado!».

[17]Entonces sus discípulos recordaron la profecía de las Escrituras que dice: «El celo por la casa de Dios me consumirá»*.

[18]Pero los líderes judíos exigieron:

—¿Qué estás haciendo? Si Dios te dio autoridad para hacer esto, muéstranos una señal milagrosa que lo compruebe.

[19]—De acuerdo —contestó Jesús—. Destruyan este templo y en tres días lo levantaré.

[20]—¡Qué dices! —exclamaron—. Tardaron cuarenta y seis años en construir este templo, ¿y tú puedes reconstruirlo en tres días?

[21]Pero cuando Jesús dijo «este templo», se refería a su propio cuerpo. [22]Después que resucitó de los muertos, sus discípulos recordaron que había dicho esto y creyeron en las Escrituras y también en lo que Jesús había dicho.

Jesús y Nicodemo

[23]Debido a las señales milagrosas que Jesús hizo en Jerusalén durante la celebración de la Pascua, muchos comenzaron a confiar en él; [24]pero Jesús no confiaba en ellos porque conocía la naturaleza humana. [25]No hacía falta que nadie le dijera cómo es el ser humano.

3 Había un hombre llamado Nicodemo, un líder religioso judío, de los fariseos. [2]Una noche, fue a hablar con Jesús:

—Rabí* —le dijo—, todos sabemos que Dios te ha enviado para enseñarnos. Las señales milagrosas que haces son la prueba de que Dios está contigo.

[3]Jesús le respondió:

—Te digo la verdad, a menos que nazcas de nuevo,* no puedes ver el reino de Dios.

[4]—¿Qué quieres decir? —exclamó Nicodemo—. ¿Cómo puede un hombre mayor volver al vientre de su madre y nacer de nuevo?

[5]Jesús le contestó:

—Te digo la verdad, nadie puede entrar en el reino de Dios si no nace de agua y del Espíritu.* [6]El ser humano sólo puede reproducir la vida humana, pero la vida espiritual nace del Espíritu Santo.* [7]Así que no te sorprendas cuando digo: "Tienen que nacer de nuevo". [8]El viento sopla hacia donde quiere. De la misma manera que oyes el viento pero no sabes de dónde viene ni adónde va, tampoco puedes explicar cómo las personas nacen del Espíritu.

[9]—¿Cómo es posible todo esto? —preguntó Nicodemo.

[10]Jesús le contestó:

—¿Tú eres un respetado maestro judío y aún no entiendes estas cosas? [11]Te aseguro que les contamos lo que sabemos y hemos visto, y ustedes todavía se niegan a creer nuestro testimonio. [12]Ahora bien, si no me creen cuando les hablo de cosas terrenales, ¿cómo creerán si les hablo de cosas celestiales? [13]Nadie jamás fue al cielo y regresó, pero el Hijo del Hombre* bajó del cielo. [14]Y, así como Moisés levantó la serpiente de bronce en un poste en el desierto, así deberá ser levantado el Hijo del Hombre, [15]para que todo el que crea en él tenga vida eterna.*

2:17 O *«La preocupación por la casa de Dios será mi ruina»*. Sal 69:9. **3:2** *Rabí,* del arameo, significa «amo», «maestro»; también en 3:26. **3:3** O *nazcas de lo alto;* también en 3:7. **3:5** O *y espíritu.* La palabra griega que se usa para *Espíritu* también puede traducirse *viento;* ver 3:8. **3:6** En griego *lo que nace del Espíritu es espíritu.* **3:13** Algunos manuscritos incluyen *quien vive en el cielo.* «Hijo del Hombre» es un título que Jesús empleaba para referirse a sí mismo. **3:15** O *todo el que crea tenga vida eterna en él.*

[16]»Pues Dios amó tanto al mundo que dio a su único Hijo, para que todo el que crea en él no se pierda, sino que tenga vida eterna. [17]Dios no envió a su Hijo al mundo para condenar al mundo, sino para salvarlo por medio de él.

[18]»No hay condenación para todo el que cree en él, pero todo el que no cree en él ya ha sido condenado por no haber creído en el único Hijo de Dios. [19]Esta condenación se basa en el siguiente hecho: la luz de Dios llegó al mundo, pero la gente amó más la oscuridad que la luz, porque sus acciones eran malvadas. [20]Todos los que hacen el mal odian la luz y se niegan a acercarse a ella porque temen que sus pecados queden al descubierto, [21]pero los que hacen lo correcto se acercan a la luz, para que otros puedan ver que están haciendo lo que Dios quiere.*

Juan el Bautista exalta a Jesús

[22]Luego Jesús y sus discípulos salieron de Jerusalén y se fueron al campo de Judea. Jesús pasó un tiempo allí con ellos, bautizando a la gente.

[23]En ese tiempo, Juan el Bautista bautizaba en Enón, cerca de Salim, porque allí había mucha agua; y la gente iba a él para ser bautizada. [24](Eso ocurrió antes de que metieran a Juan en la cárcel). [25]Surgió un debate entre los discípulos de Juan y cierto judío* acerca de la purificación ceremonial. [26]Entonces los discípulos de Juan fueron a decirle:

—Rabí, el hombre que estaba contigo al otro lado del río Jordán, a quien identificaste como el Mesías, también está bautizando a la gente. Y todos van a él en lugar de venir a nosotros.

[27]Juan respondió:

—Nadie puede recibir nada a menos que Dios se lo conceda desde el cielo. [28]Ustedes saben que les dije claramente: "Yo no soy el Mesías; estoy aquí sólo para prepararle el camino a él". [29]Es el novio quien se casa con la novia, y el amigo del novio simplemente se alegra de poder estar al lado del novio y oír sus votos. Por lo tanto, oír que él tiene éxito me llena de alegría. [30]Él debe tener cada vez más importancia y yo, menos.

[31]»Él vino de lo alto y es superior a cualquier otro. Nosotros somos de la tierra y hablamos de cosas terrenales, pero él vino del cielo y es superior a todos.* [32]Él da testimonio de lo que ha visto y oído, ¡pero qué pocos creen en lo que les dice! [33]Todo el que acepta su testimonio puede confirmar que Dios es veraz. [34]Pues él es enviado por Dios y habla las palabras de Dios, porque Dios le da el Espíritu sin límites. [35]El Padre ama a su Hijo y ha puesto todo en sus manos. [36]Los que creen en el Hijo de Dios tienen vida eterna. Los que no obedecen al Hijo nunca tendrán vida eterna, sino que permanecen bajo la ira del juicio de Dios.

Jesús y la mujer samaritana

4 Jesús* sabía que los fariseos se habían enterado de que él hacía y bautizaba más discípulos que Juan [2](aunque no era Jesús mismo quien los bautizaba sino sus discípulos). [3]Así que se fue de Judea y volvió a Galilea.

[4]En el camino, tenía que pasar por Samaria. [5]Entonces llegó a una aldea samaritana llamada Sicar, cerca del campo que Jacob le dio a su hijo José. [6]Allí estaba el pozo de Jacob; y Jesús, cansado por la larga caminata, se sentó junto al pozo cerca del mediodía. [7]Poco después, llegó una mujer samaritana a sacar agua, y Jesús le dijo:

—Por favor, dame un poco de agua para beber.

3:21 O *puedan ver a Dios obrando en lo que él hace.* **3:25** Algunos manuscritos dicen *algunos judíos.* **3:31** Algunos manuscritos no incluyen *y es superior a todos.* **4:1** Algunos manuscritos dicen *El Señor.*

[8]Él estaba solo en ese momento porque sus discípulos habían ido a la aldea a comprar algo para comer.

[9]La mujer se sorprendió, ya que los judíos rechazan todo trato con los samaritanos.* Entonces le dijo a Jesús:

—Usted es judío, y yo soy una mujer samaritana. ¿Por qué me pide agua para beber?

[10]Jesús contestó:

—Si tan sólo supieras el regalo que Dios tiene para ti y con quién estás hablando, tú me pedirías a mí, y yo te daría agua viva.

[11]—Pero señor, usted no tiene ni una soga ni un balde —le dijo ella—, y este pozo es muy profundo. ¿De dónde va a sacar esa agua viva? [12]Además, ¿se cree usted superior a nuestro antepasado Jacob, quien nos dio este pozo? ¿Cómo puede usted ofrecer mejor agua que la que disfrutaron él, sus hijos y sus animales?

[13]Jesús contestó:

—Cualquiera que beba de esta agua pronto volverá a tener sed, [14]pero todos los que beban del agua que yo doy no tendrán sed jamás. Esa agua se convierte en un manantial que brota con frescura dentro de ellos y les da vida eterna.

[15]—Por favor, señor —le dijo la mujer—, ¡déme de esa agua! Así nunca más volveré a tener sed y no tendré que venir aquí a sacar agua.

[16]Jesús le dijo:

—Ve y trae a tu esposo.

[17]—No tengo esposo —respondió la mujer.

—Es cierto —dijo Jesús—. No tienes esposo [18]porque has tenido cinco esposos y ni siquiera estás casada con el hombre con el que ahora vives. ¡Ciertamente dijiste la verdad!

[19]—Señor —dijo la mujer—, seguro que usted es profeta. [20]Así que dígame, ¿por qué ustedes, los judíos, insisten en que Jerusalén es el único lugar donde se debe adorar, mientras que nosotros, los samaritanos, afirmamos que es aquí, en el monte Gerizim,* donde adoraron nuestros antepasados?

[21]Jesús le contestó:

—Créeme, querida mujer, que se acerca el tiempo en que no tendrá importancia si se adora al Padre en este monte o en Jerusalén. [22]Ustedes, los samaritanos, saben muy poco acerca de aquel a quien adoran, mientras que nosotros, los judíos, conocemos bien a quien adoramos, porque la salvación viene por medio de los judíos. [23]Pero se acerca el tiempo —de hecho, ya ha llegado— cuando los verdaderos adoradores adorarán al Padre en espíritu y en verdad. El Padre busca personas que lo adoren de esa manera. [24]Pues Dios es Espíritu, por eso todos los que lo adoran deben hacerlo en espíritu y en verdad.

[25]La mujer dijo:

—Sé que el Mesías está por venir, al que llaman Cristo. Cuando él venga, nos explicará todas las cosas.

[26]Entonces Jesús le dijo:

—¡Yo Soy el Mesías!*

[27]Justo en ese momento, volvieron sus discípulos. Se sorprendieron al ver que Jesús hablaba con una mujer, pero ninguno se atrevió a preguntarle: «¿Qué quieres de ella?» o «¿Por qué le hablas?». [28]La mujer dejó su cántaro junto al pozo y volvió corriendo a la aldea mientras les decía a todos: [29]«¡Vengan a ver a un hombre que me dijo todo lo que he hecho en mi vida! ¿No será éste el Mesías?». [30]Así que la gente salió de la aldea para verlo.

[31]Mientras tanto, los discípulos le insistían a Jesús:

—Rabí,* come algo.

4:9 Algunos manuscritos no incluyen toda esta oración. **4:20** En griego *en este monte.* **4:26** O *–¡El "Yo Soy" está aquí!;* o *–¡Yo soy el Señor!;* en griego dice *–Yo soy, el que habla contigo.* Ver Ex 3:14.
4:31 *Rabí,* del arameo, significa «amo», «maestro».

[32]Jesús les respondió:

—Yo tengo una clase de alimento que ustedes no conocen.

[33]«¿Le habrá traído alguien de comer mientras nosotros no estábamos?», se preguntaban los discípulos unos a otros.

[34]Entonces Jesús explicó:

—Mi alimento consiste en hacer la voluntad de Dios, quien me envió, y en terminar su obra. [35]Ustedes conocen el dicho: "Hay cuatro meses entre la siembra y la cosecha", pero yo les digo: despierten y miren a su alrededor, los campos ya están listos* para la cosecha. [36]A los segadores se les paga un buen salario, y los frutos que cosechan son personas que pasan a tener la vida eterna. ¡Qué alegría le espera tanto al que siembra como al que cosecha! [37]Ya saben el dicho: "Uno siembra y otro cosecha", y es cierto. [38]Yo los envié a ustedes a cosechar donde no sembraron; otros ya habían hecho el trabajo, y ahora a ustedes les toca levantar la cosecha.

Muchos samaritanos creen

[39]Muchos samaritanos de esa aldea creyeron en Jesús, porque la mujer había dicho: «¡Él me dijo todo lo que hice en mi vida!». [40]Cuando salieron a verlo, le rogaron que se quedara en la aldea. Así que Jesús se quedó dos días, [41]tiempo suficiente para que muchos más escucharan su mensaje y creyeran. [42]Luego le dijeron a la mujer: «Ahora creemos, no sólo por lo que tú nos dijiste, sino porque lo hemos oído en persona. Ahora sabemos que él es realmente el Salvador del mundo».

Jesús sana al hijo de un funcionario

[43]Pasados los dos días, Jesús siguió camino a Galilea. [44]Él mismo había declarado que un profeta no recibe honra en su propio pueblo. [45]Sin embargo, los galileos lo recibieron bien, porque habían estado en Jerusalén durante la celebración de la Pascua y habían visto todo lo que él hizo allí.

[46]En su paso por Galilea, Jesús llegó a Caná, donde había convertido el agua en vino. Cerca de allí, en Capernaúm, había un funcionario de gobierno que tenía un hijo muy enfermo. [47]Cuando supo que Jesús había ido de Judea a Galilea, fue a verlo y le rogó que se dirigiera a Capernaúm para sanar a su hijo, quien estaba al borde de la muerte.

[48]Jesús le preguntó:

—¿Acaso nunca van a creer en mí a menos que vean señales milagrosas y maravillas?

[49]—Señor, por favor —suplicó el funcionario—, ven ahora mismo, antes de que mi hijito se muera.

[50]Entonces Jesús le dijo:

—Vuelve a tu casa. ¡Tu hijo vivirá!

Y el hombre creyó lo que Jesús le dijo y emprendió el regreso a su casa.

[51]Mientras el funcionario iba en camino, algunos de sus sirvientes salieron a su encuentro con la noticia de que su hijo estaba vivo y sano. [52]Él les preguntó a qué hora el niño había comenzado a mejorar, y ellos le contestaron: «Ayer, a la una de la tarde, ¡la fiebre de pronto se le fue!». [53]Entonces el padre se dio cuenta de que la sanidad había ocurrido en el mismo instante en que Jesús le había dicho: «Tu hijo vivirá». Y tanto él como todos los de su casa creyeron en Jesús. [54]Ésa fue la segunda señal milagrosa que hizo Jesús en Galilea al volver de Judea.

Jesús sana a un hombre cojo

5 Después Jesús regresó a Jerusalén para la celebración de uno de los días sagrados de los judíos. [2]Dentro de la

4:35 En griego *blancos.*

ciudad, cerca de la Puerta de las Ovejas, se encontraba el estanque de Betesda,* que tenía cinco pórticos cubiertos. [3]Una multitud de enfermos —ciegos, cojos, paralíticos— estaban tendidos en los pórticos.* [5]Uno de ellos era un hombre que hacía treinta y ocho años que estaba enfermo. [6]Cuando Jesús lo vio y supo que hacía tanto que padecía la enfermedad, le preguntó:

—¿Te gustaría recuperar la salud?

[7]—Es que no puedo, señor —contestó el enfermo—, porque no tengo a nadie que me meta en el estanque cuando se agita el agua. Siempre alguien llega antes que yo.

[8]Jesús le dijo:

—¡Ponte de pie, toma tu camilla y anda!

[9]¡Al instante, el hombre quedó sano! Enrolló la camilla, ¡y comenzó a caminar! Pero ese milagro sucedió el día de descanso, [10]así que los líderes judíos protestaron. Le dijeron al hombre que había sido sanado:

—¡No puedes trabajar el día de descanso! ¡La ley no te permite cargar esa camilla!

[11]Pero él respondió:

—El hombre que me sanó me dijo: "Toma tu camilla y anda".

[12]—¿Quién te dijo semejante cosa? —le exigieron.

[13]El hombre no lo sabía, porque Jesús había desaparecido entre la multitud; [14]pero después, Jesús lo encontró en el templo y le dijo: «Ya estás sano; así que deja de pecar o podría sucederte algo mucho peor». [15]Entonces el hombre fue a ver a los líderes judíos y les dijo que era Jesús quien lo había sanado.

Jesús afirma ser el Hijo de Dios

[16]Entonces los líderes judíos comenzaron a acosar* a Jesús por haber violado las reglas del día de descanso. [17]Pero Jesús respondió: «Mi Padre siempre trabaja, y yo también». [18]Entonces los líderes judíos se esforzaron aún más por encontrar una forma de matarlo. Pues no sólo violaba el día de descanso sino que, además, decía que Dios era su Padre, con lo cual se hacía igual a Dios.

[19]Entonces Jesús explicó: «Les digo la verdad, el Hijo no puede hacer nada por su propia cuenta, sólo hace lo que ve que el Padre hace. Todo lo que hace el Padre, también lo hace el Hijo, [20]pues el Padre ama al Hijo y le muestra todo lo que hace. De hecho, el Padre le mostrará cómo hacer cosas más trascendentes que el sanar a ese hombre. Entonces ustedes quedarán realmente asombrados. [21]Pues, así como el Padre da vida a los que resucita de los muertos, también el Hijo da vida a quien él quiere. [22]Además, el Padre no juzga a nadie, sino que le ha dado al Hijo autoridad absoluta para juzgar, [23]a fin de que todos honren al Hijo así como honran al Padre. El que no honra al Hijo, por cierto tampoco honra al Padre quien lo envió.

[24]»Les digo la verdad, todos los que escuchan mi mensaje y creen en Dios, quien me envió, tienen vida eterna. Nunca serán condenados por sus pecados, pues ya han pasado de la muerte a la vida.

[25]»Y les aseguro que se acerca el tiempo —de hecho, ya ha llegado— cuando los muertos oirán mi voz, la voz del Hijo de Dios, y los que escuchen, vivirán. [26]El Padre tiene vida en sí mismo y le ha entregado a su Hijo ese mismo poder

5:2 Otros manuscritos dicen *Bet-zata*; incluso otros dicen *Betsaida*. **5:3** Algunos manuscritos amplían el versículo 3 e incluyen el versículo 4: *esperando un determinado movimiento del agua,* [4]*porque un ángel del Señor descendía de vez en cuando y agitaba el agua. Y la primera persona que se metía en el agua después de que se agitara quedaba sana de cualquier enfermedad que tuviera.* **5:16** O *perseguir.*

de dar vida.* [27]Y le ha dado autoridad para juzgar a todos, porque es el Hijo del Hombre.* [28]¡No se sorprendan tanto! Ciertamente, ya se acerca el tiempo en que todos los que están en las tumbas oirán la voz del Hijo de Dios [29]y resucitarán. Los que hicieron el bien resucitarán para gozar de la vida eterna, y los que continuaron en su maldad resucitarán para sufrir el juicio. [30]Yo no puedo hacer nada por mi propia cuenta; juzgo según Dios me indica. Por lo tanto, mi juicio es justo, porque llevo a cabo la voluntad del que me envió y no la mía.

Testigos de Jesús

[31]»Si yo diera testimonio en mi propio favor, mi testimonio no sería válido; [32]pero hay otro que también da testimonio de mí, y les aseguro que todo lo que dice acerca de mí es verdad. [33]De hecho, ustedes enviaron a sus hombres para que escucharan a Juan el Bautista, y el testimonio que él dio acerca de mí fue cierto. [34]Por supuesto, no necesito testigos humanos, pero digo estas cosas para que ustedes sean salvos. [35]Juan era como una lámpara que ardía y brillaba, y ustedes se entusiasmaron con su mensaje durante un tiempo; [36]pero yo tengo un testigo aún más importante que Juan: mis enseñanzas y mis milagros. El Padre me dio estas obras para que yo las realizara, y ellas prueban que él me envió. [37]El Padre mismo, quien me envió, ha dado testimonio de mí. Ustedes nunca han oído su voz ni lo han visto cara a cara, [38]y no tienen su mensaje en el corazón, porque no creen en mí, que soy a quien el Padre les ha enviado.

[39]»Ustedes estudian las Escrituras a fondo porque piensan que ellas les dan vida eterna. ¡Pero las Escrituras me señalan a mí! [40]Sin embargo, ustedes se niegan a venir a mí para recibir esa vida.

[41]»La aprobación de ustedes no significa nada para mí, [42]porque sé que no tienen el amor de Dios adentro. [43]Yo he venido en nombre de mi Padre, y ustedes me han rechazado. Sin embargo, si otros vienen en su propio nombre, ustedes los reciben con gusto. [44]¡Con razón les cuesta creer! Pues a ustedes les encanta honrarse unos a otros, pero no les importa la honra que proviene del único que es Dios.*

[45]»Sin embargo, no soy yo quien los acusará ante el Padre. ¡Moisés los acusará! Sí, Moisés, en quien ustedes han puesto su esperanza. [46]Si en verdad le creyeran a Moisés, me creerían a mí, porque él escribió acerca de mí; [47]pero como no creen en lo que él escribió, ¿cómo creerán lo que yo digo?».

Jesús alimenta a más de cinco mil

6 Después Jesús cruzó al otro lado del mar de Galilea, conocido también como el mar de Tiberias. [2]Una gran multitud siempre lo seguía a todas partes porque veía las señales milagrosas que hacía cuando sanaba a los enfermos. [3]Entonces Jesús subió a una colina y se sentó allí rodeado de sus discípulos. [4](Ya era casi el tiempo de la celebración de la Pascua judía). [5]Enseguida Jesús vio que una gran multitud venía a su encuentro. Dirigiéndose a Felipe, le preguntó:

—¿Dónde podemos comprar pan para alimentar a toda esta gente?

[6]Lo estaba poniendo a prueba, porque Jesús ya sabía lo que iba a hacer.

[7]Felipe contestó:

—¡Aunque trabajáramos meses enteros, no tendríamos el dinero suficiente* para alimentar a toda esta gente!

5:26 En griego *y le ha dado al Hijo el tener vida en sí mismo.* **5:27** «Hijo del Hombre» es un título que Jesús empleaba para referirse a sí mismo. **5:44** Algunos manuscritos dicen *del Único.* **6:7** En griego *Doscientos denarios no serían suficientes.* Un denario equivalía a la paga de un obrero por una jornada completa de trabajo.

[8]Entonces habló Andrés, el hermano de Simón Pedro: [9]«Aquí hay un muchachito que tiene cinco panes de cebada y dos pescados. ¿Pero de qué sirven ante esta enorme multitud?».

[10]Jesús dijo: «Díganles a todos que se sienten». Así que todos se sentaron sobre la hierba, en las laderas. (Sólo contando a los hombres sumaban alrededor de cinco mil). [11]Luego Jesús tomó los panes, dio gracias a Dios y los distribuyó entre la gente. Después hizo lo mismo con los pescados. Y todos comieron cuanto quisieron. [12]Una vez que quedaron satisfechos, Jesús les dijo a sus discípulos: «Ahora junten lo que sobró, para que no se desperdicie nada». [13]Entonces ellos juntaron las sobras y llenaron doce canastos con los restos que la multitud había dejado después de comer de los cinco panes de cebada.

[14]La gente, al ver la señal milagrosa que Jesús* había hecho, exclamó: «¡No hay duda de que es el Profeta que esperábamos!»*. [15]Cuando Jesús vio que estaban dispuestos a hacerlo rey a la fuerza, se escabulló hacia las colinas él solo.

Jesús camina sobre el agua

[16]Al atardecer, los discípulos de Jesús bajaron a la orilla del lago para esperarlo; [17]pero al ver que caía la noche y que Jesús aún no había vuelto, subieron a la barca y comenzaron a cruzar el lago rumbo a Capernaúm. [18]Poco después, se levantó un viento fuerte sobre ellos y el mar se agitó mucho. [19]Habían remado unos cinco o seis kilómetros* cuando de pronto vieron a Jesús caminando sobre el agua en dirección a la barca. Estaban aterrados, [20]pero él exclamó: «No tengan miedo, ¡yo estoy aquí!*». [21]Entonces lo recibieron con entusiasmo en la barca, ¡y enseguida llegaron a su destino!

Jesús, el pan de vida

[22]Al día siguiente, la multitud que se había quedado en la otra orilla del lago se dio cuenta de que los discípulos habían tomado la única barca y que Jesús no había ido con ellos. [23]Varias barcas de Tiberias arribaron cerca del lugar donde el Señor había bendecido el pan y la gente había comido. [24]Cuando la multitud vio que ni Jesús ni sus discípulos estaban allí, subieron a las barcas y cruzaron el lago hasta Capernaúm para ir en busca de Jesús. [25]Lo encontraron al otro lado del lago y le preguntaron:

—Rabí,* ¿cuándo llegaste acá?

[26]Jesús les contestó:

—Les digo la verdad, ustedes quieren estar conmigo porque les di de comer, no porque hayan entendido las señales milagrosas. [27]No se preocupen tanto por las cosas que se echan a perder, tal como la comida. Pongan su energía en buscar la vida eterna que puede darles el Hijo del Hombre.* Pues Dios Padre me ha dado su sello de aprobación.

[28]—Nosotros también queremos realizar las obras de Dios —contestaron ellos—. ¿Qué debemos hacer?

[29]Jesús les dijo:

—La única obra que Dios quiere que hagan es que crean en quien él ha enviado.

[30]—Si quieres que creamos en ti —le respondieron—, muéstranos una señal milagrosa. ¿Qué puedes hacer? [31]Después de todo, ¡nuestros antepasados comieron maná mientras andaban por el desierto! Las Escrituras dicen: "Moisés les dio de comer pan del cielo"*.

[32]Jesús les respondió:

6:14a Algunos manuscritos no incluyen *Jesús.* **6:14b** Ver Dt 18:15, 18; Ml 4:5-6. **6:19** En griego *25 ó 30 estadios* [3 ó 4 millas]. **6:20** O *¡El "Yo Soy" está aquí!;* en griego dice *Yo soy.* Ver Ex 3:14. **6:25** *Rabí,* del arameo, significa «amo», «maestro». **6:27** «Hijo del Hombre» es un título que Jesús empleaba para referirse a sí mismo. **6:31** Ex 16:4; Sal 78:24.

—Les digo la verdad, no fue Moisés quien les dio el pan del cielo, fue mi Padre. Y ahora él les ofrece el verdadero pan del cielo, [33]pues el verdadero pan de Dios es el que desciende del cielo y da vida al mundo.

[34]—Señor —le dijeron—, danos ese pan todos los días.

[35]Jesús les respondió:

—Yo soy el pan de vida. El que viene a mí nunca volverá a tener hambre; el que cree en mí no tendrá sed jamás. [36]Pero ustedes no han creído en mí, a pesar de que me han visto. [37]Sin embargo, los que el Padre me ha dado, vendrán a mí, y jamás los rechazaré. [38]Pues he descendido del cielo para hacer la voluntad de Dios, quien me envió, no para hacer mi propia voluntad. [39]Y la voluntad de Dios es que yo no pierda ni a uno solo de todos los que él me dio, sino que los resucite en el día final. [40]Pues la voluntad de mi Padre es que todos los que vean a su Hijo y crean en él tengan vida eterna; y yo los resucitaré en el día final.

[41]Entonces la gente* comenzó a murmurar en desacuerdo, porque él había dicho: «Yo soy el pan que descendió del cielo». [42]Ellos se decían: «¿Acaso no es éste Jesús, el hijo de José? Conocemos a su padre y a su madre. ¿Y ahora cómo puede decir: "Yo descendí del cielo"?».

[43]Jesús les contestó: «Dejen de quejarse por lo que dije. [44]Pues nadie puede venir a mí a menos que me lo traiga el Padre, que me envió, y yo lo resucitaré en el día final. [45]Como dicen las Escrituras:* "A todos les enseñará Dios". Todos los que escuchan al Padre y aprenden de él, vienen a mí. [46](No es que alguien haya visto al Padre; solamente yo lo he visto, el que Dios envió).

[47]»Les digo la verdad, todo el que cree, tiene vida eterna. [48]¡Sí, yo soy el pan de vida! [49]Sus antepasados comieron maná en el desierto, pero todos murieron, [50]sin embargo, el que coma el pan del cielo nunca morirá. [51]Yo soy el pan vivo que descendió del cielo. Todo el que coma de este pan vivirá para siempre; y este pan, que ofreceré para que el mundo viva, es mi carne».

[52]Entonces la gente comenzó a discutir entre sí sobre lo que él quería decir. «¿Cómo puede este hombre darnos de comer su carne?», se preguntaban.

[53]Por eso Jesús volvió a decir: «Les digo la verdad, a menos que coman la carne del Hijo del Hombre y beban su sangre, no podrán tener vida eterna en ustedes; [54]pero todo el que coma mi carne y beba mi sangre tendrá vida eterna, y yo lo resucitaré en el día final. [55]Pues mi carne es verdadera comida y mi sangre es verdadera bebida. [56]Todo el que come mi carne y bebe mi sangre permanece en mí y yo en él. [57]Yo vivo gracias al Padre viviente que me envió; de igual manera, todo el que se alimente de mí vivirá gracias a mí. [58]Yo soy el pan verdadero que descendió del cielo. El que coma de este pan no morirá —como les pasó a sus antepasados a pesar de haber comido el maná— sino que vivirá para siempre».

[59]Jesús dijo esas cosas mientras enseñaba en la sinagoga de Capernaúm.

Muchos discípulos abandonan a Jesús

[60]Muchos de sus discípulos decían: «Esto es muy difícil de entender. ¿Cómo puede alguien aceptarlo?».

[61]Jesús era consciente de que sus discípulos se quejaban, así que les dijo: «¿Acaso esto los ofende? [62]¿Qué pensarán, entonces, si ven al Hijo del Hombre ascender al cielo otra vez? [63]Sólo el Espíritu da vida eterna; los esfuerzos humanos no logran nada. Las palabras que

6:41 En griego *los judíos;* también en 6:52. **6:45** En griego *está escrito en los profetas.* Is 54:13.

yo les he hablado son espíritu y son vida, [64]pero algunos de ustedes no me creen». (Pues Jesús sabía, desde un principio, quiénes eran los que no creían y también quién lo traicionaría). [65]Entonces les dijo: «Por eso dije que nadie puede venir a mí a menos que el Padre me lo entregue».

[66]A partir de ese momento, muchos de sus discípulos se apartaron de él y lo abandonaron. [67]Entonces Jesús, mirando a los Doce, les preguntó:

—¿Ustedes también van a marcharse?

[68]Simón Pedro le contestó:

—Señor, ¿a quién iríamos? Tú tienes las palabras que dan vida eterna. [69]Nosotros creemos y sabemos que tú eres el Santo de Dios.*

[70]Entonces Jesús dijo:

—Yo los elegí a ustedes doce, pero hay uno de ustedes que es un diablo.

[71]Se refería a Judas, hijo de Simón Iscariote, uno de los doce, quien más tarde lo traicionaría.

Jesús y sus hermanos

7 Después Jesús recorrió la región de Galilea. Quería alejarse de Judea, donde los líderes judíos estaban tramando su muerte; [2]pero se acercaba el tiempo judío del Festival de las Enramadas, [3]y sus hermanos le dijeron:

—¡Sal de aquí y vete a Judea, donde tus seguidores puedan ver tus milagros! [4]¡No puedes hacerte famoso si te escondes así! Si tienes poder para hacer cosas tan maravillosas, ¡muéstrate al mundo!

[5]Pues ni siquiera sus hermanos creían en él.

[6]—Este no es el mejor momento para que yo vaya —respondió Jesús—, pero ustedes pueden ir cuando quieran. [7]El mundo no puede odiarlos a ustedes, pero a mí sí me odia, porque yo lo acuso de hacer lo malo. [8]Vayan ustedes; no iré* al festival, porque todavía no ha llegado mi momento.

[9]Después de decir esas cosas, se quedó en Galilea.

Jesús enseña abiertamente en el templo

[10]Pero después de que sus hermanos se fueron al festival, Jesús también fue, aunque en secreto, y se quedó fuera de la vista del público. [11]Los líderes judíos lo buscaron durante todo el festival y no dejaron de preguntar a la gente si alguien lo había visto. [12]Se oían muchas discusiones acerca de él entre la multitud. Unos afirmaban: «Es un buen hombre», mientras que otros decían: «No es más que un farsante que engaña a la gente»; [13]pero nadie se atrevía a hablar bien de él en público por miedo a tener problemas con los líderes judíos.

[14]Entonces, en la mitad del festival, Jesús subió al templo y comenzó a enseñar. [15]Los presentes* quedaron maravillados al oírlo. Se preguntaban: «¿Cómo es que sabe tanto sin haber estudiado?».

[16]Así que Jesús les dijo:

—Mi mensaje no es mío sino que proviene de Dios, quien me envió. [17]Todo el que quiera hacer la voluntad de Dios sabrá si lo que enseño proviene de Dios o sólo hablo por mi propia cuenta. [18]Los que hablan por su propia cuenta buscan su propia gloria, pero el que busca honrar a quien lo envió, habla con la verdad, no con mentiras. [19]Moisés les dio la ley, ¡pero ninguno de ustedes la cumple! De hecho, tratan de matarme.

[20]—¡Estás endemoniado! —respondió la multitud—. ¿Quién trata de matarte?

[21]Jesús contestó:

—Yo hice un milagro en el día de des-

6:69 Otros manuscritos dicen *tú eres el Cristo, el Santo de Dios;* otros dicen *tú eres el Cristo, el Hijo de Dios;* e incluso otros dicen *tú eres el Cristo, el Hijo del Dios viviente.* **7:8** Algunos manuscritos dicen *todavía no iré.* **7:15** En griego *los judíos.*

canso, y ustedes se asombraron; [22]pero ustedes también trabajan en el día de descanso al obedecer la ley de la circuncisión dada por Moisés. (En realidad, la costumbre de la circuncisión comenzó con los patriarcas, mucho antes de la ley de Moisés). [23]Pues, si el tiempo indicado para circuncidar a un hijo coincide con el día de descanso, ustedes igual realizan el acto, para no violar la ley de Moisés. Entonces, ¿por qué se enojan conmigo por sanar a un hombre en el día de descanso? [24]Miren más allá de la superficie, para poder juzgar correctamente.

¿Es Jesús el Mesías?

[25]Algunos de los que vivían en Jerusalén comenzaron a preguntarse unos a otros: «¿No es ese el hombre a quien procuran matar? [26]Sin embargo, está aquí hablando en público, y nadie le dice nada. ¿Será que nuestros líderes ahora creen que es el Mesías? [27]¿Pero cómo podría serlo? Nosotros sabemos de dónde proviene este hombre. Cuando venga el Mesías, sencillamente aparecerá; y nadie sabrá de dónde proviene».

[28]Mientras Jesús enseñaba en el templo, exclamó: «Es cierto, ustedes me conocen y saben de dónde provengo, pero no estoy aquí por mi propia cuenta. El que me envió es veraz, y ustedes no lo conocen; [29]pero yo sí lo conozco porque provengo de él, y él me envió a ustedes». [30]Entonces los líderes trataron de arrestarlo, pero nadie le puso las manos encima, porque aún no había llegado su momento.*

[31]De las multitudes presentes en el templo, muchos creyeron en él. «Después de todo —decían—, ¿acaso esperan que el Mesías haga más señales milagrosas que las que hizo este hombre?».

[32]Cuando los fariseos se enteraron de lo que las multitudes andaban murmurando, ellos y los principales sacerdotes enviaron guardias del templo para arrestar a Jesús. [33]Entonces Jesús les dijo: «Voy a estar con ustedes sólo un poco más de tiempo, luego volveré al que me envió. [34]Ustedes me buscarán pero no me encontrarán; y no pueden ir adonde yo voy».

[35]Desconcertados por esas palabras, los líderes judíos se preguntaban: «¿Adónde pensará ir? ¿Estará pensando salir del país e ir a los judíos dispersos en otras tierras?* ¡Tal vez hasta les enseñe a los griegos! [36]¿A qué se refiere cuando dice: "Me buscarán pero no me encontrarán" y "no pueden ir adonde yo voy"?».

Jesús promete agua viva

[37]El último día del festival, el más importante, Jesús se puso de pie y gritó a la multitud: «¡Todo el que tenga sed puede venir a mí! [38]¡Todo el que crea en mí puede venir y beber! Pues las Escrituras declaran: "De su corazón, brotarán ríos de agua viva"»*. [39](Con la expresión «agua viva», se refería al Espíritu, el cual se le daría a todo el que creyera en él; pero el Espíritu aún no había sido dado,* porque Jesús todavía no había entrado en su gloria).

División e incredulidad

[40]Algunos de la multitud, al oír lo que Jesús decía, afirmaron: «Seguramente este hombre es el Profeta que estábamos esperando»*. [41]Otros decían: «Es el Mesías». Pero otros expresaban: «¡No puede ser! ¿Acaso el Mesías vendrá de Galilea? [42]Pues las Escrituras dicen claramente que el Mesías nacerá del linaje

7:30 En griego *su hora.* **7:35** O *los judíos que viven entre los griegos?* **7:37-38** O *«¡Que todo el que tenga sed venga a mí y beba! [38]Pues las Escrituras declaran: "Ríos de agua viva brotarán del corazón de todo el que crea en mí"».* **7:39** Algunos manuscritos dicen *pero aún no había Espíritu;* incluso otros dicen *pero aún no había Espíritu Santo.* **7:40** Ver Dt 18:15, 18; Ml 4:5-6.

real de David, en Belén, la aldea donde nació el rey David»*. [43]Así que hubo división entre la multitud a causa de él. [44]Algunos querían que lo arrestaran, pero nadie le puso las manos encima.

[45]Cuando los guardias del templo regresaron sin haber arrestado a Jesús, los principales sacerdotes y los fariseos les preguntaron:

—¿Por qué no lo trajeron?

[46]—¡Jamás hemos oído a nadie hablar como él! —contestaron los guardias.

[47]—¿También ustedes se han dejado engañar? —se burlaron los fariseos—. [48]¿Habrá siquiera uno de nosotros, gobernantes o fariseos, que crea en él? [49]Esa multitud tonta que lo sigue es ignorante de la ley, ¡está bajo la maldición de Dios!

[50]Entonces tomó la palabra Nicodemo, el líder que había ido a ver a Jesús:

[51]—¿Es legal condenar a un hombre antes de darle la oportunidad de defenderse? —preguntó.

[52]—¿También tú eres de Galilea? —contestaron ellos—. Estudia las Escrituras y compruébalo tú mismo: jamás ha salido un profeta* de Galilea.

---

[53]Así terminó la reunión, y cada uno se volvió a su casa.*

Una mujer sorprendida en adulterio

8 Jesús regresó al monte de los Olivos, [2]pero muy temprano a la mañana siguiente, estaba de vuelta en el templo. Pronto se juntó una multitud, y él se sentó a enseñarles. [3]Mientras hablaba, los maestros de la ley religiosa y los fariseos le llevaron a una mujer que había sido sorprendida en el acto de adulterio; la pusieron en medio de la multitud.

[4]«Maestro —le dijeron a Jesús—, esta mujer fue sorprendida en el acto de adulterio. [5]La ley de Moisés manda apedrearla, ¿tú qué dices?».

[6]Intentaban tenderle una trampa para que dijera algo que pudieran usar en su contra, pero Jesús se inclinó y escribió con el dedo en el polvo. [7]Como ellos seguían exigiéndole una respuesta, él se incorporó nuevamente y les dijo: «¡Muy bien, pero el que nunca haya pecado que tire la primera piedra!». [8]Luego volvió a inclinarse y siguió escribiendo en el polvo.

[9]Al oír eso, los acusadores se fueron retirando uno tras otro, comenzando por los de más edad, hasta que quedaron sólo Jesús y la mujer en medio de la multitud. [10]Entonces Jesús se incorporó de nuevo y le dijo a la mujer:

—¿Dónde están los que te acusaban? ¿Ni uno de ellos te condenó?

[11]—Ni uno, Señor —dijo ella.

—Yo tampoco —le dijo Jesús—. Vete y no peques más.

Jesús, la luz del mundo

[12]Jesús habló una vez más al pueblo y dijo: «Yo soy la luz del mundo. Si ustedes me siguen, no tendrán que andar en la oscuridad porque tendrán la luz que lleva a la vida».

[13]Los fariseos respondieron:

—¡Tú haces esas declaraciones acerca de ti mismo! Un testimonio así no es válido.

[14]—Estas afirmaciones sí son válidas, aunque las diga de mí mismo —respondió Jesús—. Pues sé de dónde vengo y adónde voy, pero eso es algo que ustedes no saben de mí. [15]Ustedes me juzgan con criterios humanos, pero yo no juzgo a nadie. [16]Y, si lo hiciera, mi juicio sería correcto en todo sentido, porque no estoy solo. El Padre,* quien me envió, está

7:42 Ver Mi 5:2. **7:52** Algunos manuscritos dicen *el profeta no viene*. **7:53–8:11** Los manuscritos griegos más antiguos no incluyen Juan 7:53–8:11. **8:16** Algunos manuscritos dicen *Aquél*.

conmigo. [17]La misma ley de ustedes establece que, si dos personas concuerdan en algo, su testimonio se acepta como un hecho.* [18]Yo soy uno de los testigos, y mi Padre, quien me envió, es el otro.

[19]—¿Dónde está tu padre? —le preguntaron.

Jesús contestó:

—Como ustedes no saben quién soy yo, tampoco saben quién es mi Padre. Si me conocieran a mí, también conocerían a mi Padre.

[20]Jesús dijo todo esto mientras enseñaba en la parte del templo conocida como la tesorería, pero no lo arrestaron, porque aún no había llegado su momento.*

Advertencia para los incrédulos

[21]Más tarde, Jesús volvió a decirles: «Yo me voy, y ustedes me buscarán, pero morirán en su pecado. Adonde yo voy, ustedes no pueden ir».

[22]Por lo tanto la gente* se preguntaba: «¿Estará pensando suicidarse? ¿Qué quiere decir con "no pueden ir adonde yo voy"?».

[23]Jesús continuó diciendo: «Ustedes son de abajo; yo soy de arriba. Ustedes pertenecen a este mundo; yo no. [24]Por eso dije que morirán en sus pecados; porque, a menos que crean que Yo Soy quien afirmo ser,* morirán en sus pecados».

[25]—¿Y quién eres? —preguntaron.

—El que siempre dije que era.* [26]Tengo mucho para decir acerca de ustedes y mucho para condenar, pero no lo haré. Pues digo sólo lo que oí del que me envió, y él es totalmente veraz.

[27]Pero ellos seguían sin entender que les hablaba de su Padre.

[28]Por eso Jesús dijo: «Cuando hayan levantado al Hijo del Hombre en la cruz, entonces comprenderán que Yo Soy.* Yo no hago nada por mi cuenta, sino que digo únicamente lo que el Padre me enseñó. [29]Y el que me envió está conmigo, no me ha abandonado. Pues siempre hago lo que a él le agrada».

[30]Entonces muchos de los que oyeron sus palabras creyeron en él.

Jesús y Abraham

[31]Jesús les dijo a los que creyeron en él:

—Ustedes son verdaderamente mis discípulos si se mantienen fieles a mis enseñanzas; [32]y conocerán la verdad, y la verdad los hará libres.

[33]—Nosotros somos descendientes de Abraham —le respondieron—, nunca hemos sido esclavos de nadie. ¿Qué quieres decir con "los hará libres"?

[34]Jesús contestó:

—Les digo la verdad, todo el que comete pecado es esclavo del pecado. [35]Un esclavo no es un miembro permanente de la familia, pero un hijo sí forma parte de la familia para siempre. [36]Así que, si el Hijo los hace libres, ustedes son verdaderamente libres. [37]Claro que me doy cuenta de que son descendientes de Abraham. Aun así, algunos de ustedes procuran matarme porque no tienen lugar para mi mensaje en su corazón. [38]Yo les cuento lo que vi cuando estaba con mi Padre, pero ustedes siguen el consejo de su padre.

[39]—¡Nuestro padre es Abraham! —declararon.

—No —respondió Jesús— pues, si realmente fueran hijos de Abraham, seguirían su ejemplo.* [40]En cambio, procuran

8:17 Ver Dt 19:15. **8:20** En griego *su hora.* **8:22** En griego *los judíos;* también en 8:31, 48, 52, 57. **8:24** En griego *a menos que ustedes crean que yo soy.* Ver Ex 3:14. **8:25** O *¿Por qué hablo con ustedes?* **8:28** En griego *Cuando ustedes hayan levantado al Hijo del Hombre, entonces sabrán que yo soy.* «Hijo del Hombre» es un título que Jesús empleaba para referirse a sí mismo. **8:39** Algunos manuscritos dicen *si ustedes verdaderamente son hijos de Abraham, sigan su ejemplo.*

matarme porque les dije la verdad, la cual oí de Dios. Abraham nunca hizo algo así. [41]No, ustedes imitan a su verdadero padre.

—¡Nosotros no somos hijos ilegítimos! —respondieron—, Dios mismo es nuestro verdadero Padre.

[42]Jesús les dijo:

—Si Dios fuera su Padre, ustedes me amarían, porque he venido a ustedes de parte de Dios. No estoy aquí por mi propia cuenta, sino que él me envió. [43]¿Por qué no pueden entender lo que les digo? ¡Es porque ni siquiera toleran oírme! [44]Pues ustedes son hijos de su padre, el diablo, y les encanta hacer las cosas malvadas que él hace. Él ha sido asesino desde el principio y siempre ha odiado la verdad, porque en él no hay verdad. Cuando miente, actúa de acuerdo con su naturaleza porque es mentiroso y el padre de la mentira. [45]Por eso, es natural que no me crean cuando les digo la verdad. [46]¿Quién de ustedes puede, con toda sinceridad, acusarme de pecado? Y si les digo la verdad, ¿por qué, entonces, no me creen? [47]Los que pertenecen a Dios escuchan con gusto las palabras de Dios, pero ustedes no las escuchan porque no pertenecen a Dios.

[48]—¡Samaritano endemoniado! —replicaron—. ¿No veníamos diciendo que estabas poseído por un demonio?

[49]—No —dijo Jesús—, no tengo ningún demonio. Pues yo honro a mi Padre; en cambio, ustedes me deshonran a mí. [50]Y, aunque no tengo ninguna intención de glorificarme a mí mismo, Dios va a glorificarme y él es el verdadero juez. [51]Les digo la verdad, ¡todo el que obedezca mi enseñanza jamás morirá!

[52]—Ahora estamos convencidos de que estás poseído por un demonio —dijeron—. Hasta Abraham y los profetas murieron, pero tú dices: "¡El que obedezca mi enseñanza nunca morirá!". [53]¿Acaso eres más importante que nuestro padre Abraham? Él murió, igual que los profetas. ¿Tú quién te crees que eres?

[54]Jesús contestó:

—Si yo buscara mi propia gloria, esa gloria no tendría ningún valor, pero es mi Padre quien me glorificará. Ustedes dicen: "Él es nuestro Dios"*, [55]pero ni siquiera lo conocen. Yo sí lo conozco; y si dijera lo contrario, ¡sería tan mentiroso como ustedes! Pero lo conozco y lo obedezco. [56]Abraham, el padre de ustedes, se alegró mientras esperaba con ansias mi venida; la vio y se llenó de alegría.

[57]Entonces la gente le dijo:

—Ni siquiera tienes cincuenta años. ¿Cómo puedes decir que has visto a Abraham?*

[58]Jesús contestó:

—Les digo la verdad, ¡aun antes de que Abraham naciera, Yo Soy!*

[59]En ese momento, tomaron piedras para arrojárselas, pero Jesús desapareció de la vista de ellos y salió del templo.

Jesús sana a un hombre ciego de nacimiento

9 Mientras caminaba, Jesús vio a un hombre que era ciego de nacimiento.

[2]—Rabí,* ¿por qué nació ciego este hombre? —le preguntaron sus discípulos—. ¿Fue por sus propios pecados o por los de sus padres?

[3]—No fue por sus pecados ni tampoco por los de sus padres —contestó Jesús—, nació ciego para que todos vieran el poder de Dios en él. [4]Debemos llevar a cabo cuanto antes las tareas que nos encargó

8:54 Algunos manuscritos dicen *que él es su Dios.* **8:57** Algunos manuscritos dicen *¿Cómo puedes decir que Abraham te ha visto?* **8:58** O *¡aun antes de que Abraham naciera, yo siempre he estado vivo!;* en griego dice *antes de que Abraham fuera, yo soy.* Ver Ex 3:14. **9:2** *Rabí,* del arameo, significa «amo», «maestro».

el que nos envió.* Pronto viene la noche cuando nadie puede trabajar; [5]pero mientras estoy aquí en el mundo, yo soy la luz del mundo.

[6]Luego escupió en el suelo, hizo lodo con la saliva y lo untó en los ojos del ciego. [7]Le dijo: «Ve a lavarte en el estanque de Siloé», (Siloé significa «enviado»). Entonces el hombre fue, se lavó, ¡y regresó viendo!

[8]Sus vecinos y otros que lo conocían como un pordiosero ciego se preguntaban: «¿No es ese el hombre que solía sentarse a mendigar?». [9]Algunos decían que sí, y otros decían: «No, sólo se le parece».

Pero el mendigo seguía diciendo: «¡Sí, soy yo!».

[10]Le preguntaron:

—¿Quién te sanó? ¿Cómo sucedió?

[11]Él les dijo:

—El hombre al que llaman Jesús hizo lodo, me lo untó en los ojos y me dijo: "Ve al estanque de Siloé y lávate". Entonces fui, me lavé, ¡y ahora puedo ver!

[12]—¿Dónde está él ahora? —le preguntaron.

—No lo sé —contestó.

[13]Entonces llevaron ante los fariseos al hombre que había sido ciego, [14]porque era día de descanso cuando Jesús hizo el lodo y lo sanó. [15]Los fariseos interrogaron al hombre sobre todo lo que había sucedido y les respondió: «Él puso el lodo sobre mis ojos y, cuando me lavé, ¡pude ver!».

[16]Algunos de los fariseos decían: «Ese tal Jesús no viene de Dios porque trabaja en el día de descanso». Otros decían: «¿Pero cómo puede un simple pecador hacer semejantes señales milagrosas?». Así que había una profunda diferencia de opiniones entre ellos.

[17]Luego los fariseos volvieron a interrogar al hombre que había sido ciego:

—¿Qué opinas del hombre que te sanó?

—Creo que debe de ser un profeta —contestó el hombre.

[18]Aún así los líderes judíos se negaban a creer que el hombre había sido ciego y ahora podía ver, así que llamaron a sus padres.

[19]—¿Es éste su hijo? —les preguntaron—. ¿Es verdad que nació ciego? Si es cierto, ¿cómo es que ahora ve?

[20]Sus padres contestaron:

—Sabemos que él es nuestro hijo y que nació ciego, [21]pero no sabemos cómo es que ahora puede ver ni quién lo sanó. Pregúntenselo a él; ya tiene edad para hablar por sí mismo.

[22]Los padres dijeron eso por miedo a los líderes judíos, quienes habían anunciado que cualquiera que dijera que Jesús era el Mesías sería expulsado de la sinagoga. [23]Por eso dijeron: «Ya tiene edad suficiente, entonces pregúntenle a él».

[24]Por segunda vez llamaron al hombre que había sido ciego y le dijeron:

—Dios debería recibir la gloria por lo que ha pasado,* porque sabemos que ese hombre, Jesús, es un pecador.

[25]—Yo no sé si es un pecador —respondió el hombre—, pero lo que sé es que yo antes era ciego, ¡y ahora puedo ver!

[26]—¿Pero qué fue lo que hizo? —le preguntaron—. ¿Cómo te sanó?

[27]—¡Miren! —exclamó el hombre—. Ya les dije una vez. ¿Acaso no me escucharon? ¿Para qué quieren oírlo de nuevo? ¿Ustedes también quieren ser sus discípulos?

[28]Entonces ellos lo insultaron y dijeron:

—Tú eres su discípulo, ¡pero nosotros somos discípulos de Moisés! [29]Sabemos

9:4 Otros manuscritos dicen *Debo llevar a cabo cuanto antes las tareas que me encargó el que me envió;* incluso otros dicen *Debemos llevar a cabo cuanto antes las tareas que nos encargó el que me envió.*
9:24 O *Dale la gloria a Dios, no a Jesús;* en griego dice *Dale la gloria a Dios.*

que Dios le habló a Moisés, pero no sabemos ni siquiera de dónde proviene este hombre.

[30]—¡Qué cosa tan extraña! —respondió el hombre—. A mí me sanó los ojos, ¿y ustedes ni siquiera saben de dónde proviene? [31]Sabemos que Dios no escucha a los pecadores pero está dispuesto a escuchar a los que lo adoran y hacen su voluntad. [32]Desde el principio del mundo, nadie ha podido abrir los ojos de un ciego de nacimiento. [33]Si este hombre no viniera de parte de Dios, no habría podido hacerlo.

[34]—¡Tú naciste pecador hasta la médula! —le respondieron—. ¿Acaso tratas de enseñarnos a nosotros?

Y lo echaron de la sinagoga.

Ceguera espiritual

[35]Cuando Jesús supo lo que había pasado, encontró al hombre y le preguntó:

—¿Crees en el Hijo del Hombre?*

[36]—¿Quién es, señor? —contestó el hombre—. Quiero creer en él.

[37]—Ya lo has visto —le dijo Jesús—, ¡y está hablando contigo!

[38]—¡Sí, Señor, creo! —dijo el hombre. Y adoró a Jesús.

[39]Entonces Jesús le dijo:*

—Yo entré en este mundo para hacer juicio, para dar vista a los ciegos y para demostrarles a los que creen que ven* que, en realidad, son ciegos.

[40]Algunos fariseos que estaban cerca lo oyeron y le preguntaron:

—¿Estás diciendo que nosotros somos ciegos?

[41]—Si fueran ciegos, no serían culpables —contestó Jesús—, pero siguen siendo culpables porque afirman que pueden ver.

El buen pastor y sus ovejas

10 »Les digo la verdad, el que trepa por la pared de un redil a escondidas en lugar de entrar por la puerta, ¡con toda seguridad es un ladrón y un bandido! [2]Pero el que entra por la puerta es el pastor de las ovejas. [3]El portero le abre la puerta, y las ovejas reconocen la voz del pastor y se le acercan. Él llama a cada una de sus ovejas por su nombre y las lleva fuera del redil. [4]Una vez reunido su propio rebaño, camina delante de las ovejas, y ellas lo siguen porque conocen su voz. [5]Nunca seguirán a un desconocido; al contrario, huirán de él porque no conocen su voz.

[6]Los que oyeron a Jesús usar este ejemplo no entendieron lo que quiso decir, [7]entonces les dio la explicación: «Les digo la verdad, yo soy la puerta de las ovejas. [8]Todos los que vinieron antes que yo* eran ladrones y bandidos, pero las verdaderas ovejas no los escucharon. [9]Yo soy la puerta; los que entren a través de mí serán salvos.* Entrarán y saldrán libremente y encontrarán buenos pastos. [10]El propósito del ladrón es robar y matar y destruir; mi propósito es darles una vida plena y abundante.

[11]»Yo soy el buen pastor. El buen pastor da su vida en sacrificio por las ovejas. [12]El que trabaja a sueldo sale corriendo cuando ve que se acerca un lobo; abandona las ovejas, porque no son suyas y él no es su pastor. Entonces el lobo ataca el rebaño y lo dispersa. [13]El cuidador contratado sale corriendo porque trabaja sólo por el dinero y, en realidad, no le importan las ovejas.

[14]»Yo soy el buen pastor; conozco a mis ovejas, y ellas me conocen a mí, [15]como también mi Padre me conoce a

9:35 Algunos manuscritos dicen *el Hijo de Dios?* «Hijo del Hombre» es un título que Jesús empleaba para referirse a sí mismo. **9:38-39a** Algunos manuscritos no incluyen las palabras *—¡Sí, Señor, creo! —dijo el hombre. Y adoró a Jesús. Entonces Jesús le dijo.* **9:39b** En griego *los que ven.* **10:8** Algunos manuscritos no incluyen *antes que yo.* **10:9** O *encontrarán seguridad.*

mí, y yo conozco al Padre. Así que sacrifico mi vida por las ovejas. [16]Además, tengo otras ovejas que no están en este redil, también las debo traer. Ellas escucharán mi voz, y habrá un solo rebaño con un solo pastor.

[17]»El Padre me ama, porque sacrifico mi vida para poder tomarla de nuevo. [18]Nadie puede quitarme la vida sino que yo la entrego voluntariamente en sacrificio. Pues tengo la autoridad para entregarla cuando quiera y también para volver a tomarla. Esto es lo que ordenó mi Padre».

[19]Al oírlo decir esas cosas, la gente* volvió a dividirse en cuanto a su opinión sobre Jesús. [20]Algunos decían: «Está loco y endemoniado, ¿para qué escuchar a un hombre así?». [21]Otros decían: «¡No suena como alguien poseído por un demonio! ¿Acaso un demonio puede abrir los ojos de los ciegos?».

Jesús afirma ser el Hijo de Dios

[22]Ya era invierno, y Jesús estaba en Jerusalén durante el tiempo de Januká, el Festival de la Dedicación. [23]Se encontraba en el templo, caminando por la parte conocida como el pórtico de Salomón. [24]Algunas personas lo rodearon y le preguntaron:

—¿Hasta cuándo nos tendrás en suspenso? Si tú eres el Mesías, dínoslo sin rodeos.

[25]Jesús les contestó:

—Yo ya les dije, y ustedes no me creen. La prueba es la obra que hago en nombre de mi Padre, [26]pero ustedes no me creen porque no son mis ovejas. [27]Mis ovejas escuchan mi voz; yo las conozco, y ellas me siguen. [28]Les doy vida eterna, y nunca perecerán. Nadie puede quitármelas, [29]porque mi Padre me las ha dado, y él es más poderoso que todos.* Nadie puede quitarlas de la mano del Padre. [30]El Padre y yo somos uno.

[31]Una vez más, las personas tomaron piedras para matarlo. [32]Jesús dijo:

—Bajo la dirección de mi Padre, he realizado muchas buenas acciones. ¿Por cuál de todas ellas me van a apedrear?

[33]—No te apedreamos por ninguna buena acción, ¡sino por blasfemia! —contestaron—. Tú, un hombre común y corriente, afirmas ser Dios.

[34]Jesús respondió:

—En sus propias Escrituras* está registrado que Dios les dijo a ciertos líderes del pueblo: "Yo digo que ustedes son dioses"*. [35]Y ustedes bien saben que las Escrituras no pueden ser modificadas. Así que, si a las personas que recibieron el mensaje de Dios se les llamó "dioses", [36]¿por qué ustedes me acusan de blasfemar cuando digo: "Soy el Hijo de Dios"? Después de todo, el Padre me separó y me envió al mundo. [37]No me crean a menos que lleve a cabo las obras de mi Padre; [38]pero si hago su trabajo, entonces crean en las obras milagrosas que he hecho aunque no me crean a mí. Entonces sabrán y entenderán que el Padre está en mí y yo estoy en el Padre.

[39]Una vez más trataron de arrestarlo, pero él se escapó y los dejó. [40]Se fue al otro lado del río Jordán, cerca del lugar donde Juan bautizaba al principio, y se quedó un tiempo allí. [41]Y muchos lo siguieron. «Juan no hacía señales milagrosas —se comentaban unos a otros—, pero todo lo que dijo acerca de este hombre resultó ser cierto». [42]Y muchos de los que estaban allí creyeron en Jesús.

La resurrección de Lázaro

11 Un hombre llamado Lázaro estaba enfermo. Vivía en Betania con sus

10:19 En griego *los judíos;* también en 10:24, 31. **10:29** Otros manuscritos dicen *porque lo que mi Padre me ha dado es más poderoso que todo;* incluso otros dicen *porque, en cuanto a lo que mi Padre me ha dado, él es más importante que todos.* **10:34a** En griego *su propia ley.* **10:34b** Sal 82:6.

hermanas María y Marta. [2]María era la misma mujer que tiempo después derramó el perfume costoso sobre los pies del Señor y los secó con su cabello.* Su hermano, Lázaro, estaba enfermo. [3]Así que las dos hermanas le enviaron un mensaje a Jesús que decía: «Señor, tu querido amigo está muy enfermo».

[4]Cuando Jesús oyó la noticia, dijo: «La enfermedad de Lázaro no acabará en muerte. Al contrario, sucedió para la gloria de Dios, a fin de que el Hijo de Dios reciba gloria como resultado». [5]Aunque Jesús amaba a Marta, a María y a Lázaro, [6]se quedó donde estaba dos días más. [7]Pasado ese tiempo, les dijo a sus discípulos:

—Volvamos a Judea.

[8]Pero sus discípulos se opusieron diciendo:

—Rabí,* hace sólo unos días, la gente* de Judea trató de apedrearte. ¿Irás allí de nuevo?

[9]Jesús contestó:

—Cada día tiene doce horas de luz. Durante el día, la gente puede andar segura y puede ver porque tiene la luz de este mundo; [10]pero de noche se corre el peligro de tropezar, porque no hay luz. [11]Nuestro amigo Lázaro se ha dormido —agregó después—, pero ahora iré a despertarlo.

[12]—Señor —dijeron los discípulos—, si se ha dormido, ¡pronto se pondrá mejor!

[13]Ellos pensaron que Jesús había querido decir que Lázaro sólo estaba dormido, pero Jesús se refería a que Lázaro había muerto.

[14]Por eso les dijo claramente:

—Lázaro está muerto. [15]Y, por el bien de ustedes, me alegro de no haber estado allí, porque ahora ustedes van a creer de verdad. Vamos a verlo.

[16]Tomás, al que apodaban el Gemelo,* les dijo a los otros discípulos: «Vamos nosotros también y moriremos con Jesús».

[17]Cuando Jesús llegó a Betania, le dijeron que Lázaro ya llevaba cuatro días en la tumba. [18]Betania quedaba sólo a unos pocos kilómetros* de Jerusalén, [19]y muchos se habían acercado para consolar a Marta y a María por la pérdida de su hermano. [20]Cuando Marta se enteró de que Jesús estaba por llegar, salió a su encuentro, pero María se quedó en la casa. [21]Marta le dijo a Jesús:

—Señor, si tan sólo hubieras estado aquí, mi hermano no habría muerto; [22]pero aun ahora, yo sé que Dios te dará todo lo que pidas.

[23]Jesús le dijo:

—Tu hermano resucitará.

[24]—Es cierto —respondió Marta—, resucitará cuando resuciten todos, en el día final.

[25]Jesús le dijo:

—Yo soy la resurrección y la vida.* El que cree en mí vivirá aun después de haber muerto. [26]Todo el que vive en mí y cree en mí jamás morirá. ¿Lo crees, Marta?

[27]—Sí, Señor —le dijo ella—. Siempre he creído que tú eres el Mesías, el Hijo de Dios, el que ha venido de Dios al mundo.

[28]Luego Marta regresó adonde estaba María y los que se lamentaban. La llamó aparte y le dijo: «El Maestro está aquí y quiere verte». [29]Entonces María salió enseguida a su encuentro.

[30]Jesús todavía estaba fuera de la aldea, en el lugar donde se había encontrado con Marta. [31]Cuando los que estaban en la casa consolando a María la vieron salir con tanta prisa, creyeron que iba a la tumba de Lázaro a llorar. Así que la

11:2 Este incidente se relata en el capítulo 12. **11:8a** *Rabí,* del arameo, significa «amo», «maestro». **11:8b** En griego *los judíos;* también en 11:19, 31, 33, 36, 45, 54. **11:16** En griego *Tomás, a quien llamaban Dídimo.* **11:18** En griego *estaba a unos 15 estadios* [cerca de 1,7 millas]. **11:25** Algunos manuscritos no incluyen *y la vida.*

siguieron. [32]Cuando María llegó y vio a Jesús, cayó a sus pies y dijo:

—Señor, si tan sólo hubieras estado aquí, mi hermano no habría muerto.

[33]Cuando Jesús la vio llorando y vio que los demás se lamentaban con ella, se enojó en su interior* y se conmovió profundamente.

[34]—¿Dónde lo pusieron? —les preguntó.

Ellos le dijeron:

—Señor, ven a verlo.

[35]Entonces Jesús lloró. [36]Las personas que estaban cerca dijeron: «¡Miren cuánto lo amaba!». [37]Pero otros decían: «Este hombre sanó a un ciego. ¿Acaso no podía impedir que Lázaro muriera?».

[38]Jesús todavía estaba enojado cuando llegó a la tumba, una cueva con una piedra que tapaba la entrada. [39]«Corran la piedra a un lado», les dijo Jesús.

Entonces Marta, la hermana del muerto, protestó:

—Señor, hace cuatro días que murió. Debe haber un olor espantoso.

[40]Jesús respondió:

—¿No te dije que si crees, verás la gloria de Dios?

[41]Así que corrieron la piedra a un lado. Entonces Jesús miró al cielo y dijo: «Padre, gracias por haberme oído. [42]Tú siempre me oyes, pero lo dije en voz alta por el bien de toda esta gente que está aquí, para que crean que tú me enviaste». [43]Entonces Jesús gritó: «¡Lázaro, sal de ahí!». [44]Y el muerto salió de la tumba con las manos y los pies envueltos con vendas de entierro y la cabeza enrollada en un lienzo. Jesús les dijo: «¡Quítenle las vendas y déjenlo ir!».

Conspiración para matar a Jesús

[45]Al ver lo que sucedió, muchos de los que estaban con María creyeron en Jesús; [46]pero otros fueron a ver a los fariseos para contarles lo que Jesús había hecho. [47]Entonces, los principales sacerdotes y los fariseos convocaron al Concilio Supremo.* «¿Qué vamos a hacer? —se preguntaron unos a otros—. Sin duda, ese hombre realiza muchas señales milagrosas. [48]Si lo dejamos seguir así, dentro de poco todos van a creer en él. Entonces, el ejército romano vendrá y destruirá tanto nuestro templo* como nuestra nación».

[49]Caifás, quien era el sumo sacerdote en aquel tiempo,* dijo: «¡No saben de qué están hablando! [50]No se dan cuenta de que es mejor para ustedes que muera un solo hombre por el pueblo, y no que la nación entera sea destruida».

[51]No dijo eso por su propia cuenta; como sumo sacerdote en aquel tiempo, fue guiado a profetizar que Jesús moriría por toda la nación. [52]Y no sólo por esa nación, sino que también moriría para congregar y unir a todos los hijos de Dios dispersos por el mundo.

[53]Así que, a partir de ese momento, los líderes judíos comenzaron a conspirar para matar a Jesús. [54]Como resultado, Jesús detuvo su ministerio público entre el pueblo y salió de Jerusalén. Fue a un lugar cercano al desierto, a la aldea de Efraín, y se quedó allí con sus discípulos.

[55]Ya faltaba poco para la celebración de la Pascua judía, y mucha gente de todo el país llegó a Jerusalén varios días antes para participar en la ceremonia de purificación previa al comienzo de la Pascua. [56]Seguían buscando a Jesús, pero mientras estaban en el templo, se decían unos a otros: «¿Qué les parece? No vendrá para la Pascua, ¿verdad?». [57]Mientras tanto, los principales sacerdotes y los fariseos habían dado órdenes públicamente de que cualquiera que viera a Jesús avisara enseguida, para que ellos pudieran arrestarlo.

11:33 O *se enojó en su espíritu.* **11:47** En griego *al Sanedrín.* **11:48** O *nuestra posición;* en griego dice *nuestro lugar.* **11:49** En griego *ese año;* también en 11:51.

Jesús ungido en Betania

12 Seis días antes de que comenzara la celebración de la Pascua, Jesús llegó a Betania, a la casa de Lázaro, el hombre a quien él había resucitado. [2]Prepararon una cena en honor de Jesús. Marta servía, y Lázaro estaba entre los que comían* con él. [3]Entonces María tomó un frasco con casi medio litro* de un costoso perfume preparado con esencia de nardo, le ungió los pies a Jesús y los secó con sus propios cabellos. La casa se llenó de la fragancia del perfume.

[4]Sin embargo, Judas Iscariote, el discípulo que pronto lo traicionaría, dijo: [5]«Ese perfume valía el salario de un año.* Hubiera sido mejor venderlo para dar el dinero a los pobres». [6]No es que a Judas le importaran los pobres; en verdad, era un ladrón y, como estaba a cargo del dinero de los discípulos, a menudo robaba una parte para él.

[7]Jesús respondió: «Déjala en paz. Esto lo hizo en preparación para mi entierro. [8]Siempre habrá pobres entre ustedes, pero a mí no siempre me tendrán».

[9]Cuando todos los habitantes* de esa región se enteraron de que Jesús había llegado, corrieron en masa para verlo a él y también a Lázaro, el hombre al que Jesús había resucitado de los muertos. [10]Entonces los principales sacerdotes decidieron matar a Lázaro también, [11]ya que, por causa de él, muchos los habían abandonado a ellos* y ahora creían en Jesús.

Entrada triunfal de Jesús

[12]Al día siguiente, la noticia de que Jesús iba camino a Jerusalén corrió por toda la ciudad. Una gran multitud de visitantes que habían venido para la Pascua [13]tomaron ramas de palmera y salieron al camino para recibirlo. Gritaban:

«¡Alabado sea Dios!*
¡Bendiciones al que viene en el
nombre del SEÑOR!
¡Viva el Rey de Israel!»*.

[14]Jesús encontró un burrito y se montó en él; así se cumplió la profecía que dice:

[15] «No temas, pueblo de Jerusalén.*
Mira, tu Rey ya viene
montado en la cría de una burra»*.

[16]Sus discípulos no entendieron en ese momento que se trataba del cumplimiento de la profecía. Sólo después de que Jesús entró en su gloria, se acordaron de lo sucedido y se dieron cuenta de que esas cosas se habían escrito acerca de él.

[17]Muchos de la multitud habían estado presentes cuando Jesús llamó a Lázaro de la tumba y lo resucitó de los muertos, y se lo habían contado a otros.* [18]Por eso tantos salieron a recibir a Jesús, porque habían oído de esa señal milagrosa. [19]Entonces los fariseos se dijeron unos a otros: «Ya no hay nada que podamos hacer. ¡Miren, todo el mundo* se va tras él!».

Jesús anuncia su muerte

[20]Algunos griegos que habían ido a Jerusalén para celebrar la Pascua [21]le hicieron una visita a Felipe, que era de Betsaida de Galilea. Le dijeron: «Señor, queremos conocer a Jesús».[22]Felipe se lo comentó a Andrés, y juntos fueron a preguntarle a Jesús.

[23]Jesús respondió: «Ya ha llegado el

12:2 O *los que se reclinaban.* **12:3** En griego *tomó una libra* [12 onzas]. **12:5** En griego *valía trescientos denarios.* Un denario equivalía a la paga de un obrero por una jornada completa de trabajo. **12:9** En griego *los judíos;* también en 12:11. **12:11** O *habían abandonado sus tradiciones;* en griego dice *habían abandonado.* **12:13a** En griego *Hosanna*, una exclamación de alabanza adaptada de una expresión hebrea que significa «salva ahora». **12:13b** Sal 118:25-26; So 3:15. **12:15a** En griego *hija de Sión.* **12:15b** Za 9:9. **12:17** En griego *y lo estaban testificando.* **12:19** En griego *el mundo.*

momento para que el Hijo del Hombre* entre en su gloria. [24]Les digo la verdad, el grano de trigo, a menos que sea sembrado en la tierra y muera, queda solo. Sin embargo, su muerte producirá muchos granos nuevos, una abundante cosecha de nuevas vidas. [25]Los que aman su vida en este mundo la perderán. Los que no le dan importancia a su vida en este mundo la conservarán por toda la eternidad. [26]Todo el que quiera ser mi discípulo debe seguirme, porque mis siervos tienen que estar donde yo estoy. El Padre honrará a todo el que me sirva.

[27]»Ahora mi alma está muy entristecida. ¿Acaso debería orar: "Padre, sálvame de esta hora"? ¡Pero esa es precisamente la razón por la que vine! [28]Padre, glorifica tu nombre».

Entonces habló una voz del cielo: «Ya he glorificado mi nombre y lo haré otra vez». [29]Al oír la voz, algunos de la multitud pensaron que era un trueno, mientras que otros decían que un ángel le había hablado.

[30]Entonces Jesús les dijo: «La voz fue para beneficio de ustedes, no mío. [31]Ha llegado el tiempo de juzgar a este mundo, cuando Satanás —quien gobierna este mundo— será expulsado. [32]Y, cuando yo sea levantado de la tierra, atraeré a todos hacia mí». [33]Con eso quería dar a entender de qué forma iba a morir.

[34]La multitud respondió:

—Según entendimos de las Escrituras,* el Mesías vivirá para siempre. ¿Cómo puedes decir, entonces, que el Hijo del Hombre va a morir? Además, ¿quién es este Hijo del Hombre?

[35]Jesús contestó:

—Mi luz brillará para ustedes sólo un poco más de tiempo. Caminen en la luz mientras puedan, para que la oscuridad no los tome por sorpresa, porque los que andan en la oscuridad no pueden ver adónde van. [36]Pongan su confianza en la luz mientras aún haya tiempo; entonces se convertirán en hijos de la luz.

Después de decir esas cosas, Jesús salió y desapareció de la vista de ellos.

Incredulidad de la gente

[37]A pesar de todas las señales milagrosas que Jesús había hecho, la mayoría de la gente aún no creía en él. [38]Eso era precisamente lo que el profeta Isaías había predicho:

«Señor, ¿quién ha creído nuestro
mensaje?
¿A quién ha revelado el Señor su
brazo poderoso?»*.

[39]Pero la gente no podía creer, porque como también dijo Isaías:

[40] «El Señor les ha cegado los ojos
y les ha endurecido el corazón,
para que sus ojos no puedan ver
y sus corazones no puedan entender
y ellos no puedan regresar a mí
para que yo los sane»*.

[41]Isaías se refería a Jesús cuando dijo esas palabras, porque vio el futuro y habló de la gloria del Mesías. [42]Sin embargo, hubo muchos que sí creyeron en él, entre ellos, algunos líderes judíos; pero no lo admitían por temor a que los fariseos los expulsaran de la sinagoga; [43]porque amaban más la aprobación humana que la aprobación de Dios.

[44]Jesús le gritó a la multitud: «Si confían en mí, no confían sólo en mí, sino también en Dios, quien me envió. [45]Pues, cuando me ven a mí, están viendo al que me envió. [46]Yo he venido como una luz para brillar en este mundo de oscuridad, a fin de que todos los que pongan su confianza en mí no queden más en la

12:23 «Hijo del Hombre» es un título que Jesús empleaba para referirse a sí mismo. **12:34** En griego *de la ley*. **12:38** Is 53:1. **12:40** Is 6:10.

oscuridad. [47]No voy a juzgar a los que me oyen pero no me obedecen, porque he venido para salvar al mundo y no para juzgarlo. [48]Pero todos los que me rechazan a mí y rechazan mi mensaje serán juzgados el día del juicio por la verdad que yo he hablado. [49]Yo no hablo con autoridad propia; el Padre, quien me envió, me ha ordenado qué decir y cómo decirlo. [50]Y sé que sus mandatos llevan a la vida eterna; por eso digo todo lo que el Padre me indica que diga».

Jesús lava los pies a sus discípulos

13 Antes de la celebración de la Pascua, Jesús sabía que había llegado su momento para dejar este mundo y regresar a su Padre. Había amado a sus discípulos durante el ministerio que realizó en la tierra y ahora los amó hasta el final.* [2]Era la hora de cenar, y el diablo ya había incitado a Judas, hijo de Simón Iscariote, para que traicionara* a Jesús. [3]Jesús sabía que el Padre le había dado autoridad sobre todas las cosas y que había venido de Dios y regresaría a Dios. [4]Así que se levantó de la mesa, se quitó el manto, se ató una toalla a la cintura [5]y echó agua en un recipiente. Luego comenzó a lavarles los pies a los discípulos y a secárselos con la toalla que tenía en la cintura.

[6]Cuando se acercó a Simón Pedro, este le dijo:

—Señor, ¿tú me vas a lavar los pies a mí?

[7]Jesús contestó:

—Ahora no entiendes lo que hago, pero algún día lo entenderás.

[8]—¡No! —protestó Pedro—. ¡Jamás me lavarás los pies!

—Si no te lavo —respondió Jesús—, no vas a pertenecerme.

[9]—¡Entonces, lávame también las manos y la cabeza, Señor, no sólo los pies! —exclamó Simón Pedro.

[10]Jesús respondió:

—Una persona que se ha bañado bien no necesita lavarse más que los pies* para estar completamente limpia. Y ustedes, discípulos, están limpios, aunque no todos.

[11]Pues Jesús sabía quién lo iba a traicionar. A eso se refería cuando dijo: «No todos están limpios».

[12]Después de lavarles los pies, se puso otra vez el manto, se sentó y preguntó:

—¿Entienden lo que acabo de hacer? [13]Ustedes me llaman "Maestro" y "Señor" y tienen razón, porque es lo que soy. [14]Y, dado que yo, su Señor y Maestro, les he lavado los pies, ustedes deben lavarse los pies unos a otros. [15]Les di mi ejemplo para que lo sigan. Hagan lo mismo que yo he hecho con ustedes. [16]Les digo la verdad, los esclavos no son superiores a su amo ni el mensajero es más importante que quien envía el mensaje. [17]Ahora que saben estas cosas, Dios los bendecirá por hacerlas.

Jesús predice la traición

[18]»No les digo estas cosas a todos ustedes; yo conozco a los que he elegido. Pero es para que se cumpla la Escritura que dice: "El que come de mi comida se ha puesto en mi contra"*. [19]Les aviso de antemano, a fin de que, cuando suceda, crean que Yo Soy el Mesías.* [20]Les digo la verdad, todo el que recibe a mi mensajero me recibe a mí, y el que me recibe a mí recibe al Padre, quien me envió.

[21]Entonces Jesús, muy angustiado,* exclamó: «Les digo la verdad, ¡uno de ustedes va a traicionarme!».

13:1 O *les mostró toda la plenitud de su amor.* **13:2** O *el diablo ya se había propuesto que Judas, hijo de Simón Iscariote, traicionara.* **13:10** Algunos manuscritos no incluyen *más que los pies.* **13:18** Sal 41:9. **13:19** O *que el "Yo Soy" ha venido;* o *que yo soy el Señor;* en griego dice *que yo soy.* Ver Ex 3:14. **13:21** En griego *angustiado en su espíritu.*

[22]Los discípulos se miraron unos a otros sin saber a cuál se refería Jesús. [23]El discípulo a quien Jesús amaba estaba sentado a la mesa a su lado.* [24]Simón Pedro le hizo señas para que le preguntara a quién se refería. [25]Entonces, ese discípulo se inclinó hacia Jesús y le preguntó:

—Señor, ¿quién es?

[26]Jesús le contestó:

—Es aquel a quien le doy el pan que mojo en el plato.

Y, después de mojar el pan, se lo dio a Judas, el hijo de Simón Iscariote. [27]Cuando Judas comió el pan, Satanás entró en él. Entonces Jesús le dijo: «Apresúrate a hacer lo que vas a hacer». [28]Ninguno de los demás que estaban a la mesa entendió lo que Jesús quiso decir. [29]Como Judas era el tesorero del grupo, algunos pensaron que Jesús le estaba diciendo que fuera a pagar la comida o que diera algo de dinero a los pobres. [30]Así que Judas se fue enseguida y se internó en la noche.

Jesús anuncia la negación de Pedro

[31]En cuanto Judas salió del lugar, Jesús dijo: «Ha llegado el momento para que el Hijo del Hombre* entre en su gloria y, por causa de él, Dios será glorificado. [32]Y dado que Dios recibe gloria a causa del Hijo,* pronto le dará gloria al Hijo. [33]Mis queridos hijos, voy a estar con ustedes sólo un poco más de tiempo. Y, como les dije a los líderes judíos, ustedes me buscarán, pero no pueden ir adonde yo voy. [34]Así que ahora les doy un nuevo mandamiento: ámense unos a otros. Tal como yo los he amado, ustedes deben amarse unos a otros. [35]El amor que tengan unos por otros será la prueba ante el mundo de que son mis discípulos».

[36]Simón Pedro le preguntó:

—Señor, ¿adónde vas?

Y Jesús contestó:

—Ahora no puedes venir conmigo, pero me seguirás después.

[37]—¿Pero por qué no puedo ir ahora, Señor? —le preguntó—. Estoy dispuesto a morir por ti.

[38]—¿Morir por mí? —le contestó Jesús—. Pedro, te digo la verdad, mañana por la mañana, antes de que cante el gallo, negarás tres veces que me conoces.

Jesús, el camino al Padre

14 »No dejen que el corazón se les llene de angustia; confíen en Dios y confíen también en mí. [2]En el hogar de mi Padre, hay lugar más que suficiente.* Si no fuera así, ¿acaso les habría dicho que voy a prepararles un lugar?* [3]Cuando todo esté listo, volveré para llevarlos, para que siempre estén conmigo donde yo estoy. [4]Y ustedes conocen el camino que lleva adonde voy.

[5]—No, Señor, no lo conocemos —dijo Tomás—. No tenemos ni idea de adónde vas, ¿cómo vamos a conocer el camino?

[6]Jesús le contestó:

—Yo soy el camino, la verdad y la vida; nadie puede ir al Padre si no es por medio de mí. [7]Si ustedes realmente me conocieran, también sabrían quién es mi Padre.* De ahora en adelante, ya lo conocen y lo han visto.

[8]Felipe le dijo:

—Señor, muéstranos al Padre y quedaremos conformes.

13:23 En griego *estaba recostado sobre el pecho de Jesús.* El «discípulo que Jesús amaba» probablemente era Juan. **13:31** «Hijo del Hombre» era un título que Jesús empleaba para referirse a sí mismo. **13:32** Algunos manuscritos no incluyen *dado que Dios recibe gloria a causa del Hijo.* **14:2a** O *Hay muchas habitaciones en la casa de mi Padre.* **14:2b** O *Si no fuera así, les habría dicho que voy a prepararles un lugar.* Algunos manuscritos dicen *Si no fuera así, se los habría dicho. Voy a prepararles un lugar.* **14:7** Algunos manuscritos dicen *Si realmente me han conocido, sabrán quién es mi Padre.*

[9]Jesús respondió:

—Felipe, ¿he estado con ustedes todo este tiempo, y todavía no sabes quién soy? ¡Los que me han visto a mí han visto al Padre! Entonces, ¿cómo me pides que les muestre al Padre? [10]¿Acaso no crees que yo estoy en el Padre y el Padre está en mí? Las palabras que yo digo no son mías, sino que mi Padre, quien vive en mí, hace su obra por medio de mí. [11]Sólo crean que yo estoy en el Padre y el Padre está en mí; o al menos crean por las obras que me han visto hacer.

[12]»Les digo la verdad, todo el que crea en mí hará las mismas obras que yo he hecho y aún mayores, porque voy a estar con el Padre. [13]Pueden pedir cualquier cosa en mi nombre, y yo la haré, para que el Hijo le dé gloria al Padre. [14]Es cierto, pídanme cualquier cosa en mi nombre, ¡y yo la haré!

Jesús promete el Espíritu Santo

[15]»Si me aman, obedezcan* mis mandamientos. [16]Y yo le pediré al Padre, y él les dará otro Abogado Defensor,* quien estará con ustedes para siempre. [17]Me refiero al Espíritu Santo, quien guía a toda la verdad. El mundo no puede recibirlo porque no lo busca ni lo reconoce; pero ustedes sí lo conocen, porque ahora él vive con ustedes y después estará en ustedes.* [18]No los abandonaré como a huérfanos; vendré a ustedes. [19]Dentro de poco, el mundo no me verá más, pero ustedes sí me verán. Dado que yo vivo, ustedes también vivirán. [20]Cuando yo vuelva a la vida, ustedes sabrán que estoy en mi Padre y que ustedes están en mí, y yo, en ustedes. [21]Los que aceptan mis mandamientos y los obedecen son los que me aman. Y, porque me aman a mí, mi Padre los amará a ellos. Y yo los amaré y me daré a conocer a cada uno de ellos.

[22]Judas (no Judas Iscariote, sino el otro discípulo con el mismo nombre) le dijo:

—Señor, ¿por qué te darás a conocer sólo a nosotros y no al mundo en general?

[23]Jesús contestó:

—Todos los que me aman harán lo que yo diga. Mi Padre los amará, y vendremos para vivir con cada uno de ellos. [24]El que no me ama no me obedece. Y recuerden, mis palabras no son mías, lo que les hablo proviene del Padre, quien me envió. [25]Les digo estas cosas ahora, mientras todavía estoy con ustedes. [26]Sin embargo, cuando el Padre envíe al Abogado Defensor como mi representante —es decir, al Espíritu Santo—, él les enseñará todo y les recordará cada cosa que les he dicho.

[27]»Les dejo un regalo: paz en la mente y en el corazón. Y la paz que yo doy es un regalo que el mundo no puede dar. Así que no se angustien ni tengan miedo. [28]Recuerden lo que les dije: me voy, pero volveré a ustedes. Si de veras me amaran, se alegrarían de que voy al Padre, quien es más importante que yo. [29]Les he dicho estas cosas antes de que sucedan para que, cuando sucedan, ustedes crean.

[30]»No me queda mucho tiempo para hablar con ustedes, porque se acerca el que gobierna este mundo. Él no tiene ningún poder sobre mí, [31]pero haré lo que el Padre me manda, para que el mundo sepa que amo al Padre. Vamos, salgamos de aquí.

Jesús, la vid verdadera

15 »Yo soy la vid verdadera, y mi Padre es el labrador. [2]Él corta de mí toda rama que no produce fruto y poda las ramas que sí dan fruto, para que

14:15 Otros manuscritos dicen *obedecerán;* incluso otros dicen *deben obedecer.* **14:16** O *Consolador,* o *Alentador,* o *Consejero.* En griego dice *Paráclito;* también en 14:26. **14:17** Algunos manuscritos dicen *y está en ustedes.*

den aún más. [3]Ustedes ya han sido podados y purificados por el mensaje que les di. [4]Permanezcan en mí, y yo permaneceré en ustedes. Pues una rama no puede producir fruto si la cortan de la vid, y ustedes tampoco pueden ser fructíferos a menos que permanezcan en mí.

[5]»Ciertamente, yo soy la vid; ustedes son las ramas. Los que permanecen en mí y yo en ellos producirán mucho fruto porque, separados de mí, no pueden hacer nada. [6]El que no permanece en mí es desechado como rama inútil y se seca. Todas esas ramas se juntan en un montón para quemarlas en el fuego. [7]Si ustedes permanecen en mí y mis palabras permanecen en ustedes, pueden pedir lo que quieran, ¡y les será concedido! [8]Cuando producen mucho fruto, demuestran que son mis verdaderos discípulos. Eso le da mucha gloria a mi Padre.

[9]»Yo los he amado a ustedes tanto como el Padre me ha amado a mí. Permanezcan en mi amor. [10]Cuando obedecen mis mandamientos, permanecen en mi amor, así como yo obedezco los mandamientos de mi Padre y permanezco en su amor. [11]Les he dicho estas cosas para que se llenen de mi gozo; así es, desbordarán de gozo. [12]Éste es mi mandamiento: Ámense unos a otros de la misma manera en que yo los he amado. [13]No hay un amor más grande que el dar la vida por los amigos. [14]Ustedes son mis amigos si hacen lo que yo les mando. [15]Ya no los llamo esclavos, porque el amo no confía sus asuntos a los esclavos. Ustedes ahora son mis amigos, porque les he contado todo lo que el Padre me dijo. [16]Ustedes no me eligieron a mí, yo los elegí a ustedes. Les encargué que vayan y produzcan frutos duraderos, así el Padre les dará todo lo que pidan en mi nombre. [17]Este es mi mandato: ámense unos a otros.

Odio del mundo

[18]»Si el mundo los odia, recuerden que a mí me odió primero. [19]Si pertenecieran al mundo, el mundo los amaría como a uno de los suyos, pero ustedes ya no forman parte del mundo. Yo los elegí para que salieran del mundo, por eso el mundo los odia. [20]¿Recuerdan lo que les dije? "El esclavo no es superior a su amo". Ya que me persiguieron a mí, también a ustedes los perseguirán. Y, si me hubieran escuchado a mí, también los escucharían a ustedes. [21]Les harán todo eso a causa de mí, porque han rechazado a aquel que me envió. [22]Ellos no serían culpables si yo no hubiera venido a hablarles, pero ahora no tienen ninguna excusa por su pecado. [23]Cualquiera que me odia a mí también odia a mi Padre. [24]Si yo no hubiera hecho entre ellos esas señales tan milagrosas que nadie más podría hacer, no serían culpables; pero la verdad es que vieron todo lo que hice, y aun así nos siguen odiando a mí y a mi Padre. [25]Con eso se cumple lo que está registrado en sus Escrituras:* "Me odiaron sin motivo".

[26]»A ustedes yo les enviaré al Abogado Defensor,* el Espíritu de verdad. Él vendrá del Padre y dará testimonio acerca de mí, [27]y también ustedes deben dar testimonio de mí porque han estado conmigo desde el principio de mi ministerio.

16 »Les he dicho estas cosas para que no abandonen su fe. [2]Los expulsarán de las sinagogas, y llegará el tiempo en que quienes los maten pensarán que están haciendo un servicio santo para Dios. [3]Eso se debe a que nunca han conocido ni al Padre ni a mí. [4]Les digo estas cosas ahora para que, cuando sucedan, recuerden mi advertencia. No las

15:25 En griego *está escrito en su ley*. Sal 35:19; 69:4. **15:26** O *Consolador*, o *Alentador*, o *Consejero*. En griego dice *Paráclito*.

mencioné antes porque todavía iba a estar un tiempo más con ustedes.

La obra del Espíritu Santo

[5]»Ahora voy a aquel que me envió, y ninguno de ustedes me pregunta adónde voy. [6]En cambio, se entristecen por lo que les he dicho. [7]En realidad, es mejor para ustedes que me vaya porque, si no me fuera, el Abogado Defensor* no vendría. En cambio, si me voy, entonces se lo enviaré a ustedes; [8]y cuando él venga, convencerá al mundo de pecado y de la justicia de Dios y del juicio que viene. [9]El pecado del mundo consiste en que el mundo se niega a creer en mí. [10]La justicia está disponible, porque voy al Padre, y ustedes no me verán más. [11]El juicio vendrá, porque quien gobierna este mundo ya ha sido juzgado.

[12]»Me queda aún mucho más que quisiera decirles, pero en este momento no pueden soportarlo. [13]Cuando venga el Espíritu de verdad, él los guiará a toda la verdad. Él no hablará por su propia cuenta, sino que les dirá lo que ha oído y les contará lo que sucederá en el futuro. [14]Me glorificará porque les contará todo lo que reciba de mí. [15]Todo lo que pertenece al Padre es mío; por eso dije: "El Espíritu les dirá todo lo que reciba de mí".

La tristeza se convertirá en alegría

[16]»Dentro de poco, ya no me verán más; pero tiempo después, me verán de nuevo.

[17]Algunos de los discípulos se preguntaron unos a otros: «¿A qué se refiere cuando dice: "Dentro de poco, no me verán, pero luego me verán" y "voy al Padre"? [18]¿Qué quiere decir con "dentro de poco"? No lo entendemos».

[19]Jesús se dio cuenta de que querían preguntarle sobre eso, así que les dijo:

—¿Se están preguntando qué quise decir? Dije que, dentro de poco, no me verán más; pero tiempo después, volverán a verme. [20]Les digo la verdad, ustedes llorarán y se lamentarán por lo que va a sucederme, pero el mundo se alegrará. Ustedes se lamentarán, pero su dolor se convertirá de pronto en una alegría maravillosa. [21]Será como una mujer que sufre dolores de parto, pero cuando nace su hijo, su angustia se transforma en alegría, porque ha traído una nueva vida al mundo. [22]Así que ahora ustedes tienen tristeza, pero volveré a verlos; entonces se alegrarán, y nadie podrá robarles esa alegría. [23]Ese día, no necesitarán pedirme nada. Les digo la verdad, le pedirán directamente al Padre, y él les concederá la petición, porque piden en mi nombre. [24]No lo han hecho antes. Pidan en mi nombre y recibirán y tendrán alegría en abundancia.

[25]»He hablado de estos asuntos en lenguaje figurativo, pero pronto dejaré de hablar en sentido figurado y les contaré acerca del Padre con toda claridad. [26]Ese día pedirán en mi nombre. No digo que pediré al Padre de parte de ustedes, [27]ya que el Padre mismo los ama profundamente, porque ustedes me aman a mí y han creído que vine de Dios.* [28]Es cierto, vine del Padre al mundo y ahora dejaré el mundo y volveré al Padre.

[29]Entonces sus discípulos dijeron:

—Por fin hablas con claridad y no en sentido figurado. [30]Ahora entendemos que sabes todas las cosas y que no es necesario que nadie te pregunte nada. Por eso creemos que viniste de Dios.

[31]—¿Por fin creen? —preguntó Jesús—. [32]Pero se acerca el tiempo —de hecho, ya ha llegado— cuando ustedes serán dispersados, cada uno se irá por su lado y me dejarán solo. Sin embargo, no estoy

16:7 O *Consolador*, o *Alentador*, o *Consejero*. En griego dice *Paráclito*. **16:27** Algunos manuscritos dicen *del Padre*.

solo, porque el Padre está conmigo. [33]Les he dicho todo lo anterior para que en mí tengan paz. Aquí en el mundo tendrán muchas pruebas y tristezas; pero anímense, porque yo he vencido al mundo.

Oración de Jesús

17 Después de decir todas esas cosas, Jesús miró al cielo y dijo: «Padre, ha llegado la hora. Glorifica a tu Hijo para que él, a su vez, te dé la gloria a ti. [2]Pues le has dado a tu Hijo autoridad sobre todo ser humano. Él da vida eterna a cada uno de los que tú le has dado. [3]Y la manera de tener vida eterna es conocerte a ti, el único Dios verdadero, y a Jesucristo, a quien tú enviaste a la tierra. [4]Yo te di la gloria aquí en la tierra, al terminar la obra que me encargaste. [5]Ahora, Padre, llévame a la gloria que compartíamos antes de que comenzara el mundo.

[6]»Te he dado a conocer* a los que me diste de este mundo. Siempre fueron tuyos. Tú me los diste, y ellos han obedecido tu palabra. [7]Ahora saben que todo lo que tengo es un regalo que proviene de ti, [8]porque les he transmitido el mensaje que me diste. Ellos aceptaron el mensaje y saben que provine de ti y han creído que tú me enviaste.

[9]»Mi oración no es por el mundo, sino por los que me has dado, porque te pertenecen. [10]Todos los que son míos te pertenecen, y me los has dado, para que me den gloria. [11]Ahora me voy del mundo; ellos se quedan en este mundo, pero yo voy a ti. Padre santo, tú me has dado tu nombre;* ahora protégelos con el poder de tu nombre para que estén unidos como lo estamos nosotros. [12]Durante el tiempo que estuve aquí, los protegí con el poder del nombre que me diste.* Los cuidé para que ni uno solo se perdiera, excepto el que va camino a la destrucción como predijeron las Escrituras.

[13]»Ahora voy a ti. Mientras estuve con ellos en este mundo, les dije muchas cosas para que estuvieran llenos de mi alegría. [14]Les he dado tu palabra, y el mundo los odia, porque ellos no pertenecen al mundo, así como yo tampoco pertenezco al mundo. [15]No te pido que los quites del mundo, sino que los protejas del maligno. [16]Al igual que yo, ellos no pertenecen a este mundo. [17]Hazlos santos con tu verdad; enséñales tu palabra, la cual es verdad. [18]Así como tú me enviaste al mundo, yo los envío al mundo. [19]Y me entrego por ellos como un sacrificio santo, para que tu verdad pueda hacerlos santos.

[20]»No te pido sólo por estos discípulos, sino también por todos los que creerán en mí por el mensaje de ellos. [21]Te pido que todos sean uno, así como tú y yo somos uno, es decir, como tú estás en mí, Padre, y yo estoy en ti. Y que ellos estén en nosotros, para que el mundo crea que tú me enviaste.

[22]»Les he dado la gloria que tú me diste, para que sean uno, como nosotros somos uno. [23]Yo estoy en ellos, y tú estás en mí. Que gocen de una unidad tan perfecta que el mundo sepa que tú me enviaste y que los amas tanto como me amas a mí. [24]Padre, quiero que los que me diste estén conmigo donde yo estoy. Entonces podrán ver toda la gloria que me diste, porque me amaste aun antes de que comenzara el mundo.

[25]»Oh Padre justo, el mundo no te conoce, pero yo sí te conozco; y estos discípulos saben que tú me enviaste. [26]Yo te he dado a conocer a ellos y seguiré haciéndolo. Entonces tu amor por mí estará en ellos, y yo también estaré en ellos».

17:6 En griego *He dado a conocer tu nombre;* también en 17:26. **17:11** Algunos manuscritos dicen *tú me has dado a estos [discípulos].* **17:12** Algunos manuscritos dicen *protegí a los que tú me diste, con el poder de tu nombre.*

Traicionan y arrestan a Jesús

18 Después de decir esas cosas, Jesús cruzó el valle de Cedrón con sus discípulos y entró en un huerto de olivos. [2]Judas, el traidor, conocía ese lugar, porque Jesús solía reunirse allí con sus discípulos. [3]Los principales sacerdotes y los fariseos le habían dado a Judas un grupo de soldados romanos y guardias del templo para que lo acompañaran. Llegaron al huerto de olivos con antorchas encendidas, linternas y armas.

[4]Jesús ya sabía todo lo que le iba a suceder, así que salió al encuentro de ellos.

—¿A quién buscan? —les preguntó.

[5]—A Jesús de Nazaret* —contestaron.

—Yo Soy* —dijo Jesús.

(Judas, el que lo traicionó, estaba con ellos). [6]Cuando Jesús dijo «Yo Soy», ¡todos retrocedieron y cayeron al suelo! [7]Una vez más les preguntó:

—¿A quién buscan?

Y nuevamente ellos contestaron:

—A Jesús de Nazaret.

[8]—Ya les dije que Yo Soy —dijo Jesús—, y ya que soy la persona a quien buscan, dejen que los demás se vayan.

[9]Lo hizo para que se cumplieran sus propias palabras: «No perdí ni a uno solo de los que me diste»*.

[10]Entonces Simón Pedro sacó una espada y le cortó la oreja derecha a Malco, un esclavo del sumo sacerdote. [11]Pero Jesús le dijo a Pedro: «Mete tu espada en la vaina. ¿Acaso no voy a beber de la copa de sufrimiento que me ha dado el Padre?».

Jesús en la casa del sumo sacerdote

[12]Así que los soldados, el oficial que los comandaba y los guardias del templo arrestaron a Jesús y lo ataron. [13]Primero lo llevaron ante Anás, el suegro de Caifás, quien era sumo sacerdote en ese momento.* [14]Caifás era el que les había dicho a los otros líderes judíos: «Es mejor que muera un solo hombre por el pueblo».

Primera negación de Pedro

[15]Simón Pedro y otro discípulo siguieron a Jesús. Ese otro discípulo conocía al sumo sacerdote, así que le permitieron entrar con Jesús al patio del sumo sacerdote. [16]Pedro tuvo que quedarse afuera, junto a la puerta. Entonces el discípulo que conocía al sumo sacerdote habló con la mujer que cuidaba la puerta, y ella dejó entrar a Pedro. [17]La mujer le preguntó a Pedro:

—¿No eres tú también uno de los discípulos de ese hombre?

—No —le contestó Pedro—, no lo soy.

[18]Como hacía frío, los sirvientes de la casa y los guardias habían hecho una fogata con carbón. Estaban allí de pie, junto al fuego, calentándose, y Pedro estaba con ellos, también calentándose.

El sumo sacerdote interroga a Jesús

[19]Adentro, el sumo sacerdote comenzó a interrogar a Jesús acerca de sus seguidores y de lo que les había estado enseñando. [20]Jesús contestó: «Todos saben lo que enseño. He predicado con frecuencia en las sinagogas y en el templo, donde se reúne el pueblo.* No he hablado en secreto. [21]¿Por qué me haces a mí esa pregunta? Pregúntales a los que me oyeron, ellos saben lo que dije».

[22]Entonces uno de los guardias del templo que estaba cerca le dio una bofetada a Jesús.

—¿Es ésa la forma de responder al sumo sacerdote? —preguntó.

[23]Jesús contestó:

—Si dije algo indebido, debes demos-

18:5a O *Jesús nazareno;* también en 18:7. **18:5b** O *–El "Yo Soy" está aquí;* o *–Yo soy el Señor;* en griego dice *Yo soy;* también en 18:6, 8. Ver Ex 3:14. **18:9** Ver Jn 6:39 y 17:12. **18:13** En griego *ese año.* **18:20** En griego *pueblo judío;* también en 18:38.

trarlo; pero si digo la verdad, ¿por qué me pegas?

[24]Entonces Anás ató a Jesús y lo envió a Caifás, el sumo sacerdote.

Segunda y tercera negación de Pedro

[25]Mientras tanto, como Simón Pedro seguía de pie junto a la fogata calentándose, volvieron a preguntarle:

—¿No eres tú también uno de sus discípulos?

—No lo soy —negó Pedro.

[26]Pero uno de los esclavos del sumo sacerdote, pariente del hombre al que Pedro le había cortado la oreja, preguntó: «¿No te vi en el huerto de olivos con Jesús?». [27]Una vez más, Pedro lo negó, y enseguida cantó un gallo.

El juicio de Jesús ante Pilato

[28]El juicio de Jesús ante Caifás terminó cerca del amanecer. De allí lo llevaron a la residencia oficial del gobernador romano.* Sus acusadores no entraron porque, de haberlo hecho, se habrían contaminado y no hubieran podido celebrar la Pascua. [29]Por eso Pilato, el gobernador, salió adonde estaban ellos y les preguntó:

—¿Qué cargos tienen contra este hombre?

[30]—¡No te lo habríamos entregado si no fuera un criminal! —replicaron.

[31]—Entonces llévenselo y júzguenlo de acuerdo con la ley de ustedes —les dijo Pilato.

—Sólo los romanos tienen derecho a ejecutar a una persona —respondieron los líderes judíos.

[32](Con eso se cumplió la predicción de Jesús acerca de la forma en que iba a morir).*

[33]Entonces Pilato volvió a entrar en su residencia y pidió que le trajeran a Jesús.

—¿Eres tú el rey de los judíos? —le preguntó.

[34]Jesús contestó:

—¿Lo preguntas por tu propia cuenta o porque otros te hablaron de mí?

[35]—¿Acaso yo soy judío? —replicó Pilato—. Tu propio pueblo y sus principales sacerdotes te trajeron a mí para que yo te juzgue. ¿Por qué? ¿Qué has hecho?

[36]Jesús contestó:

—Mi reino no es un reino terrenal. Si lo fuera, mis seguidores lucharían para impedir que yo sea entregado a los líderes judíos; pero mi reino no es de este mundo.

[37]Pilato le dijo:

—¿Entonces eres un rey?

—Tú dices que soy un rey —contestó Jesús—. En realidad, yo nací y vine al mundo para dar testimonio de la verdad. Todos los que aman la verdad reconocen que lo que digo es cierto.

[38]—¿Qué es la verdad? —preguntó Pilato.

Entonces salió de nuevo adonde estaba el pueblo y dijo:

—Este hombre no es culpable de ningún delito, [39]pero ustedes tienen la costumbre de pedirme cada año que ponga en libertad a un preso durante la Pascua. ¿Quieren que deje en libertad a ese "rey de los judíos"?

[40]Pero ellos contestaron a gritos:

—¡No!, a ese hombre, no. ¡Queremos a Barrabás! (Barrabás era un insurgente).

Sentencia de muerte para Jesús

19 Entonces Pilato mandó azotar a Jesús con un látigo que tenía puntas de plomo. [2]Los soldados armaron una corona de espinas y se la pusieron en la cabeza y lo vistieron con un manto púrpura. [3]«¡Viva el rey de los judíos!»

18:28 En griego *al Pretorio;* también en 18:33. **18:32** Ver Jn 12:32-33.

—se burlaban de él mientras lo abofeteaban.

[4]Pilato volvió a salir y le dijo al pueblo: «Ahora lo voy a traer, pero que quede bien claro que yo no lo encuentro culpable de nada».[5]Entonces Jesús salió con la corona de espinas sobre la cabeza y el manto púrpura puesto. Y Pilato dijo: «¡Miren, aquí tienen al hombre!».

[6]Cuando lo vieron, los principales sacerdotes y los guardias del templo comenzaron a gritar: «¡Crucifícalo! ¡Crucifícalo!».

—Llévenselo ustedes y crucifíquenlo —dijo Pilato—. Yo no lo encuentro culpable.

[7]Los líderes judíos respondieron:

—Según nuestra ley, debe morir porque afirmó que era el Hijo de Dios.

[8]Cuando Pilato oyó eso, tuvo más miedo que nunca. [9]Llevó a Jesús de nuevo a la residencia oficial* y le preguntó: «¿De dónde eres?». Pero Jesús no le dio ninguna respuesta.

[10]—¿Por qué no me hablas? —preguntó Pilato—. ¿No te das cuenta de que tengo poder para ponerte en libertad o para crucificarte?

[11]Entonces Jesús le dijo:

—No tendrías ningún poder sobre mí si no te lo hubieran dado desde lo alto. Así que el que me entregó en tus manos es el que tiene el mayor pecado.

[12]Entonces Pilato trató de poner en libertad a Jesús, pero los líderes judíos gritaron: «Si pones en libertad a ese hombre, no eres "amigo del César"*. Todo el que se proclama a sí mismo rey está en rebeldía contra el César».

[13]Cuando dijeron eso, Pilato llevó de nuevo a Jesús ante el pueblo. Entonces Pilato se sentó en el tribunal, en la plataforma llamada el Empedrado (en hebreo, *Gabata*). [14]Ya era el día de preparación para la Pascua, cerca del mediodía. Y Pilato dijo al pueblo:* «¡Miren, aquí tienen a su rey!».

[15]«¡Llévatelo! ¡Llévatelo! —gritaban—. ¡Crucifícalo!».

—¿Cómo dicen?, ¿qué yo crucifique a su rey? —preguntó Pilato.

—No tenemos otro rey más que el César —le contestaron a gritos los principales sacerdotes.

[16]Entonces Pilato les entregó a Jesús para que lo crucificaran.

La crucifixión

Así que se llevaron a Jesús. [17]Él, cargando su propia cruz, fue al sitio llamado Lugar de la Calavera (en hebreo, *Gólgota*). [18]Allí lo clavaron en la cruz. También crucificaron a otros dos con él, uno a cada lado, y a Jesús, en medio. [19]Y Pilato colocó un letrero sobre la cruz, que decía: «Jesús de Nazaret,* el Rey de los judíos». [20]El lugar donde crucificaron a Jesús estaba cerca de la ciudad, y el letrero estaba escrito en hebreo, en latín y en griego, para que muchos* pudieran leerlo.

[21]Entonces los principales sacerdotes se opusieron y le dijeron a Pilato:

—Cambia la inscripción "el Rey de los judíos" por una que diga "él dice: 'Yo soy el Rey de los judíos'".

[22]—No —respondió Pilato—. Lo que he escrito, escrito está y así quedará.

[23]Una vez que los soldados terminaron de crucificarlo, tomaron la ropa de Jesús y la dividieron en cuatro partes, una para cada uno de ellos. También tomaron la túnica, la cual no tenía costura y había sido tejida de arriba a abajo en una sola pieza. [24]Así que dijeron: «En lugar de rasgarla, tiremos los dados* para ver quién se la queda». Con eso se cumplió

19:9 En griego *al Pretorio*. **19:12** «Amigo del César» es un término técnico para referirse a un aliado del emperador. **19:14** En griego *pueblo judío*. **19:19** O *Jesús nazareno*. **19:20** En griego *muchos judíos*. **19:24a** En griego *echemos suertes*.

la Escritura que dice: «Se repartieron entre ellos mi vestimenta y tiraron los dados por mi ropa»*. Así que eso fue lo que hicieron.

[25]Estaban de pie junto a la cruz la madre de Jesús, la hermana de su madre, María la esposa de Cleofas y María Magdalena. [26]Cuando Jesús vio a su madre al lado del discípulo que él amaba, le dijo: «Apreciada mujer, ahí tienes a tu hijo». [27]Y al discípulo le dijo: «Ahí tienes a tu madre». Y, a partir de entonces, ese discípulo la llevó a vivir a su casa.

Muerte de Jesús

[28]Jesús sabía que su misión ya había terminado y, para cumplir las Escrituras, dijo: «Tengo sed»*. [29]Había allí una vasija de vino agrio, así que mojaron una esponja en el vino, la pusieron en una rama de hisopo y la acercaron a los labios de Jesús. [30]Después de probar el vino, Jesús dijo: «¡Todo ha terminado!». Entonces inclinó la cabeza y entregó su espíritu.

[31]Era el día de preparación, y los líderes judíos no querían que los cuerpos permanecieran allí colgados el día siguiente, que era el día de descanso (y uno muy especial, porque era la Pascua). Entonces le pidieron a Pilato que mandara a quebrarles las piernas a los crucificados para apresurarles la muerte. Así podrían bajar los cuerpos. [32]Entonces los soldados fueron y les quebraron las piernas a los dos hombres crucificados con Jesús. [33]Cuando llegaron a Jesús, vieron que ya estaba muerto, así que no le quebraron las piernas. [34]Sin embargo, uno de los soldados le atravesó el costado con una lanza y, de inmediato, salió sangre y agua. [35](La información anterior proviene de un testigo ocular que presenta un relato fiel. Él dice la verdad para que ustedes también crean*). [36]Esas cosas sucedieron para que se cumplieran las Escrituras que dicen: «Ni uno de sus huesos será quebrado»* [37]y «Mirarán al que atravesaron»*.

Sepultura de Jesús

[38]Más tarde, José de Arimatea, quien había sido un discípulo secreto de Jesús (por temor a los líderes judíos), pidió permiso a Pilato para bajar el cuerpo de Jesús. Cuando Pilato concedió el permiso, José fue a buscar el cuerpo y se lo llevó. [39]Lo acompañó Nicodemo, el hombre que había ido a ver a Jesús de noche. Llevó consigo unos treinta y tres kilos* de ungüento perfumado, una mezcla de mirra y áloe. [40]De acuerdo con la costumbre de los entierros judíos, envolvieron el cuerpo de Jesús untado con las especias en largos lienzos de lino. [41]El lugar de la crucifixión estaba cerca de un huerto donde había una tumba nueva que nunca se había usado. [42]Y, como era el día de preparación para la Pascua* y la tumba estaba cerca, pusieron a Jesús allí.

La resurrección

20 El domingo por la mañana temprano,* mientras aún estaba oscuro, María Magdalena llegó a la tumba y vio que habían rodado la piedra de la entrada. [2]Corrió y se encontró con Simón Pedro y con el otro discípulo, a quien Jesús amaba. Les dijo: «¡Sacaron de la tumba el cuerpo del Señor, y no sabemos dónde lo pusieron!».

[3]Pedro y el otro discípulo se dirigieron a la tumba. [4]Ambos iban corriendo, pero el otro discípulo corrió más aprisa que

19:24b Sal 22:18. **19:28** Ver Sal 22:15; 69:21. **19:35** Algunos manuscritos dicen *puedan seguir creyendo.* **19:36** Ex 12:46; Nm 9:12; Sal 34:20. **19:37** Za 12:10. **19:39** En griego *100 libras* (antiguas) [75 libras]. **19:42** En griego *debido al día de preparación judío.* **20:1** En griego *El primer día de la semana.*

Pedro y llegó primero a la tumba. [5]Se agachó a mirar adentro y vio los lienzos de lino apoyados ahí, pero no entró. [6]Luego llegó Simón Pedro y entró en la tumba. Él también notó los lienzos de lino allí, [7]pero el lienzo que había cubierto la cabeza de Jesús estaba doblado y colocado aparte de las otras tiras. [8]Entonces el discípulo que había llegado primero a la tumba también entró y vio y creyó, [9]porque hasta ese momento aún no habían entendido las Escrituras que decían que Jesús tenía que resucitar de los muertos. [10]Después cada uno se fue a su casa.

Jesús se aparece a María Magdalena

[11]María se encontraba llorando fuera de la tumba y, mientras lloraba, se agachó y miró adentro. [12]Vio a dos ángeles vestidos con vestiduras blancas, uno sentado a la cabecera y el otro a los pies, en el lugar donde había estado el cuerpo de Jesús.

[13]—Apreciada mujer, ¿por qué lloras? —le preguntaron los ángeles.

—Porque se han llevado a mi Señor —contestó ella—, y no sé dónde lo han puesto.

[14]Dio la vuelta para irse y vio a alguien que estaba de pie allí. Era Jesús, pero ella no lo reconoció.

[15]—Apreciada mujer, ¿por qué lloras? —le preguntó Jesús—. ¿A quién buscas?

Ella pensó que era el jardinero y le dijo:

—Señor, si usted se lo ha llevado, dígame dónde lo puso, y yo iré a buscarlo.

[16]—¡María! —dijo Jesús.

Ella giró hacia él y exclamó:

—¡Raboní! (que en hebreo significa "Maestro").

[17]—No te aferres a mí —le dijo Jesús—, porque todavía no he subido al Padre; pero ve a buscar a mis hermanos y diles: "Voy a subir a mi Padre y al Padre de ustedes, a mi Dios y al Dios de ustedes".

[18]María Magdalena encontró a los discípulos y les dijo: «¡He visto al Señor!». Y les dio el mensaje de Jesús.

Jesús se aparece a sus discípulos

[19]Ese domingo, al atardecer,* los discípulos estaban reunidos con las puertas bien cerradas porque tenían miedo de los líderes judíos. De pronto, ¡Jesús estaba de pie en medio de ellos! «La paz sea con ustedes», dijo. [20]Mientras hablaba, les mostró las heridas de sus manos y su costado. ¡Ellos se llenaron de alegría cuando vieron al Señor! [21]Una vez más les dijo: «La paz sea con ustedes. Como el Padre me envió a mí, así yo los envío a ustedes». [22]Entonces sopló sobre ellos y les dijo: «Reciban al Espíritu Santo. [23]Si ustedes perdonan los pecados de alguien, esos pecados son perdonados; si ustedes no los perdonan, esos pecados no son perdonados».

Jesús se aparece a Tomás

[24]Tomás, uno de los doce discípulos (al que apodaban el Gemelo),* no estaba con los otros cuando llegó Jesús. [25]Ellos le contaron:

—¡Hemos visto al Señor!

Pero él respondió:

—No lo creeré a menos que vea las heridas de los clavos en sus manos, meta mis dedos en ellas y ponga mi mano dentro de la herida de su costado.

[26]Ocho días después, los discípulos estaban juntos de nuevo, y esa vez Tomás se encontraba con ellos. Las puertas estaban bien cerradas; pero de pronto, igual que antes, Jesús estaba de pie en medio de ellos y dijo: «La paz sea con ustedes». [27]Entonces le dijo a Tomás:

—Pon tu dedo aquí y mira mis manos;

20:19 En griego *Al atardecer de ese día, el primer día de la semana.* **20:24** En griego *Tomás, a quien llamaban Dídimo.*

mete tu mano en la herida de mi costado. Ya no seas incrédulo. ¡Cree!

[28]—¡Mi Señor y mi Dios! —exclamó Tomás.

[29]Entonces Jesús le dijo:

—Tú crees porque me has visto, benditos los que creen sin verme.

Propósito del libro

[30]Los discípulos vieron a Jesús hacer muchas otras señales milagrosas además de las registradas en este libro. [31]Pero éstas se escribieron para que ustedes sigan creyendo* que Jesús es el Mesías, el Hijo de Dios, y para que, al creer en él, tengan vida por el poder de su nombre.

Epílogo: Jesús se aparece a siete discípulos

21 Más tarde, Jesús se apareció nuevamente a los discípulos junto al mar de Galilea.* Éste es el relato de lo que sucedió. [2]Varios de sus discípulos se encontraban allí: Simón Pedro, Tomás (al que apodaban el Gemelo),* Natanael de Caná de Galilea, los hijos de Zebedeo y otros dos discípulos.

[3]Simón Pedro dijo:

—Me voy a pescar.

—Nosotros también vamos —dijeron los demás.

Así que salieron en la barca, pero no pescaron nada en toda la noche.

[4]Al amanecer, Jesús apareció en la playa, pero los discípulos no podían ver quién era. [5]Les preguntó:

—Amigos,* ¿pescaron algo?

—No —contestaron ellos.

[6]Entonces él dijo:

—¡Echen la red a la derecha de la barca y tendrán pesca!

Ellos lo hicieron y no podían sacar la red por la gran cantidad de peces que contenía.

[7]Entonces el discípulo a quien Jesús amaba le dijo a Pedro: «¡Es el Señor!». Cuando Simón Pedro oyó que era el Señor, se puso la túnica (porque se la había quitado para trabajar), se tiró al agua y se dirigió hacia la orilla. [8]Los otros se quedaron en la barca y arrastraron la pesada red llena de pescados hasta la orilla, porque estaban sólo a unos noventa metros* de la playa. [9]Cuando llegaron, encontraron el desayuno preparado para ellos: pescado a la brasa y pan.

[10]«Traigan algunos de los pescados que acaban de sacar», dijo Jesús. [11]Así que Simón Pedro subió a la barca y arrastró la red hasta la orilla. Había 153 pescados grandes, y aun así la red no se había roto.

[12]«¡Ahora acérquense y desayunen!», dijo Jesús. Ninguno de los discípulos se atrevió a preguntarle: «¿Quién eres?». Todos sabían que era el Señor. [13]Entonces Jesús les sirvió el pan y el pescado. [14]Ésa fue la tercera vez que se apareció a sus discípulos después de haber resucitado de los muertos.

[15]Después del desayuno, Jesús le preguntó a Simón Pedro:

—Simón, hijo de Juan, ¿me amas más que estos?*

—Sí, Señor —contestó Pedro—, tú sabes que te quiero.

—Entonces, alimenta a mis corderos —le dijo Jesús.

[16]Jesús repitió la pregunta:

—Simón, hijo de Juan, ¿me amas?

—Sí, Señor —dijo Pedro—, tú sabes que te quiero.

—Entonces, cuida de mis ovejas —dijo Jesús.

[17]Le preguntó por tercera vez:

20:31 Algunos manuscritos dicen *puedan seguir creyendo.* **21:1** En griego *mar de Tiberias*, otro nombre para el mar de Galilea. **21:2** En griego *Tomás, a quien llamaban Dídimo.* **21:5** En griego *Hijos.* **21:8** En griego *200 codos* [100 yardas]. **21:15** O *¿me amas más que ellos?* o *¿me amas más que a estas [cosas]?*

—Simón, hijo de Juan, ¿me quieres?

A Pedro le dolió que Jesús le dijera la tercera vez: «¿Me quieres?». Le contestó:

—Señor, tú sabes todo. Tú sabes que yo te quiero.

Jesús dijo:

—Entonces, alimenta a mis ovejas.

[18]»Te digo la verdad, cuando eras joven, podías hacer lo que querías; te vestías tú mismo e ibas adonde querías ir. Sin embargo, cuando seas viejo, extenderás los brazos, y otros te vestirán y te llevarán* adonde no quieras ir.

[19]Jesús dijo eso para darle a conocer el tipo de muerte con la que Pedro glorificaría a Dios. Entonces Jesús le dijo: «Sígueme».

[20]Pedro se dio vuelta y vio que, detrás de ellos, estaba el discípulo a quien Jesús amaba, el que se había inclinado hacia Jesús durante la cena para preguntarle: «Señor, ¿quién va a traicionarte?». [21]Pedro le preguntó a Jesús:

—Señor, ¿qué va a pasar con él?

[22]Jesús contestó:

—Si quiero que él siga vivo hasta que yo regrese, ¿qué tiene que ver contigo? En cuanto a ti, sígueme.

[23]Así que entre la comunidad de los creyentes* corrió el rumor de que ese discípulo no moriría; pero eso no fue en absoluto lo que dijo Jesús. Él sólo dijo: «Si quiero que él siga vivo hasta que yo regrese, ¿qué tiene que ver contigo?».

[24]Ese discípulo es el que da testimonio de todos estos sucesos y los ha registrado en este libro; y sabemos que su relato es fiel.

[25]Jesús también hizo muchas otras cosas. Si todas se pusieran por escrito, supongo que el mundo entero no podría contener los libros que se escribirían.

21:18 Algunos manuscritos dicen *algún otro te vestirá y te llevará.* **21:23** En griego *los hermanos.*

«Jesús les respondió:
"Yo soy el pan de vida. El que viene a mí nunca volverá
a tener hambre; el que cree en mí no tendrá sed jamás».

JUAN 6:35

«Jesús habló una vez más al pueblo y dijo:
"Yo soy la luz del mundo. Si ustedes me siguen,
no tendrán que andar en la oscuridad porque
tendrán la luz que lleva a la vida"».

JUAN 8:12

«Yo soy el buen pastor. El buen pastor
da su vida en sacrificio por las ovejas».

JUAN 10:11

«Jesús le dijo:
"Yo soy la resurrección y la vida. El que cree
en mí vivirá aun después de haber muerto.
Todo el que vive en mí y cree en mí jamás morirá».

JUAN 11:25-26A

«Jesús le contestó:
"Yo soy el camino, la verdad y la vida;
nadie puede ir al Padre si no es por medio de mí».

JUAN 14:6

«Ciertamente, yo soy la vid;
ustedes son las ramas. Los que permanecen en mí y yo
en ellos producirán mucho fruto porque, separados
de mí, no pueden hacer nada».

JUAN 15:5

INTRODUCCIÓN AL LIBRO DE LOS HECHOS DE LOS APÓSTOLES

Propósito: El libro podría haberse llamado «Hechos del Espíritu Santo», porque presenta una narración concreta de la venida del Espíritu Santo y la manera en que hizo posible el nacimiento y el crecimiento de la iglesia primitiva.

Autor: Lucas, médico, griego convertido al cristianismo y escritor del Evangelio de Lucas.

Destinatarios: Teófilo («uno que ama a Dios»), los gentiles, y todos los que aman a Dios.

Fecha: Aproximadamente 63–70 d. C.

Versículo clave: «... pero recibirán poder cuando el Espíritu Santo descienda sobre ustedes; y serán mis testigos, y le hablarán a la gente acerca de mí en todas partes: en Jerusalén, por toda Judea, en Samaria y hasta los lugares más lejanos de la tierra» (1:8).

Personas clave: Pedro, Juan, Santiago, Esteban, Felipe, Pablo, Bernabé, Timoteo, Lidia, Silas, Tito, Lucas.

Después de su resurrección, Jesús pasó 40 días con sus discípulos. En una ocasión, mientras comía con ellos, repitió su mandato de llevar las Buenas Noticias de salvación a todo el mundo, comenzando en Jerusalén, continuando en Samaria (la región extranjera más cercana), y eventualmente hasta llegar a los lugares más lejanos de la tierra.

Cuando los seguidores de Jesús predicaron el evangelio en las zonas cercanas a sus hogares, en Jerusalén y en la región circundante, muchas personas creyeron en Jesucristo. Sin embargo, no fueron más lejos hasta que el calor de la persecución forzó la expansión. La lapidación de Esteban, el primer mártir cristiano, encendió una ola de persecución (capítulo 7), y los cristianos, como semillas al viento, se dispersaron hacia muchos lugares. Dondequiera que llegaba, la semilla del evangelio se enraizaba en oyentes receptivos, hasta que finalmente se esparció por el inmenso Imperio romano. Dondequiera que Dios enviaba a sus seguidores, éstos daban testimonio del amor de Jesús, quien había muerto por sus pecados para ofrecerles vida eterna.

Uno de los sucesos más importantes que se relata en Hechos es la conversión de un brillante rabino judío (un líder religioso) que perseguía a los cristianos. Era Saulo de Tarso, más adelante conocido como Pablo. Cuando se convirtió, Dios le encomendó la misión de llevar las Buenas Noticias a los gentiles; la segunda mitad del libro de Hechos se ocupa principalmente de los viajes misioneros de Pablo. Fundó iglesias, discipuló a los creyentes, formó líderes, y escribió cartas con el propósito de enseñar y alentar, que ahora forman parte del Nuevo Testamento.

Este libro brinda ejemplos de la obra poderosa del Espíritu Santo por medio de la vida de los cristianos, después que Jesús regresó al cielo. La meta del Espíritu Santo es atraer a las personas para que crean en Jesús, y consolar y guiar a los cristianos. ¡Es maravilloso saber que el Espíritu Santo es tan activo y poderoso hoy como lo fue hace 2000 años! Si ha aceptado el sacrificio de Jesús en la cruz por sus pecados, el Espíritu Santo vive en su corazón.

Al leer Hechos, imagínese entre los discípulos mientras el Espíritu Santo los dirige y les da poder. Luego tome la decisión de seguir las huellas de aquellos valientes hombres y mujeres de Dios quienes, en medio del sufrimiento y aun hasta la muerte, aprovecharon cada oportunidad para compartir acerca del Señor, con sus palabras y sus hechos.

Hechos

La promesa del Espíritu Santo

1 Teófilo, en mi primer libro* te relaté todo lo que Jesús comenzó a hacer y a enseñar [2]hasta el día que fue llevado al cielo, después de haberles dado a sus apóstoles escogidos instrucciones adicionales por medio del Espíritu Santo. [3]Durante los cuarenta días posteriores a su crucifixión, Cristo se apareció varias veces a los apóstoles y les demostró con muchas pruebas convincentes que él realmente estaba vivo. Y les habló del reino de Dios.

[4]Una vez, mientras comía con ellos, les ordenó: «No se vayan de Jerusalén hasta que el Padre les envíe el regalo que les prometió, tal como les dije antes. [5]Juan bautizaba con* agua, pero en unos cuantos días ustedes serán bautizados con el Espíritu Santo».

La ascensión de Jesús

[6]Así que mientras los apóstoles estaban con Jesús, le preguntaron con insistencia:

—Señor, ¿ha llegado ya el tiempo de que liberes a Israel y restaures nuestro reino?

[7]Él les contestó:

—Sólo el Padre tiene la autoridad para fijar esas fechas y tiempos, y a ustedes no les corresponde saberlo; [8]pero recibirán poder cuando el Espíritu Santo descienda sobre ustedes; y serán mis testigos, y le hablarán a la gente acerca de mí en todas partes: en Jerusalén, por toda Judea, en Samaria y hasta los lugares más lejanos de la tierra.

[9]Después de decir esto, Jesús fue levantado en una nube mientras ellos observaban, hasta que ya no pudieron verlo. [10]Mientras se esforzaban por verlo ascender al cielo, dos hombres vestidos con túnicas blancas de repente se pusieron en medio de ellos. [11]«Hombres de Galilea —les dijeron—, ¿por qué están aquí parados, mirando al cielo? Jesús fue tomado de entre ustedes y llevado al cielo, ¡pero un día volverá del cielo de la misma manera en que lo vieron irse!».

Matías toma el lugar de Judas

[12]Después los apóstoles regresaron del monte de los Olivos a Jerusalén, a un kilómetro* de distancia. [13]Cuando llegaron, subieron a la habitación de la planta alta de la casa donde se hospedaban.

Estos son los nombres de los que estaban presentes: Pedro, Juan, Santiago, Andrés, Felipe, Tomás, Bartolomé, Mateo, Santiago (hijo de Alfeo), Simón (el zelote) y Judas (hijo de Santiago). [14]Todos se reunían y estaban constantemente unidos en oración junto con María, la madre de Jesús, varias mujeres más y los hermanos de Jesús.

1:1 Se refiere al Evangelio de Lucas. **1:5** O *en;* también en 1:5b. **1:12** En griego *trayecto de un día de descanso.*

[15]Durante aquellos días, cuando aproximadamente ciento veinte creyentes* estaban juntos en un mismo lugar, Pedro se puso de pie y se dirigió a ellos: [16]«Hermanos —les dijo—, las Escrituras tenían que cumplirse con respecto a Judas, quien guió a los que arrestaron a Jesús. Esto lo predijo hace mucho tiempo el Espíritu Santo cuando habló por medio del rey David. [17]Judas era uno de nosotros y participó con nosotros en el ministerio».

[18](Judas había comprado un campo con el dinero que recibió por su traición. Allí cayó de cabeza, se le reventó el cuerpo y se le derramaron los intestinos. [19]La noticia de su muerte llegó a todos los habitantes de Jerusalén, y ellos le pusieron a ese lugar el nombre arameo *Acéldama,* que significa «Campo de Sangre»).

[20]«Esto estaba escrito en el libro de los Salmos —continuó Pedro—, donde dice: "Que su casa quede desolada y que nadie viva en ella". También dice: "Que otro tome su lugar"*.

[21]»Entonces ahora tenemos que elegir a alguien que tome el lugar de Judas entre los hombres que estaban con nosotros todo el tiempo mientras viajábamos con el Señor Jesús, [22]desde el día que Juan lo bautizó hasta el día que fue tomado de entre nosotros. El que salga elegido se unirá a nosotros como testigo de la resurrección de Jesús».

[23]Así que propusieron a dos hombres: a José —a quien llamaban Barsabás (también conocido como Justo)— y a Matías. [24]Después todos ellos oraron: «Oh Señor, tú conoces cada corazón. Muéstranos a cuál de estos hombres has elegido [25]como apóstol para que tome el lugar de Judas en este ministerio, porque él nos ha abandonado y se ha ido al lugar que le corresponde». [26]Entonces echaron suertes, y Matías fue elegido para ser apóstol con los otros once.

La llegada del Espíritu Santo

2 El día de Pentecostés,* todos los creyentes estaban reunidos en un mismo lugar. [2]De repente, se oyó un ruido desde el cielo parecido al estruendo de un viento fuerte e impetuoso que llenó la casa donde estaban sentados. [3]Luego, algo parecido a unas llamas o lenguas de fuego aparecieron y se posaron sobre cada uno de ellos. [4]Y todos los presentes fueron llenos del Espíritu Santo y comenzaron a hablar en otros idiomas,* conforme el Espíritu Santo les daba esa capacidad.

[5]En esa ocasión, había judíos devotos de todas las naciones, que vivían en Jerusalén. [6]Cuando oyeron el fuerte ruido, todos llegaron corriendo y quedaron desconcertados al escuchar sus propios idiomas hablados por los creyentes.

[7]Estaban totalmente asombrados. «¿Cómo puede ser? —exclamaban—. Todas estas personas son de Galilea, [8]¡y aún así las oímos hablar en nuestra lengua materna! [9]Aquí estamos nosotros: partos, medos, elamitas, gente de Mesopotamia, Judea, Capadocia, Ponto, de la provincia de Asia, [10]de Frigia, Panfilia, Egipto y de las áreas de Libia alrededor de Cirene, visitantes de Roma [11](tanto judíos como convertidos al judaísmo), cretenses y árabes. ¡Y todos oímos a esta gente hablar en nuestro propio idioma acerca de las cosas maravillosas que Dios ha hecho!». [12]Quedaron allí, maravillados y perplejos. «¿Qué querrá decir esto?», se preguntaban unos a otros.

[13]Pero otros entre la multitud se burlaban de ellos diciendo: «Sólo están borrachos, eso es todo».

1:15 En griego *hermanos.* **1:20** Sal 69:25; 109:8. **2:1** El Festival de Pentecostés caía cincuenta días después de la Pascua (cuando Jesús fue crucificado). **2:4** O *en otras lenguas.*

Pedro predica a la multitud

[14]Entonces Pedro dio un paso adelante junto con los otros once apóstoles y gritó a la multitud: «¡Escuchen con atención, todos ustedes, compatriotas judíos y residentes de Jerusalén! No se equivoquen. [15]Estas personas no están borrachas, como algunos de ustedes suponen. Las nueve de la mañana es demasiado temprano para emborracharse. [16]No, lo que ustedes ven es lo que el profeta Joel predijo hace mucho tiempo:

[17] "En los últimos días —dice Dios—,
derramaré mi Espíritu sobre toda la gente.
Sus hijos e hijas profetizarán.
Sus jóvenes tendrán visiones,
y sus ancianos tendrán sueños.
[18] En esos días derramaré mi Espíritu,
aun sobre mis siervos —hombres y mujeres por igual—
y profetizarán.
[19] Y haré maravillas arriba en los cielos
y señales abajo en la tierra:
sangre, fuego y nubes de humo.
[20] El sol se oscurecerá,
y la luna se pondrá roja como la sangre
antes de que llegue el grande y glorioso día del Señor.
[21] Pero todo el que invoque el nombre del Señor
será salvo"*.

[22]»Pueblo de Israel, ¡escucha! Dios públicamente aprobó a Jesús de Nazaret* al hacer milagros poderosos, maravillas y señales por medio de él, como ustedes bien saben; [23]pero Dios sabía lo que iba a suceder y su plan predeterminado se llevó a cabo cuando Jesús fue traicionado. Con la ayuda de gentiles* sin ley, ustedes lo clavaron en la cruz y lo mataron; [24]pero Dios lo liberó de los terrores de la muerte y lo volvió a la vida, pues la muerte no pudo retenerlo bajo su dominio. [25]El rey David dijo lo siguiente acerca de él:

"Veo que el Señor siempre está conmigo.
No seré sacudido, porque él está aquí a mi lado.
[26] ¡Con razón mi corazón está contento,
y mi lengua grita sus alabanzas!
Mi cuerpo descansa en esperanza.
[27] Pues tú no dejarás mi alma entre los muertos*
ni permitirás que tu Santo se pudra en la tumba.
[28] Me has mostrado el camino de la vida
y me llenarás con la alegría de tu presencia"*.

[29]»Queridos hermanos, ¡piensen en esto! Pueden estar seguros de que el patriarca David no se refería a sí mismo, porque él murió, fue enterrado y su tumba está todavía aquí entre nosotros; [30]pero él era un profeta y sabía que Dios había prometido mediante un juramento que uno de los propios descendientes de David se sentaría en su trono. [31]David estaba mirando hacia el futuro y hablaba de la resurrección del Mesías. Él decía que Dios no lo dejaría entre los muertos ni permitiría que su cuerpo se pudriera en la tumba.

[32]»Dios levantó a Jesús de los muertos y de esto todos nosotros somos testigos. [33]Ahora él ha sido exaltado al lugar de más alto honor en el cielo, a la derecha de Dios. Y el Padre, según lo había prometido, le dio el Espíritu Santo para que lo derramara sobre nosotros, tal como ustedes lo ven y lo oyen hoy. [34]Pues David nunca ascendió al cielo; sin embargo, dijo:

"El Señor dijo a mi Señor:
'Siéntate en el lugar de honor a mi derecha,

2:17-21 Jl 2:28-32. **2:22** O *Jesús nazareno.* **2:23** *Gentil[es],* que no es judío. **2:27** En griego *en el Hades;* también en 2:31. **2:25-28** Sal 16:8-11 (versión griega).

[35] hasta que humille a tus enemigos
y los ponga por debajo de tus pies'"*.

[36]»Por lo tanto, que todos en Israel sepan sin lugar a dudas, que a este Jesús, a quien ustedes crucificaron, ¡Dios lo ha hecho tanto Señor como Mesías!».

[37]Las palabras de Pedro traspasaron el corazón de ellos, quienes le dijeron a él y a los demás apóstoles:

—Hermanos, ¿qué debemos hacer?

[38]Pedro contestó:

—Cada uno de ustedes debe arrepentirse de sus pecados y volver a Dios, y ser bautizado en el nombre de Jesucristo para el perdón de sus pecados. Entonces recibirán el regalo del Espíritu Santo. [39]Esta promesa es para ustedes, para sus hijos e incluso para los gentiles,* es decir, para todos los que han sido llamados por el Señor nuestro Dios.

[40]Entonces Pedro siguió predicando por largo rato, y les rogaba con insistencia a todos sus oyentes: «¡Sálvense de esta generación perversa!».

[41]Los que creyeron lo que Pedro dijo fueron bautizados y sumados a la iglesia en ese mismo día, como tres mil en total.

Los creyentes forman una comunidad

[42]Todos los creyentes se dedicaban a las enseñanzas de los apóstoles, a la comunión fraternal, a participar juntos en las comidas (entre ellas la Cena del Señor*), y a la oración.

[43]Un profundo temor reverente vino sobre todos ellos, y los apóstoles realizaban muchas señales milagrosas y maravillas. [44]Todos los creyentes se reunían en un mismo lugar y compartían todo lo que tenían. [45]Vendían sus propiedades y posesiones y compartían el dinero con aquellos en necesidad. [46]Adoraban juntos en el templo cada día, se reunían en casas para la Cena del Señor y compartían sus comidas con gran gozo y generosidad,* [47]todo el tiempo alabando a Dios y disfrutando de la buena voluntad de toda la gente. Y cada día el Señor agregaba a esa comunidad cristiana los que iban siendo salvos.

Pedro sana a un mendigo inválido

3 Cierta tarde, Pedro y Juan fueron al templo para participar en el servicio de oración de las tres de la tarde. [2]Mientras se acercaban al templo, entraba siendo cargado un hombre cojo de nacimiento. Todos los días lo ponían junto a la puerta del templo, la que se llama Puerta Hermosa, para que pudiera pedir limosna a la gente que entraba. [3]Cuando el hombre vio que Pedro y Juan estaban por entrar, les pidió dinero.

[4]Pedro y Juan lo miraron fijamente, y Pedro le dijo: «¡Míranos!». [5]El hombre lisiado los miró ansiosamente, esperando recibir un poco de dinero, [6]pero Pedro le dijo: «Yo no tengo plata ni oro para ti, pero te daré lo que tengo. En el nombre de Jesucristo de Nazaret,* ¡levántate y* camina!».

[7]Entonces Pedro tomó al hombre lisiado de la mano derecha y lo ayudó a levantarse. Y, mientras lo hacía, al instante los pies y los tobillos del hombre fueron sanados y fortalecidos. [8]¡Se levantó de un salto, se puso de pie y comenzó a caminar! Luego entró en el templo con ellos caminando, saltando y alabando a Dios.

[9]Toda la gente lo vio caminar y lo oyó adorar a Dios. [10]Cuando se dieron cuenta de que él era el mendigo cojo que muchas veces habían visto junto a la Puerta Hermosa, ¡quedaron totalmente sorprendidos! [11]Llenos de asombro, salieron todos corriendo hacia el Pórtico de

2:34-35 Sal 110:1. **2:39** O *y para la gente en el futuro lejano;* en griego dice *y para los que están lejos.* **2:42** En griego *partiendo el pan;* también en 2:46. **2:46** O *y corazones sinceros.* **3:6a** O *Jesucristo nazareno.* **3:6b** Algunos manuscritos no incluyen *levántate y.*

Salomón, donde estaba el hombre sujetando fuertemente a Pedro y a Juan.

Pedro predica en el templo

[12]Pedro vio esto como una oportunidad y se dirigió a la multitud: «Pueblo de Israel —dijo—, ¿qué hay de sorprendente en esto? ¿Y por qué nos quedan viendo como si hubiéramos hecho caminar a este hombre con nuestro propio poder o nuestra propia rectitud? [13]Pues es el Dios de Abraham, de Isaac y de Jacob —el Dios de todos nuestros antepasados— quien dio gloria a su siervo Jesús al hacer este milagro. Es el mismo Jesús a quien ustedes rechazaron y entregaron a Pilato, a pesar de que Pilato había decidido ponerlo en libertad. [14]Ustedes rechazaron a ese santo y justo y, en su lugar, exigieron que soltaran a un asesino. [15]Ustedes mataron al autor de la vida, pero Dios lo levantó de los muertos. ¡Y nosotros somos testigos de ese hecho!

[16]»Por la fe en el nombre de Jesús, este hombre fue sanado, y ustedes saben que él antes era un inválido. La fe en el nombre de Jesús lo ha sanado delante de sus propios ojos.

[17]»Amigos,* yo entiendo que lo que ustedes y sus líderes le hicieron a Jesús fue hecho en ignorancia; [18]pero Dios estaba cumpliendo lo que los profetas predijeron acerca del Mesías, que él tenía que sufrir estas cosas. [19]Ahora pues, arrepiéntanse de sus pecados y vuelvan a Dios para que sus pecados sean borrados. [20]Entonces, de la presencia del Señor vendrán tiempos de refrigerio y él les enviará nuevamente a Jesús, el Mesías designado para ustedes. [21]Pues él debe permanecer en el cielo hasta el tiempo de la restauración final de todas las cosas, así como Dios lo prometió desde hace mucho mediante sus santos profetas. [22]Moisés dijo: "El Señor, Dios de ustedes, les levantará un Profeta como yo de entre su propio pueblo. Escuchen con atención todo lo que él les diga"*. [23]Luego Moisés dijo: "Cualquiera que no escuche a ese Profeta será totalmente excluido del pueblo de Dios"*.

[24]»Comenzando con Samuel, cada profeta habló acerca de lo que sucede hoy en día. [25]Ustedes son los hijos de esos profetas y están incluidos en el pacto que Dios les prometió a sus antepasados. Pues Dios le dijo a Abraham: "Todas las familias de la tierra serán bendecidas por medio de tus descendientes*". [26]Cuando Dios resucitó a su siervo, Jesús, lo envió primero a ustedes, pueblo de Israel, para bendecirlos al hacer que cada uno se aparte de sus caminos pecaminosos».

Pedro y Juan ante el Concilio

4 Mientras Pedro y Juan le hablaban a la gente, se vieron enfrentados por los sacerdotes, el capitán de la guardia del templo y algunos de los saduceos. [2]Estos líderes estaban sumamente molestos porque Pedro y Juan enseñaban a la gente que hay resurrección de los muertos por medio de Jesús. [3]Los arrestaron y, como ya era de noche, los metieron en la cárcel hasta la mañana siguiente. [4]Pero muchos de los que habían oído el mensaje lo creyeron, así que el número de creyentes ascendió a un total aproximado de cinco mil hombres, sin contar a las mujeres y a los niños.*

[5]Al día siguiente, el Concilio —integrado por todos los gobernantes, ancianos y maestros de la ley religiosa— se reunió en Jerusalén. [6]El sumo sacerdote, Anás, estaba presente junto con Caifás, Juan, Alejandro y otros parientes del sumo sacerdote. [7]Hicieron entrar a los dos discípulos y les preguntaron:

3:17 En griego *Hermanos.* **3:22** Dt 18:15. **3:23** Dt 18:19; Lv 23:29. **3:25** En griego *tu semilla;* Gn 12:3; 22:18. **4:4** En griego *cinco mil hombres adultos.*

—¿Con qué poder o en nombre de quién han hecho esto?

[8]Entonces Pedro, lleno del Espíritu Santo, les dijo:

—Gobernantes y ancianos de nuestro pueblo, [9]¿nos interrogan hoy por haber hecho una buena obra a un inválido? ¿Quieren saber cómo fue sanado? [10]Déjenme decirles claramente tanto a ustedes como a todo el pueblo de Israel que fue sanado por el poderoso nombre de Jesucristo de Nazaret,* el hombre a quien ustedes crucificaron pero a quien Dios levantó de los muertos. [11]Pues es Jesús a quien se refieren las Escrituras cuando dicen:

"La piedra que ustedes, los
constructores, rechazaron
ahora se ha convertido en la piedra
principal"*.

[12]»¡En ningún otro hay salvación! Dios no ha dado ningún otro nombre bajo el cielo, mediante el cual podamos ser salvos».

[13]Los miembros del Concilio quedaron asombrados cuando vieron el valor de Pedro y de Juan, porque veían que eran hombres comunes sin ninguna preparación especial en las Escrituras. También los identificaron como hombres que habían estado con Jesús. [14]Sin embargo, dado que podían ver allí de pie entre ellos al hombre que había sido sanado, no hubo nada que el Concilio pudiera decir. [15]Así que les ordenaron a Pedro y a Juan que salieran de la sala del Concilio,* y consultaron entre ellos.

[16]«¿Qué debemos hacer con estos hombres? —se preguntaban unos a otros—. No podemos negar que han hecho una señal milagrosa, y todos en Jerusalén ya lo saben. [17]Así que para evitar que sigan divulgando su propaganda aún más, tenemos que advertirles que no vuelvan a hablar con nadie en el nombre de Jesús». [18]Entonces llamaron nuevamente a los apóstoles y les ordenaron que nunca más hablaran ni enseñaran en el nombre de Jesús.

[19]Pero Pedro y Juan respondieron:

«¿Acaso piensan que Dios quiere que los obedezcamos a ustedes en lugar de a él? [20]Nosotros no podemos dejar de hablar acerca de todo lo que hemos visto y oído».

[21]Entonces el Concilio los amenazó aún más, pero finalmente los dejaron ir porque no sabían cómo castigarlos sin desatar un disturbio. Pues todos alababan a Dios [22]por esa señal milagrosa, la sanidad de un hombre que había estado lisiado por más de cuarenta años.

Los creyentes oran por valentía

[23]Tan pronto como quedaron libres, Pedro y Juan volvieron adonde estaban los demás creyentes y les contaron lo que los sacerdotes principales y los ancianos les habían dicho. [24]Cuando los creyentes oyeron las noticias, todos juntos alzaron sus voces en oración a Dios: «Oh Soberano Señor, Creador del cielo y de la tierra, del mar y de todo lo que hay en ellos, [25]hace mucho tiempo tú hablaste por el Espíritu Santo mediante nuestro antepasado David, tu siervo, y dijiste:

"¿Por qué estaban tan enojadas las
naciones?
¿Por qué perdieron el tiempo en
planes inútiles?
[26] Los reyes de la tierra se prepararon
para la batalla,
los gobernantes se reunieron
en contra del SEÑOR
y en contra de su Mesías*".

[27]»De hecho, ¡eso ha ocurrido aquí en esta misma ciudad! Pues Herodes Antipas, el gobernador Poncio Pilato, los

4:10 O *Jesucristo nazareno.* **4:11** Sal 118:22. **4:15** En griego *del Sanedrín.* **4:25-26** O *su Ungido;* o *su Cristo.* Sal 2:1-2.

gentiles* y el pueblo de Israel estaban todos unidos en contra de Jesús, tu santo siervo, a quien tú ungiste. [28]Sin embargo, todo lo que hicieron ya estaba determinado de antemano de acuerdo con tu voluntad. [29]Y ahora, oh Señor, escucha sus amenazas y danos a nosotros, tus siervos, mucho valor al predicar tu palabra. [30]Extiende tu mano con poder sanador; que se hagan señales milagrosas y maravillas por medio del nombre de tu santo siervo Jesús».

[31]Después de esta oración, el lugar donde estaban reunidos tembló y todos fueron llenos del Espíritu Santo. Y predicaban con valentía la palabra de Dios.

Los creyentes comparten sus bienes

[32]Todos los creyentes estaban unidos de corazón y en espíritu. Consideraban que sus posesiones no eran propias, así que compartían todo lo que tenían. [33]Los apóstoles daban testimonio con poder de la resurrección del Señor Jesús y la gran bendición de Dios estaba sobre todos ellos. [34]No había necesitados entre ellos, porque los que tenían terrenos o casas los vendían [35]y llevaban el dinero a los apóstoles para que ellos lo dieran a los que pasaban necesidad.

[36]Por ejemplo, había un tal José, a quien los apóstoles le pusieron el sobrenombre Bernabé (que quiere decir «hijo de ánimo»). Él pertenecía a la tribu de Leví y era oriundo de la isla de Chipre. [37]Vendió un campo que tenía y llevó el dinero a los apóstoles.

Ananías y Safira

5 Había cierto hombre llamado Ananías quien, junto con su esposa, Safira, vendió una propiedad; [2]y llevó sólo una parte del dinero a los apóstoles pero afirmó que era la suma total de la venta. Con el consentimiento de su esposa, se quedó con el resto.

[3]Entonces Pedro le dijo: «Ananías, ¿por qué has permitido que Satanás llenara tu corazón? Le mentiste al Espíritu Santo y te quedaste con una parte del dinero. [4]La decisión de vender o no la propiedad fue tuya. Y, después de venderla, el dinero también era tuyo para regalarlo o no. ¿Cómo pudiste hacer algo así? ¡No nos mentiste a nosotros sino a Dios!».

[5]En cuanto Ananías oyó estas palabras, cayó al suelo y murió. Todos los que se enteraron de lo sucedido quedaron aterrados. [6]Después unos muchachos se levantaron, lo envolvieron en una sábana, lo sacaron y lo enterraron.

[7]Como tres horas más tarde, entró su esposa sin saber lo que había pasado. [8]Pedro le preguntó:

—¿Fue este todo el dinero que tú y tu esposo recibieron por la venta de su terreno?

—Sí —contestó ella—, ese fue el precio.

[9]Y Pedro le dijo:

—¿Cómo pudieron ustedes dos siquiera pensar en conspirar para poner a prueba al Espíritu del Señor de esta manera? Los jóvenes que enterraron a tu esposo están justo afuera de la puerta, ellos también te sacarán cargando a ti.

[10]Al instante, ella cayó al suelo y murió. Cuando los jóvenes entraron y vieron que estaba muerta, la sacaron y la enterraron al lado de su esposo. [11]Gran temor se apoderó de toda la iglesia y de todos los que oyeron lo que había sucedido.

Los apóstoles sanan a muchos

[12]Los apóstoles hacían muchas señales milagrosas y maravillas entre la gente. Y todos los creyentes se reunían con frecuencia en el templo, en el área conocida como el Pórtico de Salomón; [13]pero nadie más se atrevía a unirse a ellos, aunque

4:27 *Gentil[es]*, que no es judío.

toda la gente los tenía en alta estima. [14]Sin embargo, cada vez más personas —multitudes de hombres y mujeres— creían y se acercaban al Señor. [15]Como resultado del trabajo de los apóstoles, la gente sacaba a los enfermos a las calles en camas y camillas para que la sombra de Pedro cayera sobre algunos de ellos cuando él pasaba. [16]Multitudes llegaban desde las aldeas que rodeaban a Jerusalén y llevaban a sus enfermos y a los que estaban poseídos por espíritus malignos,* y todos eran sanados.

Los apóstoles enfrentan oposición

[17]El sumo sacerdote y sus funcionarios, que eran saduceos, se llenaron de envidia. [18]Arrestaron a los apóstoles y los metieron en la cárcel pública; [19]pero un ángel del Señor llegó de noche, abrió las puertas de la cárcel y los sacó. Luego les dijo: [20]«¡Vayan al templo y denle a la gente este mensaje de vida!».

[21]Así que, al amanecer, los apóstoles entraron en el templo como se les había dicho, y comenzaron a enseñar de inmediato.

Cuando llegaron el sumo sacerdote y sus funcionarios, convocaron al Concilio Supremo,* es decir, a toda la asamblea de los ancianos de Israel. Luego mandaron a sacar a los apóstoles de la cárcel para llevarlos a juicio; [22]pero cuando los guardias del templo llegaron a la cárcel, los hombres ya no estaban. Entonces regresaron al Concilio y dieron el siguiente informe: [23]«La cárcel estaba bien cerrada, los guardias estaban afuera en sus puestos, pero cuando abrimos las puertas, ¡no había nadie!».

[24]Cuando el capitán de la guardia del templo y los sacerdotes principales oyeron esto, quedaron perplejos y se preguntaban en qué iba a terminar todo el asunto. [25]Entonces alguien llegó con noticias sorprendentes: «¡Los hombres que ustedes metieron en la cárcel están en el templo enseñando a la gente!».

[26]El capitán fue con los guardias del templo y arrestó a los apóstoles, pero sin violencia, porque tenían miedo de que la gente los apedreara. [27]Después llevaron a los apóstoles ante el Concilio Supremo, donde los confrontó el sumo sacerdote.

[28]—¿Acaso no les dijimos que no enseñaran nunca más en nombre de ese hombre? —les reclamó—. En lugar de eso, ustedes han llenado a toda Jerusalén con la enseñanza acerca de él, ¡y quieren hacernos responsables de su muerte!

[29]Pero Pedro y los apóstoles respondieron:

—Nosotros tenemos que obedecer a Dios antes que a cualquier autoridad humana. [30]El Dios de nuestros antepasados levantó a Jesús de los muertos después de que ustedes lo mataron colgándolo en una cruz.* [31]Luego Dios lo puso en el lugar de honor, a su derecha, como Príncipe y Salvador. Lo hizo para que el pueblo de Israel se arrepintiera de sus pecados y fuera perdonado. [32]Nosotros somos testigos de estas cosas y también lo es el Espíritu Santo, dado por Dios a todos los que lo obedecen.

[33]Al oír esto, el Concilio Supremo se enfureció y decidió matarlos; [34]pero uno de los miembros, un fariseo llamado Gamaliel, experto en la ley religiosa y respetado por toda la gente, se puso de pie y ordenó que sacaran de la sala del Concilio a los apóstoles por un momento. [35]Entonces les dijo a sus colegas: «Hombres de Israel, ¡tengan cuidado con lo que piensan hacerles a estos hombres! [36]Hace algún tiempo, hubo un tal Teudas, quien fingía ser alguien importante. Unas cuatrocientas personas se le

5:16 En griego *impuros.* **5:21** En griego *Sanedrín;* también en 5:27, 41. **5:30** En griego *en un madero.*

unieron, pero a él lo mataron y todos sus seguidores se fueron cada cual por su camino. Todo el movimiento se redujo a nada. [37]Después de él, en el tiempo en que se llevó a cabo el censo, apareció un tal Judas de Galilea. Logró que gente lo siguiera, pero a él también lo mataron, y todos sus seguidores se dispersaron.

[38]»Así que mi consejo es que dejen a esos hombres en paz. Pónganlos en libertad. Si ellos están planeando y actuando por sí solos, pronto su movimiento caerá; [39]pero si es de Dios, ustedes no podrán detenerlos. ¡Tal vez hasta se encuentren peleando contra Dios!».

[40]Los otros miembros aceptaron su consejo. Llamaron a los apóstoles y mandaron que los azotaran. Luego les ordenaron que nunca más hablaran en el nombre de Jesús y los pusieron en libertad.

[41]Los apóstoles salieron del Concilio Supremo con alegría, porque Dios los había considerado dignos de sufrir deshonra por el nombre de Jesús.* [42]Y cada día, en el templo y casa por casa, seguían enseñando y predicando este mensaje: «Jesús es el Mesías».

Siete hombres escogidos para servir

6 Al multiplicarse los creyentes* rápidamente, hubo muestras de descontento. Los creyentes que hablaban griego se quejaban de los que hablaban hebreo diciendo que sus viudas eran discriminadas en la distribución diaria de los alimentos.

[2]De manera que los Doce convocaron a todos los creyentes a una reunión. Dijeron: «Nosotros, los apóstoles, deberíamos ocupar nuestro tiempo en enseñar la palabra de Dios, y no en dirigir la distribución de alimento. [3]Por lo tanto, hermanos, escojan a siete hombres que sean muy respetados, que estén llenos del Espíritu y de sabiduría. A ellos les daremos esa responsabilidad. [4]Entonces nosotros, los apóstoles, podremos dedicar nuestro tiempo a la oración y a enseñar la palabra».

[5]A todos les gustó la idea y eligieron a Esteban (un hombre lleno de fe y del Espíritu Santo), a Felipe, a Prócoro, a Nicanor, a Timón, a Parmenas y a Nicolás de Antioquía (quien anteriormente se había convertido a la fe judía). [6]Estos siete hombres fueron presentados ante los apóstoles, quienes oraron por ellos y les impusieron las manos.

[7]Así que el mensaje de Dios siguió extendiéndose. El número de creyentes aumentó en gran manera en Jerusalén, y muchos de los sacerdotes judíos también se convirtieron.

Arresto de Esteban

[8]Esteban, un hombre lleno de la gracia y del poder de Dios, hacía señales y milagros asombrosos entre la gente. [9]Cierto día, unos hombres de la sinagoga de los Esclavos Liberados —así la llamaban— comenzaron a debatir con él. Eran judíos de Cirene, Alejandría, Cilicia y de la provincia de Asia. [10]Ninguno de ellos podía hacerle frente a la sabiduría y al Espíritu con que hablaba Esteban.

[11]Entonces persuadieron a unos hombres para que dijeran mentiras acerca de Esteban. Ellos declararon: «Nosotros lo oímos blasfemar contra Moisés y hasta contra Dios». [12]Esto provocó a la gente, a los ancianos y a los maestros de ley religiosa. Así que arrestaron a Esteban y lo llevaron ante el Concilio Supremo.*

[13]Los testigos mentirosos dijeron:

—Este hombre siempre habla contra el santo templo y contra la ley de Moisés. [14]Lo hemos oído decir que ese tal Jesús de Nazaret* destruirá el templo

5:41 En griego *por el nombre.* **6:1** En griego *discípulos;* también en 6:2, 7. **6:12** En griego *Sanedrín;* también en 6:15. **6:14** O *Jesús nazareno.*

y cambiará las costumbres que Moisés nos transmitió.

[15]En ese momento, todos los del Concilio Supremo fijaron la mirada en Esteban, porque su cara comenzó a brillar como la de un ángel.

Discurso de Esteban ante el Concilio

7 Entonces el sumo sacerdote le preguntó a Esteban:

—¿Son ciertas estas acusaciones?

[2]Esteban dio la siguiente respuesta:

—Hermanos y padres, escúchenme. Nuestro glorioso Dios se le apareció a nuestro antepasado Abraham en Mesopotamia antes de que él se estableciera en Harán.* [3]Dios le dijo: "Deja tu patria y a tus parientes y entra en la tierra que yo te mostraré"*. [4]Entonces Abraham salió del territorio de los caldeos y vivió en Harán hasta que su padre murió. Después Dios lo trajo hasta aquí, a la tierra donde ustedes viven ahora.

[5]»Sin embargo, Dios no le dio ninguna herencia aquí, ni siquiera un metro cuadrado de tierra; pero Dios sí le prometió que algún día toda la tierra les pertenecería a Abraham y a sus descendientes, aun cuando él todavía no tenía hijos. [6]Dios también le dijo que sus descendientes vivirían en una tierra extranjera, donde serían oprimidos como esclavos durante cuatrocientos años. [7]"Pero yo castigaré a la nación que los esclavice —dijo Dios—, y al final saldrán de allí y me adorarán en este lugar"*.

[8]»En aquel entonces, Dios también le dio a Abraham el pacto de la circuncisión. Así que cuando nació su hijo Isaac, Abraham lo circuncidó al octavo día; y esa práctica continuó cuando Isaac fue padre de Jacob y cuando Jacob fue padre de los doce patriarcas de la nación israelita.

[9]»Estos patriarcas tuvieron envidia de su hermano José y lo vendieron para que fuera esclavo en Egipto; pero Dios estaba con él [10]y lo rescató de todas sus dificultades; y Dios le mostró su favor ante el faraón, el rey de Egipto. Dios también le dio a José una sabiduría fuera de lo común, de manera que el faraón lo nombró gobernador de todo Egipto y lo puso a cargo del palacio.

[11]»Entonces un hambre azotó a Egipto y a Canaán. Hubo mucho sufrimiento, y nuestros antepasados se quedaron sin alimento. [12]Jacob oyó que aún había grano en Egipto, por lo que envió a sus hijos —nuestros antepasados— a comprar un poco. [13]La segunda vez que fueron, José reveló su identidad a sus hermanos* y se los presentó al faraón. [14]Después José mandó a buscar a su padre, Jacob, y a todos sus parientes para que los llevaran a Egipto, setenta y cinco personas en total. [15]De modo que Jacob fue a Egipto. Murió allí, al igual que nuestros antepasados. [16]Sus cuerpos fueron llevados a Siquem, donde fueron enterrados en la tumba que Abraham les había comprado a los hijos de Hamor en Siquem a un determinado precio.

[17]»A medida que se acercaba el tiempo en que Dios cumpliría su promesa a Abraham, el número de nuestro pueblo en Egipto aumentó considerablemente. [18]Pero luego ascendió un nuevo rey al trono de Egipto, quien no sabía nada de José. [19]Este rey explotó a nuestro pueblo y lo oprimió, y forzó a los padres a que abandonaran a sus recién nacidos para que murieran.

[20]»En esos días nació Moisés, un hermoso niño a los ojos de Dios. Sus padres lo cuidaron en casa durante tres meses. [21]Cuando tuvieron que abandonarlo, la hija del faraón lo adoptó y lo crió como su

7:2 *Mesopotamia* era la región que ahora se conoce como Irak. *Harán* era una ciudad en lo que ahora se conoce como Siria. **7:3** Gn 12:1. **7:5-7** Gn 12:7; 15:13-14; Ex 3:12. **7:13** Otros manuscritos dicen *José fue reconocido por sus hermanos.*

propio hijo. [22]A Moisés le enseñaron toda la sabiduría de los egipcios, y era poderoso tanto en palabras como en acciones.

[23]»Cierto día, cuando Moisés tenía cuarenta años, decidió visitar a sus parientes, el pueblo de Israel. [24]Vio que un egipcio maltrataba a un israelita. Entonces Moisés salió en defensa del hombre y mató al egipcio para vengarlo. [25]Moisés supuso que sus compatriotas israelitas se darían cuenta de que Dios lo había enviado para rescatarlos, pero no fue así.

[26]»Al día siguiente, los visitó de nuevo y vio que dos hombres de Israel estaban peleando. Trató de ser un pacificador y les dijo: "Señores, ustedes son hermanos. ¿Por qué se están peleando?".

[27]»Pero el hombre que era culpable empujó a Moisés. "¿Quién te puso como gobernante y juez sobre nosotros?" —le preguntó—. [28]"¿Me vas a matar como mataste ayer al egipcio?". [29]Cuando Moisés oyó eso, huyó del país y vivió como extranjero en la tierra de Madián. Allí nacieron sus dos hijos.

[30]»Cuarenta años después, en el desierto que está cerca del monte Sinaí, un ángel se le apareció a Moisés en la llama de una zarza que ardía. [31]Moisés quedó asombrado al verla. Y, cuando se estaba acercando para ver mejor, la voz del SEÑOR le dijo: [32]"Yo soy el Dios de tus antepasados: el Dios de Abraham, de Isaac y de Jacob". Moisés tembló aterrorizado y no se atrevía a mirar.

[33]»Entonces el SEÑOR le dijo: "Quítate las sandalias, porque estás parado sobre tierra santa. [34]Ciertamente he visto la opresión de mi pueblo en Egipto. He escuchado sus gemidos y he descendido para rescatarlos. Ahora ve, porque te envío de regreso a Egipto"*.

[35]»Así que Dios envió de vuelta al mismo hombre que su pueblo había rechazado anteriormente cuando le preguntaron: "¿Quién te puso como gobernante y juez sobre nosotros?". Mediante el ángel que se le apareció en la zarza que ardía, Dios envió a Moisés para que fuera gobernante y salvador. [36]Y, por medio de muchas maravillas y señales milagrosas, él los sacó de Egipto, los guió a través del mar Rojo y por el desierto durante cuarenta años.

[37]»Moisés mismo le dijo al pueblo de Israel: "Dios les levantará un Profeta como yo de entre su propio pueblo"*. [38]Moisés estuvo con nuestros antepasados —la asamblea del pueblo de Dios en el desierto— cuando el ángel le habló en el monte Sinaí, y allí Moisés recibió palabras que dan vida para transmitirlas a nosotros.*

[39]»Sin embargo, nuestros antepasados se negaron a escuchar a Moisés. Lo rechazaron y quisieron volver a Egipto. [40]Le dijeron a Aarón: "Haznos unos dioses que puedan guiarnos, porque no sabemos qué le ha pasado a este Moisés, quien nos sacó de Egipto". [41]De manera que hicieron un ídolo en forma de becerro, le ofrecieron sacrificios y festejaron ese objeto que habían hecho. [42]Entonces Dios se apartó de ellos y los abandonó, ¡para que sirvieran a las estrellas del cielo como sus dioses! En el libro de los profetas está escrito:

"Israel, ¿acaso era a mí a quien traías
sacrificios y ofrendas
durante esos cuarenta años en el
desierto?
[43] No, tú llevaste a tus propios dioses
paganos,
el santuario de Moloc,
la estrella de tu dios Refán
y las imágenes que hiciste a fin de
rendirles culto.
Por eso te mandaré al destierro,
tan lejos como Babilonia"*.

7:31-34 Ex 3:5-10. **7:37** Dt 18:15. **7:38** Algunos manuscritos dicen *a ustedes*.
7:42-43 Am 5:25-27 (versión griega).

[44]»Nuestros antepasados llevaron el tabernáculo* con ellos a través del desierto. Lo construyeron según el plan que Dios le había mostrado a Moisés. [45]Años después, cuando Josué dirigió a nuestros antepasados en las batallas contra las naciones que Dios expulsó de esta tierra, el tabernáculo fue llevado con ellos al nuevo territorio. Y permaneció allí hasta los tiempos del rey David.

[46]»David obtuvo el favor de Dios y pidió tener el privilegio de construir un templo permanente para el Dios de Jacob.* [47]Aunque en realidad, fue Salomón quien lo construyó. [48]Sin embargo, el Altísimo no vive en templos hechos por manos humanas. Como dice el profeta:

[49] "El cielo es mi trono
y la tierra es el estrado de mis pies.
¿Podrían acaso construirme un templo
tan bueno como ése?
—pregunta el SEÑOR—.
¿Podrían construirme un lugar de
descanso así?
[50] ¿Acaso no fueron mis manos las que
hicieron el cielo y la tierra?"*.

[51]»¡Pueblo terco! Ustedes son paganos* de corazón y sordos a la verdad. ¿Se resistirán para siempre al Espíritu Santo? Eso es lo que hicieron sus antepasados, ¡y ustedes también! [52]¡Mencionen a un profeta a quien sus antepasados no hayan perseguido! Hasta mataron a los que predijeron la venida del Justo, el Mesías a quien ustedes traicionaron y asesinaron. [53]Deliberadamente desobedecieron la ley de Dios, a pesar de que la recibieron de manos de ángeles.

[54]Los líderes judíos se enfurecieron por la acusación de Esteban y con rabia le mostraban los puños;* [55]pero Esteban, lleno del Espíritu Santo, fijó la mirada en el cielo, y vio la gloria de Dios y vio a Jesús de pie en el lugar de honor, a la derecha de Dios. [56]Y les dijo: «¡Miren, veo los cielos abiertos y al Hijo del Hombre de pie en el lugar de honor, a la derecha de Dios!».

[57]Entonces ellos se taparon los oídos con las manos y empezaron a gritar. Se lanzaron sobre él, [58]lo arrastraron fuera de la ciudad y comenzaron a apedrearlo. Sus acusadores se quitaron las túnicas y las pusieron a los pies de un joven que se llamaba Saulo.*

[59]Mientras lo apedreaban, Esteban oró: «Señor Jesús, recibe mi espíritu». [60]Cayó de rodillas gritando: «¡Señor, no los culpes por este pecado!». Dicho eso, murió.

8 Saulo fue uno de los testigos y estuvo totalmente de acuerdo con el asesinato de Esteban.

La persecución dispersa a los creyentes

Ese día comenzó una gran ola de persecución que se extendió por toda la iglesia de Jerusalén; y todos los creyentes excepto los apóstoles fueron dispersados por las regiones de Judea y Samaria. [2](Con profundo dolor, unos hombres consagrados enterraron a Esteban). [3]Y Saulo iba por todas partes con la intención de acabar con la iglesia. Iba de casa en casa y sacaba a rastras tanto a hombres como a mujeres y los metía en la cárcel.

Felipe predica en Samaria

[4]Así que los creyentes que se esparcieron predicaban la Buena Noticia acerca de Jesús adondequiera que iban. [5]Felipe, por ejemplo, se dirigió a la ciudad de Samaria y allí le contó a la gente acerca del Mesías. [6]Las multitudes escuchaban atentamente a Felipe, porque estaban

7:44 En griego *la carpa del testimonio.* **7:46** Algunos manuscritos dicen *la casa de Jacob.* **7:49-50** Is 66:1-2. **7:51** En griego *incircuncisos.* **7:54** En griego *crujían los dientes contra él.* **7:58** *Saulo* es posteriormente llamado Pablo; ver 13:9.

deseosas de oír el mensaje y ver las señales milagrosas que él hacía. [7]Muchos espíritus malignos* fueron expulsados, los cuales gritaban cuando salían de sus víctimas; y muchos que habían sido paralíticos o cojos fueron sanados. [8]Así que hubo mucha alegría en esa ciudad.

[9]Un hombre llamado Simón, quien por muchos años había sido hechicero allí, asombraba a la gente de Samaria y decía ser alguien importante. [10]Todos, desde el más pequeño hasta el más grande, a menudo se referían a él como «el Grande, el Poder de Dios». [11]Lo escuchaban con atención porque, por mucho tiempo, él los había maravillado con su magia.

[12]Pero ahora la gente creyó el mensaje de Felipe sobre la Buena Noticia acerca del reino de Dios y del nombre de Jesucristo. Como resultado, se bautizaron muchos hombres y mujeres. [13]Luego el mismo Simón creyó y fue bautizado. Comenzó a seguir a Felipe a todos los lugares adonde él iba y estaba asombrado por las señales y los grandes milagros que Felipe hacía.

[14]Cuando los apóstoles de Jerusalén oyeron que la gente de Samaria había aceptado el mensaje de Dios, enviaron a Pedro y a Juan allá. [15]En cuanto ellos llegaron, oraron por los nuevos creyentes para que recibieran el Espíritu Santo. [16]El Espíritu Santo todavía no había venido sobre ninguno de ellos porque sólo habían sido bautizados en el nombre del Señor Jesús. [17]Entonces Pedro y Juan impusieron sus manos sobre esos creyentes, y recibieron el Espíritu Santo.

[18]Cuando Simón vio que el Espíritu se recibía cuando los apóstoles imponían sus manos sobre la gente, les ofreció dinero para comprar ese poder.

[19]—Déjenme tener este poder también —exclamó—, para que, cuando yo imponga mis manos sobre las personas, ¡reciban el Espíritu Santo!

[20]Pedro le respondió:

—¡Que tu dinero se destruya junto contigo por pensar que es posible comprar el don de Dios! [21]Tú no tienes parte ni derecho en esto porque tu corazón no es recto delante de Dios. [22]Arrepiéntete de tu maldad y ora al Señor. Tal vez él perdone tus malos pensamientos, [23]porque puedo ver que estás lleno de una profunda envidia y que el pecado te tiene cautivo.

[24]—¡Oren al Señor por mí! —exclamó Simón—. ¡Qué no me sucedan estas cosas terribles que has dicho!

[25]Después de dar testimonio y predicar la palabra del Señor en Samaria, Pedro y Juan regresaron a Jerusalén. Por el camino, se detuvieron en muchas aldeas samaritanas para predicar la Buena Noticia.

Felipe y el eunuco etíope

[26]En cuanto a Felipe, un ángel del Señor le dijo: «Ve al sur* por el camino del desierto que va de Jerusalén a Gaza». [27]Entonces él emprendió su viaje y se encontró con el tesorero de Etiopía, un eunuco de mucha autoridad bajo el mando de Candace, la reina de Etiopía. El eunuco había ido a Jerusalén a adorar [28]y ahora venía de regreso. Sentado en su carruaje, leía en voz alta el libro del profeta Isaías.

[29]El Espíritu Santo le dijo a Felipe: «Acércate y camina junto al carruaje».

[30]Felipe se acercó corriendo y oyó que el hombre leía al profeta Isaías. Felipe le preguntó:

—¿Entiendes lo que estás leyendo?

[31]El hombre contestó:

—¿Y cómo puedo entenderlo, a menos que alguien me explique?

8:7 En griego *impuros.* **8:26** O *ve al mediodía.*

Y le rogó a Felipe que subiera al carruaje y se sentara junto a él.

[32]El pasaje de la Escritura que leía era el siguiente:

«Como oveja fue llevado al matadero.
Y, como cordero en silencio ante sus trasquiladores,
no abrió su boca.
[33] Fue humillado y no le hicieron justicia.
¿Quién puede hablar de sus descendientes?
Pues su vida fue quitada de la tierra»*.

[34]El eunuco le preguntó a Felipe: «Dime, ¿hablaba el profeta acerca de sí mismo o de alguien más?». [35]Entonces, comenzando con esa misma porción de la Escritura, Felipe le habló de la Buena Noticia acerca de Jesús.

[36]Mientras iban juntos, llegaron a un lugar donde había agua, y el eunuco dijo: «¡Mira, allí hay agua! ¿Qué impide que yo sea bautizado?»*. [38]Ordenó que detuvieran el carruaje, descendieron al agua, y Felipe lo bautizó.

[39]Cuando salieron del agua, el Espíritu del Señor arrebató a Felipe. El eunuco nunca más volvió a verlo, pero siguió su camino con mucha alegría. [40]Entre tanto, Felipe se encontró más al norte, en la ciudad de Azoto. Predicó la Buena Noticia allí y en cada pueblo a lo largo del camino, hasta que llegó a Cesarea.

Conversión de Saulo

9 Mientras tanto, Saulo pronunciaba amenazas en cada palabra y estaba ansioso por matar a los seguidores* del Señor. Así que acudió al sumo sacerdote. [2]Le pidió cartas dirigidas a las sinagogas de Damasco para solicitarles su cooperación en el arresto de los seguidores del Camino que se encontraran ahí. Su intención era llevarlos —a hombres y mujeres por igual— de regreso a Jerusalén encadenados.

[3]Al acercarse a Damasco para cumplir esa misión, una luz del cielo de repente brilló alrededor de él. [4]Saulo cayó al suelo y oyó una voz que le decía:

—¡Saulo, Saulo! ¿Por qué me persigues?

[5]—¿Quién eres, señor? —preguntó Saulo.

—Yo soy Jesús, ¡a quien tú persigues! —contestó la voz—. [6]Ahora levántate, entra en la ciudad y se te dirá lo que debes hacer.

[7]Los hombres que estaban con Saulo se quedaron mudos, porque oían el sonido de una voz, ¡pero no veían a nadie! [8]Saulo se levantó del suelo, pero cuando abrió los ojos, estaba ciego. Entonces sus acompañantes lo llevaron de la mano hasta Damasco. [9]Permaneció allí, ciego, durante tres días sin comer ni beber.

[10]Ahora bien, había un creyente* en Damasco llamado Ananías. El Señor le habló en una visión, lo llamó:

—¡Ananías!

—¡Sí, Señor! —respondió.

[11]El Señor le dijo:

—Ve a la calle llamada Derecha, a la casa de Judas. Cuando llegues, pregunta por un hombre de Tarso que se llama Saulo. En este momento, él está orando. [12]Le he mostrado en visión a un hombre llamado Ananías que entra y pone las manos sobre él para que recobre la vista.

[13]—¡Pero Señor! —exclamó Ananías—, ¡he oído a mucha gente hablar de las cosas terribles que ese hombre les ha hecho a los creyentes* de Jerusalén! [14]Además, tiene la autorización de los sacerdotes

8:32-33 Is 53:7-8 (versión griega). **8:36** Algunos manuscritos incluyen el versículo 37: *—Puedes —respondió Felipe—, si crees con todo tu corazón. Y el eunuco respondió: —Creo que Jesucristo es el Hijo de Dios.* **9:1** En griego *discípulos.* **9:10** En griego *discípulo;* también en 9:26, 36. **9:13** En griego *pueblo santo de Dios;* también en 9:32, 41.

principales para arrestar a todos los que invocan tu nombre.

[15]El Señor le dijo:

—Ve, porque él es mi instrumento elegido para llevar mi mensaje a los gentiles* y a reyes, como también al pueblo de Israel; [16]y le voy a mostrar cuánto debe sufrir por mi nombre.

[17]Así que Ananías fue y encontró a Saulo, puso sus manos sobre él y dijo: «Hermano Saulo, el Señor Jesús, quien se te apareció en el camino, me ha enviado para que recobres la vista y seas lleno del Espíritu Santo». [18]Al instante, algo como escamas cayó de los ojos de Saulo y recobró la vista. Luego se levantó y fue bautizado. [19]Después comió algo y recuperó las fuerzas.

Saulo en Damasco y Jerusalén

Saulo se quedó unos días con los creyentes* en Damasco. [20]Y enseguida comenzó a predicar acerca de Jesús en las sinagogas, diciendo: «¡Él es verdaderamente el Hijo de Dios!».

[21]Todos los que lo oían quedaban asombrados. «¿No es éste el mismo hombre que causó tantos estragos entre los seguidores de Jesús en Jerusalén? —se preguntaban—. ¿Y no llegó aquí para arrestarlos y llevarlos encadenados ante los sacerdotes principales?».

[22]La predicación de Saulo se hacía cada vez más poderosa, y los judíos de Damasco no podían refutar las pruebas de que Jesús de verdad era el Mesías. [23]Poco tiempo después, unos judíos conspiraron para matarlo. [24]Día y noche vigilaban la puerta de la ciudad para poder asesinarlo, pero a Saulo se le informó acerca del complot. [25]De modo que, durante la noche, algunos de los creyentes* lo bajaron en un canasto grande por una abertura que había en la muralla de la ciudad.

[26]Cuando Saulo llegó a Jerusalén, trató de reunirse con los creyentes, pero todos le tenían miedo. ¡No creían que de verdad se había convertido en un creyente! [27]Entonces Bernabé se lo llevó a los apóstoles y les contó cómo Saulo había visto al Señor en el camino a Damasco y cómo el Señor le había hablado a Saulo. También les dijo que, en Damasco, Saulo había predicado con valentía en el nombre de Jesús.

[28]Así que Saulo se quedó con los apóstoles y los acompañó por toda Jerusalén, predicando con valor en el nombre del Señor. [29]Debatió con algunos judíos que hablaban griego, pero ellos trataron de matarlo. [30]Cuando los creyentes* se enteraron, lo llevaron a Cesarea y lo enviaron a Tarso, su ciudad natal.

[31]La iglesia, entonces, tuvo paz por toda Judea, Galilea y Samaria; se fortalecía y los creyentes vivían en el temor del Señor. Y, con la ayuda del Espíritu Santo, también creció en número.

Pedro sana a Eneas y resucita a Dorcas

[32]Mientras tanto, Pedro viajaba de un lugar a otro, y descendió a visitar a los creyentes de la ciudad de Lida. [33]Allí conoció a un hombre llamado Eneas, quien estaba paralizado y postrado en cama hacía ocho años. [34]Pedro le dijo: «Eneas, ¡Jesucristo te sana! ¡Levántate y enrolla tu camilla!». Al instante, fue sanado. [35]Entonces todos los habitantes de Lida y Sarón vieron a Eneas caminando, y se convirtieron al Señor.

[36]Había una creyente en Jope que se llamaba Tabita (que en griego significa Dorcas*). Ella siempre hacía buenas acciones a los demás y ayudaba a los pobres.

9:15 *Gentil(es),* que no es judío. **9:19** En griego *discípulos;* también en 9:26, 38. **9:25** En griego *sus discípulos.* **9:30** En griego *hermanos.* **9:36** Ambos nombres, *Tabita* (en arameo) y *Dorcas* (en griego), significan «gacela».

[37]En esos días, se enfermó y murió. Lavaron el cuerpo para el entierro y lo pusieron en un cuarto de la planta alta; [38]pero los creyentes habían oído que Pedro estaba cerca, en Lida, entonces mandaron a dos hombres a suplicarle: «Por favor, ¡ven tan pronto como puedas!».

[39]Así que Pedro regresó con ellos y, tan pronto como llegó, lo llevaron al cuarto de la planta alta. El cuarto estaba lleno de viudas que lloraban y le mostraban a Pedro las túnicas y demás ropa que Dorcas les había hecho. [40]Pero Pedro les pidió a todos que salieran del cuarto; luego se arrodilló y oró. Volviéndose hacia el cuerpo, dijo: «¡Tabita, levántate!». ¡Y ella abrió los ojos! Cuando vio a Pedro, ¡se sentó! [41]Él le dio la mano y la ayudó a levantarse. Después llamó a las viudas y a todos los creyentes, y la presentó viva.

[42]Las noticias corrieron por toda la ciudad y muchos creyeron en el Señor; [43]y Pedro se quedó mucho tiempo en Jope, viviendo con Simón, un curtidor de pieles.

Cornelio manda a buscar a Pedro

10 En Cesarea vivía un oficial del ejército romano* llamado Cornelio, quien era un capitán del regimiento italiano. [2]Era un hombre devoto, temeroso de Dios, igual que todos los de su casa. Daba generosamente a los pobres y oraba a Dios con frecuencia. [3]Una tarde, como a las tres, tuvo una visión en la cual vio que un ángel de Dios se le acercaba.

—¡Cornelio! —dijo el ángel.

[4]Cornelio lo miró fijamente, aterrorizado.

—¿Qué quieres, señor? —le preguntó al ángel.

Y el ángel contestó:

—¡Dios ha recibido tus oraciones y tus donativos a los pobres como una ofrenda! [5]Ahora pues, envía a algunos hombres a Jope y manda llamar a un hombre llamado Simón Pedro. [6]Él está hospedado con Simón, un curtidor que vive cerca de la orilla del mar.

[7]En cuanto el ángel se fue, Cornelio llamó a dos de los sirvientes de su casa y a un soldado devoto, que era uno de sus asistentes personales. [8]Les contó lo que había ocurrido y los envió a Jope.

Pedro visita a Cornelio

[9]Al día siguiente, mientras los mensajeros de Cornelio se acercaban a la ciudad, Pedro subió a la azotea a orar. Era alrededor del mediodía, [10]y tuvo hambre; pero mientras preparaban la comida, cayó en un estado de éxtasis. [11]Vio los cielos abiertos y algo parecido a una sábana grande que bajaba por sus cuatro puntas. [12]En la sábana había toda clase de animales, reptiles y aves. [13]Luego una voz le dijo:

—Levántate, Pedro; mátalos y come de ellos.

[14]—No, Señor —dijo Pedro—. Jamás he comido algo que nuestras leyes judías declaren impuro e inmundo.*

[15]Pero la voz habló de nuevo:

—No llames a algo impuro si Dios lo ha hecho limpio.

[16]La misma visión se repitió tres veces, y repentinamente la sábana fue subida al cielo.

[17]Pedro quedó muy desconcertado. ¿Qué podría significar la visión? Justo en ese momento, los hombres enviados por Cornelio encontraron la casa de Simón. De pie, frente a la puerta, [18]preguntaron si se hospedaba allí un hombre llamado Simón Pedro.

[19]Entre tanto, mientras Pedro trataba de descifrar la visión, el Espíritu Santo le dijo: «Tres hombres han venido a buscarte. [20]Levántate, baja y vete con ellos sin

10:1 En griego *un centurión;* similar en 10:22. **10:14** En griego *nada común e impuro.*

titubear. No te preocupes, porque yo los he enviado».

[21]Entonces Pedro bajó y dijo:

—Yo soy el hombre que ustedes buscan. ¿Por qué han venido?

[22]Ellos dijeron:

—Nos envió Cornelio, un oficial romano. Es un hombre devoto y temeroso de Dios, muy respetado por todos los judíos. Un ángel santo le dio instrucciones para que vayas a su casa a fin de que él pueda escuchar tu mensaje.

[23]Entonces Pedro invitó a los hombres a quedarse para pasar la noche. Al siguiente día, fue con ellos, acompañado por algunos hermanos de Jope.

[24]Llegaron a Cesarea al día siguiente. Cornelio los estaba esperando y había reunido a sus parientes y amigos cercanos. [25]Cuando Pedro entró en la casa, Cornelio cayó a sus pies y lo adoró; [26]pero Pedro lo levantó y le dijo: «¡Ponte de pie, yo soy un ser humano como tú!». [27]Entonces conversaron y entraron en donde muchos otros estaban reunidos.

[28]Pedro les dijo:

—Ustedes saben que va en contra de nuestras leyes que un hombre judío se relacione con gentiles* o que entre en su casa; pero Dios me ha mostrado que ya no debo pensar que alguien es impuro o inmundo. [29]Por eso, sin oponerme, vine aquí tan pronto como me llamaron. Ahora díganme por qué enviaron por mí.

[30]Cornelio contestó:

—Hace cuatro días, yo estaba orando en mi casa como a esta misma hora, las tres de la tarde. De repente, un hombre con ropa resplandeciente se paró delante de mí. [31]Me dijo: "Cornelio, ¡tu oración ha sido escuchada, y Dios ha tomado en cuenta tus donativos para los pobres! [32]Ahora, envía mensajeros a Jope y manda llamar a un hombre llamado Simón Pedro. Está hospedado en la casa de Simón, un curtidor que vive cerca de la orilla del mar". [33]Así que te mandé a llamar de inmediato, y te agradezco que hayas venido. Ahora, estamos todos aquí, delante de Dios, esperando escuchar el mensaje que el Señor te ha dado.

Los gentiles oyen la Buena Noticia

[34]Entonces Pedro respondió:

—Veo con claridad que Dios no muestra favoritismo. [35]En cada nación, él acepta a los que lo temen y hacen lo correcto. [36]Este es el mensaje de la Buena Noticia para el pueblo de Israel: que hay paz con Dios por medio de Jesucristo, quien es Señor de todo. [37]Ustedes saben lo que pasó en toda Judea, comenzando en Galilea, después de que Juan empezó a predicar su mensaje de bautismo. [38]Y saben que Dios ungió a Jesús de Nazaret con el Espíritu Santo y con poder. Después Jesús anduvo haciendo el bien y sanando a todos los que eran oprimidos por el diablo, porque Dios estaba con él.

[39]»Y nosotros, los apóstoles, somos testigos de todo lo que él hizo por toda Judea y en Jerusalén. Lo mataron, colgándolo en una cruz,* [40]pero Dios lo resucitó al tercer día. Después Dios permitió que se apareciera, [41]no al público en general,* sino a nosotros, a quienes Dios había elegido de antemano para que fuéramos sus testigos. Nosotros fuimos los que comimos y bebimos con él después de que se levantó de los muertos. [42]Y él nos ordenó que predicáramos en todas partes y diéramos testimonio de que Jesús es a quien Dios designó para ser el juez de todos, de los que están vivos y de los muertos. [43]De él dan testimonio todos los profetas cuando dicen que a todo el que cree en él se le perdonarán los pecados por medio de su nombre.

10:28 *Gentil[es],* que no es judío. **10:39** En griego *en un madero.* **10:41** En griego *la gente.*

Los gentiles reciben el Espíritu Santo

[44]Mientras Pedro aún estaba diciendo estas cosas, el Espíritu Santo descendió sobre todos los que escuchaban el mensaje. [45]Los creyentes judíos* que habían llegado con Pedro quedaron asombrados al ver que el don del Espíritu Santo también era derramado sobre los gentiles. [46]Pues los oyeron hablar en otras lenguas* y alabar a Dios.

Entonces Pedro preguntó: [47]«¿Puede alguien oponerse a que ellos sean bautizados ahora que han recibido el Espíritu Santo, tal como nosotros lo recibimos?». [48]Por lo tanto, dio órdenes de que fueran bautizados en el nombre de Jesucristo. Después Cornelio le pidió que se quedara varios días con ellos.

Pedro explica sus acciones

11 La noticia de que los gentiles* habían recibido la palabra de Dios pronto llegó a los apóstoles y a los demás creyentes* de Judea. [2]Así que cuando Pedro regresó a Jerusalén, los creyentes judíos* lo criticaron.

[3]—Entraste en una casa de gentiles,* ¡y hasta comiste con ellos! —le dijeron.

[4]Entonces Pedro les contó todo tal como había sucedido.

[5]—Yo estaba en la ciudad de Jope —les dijo—, y mientras oraba, caí en un estado de éxtasis y tuve una visión. Algo parecido a una sábana grande descendía por sus cuatro puntas desde el cielo y bajó justo hasta donde yo estaba. [6]Cuando me fijé en el contenido de la sábana, vi toda clase de animales domésticos y salvajes, reptiles y aves. [7]Y oí una voz que decía: "Levántate, Pedro, mátalos y come de ellos".

[8]»"No, Señor —respondí—. Jamás he comido algo que nuestras leyes judías declaren impuro o inmundo".*

[9]»Pero la voz del cielo habló de nuevo: "No llames a algo impuro si Dios lo ha hecho limpio". [10]Eso sucedió tres veces antes de que la sábana, con todo lo que había dentro, fuera subida al cielo otra vez.

[11]»En ese preciso momento, tres hombres que habían sido enviados desde Cesarea llegaron a la casa donde estábamos hospedados. [12]El Espíritu Santo me dijo que los acompañara y que no me preocupara que fueran gentiles. Estos seis hermanos aquí presentes me acompañaron, y pronto entramos en la casa del hombre que había mandado a buscarnos. [13]Él nos contó cómo un ángel se le había aparecido en su casa y le había dicho: "Envía mensajeros a Jope y manda a llamar a un hombre llamado Simón Pedro. [14]¡Él te dirá cómo tú y todos los de tu casa pueden ser salvos!".

[15]»Cuando comencé a hablar —continuó Pedro—, el Espíritu Santo descendió sobre ellos tal como descendió sobre nosotros al principio. [16]Entonces pensé en las palabras del Señor cuando dijo: "Juan bautizó con* agua, pero ustedes serán bautizados con el Espíritu Santo". [17]Y, como Dios les dio a esos gentiles el mismo don que nos dio a nosotros cuando creímos en el Señor Jesucristo, ¿quién era yo para estorbar a Dios?

[18]Cuando los demás oyeron esto, dejaron de oponerse y comenzaron a alabar a Dios. Dijeron:

—Podemos ver que Dios también les ha dado a los gentiles el privilegio de arrepentirse de sus pecados y de recibir vida eterna.

La iglesia en Antioquía de Siria

[19]Mientras tanto, los creyentes que fueron dispersados durante la persecu-

10:45 En griego *Los fieles de la circuncisión.* **10:46** O *en otros idiomas.* **11:1a** *Gentil[es],* que no es judío. **11:1b** En griego *hermanos.* **11:2** En griego *los de la circuncisión.* **11:3** En griego *de hombres incircuncisos.* **11:8** En griego *nada común o impuro.* **11:16** O *en;* también en 11:16b.

ción que hubo después de la muerte de Esteban, viajaron tan lejos como Fenicia, Chipre y Antioquía de Siria. Predicaban la palabra de Dios, pero sólo a judíos. [20]Sin embargo, algunos de los creyentes que fueron a Antioquía desde Chipre y Cirene les comenzaron a predicar a los gentiles* acerca del Señor Jesús. [21]El poder del Señor estaba con ellos, y un gran número de estos gentiles creyó y se convirtió al Señor.

[22]Cuando la iglesia de Jerusalén se enteró de lo que había pasado, enviaron a Bernabé a Antioquía. [23]Cuando él llegó y vio las pruebas de la bendición de Dios, se llenó de alegría y alentó a los creyentes a que permanecieran fieles al Señor. [24]Bernabé era un hombre bueno, lleno del Espíritu Santo y firme en la fe. Y mucha gente llegó al Señor.

[25]Después Bernabé siguió hasta Tarso para buscar a Saulo. [26]Cuando lo encontró, lo llevó de regreso a Antioquía. Los dos se quedaron allí con la iglesia durante todo un año, enseñando a grandes multitudes. (Fue en Antioquía donde, por primera vez, a los creyentes* los llamaron «cristianos»).

[27]Durante aquellos días, unos profetas viajaron de Jerusalén a Antioquía. [28]Uno de ellos, llamado Ágabo, se puso de pie en una de las reuniones y predijo por medio del Espíritu que iba a haber una gran hambre en todo el mundo romano. (Esto se cumplió durante el reinado de Claudio). [29]Así que los creyentes de Antioquía decidieron enviar una ayuda a los hermanos de Judea, y cada uno dio lo que podía. [30]Así lo hicieron, y confiaron sus ofrendas a Bernabé y a Saulo para que las llevaran a los ancianos de la iglesia de Jerusalén.

Asesinato de Santiago y encarcelamiento de Pedro

12 Por ese tiempo, el rey Herodes Agripa* comenzó a perseguir a algunos creyentes de la iglesia. [2]Mandó matar a espada al apóstol Santiago (hermano de Juan). [3]Cuando Herodes vio cuánto esto le agradó al pueblo judío, también arrestó a Pedro. (Eso sucedió durante la celebración de la Pascua).* [4]Después lo metió en la cárcel y lo puso bajo la vigilancia de cuatro escuadrones de cuatro soldados cada uno. Herodes tenía pensado llevar a Pedro a juicio público después de la Pascua. [5]Pero, mientras Pedro estaba en la cárcel, la iglesia oraba fervientemente por él.

Pedro escapa milagrosamente de la cárcel

[6]La noche antes de ser sometido a juicio, Pedro dormía sujetado con dos cadenas entre dos soldados. Otros hacían guardia junto a la puerta de la prisión. [7]De repente, una luz intensa iluminó la celda y un ángel del Señor se puso frente a Pedro. El ángel lo golpeó en el costado para despertarlo y le dijo: «¡Rápido! ¡Levántate!». Y las cadenas cayeron de sus muñecas. [8]Después, el ángel le dijo: «Vístete y ponte tus sandalias». Pedro lo hizo, y el ángel le ordenó: «Ahora ponte tu abrigo y sígueme».

[9]Así que Pedro salió de la celda y siguió al ángel, pero todo el tiempo pensaba que era una visión; no se daba cuenta de que en verdad eso estaba sucediendo. [10]Pasaron el primer puesto de guardia y luego el segundo y llegaron a la puerta de hierro que lleva a la ciudad, y esta puerta se abrió por sí sola frente a ellos. De esta manera cruzaron la puerta y empezaron

11:20 En griego *los helenistas* (es decir, los que hablan griego); otros manuscritos dicen *los griegos*.
11:26 En griego *discípulos;* también en 11:29. **12:1** En griego *Herodes el rey*. Era sobrino de Herodes Antipas y nieto de Herodes el Grande. **12:3** En griego *los días de los panes sin levadura*.

a caminar por la calle, y de pronto el ángel lo dejó.

[11]Finalmente Pedro volvió en sí. «¡De veras es cierto! —dijo—. ¡El Señor envió a su ángel y me salvó de Herodes y de lo que los líderes judíos* tenían pensado hacerme!».

[12]Cuando se dio cuenta de esto, fue a la casa de María, la madre de Juan Marcos, donde muchos se habían reunido para orar. [13]Tocó a la puerta de entrada, y una sirvienta llamada Rode fue a abrir. [14]Cuando ella reconoció la voz de Pedro, se alegró tanto que, en lugar de abrir la puerta, corrió hacia adentro y les dijo a todos:

—¡Pedro está a la puerta!

[15]—¡Estás loca! —le dijeron.

Como ella insistía, llegaron a la conclusión: «Debe ser su ángel».

[16]Mientras tanto, Pedro seguía tocando. Cuando por fin abrieron la puerta y lo vieron, quedaron asombrados. [17]Él les hizo señas para que se callaran y les contó cómo el Señor lo había sacado de la cárcel. «Díganles a Santiago y a los demás hermanos lo que pasó», dijo. Y después se fue a otro lugar.

[18]Al amanecer, hubo un gran alboroto entre los soldados por lo que había sucedido con Pedro. [19]Herodes Agripa ordenó que se hiciera una búsqueda exhaustiva para encontrar a Pedro. Como no pudieron encontrarlo, Herodes interrogó a los guardias y luego los condenó a muerte. Después Herodes se fue de Judea para quedarse en Cesarea por un tiempo.

Muerte de Herodes Agripa

[20]Ahora bien, Herodes estaba muy enojado con los habitantes de Tiro y de Sidón. Entonces ellos enviaron una delegación para que hiciera las paces con él, porque sus ciudades dependían del país de Herodes para obtener alimento. Los delegados se ganaron el apoyo de Blasto, el asistente personal de Herodes, [21]y así se les concedió una cita con Herodes. Cuando llegó el día, Herodes se puso sus vestiduras reales, se sentó en su trono y les dio un discurso. [22]El pueblo le dio una gran ovación, gritando: «¡Es la voz de un dios, no la de un hombre!».

[23]Al instante, un ángel del Señor hirió a Herodes con una enfermedad, porque él aceptó la adoración de la gente en lugar de darle la gloria a Dios. Así que murió carcomido por gusanos.

[24]Mientras tanto, la palabra de Dios seguía extendiéndose, y hubo muchos nuevos creyentes.

[25]Cuando Bernabé y Saulo terminaron su misión en Jerusalén, regresaron* llevándose con ellos a Juan Marcos.

Bernabé y Saulo son encomendados

13 Entre los profetas y maestros de la iglesia de Antioquía de Siria se encontraban Bernabé, Simeón (llamado «el Negro»*), Lucio (de Cirene), Manaén (compañero de infancia del rey Herodes Antipas*) y Saulo. [2]Cierto día, mientras estos hombres adoraban al Señor y ayunaban, el Espíritu Santo dijo: «Consagren a Bernabé y a Saulo para el trabajo especial al cual los he llamado». [3]Así que, después de pasar más tiempo en ayuno y oración, les impusieron las manos y los enviaron.

Primer viaje misionero de Pablo

[4]Entonces Bernabé y Saulo fueron enviados por el Espíritu Santo. Descendieron hasta el puerto de Seleucia y después navegaron hacia la isla de Chipre. [5]Allí, en la ciudad de Salamina, fueron

12:11 O *los judíos.* **12:25** O *misión, regresaron a Jerusalén.* Otros manuscritos dicen *misión, regresaron de Jerusalén;* incluso otros dicen *misión, regresaron de Jerusalén a Antioquía.* **13:1a** En griego *llamado Niger.* **13:1b** En griego *Herodes el tetrarca.*

a las sinagogas judías y predicaron la palabra de Dios. Juan Marcos fue con ellos como su asistente.

[6]Después viajaron de ciudad en ciudad por toda la isla hasta que finalmente llegaron a Pafos, donde conocieron a un hechicero judío, un falso profeta llamado Barjesús. [7]El tal se había apegado al gobernador, Sergio Paulo, quien era un hombre inteligente. El gobernador invitó a Bernabé y a Saulo para que fueran a verlo, porque quería oír la palabra de Dios; [8]pero Elimas, el hechicero (eso es lo que significa su nombre en griego), se entrometió y trataba de persuadir al gobernador para que no prestara atención a lo que Bernabé y Saulo decían. Trataba de impedir que el gobernador creyera.

[9]Saulo, también conocido como Pablo, fue lleno del Espíritu Santo y miró al hechicero a los ojos. [10]Luego dijo: «¡Tú, hijo del diablo, lleno de toda clase de engaño y fraude, y enemigo de todo lo bueno! ¿Nunca dejarás de distorsionar los caminos verdaderos del Señor? [11]Ahora mira, el Señor ha puesto su mano de castigo sobre ti, y quedarás ciego. No verás la luz del sol por un tiempo». Al instante, neblina y oscuridad cubrieron los ojos del hombre, y comenzó a andar a tientas, mientras suplicaba que alguien lo tomara de la mano y lo guiara.

[12]Cuando el gobernador vio lo que había sucedido, se convirtió, pues quedó asombrado de la enseñanza acerca del Señor.

Pablo predica en Antioquía de Pisidia

[13]Luego Pablo y sus compañeros salieron de Pafos en barco rumbo a Panfilia y desembarcaron en la ciudad portuaria de Perge. Allí Juan Marcos los dejó y regresó a Jerusalén; [14]pero Pablo y Bernabé siguieron su viaje por tierra adentro hasta Antioquía de Pisidia.*

El día de descanso fueron a las reuniones de la sinagoga. [15]Después de las lecturas acostumbradas de los libros de Moisés* y de los profetas, los que estaban a cargo del servicio les mandaron el siguiente mensaje: «Hermanos, si tienen alguna palabra de aliento para el pueblo, ¡pasen a decirla!».

[16]Entonces Pablo se puso de pie, levantó la mano para hacer que se callaran y comenzó a hablar: «Hombres de Israel —dijo— y ustedes, gentiles* temerosos de Dios, escúchenme.

[17]»El Dios de esta nación de Israel eligió a nuestros antepasados e hizo que se multiplicaran y se hicieran fuertes durante el tiempo que pasaron en Egipto. Luego, con brazo poderoso los sacó de la esclavitud. [18]Tuvo que soportarlos* durante los cuarenta años que anduvieron vagando por el desierto. [19]Luego destruyó a siete naciones en Canaán y le dio su tierra a Israel como herencia. [20]Todo esto llevó cerca de cuatrocientos cincuenta años.

»Después de eso, Dios les dio jueces para que gobernaran hasta los días del profeta Samuel. [21]Luego el pueblo suplicó por un rey, y Dios les dio a Saúl, hijo de Quis, un hombre de la tribu de Benjamín que reinó durante cuarenta años. [22]Pero Dios quitó a Saúl y lo reemplazó con David, un hombre de quien Dios dijo: "He encontrado en David, hijo de Isaí, a un hombre conforme a mi propio corazón; él hará todo lo que yo quiero que haga"*.

[23]»Y es precisamente uno de los descendientes del rey David, Jesús, ¡el Salvador de Israel prometido por Dios!

13:13-14 *Panfilia* y *Pisidia* eran distritos de lo que ahora es Turquía. **13:15** En griego *de la ley.* **13:16** *Gentil[es],* que no es judío. **13:18** Algunos manuscritos dicen *Él los cuidó;* comparar Dt 1:31. **13:22** 1 Sm 13:14.

[24]Antes de que él viniera, Juan el Bautista predicaba que todo el pueblo de Israel tenía que arrepentirse de sus pecados, convertirse a Dios y bautizarse. [25]Cuando estaba en los últimos días de su ministerio, Juan preguntó: "¿Creen ustedes que yo soy el Mesías? No, ¡no lo soy! Pero él pronto viene, y yo ni siquiera soy digno de ser su esclavo ni de desatarle las sandalias de sus pies".

[26]»Hermanos —ustedes, hijos de Abraham, y también ustedes, gentiles temerosos de Dios—, ¡este mensaje de salvación ha sido enviado a nosotros! [27]La gente de Jerusalén y sus líderes no reconocieron a Jesús como la persona de quien hablaron los profetas. En cambio, lo condenaron y, al hacerlo, cumplieron las palabras de los profetas que se leen todos los días de descanso. [28]No encontraron ninguna razón legal para ejecutarlo, pero de cualquier forma le pidieron a Pilato que lo matara.

[29]»Una vez que llevaron a cabo todo lo que las profecías decían acerca de él, lo bajaron de la cruz* y lo pusieron en una tumba. [30]¡Pero Dios lo levantó de los muertos! [31]Y, durante varios días, se apareció a los que habían ido con él de Galilea a Jerusalén. Actualmente ellos son sus testigos al pueblo de Israel.

[32]»Y ahora nosotros estamos aquí para traerles la Buena Noticia. La promesa fue dirigida a nuestros antepasados. [33]Y ahora Dios nos la cumplió a nosotros, los descendientes, al resucitar a Jesús. Esto es lo que el segundo salmo dice sobre Jesús:

"Tú eres mi Hijo.
El día de hoy he llegado a ser tu
Padre"*.

[34]»Pues Dios había prometido levantarlo de los muertos, no dejarlo que se pudriera en la tumba. Dijo: "Yo te daré las bendiciones sagradas que le prometí a David"*. [35]Otro salmo lo explica con más detalle: "No permitirás que tu Santo se pudra en la tumba"*. [36]Este salmo no hace referencia a David, pues, después de haber hecho la voluntad de Dios en su propia generación, David murió, fue enterrado con sus antepasados y su cuerpo se descompuso. [37]No, el salmo se refería a otra persona, a alguien a quien Dios resucitó y cuyo cuerpo no se descompuso.

[38]»Hermanos, ¡escuchen! Estamos aquí para proclamar que, por medio de este hombre Jesús, ustedes tienen el perdón de sus pecados. [39]Todo el que cree en él es declarado justo ante Dios, algo que la ley de Moisés nunca pudo hacer. [40]¡Tengan cuidado! No dejen que las palabras de los profetas se apliquen a ustedes. Pues ellos dijeron:

[41] "Miren, ustedes burlones,
¡asómbrense y mueran!
Pues estoy haciendo algo en sus días,
algo que no creerían
aun si alguien les dijera"*».

[42]Cuando Pablo y Bernabé salieron de la sinagoga ese día, la gente les suplicó que volvieran a hablar sobre esas cosas la semana siguiente. [43]Muchos judíos y devotos convertidos al judaísmo siguieron a Pablo y a Bernabé, y ambos hombres los instaban a que continuaran confiando en la gracia de Dios.

Pablo se dirige a los gentiles

[44]A la semana siguiente, casi toda la ciudad fue a oírlos predicar la palabra del Señor. [45]Cuando algunos judíos vieron las multitudes tuvieron envidia; así que calumniaban a Pablo y debatían contra todo lo que él decía.

[46]Entonces Pablo y Bernabé hablaron

13:29 En griego *del madero*. **13:33** O *El día de hoy te revelo como mi Hijo*. Sal 2:7. **13:34** Is 55:3. **13:35** Sal 16:10. **13:41** Ha 1:5 (versión griega).

con valentía y declararon: «Era necesario que primero les predicáramos la palabra de Dios a ustedes, los judíos; pero ya que ustedes la han rechazado y se consideran indignos de la vida eterna, se la ofreceremos a los gentiles. [47]Pues el Señor nos dio este mandato cuando dijo:

"Yo te he hecho luz para los gentiles,
a fin de llevar salvación a los
rincones más lejanos de la
tierra"*».

[48]Cuando los gentiles oyeron esto, se alegraron y le dieron las gracias al Señor por su mensaje, y todos los que fueron elegidos para la vida eterna se convirtieron en creyentes. [49]Así que el mensaje del Señor se extendió por toda esa región.

[50]Luego los judíos provocaron a las mujeres religiosas influyentes y a los líderes de la ciudad, e incitaron a una turba contra Pablo y Bernabé, y los echaron de la ciudad. [51]Así que ellos se sacudieron el polvo de sus pies en señal de rechazo y se dirigieron a la ciudad de Iconio. [52]Y los creyentes* se llenaron de alegría y del Espíritu Santo.

Pablo y Bernabé en Iconio

14 Lo mismo sucedió en Iconio.* Pablo y Bernabé fueron a la sinagoga judía y predicaron con tanto poder que un gran número de judíos y griegos se hicieron creyentes. [2]Sin embargo, algunos de los judíos rechazaron el mensaje de Dios y envenenaron la mente de los gentiles* en contra de Pablo y Bernabé; [3]pero los apóstoles se quedaron allí por mucho tiempo, predicando con valentía acerca de la gracia del Señor. Y el Señor demostraba que el mensaje era verdadero al darles poder para hacer señales milagrosas y maravillas; [4]pero la gente de la ciudad estaba dividida en cuanto a su opinión sobre ellos. Algunos estaban del lado de los judíos, y otros apoyaban a los apóstoles.

[5]Entonces una turba de gentiles y judíos, junto con sus líderes, decidieron atacarlos y apedrearlos. [6]Cuando los apóstoles se enteraron, huyeron a la región de Licaonia, a las ciudades de Listra y Derbe y sus alrededores. [7]Y allí predicaron la Buena Noticia.

Pablo y Bernabé en Listra y Derbe

[8]Mientras estaban en Listra, Pablo y Bernabé se toparon con un hombre lisiado de los pies. Como había nacido así, jamás había caminado. Estaba sentado, [9]escuchando mientras Pablo predicaba. Pablo lo miró fijamente y se dio cuenta de que el hombre tenía fe para ser sanado. [10]Así que Pablo lo llamó con voz alta: «¡Levántate!». Y el hombre se puso de pie de un salto y comenzó a caminar.

[11]Cuando la multitud vio lo que Pablo había hecho, gritó en su dialecto local: «¡Estos hombres son dioses en forma humana!». [12]Decidieron que Bernabé era el dios griego Zeus y que Pablo era Hermes por ser el orador principal. [13]El templo de Zeus estaba situado justo fuera de la ciudad. Así que el sacerdote del templo y la multitud llevaron toros y coronas de flores a las puertas de la ciudad, y se prepararon para ofrecerles sacrificios a los apóstoles.

[14]Cuando los apóstoles Bernabé y Pablo oyeron lo que pasaba, horrorizados se rasgaron la ropa y salieron corriendo entre la gente, mientras gritaban: [15]«Amigos,* ¿por qué hacen esto? ¡Nosotros somos simples seres humanos, tal como ustedes! Hemos venido a traerles la Buena Noticia de que deben apartarse de estas cosas inútiles y volverse al Dios viviente, quien hizo el cielo y la tierra, el mar y todo lo que hay

13:47 Is 49:6. **13:52** En griego *los discípulos.* **14:1** *Iconio*, así como *Listra* y *Derbe* (14:6), eran ciudades en lo que ahora es Turquía. **14:2** *Gentil[es]*, que no es judío. **14:15** En griego *Hombres.*

en ellos. [16]En el pasado, él permitió que todas las naciones siguieran su propio camino, [17]pero nunca las dejó sin pruebas de sí mismo y de su bondad. Por ejemplo, les envía lluvia y buenas cosechas, y les da alimento y corazones alegres». [18]No obstante, aun con estas palabras, a duras penas Pablo y Bernabé pudieron contener a la gente para que no les ofreciera sacrificios.

[19]Luego unos judíos llegaron de Antioquía e Iconio, y lograron poner a la multitud de su lado. Apedrearon a Pablo y lo arrastraron fuera de la ciudad, pensando que estaba muerto; [20]pero los creyentes* lo rodearon, y él se levantó y regresó a la ciudad. Al día siguiente, salió junto con Bernabé hacia Derbe.

Pablo y Bernabé regresan a Antioquía de Siria

[21]Después de predicar la Buena Noticia en Derbe y de hacer muchos discípulos, Pablo y Bernabé regresaron a Listra, Iconio y Antioquía de Pisidia, [22]donde fortalecieron a los creyentes. Los animaron a continuar en la fe, y les recordaron que debemos sufrir muchas privaciones para entrar en el reino de Dios. [23]Pablo y Bernabé también nombraron ancianos en cada iglesia. Con oración y ayuno, encomendaron a los ancianos al cuidado del Señor, en quien habían puesto su confianza. [24]Luego atravesaron nuevamente Pisidia y llegaron a Panfilia. [25]Predicaron la palabra en Perge y después descendieron hasta Atalia.

[26]Por último, regresaron en barco a Antioquía de Siria, donde habían iniciado su viaje. Los creyentes de allí los habían encomendado a la gracia de Dios para que hicieran el trabajo que ahora habían terminado. [27]Una vez que llegaron a Antioquía, reunieron a la iglesia y le informaron todo lo que Dios había hecho por medio de ellos y cómo él también había abierto la puerta de la fe a los gentiles. [28]Y se quedaron allí con los creyentes por mucho tiempo.

El concilio de Jerusalén

15 Cuando Pablo y Bernabé estaban en Antioquía de Siria, llegaron unos hombres de Judea y comenzaron a enseñarles a los creyentes:* «A menos que se circunciden como exige la ley de Moisés, no podrán ser salvos». [2]Pablo y Bernabé no estaban de acuerdo con ellos y discutieron con vehemencia. Finalmente, la iglesia decidió enviar a Pablo y a Bernabé a Jerusalén, junto con algunos creyentes del lugar, para que hablaran con los apóstoles y con los ancianos sobre esta cuestión. [3]La iglesia envió a los delegados a Jerusalén, quienes de camino se detuvieron en Fenicia y Samaria para visitar a los creyentes. Les contaron —para alegría de todos— que los gentiles* también se convertían.

[4]Cuando llegaron a Jerusalén, toda la iglesia —incluidos los apóstoles y los ancianos— dio la bienvenida a Pablo y a Bernabé, quienes les informaron acerca de todo lo que Dios había hecho por medio de ellos. [5]Pero después algunos creyentes que pertenecían a la secta de los fariseos se pusieron de pie e insistieron: «Los convertidos gentiles deben ser circuncidados y hay que exigirles que sigan la ley de Moisés».

[6]Así que los apóstoles y los ancianos se reunieron para resolver este asunto. [7]En la reunión, después de una larga discusión, Pedro se puso de pie y se dirigió a ellos de la siguiente manera: «Hermanos, todos ustedes saben que hace tiempo Dios me eligió de entre ustedes para que predicara a los gentiles a fin de que pu-

14:20 En griego *discípulos;* también en 14:22, 28. **15:1** En griego *hermanos;* también en 15:3, 23, 32, 33, 36, 40. **15:3** *Gentil[es],* que no es judío.

dieran oír la Buena Noticia y creer. [8]Dios conoce el corazón humano y él confirmó que acepta a los gentiles al darles el Espíritu Santo, tal como lo hizo con nosotros. [9]Él no hizo ninguna distinción entre nosotros y ellos, pues les limpió el corazón por medio de la fe. [10]Entonces, ¿por qué ahora desafían a Dios al poner cargas sobre los creyentes* gentiles con un yugo que ni nosotros ni nuestros antepasados pudimos llevar? [11]Nosotros creemos que todos somos salvos de la misma manera, por la gracia no merecida que proviene del Señor Jesús».

[12]Todos escucharon en silencio mientras Bernabé y Pablo les contaron de las señales milagrosas y maravillas que Dios había hecho por medio de ellos entre los gentiles.

[13]Cuando terminaron, Santiago se puso de pie y dijo: «Hermanos, escúchenme. [14]Pedro* les ha contado de cuando Dios visitó por primera vez a los gentiles para tomar de entre ellos un pueblo para sí mismo. [15]Y la conversión de los gentiles es precisamente lo que los profetas predijeron. Como está escrito:

[16] "Después yo volveré
y restauraré la casa* caída de David.
Reconstruiré sus ruinas
y la restauraré,
[17] para que el resto de la humanidad
busque al SEÑOR,
incluidos todos los gentiles,
todos los que he llamado para que
sean míos.
El SEÑOR ha hablado,
[18] Aquel que hizo que estas cosas se
dieran a conocer desde hace
mucho"*.

[19]»Y mi opinión entonces es que no debemos ponerles obstáculos a los gentiles que se convierten a Dios. [20]Al contrario, deberíamos escribirles y decirles que se abstengan de comer alimentos ofrecidos a ídolos, de inmoralidad sexual, de comer carne de animales estrangulados y de consumir sangre. [21]Pues esas leyes de Moisés se han predicado todos los días de descanso en las sinagogas judías de cada ciudad durante muchas generaciones».

Carta para los creyentes gentiles

[22]Entonces los apóstoles y los ancianos, junto con toda la iglesia de Jerusalén, escogieron delegados y los enviaron a Antioquía de Siria con Pablo y Bernabé para que informaran acerca de esta decisión. Los delegados escogidos eran dos de los líderes de la iglesia:* Judas (también llamado Barsabás) y Silas. [23]La carta que llevaron decía lo siguiente:

«Nosotros, los apóstoles y los ancianos, sus hermanos de Jerusalén, escribimos esta carta a los creyentes gentiles de Antioquía, Siria y Cilicia. ¡Saludos!

[24]»Tenemos entendido que unos hombres de aquí los han perturbado e inquietado con su enseñanza, ¡pero nosotros no los enviamos! [25]Así que decidimos, después de llegar a un acuerdo unánime, enviarles representantes oficiales junto con nuestros amados Bernabé y Pablo, [26]quienes han arriesgado la vida por el nombre de nuestro Señor Jesucristo. [27]Les enviamos a Judas y a Silas para confirmar lo que hemos decidido con relación a la pregunta de ustedes.

[28]»Pues nos pareció bien al Espíritu Santo y a nosotros no imponer sobre ustedes una carga mayor que estos pocos requisitos: [29]deben abstenerse de comer alimentos ofrecidos a ídolos, de consumir sangre o la carne

15:10 En griego *discípulos.* **15:14** En griego *Simeón.* **15:16** O *reino;* en griego dice *carpa.* **15:16-18** Am 9:11-12 (versión griega); Is 45:21. **15:22** En griego *eran líderes entre los hermanos.*

de animales estrangulados y de inmoralidad sexual. Si hacen esto, harán bien. Adiós».

[30]Los mensajeros salieron de inmediato para Antioquía, donde convocaron a una reunión general de los creyentes y entregaron la carta. [31]Y hubo mucha alegría en toda la iglesia ese día cuando leyeron este mensaje alentador.

[32]Entonces Judas y Silas, ambos profetas, hablaron largo y tendido con los creyentes para animarlos y fortalecerlos en su fe. [33]Se quedaron allí un tiempo, y luego los creyentes los enviaron de regreso a la iglesia de Jerusalén con una bendición de paz.* [35]Pablo y Bernabé se quedaron en Antioquía. Ellos y muchos otros enseñaban y predicaban la palabra del Señor en esa ciudad.

Pablo y Bernabé se separan

[36]Después de un tiempo Pablo le dijo a Bernabé: «Volvamos a visitar cada una de las ciudades donde ya antes predicamos la palabra del Señor para ver cómo andan los nuevos creyentes. [37]Bernabé estuvo de acuerdo y quería llevar con ellos a Juan Marcos; [38]pero Pablo se opuso terminantemente ya que Juan Marcos los había abandonado en Panfilia y no había continuado con ellos en el trabajo. [39]Su desacuerdo fue tan intenso que se separaron. Bernabé tomó a Juan Marcos consigo y navegó hacia Chipre. [40]Pablo escogió a Silas y, al salir, los creyentes lo encomendaron al cuidado misericordioso del Señor. [41]Luego viajó por toda Siria y Cilicia, fortaleciendo a las iglesias.

Segundo viaje misionero de Pablo

16 Pablo fue primero a Derbe y luego a Listra, donde había un discípulo joven llamado Timoteo. Su madre era una creyente judía, pero su padre era griego. [2]Los creyentes* de Listra e Iconio tenían un buen concepto de Timoteo, [3]de modo que Pablo quiso que él los acompañara en el viaje. Por respeto a los judíos de la región, dispuso que Timoteo se circuncidara antes de salir, ya que todos sabían que su padre era griego. [4]Luego fueron de ciudad en ciudad enseñando a los creyentes a que siguieran las decisiones tomadas por los apóstoles y los ancianos de Jerusalén. [5]Así que las iglesias se fortalecían en su fe y el número de creyentes crecía cada día.

Un llamado de Macedonia

[6]Luego, Pablo y Silas viajaron por la región de Frigia y Galacia, porque el Espíritu Santo les había impedido que predicaran la palabra en la provincia de Asia en ese tiempo. [7]Luego, al llegar a los límites con Misia, se dirigieron al norte, hacia la provincia de Bitinia,* pero de nuevo el Espíritu de Jesús no les permitió ir allí. [8]Así que siguieron su viaje por Misia hasta el puerto de Troas.

[9]Esa noche Pablo tuvo una visión: Puesto de pie, un hombre de Macedonia —al norte de Grecia— le rogaba: «¡Ven aquí a Macedonia y ayúdanos!». [10]Entonces decidimos* salir de inmediato hacia Macedonia, después de haber llegado a la conclusión de que Dios nos llamaba a predicar la Buena Noticia allí.

En Filipos, Lidia cree en Jesús

[11]Subimos a bordo de un barco en Troas, navegamos directo a la isla de Samotracia y, al día siguiente, desembarcamos en Neápolis. [12]De allí llegamos a Filipos, una ciudad principal de ese distrito de Macedonia y una colonia romana. Y nos quedamos allí varios días.

[13]El día de descanso nos alejamos un

15:33 Algunos manuscritos no incluyen el versículo 34: *Pero Silas decidió quedarse allí.* **16:2** En griego *hermanos;* también en 16:40. **16:6-7** *Frigia, Galacia, Asia, Misia* y *Bitinia* eran distritos en lo que ahora es Turquía. **16:10** Lucas, el escritor de este libro, aquí se unió a Pablo y lo acompañó en su viaje.

poco de la ciudad y fuimos a la orilla de un río, donde pensamos que la gente se reuniría para orar, y nos sentamos a hablar con unas mujeres que se habían congregado allí. [14]Una de ellas era Lidia, de la ciudad de Tiatira, una comerciante de tela púrpura muy costosa, quien adoraba a Dios. Mientras nos escuchaba, el Señor abrió su corazón y ella aceptó lo que Pablo decía. [15]Fue bautizada junto con otros miembros de su casa y nos invitó a que fuéramos sus huéspedes. «Si ustedes reconocen que soy una verdadera creyente en el Señor —dijo ella—, vengan a quedarse en mi casa». Y nos insistió hasta que aceptamos.

Pablo y Silas en la cárcel

[16]Cierto día, cuando íbamos al lugar de oración, nos encontramos con una joven esclava que estaba poseída por un demonio. Era una adivina que ganaba mucho dinero para sus amos. [17]Ella seguía a Pablo y también al resto de nosotros, gritando: «Estos hombres son siervos del Dios Altísimo y han venido para decirles cómo ser salvos».

[18]Esto mismo sucedió día tras día hasta que Pablo se exasperó de tal manera que se dio la vuelta y le dijo al demonio que estaba dentro de la joven: «Te ordeno, en el nombre de Jesucristo, que salgas de ella». Y al instante el demonio la dejó.

[19]Las esperanzas de sus amos de hacerse ricos ahora quedaron destruidas, así que agarraron a Pablo y a Silas y los arrastraron hasta la plaza del mercado ante las autoridades. [20]«¡Toda la ciudad está alborotada a causa de estos judíos! —les gritaron a los funcionarios de la ciudad—. [21]Enseñan costumbres que nosotros, los romanos, no podemos practicar porque son ilegales».

[22]Enseguida se formó una turba contra Pablo y Silas, y los funcionarios de la ciudad ordenaron que les quitaran la ropa y los golpearan con varas de madera. [23]Los golpearon severamente y después los metieron en la cárcel. Le ordenaron al carcelero que se asegurara de que no escaparan. [24]Así que el carcelero los puso en el calabozo de más adentro y les sujetó los pies en el cepo.

[25]Alrededor de la medianoche, Pablo y Silas estaban orando y cantando himnos a Dios, y los demás prisioneros escuchaban. [26]De repente, hubo un gran terremoto y la cárcel se sacudió hasta sus cimientos. Al instante, todas las puertas se abrieron de golpe, ¡y a todos los prisioneros se les cayeron las cadenas! [27]El carcelero se despertó y vio las puertas abiertas de par en par. Dio por sentado que los prisioneros se habían escapado, por lo que sacó su espada para matarse; [28]pero Pablo le gritó: «¡Detente! ¡No te mates! ¡Estamos todos aquí!».

[29]El carcelero pidió una luz y corrió al calabozo y cayó temblando ante Pablo y Silas. [30]Después los sacó y les preguntó:

—Señores, ¿qué debo hacer para ser salvo?

[31]Ellos le contestaron:

—Cree en el Señor Jesús y serás salvo, junto con todos los de tu casa.

[32]Y le presentaron la palabra del Señor tanto a él como a todos los que vivían en su casa. [33]Aun a esa hora de la noche, el carcelero los atendió y les lavó las heridas. Enseguida ellos lo bautizaron a él y a todos los de su casa. [34]El carcelero los llevó adentro de su casa y les dio de comer, y tanto él como los de su casa se alegraron porque todos habían creído en Dios.

[35]A la mañana siguiente, los funcionarios de la ciudad mandaron a la policía para que le dijera al carcelero: «¡Suelta a esos hombres!». [36]Entonces el carcelero le dijo a Pablo:

—Los funcionarios de la ciudad han dicho que tú y Silas quedan en libertad. Vayan en paz.

[37]Pero Pablo respondió:

—Ellos nos golpearon en público sin llevarnos a juicio y nos metieron en la cárcel, y nosotros somos ciudadanos romanos. ¿Ahora quieren que nos vayamos a escondidas? ¡De ninguna manera! ¡Que vengan ellos mismos a ponernos en libertad!

[38]Cuando la policía dio su informe, los funcionarios de la ciudad se alarmaron al enterarse de que Pablo y Silas eran ciudadanos romanos. [39]Entonces fueron a la cárcel y se disculparon con ellos. Luego los sacaron de allí y les suplicaron que se fueran de la ciudad. [40]Una vez que salieron de la cárcel, Pablo y Silas regresaron a la casa de Lidia. Allí se reunieron con los creyentes y los animaron una vez más. Después se fueron de la ciudad.

Pablo predica en Tesalónica

17 Más tarde, Pablo y Silas pasaron por las ciudades de Anfípolis y Apolonia y llegaron a Tesalónica donde había una sinagoga judía. [2]Como era su costumbre, Pablo fue al servicio de la sinagoga y, durante tres días de descanso seguidos, usó las Escrituras para razonar con la gente. [3]Explicó las profecías y demostró que el Mesías tenía que sufrir y resucitar de los muertos. Decía: «Este Jesús, de quien les hablo, es el Mesías». [4]Algunos judíos que escuchaban fueron persuadidos y se unieron a Pablo y Silas, junto con muchos hombres griegos temerosos de Dios y un gran número de mujeres prominentes.*

[5]Entonces ciertos judíos tuvieron envidia y reunieron a unos alborotadores de la plaza del mercado para que formaran una turba e iniciaran un disturbio. Atacaron la casa de Jasón en busca de Pablo y Silas a fin de sacarlos a rastras y entregarlos a la multitud.* [6]Como no los encontraron allí, en su lugar sacaron arrastrando a Jasón y a algunos de los otros creyentes* y los llevaron al concejo de la ciudad. «Pablo y Silas han causado problemas por todo el mundo —gritaban—, y ahora están aquí perturbando también nuestra ciudad. [7]Y Jasón los ha recibido en su casa. Todos ellos son culpables de traición contra el César porque profesan lealtad a otro rey, llamado Jesús».

[8]La gente de la ciudad y también los del concejo de la ciudad quedaron totalmente confundidos por esas palabras. [9]Así que los funcionarios obligaron a Jasón y a los otros creyentes a pagar una fianza y luego los soltaron.

Pablo y Silas en Berea

[10]Esa misma noche, los creyentes enviaron a Pablo y a Silas a Berea. Cuando llegaron allí, fueron a la sinagoga judía. [11]Los de Berea tenían una mentalidad más abierta que los de Tesalónica y escucharon con entusiasmo el mensaje de Pablo. Día tras día examinaban las Escrituras para ver si Pablo y Silas enseñaban la verdad. [12]Como resultado, muchos judíos creyeron, como también lo hicieron muchos griegos prominentes, tanto hombres como mujeres.

[13]Cuando unos judíos de Tesalónica se enteraron de que Pablo predicaba la palabra de Dios en Berea, fueron allá y armaron un alboroto. [14]Los creyentes enseguida tomaron medidas y enviaron a Pablo a la costa, mientras que Silas y Timoteo permanecieron allí. [15]Los que acompañaban a Pablo fueron con él hasta Atenas; luego regresaron a Berea con instrucciones para Silas y Timoteo de que se apresuraran a unirse a él.

Pablo predica en Atenas

[16]Mientras Pablo los esperaba en Atenas, se indignó profundamente al ver la gran cantidad de ídolos que había por toda la ciudad. [17]Iba a la sinagoga para

17:4 Algunos manuscritos dicen *muchas de las esposas de hombres prominentes.* **17:5** O *al concejo municipal.* **17:6** En griego *hermanos;* también en 17:10, 14.

razonar con los judíos y con los gentiles* temerosos de Dios y hablaba a diario en la plaza pública con todos los que estuvieran allí.

[18]También debatió con algunos filósofos epicúreos y estoicos. Cuando les habló acerca de Jesús y de su resurrección, ellos dijeron: «¿Qué trata de decir este charlatán con esas ideas raras?». Otros decían: «Parece que predica de unos dioses extranjeros».

[19]Entonces lo llevaron al Concilio Supremo de la ciudad.* «Ven y háblanos sobre esta nueva enseñanza —dijeron—. [20]Dices cosas bastante extrañas y queremos saber de qué se trata». [21](Cabe explicar que todos los atenienses, al igual que los extranjeros que están en Atenas, al parecer pasan todo el tiempo discutiendo las ideas más recientes).

[22]Entonces Pablo, de pie ante el Concilio,* les dirigió las siguientes palabras: «Hombres de Atenas, veo que ustedes son muy religiosos en todo sentido [23]porque, mientras caminaba observé la gran cantidad de lugares sagrados. Y uno de sus altares tenía la siguiente inscripción: "A un Dios Desconocido". Este Dios, a quien ustedes rinden culto sin conocer, es de quien yo les hablo.

[24]»Él es el Dios que hizo el mundo y todo lo que hay en él. Ya que es el Señor del cielo y de la tierra, no vive en templos hechos por hombres, [25]y las manos humanas no pueden servirlo, porque él no tiene ninguna necesidad. Él es quien da vida y aliento a todo y satisface cada necesidad. [26]De un solo hombre* creó todas las naciones de toda la tierra. De antemano decidió cuándo se levantarían y cuándo caerían, y determinó los límites de cada una.

[27]»Su propósito era que las naciones buscaran a Dios y, quizá acercándose a tientas, lo encontraran; aunque él no está lejos de ninguno de nosotros. [28]Pues en él vivimos, nos movemos y existimos. Como dijeron algunos de sus* propios poetas: "Nosotros somos su descendencia". [29]Y, como esto es cierto, no debemos pensar en Dios como un ídolo diseñado por artesanos y hecho de oro, plata o piedra.

[30]»En la antigüedad Dios pasó por alto la ignorancia de la gente acerca de estas cosas, pero ahora él manda que todo el mundo en todas partes se arrepienta de sus pecados y vuelva a él. [31]Pues él ha fijado un día para juzgar al mundo con justicia por el hombre que él ha designado, y les demostró a todos quién es ese hombre al levantarlo de los muertos».

[32]Cuando oyeron a Pablo hablar acerca de la resurrección de los muertos, algunos se rieron con desprecio, pero otros dijeron: «Queremos oír más sobre este tema más tarde». [33]Con esto terminó el diálogo de Pablo con ellos, [34]pero algunos se unieron a él y se convirtieron en creyentes. Entre ellos estaban Dionisio —un miembro del Concilio*—, una mujer llamada Dámaris y varios más.

Pablo conoce a Priscila y a Aquila en Corinto

18 Después Pablo salió de Atenas y fue a Corinto.* [2]Allí conoció a un judío llamado Aquila, nacido en la región del Ponto, quien estaba recién llegado de Italia junto con su esposa, Priscila. Habían salido de Italia cuando Claudio César deportó de Roma a todos los judíos. [3]Pablo se quedó a vivir y a trabajar

17:17 *Gentil[es]*, que no es judío. **17:19** O *a la sociedad de los filósofos más educados de la ciudad*. En griego dice *al Areópago*. **17:22** Tradicionalmente se traduce *de pie sobre el monte de Marte*. En griego *de pie en medio del Areópago*. **17:26** En griego *De uno;* otros manuscritos dicen *De una sangre*. **17:28** Algunos manuscritos dicen *nuestros*. **17:34** En griego *un areopagita*. **18:1** *Atenas* y *Corinto* eran ciudades importantes de Acaya, la región en la parte sur de la península griega.

con ellos, porque eran fabricantes de carpas de campaña* al igual que él.

[4]Cada día de descanso, Pablo se encontraba en la sinagoga tratando de persuadir tanto a judíos como a griegos. [5]Después de que Silas y Timoteo llegaron de Macedonia, Pablo pasó todo el tiempo predicando la palabra. Testificaba a los judíos que Jesús era el Mesías; [6]pero cuando ellos se opusieron y lo insultaron, Pablo se sacudió el polvo de su ropa y dijo: «La sangre de ustedes está sobre sus propias cabezas; yo soy inocente. De ahora en adelante iré a predicar a los gentiles*».

[7]Entonces salió de allí y fue a la casa de Ticio Justo, un gentil que adoraba a Dios y que vivía al lado de la sinagoga. [8]Crispo, el líder de la sinagoga, y todos los de su casa creyeron en el Señor. Muchos otros en Corinto también escucharon a Pablo, se convirtieron en creyentes y fueron bautizados.

[9]Una noche, el Señor le habló a Pablo en una visión y le dijo: «¡No tengas miedo! ¡Habla con libertad! ¡No te quedes callado! [10]Pues yo estoy contigo, y nadie te atacará ni te hará daño, porque mucha gente de esta ciudad me pertenece». [11]Así que Pablo se quedó allí un año y medio enseñando la palabra de Dios.

[12]Cuando Galión llegó a ser gobernador de Acaya, unos judíos se levantaron contra Pablo y lo llevaron ante el gobernador para juzgarlo. [13]Acusaron a Pablo de «persuadir a la gente a adorar a Dios en formas contrarias a nuestra ley».

[14]Pero justo cuando Pablo comenzó a defenderse, Galión se dirigió a los acusadores de Pablo y dijo: «Escuchen, ustedes judíos, si aquí hubiera alguna fechoría o un delito grave, yo tendría una razón para aceptar el caso; [15]pero dado que es sólo un asunto de palabras y nombres, y de su ley judía, resuélvanlo ustedes mismos. Me niego a juzgar tales asuntos». [16]Así que los expulsó de la corte.

[17]Entonces la multitud* agarró a Sóstenes, el líder de la sinagoga, y lo golpeó allí mismo en la corte; pero Galión no le dio a eso ninguna importancia.

Pablo regresa a Antioquía de Siria

[18]Después Pablo se quedó en Corinto un tiempo más, luego se despidió de los hermanos y fue a Cencrea, que quedaba cerca. Allí se rapó la cabeza según la costumbre judía en señal de haber cumplido un voto. Después se embarcó hacia Siria y llevó a Priscila y a Aquila con él.

[19]Primero se detuvieron en el puerto de Éfeso, donde Pablo dejó a los demás. Mientras estuvo en Éfeso, fue a la sinagoga para razonar con los judíos. [20]Le pidieron que se quedara más tiempo, pero él se negó. [21]Al irse, sin embargo, dijo: «Si Dios quiere, regresaré».* Entonces zarpó de Éfeso. [22]La siguiente parada fue en el puerto de Cesarea. De allí subió y visitó a la iglesia de Jerusalén,* y luego regresó a Antioquía.

[23]Después de pasar un tiempo en Antioquía, Pablo regresó por Galacia y Frigia, donde visitó y fortaleció a todos los creyentes.*

Apolos recibe instrucción en Éfeso

[24]Mientras tanto, un judío llamado Apolos —un orador elocuente que conocía bien las Escrituras— llegó a Éfeso desde la ciudad de Alejandría, en Egipto. [25]Había recibido enseñanza en el camino del Señor y les enseñó a otros acerca de Jesús con espíritu entusiasta* y con pre-

18:3 O *curtidores de pieles.* **18:6** *Gentil[es]*, que no es judío. **18:17** En griego *todos;* otros manuscritos dicen *todos los griegos.* **18:21** Algunos manuscritos dicen *«Debo estar sin falta en Jerusalén para la fiesta que se acerca, pero después regresaré».* **18:22** En griego *la iglesia.* **18:23** En griego *discípulos;* también en 18:27. **18:25** O *con entusiasmo en el Espíritu.*

cisión. Sin embargo, él sólo sabía acerca del bautismo de Juan. [26]Cuando Priscila y Aquila lo escucharon predicar con valentía en la sinagoga, lo llevaron aparte y le explicaron el camino de Dios con aún más precisión.

[27]Apolos pensaba ir a Acaya, y los hermanos de Éfeso lo animaron para que fuera. Les escribieron a los creyentes de Acaya para pedirles que lo recibieran. Cuando Apolos llegó, resultó ser de gran beneficio para los que, por la gracia de Dios, habían creído. [28]Refutaba a los judíos en debates públicos con argumentos poderosos. Usando las Escrituras, les explicaba que Jesús es el Mesías.

Tercer viaje misionero de Pablo

19 Mientras Apolos estaba en Corinto, Pablo viajó por las regiones del interior hasta que llegó a Éfeso, en la costa, donde encontró a varios creyentes.*

[2]—¿Recibieron el Espíritu Santo cuando creyeron? —les preguntó.

—No —contestaron—, ni siquiera hemos oído que hay un Espíritu Santo.

[3]—Entonces, ¿qué bautismo recibieron? —preguntó.

Y ellos contestaron:

—El bautismo de Juan.

[4]Pablo dijo:

—El bautismo de Juan exigía arrepentirse del pecado; pero Juan mismo le dijo a la gente que creyera en el que vendría después, es decir, en Jesús.

[5]En cuanto oyeron esto, fueron bautizados en el nombre del Señor Jesús. [6]Después, cuando Pablo les impuso las manos, el Espíritu Santo descendió sobre ellos, y hablaron en otras lenguas* y profetizaron. [7]Había unos doce hombres en total.

Pablo ministra en Éfeso

[8]Luego Pablo fue a la sinagoga y predicó con valentía durante los siguientes tres meses, discutiendo persuasivamente sobre el reino de Dios; [9]pero algunos se pusieron tercos, rechazaron el mensaje y hablaron públicamente en contra del Camino. Así que Pablo salió de la sinagoga y se llevó a los creyentes con él. Entonces asistía diariamente a la sala de conferencias de Tirano, donde exponía sus ideas y debatía. [10]Esto continuó los siguientes dos años, de modo que gente de toda la provincia de Asia —tanto judíos como griegos— oyó la palabra del Señor.

[11]Dios le dio a Pablo el poder para realizar milagros excepcionales. [12]Cuando ponían sobre los enfermos pañuelos o delantales que apenas habían tocado la piel de Pablo, quedaban sanos de sus enfermedades y los espíritus malignos salían de ellos.

[13]Un grupo de judíos viajaba de ciudad en ciudad expulsando espíritus malignos. Trataban de usar el nombre del Señor Jesús en sus conjuros y decían: «¡Te ordeno en el nombre de Jesús, de quien Pablo predica, que salgas!». [14]Siete de los hijos de Esceva, un sacerdote principal, hacían esto. [15]En una ocasión que lo intentaron, el espíritu maligno respondió: «Conozco a Jesús y conozco a Pablo, ¿pero quiénes son ustedes?». [16]Entonces el hombre con el espíritu maligno se lanzó sobre ellos, logró dominarlos y los atacó con tal violencia que ellos huyeron de la casa, desnudos y golpeados.

[17]Esta historia corrió velozmente por toda Éfeso, entre judíos y griegos por igual. Un temor solemne descendió sobre la ciudad, y el nombre del Señor Jesús fue honrado en gran manera. [18]Muchos de los que llegaron a ser creyentes confesaron

19:1 En griego *discípulos;* también en 19:9, 30. **19:6** O *en otros idiomas.*

sus prácticas pecaminosas. [19]Varios de ellos, que practicaban la hechicería, trajeron sus libros de conjuros y los quemaron en una hoguera pública. El valor total de los libros fue de cincuenta mil monedas de plata.* [20]Y el mensaje acerca del Señor se extendió por muchas partes y tuvo un poderoso efecto.

[21]Tiempo después Pablo se vio obligado por el Espíritu* a pasar por Macedonia y Acaya antes de ir a Jerusalén. «Y, después de eso —dijo—, ¡tengo que ir a Roma!». [22]Envió a sus dos asistentes, Timoteo y Erasto, a que se adelantaran a Macedonia mientras que él se quedó un poco más de tiempo en la provincia de Asia.

Disturbio en Éfeso

[23]Por ese tiempo, se generó un grave problema en Éfeso con respecto al Camino. [24]Comenzó con Demetrio, un platero que tenía un importante negocio de fabricación de templos de plata en miniatura de la diosa griega Artemisa.* Él les daba trabajo a muchos artesanos. [25]Los reunió a todos, junto con otros que trabajaban en oficios similares y les dirigió las siguientes palabras:

«Caballeros, ustedes saben que nuestra riqueza proviene de este negocio. [26]Pero, como han visto y oído, este tal Pablo ha convencido a mucha gente al decirles que los dioses hechos a mano, no son realmente dioses; y no sólo lo ha hecho en Éfeso, ¡sino por toda la provincia! [27]Por supuesto que no sólo hablo de la pérdida del respeto público para nuestro negocio. También me preocupa que el templo de la gran diosa Artemisa pierda su influencia y que a Artemisa —esta magnífica diosa adorada en toda la provincia de Asia y en todo el mundo— ¡se le despoje de su gran prestigio!».

[28]Al oír esto, montaron en cólera y comenzaron a gritar: «¡Grande es Artemisa de los efesios!». [29]Pronto toda la ciudad se llenó de confusión. Todos corrieron al anfiteatro, arrastrando a Gayo y Aristarco, los compañeros de viaje de Pablo, que eran macedonios. [30]Pablo también quiso entrar, pero los creyentes no lo dejaron. [31]Algunos de los funcionarios de la provincia, amigos de Pablo, también le enviaron un mensaje para suplicarle que no arriesgara su vida por entrar en el anfiteatro.

[32]Adentro era un griterío; algunos gritaban una cosa, y otros otra. Todo era confusión. De hecho, la mayoría ni siquiera sabía por qué estaba allí. [33]Los judíos de la multitud empujaron a Alejandro hacia adelante y le dijeron que explicara la situación. Él hizo señas para pedir silencio e intentó hablar; [34]pero cuando la multitud se dio cuenta de que era judío, empezaron a gritar de nuevo y siguieron sin parar como por dos horas: «¡Grande es Artemisa de los efesios! ¡Grande es Artemisa de los efesios!».

[35]Por fin, el alcalde logró callarlos lo suficiente para poder hablar. «Ciudadanos de Éfeso —les dijo—, todos saben que la ciudad de Éfeso es la guardiana oficial del templo de la gran Artemisa, cuya imagen nos cayó del cielo. [36]Dado que esto es un hecho innegable, no deberían perder la calma ni hacer algo precipitado. [37]Ustedes han traído a estos hombres aquí, pero ellos no han robado nada del templo ni tampoco han hablado en contra de nuestra diosa.

[38]»Si Demetrio y los artesanos tienen algún caso contra ellos, las cortes están en sesión y los funcionarios pueden escuchar el caso de inmediato. Dejen que ellos presenten cargos formales; [39]y si hubiera quejas sobre otros asuntos, podrían resolverse en una asamblea legal.

19:19 En griego *50.000 mil piezas de plata*, cada pieza equivalía al salario de una jornada de trabajo.
19:21 O *decidió en su espíritu.* **19:24** *Artemisa* también es conocida como Diana.

[40]Me temo que corremos peligro de que el gobierno romano nos acuse de generar disturbios, ya que no hay razón para todo este alboroto; y si Roma exige una explicación, no sabremos qué decir». [41]*Entonces los despidió y ellos se dispersaron.

Pablo viaja a Macedonia y a Grecia

20 Cuando se acabó el alboroto, Pablo mandó llamar a los creyentes* y los alentó. Después se despidió y viajó a Macedonia. [2]Mientras estuvo allí, animó a los creyentes en cada pueblo que atravesó. Luego descendió a Grecia, [3]donde se quedó tres meses. Se preparaba para regresar en barco a Siria cuando descubrió que unos judíos tramaban una conspiración contra su vida; entonces decidió regresar por Macedonia.

[4]Varios hombres viajaban con él. Sus nombres eran Sópater, hijo de Pirro, de Berea; Aristarco y Segundo, de Tesalónica; Gayo, de Derbe; Timoteo; también Tíquico y Trófimo, de la provincia de Asia. [5]Ellos se adelantaron y nos esperaron en Troas. [6]Finalizada la Pascua,* subimos a un barco en Filipos de Macedonia y, cinco días después, nos reencontramos con ellos en Troas, donde nos quedamos una semana.

Última visita de Pablo a Troas

[7]El primer día de la semana, nos reunimos con los creyentes locales para participar de la Cena del Señor.* Pablo les estaba predicando y, como iba a viajar el día siguiente, siguió hablando hasta la medianoche. [8]El cuarto de la planta alta, donde nos reuníamos, estaba iluminado con muchas lámparas que titilaban. [9]Como Pablo hablaba y hablaba, a un joven llamado Eutico, que estaba sentado en el borde de la ventana, le dio mucho sueño. Finalmente se quedó profundamente dormido y se cayó desde el tercer piso y murió. [10]Pablo bajó, se inclinó sobre él y lo tomó en sus brazos. «No se preocupen —les dijo—, ¡está vivo!». [11]Entonces todos regresaron al cuarto de arriba, participaron de la Cena del Señor* y comieron juntos. Pablo siguió hablándoles hasta el amanecer y luego se fue. [12]Mientras tanto, llevaron al joven a su casa ileso y todos sintieron un gran alivio.

Pablo se reúne con los ancianos de Éfeso

[13]Pablo viajó por tierra hasta Asón, donde había arreglado que nos encontráramos con él, y nosotros viajamos por barco. [14]Allí él se unió a nosotros, y juntos navegamos a Mitilene. [15]Al otro día, navegamos frente a la isla de Quío. Al día siguiente, cruzamos hasta la isla de Samos y,* un día después, llegamos a Mileto.

[16]Pablo había decidido navegar sin detenerse en Éfeso porque no quería pasar más tiempo en la provincia de Asia. Se apresuraba a llegar a Jerusalén, de ser posible, para el Festival de Pentecostés. [17]Cuando llegamos a Mileto, Pablo envió un mensaje a los ancianos de la iglesia de Éfeso para pedirles que vinieran a su encuentro.

[18]Cuando llegaron, Pablo declaró: «Ustedes saben que desde el día que pisé la provincia de Asia hasta ahora, [19]he hecho el trabajo del Señor con humildad y con muchas lágrimas. He soportado las pruebas que me vinieron como consecuencia de las conspiraciones de los judíos. [20]Nunca me eché para atrás a la hora de decirles lo que necesitaban oír, ya fuera en público o en sus casas. [21]He tenido

19:41 Algunas traducciones incluyen el versículo 41 como parte del versículo 40. **20:1** En griego *discípulos.* **20:6** En griego *los días de los panes sin levadura.* **20:7** En griego *para partir el pan.* **20:11** En griego *partieron el pan.* **20:15** Algunos manuscritos dicen *y, habiéndonos quedado en Trogilio.*

un solo mensaje para los judíos y los griegos por igual: la necesidad de arrepentirse del pecado, de volver a Dios y de tener fe en nuestro Señor Jesucristo.

[22]»Ahora estoy obligado por el Espíritu* a ir a Jerusalén. No sé lo que me espera allí, [23]sólo que el Espíritu Santo me dice que en ciudad tras ciudad, me esperan cárcel y sufrimiento; [24]pero mi vida no vale nada para mí a menos que la use para terminar la tarea que me asignó el Señor Jesús, la tarea de contarles a otros la Buena Noticia acerca de la maravillosa gracia de Dios.

[25]»Y ahora sé que ninguno de ustedes, a quienes les he predicado del reino, volverá a verme. [26]Declaro hoy que he sido fiel. Si alguien sufre la muerte eterna, no será mi culpa,* [27]porque no me eché para atrás a la hora de declarar todo lo que Dios quiere que ustedes sepan.

[28]»Entonces cuídense a sí mismos y cuiden al pueblo de Dios. Alimenten y pastoreen al rebaño de Dios —su iglesia, comprada con su propia sangre*— sobre quien el Espíritu Santo los ha designado ancianos.* [29]Sé que, después de mi salida, vendrán en medio de ustedes falsos maestros como lobos rapaces y no perdonarán al rebaño. [30]Incluso algunos hombres de su propio grupo se levantarán y distorsionarán la verdad para poder juntar seguidores. [31]¡Cuidado! Recuerden los tres años que pasé con ustedes —de día y de noche mi constante atención y cuidado— así como mis muchas lágrimas por cada uno de ustedes.

[32]»Y ahora los encomiendo a Dios y al mensaje de su gracia, que tiene poder para edificarlos y darles una herencia junto con todos los que él ha consagrado para sí mismo.

[33]»Yo nunca he codiciado la plata ni el oro ni la ropa de nadie. [34]Ustedes saben que mis dos manos han trabajado para satisfacer mis propias necesidades e incluso las necesidades de los que estuvieron conmigo. [35]Y he sido un ejemplo constante de cómo pueden ayudar con trabajo y esfuerzo a los que están en necesidad. Deben recordar las palabras del Señor Jesús: "Hay más bendición en dar que en recibir"».

[36]Cuando Pablo terminó de hablar, se arrodilló y oró con ellos. [37]Todos lloraban mientras lo abrazaban y le daban besos de despedida. [38]Estaban tristes principalmente porque les había dicho que nunca más volverían a verlo. Luego lo acompañaron hasta el barco.

Viaje de Pablo a Jerusalén

21 Después de despedirnos de los ancianos de Éfeso, navegamos directamente a la isla de Cos. Al día siguiente, llegamos a Rodas y luego fuimos a Pátara. [2]Allí abordamos un barco que iba a Fenicia. [3]Divisamos la isla de Chipre, la pasamos por nuestra izquierda y llegamos al puerto de Tiro, en Siria, donde el barco tenía que descargar.

[4]Desembarcamos, encontramos a los creyentes* del lugar y nos quedamos con ellos una semana. Estos creyentes profetizaron por medio del Espíritu Santo, que Pablo no debía seguir a Jerusalén. [5]Cuando regresamos al barco al final de esa semana, toda la congregación, incluidos las mujeres* y los niños, salieron de la ciudad y nos acompañaron a la orilla del mar. Allí nos arrodillamos, oramos [6]y nos despedimos. Luego abordamos el barco y ellos volvieron a casa.

[7]Después de dejar Tiro, la siguiente parada fue Tolemaida, donde saludamos a los hermanos y nos quedamos un

20:22 O *por mi espíritu,* o *por una convicción interna;* en griego dice *por el espíritu.* **20:26** En griego *soy inocente de la sangre de todos.* **20:28a** O *con la sangre su propio [Hijo].* **20:28b** En griego *supervisores.* **21:4** En griego *discípulos;* también en 21:16. **21:5** O *esposas.*

día. [8]Al día siguiente, continuamos hasta Cesarea y nos quedamos en la casa de Felipe el evangelista, uno de los siete hombres que habían sido elegidos para distribuir los alimentos. [9]Tenía cuatro hijas solteras, que habían recibido el don de profecía.

[10]Varios días después, llegó de Judea un hombre llamado Ágabo, quien también tenía el don de profecía. [11]Se acercó, tomó el cinturón de Pablo y se ató los pies y las manos. Luego dijo: «El Espíritu Santo declara: "De esta forma será atado el dueño de este cinturón por los líderes judíos en Jerusalén y entregado a los gentiles*"». [12]Cuando lo oímos, tanto nosotros como los creyentes del lugar le suplicamos a Pablo que no fuera a Jerusalén.

[13]Pero él dijo: «¿Por qué todo este llanto? ¡Me parten el corazón! Yo estoy dispuesto no sólo a ser encarcelado en Jerusalén, sino incluso a morir por el Señor Jesús». [14]Al ver que era imposible convencerlo, nos dimos por vencidos y dijimos: «Que se haga la voluntad del Señor».

Pablo llega a Jerusalén

[15]Después de esto, empacamos nuestras cosas y salimos hacia Jerusalén. [16]Algunos creyentes de Cesarea nos acompañaron y nos llevaron a la casa de Mnasón, un hombre originario de Chipre y uno de los primeros creyentes. [17]Cuando llegamos, los hermanos de Jerusalén nos dieron una calurosa bienvenida.

[18]Al día siguiente, Pablo fue con nosotros para encontrarnos con Santiago, y todos los ancianos de la iglesia de Jerusalén estaban presentes. [19]Después de saludarlos, Pablo dio un informe detallado de las cosas que Dios había realizado entre los gentiles mediante su ministerio.

[20]Después de oírlo, alabaron a Dios. Luego dijeron: «Tú sabes, querido hermano, cuántos miles de judíos también han creído, y todos ellos siguen muy en serio la ley de Moisés; [21]pero se les ha dicho a los creyentes judíos de aquí, de Jerusalén, que tú enseñas a todos los judíos que viven entre los gentiles que abandonen la ley de Moisés. Ellos han oído que les enseñas que no circunciden a sus hijos ni que practiquen otras costumbres judías. [22]¿Qué debemos hacer? Seguramente se van a enterar de tu llegada.

[23]»Queremos que hagas lo siguiente: Hay entre nosotros cuatro hombres que han cumplido su voto; [24]acompáñalos al templo y participa con ellos en la ceremonia de purificación, y paga tú los gastos para que se rapen la cabeza según el ritual judío. Entonces todos sabrán que los rumores son falsos y que tú mismo cumples las leyes judías.

[25]»En cuanto a los creyentes gentiles, ellos deben hacer lo que ya les dijimos en una carta: abstenerse de comer alimentos ofrecidos a ídolos, de consumir sangre o la carne de animales estrangulados, y de la inmoralidad sexual».

Arresto de Pablo

[26]Así que, al día siguiente, Pablo fue al templo con los otros hombres. Ya comenzado el ritual de purificación, anunció públicamente la fecha en que se cumpliría el tiempo de los votos y se ofrecerían sacrificios por cada uno de los hombres.

[27]Cuando estaban por cumplirse los siete días del voto, unos judíos de la provincia de Asia vieron a Pablo en el templo e incitaron a una turba en su contra. Lo agarraron [28]mientras gritaban: «¡Hombres de Israel, ayúdennos! Este es el hombre que predica en contra de nuestro pueblo en todas partes y les dice a todos que desobedezcan las leyes

21:11 *Gentil[es],* que no es judío.

judías. Habla en contra del templo, ¡y hasta profana este lugar santo llevando gentiles* adentro!». [29](Pues más temprano ese mismo día lo habían visto en la ciudad con Trófimo, un gentil de Éfeso,* y supusieron que Pablo lo había llevado al templo).

[30]Toda la ciudad fue estremecida por estas acusaciones y se desencadenó un gran disturbio. Agarraron a Pablo y lo arrastraron fuera del templo e inmediatamente cerraron las puertas detrás de él. [31]Cuando estaban a punto de matarlo, le llegó al comandante del regimiento romano la noticia de que toda Jerusalén estaba alborotada. [32]De inmediato el comandante llamó a sus soldados y oficiales* y corrió entre la multitud. Cuando la turba vio que venían el comandante y las tropas, dejaron de golpear a Pablo.

[33]Luego el comandante lo arrestó y ordenó que lo sujetaran con dos cadenas. Le preguntó a la multitud quién era él y qué había hecho. [34]Unos gritaban una cosa, y otros otra. Como no pudo averiguar la verdad entre todo el alboroto y la confusión, ordenó que llevaran a Pablo a la fortaleza. [35]Cuando Pablo llegó a las escaleras, la turba se puso tan violenta que los soldados tuvieron que levantarlo sobre sus hombros para protegerlo. [36]Y la multitud seguía gritando desde atrás: «¡Mátenlo! ¡Mátenlo!».

Pablo habla a la multitud

[37]Cuando estaban por llevarlo adentro, Pablo le dijo al comandante:

—¿Puedo hablar con usted?

—¿¡Hablas griego!? —le preguntó el comandante, sorprendido—. [38]¿No eres tú el egipcio que encabezó una rebelión hace un tiempo y llevó al desierto a cuatro mil miembros del grupo llamado "los Asesinos"?

[39]—No —contestó Pablo—, soy judío y ciudadano de Tarso de Cilicia, que es una ciudad importante. Por favor permítame hablar con esta gente.

[40]El comandante estuvo de acuerdo, entonces Pablo se puso de pie en las escaleras e hizo señas para pedir silencio. Pronto un gran silencio envolvió a la multitud, y Pablo se dirigió a la gente en su propia lengua, en arameo.*

22

«Hermanos y estimados padres —dijo Pablo—, escuchen mientras presento mi defensa». [2]Cuando lo oyeron hablar en el idioma* de ellos, el silencio fue aún mayor.

[3]Entonces Pablo dijo: «Soy judío, nacido en Tarso, una ciudad de Cilicia, y fui criado y educado aquí en Jerusalén bajo el maestro Gamaliel. Como estudiante de él, fui cuidadosamente entrenado en nuestras leyes y costumbres judías. Llegué a tener un gran celo por honrar a Dios en todo lo que hacía, tal como todos ustedes hoy. [4]Perseguí a los seguidores de El Camino, acosando a algunos hasta la muerte, y arresté tanto a hombres como a mujeres para arrojarlos en la cárcel. [5]El sumo sacerdote y todo el consejo de ancianos pueden dar fe de que esto es cierto. Pues recibí cartas de ellos, dirigidas a nuestros hermanos judíos en Damasco, las cuales me autorizaban a encadenar a los cristianos de esa ciudad y traerlos a Jerusalén para que fueran castigados.

[6]»Cuando iba de camino, ya cerca de Damasco, como al mediodía, de repente una intensa luz del cielo brilló alrededor de mí. [7]Caí al suelo y oí una voz que me decía: "Saulo, Saulo, ¿por qué me persigues?".

[8]»"¿Quién eres, señor?" —pregunté.

»Y la voz contestó: "Yo soy Jesús de

21:28 En griego *griegos.* **21:29** En griego *Trófimo, el efesio.* **21:32** En griego *centuriones.* **21:40** O *hebreo.* **22:2** En griego *en arameo*, o *en hebreo.*

Nazaret,* a quien tú persigues". [9]La gente que iba conmigo vio la luz pero no entendió la voz que me hablaba.

[10]Yo pregunté: "¿Qué debo hacer, Señor?". Y el Señor me dijo: "Levántate y entra en Damasco, allí se te dirá todo lo que debes hacer".

[11]»Quedé ciego por la intensa luz y mis compañeros tuvieron que llevarme de la mano hasta Damasco. [12]Allí vivía un hombre llamado Ananías. Era un hombre recto, muy devoto de la ley y muy respetado por todos los judíos de Damasco. [13]Él llegó y se puso a mi lado y me dijo: "Hermano Saulo, recobra la vista". Y, en ese mismo instante, ¡pude verlo!

[14]»Después me dijo: "El Dios de nuestros antepasados te ha escogido para que conozcas su voluntad y para que veas al Justo y lo oigas hablar. [15]Pues tú serás su testigo; les contarás a todos lo que has visto y oído. [16]¿Qué esperas? Levántate y bautízate. Queda limpio de tus pecados al invocar el nombre del Señor".

[17]»Después de regresar a Jerusalén y, mientras oraba en el templo, caí en un estado de éxtasis. [18]Tuve una visión de Jesús,* quien me decía: "¡Date prisa! Sal de Jerusalén, porque la gente de aquí no aceptará tu testimonio acerca de mí".

[19]»"Pero Señor —argumenté—, seguramente ellos saben que, en cada sinagoga, yo encarcelé y golpeé a los que creían en ti. [20]Y estuve totalmente de acuerdo cuando mataron a tu testigo Esteban. Estuve allí cuidando los abrigos que se quitaron cuando lo apedrearon".

[21]»Pero el Señor me dijo: "¡Ve, porque yo te enviaré lejos, a los gentiles*!"».

[22]La multitud escuchó hasta que Pablo dijo esta palabra. Entonces todos comenzaron a gritar: «¡Llévense a ese tipo! ¡No es digno de vivir!». [23]Gritaron, arrojaron sus abrigos y lanzaron puñados de polvo al aire.

Pablo revela su ciudadanía romana

[24]El comandante llevó a Pablo adentro y ordenó que lo azotaran con látigos para hacerlo confesar su delito. Quería averiguar por qué la multitud se había enfurecido. [25]Cuando ataron a Pablo para azotarlo, Pablo le preguntó al oficial* que estaba allí:

—¿Es legal que azoten a un ciudadano romano que todavía no ha sido juzgado?

[26]Cuando el oficial oyó esto, fue al comandante y le preguntó: «¿Qué está haciendo? ¡Este hombre es un ciudadano romano!».

[27]Entonces el comandante se acercó a Pablo y le preguntó:

—Dime, ¿eres ciudadano romano?

—Sí, por supuesto que lo soy —respondió Pablo.

[28]—Yo también lo soy —dijo el comandante entre dientes—, ¡y me costó mucho dinero!

Pablo respondió:

—¡Pero yo soy ciudadano de nacimiento!

[29]Los soldados que estaban a punto de interrogar a Pablo se retiraron velozmente cuando se enteraron de que era ciudadano romano, y el comandante quedó asustado porque había ordenado que lo amarran y lo azotaran.

Pablo ante el Concilio Supremo

[30]Al día siguiente, el comandante ordenó que los sacerdotes principales se reunieran en sesión con el Concilio Supremo judío.* Quería averiguar de qué se trataba el problema, así que soltó a Pablo para presentarlo delante de ellos.

22:8 O *Jesús nazareno.* **22:18** En griego *de él.* **22:21** *Gentil(es),* que no es judío. **22:25** En griego *centurión;* también en 22:26. **22:30** En griego *Sanedrín.*

23 Mirando fijamente al Concilio Supremo,* Pablo comenzó: «Hermanos, ¡siempre he vivido ante Dios con la conciencia limpia!».

[2]Al instante, Ananías, el sumo sacerdote, ordenó a los que estaban cerca de Pablo que lo golpearan en la boca. [3]Pero Pablo le dijo: «¡Dios te golpeará a ti, hipócrita corrupto!* ¿Qué clase de juez eres si tú mismo infringes la ley al ordenar que me golpeen así?».

[4]Los que estaban cerca de Pablo, le dijeron:

—¿Te atreves a insultar al sumo sacerdote de Dios?

[5]—Lo siento, hermanos. No me había dado cuenta de que él es el sumo sacerdote —contestó Pablo—, porque las Escrituras dicen: "No hablarás mal de ninguno de tus gobernantes"*.

[6]Pablo se dio cuenta de que algunos miembros del Concilio Supremo eran saduceos y que otros eran fariseos, por lo tanto gritó: «Hermanos, ¡yo soy fariseo, al igual que mis antepasados! ¡Y estoy en juicio porque mi esperanza está en la resurrección de los muertos!».

[7]Esto dividió al Concilio —puso a los fariseos contra los saduceos—, [8]porque los saduceos dicen que no hay resurrección, ni ángeles, ni espíritus, pero los fariseos sí creen en todo esto. [9]Así que hubo un gran alboroto. Algunos de los maestros de ley religiosa que eran fariseos se levantaron de un salto y comenzaron a discutir enérgicamente. «Nosotros no encontramos nada malo en él —gritaban—. Tal vez algún espíritu o ángel le habló». [10]Como el conflicto se tornó más violento, el comandante tenía temor de que descuartizaran a Pablo. De modo que les ordenó a sus soldados que fueran a rescatarlo por la fuerza y lo regresaran a la fortaleza.

[11]Esa noche el Señor se le apareció a Pablo y le dijo: «Ten ánimo, Pablo. Así como has sido mi testigo aquí en Jerusalén, también debes predicar la Buena Noticia en Roma».

Plan para matar a Pablo

[12]A la mañana siguiente, un grupo de judíos* se reunió y se comprometió mediante un juramento a no comer ni beber hasta matar a Pablo. [13]Eran más de cuarenta los cómplices en la conspiración. [14]Fueron a los sacerdotes principales y a los ancianos y les dijeron: «Nos hemos comprometido mediante un juramento a no comer nada hasta que hayamos matado a Pablo. [15]Así que ustedes y el Concilio Supremo deberían pedirle al comandante que lleve otra vez a Pablo ante el Concilio. Aparenten que quieren examinar su caso más a fondo. Nosotros lo mataremos en el camino».

[16]Pero el sobrino de Pablo —el hijo de su hermana— se enteró del plan y fue a la fortaleza y se lo contó a Pablo. [17]Pablo mandó llamar a uno de los oficiales romanos* y le dijo: «Lleva a este joven al comandante; tiene algo importante que decirle».

[18]Entonces el oficial lo hizo y explicó: «El prisionero Pablo me llamó y me pidió que le trajera a este joven porque tiene algo que decirle».

[19]El comandante lo tomó de la mano, lo llevó a un lado y le preguntó:

—¿Qué es lo que quieres decirme?

[20]El sobrino de Pablo le dijo:

—Unos judíos van a pedirle que usted lleve mañana a Pablo ante el Concilio Supremo, fingiendo que quieren obtener más información. [21]¡Pero no lo haga! Hay más de cuarenta hombres escondidos por todo el camino, listos para tenderle una emboscada. Ellos han jurado

23:1 En griego *Sanedrín;* también en 23:6, 15, 20, 28. **23:3** En griego *a ti, pared blanqueada.* **23:5** Ex 22:28. **23:12** En griego *los judíos.* **23:17** En griego *centuriones;* también en 23:23.

no comer ni beber nada hasta que lo hayan matado. Ya están listos, sólo esperan su consentimiento.

[22]—Que nadie sepa que me has contado esto —le advirtió el comandante al joven.

Pablo es enviado a Cesarea

[23]Entonces el comandante llamó a dos de sus oficiales y les dio la siguiente orden: «Preparen a doscientos soldados para que vayan a Cesarea esta noche a las nueve. Lleven también doscientos lanceros y setenta hombres a caballo. [24]Denle caballos a Pablo para el viaje y llévenlo a salvo al gobernador Félix». [25]Después escribió la siguiente carta al gobernador:

> [26]«De Claudio Lisias. A su excelencia, el gobernador Félix. ¡Saludos!
>
> [27]»Unos judíos detuvieron a este hombre y estaban a punto de matarlo cuando llegué con mis tropas. Luego me enteré de que él era ciudadano romano, entonces lo trasladé a un lugar seguro. [28]Después lo llevé al Concilio Supremo judío para tratar de averiguar la razón de las acusaciones en su contra. [29]Pronto descubrí que el cargo tenía que ver con su ley religiosa, nada que merezca prisión o muerte en absoluto; [30]pero cuando se me informó de un complot para matarlo, se lo envié a usted de inmediato. Les he dicho a sus acusadores que presenten los cargos ante usted».

[31]Así que, esa noche, tal como se les había ordenado, los soldados llevaron a Pablo tan lejos como Antípatris. [32]A la mañana siguiente, ellos regresaron a la fortaleza mientras que las tropas a caballo trasladaron a Pablo hasta Cesarea. [33]Cuando llegaron a Cesarea, lo presentaron ante el gobernador Félix y le entregaron la carta. [34]El gobernador la leyó y después le preguntó a Pablo de qué provincia era.

—De Cilicia —contestó Pablo.

[35]—Yo mismo oiré tu caso cuando lleguen los que te acusan —le dijo el gobernador.

Luego el gobernador ordenó que lo pusieran en la prisión del cuartel general de Herodes.*

Pablo ante Félix

24 Cinco días después, Ananías, el sumo sacerdote, llegó con algunos de los ancianos judíos y con el abogado* Tértulo, para presentar su caso contra Pablo ante el gobernador. [2]Una vez que hicieron entrar a Pablo, Tértulo presentó los cargos en su contra ante el gobernador con el siguiente discurso:

«Usted ha dado un largo período de paz a nosotros, los judíos y, con previsión, nos ha promulgado reformas. [3]Por todo esto, su excelencia, le estamos muy agradecidos; [4]pero no quiero aburrirlo, así que le ruego que me preste atención sólo por un momento. [5]Hemos descubierto que este hombre es un alborotador que constantemente provoca disturbios entre los judíos por todo el mundo. Es un cabecilla de la secta conocida como "los nazarenos". [6]Además, trataba de profanar el templo cuando lo arrestamos.* [8]Puede averiguar la veracidad de nuestras acusaciones si lo interroga usted mismo». [9]Entonces los demás judíos intervinieron, declarando que todo lo que Tértulo había dicho era cierto.

[10]Así que el gobernador le hizo una

23:35 En griego *pretorio de Herodes.* **24:1** En griego *algunos ancianos y un orador.* **24:6** Algunos manuscritos amplían el versículo 6, incluyen todo el versículo 7 y una frase adicional en el versículo 8: *Nosotros lo habríamos juzgado de acuerdo con nuestra ley, [7] pero Lisias, el comandante de la guarnición, llegó y se lo llevó por la fuerza, [8] y ordenó a sus acusadores que se presentaran ante ti.*

seña a Pablo para que hablara. Y Pablo dijo: «Yo sé, señor, que usted ha sido juez de asuntos judíos durante muchos años, por lo tanto, presento con gusto mi defensa ante usted. [11]Con facilidad puede averiguar que llegué a Jerusalén hace no más de doce días para adorar en el templo. [12]Los que me acusan nunca me encontraron discutiendo con nadie en el templo ni provocando disturbios en ninguna sinagoga o en las calles de la ciudad. [13]Estos hombres no pueden probar las cosas por las cuales me acusan.

[14]»Pero admito que soy seguidor de El Camino, al cual ellos llaman secta. Adoro al Dios de nuestros antepasados y firmemente creo en la ley judía y en todo lo que escribieron los profetas. [15]Tengo la misma esperanza en Dios que la que tienen estos hombres, la esperanza de que él resucitará tanto a los justos como a los injustos. [16]Por esto, siempre trato de mantener una conciencia limpia delante de Dios y de toda la gente.

[17]»Después de estar ausente durante varios años, regresé a Jerusalén con dinero para ayudar a mi pueblo y para ofrecer sacrificios a Dios. [18]Los que me acusan me vieron en el templo mientras yo terminaba una ceremonia de purificación. No había ninguna multitud a mi alrededor ni ningún disturbio; [19]pero algunos judíos de la provincia de Asia estaban allí, ¡y ellos deberían estar aquí para presentar cargos si es que tienen algo en mi contra! [20]Pregúnteles a estos hombres que están aquí de qué crimen me encontró culpable el Concilio Supremo judío,* [21]excepto por una sola vez que grité: "¡Hoy se me juzga ante ustedes porque creo en la resurrección de los muertos!"».

[22]En ese momento, Félix, quien estaba bastante familiarizado con El Camino, levantó la sesión y dijo: «Esperen hasta que llegue Lisias, el comandante de la guarnición. Entonces tomaré una decisión sobre el caso». [23]Le ordenó a un oficial* que mantuviera a Pablo bajo custodia pero le diera ciertas libertades y permitiera que sus amigos lo visitaran y se encargaran de sus necesidades.

[24]Unos días después, Félix regresó con su esposa, Drusila, quien era judía. Mandó llamar a Pablo, y lo escucharon mientras les habló acerca de la fe en Cristo Jesús. [25]Al razonar Pablo con ellos acerca de la justicia, el control propio y el día de juicio que vendrá, Félix se llenó de miedo. «Vete por ahora —le dijo—. Cuando sea más conveniente, volveré a llamarte». [26]También esperaba que Pablo lo sobornara, de modo que lo mandaba a llamar muy a menudo y hablaba con él.

[27]Pasaron dos años así, y Félix fue sucedido por Porcio Festo. Y, como Félix quería ganarse la aceptación del pueblo judío, dejó a Pablo en prisión.

Pablo ante Festo

25 Tres días después de que Festo llegó a Cesarea para asumir sus nuevas funciones, partió hacia Jerusalén, [2]donde los sacerdotes principales y otros líderes judíos se reunieron con él y le presentaron sus acusaciones contra Pablo. [3]Le pidieron a Festo que les hiciera el favor de trasladar a Pablo a Jerusalén (ya que tenían pensado tenderle una emboscada y matarlo en el camino). [4]Pero Festo respondió que Pablo estaba en Cesarea y que pronto él mismo iba a regresar allí. [5]Así que les dijo: «Algunos de ustedes que tengan autoridad pueden volver conmigo. Si Pablo ha hecho algo malo, entonces podrán presentar sus acusaciones».

[6]Unos ocho o diez días después, Festo regresó a Cesarea y, al día siguiente, tomó

24:20 En griego *Sanedrín*. **24:23** En griego *centurión*.

su lugar en la corte y ordenó que trajeran a Pablo. [7]Cuando Pablo llegó, los líderes judíos de Jerusalén lo rodearon e hicieron muchas acusaciones graves que no podían probar.

[8]Pablo negó los cargos. «No soy culpable de ningún delito contra las leyes judías, ni contra el templo, ni contra el gobierno romano», dijo.

[9]Entonces Festo, queriendo complacer a los judíos, le preguntó:

—¿Estás dispuesto a ir a Jerusalén y ser juzgado ante mí allá?

[10]Pero Pablo contestó:

—¡No! Esta es la corte oficial romana, por lo tanto, debo ser juzgado aquí mismo. Usted sabe muy bien que no soy culpable de hacer daño a los judíos. [11]Si he hecho algo digno de muerte, no me niego a morir; pero si soy inocente, nadie tiene el derecho de entregarme a estos hombres para que me maten. ¡Apelo al César!

[12]Festo consultó con sus consejeros y después respondió:

—¡Muy bien! Has apelado al César, ¡y al César irás!

[13]Unos días más tarde el rey Agripa llegó con su hermana, Berenice,* a presentar sus respetos a Festo. [14]Durante su visita de varios días, Festo conversó con el rey acerca del caso de Pablo.

—Aquí hay un prisionero —le dijo— cuyo caso me dejó Félix. [15]Cuando yo estaba en Jerusalén, los sacerdotes principales y los ancianos judíos presentaron cargos en su contra y me pidieron que yo lo condenara. [16]Les hice ver que la ley romana no declara culpable a nadie sin antes tener un juicio. El acusado debe tener una oportunidad para que confronte a sus acusadores y se defienda.

[17]»Cuando los acusadores de Pablo llegaron aquí para el juicio, yo no me demoré. Convoqué al tribunal el día siguiente y di órdenes para que trajeran a Pablo, [18]pero las acusaciones que hicieron en su contra no correspondían a ninguno de los delitos que yo esperaba. [19]En cambio, tenían algo que ver con su religión y con un hombre muerto llamado Jesús, quien —según Pablo— está vivo. [20]No sabía cómo investigar estas cuestiones, así que le pregunté si él estaba dispuesto a ser juzgado por estos cargos en Jerusalén; [21]pero Pablo apeló al emperador para que resuelva su caso. Así que di órdenes de que lo mantuvieran bajo custodia hasta que yo pudiera hacer los arreglos necesarios para enviarlo al César.

[22]—Me gustaría oír personalmente a ese hombre —dijo Agripa.

Y Festo respondió:

—¡Mañana lo oirá!

Pablo habla con Agripa

[23]Así que, al día siguiente, Agripa y Berenice llegaron al auditorio con gran pompa, acompañados por oficiales militares y hombres prominentes de la ciudad. Festo dio órdenes de que trajeran a Pablo. [24]Después Festo dijo: «Rey Agripa y los demás presentes, este es el hombre a quien todos los judíos tanto aquí como en Jerusalén quieren ver muerto; [25]pero en mi opinión, él no ha hecho nada que merezca la muerte. Sin embargo, como apeló al emperador, decidí enviarlo a Roma.

[26]»¿Pero qué debo escribirle al emperador?, pues no hay ningún cargo concreto en su contra. Así que lo he traído ante todos ustedes —especialmente ante ti, rey Agripa— para tener algo que escribir después de que lo interroguemos. [27]¡Pues no tiene sentido enviarle un prisionero al emperador sin especificar los cargos que hay en su contra!

25:13 En griego *el rey Agripa y Berenice llegaron.*

26 Entonces Agripa le dijo a Pablo: «Tienes permiso para hablar en tu defensa».

Así que Pablo, haciendo una seña con la mano, comenzó su defensa: [2]«Me considero afortunado, rey Agripa, de que sea usted quien oye hoy mi defensa en contra de todas estas acusaciones que han hecho los líderes judíos, [3]porque sé que usted es un experto en costumbres y controversias judías. Ahora, por favor, escúcheme con paciencia.

[4]»Como bien saben los líderes judíos, desde mi temprana infancia recibí una completa capacitación judía entre mi propia gente y también en Jerusalén. [5]Ellos saben, si quisieran admitirlo, que he sido miembro de los fariseos, la secta más estricta de nuestra religión. [6]Ahora se me juzga por la esperanza en el cumplimiento de la promesa que Dios les hizo a nuestros antepasados. [7]De hecho, ésta es la razón por la cual las doce tribus de Israel adoran a Dios con celo día y noche, y participan de la misma esperanza que yo tengo. Aun así, Su Majestad, ¡ellos me acusan por tener esta esperanza! [8]¿Por qué les parece increíble a todos ustedes que Dios pueda resucitar a los muertos?

[9]»Yo solía creer que mi obligación era hacer todo lo posible para oponerme al nombre de Jesús de Nazaret.* [10]Por cierto, eso fue justo lo que hice en Jerusalén. Con la autorización de los sacerdotes principales, hice que muchos creyentes* de allí fueran enviados a la cárcel. Di mi voto en contra de ellos cuando los condenaban a muerte. [11]Muchas veces hice que los castigaran en las sinagogas para que maldijeran* a Jesús. Estaba tan violentamente en contra de ellos que los perseguí hasta en ciudades extranjeras.

[12]»Cierto día, yo me dirigía a Damasco para cumplir esa misión respaldado por la autoridad y el encargo de los sacerdotes principales. [13]Cerca del mediodía, Su Majestad, mientras iba de camino, una luz del cielo, más intensa que el sol, brilló sobre mí y mis compañeros. [14]Todos caímos al suelo y escuché una voz que me decía en arameo*: "Saulo, Saulo, ¿por qué me persigues? Es inútil que luches contra mi voluntad"*.

[15]»"¿Quién eres, señor?" —pregunté. Y el Señor contestó: "Yo soy Jesús, a quien tú persigues. [16]Ahora, ¡levántate! Pues me aparecí ante ti para designarte como mi siervo y testigo. Deberás contarle al mundo lo que has visto y lo que te mostraré en el futuro. [17]Y yo te rescataré de tu propia gente y de los gentiles*. Sí, te envío a los gentiles, [18]para que les abras los ojos, a fin de que pasen de la oscuridad a la luz, y del poder de Satanás a Dios. Entonces recibirán el perdón de sus pecados y se les dará un lugar entre el pueblo de Dios, el cual es apartado por la fe en mí".

[19]»Por lo tanto, rey Agripa, obedecí esa visión del cielo. [20]Primero les prediqué a los de Damasco, luego en Jerusalén y por toda Judea, y también a los gentiles: que todos tienen que arrepentirse de sus pecados y volver a Dios, y demostrar que han cambiado por medio de las cosas buenas que hacen. [21]Unos judíos me arrestaron en el templo por predicar esto y trataron de matarme; [22]pero Dios me ha protegido hasta este mismo momento para que yo pueda dar testimonio a todos, desde el menos importante hasta el más importante. Yo no enseño nada fuera de lo que los profetas y Moisés dijeron que sucedería: [23]que el Mesías sufriría y que sería el primero en resucitar de los muertos, y de esta forma anunciaría la luz de Dios tanto a judíos como a gentiles por igual».

26:9 O *Jesús nazareno.* **26:10** En griego *muchos del pueblo santo de Dios.* **26:11** En griego *blasfemaran.* **26:14a** O *hebreo.* **26:14b** En griego *Te es difícil dar patadas contra el aguijón.* **26:17** *Gentil[es],* que no es judío.

[24]De repente Festo gritó:

—Pablo, estás loco. ¡Tanto estudio te ha llevado a la locura!

[25]Pero Pablo respondió:

—No estoy loco, excelentísimo Festo. Lo que digo es la pura verdad, [26]y el rey Agripa sabe de estas cosas. Yo hablo con atrevimiento porque estoy seguro de que todos estos acontecimientos le son familiares, ¡pues no se hicieron en un rincón! [27]Rey Agripa, ¿usted les cree a los profetas? Yo sé que sí.

[28]Agripa lo interrumpió:

—¿Acaso piensas que puedes persuadirme para que me convierta en cristiano en tan poco tiempo?*

[29]Pablo contestó:

—Sea en poco tiempo o en mucho, le pido a Dios en oración que tanto usted como todos los presentes en este lugar lleguen a ser como yo, excepto por estas cadenas.

[30]Entonces el rey, el gobernador, Berenice y todos los demás se pusieron de pie y se retiraron. [31]Mientras salían, hablaron del tema y acordaron: «Este hombre no ha hecho nada que merezca la muerte o la cárcel».

[32]Y Agripa le dijo a Festo: «Podría ser puesto en libertad si no hubiera apelado al César».

Pablo navega a Roma

27 Cuando llegó el tiempo, zarpamos hacia Italia. A Pablo y a varios prisioneros más los pusieron bajo la custodia de un oficial romano* llamado Julio, un capitán del regimiento imperial. [2]También nos acompañó Aristarco, un macedonio de Tesalónica. Salimos en un barco matriculado en el puerto de Adramitio, situado en la costa noroeste de la provincia de Asia.* El barco tenía previsto hacer varias paradas en distintos puertos a lo largo de la costa de la provincia.

[3]Al día siguiente, cuando atracamos en Sidón, Julio fue muy amable con Pablo y le permitió desembarcar para visitar a sus amigos, a fin de que ellos pudieran proveer sus necesidades. [4]Desde allí nos hicimos a la mar y nos topamos con fuertes vientos de frente que hacían difícil mantener el barco en curso, así que navegamos hacia el norte de Chipre, entre la isla y el continente. [5]Navegando en mar abierto, pasamos por la costa de Cilicia y Panfilia, y desembarcamos en Mira, en la provincia de Licia. [6]Allí, el oficial al mando encontró un barco egipcio, de Alejandría, con destino a Italia, y nos hizo subir a bordo.

[7]Tuvimos que navegar despacio por varios días y, después de serias dificultades, por fin nos acercamos a Gnido; pero teníamos viento en contra, así que cruzamos a la isla de Creta, navegando al resguardo de la costa de la isla con menos viento, frente al cabo de Salmón. [8]Seguimos por la costa con mucha dificultad y finalmente llegamos a Buenos Puertos, cerca de la ciudad de Lasea. [9]Habíamos perdido bastante tiempo. El clima se ponía cada vez más peligroso para viajar por mar, porque el otoño estaba muy avanzado,* y Pablo comentó eso con los oficiales del barco.

[10]Les dijo: «Señores, creo que tendremos problemas más adelante si seguimos avanzando: naufragio, pérdida de la carga y también riesgo para nuestras vidas»; [11]pero el oficial a cargo de los prisioneros les hizo más caso al capitán y al dueño del barco que a Pablo. [12]Ya que Buenos Puertos era un puerto desprotegido —un mal lugar para pasar el invierno—, la mayoría de la tripulación quería

26:28 O *—Un poco más y tus argumentos me convierten en cristiano.* **27:1** En griego *centurión;* similar en 27:6, 11, 31, 43. **27:2** *Asia* era una provincia romana en lo que ahora es la parte oeste de Turquía. **27:9** En griego *porque el ayuno ya había pasado.* Ese ayuno estaba relacionado con el Día del Perdón (*Yom Kippur*), que caía a fines de septiembre o a principios de octubre.

seguir hasta Fenice, que se encuentra más adelante en la costa de Creta, y pasar el invierno allí. Fenice era un buen puerto, con orientación al suroeste y al noroeste solamente.

Tormenta en el mar

[13]Cuando un viento suave comenzó a soplar desde el sur, los marineros pensaron que podrían llegar a salvo. Entonces levaron anclas y navegaron cerca de la costa de Creta; [14]pero el clima cambió abruptamente, y un viento huracanado (llamado «Noreste») sopló sobre la isla y nos empujó a mar abierto. [15]Los marineros no pudieron girar el barco para hacerle frente al viento, así que se dieron por vencidos y se dejaron llevar por la tormenta.

[16]Navegamos al resguardo del lado con menos viento de una pequeña isla llamada Cauda,* donde con gran dificultad subimos a bordo el bote salvavidas que era remolcado por el barco. [17]Después los marineros ataron cuerdas alrededor del casco del barco para reforzarlo. Tenían miedo de que el barco fuera llevado a los bancos de arena de Sirte, frente a la costa africana, así que bajaron el ancla flotante para disminuir la velocidad del barco y se dejaron llevar por el viento.

[18]El próximo día, como la fuerza del vendaval seguía azotando el barco, la tripulación comenzó a echar la carga por la borda. [19]Luego, al día siguiente, hasta arrojaron al agua parte del equipo del barco. [20]La gran tempestad rugió durante muchos días, ocultó el sol y las estrellas, hasta que al final se perdió toda esperanza.

[21]Nadie había comido en mucho tiempo. Finalmente, Pablo reunió a la tripulación y le dijo: «Señores, ustedes debieran haberme escuchado al principio y no haber salido de Creta. Así se hubieran evitado todos estos daños y pérdidas. [22]¡Pero anímense! Ninguno de ustedes perderá la vida, aunque el barco se hundirá. [23]Pues anoche un ángel del Dios a quien pertenezco y a quien sirvo estuvo a mi lado [24]y dijo: "¡Pablo, no temas, porque ciertamente serás juzgado ante el César! Además, Dios, en su bondad, ha concedido protección a todos los que navegan contigo". [25]Así que, ¡anímense! Pues yo le creo a Dios. Sucederá tal como él lo dijo, [26]pero seremos náufragos en una isla».

El naufragio

[27]Como a la medianoche de la decimocuarta noche de la tormenta, mientras los vientos nos empujaban por el mar Adriático,* los marineros presintieron que había tierra cerca. [28]Arrojaron una cuerda con una pesa y descubrieron que el agua tenía treinta y siete metros de profundidad. Un poco después, volvieron a medir y vieron que sólo había veintisiete metros de profundidad.* [29]A la velocidad que íbamos, ellos tenían miedo de que pronto fuéramos arrojados contra las rocas que estaban a lo largo de la costa; así que echaron cuatro anclas desde la parte trasera del barco y rezaron que amaneciera.

[30]Luego los marineros trataron de abandonar el barco; bajaron el bote salvavidas como si estuvieran echando anclas desde la parte delantera del barco. [31]Así que Pablo les dijo al oficial al mando y a los soldados: «Todos ustedes morirán a menos que los marineros se queden a bordo». [32]Entonces los soldados cortaron las cuerdas del bote salvavidas y lo dejaron a la deriva.

[33]Cuando empezó a amanecer, Pablo animó a todos a que comieran. «Ustedes

27:16 Algunos manuscritos dicen *Clauda*. **27:27** El *mar Adriático:* a diferencia de la denominación de este mar en tiempos modernos, en el siglo primero las aguas con este nombre incluían las de la parte central del Mediterráneo. **27:28** En griego *20 brazas [...] 15 brazas* (120 pies [...] 90 pies).

han estado tan preocupados que no han comido nada en dos semanas —les dijo—. [34]Por favor, por su propio bien, coman algo ahora. Pues no perderán ni un solo cabello de la cabeza». [35]Así que tomó un poco de pan, dio gracias a Dios delante de todos, partió un pedazo y se lo comió. [36]Entonces todos se animaron y empezaron a comer, [37]los doscientos setenta y seis que estábamos a bordo. [38]Después de comer, la tripulación redujo aún más el peso del barco echando al mar la carga de trigo.

[39]Cuando amaneció, no reconocieron la costa, pero vieron una bahía con una playa y se preguntaban si podrían llegar a la costa haciendo encallar el barco. [40]Entonces cortaron las anclas y las dejaron en el mar. Luego soltaron los timones, izaron las velas de proa y se dirigieron a la costa; [41]pero chocaron contra un banco de arena y el barco encalló demasiado rápido. La proa del barco se clavó en la arena, mientras que la popa fue golpeada repetidas veces por la fuerza de las olas y comenzó a hacerse pedazos.

[42]Los soldados querían matar a los prisioneros para asegurarse de que no nadaran hasta la costa y escaparan; [43]pero el oficial al mando quería salvar a Pablo, así que no los dejó llevar a cabo su plan. Luego les ordenó a todos los que sabían nadar que saltaran por la borda primero y se dirigieran a tierra firme. [44]Los demás se sujetaron a tablas o a restos del barco destruido.* Así que todos escaparon a salvo hasta la costa.

Pablo en la isla de Malta

28 Una vez a salvo en la costa, nos enteramos de que estábamos en la isla de Malta. [2]La gente de la isla fue muy amable con nosotros. Hacía frío y llovía, entonces encendieron una fogata en la orilla para recibirnos.

[3]Mientras Pablo juntaba una brazada de leña y la echaba en el fuego, una serpiente venenosa que huía del calor lo mordió en la mano. [4]Los habitantes de la isla, al ver la serpiente colgando de su mano, se decían unos a otros: «¡Sin duda este es un asesino! Aunque se salvó del mar, la justicia no le permitirá vivir»; [5]pero Pablo se sacudió la serpiente en el fuego y no sufrió ningún daño. [6]La gente esperaba que él se hinchara o que cayera muerto de repente; pero después de esperar y esperar y ver que estaba ileso, cambiaron de opinión y llegaron a la conclusión de que Pablo era un dios.

[7]Cerca de la costa adonde llegamos, había una propiedad que pertenecía a Publio, el funcionario principal de la isla. Él nos recibió y nos atendió con amabilidad por tres días. [8]Dio la casualidad de que el padre de Publio estaba enfermo con fiebre y disentería. Pablo entró a verlo, oró por él, puso sus manos sobre él y lo sanó. [9]Entonces todos los demás enfermos de la isla también vinieron y fueron sanados. [10]Como resultado, nos colmaron de honores y, cuando llegó el tiempo de partir, la gente nos proveyó de todo lo que necesitaríamos para el viaje.

Pablo llega a Roma

[11]Tres meses después del naufragio, zarpamos en otro barco, que había pasado el invierno en la isla; era un barco de Alejandría que tenía como figura de proa a los dioses gemelos.* [12]Hicimos la primera parada en Siracusa,* donde nos quedamos tres días. [13]De allí navegamos hasta Regio.* Un día después, un viento del sur empezó a soplar, de manera que, al día siguiente, navegamos por la costa hasta

27:44 O *o fueron ayudados por miembros de la tripulación del barco.* **28:11** Los *dioses gemelos* eran los dioses romanos Cástor y Pólux. **28:12** *Siracusa* estaba en la isla de Sicilia. **28:13** *Regio* estaba en la punta del sur de Italia.

Poteoli. [14]Allí encontramos a algunos creyentes,* quienes nos invitaron a pasar una semana con ellos. Y así llegamos a Roma.

[15]Los hermanos de Roma se habían enterado de nuestra inminente llegada, y salieron hasta el Foro* por el Camino Apio para recibirnos. En Las Tres Tabernas* nos esperaba otro grupo. Cuando Pablo los vio, se animó y dio gracias a Dios.

[16]Una vez que llegamos a Roma, a Pablo se le permitió hospedarse en un alojamiento privado, aunque estaba bajo la custodia de un soldado.

Pablo predica en Roma bajo custodia

[17]Tres días después de haber llegado, Pablo mandó reunir a los líderes judíos locales. Les dijo:

—Hermanos, fui arrestado en Jerusalén y entregado al gobierno romano, a pesar de no haber hecho nada en contra de nuestro pueblo ni de las costumbres de nuestros antepasados. [18]Los romanos me llevaron a juicio y querían ponerme en libertad, porque no encontraron ninguna causa para condenarme a muerte; [19]pero cuando los líderes judíos protestaron por la decisión, creí necesario apelar al César, aunque no tenía deseos de presentar cargos contra mi propia gente. [20]Les pedí a ustedes que vinieran hoy aquí para que nos conociéramos y para que yo pudiera explicarles que estoy atado con esta cadena porque creo que la esperanza de Israel —el Mesías— ya ha venido.

[21]Ellos respondieron:

—No hemos recibido ninguna carta de Judea ni ningún informe en tu contra de nadie que haya venido por aquí; [22]pero queremos escuchar lo que tú crees, pues lo único que sabemos de este movimiento es que se le ataca por todas partes.

[23]Entonces fijaron una fecha, y ese día mucha gente llegó al lugar donde Pablo estaba alojado. Él explicó y dio testimonio acerca del reino de Dios y trató de convencerlos acerca de Jesús con las Escrituras. Usando la ley de Moisés y los libros de los profetas, les habló desde la mañana hasta la noche. [24]Algunos se convencieron por las cosas que dijo, pero otros no creyeron. [25]Después de discutir entre unos y otros, se fueron con las siguientes palabras finales de Pablo: «El Espíritu Santo tenía razón cuando les dijo a sus antepasados por medio del profeta Isaías:

[26] "Ve y dile a este pueblo:
Cuando ustedes oigan lo que digo,
no entenderán.
Cuando vean lo que hago,
no comprenderán.
[27] Pues el corazón de este pueblo está
endurecido,
y sus oídos no pueden oír,
y han cerrado los ojos,
así que sus ojos no pueden ver,
y sus oídos no pueden oír,
y sus corazones no pueden
entender,
y no pueden volver a mí
para que yo los sane"*.

[28]»Así que quiero que sepan que esta salvación de Dios también se ha ofrecido a los gentiles*, y ellos la aceptarán».*

[30]Durante los dos años siguientes Pablo vivió en Roma pagando sus gastos él mismo.* Recibía a todos los que lo visitaban, [31]y proclamaba con valentía el reino de Dios y enseñaba acerca del Señor Jesucristo; y nadie intentó detenerlo.

28:14 En griego *hermanos*. **28:15a** *El Foro* estaba como a 70 kilómetros (43 millas) de Roma. **28:15b** *Las Tres Tabernas* estaba como a 57 kilómetros (35 millas) de Roma. **28:26-27** Is 6:9-10 (versión griega). **28:28a** *Gentil[es]*, que no es judío. **28:28b** Algunos manuscritos incluyen el versículo 29: *Y después de que dijo estas palabras, los judíos se fueron, muy en desacuerdo unos con otros.* **28:30** O *en una habitación rentada por él.*

Lugares importantes en el libro de Hechos

Los nombres y las fronteras modernas aparecen en gris.
Los nombres en mayúsculas (sin cursivas) indican regiones.

INTRODUCCIÓN A LA CARTA DE PABLO A LOS ROMANOS

Propósito: Pablo presenta el mensaje de salvación por gracia y la libertad que el cristiano encuentra en Jesucristo.

Autor: El apóstol Pablo.

Destinatarios: La iglesia en Roma (Italia), y los cristianos en todo el mundo.

Fecha: Aproximadamente 57 d. C., desde Corinto (Grecia).

Versículo clave: «Por lo tanto, ya que fuimos declarados justos a los ojos de Dios por medio de la fe, tenemos paz con Dios gracias a lo que Jesucristo nuestro Señor hizo por nosotros» (5:1).

Después de predicar y enseñar durante varios años en la región oriental del Mediterráneo, el apóstol Pablo consideró que ya había completado ese ministerio (15:17–31), y que había llegado el momento de dirigirse al oeste y llevar el evangelio a España (15:24). Anhelaba visitar a los cristianos en Roma, camino a España, a fin de conocerlos y de instruirlos. Al no presentarse esa oportunidad, Pablo eligió la mejor opción que tenía: escribir a los creyentes en Roma para expresarles lo que les hubiera dicho en persona.

Como un hábil abogado, Pablo presenta en su carta las Buenas Noticias de salvación con un argumento lógico y poderoso. Explica que la salvación está a disposición de todos, no importa su pasado ni su nacionalidad. Declara la condición pecaminosa de todo ser humano y, en consecuencia, la necesidad que todos tienen de la salvación por gracia que Dios ofrece únicamente por medio de Jesús.

Somos salvados sólo por la gracia de Dios que no merecemos ni podemos ganar. Cualquier persona puede recibir esta gracia si reconoce ser pecadora y luego confía en Jesucristo, el único que puede dar vida eterna. Por medio del sacrificio y del perdón de Jesucristo, podemos presentarnos ante Dios justificados, es decir, declarados libres de culpa.

El plan de Dios no termina cuando recibimos su perdón. Aceptar el regalo de la salvación es sólo el comienzo de una relación íntima con Dios y de una gran aventura en la que trabajamos con Dios en la construcción de su reino. Pablo enseña que cuando somos salvados, Dios también nos da una inmensa libertad: nos hace libres de los hábitos pecaminosos y de las ceremonias rituales del Antiguo Testamento. Así entonces somos libres para ser transformados a la semejanza de Jesús.

Luego Pablo comparte su preocupación y amor hacia sus compatriotas judíos, y explica el lugar que tienen en el plan de Dios. El Señor ha provisto con generosidad la manera en que judíos y no judíos, antes separados por los muros de la religión y de la nacionalidad, ahora sean unidos por Jesucristo, el Mesías judío y el Salvador de todos los que confían en él.

Mientras lee Romanos, examine su relación con Cristo y consagre su vida a él. Fortalezca su amistad con otros cristianos, comparta la salvación de Jesús con los que no creen, sirva a los demás con los dones que Dios le dio, ámelos con todo su corazón, y sea un ciudadano responsable. La libertad debe estar guiada por el amor, con el fin de ayudar y edificar a otros, y de ser sensible en el servicio a los más débiles.

Romanos

Saludos de Pablo

1 Yo, Pablo, esclavo de Cristo Jesús y elegido por Dios para ser apóstol y enviado a predicar su Buena Noticia, escribo esta carta. [2]Dios prometió esa Buena Noticia hace tiempo por medio de sus profetas en las Sagradas Escrituras. [3]La Buena Noticia trata de su Hijo. En su vida terrenal, él fue descendiente del rey David, [4]y quedó demostrado que era* el Hijo de Dios cuando fue resucitado de los muertos mediante el poder del Espíritu Santo.* Él es Jesucristo nuestro Señor. [5]Por medio de Cristo, Dios nos ha dado a nosotros, como apóstoles, el privilegio* y la autoridad de anunciar por todas partes a los gentiles* lo que Dios ha hecho por ellos, a fin de que crean en él y lo obedezcan, lo cual dará gloria a su nombre.

[6]Ustedes están incluidos entre los gentiles que fueron llamados a pertenecer a Jesucristo. [7]Les escribo a todos ustedes, los amados de Dios que están en Roma y son llamados a ser su pueblo santo.

Que Dios nuestro Padre y el Señor Jesucristo les den gracia y paz.

La Buena Noticia de Dios

[8]Ante todo les digo que, mediante Jesucristo, le doy gracias a mi Dios por todos ustedes, porque en todas partes del mundo se habla de la fe que tienen en él. [9]Dios sabe cuántas veces los recuerdo en mis oraciones. Día y noche hago mención de ustedes y sus necesidades delante de Dios, a quien sirvo con todo mi corazón* anunciando la Buena Noticia acerca de su Hijo.

[10]Algo que siempre pido en oración es que, Dios mediante, se presente la oportunidad de ir por fin a verlos. [11]Pues tengo muchos deseos de visitarlos para llevarles algún don espiritual que los ayude a crecer firmes en el Señor. [12]Cuando nos encontremos, quiero alentarlos en la fe pero también me gustaría recibir aliento de la fe de ustedes.

[13]Quiero que sepan, amados hermanos, que me propuse muchas veces ir a visitarlos pero, hasta el momento, me vi impedido. Mi deseo es trabajar entre ustedes y ver frutos espirituales tal como he visto entre otros gentiles. [14]Pues siento una gran obligación tanto con los habitantes del mundo civilizado como con los del resto del mundo,* con los instruidos y los incultos por igual. [15]Así que estoy ansioso por visitarlos también a ustedes, que están en Roma, para predicarles la Buena Noticia.

[16]Pues no me avergüenzo de la Buena Noticia acerca de Cristo, porque es poder

1:4a O *y fue designado*. **1:4b** O *por el Espíritu de santidad;* o *en el nuevo dominio del Espíritu*. **1:5a** O *la gracia*. **1:5b** *Gentil[es]*, que no es judío. **1:9** O *en mi espíritu*. **1:14** En griego *con los griegos y los bárbaros*.

de Dios en acción para salvar a todos los que creen, a los judíos primero y también a los gentiles.* [17]Esa Buena Noticia nos revela cómo Dios nos hace justos ante sus ojos, lo cual se logra del principio al fin por medio de la fe. Como dicen las Escrituras: «Es por medio de la fe que el justo tiene vida»*.

La ira de Dios contra el pecado

[18]Pero Dios muestra su ira desde el cielo contra todos los que son pecadores y perversos, que detienen la verdad con su perversión.* [19]Ellos conocen la verdad acerca de Dios, porque él se la ha hecho evidente. [20]Pues, desde la creación del mundo, todos han visto los cielos y la tierra. Por medio de todo lo que Dios hizo, ellos pueden ver a simple vista las cualidades invisibles de Dios: su poder eterno y su naturaleza divina. Así que no tienen ninguna excusa para no conocer a Dios.

[21]Es cierto, ellos conocieron a Dios pero no quisieron adorarlo como Dios ni darle gracias. En cambio, comenzaron a inventar ideas necias sobre Dios. Como resultado, la mente les quedó en oscuridad y confusión. [22]Afirmaban ser sabios pero se convirtieron en completos necios. [23]Y, en lugar de adorar al Dios inmortal y glorioso, rindieron culto a ídolos que ellos mismos se hicieron con forma de simples mortales, de aves, de animales de cuatro patas y de reptiles.

[24]Entonces Dios los abandonó para que hicieran todas las cosas vergonzosas que deseaban en su corazón. Como resultado, usaron sus cuerpos para hacerse cosas viles y degradantes entre sí. [25]Cambiaron la verdad acerca de Dios por una mentira. Y así rindieron culto y sirvieron a las cosas que Dios creó pero no al Creador mismo, ¡quien es digno de eterna alabanza! Amén. [26]Por esa razón, Dios los abandonó a sus pasiones vergonzosas. Aun las mujeres se rebelaron contra la forma natural de tener relaciones sexuales y, en cambio, dieron rienda suelta al sexo unas con otras. [27]Los hombres, por su parte, en lugar de tener relaciones sexuales normales, con la mujer, ardieron en pasiones unos con otros. Los hombres hicieron cosas vergonzosas con otros hombres y, como consecuencia de ese pecado, sufrieron dentro de sí el castigo que merecían.

[28]Por pensar que era una tontería reconocer a Dios, él los abandonó a sus tontos razonamientos y dejó que hicieran cosas que jamás deberían hacerse. [29]Se llenaron de toda clase de perversiones, pecados, avaricia, odio, envidia, homicidios, peleas, engaños, conductas maliciosas y chismes. [30]Son traidores, insolentes, arrogantes, fanfarrones y gente que odia a Dios. Inventan nuevas formas de pecar y desobedecen a sus padres. [31]No quieren entrar en razón, no cumplen lo que prometen, son crueles y no tienen compasión. [32]Saben bien que la justicia de Dios exige que los que hacen esas cosas merecen morir; pero ellos igual las hacen. Peor aún, incitan a otros a que también las hagan.

Juicio de Dios contra el pecado

2 Tal vez crees que puedes condenar a tales individuos, pero tu maldad es igual que la de ellos, ¡y no tienes ninguna excusa! Cuando dices que son perversos y merecen ser castigados, te condenas a ti mismo porque tú, que juzgas a otros, también practicas las mismas cosas. [2]Y sabemos que Dios, en su justicia, castigará a todos los que hacen tales cosas. [3]Y tú, que juzgas a otros por hacer esas cosas, ¿cómo crees que podrás evitar el juicio de Dios cuando tú haces

1:16 En griego *al judío primero y también al griego.* **1:17** O *«El justo vivirá por la fe».* Ha 2:4.
1:18 O *que, con su perversión, impiden que la verdad sea conocida.*

lo mismo? [4]¿No te das cuenta de lo bondadoso, tolerante y paciente que es Dios contigo? ¿Acaso eso no significa nada para ti? ¿No ves que la bondad de Dios es para guiarte a que te arrepientas y abandones tu pecado?

[5]Pero eres terco y te niegas a arrepentirte y abandonar tu pecado, por eso vas acumulando un castigo terrible para ti mismo. Pues se acerca el día de la ira, en el cual se manifestará el justo juicio de Dios. [6]Él juzgará a cada uno según lo que haya hecho. [7]Dará vida eterna a los que siguen haciendo el bien, pues de esa manera demuestran que buscan la gloria, el honor y la inmortalidad que Dios ofrece; [8]pero derramará su ira y enojo sobre los que viven para sí mismos, los que se niegan a obedecer la verdad y, en cambio, viven entregados a la maldad. [9]Habrá aflicción y angustia para todos los que siguen haciendo lo malo, para los judíos primero y también para los gentiles;* [10]pero habrá gloria, honra y paz de parte de Dios para todos los que hacen lo bueno, para los judíos primero y también para los gentiles. [11]Pues Dios no muestra favoritismo.

[12]Los gentiles serán destruidos por el hecho de pecar, aunque nunca tuvieron la ley escrita de Dios; y los judíos, quienes sí tienen la ley de Dios, serán juzgados por esa ley porque no la obedecen. [13]Pues el simple acto de escuchar la ley no nos hace justos ante Dios. Es obedecer la ley lo que nos hace justos ante sus ojos. [14]Aun los gentiles, quienes no cuentan con la ley escrita de Dios, muestran que conocen esa ley cuando, por instinto, la obedecen aunque nunca la hayan oído. [15]Ellos demuestran que tienen la ley de Dios escrita en el corazón, porque su propia conciencia y sus propios pensamientos o los acusan o les indican que están haciendo lo correcto. [16]Y el mensaje que proclamo es que se acerca el día en que Dios juzgará, por medio de Cristo Jesús, la vida secreta de cada uno.

Los judíos y la ley

[17]Tú, que te llamas judío, confías en la ley de Dios y te jactas de tu relación especial con él. [18]Tú sabes lo que a él le agrada, sabes bien qué es lo correcto, porque se te ha enseñado su ley. [19]Estás convencido de que eres guía para los ciegos y luz para los que andan perdidos en la oscuridad. [20]Piensas que puedes instruir al ignorante y enseñar a los niños los caminos de Dios. Pues estás seguro de que la ley de Dios te da pleno conocimiento y toda la verdad.

[21]Ahora bien, si tú enseñas a otros, ¿por qué no te enseñas a ti mismo? Predicas a otros que no se debe robar, ¿pero tú robas? [22]Dices que está mal cometer adulterio, ¿pero tú cometes adulterio? Condenas la idolatría, ¿pero tú usas objetos robados de los templos paganos?* [23]Te sientes muy orgulloso de conocer la ley pero deshonras a Dios al quebrantarla. [24]No es extraño que las Escrituras digan: «Los gentiles blasfeman el nombre de Dios por causa de ustedes»*.

[25]La ceremonia judía de la circuncisión sólo tiene valor si obedeces la ley de Dios; pero si no obedeces la ley de Dios, no estás en mejor condición que un gentil incircunciso. [26]Y si los gentiles obedecen la ley de Dios, ¿acaso él no los considerará su propio pueblo? [27]De hecho, los gentiles incircuncisos que cumplen la ley de Dios los condenarán a ustedes, judíos, que están circuncidados y tienen la ley de Dios pero no la obedecen.

[28]Pues no se es un verdadero judío sólo por haber nacido de padres judíos ni por haber pasado por la ceremonia de

2:9 En griego *para el judío y también para el griego;* también en 2:10. *Gentil[es],* que no es judío.
2:22 En griego *¿robas de los templos?* **2:24** Is 52:5 (versión griega).

la circuncisión. [29]No, un verdadero judío es aquel que tiene el corazón recto a los ojos de Dios. La verdadera circuncisión no consiste meramente en obedecer la letra de la ley, sino que es un cambio en el corazón, producido por el Espíritu de Dios. Y una persona con un corazón transformado busca* la aprobación de Dios, no la de la gente.

Dios permanece fiel

3 Entonces, ¿cuál es la ventaja de ser judío? ¿Tiene algún valor la ceremonia de la circuncisión? [2]Claro que sí, ¡tiene muchos beneficios! En primer lugar, a los judíos se les confió toda la revelación de Dios.*

[3]Es cierto, algunos de ellos fueron infieles; ¿pero acaso eso significa que, porque ellos fueron infieles, Dios también será infiel? [4]¡Por supuesto que no! Aun cuando todos los demás sean mentirosos, Dios es veraz. Como dicen las Escrituras acerca de él:

«Quedará demostrado que tienes
razón en lo que dices,
y ganarás tu caso en los tribunales»*.

[5]«Sin embargo —algunos podrían decir—, nuestro pecado cumple un buen propósito porque muestra a otros lo justo que es Dios. ¿No es injusto, entonces, que Dios nos castigue?». (Este no es más que un punto de vista humano). [6]¡De ninguna manera! Si Dios no fuera completamente justo, ¿cómo tendría autoridad para juzgar al mundo? [7]«Sin embargo —alguien podría seguir argumentando—, ¿por qué Dios me juzga como pecador si mi mentira realza su veracidad y le da más gloria a él?». [8]Algunos incluso nos difaman asegurando que nosotros decimos: «¡Cuanto más pecamos, mejor!». Los que dicen tales cosas merecen ser condenados.

Todos somos pecadores

[9]Ahora bien, ¿llegamos a la conclusión de que los judíos somos mejores que los demás? ¡Para nada! Tal como acabamos de demostrar, todos —sean judíos o gentiles*— están bajo el poder del pecado. [10]Como dicen las Escrituras:

«No hay ni un solo justo,
ni siquiera uno.
[11] Nadie es realmente sabio,
nadie busca a Dios.
[12] Todos se desviaron,
todos se volvieron inútiles.
No hay ni uno que haga lo bueno,
ni uno solo»*.
[13] «Lo que hablan es repugnante como
el olor que sale de una tumba
abierta.
Su lengua está llena de mentiras».
«Veneno de serpientes gotea de sus
labios»*.
[14] «Su boca está llena de maldición y
amargura»*.
[15] «Se apresuran a matar.
[16] Siempre hay sufrimiento y
destrucción en sus caminos.
[17] No saben dónde encontrar paz»*.
[18] «No tienen temor de Dios en
absoluto»*.

[19]Obviamente, la ley se aplica a quienes fue entregada, porque su propósito es evitar que la gente tenga excusas y demostrar que todo el mundo es culpable delante de Dios. [20]Pues nadie llegará jamás a ser justo ante Dios por hacer lo que la ley manda. La ley sencillamente nos muestra lo pecadores que somos.

2:29 O *recibe.* **3:2** En griego *confiaron todos los oráculos de Dios.* **3:4** Sal 51:4 (versión griega). **3:9** *Gentil[es],* que no es judío. En griego *o griegos.* **3:10-12** Sal 14:1-3; 53:1-3 (versión griega). **3:13** Sal 5:9 (versión griega); Sal 140:3. **3:14** Sal 10:7 (versión griega). **3:15-17** Is 59:7-8. **3:18** Sal 36:1.

Cristo sufrió nuestro castigo

[21]Pero ahora, tal como se prometió tiempo atrás en los escritos de Moisés* y de los profetas, Dios nos ha mostrado cómo podemos ser justos ante él sin cumplir con las exigencias de la ley. [22]Dios nos hace justos a sus ojos cuando ponemos nuestra fe en Jesucristo. Y eso es verdad para todo el que cree, sea quien fuere.

[23]Pues todos hemos pecado; nadie puede alcanzar la meta gloriosa establecida por Dios. [24]Sin embargo, con una bondad que no merecemos, Dios nos declara justos por medio de Cristo Jesús, quien nos liberó del castigo de nuestros pecados. [25]Pues Dios ofreció a Jesús como el sacrificio por el pecado. Las personas son declaradas justas a los ojos de Dios cuando creen que Jesús sacrificó su vida al derramar su sangre. Ese sacrificio muestra que Dios actuó con justicia cuando se contuvo y no castigó a los que pecaron en el pasado, [26]porque miraba hacia el futuro y de ese modo los incluiría en lo que llevaría a cabo en el tiempo presente. Dios hizo todo eso para demostrar su justicia, porque él mismo es justo e imparcial, y declara a los pecadores justos a sus ojos cuando ellos creen en Jesús.

[27]¿Podemos, entonces, jactarnos de haber hecho algo para que Dios nos acepte? No, porque nuestra libertad de culpa y cargo no se basa en la obediencia a la ley. Está basada en la fe. [28]Así que somos declarados justos a los ojos de Dios por medio de la fe y no por obedecer la ley.

[29]Después de todo, ¿acaso Dios es sólo el Dios de los judíos? ¿No es también el Dios de los gentiles? Claro que sí. [30]Hay sólo un Dios, y él declara justos a judíos y gentiles* únicamente por medio de la fe. [31]Entonces, si hacemos énfasis en la fe, ¿eso significa que podemos olvidarnos de la ley? ¡Por supuesto que no! De hecho, sólo cuando tenemos fe cumplimos verdaderamente la ley.

La fe de Abraham

4 Humanamente hablando, Abraham fue el fundador de nuestra nación judía. ¿Qué descubrió él acerca de llegar a ser justos ante Dios? [2]Que si sus buenas acciones le hubieran servido para que Dios lo aceptara, habría tenido de qué jactarse; pero esa no era la forma de actuar de Dios. [3]Pues las Escrituras nos dicen: «Abraham le creyó a Dios, y Dios consideró a Abraham justo debido a su fe»*.

[4]Cuando la gente trabaja, el salario que recibe no es un regalo sino algo que se ha ganado; [5]pero la gente no es considerada justa por sus acciones sino por su fe en Dios, quien perdona a los pecadores. [6]David también habló de lo mismo cuando describió la felicidad de los que son declarados justos sin hacer esfuerzos para lograrlo:

[7] «Oh, qué alegría para aquellos
a quienes se les perdona la
desobediencia,
a quienes se les cubren los pecados.
[8] Sí, qué alegría para aquellos
a quienes el Señor les borró el
pecado de su cuenta»*.

[9]Ahora bien, ¿es esta bendición solamente para los judíos o es también para los gentiles* incircuncisos?* Como venimos diciendo, Dios consideró a Abraham justo debido a su fe. [10]¿Pero cómo sucedió esto? ¿Se le consideró justo sólo después de ser circuncidado o fue antes? Es evidente que Dios aceptó a Abraham, ¡antes de que fuera circuncidado!

[11]La circuncisión era una señal de que

3:21 En griego *en la ley*. **3:30** En griego *a los circuncisos y a los incircuncisos*. **4:3** Gn 15:6. **4:7-8** Sal 32:1-2 (versión griega). **4:9a** *Gentil[es]*, que no es judío. **4:9b** En griego *¿es esa bendición solamente para los circuncisos o es también para los incircuncisos?*

Abraham ya tenía fe y de que Dios ya lo había aceptado y declarado justo aun antes de que fuera circuncidado. Por lo tanto, Abraham es el padre espiritual de los que tienen fe pero no han sido circuncidados. A ellos se les considera justos debido a su fe. [12]Y Abraham también es el padre espiritual de los que han sido circuncidados, pero sólo si tienen la misma clase de fe que tenía Abraham antes de ser circuncidado.

[13]Obviamente, la promesa que Dios hizo de dar toda la tierra a Abraham y a sus descendientes no se basaba en la obediencia de Abraham a la ley sino en una relación correcta con Dios, la cual viene por la fe. [14]Si la promesa de Dios es sólo para los que obedecen la ley, entonces la fe no hace falta y la promesa no tiene sentido. [15]Pues la ley siempre trae castigo para los que tratan de obedecerla. (¡La única forma de no violar la ley es no tener ninguna ley para violar!).

[16]Así que la promesa se recibe por medio de la fe. Es un regalo inmerecido. Y, vivamos o no de acuerdo con la ley de Moisés, todos estamos seguros de recibir esta promesa si tenemos una fe como la de Abraham, quien es el padre de todos los que creen. [17]A eso se refieren las Escrituras cuando citan lo que Dios le dijo: «Te hice padre de muchas naciones»*. Eso sucedió porque Abraham creyó en el Dios que da vida a los muertos y crea cosas nuevas de la nada.

[18]Aun cuando no había motivos para tener esperanza, Abraham siguió teniendo esperanza porque había creído en que llegaría a ser el padre de muchas naciones. Pues Dios le había dicho: «Ésa será la cantidad de descendientes que tendrás»*. [19]Y la fe de Abraham no se debilitó a pesar de que él reconocía que, por tener unos cien años de edad, su cuerpo ya estaba muy anciano para tener hijos, igual que el vientre de Sara.

[20]Abraham siempre creyó la promesa de Dios sin vacilar. De hecho, su fe se fortaleció aún más y así le dio gloria a Dios. [21]Abraham estaba plenamente convencido de que Dios es poderoso para cumplir todo lo que promete. [22]Y, debido a su fe, Dios lo consideró justo. [23]Y el hecho de que Dios lo considerara justo no fue sólo para beneficio de Abraham, sino que quedó escrito [24]también para nuestro beneficio, porque nos asegura que Dios nos considerará justos a nosotros también si creemos en él, quien levantó de los muertos a Jesús nuestro Señor. [25]Él fue entregado a la muerte por causa de nuestros pecados, y resucitado para hacernos justos a los ojos de Dios.

La fe produce alegría

5 Por lo tanto, ya que fuimos declarados justos a los ojos de Dios por medio de la fe, tenemos paz con Dios gracias a lo que Jesucristo nuestro Señor hizo por nosotros. [2]Debido a nuestra fe, Cristo nos hizo entrar en este lugar de privilegio inmerecido en el cual ahora permanecemos, y esperamos con confianza y alegría participar de la gloria de Dios.

[3]También nos alegramos al enfrentar pruebas y dificultades porque sabemos que nos ayudan a desarrollar resistencia. [4]Y la resistencia desarrolla firmeza de carácter, y el carácter fortalece nuestra esperanza segura de salvación. [5]Y esa esperanza no acabará en desilusión. Pues sabemos con cuánta ternura nos ama Dios, porque nos ha dado el Espíritu Santo para llenar nuestro corazón con su amor.

[6]Cuando éramos totalmente incapaces de salvarnos, Cristo vino en el momento preciso y murió por nosotros, pecadores.

4:17 Gn 17:5. **4:18** Gn 15:5.

[7]Ahora bien, casi nadie se ofrecería a morir por una persona honrada, aunque tal vez alguien podría estar dispuesto a dar su vida por una persona extraordinariamente buena; [8]pero Dios mostró el gran amor que nos tiene al enviar a Cristo a morir por nosotros cuando todavía éramos pecadores. [9]Entonces, como se nos declaró justos a los ojos de Dios por la sangre de Cristo, con toda seguridad él nos salvará de la condenación de Dios. [10]Pues, como nuestra amistad con Dios quedó restablecida por la muerte de su Hijo cuando todavía éramos sus enemigos, con toda seguridad seremos salvos por la vida de su Hijo. [11]Así que ahora podemos alegrarnos por nuestra nueva y maravillosa relación con Dios gracias a que nuestro Señor Jesucristo nos hizo amigos de Dios.

Comparación entre Adán y Cristo

[12]Cuando Adán pecó, el pecado entró en el mundo. El pecado de Adán introdujo la muerte, de modo que la muerte se extendió a todos, porque todos pecaron. [13]Es cierto, la gente ya pecaba aun antes de que se entregara la ley; pero no se le tomaba en cuenta como pecado, porque todavía no existía ninguna ley para violar. [14]Sin embargo, desde los tiempos de Adán hasta los de Moisés, todos murieron, incluso los que no desobedecieron un mandamiento explícito de Dios como lo hizo Adán. Ahora bien, Adán es un símbolo, una representación de Cristo, quien aún tenía que venir; [15]pero hay una gran diferencia entre el pecado de Adán y el regalo del favor inmerecido de Dios. Pues el pecado de un solo hombre, Adán, trajo muerte a muchos; pero aún más grande es la gracia maravillosa de Dios y el regalo de su perdón para muchos por medio de otro hombre, Jesucristo; [16]y el resultado del regalo del favor inmerecido de Dios es muy diferente de la consecuencia del pecado de ese primer hombre. Pues el pecado de Adán llevó a la condenación, pero el regalo de Dios nos lleva a ser declarados justos a los ojos de Dios, a pesar de que somos culpables de muchos pecados. [17]Pues el pecado de un solo hombre, Adán, hizo que la muerte reinara sobre muchos; pero aún más grande es la gracia maravillosa de Dios y el regalo de su justicia, porque todos los que lo reciben vivirán en victoria sobre el pecado y la muerte por medio de un solo hombre, Jesucristo.

[18]Así es, un solo pecado de Adán trae condenación para todos, pero un solo acto de justicia de Cristo trae una relación correcta con Dios y vida nueva para todos. [19]Por uno solo que desobedeció a Dios, muchos pasaron a ser pecadores; pero por uno solo que obedeció a Dios, muchos serán declarados justos.

[20]La ley de Dios fue entregada para que toda la gente se diera cuenta de la magnitud de su pecado, pero mientras más pecaba la gente, más abundaba la gracia maravillosa de Dios. [21]Entonces, así como el pecado reinó sobre todos y los llevó a la muerte, ahora reina en cambio la gracia maravillosa de Dios, la cual nos pone en la relación correcta con él y nos da como resultado la vida eterna por medio de Jesucristo nuestro Señor.

Cristo quebró el poder del pecado

6 Ahora bien, ¿deberíamos seguir pecando para que Dios nos muestre más y más su gracia maravillosa? [2]¡Por supuesto que no! Nosotros hemos muerto al pecado, entonces, ¿cómo es posible que sigamos viviendo en pecado? [3]¿O acaso olvidaron que, cuando fuimos unidos a Cristo en el bautismo, nos unimos a él en su muerte? [4]Pues hemos muerto y fuimos sepultados con Cristo mediante el bautismo; y tal como Cristo fue levantado de los muertos por el poder glorioso del Padre, ahora nosotros también podemos vivir una vida nueva.

[5]Dado que fuimos unidos a él en su muerte, también seremos resucitados como él. [6]Sabemos que nuestro antiguo ser pecaminoso fue crucificado con Cristo para que el pecado perdiera su poder en nuestra vida. Ya no somos esclavos del pecado. [7]Pues, cuando morimos con Cristo, fuimos liberados del poder del pecado; [8]y dado que morimos con Cristo, sabemos que también viviremos con él. [9]Estamos seguros de eso, porque Cristo fue levantado de los muertos y nunca más volverá a morir. La muerte ya no tiene ningún poder sobre él. [10]Cuando él murió, murió una sola vez, a fin de quebrar el poder del pecado; pero ahora que él vive, vive para la gloria de Dios. [11]Así también ustedes deberían considerarse muertos al poder del pecado y vivos para Dios por medio de Cristo Jesús.

[12]No permitan que el pecado controle la manera en que viven;* no caigan ante los deseos pecaminosos. [13]No dejen que ninguna parte de su cuerpo se convierta en un instrumento del mal para servir al pecado. En cambio, entréguense completamente a Dios, porque antes estaban muertos pero ahora tienen una vida nueva. Así que usen todo su cuerpo como un instrumento para hacer lo que es correcto para la gloria de Dios. [14]El pecado ya no es más su amo, porque ustedes ya no viven bajo las exigencias de la ley. En cambio, viven en la libertad de la gracia de Dios.

[15]Ahora bien, ¿eso significa que podemos seguir pecando porque la gracia de Dios nos ha liberado de la ley? ¡Claro que no! [16]¿No se dan cuenta de que uno se convierte en esclavo de todo lo que decide obedecer? Uno puede ser esclavo del pecado, lo cual lleva a la muerte, o puede decidir obedecer a Dios, lo cual lleva a una vida recta. [17]Antes ustedes eran esclavos del pecado pero, gracias a Dios, ahora obedecen de todo corazón la enseñanza que les hemos dado. [18]Ahora son libres de la esclavitud del pecado y se han hecho esclavos de la vida recta.

[19]Uso la ilustración de la esclavitud para ayudarlos a entender todo esto, porque la naturaleza humana de ustedes es débil. En el pasado, se dejaron esclavizar por la impureza y el desenfreno, lo cual los hundió aún más en el pecado. Ahora deben entregarse como esclavos a la vida recta para llegar a ser santos.

[20]Cuando eran esclavos del pecado, estaban libres de la obligación de hacer lo correcto. [21]¿Y cuál fue la consecuencia? Que ahora están avergonzados de las cosas que solían hacer, cosas que terminan en la condenación eterna; [22]pero ahora quedaron libres del poder del pecado y se han hecho esclavos de Dios. Ahora hacen las cosas que llevan a la santidad y que dan como resultado la vida eterna. [23]Pues la paga que deja el pecado es la muerte, pero el regalo que Dios da es la vida eterna por medio de Cristo Jesús nuestro Señor.

No más atados a la ley

7 Ahora bien, amados hermanos, ustedes que conocen la ley, ¿no saben que la ley se aplica sólo mientras una persona está viva? [2]Por ejemplo, cuando una mujer se casa, la ley la une a su marido mientras él viva; pero si él muere, las leyes del matrimonio ya no se aplican a ella. [3]Así que mientras su marido viva, ella cometería adulterio si se casara con otro hombre; pero si el esposo muere, ella queda libre de esa ley y no comete adulterio cuando se casa de nuevo.

[4]Por lo tanto, mis amados hermanos, la cuestión es la siguiente: ustedes mu-

6:12 O *No permitan que el pecado reine en su cuerpo, el cual está sujeto a la muerte.*

rieron al poder de la ley cuando murieron con Cristo y ahora están unidos a aquel que fue levantado de los muertos. Como resultado, podemos producir una cosecha de buenas acciones para Dios. [5]Cuando vivíamos controlados por nuestra vieja naturaleza,* los deseos pecaminosos actuaban dentro de nosotros y la ley despertaba esos malos deseos que producían una cosecha de acciones pecaminosas, las cuales nos llevaban a la muerte. [6]Pero ahora fuimos liberados de la ley, porque morimos a ella y ya no estamos presos de su poder. Ahora podemos servir a Dios, no según el antiguo modo —que consistía en obedecer la letra de la ley— sino mediante uno nuevo, el de vivir en el Espíritu.

La ley de Dios revela nuestro pecado

[7]Ahora bien, ¿acaso sugiero que la ley de Dios es pecaminosa? ¡De ninguna manera! De hecho, fue la ley la que me mostró mi pecado. Yo nunca hubiera sabido que codiciar es malo si la ley no dijera: «No codicies»*. [8]¡Pero el pecado usó ese mandamiento para despertar toda clase de deseos codiciosos dentro de mí! Si no existiera la ley, el pecado no tendría ese poder. [9]Hubo un tiempo en que viví sin entender la ley. Sin embargo, cuando aprendí, por ejemplo, el mandamiento de no codiciar, el poder del pecado cobró vida [10]y yo morí. Entonces me di cuenta de que los mandatos de la ley —que supuestamente traían vida— trajeron, en cambio, muerte espiritual. [11]El pecado se aprovechó de esos mandatos y me engañó; usó los mandatos para matarme. [12]Sin embargo, la ley en sí misma es santa, y sus mandatos son santos, rectos y buenos.

[13]¿Pero cómo puede ser? ¿Acaso la ley, que es buena, provocó mi muerte? ¡Por supuesto que no! El pecado usó lo que era bueno a fin de lograr mi condena de muerte. Por eso, podemos ver qué terrible es el pecado. Se vale de los buenos mandatos de Dios para lograr sus propios fines malvados.

La lucha contra el pecado

[14]Por lo tanto, el problema no es con la ley, porque la ley es buena y espiritual. El problema está en mí, porque soy demasiado humano, un esclavo del pecado. [15]Realmente no me entiendo a mí mismo, porque quiero hacer lo que es correcto pero no lo hago. En cambio, hago lo que odio. [16]Pero si yo sé que lo que hago está mal, eso demuestra que estoy de acuerdo con que la ley es buena. [17]Entonces no soy yo el que hace lo que está mal, sino el pecado que vive en mí.

[18]Yo sé que en mí, es decir, en mi naturaleza pecaminosa* no existe nada bueno. Quiero hacer lo que es correcto, pero no puedo. [19]Quiero hacer lo que es bueno, pero no lo hago. No quiero hacer lo que está mal, pero igual lo hago. [20]Ahora, si hago lo que no quiero hacer, realmente no soy yo el que hace lo que está mal, sino el pecado que vive en mí.

[21]He descubierto el siguiente principio de vida: que cuando quiero hacer lo que es correcto, no puedo evitar hacer lo que está mal. [22]Amo la ley de Dios con todo mi corazón, [23]pero hay otro poder* dentro de mí que está en guerra con mi mente. Ese poder me esclaviza al pecado que todavía está dentro de mí. [24]¡Soy un pobre desgraciado! ¿Quién me libertará de esta vida dominada por el pecado y la muerte? [25]¡Gracias a Dios! La respuesta está en Jesucristo nuestro Señor. Así que ya ven: en mi mente de verdad quiero obedecer la ley de Dios, pero a causa de mi naturaleza pecaminosa, soy esclavo del pecado.

7:5 En griego *Cuando estábamos en la carne.* **7:7** Ex 20:17; Dt 5:21. **7:18** En griego *mi carne;* también en 7:25. **7:23** En griego *otra ley;* también en 7:23b.

La vida en el Espíritu

8 Por lo tanto, ya no hay condenación para los que pertenecen a Cristo Jesús; [2]y porque ustedes pertenecen a él, el poder* del Espíritu que da vida los* ha libertado del poder del pecado, que lleva a la muerte. [3]La ley de Moisés no podía salvarnos, porque nuestra naturaleza pecaminosa* es débil. Así que Dios hizo lo que la ley no podía hacer. Él envió a su propio Hijo en un cuerpo como el que nosotros los pecadores tenemos; y en ese cuerpo, Dios declaró el fin del dominio que el pecado tenía sobre nosotros mediante la entrega de su Hijo como sacrificio por nuestros pecados. [4]Lo hizo para que se cumpliera totalmente la exigencia justa de la ley a favor de nosotros, que ya no seguimos a nuestra naturaleza pecaminosa sino que seguimos al Espíritu.

[5]Los que están dominados por la naturaleza pecaminosa piensan en cosas pecaminosas, pero los que son controlados por el Espíritu Santo piensan en las cosas que agradan al Espíritu. [6]Por lo tanto, permitir que la naturaleza pecaminosa les controle la mente lleva a la muerte. Pero permitir que el Espíritu les controle la mente lleva a la vida y a la paz. [7]Pues la naturaleza pecaminosa es enemiga de Dios siempre. Nunca obedeció las leyes de Dios y jamás lo hará. [8]Por eso, los que todavía viven bajo el dominio de la naturaleza pecaminosa nunca pueden agradar a Dios.

[9]Pero ustedes no están dominados por su naturaleza pecaminosa. Son controlados por el Espíritu si el Espíritu de Dios vive en ustedes. (Y recuerden que los que no tienen al Espíritu de Cristo en ellos, de ninguna manera pertenecen a él). [10]Y Cristo vive en ustedes; entonces, aunque el cuerpo morirá por causa del pecado, el Espíritu les da vida,* porque ustedes ya fueron declarados justos a los ojos de Dios. [11]El Espíritu de Dios, quien levantó a Jesús de los muertos, vive en ustedes; y así como Dios levantó a Cristo Jesús de los muertos, él dará vida a sus cuerpos mortales mediante el mismo Espíritu, quien vive en ustedes.

[12]Por lo tanto, amados hermanos, no están obligados a hacer lo que su naturaleza pecaminosa los incita a hacer; [13]pues, si viven obedeciéndola, morirán; pero si mediante el poder del Espíritu hacen morir las acciones de la naturaleza pecaminosa,* vivirán. [14]Pues todos los que son guiados por el Espíritu de Dios son hijos de Dios.

[15]Y ustedes no han recibido un espíritu que los esclavice al miedo. En cambio, recibieron el Espíritu de Dios cuando él los adoptó como sus propios hijos.* Ahora lo llamamos «Abba, Padre»*. [16]Pues su Espíritu se une a nuestro espíritu para confirmar que somos hijos de Dios. [17]Así que como somos sus hijos, también somos sus herederos. De hecho, somos herederos junto con Cristo de la gloria de Dios; pero si vamos a participar de su gloria, también debemos participar de su sufrimiento.

La gloria futura

[18]Sin embargo, lo que ahora sufrimos no es nada comparado con la gloria que él nos revelará más adelante. [19]Pues toda la creación espera con anhelo el día futuro en que Dios revelará quiénes son verdaderamente sus hijos. [20]Contra su propia voluntad, toda la creación quedó sujeta a la maldición de Dios. Sin embargo, con gran esperanza, [21]la creación espera el día en que se unirá junto con

8:2a En griego *la ley;* también en 8:2b. **8:2b** Algunos manuscritos dicen *me*. **8:3** En griego *nuestra carne;* similar en 8:4, 5, 6, 7, 8, 9, 12. **8:10** O *el espíritu de ustedes está vivo*. **8:13** En griego *las acciones del cuerpo*. **8:15a** En griego *recibieron un espíritu de adopción como hijos*. **8:15b** *Abba* es un término arameo para la palabra «padre».

los hijos de Dios a la gloriosa libertad de la muerte y la descomposición. [22]Pues sabemos que, hasta el día de hoy, toda la creación gime de angustia como si tuviera dolores de parto; [23]y los creyentes también gemimos —aunque tenemos al Espíritu de Dios en nosotros como una muestra anticipada de la gloria futura— porque anhelamos que nuestro cuerpo sea liberado del pecado y el sufrimiento. Nosotros también deseamos con una esperanza ferviente que llegue el día en que Dios nos dé todos nuestros derechos como sus hijos adoptivos,* incluido el nuevo cuerpo que nos prometió. [24]Recibimos esa esperanza cuando fuimos salvos. (Si uno ya tiene algo, no necesita esperarlo; [25]pero si deseamos algo que todavía no tenemos, debemos esperar con paciencia y confianza).

[26]Además, el Espíritu Santo nos ayuda en nuestra debilidad. Por ejemplo, nosotros no sabemos qué quiere Dios que le pidamos en oración, pero el Espíritu Santo ora por nosotros con gemidos que no pueden expresarse con palabras. [27]Y el Padre, quien conoce cada corazón, sabe lo que el Espíritu dice, porque el Espíritu intercede por nosotros, los creyentes,* en armonía con la voluntad de Dios. [28]Y sabemos que Dios hace que todas las cosas cooperen* para el bien de los que lo aman y son llamados según el propósito que él tiene para ellos. [29]Pues Dios conoció a los suyos de antemano y los eligió para que llegaran a ser como su Hijo, a fin de que su Hijo fuera el hijo mayor* de muchos hermanos. [30]Después de haberlos elegido, Dios los llamó para que se acercaran a él; y una vez que los llamó, los puso en la relación correcta con él; y luego de ponerlos en la relación correcta con él, les dio su gloria.

Nada puede separarnos del amor de Dios

[31]¿Qué podemos decir acerca de cosas tan maravillosas como éstas? Si Dios está a favor de nosotros, ¿quién podrá ponerse en nuestra contra? [32]Si Dios no se guardó ni a su propio Hijo, sino que lo entregó por todos nosotros, ¿no nos dará también todo lo demás? [33]¿Quién se atreve a acusarnos a nosotros, a quienes Dios ha elegido para sí? Nadie, porque Dios mismo nos puso en la relación correcta con él. [34]Entonces, ¿quién nos condenará? Nadie, porque Cristo Jesús murió por nosotros y resucitó por nosotros, y está sentado en el lugar de honor, a la derecha de Dios, e intercede por nosotros.

[35]¿Acaso hay algo que pueda separarnos del amor de Cristo? ¿Será que él ya no nos ama si tenemos problemas o aflicciones, si somos perseguidos o pasamos hambre o estamos en la miseria o en peligro o bajo amenaza de muerte? [36](Como dicen las Escrituras: «Por tu causa nos matan cada día; nos tratan como a ovejas en el matadero»*). [37]Claro que no, a pesar de todas estas cosas, nuestra victoria es absoluta por medio de Cristo, quien nos amó.

[38]Y estoy convencido de que nada podrá jamás separarnos del amor de Dios. Ni la muerte ni la vida, ni ángeles ni demonios,* ni nuestros temores de hoy ni nuestras preocupaciones de mañana. Ni siquiera los poderes del infierno pueden separarnos del amor de Dios. [39]Ningún poder en las alturas ni en las profundidades, de hecho, nada en toda la creación podrá jamás separarnos del amor de Dios, que está revelado en Cristo Jesús nuestro Señor.

8:23 En griego *esperamos ansiosamente la adopción como hijos.* **8:27** En griego *el pueblo santo de Dios.* **8:28** Algunos manuscritos dicen *Y sabemos que todo coopera.* **8:29** O *fuera el supremo.* **8:36** Sal 44:22. **8:38** En griego *ni gobernantes.*

Dios elige a Israel

9 Con Cristo de testigo hablo con toda veracidad. Mi conciencia y el Espíritu Santo lo confirman. [2]Tengo el corazón lleno de amarga tristeza e infinito dolor [3]por mi pueblo, mis hermanos judíos.* Yo estaría dispuesto a vivir bajo maldición para siempre —¡separado de Cristo!— si eso pudiera salvarlos. [4]Ellos son el pueblo de Israel, elegidos para ser los hijos adoptivos* de Dios. Él les reveló su gloria, hizo pactos con ellos y les entregó su ley. Les dio el privilegio de adorarlo y de recibir sus promesas maravillosas. [5]Abraham, Isaac y Jacob son los antepasados de los israelitas, y Cristo mismo era israelita en cuanto a su naturaleza humana. Y él es Dios, el que reina sobre todas las cosas, ¡y es digno de eterna alabanza! Amén.*

[6]Ahora bien, ¿acaso Dios no cumplió su promesa a Israel? ¡No, porque no todos los que nacen en la nación de Israel son en verdad miembros del pueblo de Dios! [7]Ser descendientes de Abraham no los hace verdaderos hijos de Abraham, pues las Escrituras dicen: «Isaac es el hijo mediante el cual procederán tus descendientes»*, aunque Abraham también tuvo otros hijos. [8]Eso significa que no todos los descendientes naturales de Abraham son necesariamente hijos de Dios. Sólo los hijos de la promesa son considerados hijos de Abraham; [9]pues Dios había prometido: «Volveré dentro de un año, y Sara tendrá un hijo»*.

[10]Ese hijo fue nuestro antepasado Isaac. Cuando se casó con Rebeca, ella dio a luz mellizos.* [11]Sin embargo, antes de que nacieran, antes de que pudieran hacer algo bueno o malo, ella recibió un mensaje de Dios. (Este mensaje demuestra que Dios elige a la gente según sus propósitos; [12]él llama a las personas, pero no según las buenas o malas acciones que hayan hecho). Se le dijo: «Tu hijo mayor servirá a tu hijo menor»*. [13]Como dicen las Escrituras: «Amé a Jacob, pero rechacé a Esaú»*.

[14]¿Estamos diciendo, entonces, que Dios fue injusto? ¡Por supuesto que no! [15]Pues Dios le dijo a Moisés:

> «Tendré misericordia de quien yo
> quiera
> y mostraré compasión con quien
> yo quiera»*.

[16]Por lo tanto, es Dios quien decide tener misericordia. No depende de nuestro deseo ni de nuestro esfuerzo.

[17]Pues las Escrituras cuentan que Dios le dijo al faraón: «Te he designado con el propósito específico de exhibir mi poder en ti y dar a conocer mi fama por toda la tierra»*. [18]Así que, como ven, Dios decide tener misericordia de algunos y también decide endurecer el corazón de otros para que se nieguen a escuchar.

[19]Ahora bien, ustedes podrían decir: «¿Por qué Dios culpa a las personas por no responder? ¿Acaso no hicieron sencillamente lo que él les exige que hagan?».

[20]No, no digan eso. ¿Quién eres tú, simple ser humano, para discutir con Dios? ¿Acaso el objeto creado puede preguntarle a su creador: «¿Por qué me has hecho así?»? [21]Cuando un alfarero hace vasijas de barro, ¿no tiene derecho a usar del mismo trozo de barro para hacer una vasija de adorno y otra para arrojar basura? [22]De la misma manera, aunque Dios tiene el derecho de mostrar su enojo y su poder, él es muy paciente con aquellos que son objeto de su enojo, los que están destinados para destrucción. [23]Lo hace para que

9:3 En griego *pueblo, mis hermanos.* **9:4** En griego *elegidos para la adopción como hijos.* **9:5** O *Que Dios, el que reina sobre todas las cosas, sea alabado por siempre. Amén.* **9:7** Gn 21:12. **9:9** Gn 18:10, 14. **9:10** En griego *ella concibió hijos de ese hombre solamente.* **9:12** Gn 25:23. **9:13** Ml 1:2-3. **9:15** Ex 33:19. **9:17** Ex 9:16 (versión griega).

las riquezas de su gloria brillen con mucha más intensidad sobre aquellos a quienes les tiene misericordia, los que preparó de antemano para gloria. [24]Y nosotros estamos entre los que él eligió, ya sea del grupo de los judíos o de los gentiles.

[25]Con respecto a los gentiles, Dios dice en la profecía de Oseas:

«A los que no eran mi pueblo,
ahora los llamaré mi pueblo.
Y amaré a los que
antes no amaba»*.

[26]Y también dice:

«En el lugar donde se les dijo:
"Ustedes no son mi pueblo",
allí serán llamados
"hijos del Dios viviente"»*.

[27]Con respecto a Israel, el profeta Isaías clamó:

«Aunque los hijos de Israel son tan
numerosos como la arena de
la playa,
sólo un remanente se salvará.
[28] Pues el SEÑOR ejecutará su sentencia
sobre la tierra
sin demora y de manera
terminante»*.

[29]Y lo mismo dijo Isaías en otro lugar:

«Si el SEÑOR de los Ejércitos
Celestiales
no hubiera perdonado la vida a
unos cuantos de nuestros hijos,
habríamos sido exterminados como
Sodoma
y destruidos como Gomorra»*.

Incredulidad de Israel

[30]¿Qué significa todo esto? Aunque los gentiles no trataban de seguir las normas de Dios, fueron declarados justos a los ojos de Dios; y eso sucedió por medio de la fe. [31]Pero los hijos de Israel, que se esforzaron tanto en cumplir la ley para llegar a ser justos ante Dios, nunca lo lograron. [32]¿Por qué no? Porque trataban de hacerse justos ante Dios por cumplir la ley* en lugar de confiar en él. Tropezaron con la gran piedra en su camino. [33]Dios se lo advirtió en las Escrituras cuando dijo:

«Pongo en Jerusalén* una piedra que
hace tropezar a muchos,
una roca que los hace caer.
Pero todo el que confíe en él
jamás será avergonzado»*.

10 Amados hermanos, el profundo deseo de mi corazón y mi oración a Dios es que los israelitas lleguen a ser salvos. [2]Yo sé que ellos tienen un gran entusiasmo por Dios, pero es un fervor mal encauzado. [3]Pues no entienden la forma en que Dios hace justas a las personas ante él. Se niegan a aceptar el modo de Dios y, en cambio, se aferran a su propio modo de hacerse justos ante él tratando de cumplir la ley. [4]Sin embargo, Cristo ya cumplió el propósito por el cual se entregó la ley.* Como resultado, a todos los que creen en él se les declara justos a los ojos de Dios.

La salvación es para todos

[5]Pues Moisés escribe que la ley exige obediencia a todos sus mandatos* para que una persona llegue a ser justa ante Dios. [6]Pero el modo de la fe para hacernos justos ante Dios dice: «No digas en tu corazón: "¿Quién subirá al cielo?" (para hacer bajar a Cristo a la tierra). [7]Ni tampoco digas: "¿Quién descenderá al lugar de los muertos?" (para volver a Cristo de nuevo a la vida)». [8]En realidad, dice:

9:25 Os 2:23. **9:26** Os 1:10. **9:27-28** Is 10:22-23 (versión griega). **9:29** Is 1:9. **9:32** En griego *por medio de acciones*. **9:33a** En griego *en Sión*. **9:33b** Is 8:14; 28:16 (versión griega). **10:4** O *Pues Cristo es el fin de la ley*. **10:5** Ver Lv 18:5.

«El mensaje está muy cerca de ti,
está en tus labios y en tu corazón»*.

Y ese mensaje es el mismo mensaje que nosotros predicamos acerca de la fe: [9]Si confiesas con tu boca que Jesús es el Señor y crees en tu corazón que Dios lo levantó de los muertos, serás salvo. [10]Pues es por creer en tu corazón que eres declarado justo a los ojos de Dios y es por confesarlo con tu boca que eres salvo. [11]Como nos dicen las Escrituras: «Todo el que confíe en él jamás será deshonrado»*. [12]No hay diferencia entre los judíos y los gentiles* en ese sentido. Ambos tienen al mismo Señor, quien da con generosidad a todos los que lo invocan. [13]Pues «todo el que invoque el nombre del Señor será salvo»*.

[14]¿Pero cómo pueden ellos invocarlo para que los salve si no creen en él? ¿Y cómo pueden creer en él si nunca han oído de él? ¿Y cómo pueden oír de él a menos que alguien se lo diga? [15]¿Y cómo irá alguien a contarles sin ser enviado? Por eso, las Escrituras dicen: «¡Qué hermosos son los pies de los mensajeros que traen buenas noticias!»*.

[16]Sin embargo, no todos aceptan la Buena Noticia, porque el profeta Isaías dijo: «Señor, ¿quién ha creído nuestro mensaje?»*. [17]Así que la fe viene por oír, es decir, por oír la Buena Noticia acerca de Cristo. [18]Pero pregunto: ¿de verdad el pueblo de Israel oyó el mensaje? Claro que sí.

«El mensaje se ha difundido por toda
la tierra,
y sus palabras, por todo el mundo»*.

[19]Vuelvo a preguntar: ¿entendió realmente el pueblo de Israel? Por supuesto que sí. Pues, incluso en el tiempo de Moisés, Dios dijo:

«Despertaré sus celos con un pueblo
que ni siquiera es una nación.
Provocaré su enojo por medio de
gentiles insensatos»*.

[20]Luego Isaías habló audazmente de parte de Dios y dijo:

«Me encontraron personas que no me
buscaban.
Me mostré a los que no
preguntaban por mí»*.

[21]Pero, con respecto a Israel, Dios dijo:

«Todo el día les abrí mis brazos,
pero ellos fueron desobedientes
y rebeldes»*.

Misericordia de Dios con Israel

11 Entonces pregunto: ¿acaso Dios ha rechazado a su propio pueblo, la nación de Israel? ¡Por supuesto que no! Yo mismo soy israelita, descendiente de Abraham y miembro de la tribu de Benjamín.

[2]No, Dios no ha rechazado a su propio pueblo, al cual eligió desde el principio. ¿Se dan cuenta de lo que dicen las Escrituras sobre el tema? El profeta Elías se quejó del pueblo de Israel ante Dios y dijo: [3]«Señor, han matado a tus profetas y derribaron tus altares. Soy el único que queda con vida, y ahora me buscan para matarme a mí también»*.

[4]¿Y recuerdan la respuesta de Dios? Él dijo: «¡No, tengo a siete mil más que nunca se han inclinado ante Baal!»*.

[5]Lo mismo sucede hoy, porque unos cuantos del pueblo de Israel* han permanecido fieles por la gracia de Dios, es decir, por su bondad inmerecida al elegirlos; [6]y como es mediante la bondad de Dios, entonces no es por medio de bue-

10:6-8 Dt 30:12-14. **10:11** Is 28:16 (versión griega). **10:12** *Gentil[es],* que no es judío. En griego *y los griegos.* **10:13** Jl 2:32. **10:15** Is 52:7. **10:16** Is 53:1. **10:18** Sal 19:4. **10:19** Dt 32:21. **10:20** Is 65:1 (versión griega). **10:21** Is 65:2 (versión griega). **11:3** 1 Re 19:10, 14. **11:4** 1 Re 19:18. **11:5** En griego *porque un remanente.*

nas acciones. Pues, en ese caso, la gracia de Dios no sería lo que realmente es: gratuita e inmerecida.

[7]Así que la situación es la siguiente: la mayoría del pueblo de Israel no ha encontrado el favor de Dios que tanto busca. Unos cuantos sí lo han encontrado —los que Dios ha elegido—, pero el corazón de los demás fue endurecido. [8]Como dicen las Escrituras:

> «Dios los hizo caer en un sueño profundo.
> Hasta el día de hoy, les ha cerrado los ojos para que no vean
> y les ha tapado los oídos para que no oigan»*.

[9]También David dijo:

> «Que su mesa de abundancia se convierta en una red,
> en una trampa que los lleve a pensar que todo está bien.
> Que sus bendiciones los hagan tropezar
> y que reciban su merecido.
> [10] Que sus ojos queden ciegos para que no puedan ver,
> y la espalda se les encorve para siempre»*.

[11]¿Acaso el pueblo de Dios tropezó y cayó sin posibilidad de recuperarse? ¡De ninguna manera! El pueblo fue desobediente, por eso Dios puso la salvación al alcance de los gentiles.* Sin embargo, él quería que su propio pueblo sintiera celos y la reclamara para sí. [12]Ahora bien, si los gentiles fueron enriquecidos porque los israelitas rechazaron la oferta de salvación de Dios, imagínense cuánto más grande será la bendición para el mundo cuando ellos por fin la acepten.

[13]Menciono todo lo anterior especialmente para ustedes, los gentiles. Dios me designó apóstol a los gentiles. Pongo énfasis en esto [14]porque, de alguna manera, quiero hacer que los hijos de Israel sientan celos de lo que tienen ustedes, los gentiles, y entonces yo pueda salvar a algunos de ellos. [15]Pues, si el rechazo de ellos hizo que Dios ofreciera la salvación al resto del mundo, la aceptación de ellos será algo aún más maravilloso. ¡Será vida para los que estaban muertos! [16]Y dado que Abraham y los otros patriarcas fueron santos, sus descendientes también serán santos, del mismo modo que toda la masa de pan es santa porque la porción que se da como ofrenda es santa. Pues, si las raíces del árbol son santas, las ramas también lo serán.

[17]Algunas ramas del árbol de Abraham —algunos del pueblo de Israel— han sido arrancadas; y ustedes, los gentiles, que eran ramas de un olivo silvestre, fueron injertados. Así que ahora ustedes también reciben la bendición que Dios prometió a Abraham y a sus hijos, con lo cual comparten con ellos el alimento nutritivo que proviene de la raíz del olivo especial de Dios. [18]Así que no se jacten de haber sido injertados para reemplazar a las ramas que fueron arrancadas. Ustedes son sólo una rama, no son la raíz.

[19]Tal vez digas: «Bueno, esas ramas fueron arrancadas para darme lugar a mí». [20]Es cierto, pero recuerda: esas ramas fueron arrancadas porque no creyeron en Cristo, y tú estás allí porque sí crees. Así que no te consideres tan importante, más bien teme lo que podría suceder. [21]Pues, si Dios no perdonó a las ramas originales, tampoco te perdonará* a ti.

[22]Fíjate en que Dios es bondadoso pero también es severo. Es severo con los que desobedecen, pero será bondadoso contigo si sigues confiando en su

11:8 Is 29:10; Dt 29:4. **11:9-10** Sal 69:22-23 (versión griega). **11:11** *Gentil[es]*, que no es judío.
11:21 Algunos manuscritos dicen *quizá tampoco te perdonará*.

bondad. En cambio, si dejas de confiar, tú también serás arrancado por completo. [23]Y si el pueblo de Israel abandona su incredulidad, volverá a ser injertado, pues Dios tiene poder para volver a injertarlo en el árbol. [24]Tú, por naturaleza, eras una rama cortada de un olivo silvestre. Por lo tanto, si Dios estuvo dispuesto a ir en contra de la naturaleza al injertarte en un árbol cultivado, él estará mucho más dispuesto a injertar las ramas originales en el árbol al que pertenecen.

La misericordia de Dios es para todos

[25]Mis amados hermanos, quiero que entiendan este misterio para que no se vuelvan orgullosos de ustedes mismos. Parte del pueblo de Israel tiene el corazón endurecido, pero eso sólo durará hasta que se complete el número de gentiles que aceptarán a Cristo. [26]Y entonces todo Israel será salvo. Como dicen las Escrituras:

«El que rescata vendrá de Jerusalén*
y apartará a Israel* de la maldad.
[27] Y mi pacto con ellos es
que quitaré sus pecados»*.

[28]Muchos del pueblo de Israel ahora son enemigos de la Buena Noticia, y eso los beneficia a ustedes, los gentiles. Sin embargo, ellos todavía son el pueblo que Dios ama, porque él eligió a los antepasados Abraham, Isaac y Jacob. [29]Pues los dones de Dios y su llamado son irrevocables. [30]Ustedes, los gentiles, antes eran rebeldes contra Dios, pero cuando el pueblo de Israel se rebeló contra él, Dios tuvo misericordia de ustedes y no de ellos. [31]Ahora ellos son los rebeldes y a ustedes Dios les mostró su misericordia para que ellos también participen* de la misericordia de Dios. [32]Pues Dios encarceló a todos en la desobediencia para poder tener misericordia de todos.

[33]¡Qué grande es la riqueza, la sabiduría y el conocimiento de Dios! ¡Es realmente imposible para nosotros entender sus decisiones y sus caminos!

[34] Pues, ¿quién puede conocer los
pensamientos del SEÑOR?
¿Quién sabe lo suficiente para
aconsejarlo?*
[35] ¿Y quién le ha entregado tanto
para que él tenga que devolvérselo?*

[36]Pues todas las cosas provienen de él y existen por su poder y son para su gloria. ¡A él sea toda la gloria por siempre! Amén.

Sacrificio vivo para Dios

12 Por lo tanto, amados hermanos, les ruego que entreguen su cuerpo a Dios por todo lo que él ha hecho a favor de ustedes. Que sea un sacrificio vivo y santo, la clase de sacrificio que a él le agrada. Esa es la verdadera forma de adorarlo.* [2]No imiten las conductas ni las costumbres de este mundo, más bien dejen que Dios los transforme en personas nuevas al cambiarles la manera de pensar. Entonces aprenderán a conocer la voluntad de Dios para ustedes, la cual es buena, agradable y perfecta.

[3]Basado en el privilegio y la autoridad* que Dios me ha dado, le advierto a cada uno de ustedes lo siguiente: ninguno se crea mejor de lo que realmente es. Sean realistas al evaluarse a ustedes mismos, háganlo según la medida de fe que Dios les haya dado.* [4]Así como nuestro cuerpo tiene muchas partes y cada parte

11:26a En griego *de Sión.* **11:26b** En griego *Jacob.* **11:26-27** Is 59:20-21; 27:9 (versión griega). **11:31** Otros manuscritos dicen *ahora participen;* incluso otros dicen *algún día participen.* **11:34** Is 40:13 (versión griega). **11:35** Ver Jb 41:11. **12:1** O *Esa es la adoración espiritual de ustedes;* o *Ese es el servicio que se espera de ustedes.* **12:3a** O *Basado en la gracia;* comparar 1:5. **12:3b** O *fe que Dios nos haya dado;* o *según la medida de nuestra fe dada por Dios.*

tiene una función específica, [5]el cuerpo de Cristo también. Nosotros somos las diversas partes de un solo cuerpo y nos pertenecemos unos a otros.

[6]Dios, en su gracia, nos ha dado dones diferentes para hacer bien determinadas cosas. Por lo tanto, si Dios te dio la capacidad de profetizar, habla con toda la fe que Dios te haya concedido. [7]Si tu don es servir a otros, sírvelos bien. Si eres maestro, enseña bien. [8]Si tu don consiste en animar a otros, anímalos. Si tu don es dar, hazlo con generosidad. Si Dios te ha dado la capacidad de liderar, toma la responsabilidad en serio. Y si tienes el don de mostrar bondad a otros, hazlo con gusto.

[9]No finjan amar a los demás; ámenlos de verdad. Aborrezcan lo malo. Aférrense a lo bueno. [10]Ámense unos a otros con un afecto genuino* y deléitense al honrarse mutuamente. [11]No sean nunca perezosos, más bien trabajen con esmero y sirvan al Señor con entusiasmo.* [12]Alégrense por la esperanza segura que tenemos. Tengan paciencia en las dificultades y sigan orando. [13]Estén listos para ayudar a los hijos de Dios cuando pasen necesidad. Estén siempre dispuestos a brindar hospitalidad.

[14]Bendigan a quienes los persiguen. No los maldigan, sino pídanle a Dios en oración que los bendiga. [15]Alégrense con los que están alegres y lloren con los que lloran. [16]Vivan en armonía unos con otros. No sean tan orgullosos como para no disfrutar de la compañía de la gente común. ¡Y no piensen que lo saben todo!

[17]Nunca devuelvan a nadie mal por mal. Compórtense de tal manera que todo el mundo vea que ustedes son personas honradas. [18]Hagan todo lo posible por vivir en paz con todos.

[19]Queridos amigos, nunca tomen venganza. Dejen que se encargue la justa ira de Dios. Pues dicen las Escrituras:

«Yo tomaré venganza;
Yo les pagaré lo que se merecen»*,
dice el SEÑOR.

[20]En cambio,

«Si tus enemigos tienen hambre, dales de comer.
Si tienen sed, dales de beber.
Al hacer eso, amontonarás carbones encendidos de vergüenza sobre su cabeza»*.

[21]No dejen que el mal los venza, más bien venzan el mal haciendo el bien.

Respeto por las autoridades

13 Toda persona debe someterse a las autoridades de gobierno, pues toda autoridad proviene de Dios, y los que ocupan puestos de autoridad están allí colocados por Dios. [2]Por lo tanto, cualquiera que se rebele contra la autoridad se rebela contra lo que Dios ha instituido, y será castigado. [3]Pues las autoridades no infunden temor a los que hacen lo que está bien, sino en los que hacen lo que está mal. ¿Quieres vivir sin temor a las autoridades? Haz lo correcto, y ellas te honrarán. [4]Las autoridades están al servicio de Dios para tu bien; pero si estás haciendo algo malo, por supuesto que deberías tener miedo, porque ellas tienen poder para castigarte. Están al servicio de Dios para cumplir el propósito específico de castigar a los que hacen lo malo. [5]Por eso tienes que someterte a ellas, no sólo para evitar el castigo, sino para mantener tu conciencia limpia.

[6]Por esas mismas razones, también paguen sus impuestos, pues los funcionarios de gobierno necesitan cobrar su sueldo. Ellos sirven a Dios con lo que hacen. [7]Ustedes den a cada uno lo que le deben: paguen los impuestos y demás aranceles

12:10 En griego *con amor fraternal.* **12:11** O *sirvan al Señor con un espíritu ferviente;* o *dejen que el Espíritu los entusiasme siempre que sirvan al Señor.* **12:19** Dt 32:35. **12:20** Pr 25:21-22.

a quien corresponda, y den respeto y honra a los que están en autoridad.

El amor cumple con los requisitos de Dios

[8]No deban nada a nadie, excepto el deber de amarse unos a otros. Si aman a su prójimo, cumplen con las exigencias de la ley de Dios. [9]Pues los mandamientos dicen: «No cometas adulterio. No mates. No robes. No codicies»*. Estos y otros mandamientos semejantes se resumen en uno solo: «Ama a tu prójimo como a ti mismo»*. [10]El amor no hace mal a otros, por eso el amor cumple con las exigencias de la ley de Dios.

[11]Esto es aún más urgente, porque ustedes saben que es muy tarde; el tiempo se acaba. Despierten, porque nuestra salvación ahora está más cerca que cuando recién creímos. [12]La noche ya casi llega a su fin; el día de la salvación amanecerá pronto. Por eso, dejen de lado sus actos oscuros como si se quitaran ropa sucia, y pónganse la armadura resplandeciente de la vida recta. [13]Ya que nosotros pertenecemos al día, vivamos con decencia a la vista de todos. No participen en la oscuridad de las fiestas desenfrenadas y de las borracheras, ni vivan en promiscuidad sexual e inmoralidad, ni se metan en peleas, ni tengan envidia. [14]Más bien, vístanse con la presencia del Señor Jesucristo. Y no se permitan pensar en formas de complacer los malos deseos.

El peligro de juzgar

14 Acepten a los creyentes que son débiles en la fe y no discutan acerca de lo que ellos consideran bueno o malo. [2]Por ejemplo, un creyente piensa que está bien comer de todo; pero otro creyente, con una conciencia sensible, come sólo verduras. [3]Los que se sienten libres para comer de todo no deben menospreciar a los que no sienten la misma libertad; y los que no comen determinados alimentos no deben juzgar a los que sí los comen, porque a esos hermanos Dios los ha aceptado. [4]¿Quién eres tú para juzgar a los sirvientes de otro? Su amo dirá si quedan en pie o caen; y con la ayuda del Señor, quedarán en pie y recibirán la aprobación de él.

[5]Del mismo modo, algunos piensan que un día es más sagrado que otro, mientras que otros creen que todos los días son iguales. Cada uno debería estar plenamente convencido de que el día que elija es aceptable. [6]Los que adoran al Señor un día en particular lo hacen para honrarlo a él. Los que comen toda clase de alimentos lo hacen para honrar al Señor, ya que le dan gracias a Dios antes de comer. Y los que se niegan a comer ciertos alimentos también quieren agradar al Señor y le dan gracias a Dios. [7]Pues no vivimos para nosotros mismos ni morimos para nosotros mismos. [8]Si vivimos, es para honrar al Señor, y si morimos, es para honrar al Señor. Entonces, tanto si vivimos como si morimos, pertenecemos al Señor. [9]Cristo murió y resucitó con este propósito: ser Señor de los vivos y de los muertos.

[10]¿Por qué, entonces, juzgas a otro creyente?* ¿Por qué menosprecias a otro creyente? Recuerda que todos estaremos delante del tribunal de Dios. [11]Pues dicen las Escrituras:

> «Tan cierto como que yo vivo, dice el
> Señor,*
> toda rodilla se doblará ante mí,
> y toda lengua confesará a Dios
> y le dará alabanza*».

[12]Es cierto, cada uno de nosotros tendrá que responder por sí mismo ante Dios.

13:9a Ex 20:13-15, 17. **13:9b** Lv 19:18. **14:10** En griego *tu hermano;* también en 14:10b, 13, 15, 21. **14:11a** Is 49:18. **14:11b** O *confesará lealtad a Dios.* Is 45:23 (versión griega).

[13]Así que dejemos de juzgarnos unos a otros. Por el contrario, propónganse vivir de tal manera que no causen tropiezo ni caída a otro creyente.

[14]Yo sé —y estoy convencido por la autoridad del Señor Jesús— que ningún alimento en sí mismo está mal; pero si alguien piensa que está mal comerlo, entonces, para esa persona, está mal. [15]Si otro creyente se angustia por lo que tú comes, entonces no actúas con amor si lo comes. No permitas que lo que tú comes destruya a alguien por quien Cristo murió. [16]Entonces no serás criticado por hacer algo que tú crees que es bueno. [17]Pues el reino de Dios no se trata de lo que comemos o bebemos, sino de llevar una vida de bondad, paz y alegría en el Espíritu Santo. [18]Si tú sirves a Cristo con esa actitud, agradarás a Dios y también tendrás la aprobación de los demás. [19]Por lo tanto, procuremos que haya armonía en la iglesia y tratemos de edificarnos unos a otros.

[20]No destruyas la obra de Dios a causa de lo que comes. Recuerda que todos los alimentos están permitidos; lo malo es comer algo que haga tropezar a otro. [21]Es mejor no comer carne ni beber vino ni hacer ninguna otra cosa que pudiera causar tropiezo a otro creyente. [22]Tal vez crees que no hay nada malo en lo que haces, pero mantenlo entre tú y Dios. Benditos son los que no se sienten culpables por hacer algo que han decidido que es correcto; [23]pero si tienes dudas acerca de si debes o no comer algo en particular, entonces es pecado comerlo. Pues no eres fiel a tus convicciones. Si haces algo que crees que está mal, pecas.

Vivir para ayudar y edificar a otros

15 Los que somos fuertes debemos tener consideración de los que son sensibles a este tipo de cosas. No debemos agradarnos solamente a nosotros mismos. [2]Deberíamos ayudar a otros a hacer lo que es correcto y edificarlos en el Señor. [3]Pues ni siquiera Cristo vivió para agradarse a sí mismo. Como dicen las Escrituras: «Los insultos de aquellos que te insultan, oh Dios, han caído sobre mí»*. [4]Tales cosas se escribieron hace tiempo en las Escrituras para que nos sirvan de enseñanza. Y las Escrituras nos dan esperanza y ánimo mientras esperamos con paciencia hasta que se cumplan las promesas de Dios.

[5]Que Dios, quien da esa paciencia y ese ánimo, los ayude a vivir en plena armonía unos con otros, como corresponde a los seguidores de Cristo Jesús. [6]Entonces todos ustedes podrán unirse en una sola voz para dar alabanza y gloria a Dios, el Padre de nuestro Señor Jesucristo.

[7]Por lo tanto, acéptense unos a otros, tal como Cristo los aceptó a ustedes, para que Dios reciba la gloria. [8]Recuerden que Cristo vino a servir a los judíos* para demostrar que Dios es fiel a las promesas que les hizo a los antepasados de ellos. [9]También vino para que los gentiles* le dieran la gloria a Dios por la misericordia que él tuvo con ellos. A eso se refería el salmista cuando escribió:

«Por eso, te alabaré entre los gentiles,
cantaré alabanzas a tu nombre»*.

[10]Y en otro lugar está escrito:

«Alégrense con el pueblo de Dios,
ustedes, los gentiles»*.

[11]Y además:

«Alaben al Señor, todos ustedes, los
gentiles.
Todos los pueblos de la tierra,
alábenlo»*.

15:3 En griego *te insultan han caído sobre mí.* Sal 69:9. **15:8** En griego *como siervo de la circuncisión.* **15:9a** *Gentil[es],* que no es judío. **15:9b** Sal 18:49. **15:10** Dt 32:43. **15:11** Sal 117:1.

[12]Y en otro lugar Isaías dijo:

«El heredero del trono de David*
vendrá
y reinará sobre los gentiles.
Ellos pondrán su esperanza en él»*.

[13]Le pido a Dios, fuente de esperanza, que los llene completamente de alegría y paz, porque confían en él. Entonces rebosarán de una esperanza segura mediante el poder del Espíritu Santo.

Propósito de la carta

[14]Mis amados hermanos, estoy plenamente convencido de que ustedes están llenos de bondad. Conocen estas cosas tan bien que pueden enseñárselas unos a otros. [15]Aun así, me atreví a escribirles sobre algunos de estos temas porque sé que lo único que necesitan es recordarlos. Pues, por la gracia de Dios, [16]soy un mensajero especial de Cristo Jesús enviado a ustedes, los gentiles. Les transmito la Buena Noticia para presentarlos como una ofrenda aceptable a Dios, hecha santa por el Espíritu Santo. [17]Así que tengo razón de estar entusiasmado por todo lo que Cristo Jesús ha hecho por medio de mí al servir a Dios. [18]Sin embargo, no me atrevo a jactarme de nada, salvo de lo que Cristo ha hecho por medio de mí al llevar a los gentiles a Dios a través de mi mensaje y de la manera en que he trabajado entre ellos. [19]Los gentiles se convencieron por el poder de señales milagrosas y maravillas, y por el poder del Espíritu de Dios.* De esa manera, presenté con toda plenitud la Buena Noticia de Cristo desde Jerusalén hasta llegar a la región del Ilírico.*

[20]Mi gran aspiración siempre ha sido predicar la Buena Noticia donde nunca antes se ha oído el nombre de Cristo, y no donde otro ya ha comenzado una iglesia. [21]He seguido el plan que mencionan las Escrituras, donde dice:

«Los que nunca se enteraron de él
verán,
y los que nunca oyeron de él
entenderán»*.

[22]De hecho, mi visita a ustedes se demoró tanto precisamente porque estuve predicando en esos lugares.

Planes de viaje de Pablo

[23]Ahora que terminé mi trabajo en estas regiones y después de todos estos largos años de espera, tengo muchos deseos de ir a verlos. [24]Estoy pensando viajar a España. Cuando lo haga, me detendré en Roma, y luego de disfrutar de la compañía de ustedes por un breve tiempo, podrán ayudarme con lo necesario para mi viaje.

[25]Sin embargo, antes de visitarlos, debo ir a Jerusalén para llevar una ofrenda a los creyentes* de allí. [26]Pues, les cuento, los creyentes de Macedonia y Acaya* con entusiasmo juntaron una ofrenda para los creyentes de Jerusalén que son pobres. [27]Lo hicieron con gusto porque se sienten en deuda con ellos. Dado que los gentiles recibieron las bendiciones espirituales de la Buena Noticia por parte de los creyentes de Jerusalén, sienten que lo menos que pueden hacer por ellos a cambio es ayudarlos económicamente. [28]En cuanto yo entregue ese dinero y termine esa buena acción de los gentiles, iré a visitarlos a ustedes de camino a España. [29]Cuando vaya, estoy

15:12a En griego *La raíz de Isaí.* David era hijo de Isaí. **15:12b** Is 11:10 (versión griega). **15:19a** Otros manuscritos dicen *el Espíritu;* incluso otros dicen *el Espíritu Santo.* **15:19b** *Ilírico,* una región situada al noreste de Italia. **15:21** Is 52:15 (versión griega). **15:25** En griego *pueblo santo de Dios;* también en 15:26, 31. **15:26** *Macedonia* y *Acaya* eran las regiones norte y sur de Grecia respectivamente.

seguro de que Cristo bendecirá en abundancia el tiempo que pasemos juntos.

[30]Mis amados hermanos, les pido encarecidamente en el nombre de nuestro Señor Jesucristo que se unan a mi lucha orando a Dios por mí. Háganlo por el amor que me tienen, ese amor que el Espíritu Santo les ha dado. [31]Pídanle que me libre de los que están en Judea que se niegan a obedecer a Dios. Pídanle también que los creyentes de allí estén dispuestos a aceptar la ofrenda* que llevo a Jerusalén. [32]Entonces, por la voluntad de Dios, podré ir a verlos con un corazón alegre, y nos alentaremos unos a otros.

[33]Y que Dios, quien nos da su paz, esté con todos ustedes. Amén.*

Pablo saluda a sus amigos

16 Les encomiendo a nuestra hermana Febe, quien es diaconisa de la iglesia en Cencrea. [2]Recíbanla en el Señor como digna de honra en el pueblo de Dios. Ayúdenla en todo lo que necesite, porque ella ha sido de ayuda para muchos, especialmente para mí.

[3]Den mis saludos a Priscila y Aquila, mis colaboradores en el ministerio de Cristo Jesús. [4]De hecho, ellos una vez arriesgaron la vida por mí. Yo les estoy agradecido, igual que todas las iglesias de los gentiles.* [5]Den también mis saludos a la iglesia que se reúne en el hogar de ellos.

Saluden a mi querido amigo Epeneto. Él fue el primero de toda la provincia de Asia que se convirtió en seguidor de Cristo. [6]Denle mis saludos a María, quien ha trabajado tanto por ustedes. [7]Saluden a Andrónico y a Junias,* judíos como yo,* quienes estuvieron en la cárcel conmigo. Ellos son muy respetados entre los apóstoles y se hicieron seguidores de Cristo antes que yo. [8]Saluden a Amplias, mi querido amigo en el Señor. [9]Saludos también a Urbano, nuestro colaborador en Cristo, y a mi querido amigo Estaquis.

[10]Saluden a Apeles, un buen hombre aprobado por Cristo. Y den mis saludos a los creyentes de la familia de Aristóbulo. [11]Saluden a Herodión, judío como yo.* Saluden a los de la familia de Narciso que son del Señor. [12]Den mis saludos a Trifena y Trifosa, obreras del Señor, y a la amada Pérsida, quien ha trabajado tanto para el Señor. [13]Saluden a Rufo, a quien el Señor eligió para hacerlo suyo; y también a su querida madre, quien ha sido como una madre para mí.

[14]Den mis saludos a Asíncrito, Flegonte, Hermas, Patrobas, Hermes y a los hermanos que se reúnen con ellos. [15]Saluden también a Filólogo, Julia, Nereo y su hermana, y a Olimpas y a todos los creyentes* que se reúnen con ellos. [16]Salúdense unos a otros con amor cristiano.* Todas las iglesias de Cristo les envían saludos.

Instrucciones finales de Pablo

[17]Y ahora, mis amados hermanos, les pido algo más. Tengan cuidado con los que causan divisiones y trastornan la fe de los creyentes al enseñar cosas que van en contra de las que a ustedes se les enseñaron. Manténganse lejos de ellos. [18]Tales personas no sirven a Cristo nuestro Señor; sirven a sus propios intereses. Con palabras suaves y halagos, engañan a la gente inocente; [19]pero todos saben

15:31 En griego *el ministerio;* otros manuscritos dicen *el regalo.* **15:33** Algunos manuscritos no incluyen *Amén*. Un manuscrito muy antiguo ubica aquí los versículos 16:25-27. **16:4** *Gentil(es),* que no es judío. **16:7a** *Junias* es un nombre femenino. Algunos manuscritos antiguos ponen tilde a la palabra de modo que se lee *Junías*, un nombre masculino; incluso otros manuscritos, dicen *Julia* (nombre femenino). **16:7b** O *compatriotas;* también en 16:21. **16:11** O *compatriota.* **16:15** En griego *todo el pueblo santo de Dios.* **16:16** En griego *con un beso santo.*

que ustedes son obedientes al Señor. Eso me llena de alegría. Quiero que sean sabios para hacer lo que está bien y sigan siendo inocentes en cuanto a toda clase de mal. [20]El Dios de paz pronto aplastará a Satanás bajo los pies de ustedes. Que la gracia de nuestro Señor Jesús* sea con ustedes.

[21]Timoteo, mi compañero de trabajo, les manda saludos, igual que Lucio, Jasón y Sosípater, judíos como yo.

[22]Yo, Tercio, quien escribo esta carta de parte de Pablo, también les envío mis saludos como uno de los seguidores del Señor.

[23]Los saluda Gayo. Él es quien me hospeda y también recibe en su casa a toda la iglesia. Les envía saludos Erasto, el tesorero de la ciudad, y también el hermano Cuarto.*

[25]Que toda la gloria sea para Dios, quien puede fortalecerlos tal como expresa la Buena Noticia. En ese mensaje acerca de Jesucristo se ha revelado su plan para ustedes, los gentiles, un plan que estuvo guardado en secreto desde el principio del tiempo. [26]Pero ahora, tal como lo predijeron los profetas* y el Dios eterno lo ha ordenado, ese mensaje se da a conocer a todos los gentiles en todas partes, para que ellos también puedan creer y obedecerlo a él. [27]Toda la gloria sea para el único sabio Dios eternamente por medio de Jesucristo. Amén.

16:20 Algunos manuscritos dicen *Señor Jesucristo.* **16:23** Algunos manuscritos incluyen el versículo 24: *Que la gracia de nuestro Señor Jesucristo sea con todos ustedes. Amén.* Incluso otros incluyen este versículo después del versículo 27. **16:26** En griego *los escritos proféticos.*

«Pues todos hemos pecado;
nadie puede alcanzar la meta gloriosa establecida por Dios. Sin embargo, con una bondad que no merecemos, Dios nos declara justos por medio de Cristo Jesús, quien nos liberó del castigo de nuestros pecados».

ROMANOS 3:23-24

«Y estoy convencido de que nada podrá jamás separarnos del amor de Dios. Ni la muerte ni la vida, ni ángeles ni demonios, ni nuestros temores de hoy ni nuestras preocupaciones de mañana.
Ni siquiera los poderes del infierno pueden separarnos del amor de Dios. Ningún poder en las alturas ni en las profundidades, de hecho, nada en toda la creación podrá jamás separarnos del amor de Dios, que está revelado en Cristo Jesús nuestro Señor».

ROMANOS 8:38-39

INTRODUCCIÓN A LA PRIMERA CARTA DE PABLO A LOS CORINTIOS

Propósito: Resolver problemas doctrinales y prácticos en la iglesia en Corinto.

Autor: Pablo.

Destinatarios: La iglesia en Corinto (Grecia), y los cristianos en todo el mundo.

Fecha: Aproximadamente 55 ó 56 d. C., durante su tercer viaje misionero.

Contexto: Corinto era una importante ciudad cosmopolita, puerto y activo centro comercial. Era una de las ciudades más ricas y moralmente corruptas del mundo antiguo. En Grecia, la expresión «corintianizar» significaba estar involucrado en la actividad sexual promiscua.

Versículo clave: «Amados hermanos, les ruego por la autoridad de nuestro Señor Jesucristo que vivan en armonía los unos con los otros. Que no haya divisiones en la iglesia. Por el contrario, sean todos de un mismo parecer, unidos en pensamiento y propósito» (1:10).

Pablo estableció la iglesia en Corinto durante su segundo viaje misionero (Hechos 18). Tiempo después, comenzó a enterarse que surgían problemas en la iglesia, y escribió esta carta en un intento de resolverlos. En ella se ocupa de asuntos tales como discusiones entre distintos grupos que habían desarrollado una devoción por uno u otro de los predicadores; inmoralidad sexual; preguntas acerca del matrimonio y del divorcio; participación en la comida ofrecida a los ídolos; la cena del Señor; los dones espirituales; y la resurrección del cuerpo.

La primera cuestión que aborda es la de las divisiones. Pablo les recuerda que tanto él como los otros líderes son simplemente servidores de Cristo y como tales no deben ser idolatrados. Lo que cualquier líder o cristiano es, lo es por la gracia inmerecida de Dios. Al ser humano no le corresponde ninguna alabanza. Además, las funciones y los dones espirituales provienen de Dios y son para su gloria y para la edificación de los demás; «. . . nadie puede jamás jactarse en presencia de Dios» (1:29, ver también 4:7).

Pablo también encara los temas de la prostitución, la idolatría y la inmoralidad, tan comunes en Corinto que estos cristianos se sentían presionados a renegar de su fe y sus valores. Como respuesta, Pablo dice que el cuerpo del cristiano debe ser puro, ya que cada creyente es templo del Espíritu Santo. Además, ningún creyente se pertenece a sí mismo, porque ha sido comprado a un elevado precio (la sangre de Cristo), pertenece a Dios, y en consecuencia está obligado a honrar al Señor con su cuerpo (6:18-20). Pablo los instruye a no juzgar a los que en el mundo todavía no se han entregado a Jesús, pero que rechacen la amistad de aquellos que llamándose cristianos viven en la inmoralidad o se conducen de manera hipócrita.

En cuanto a los desacuerdos sobre la participación en la comida ofrecida a los ídolos o en alguna otra práctica cuestionable, Pablo dice que cuando alguien cree que algo está permitido, mientras que otro considera que no lo está, y la Biblia no habla directamente sobre el asunto, no se debe tratar de imponer un punto de vista personal sobre otros. El amor humilde no le permite al cristiano hacer nada que de alguna forma lastime a otro creyente.

Mientras lee 1 Corintios, con la fortaleza de Dios y por medio de su gracia, decida vivir en armonía con otros creyentes. Permita que su mente se empape del hermoso capítulo 13, «el capítulo del amor», que describe la clase de amor puro que Jesús nos muestra. Memorice los principios que contiene y, mediante el poder del Espíritu Santo, póngalos en práctica.

1 Corintios

Saludos de Pablo

1 Yo, Pablo, elegido por la voluntad de Dios para ser un apóstol de Cristo Jesús, escribo esta carta junto con nuestro hermano Sóstenes.

[2]Va dirigida a la iglesia de Dios en Corinto,* a ustedes que han sido llamados por Dios para ser su pueblo santo. Él los hizo santos por medio de Cristo Jesús,* tal como lo hizo con todos los que en todas partes invocan el nombre de nuestro Señor Jesucristo, Señor de ellos y de nosotros.

[3]Que Dios nuestro Padre y el Señor Jesucristo les den gracia y paz.

Pablo da gracias a Dios

[4]Siempre doy gracias a mi Dios por ustedes y por los dones inmerecidos que les dio ahora que pertenecen a Cristo Jesús. [5]Por medio de él, Dios ha enriquecido la iglesia de ustedes en todo sentido, con toda la elocuencia y todo el conocimiento que tienen. [6]Eso confirma que es verdad lo que les dije acerca de Cristo. [7]Ahora tienen todos los dones espirituales que necesitan mientras esperan con anhelo el regreso de nuestro Señor Jesucristo. [8]Él los mantendrá firmes hasta el final, para que estén libres de toda culpa el día que nuestro Señor Jesucristo vuelva. [9]Dios lo hará porque él es fiel para hacer lo que dice y los ha invitado a que tengan comunión con su Hijo, Jesucristo nuestro Señor.

Divisiones en la iglesia

[10]Amados hermanos, les ruego por la autoridad de nuestro Señor Jesucristo que vivan en armonía los unos con los otros. Que no haya divisiones en la iglesia. Por el contrario, sean todos de un mismo parecer, unidos en pensamiento y propósito. [11]Pues algunos de la casa de Cloé me contaron de las peleas entre ustedes, mis amados hermanos. [12]Algunos de ustedes dicen: «Yo soy seguidor de Pablo». Otros dicen: «Yo sigo a Apolos» o «Yo sigo a Pedro»,* o «Yo sigo únicamente a Cristo».

[13]¿Acaso Cristo está dividido en facciones? ¿Fui yo, Pablo, crucificado por ustedes? ¿Fue alguno de ustedes bautizado en el nombre de Pablo? ¡Por supuesto que no! [14]Agradezco a Dios que no bauticé a ninguno de ustedes excepto a Crispo y a Gayo, [15]porque ahora nadie puede decir que fue bautizado en mi nombre. [16](Ah, sí, también bauticé a los de la casa de Estéfanas, pero no recuerdo haber bautizado a nadie más). [17]Pues Cristo no me envió a bautizar sino a predicar la Buena Noticia, y no con palabras ingeniosas, por temor a que la cruz de Cristo perdiera su poder.

1:2a *Corinto* era la capital de Acaya, la región sur de la península griega. **1:2b** O *porque ustedes pertenecen a Cristo Jesús.* **1:12** En griego *Cefas.*

La sabiduría de Dios

[18]¡El mensaje de la cruz es una ridiculez para los que van rumbo a la destrucción! Pero nosotros, que vamos en camino a la salvación, sabemos que es el poder mismo de Dios. [19]Como dicen las Escrituras:

«Destruiré la sabiduría de los sabios
y desecharé la inteligencia de los
inteligentes»*.

[20]Así que, ¿dónde deja eso a los filósofos, a los estudiosos y a los especialistas en debates de este mundo? Dios ha hecho que la sabiduría de este mundo parezca una ridiculez. [21]Ya que Dios, en su sabiduría se aseguró de que el mundo nunca lo conociera por medio de la sabiduría humana, usó nuestra predicación «ridícula» para salvar a los que creen. [22]Es ridícula para los judíos, que piden señales del cielo. Y es ridícula para los griegos, que buscan la sabiduría humana. [23]Entonces cuando predicamos que Cristo fue crucificado, los judíos se ofenden y los gentiles* dicen que son puras tonterías.

[24]Sin embargo, para los que Dios llamó a la salvación, tanto judíos como gentiles,* Cristo es el poder de Dios y la sabiduría de Dios. [25]Ese plan «ridículo» de Dios es más sabio que el más sabio de los planes humanos, y la debilidad de Dios es más fuerte que la mayor fuerza humana.

[26]Recuerden, amados hermanos, que pocos de ustedes eran sabios a los ojos del mundo o poderosos o ricos* cuando Dios los llamó. [27]En cambio, Dios eligió lo que el mundo considera ridículo para avergonzar a los que se creen sabios. Y escogió cosas que no tienen poder para avergonzar a los poderosos. [28]Dios escogió lo despreciado por el mundo* —lo que se considera como nada— y lo usó para convertir en nada lo que el mundo considera importante. [29]Como resultado, nadie puede jamás jactarse en presencia de Dios.

[30]Dios los ha unido a ustedes con Cristo Jesús. Dios hizo que él fuera la sabiduría misma para nuestro beneficio. Cristo nos hizo justos ante Dios; nos hizo puros y santos y nos liberó del pecado. [31]Por lo tanto, como dicen las Escrituras: «Si alguien quiere jactarse, que se jacte solamente del Señor»*.

Pablo y su mensaje de sabiduría

2 Amados hermanos, la primera vez que los visité, no me valí de palabras elevadas ni de una sabiduría impresionante para contarles acerca del plan secreto de Dios.* [2]Pues decidí que, mientras estuviera con ustedes, olvidaría todo excepto a Jesucristo, el que fue crucificado. [3]Me acerqué a ustedes en debilidad: con timidez y temblor. [4]Y mi mensaje y mi predicación fueron muy sencillos. En lugar de usar discursos ingeniosos y persuasivos, confié solamente en el poder del Espíritu Santo. [5]Lo hice así para que ustedes no confiaran en la sabiduría humana sino en el poder de Dios.

[6]Sin embargo, cuando estoy con creyentes maduros, sí hablo con palabras de sabiduría, pero no la clase de sabiduría que pertenece a este mundo o a los gobernantes de este mundo, quienes pronto son olvidados. [7]No, la sabiduría de la que hablamos es el misterio de Dios,* su plan que antes estaba escondido, aunque él lo hizo para nuestra gloria final aún antes que comenzara el mundo; [8]pero los gobernantes de este mundo

1:19 Is 29:14. **1:23** *Gentil[es],* que no es judío. **1:24** En griego *griegos.* **1:26** O *de ilustre cuna.* **1:28** O *Dios eligió a los de cuna humilde.* **1:31** Jr 9:24. **2:1** En griego *el misterio de Dios;* otros manuscritos dicen *el testimonio de Dios.* **2:7** En griego *Pero nosotros hablamos la sabiduría de Dios en misterio.*

no lo entendieron; si lo hubieran hecho, no habrían crucificado a nuestro glorioso Señor. [9]A eso se refieren las Escrituras cuando dicen:

«Ningún ojo ha visto, ningún oído ha
escuchado,
ninguna mente ha imaginado,
lo que Dios tiene preparado
para quienes lo aman»*.

[10]Pero* fue a nosotros a quienes Dios reveló esas cosas por medio de su Espíritu. Pues su Espíritu investiga todo a fondo y nos muestra los secretos profundos de Dios. [11]Nadie puede conocer los pensamientos de una persona excepto el propio espíritu de esa persona y nadie puede conocer los pensamientos de Dios excepto el propio Espíritu de Dios. [12]Y nosotros hemos recibido el Espíritu de Dios (no el espíritu del mundo), de manera que podemos conocer las cosas maravillosas que Dios nos ha regalado.

[13]Les decimos estas cosas sin emplear palabras que provienen de la sabiduría humana. En cambio, hablamos con palabras que el Espíritu nos da, usamos las palabras del Espíritu para explicar las verdades espirituales;* [14]pero los que no son espirituales* no pueden recibir esas verdades de parte del Espíritu de Dios. Todo les suena ridículo y no pueden entenderlo, porque sólo los que son espirituales pueden entender lo que el Espíritu quiere decir. [15]Los que son espirituales pueden evaluar todas las cosas, pero ellos mismos no pueden ser evaluados por otros. [16]Pues,

«¿Quién puede conocer los
pensamientos del Señor?
¿Quién sabe lo suficiente para
enseñarle a él?"*.

Pero nosotros entendemos estas cosas porque tenemos la mente de Cristo.

Pablo y Apolos, siervos de Cristo

3 Amados hermanos, cuando estuve con ustedes, no pude hablarles como lo haría con personas espirituales.* Tuve que hablarles como si pertenecieran a este mundo o como si fueran niños en la vida cristiana.* [2]Tuve que alimentarlos con leche, no con alimento sólido, porque no estaban preparados para algo más sustancioso. Y aún no están preparados, [3]porque todavía están bajo el control de su naturaleza pecaminosa. Tienen celos unos de otros y se pelean entre sí. ¿Acaso eso no demuestra que los controla su naturaleza pecaminosa? ¿No viven como la gente del mundo? [4]Cuando uno de ustedes dice: «Yo soy seguidor de Pablo» y otro dice: «Yo sigo a Apolos», ¿no actúan igual que la gente del mundo?

[5]Después de todo, ¿quién es Apolos?, ¿quién es Pablo? Nosotros sólo somos siervos de Dios mediante los cuales ustedes creyeron la Buena Noticia. Cada uno de nosotros hizo el trabajo que el Señor nos encargó. [6]Yo planté la semilla en sus corazones, y Apolos la regó, pero fue Dios quien la hizo crecer. [7]No importa quién planta o quién riega, lo importante es que Dios hace crecer la semilla. [8]El que planta y el que riega trabajan en conjunto con el mismo propósito. Y cada uno será recompensado por su propio arduo trabajo. [9]Pues ambos somos trabajadores de Dios; y ustedes son el campo de cultivo de Dios, son el edificio de Dios.

[10]Por la gracia que Dios me dio, yo eché los cimientos como un experto en construcción. Ahora otros edifican encima; pero cualquiera que edifique sobre

2:9 Is 64:4. **2:10** Algunos manuscritos dicen *Pues.* **2:13** O *explicamos las verdades espirituales en lenguaje espiritual,* o *explicamos las verdades espirituales a personas espirituales.* **2:14** O *los que no tienen el Espíritu;* o *los que sólo tienen vida física.* **2:16** Is 40:13 (versión griega). **3:1a** O *a personas que tienen el Espíritu.* **3:1b** En griego *en Cristo.*

este fundamento tiene que tener mucho cuidado. [11]Pues nadie puede poner un fundamento distinto del que ya tenemos, que es Jesucristo.

[12]El que edifique sobre este fundamento podrá usar una variedad de materiales: oro, plata, joyas, madera, heno u hojarasca; [13]pero el día del juicio, el fuego revelará la clase de obra que cada constructor ha hecho. El fuego mostrará si la obra de alguien tiene algún valor. [14]Si la obra permanece, ese constructor recibirá una recompensa, [15]pero si la obra se consume, el constructor sufrirá una gran pérdida. El constructor se salvará, pero como quien apenas se escapa atravesando un muro de llamas.

[16]¿No se dan cuenta de que todos ustedes juntos son el templo de Dios y que el Espíritu de Dios vive en* ustedes? [17]Dios destruirá a cualquiera que destruya este templo. Pues el templo de Dios es santo, y ustedes son este templo.

[18]Dejen de engañarse a sí mismos. Si piensan que son sabios de acuerdo con los criterios de este mundo, necesitan volverse necios para ser verdaderamente sabios. [19]Pues la sabiduría de este mundo es necedad para Dios. Como dicen las Escrituras:

«Él atrapa a los sabios
en la trampa de su propia astucia»*.

[20]Y también:

«El SEÑOR conoce los pensamientos
de los sabios,
sabe que no valen nada»*.

[21]Así que no se jacten de seguir a un líder humano en particular. Pues a ustedes les pertenece todo: [22]ya sea Pablo o Apolos o Pedro,* o el mundo, o la vida y la muerte, o el presente y el futuro. Todo les pertenece a ustedes, [23]y ustedes pertenecen a Cristo, y Cristo pertenece a Dios.

La relación de Pablo con los corintios

4 Así que, a Apolos y a mí, considérennos como simples siervos de Cristo, a quienes se nos encargó la tarea de explicar los misterios de Dios. [2]Ahora bien, alguien que recibe el cargo de administrador, debe ser fiel. [3]En cuanto a mí, me importa muy poco cómo me califiquen ustedes o cualquier autoridad humana. Ni siquiera confío en mi propio juicio en este sentido. [4]Tengo la conciencia limpia, pero eso no demuestra que yo tenga razón. Es el Señor mismo quien me evaluará y tomará la decisión.

[5]Así que no juzguen a nadie antes de tiempo, es decir, antes de que el Señor vuelva. Pues él sacará a la luz nuestros secretos más oscuros y revelará nuestras intenciones más íntimas. Entonces Dios le dará a cada uno el reconocimiento que le corresponda.

[6]Amados hermanos, puse el caso de Apolos y el mío propio como ilustración de lo que les vengo diciendo. Si prestan atención a lo que les cité de las Escrituras,* no estarán orgullosos de uno de sus líderes a costa de otro. [7]Pues, ¿qué derecho tienen a juzgar así? ¿Qué tienen que Dios no les haya dado? Y si todo lo que tienen proviene de Dios, ¿por qué se jactan como si no fuera un regalo?

[8]Ustedes piensan que ya tienen todo lo que necesitan. Creen que ya son ricos. ¡Hasta han comenzado a reinar sin nosotros en el reino de Dios! Yo desearía que en verdad ya estuvieran reinando, porque entonces nosotros estaríamos reinando con ustedes. [9]A veces pienso que a nosotros, los apóstoles, Dios nos puso en exhibición como prisioneros de guerra al final del desfile del vencedor, condenados a muerte. Nos hemos convertido en un espectáculo para el mun-

3:16 O *entre.* **3:19** Jb 5:13. **3:20** Sal 94:11. **3:22** En griego *Cefas.* **4:6** O *Si ustedes aprenden a no ir más allá de «lo que está escrito».*

do entero, tanto para la gente como para los ángeles.

[10]Nuestra entrega a Cristo nos hace parecer tontos, en cambio, ¡ustedes afirman ser tan sabios en Cristo! Nosotros somos débiles, ¡pero ustedes son tan poderosos! A ustedes los estiman, ¡a nosotros nos ridiculizan! [11]Incluso ahora mismo pasamos hambre y tenemos sed y nos falta ropa para abrigarnos. A menudo somos golpeados y no tenemos casa. [12]Nos cansamos trabajando con nuestras manos para ganarnos la vida. Bendecimos a los que nos maldicen. Somos pacientes con los que nos maltratan. [13]Respondemos con gentileza cuando dicen cosas malas de nosotros. Aun así se nos trata como la basura del mundo, como el desperdicio de todos, hasta este preciso momento.

[14]No les escribo estas cosas para avergonzarlos, sino para advertirles como mis amados hijos. [15]Pues, aunque tuvieran diez mil maestros que les enseñaran acerca de Cristo, tienen sólo un padre espiritual. Pues me convertí en su padre en Cristo Jesús cuando les prediqué la Buena Noticia. [16]Así que les ruego que me imiten.

[17]Por esa razón les envié a Timoteo, mi fiel y amado hijo en el Señor. Él les recordará la manera en que sigo a Cristo Jesús, así como lo enseño en todas las iglesias en todas partes.

[18]Algunos de ustedes se han vueltos arrogantes al pensar que no volveré a visitarlos. [19]Pero iré —y pronto— si el Señor me lo permite, y entonces comprobaré si esos arrogantes sólo dan discursos pretenciosos o de verdad tienen el poder de Dios. [20]Pues el reino de Dios no consiste en las muchas palabras sino en vivir por el poder de Dios. [21]¿Qué prefieren? ¿Que llegue con una vara para castigarlos o que vaya con amor y un espíritu amable?

Pablo condena el orgullo espiritual

5 Me cuesta creer lo que me informan acerca de la inmoralidad sexual que hay entre ustedes, algo que ni siquiera los paganos hacen. Me dicen que un hombre de su iglesia vive en pecado con su madrastra.* [2]Ustedes están muy orgullosos de sí mismos, en cambio deberían estar llorando de dolor y vergüenza y echar a ese hombre de la congregación.

[3]Aunque no estoy con ustedes en persona, sí lo estoy en el Espíritu;* y como si estuviera ahí, ya emití mi juicio sobre ese hombre [4]en el nombre del Señor Jesús. Ustedes deben convocar a una reunión de la iglesia.* Yo estaré presente en espíritu, igual que el poder de nuestro Señor Jesús. [5]Entonces deben expulsar a ese hombre y entregárselo a Satanás, para que su naturaleza pecaminosa sea destruida* y él mismo* sea salvo el día que el Señor vuelva.*

[6]Es terrible que se jacten sobre dicho asunto. ¿No se dan cuenta de que ese pecado es como un poco de levadura que impregna toda la masa? [7]Desháganse de la vieja «levadura» quitando a ese perverso de entre ustedes. Entonces serán como una nueva masa preparada sin levadura, que es lo que realmente son. Cristo, nuestro Cordero Pascual, ha sido sacrificado por nosotros.* [8]Por lo tanto, celebremos el festival, no con el viejo pan* de perversidad y maldad, sino con el nuevo pan* de sinceridad y verdad.

[9]Cuando les escribí anteriormente, les

5:1 En griego *la esposa de su padre.* **5:3** O *en espíritu.* **5:4** O *En el nombre del Señor Jesús, ustedes deben convocar a una reunión de la iglesia.* **5:5a** O *para que su cuerpo sea destruido;* en griego dice *para la destrucción de la carne.* **5:5b** En griego *y el espíritu.* **5:5c** Otros manuscritos dicen *el Señor Jesús;* incluso otros dicen *nuestro Señor Jesucristo.* **5:7** En griego *ha sido sacrificado.* **5:8a** En griego *no con levadura vieja.* **5:8b** En griego *sino [con pan] sin levadura.*

dije que no se relacionaran con personas que se entregan al pecado sexual; [10]pero no me refería a los incrédulos que se entregan al pecado sexual o son avaros o estafadores o rinden culto a ídolos. Uno tendría que salir de este mundo para evitar gente como esa. [11]Lo que quise decir es: no se relacionen con ninguno que afirma ser creyente* y aun así se entrega al pecado sexual o es avaro o rinde culto a ídolos o insulta o es borracho o estafador. Ni siquiera coman con esa gente.

[12]No es mi deber juzgar a los de afuera, pero sí es responsabilidad de ustedes juzgar a los que son de la iglesia y están en pecado. [13]Dios juzgará a los de afuera; pero como dicen las Escrituras: «Quiten al malvado de entre ustedes»*.

Evitar demandas legales con los cristianos

6 Cuando uno de ustedes tiene un conflicto con otro creyente, ¿cómo se atreve a presentar una demanda y a pedirle a un tribunal secular que decida sobre el asunto, en lugar de llevarlo ante otros creyentes?* [2]¿No se dan cuenta de que algún día nosotros, los creyentes, juzgaremos al mundo? Y dado que ustedes van a juzgar al mundo, ¿no son capaces de resolver esas pequeñas cuestiones entre ustedes? [3]¿No se dan cuenta de que juzgaremos a los ángeles? Así que deberían ser capaces de resolver los conflictos comunes y corrientes que ocurren en esta vida. [4]Si tienen conflictos legales acerca de tales asuntos, ¿por qué acuden a jueces que son de afuera y no son respetados por la iglesia? [5]Digo esto para que se avergüencen. ¿No hay nadie en toda la iglesia con suficiente sabiduría para decidir sobre esos temas? [6]Sino que un creyente* demanda a otro, ¡justo frente a los incrédulos!

[7]El hecho de que tengan semejantes demandas legales unos contra otros es en sí una derrota para ustedes. ¿Por qué mejor no aceptar la injusticia y dejar el asunto como está? ¿Por qué no se dejan estafar? [8]En cambio, son ustedes mismos los que hacen lo malo y estafan aun a sus propios hermanos en Cristo.*

[9]¿No se dan cuenta de que los que hacen lo malo no heredarán el reino de Dios? No se engañen a sí mismos. Los que se entregan al pecado sexual o rinden culto a ídolos o cometen adulterio o son prostitutos o practican la homosexualidad [10]o son ladrones o avaros o borrachos o insultan o estafan a la gente: ninguno de ésos heredará el reino de Dios. [11]Algunos de ustedes antes eran así; pero fueron limpiados; fueron hechos santos; fueron hechos justos ante Dios al invocar el nombre del Señor Jesucristo y por el Espíritu de nuestro Dios.

Evitar el pecado sexual

[12]Ustedes dicen: «Se me permite hacer cualquier cosa», pero no todo les conviene. Y aunque «se me permite hacer cualquier cosa», no debo volverme esclavo de nada. [13]Ustedes dicen: «La comida se hizo para el estómago, y el estómago, para la comida». (Eso es cierto, aunque un día Dios acabará con ambas cosas). Pero ustedes no pueden decir que nuestro cuerpo fue creado para la inmoralidad sexual. Fue creado para el Señor, y al Señor le importa nuestro cuerpo. [14]Y Dios nos levantará de los muertos con su poder, tal como levantó de los muertos a nuestro Señor.

[15]¿No se dan cuenta de que sus cuerpos en realidad son miembros de Cristo? ¿Acaso un hombre debería tomar su cuerpo, que es parte de Cristo, y unirlo a una prostituta? ¡Jamás! [16]¿Y no se

5:11 En griego *un hermano.* **5:13** Dt 17:7. **6:1** En griego *el pueblo santo de Dios;* también en 6:2.
6:6 En griego *un hermano.* **6:8** En griego *aun a los hermanos.*

dan cuenta de que, si un hombre se une a una prostituta, se hace un solo cuerpo con ella? Pues las Escrituras dicen: «Los dos se convierten en uno solo»*. [17]Pero la persona que se une al Señor es un solo espíritu con él.

[18]¡Huyan del pecado sexual! Ningún otro pecado afecta tanto el cuerpo como éste, porque la inmoralidad sexual es un pecado contra el propio cuerpo. [19]¿No se dan cuenta de que su cuerpo es el templo del Espíritu Santo, quien vive en ustedes y les fue dado por Dios? Ustedes no se pertenecen a sí mismos, [20]porque Dios los compró a un alto precio. Por lo tanto, honren a Dios con su cuerpo.

Instrucciones sobre el matrimonio

7 Ahora, en cuanto a las preguntas que me hicieron en su carta: es cierto que es bueno abstenerse de tener relaciones sexuales.* [2]Sin embargo, dado que hay tanta inmoralidad sexual, cada hombre debería tener su propia esposa, y cada mujer su propio marido.

[3]El esposo debe satisfacer las necesidades sexuales de su esposa, y la esposa debe satisfacer las necesidades sexuales de su marido. [4]La esposa le da la autoridad sobre su cuerpo a su marido, y el esposo le da la autoridad sobre su cuerpo a su esposa.

[5]No se priven el uno al otro de tener relaciones sexuales, a menos que los dos estén de acuerdo en abstenerse de la intimidad sexual por un tiempo limitado para entregarse más de lleno a la oración. Después deberán volverse a juntar, a fin de que Satanás no pueda tentarlos por la falta de control propio. [6]Eso les digo a modo de concesión, no como un mandato. [7]Sin embargo, quisiera que todos fueran solteros, igual que yo; pero cada uno tiene su don específico de Dios, unos de una clase y otros de otra.

[8]Así que les digo a los solteros y a las viudas: es mejor quedarse sin casar, tal como yo; [9]pero si no pueden controlarse, entonces deberían casarse. Es mejor casarse que arder de pasión.

[10]No obstante, para los que ya están casados, tengo un mandato que no proviene de mí sino del Señor.* La esposa no debe dejar a su marido; [11]pero si lo deja, que no se case de nuevo o bien que se reconcilie con él; y el marido no debe dejar a su esposa.

[12]Ahora, me dirigiré al resto de ustedes, aunque no tengo un mandato directo del Señor. Si un hombre cristiano* está casado con una mujer que no es creyente y ella está dispuesta a seguir viviendo con él, no debe abandonarla. [13]Y, si una mujer cristiana tiene un esposo que no es creyente y él está dispuesto a seguir viviendo con ella, no debe abandonarlo. [14]Pues la esposa cristiana da santidad a su matrimonio, y el esposo cristiano* da santidad al suyo. De otro modo, sus hijos no serían santos, pero ahora son santos. [15](En cambio, si el esposo o la esposa que no es creyente insiste en irse, dejen que se vaya. En esos casos, el cónyuge cristiano* ya no está ligado al otro, porque Dios los ha llamado a ustedes* a vivir en paz). [16]¿Acaso ustedes, esposas, no se dan cuenta de que sus maridos podrían ser salvos a causa de ustedes? Y ustedes, esposos, ¿no se dan cuenta de que sus esposas podrían ser salvas a causa de ustedes?

[17]Cada uno debería seguir viviendo en la situación que el Señor lo haya puesto, y permanecer tal como estaba cuando Dios

6:16 Gn 2:24. **7:1** O *llevar una vida célibe;* en griego *Es bueno que un hombre no toque mujer.* **7:10** Ver Mt 5:32; 19:9; Mc 10:11-12; Lc 16:18. **7:12** En griego *un hermano.* **7:14** En griego *el hermano.* **7:15a** En griego *el hermano o la hermana.* **7:15b** Algunos manuscritos dicen *nos ha llamado a nosotros.*

lo llamó por primera vez. Esa es mi regla para todas las iglesias. [18]Por ejemplo, un hombre que se circuncidó antes de llegar a ser creyente no debería tratar de revertir su condición. Y el hombre que no estaba circuncidado cuando llegó a ser creyente no debería circuncidarse ahora. [19]Pues no tiene importancia si un hombre ha sido o no circuncidado. Lo importante es cumplir los mandamientos de Dios.

[20]Cada uno debería permanecer tal como estaba cuando Dios lo llamó. [21]¿Eres un esclavo? No dejes que eso te preocupe; sin embargo, si tienes la oportunidad de ser libre, aprovéchala. [22]Y recuerda: si eras un esclavo cuando el Señor te llamó, ahora eres libre en el Señor; y si eras libre cuando el Señor te llamó, ahora eres un esclavo de Cristo. [23]Dios pagó un alto precio por ustedes, así que no se dejen esclavizar por el mundo.* [24]Amados hermanos, cada uno debería permanecer tal como estaba cuando Dios lo llamó por primera vez.

[25]Ahora, con respeto a la pregunta acerca de las jóvenes que todavía no se han casado, para ellas no tengo ningún mandato del Señor. Pero el Señor, en su misericordia, me ha dado sabiduría digna de confianza, que les transmitiré a ustedes. [26]Debido a la crisis actual,* pienso que es mejor que cada uno se quede como está. [27]Si tienes esposa, no procures terminar tu matrimonio. Si no tienes esposa, no busques casarte; [28]pero si te casas, no es pecado; y si una joven se casa, tampoco es pecado. Sin embargo, los que se casen en este tiempo tendrán problemas, y estoy tratando de evitárselos.

[29]Déjenme decirles lo siguiente, amados hermanos: el tiempo que queda es muy breve. Así que, de ahora en adelante, los que estén casados no deberían concentrarse únicamente en su matrimonio. [30]Los que lloran o los que se alegran o los que compran cosas, no deberían ser absorbidos por sus lágrimas ni su alegría ni sus posesiones. [31]Los que usan las cosas del mundo no deberían apegarse a ellas. Pues este mundo, tal como lo conocemos, pronto desaparecerá.

[32]Quisiera que estén libres de las preocupaciones de esta vida. Un soltero puede invertir su tiempo en hacer la obra del Señor y en pensar cómo agradarlo a él; [33]pero el casado tiene que pensar en sus responsabilidades terrenales y en cómo agradar a su esposa; [34]sus intereses están divididos. De la misma manera, una mujer que ya no está casada o que nunca se ha casado, puede dedicarse al Señor y ser santa en cuerpo y en espíritu; pero una mujer casada tiene que pensar en sus responsabilidades terrenales y en cómo agradar a su esposo. [35]Les digo esto para su propio beneficio, no para imponerles restricciones. Mi deseo es que hagan todo lo que les ayude a servir mejor al Señor, con la menor cantidad de distracciones posibles.

[36]No obstante, si un hombre piensa que está tratando a su prometida en forma impropia y que inevitablemente cederá a sus pasiones, que se case con ella como él desea. No es pecado. [37]Pero si ha decidido con toda firmeza no casarse y no hay urgencia y puede controlar sus pasiones, hace bien en no casarse. [38]Así que el que se casa con su prometida hace bien, y el que no se casa hace aún mejor.

[39]Una esposa está ligada a su esposo mientras el esposo vive. Si su esposo muere, ella queda libre para casarse con quien quiera, pero solamente si ese hombre ama al Señor.* [40]Sin embargo, en mi opinión, sería mejor para ella no volver a casarse, y pienso que, al decirles esto, les doy consejo del Espíritu de Dios.

7:23 En griego *no se conviertan en esclavos de la gente.* **7:26** O *las presiones de la vida.* **7:39** En griego *pero únicamente en el Señor.*

Comida sacrificada a ídolos

8 Ahora, con respecto a la pregunta acerca de la comida que ha sido ofrecida a ídolos, es cierto, sabemos que «todos tenemos conocimiento» sobre este tema. Sin embargo, mientras que el conocimiento nos hace sentir importantes, es el amor lo que fortalece a la iglesia. [2]El que afirma que lo sabe todo, en realidad, no es que sepa mucho; [3]pero la persona que ama a Dios es a quien Dios reconoce.*

[4]Entonces, ¿qué acerca de comer carne ofrecida a ídolos? Pues sabemos que un ídolo no es en verdad un dios y que hay sólo un Dios. [5]Puede que existan esos llamados «dioses» tanto en el cielo como en la tierra, y algunas personas de hecho rinden culto a muchos dioses y a muchos señores. [6]Pero nosotros sabemos que hay sólo un Dios, el Padre, quien creó todo, y vivimos para él; y hay sólo un Señor, Jesucristo, mediante el cual Dios hizo todas las cosas y mediante el cual nos ha dado vida.

[7]Sin embargo, no todos los creyentes saben esto. Algunos están acostumbrados a pensar que los ídolos son reales, entonces, cuando comen un alimento que fue ofrecido a ídolos, lo consideran adoración a dioses verdaderos, y violan su débil conciencia. [8]Es cierto que no podemos obtener la aprobación de Dios por lo que comemos. No perdemos nada si no lo comemos, y no ganamos nada si lo comemos.

[9]Pero ustedes deben tener cuidado de que su libertad no haga tropezar a los que tienen una conciencia más débil. [10]Pues, si otros te ven —con tu «conocimiento superior»— comiendo en el templo de un ídolo, ¿acaso no se sentirán alentados a violar su conciencia al comer un alimento que se ofreció a un ídolo? [11]Así que a causa de tu conocimiento superior, se destruirá un creyente débil* por quien Cristo murió. [12]Cuando ustedes pecan contra otros creyentes* al alentarlos a hacer algo que para ellos está mal, pecan contra Cristo. [13]Por lo tanto, si lo que como hace que otro creyente peque, nunca más comeré carne mientras viva, porque no quiero hacer que otro creyente tropiece.

Pablo renuncia a sus derechos

9 ¿Acaso no soy tan libre como cualquier otro? ¿No soy apóstol? ¿No he visto a Jesús nuestro Señor con mis propios ojos? ¿No es gracias a mi trabajo que ustedes pertenecen al Señor? [2]Aunque otros piensen que no soy apóstol, ciertamente para ustedes lo soy. Ustedes mismos son la prueba de que soy apóstol del Señor.

[3]Ésta es mi respuesta a los que cuestionan mi autoridad.* [4]¿Acaso no tenemos derecho de hospedarnos con ustedes y compartir sus comidas? [5]¿No tenemos derecho a llevar con nosotros a una esposa cristiana como lo hacen los demás apóstoles y los hermanos del Señor y como lo hace Pedro?* [6]¿O Bernabé y yo somos los únicos que tenemos que trabajar para sostenernos?

[7]¿Qué soldado tiene que pagar sus propios gastos? ¿Qué agricultor planta un viñedo y no tiene derecho a comer de su fruto? ¿A qué pastor que cuida de su rebaño de ovejas no se le permite beber un poco de la leche? [8]¿Expreso meramente una opinión humana o dice la ley lo mismo? [9]Porque la ley de Moisés dice: «No le pongas bozal al buey para impedirle que coma mientras trilla el grano»*. ¿Acaso pensaba Dios únicamente en bueyes

8:3 Algunos manuscritos dicen *la persona que ama tiene pleno conocimiento.* **8:11** En griego *hermano,* también en 8:13. **8:12** En griego *hermanos.* **9:3** En griego *a los que me evalúan.* **9:5** En griego *Cefas.* **9:9** Dt 25:4.

cuando dijo eso? [10]¿No nos hablaba a nosotros en realidad? Claro que sí, se escribió para nosotros, a fin de que tanto el que ara como el que trilla el grano puedan esperar una porción de la cosecha.

[11]Ya que hemos plantado la semilla espiritual entre ustedes, ¿no tenemos derecho a cosechar el alimento y la bebida material? [12]Si ustedes sostienen a otros que les predican, ¿no deberíamos tener nosotros aún mayor derecho a que nos sostengan? Pero nunca nos hemos valido de ese derecho. Preferiríamos soportar cualquier cosa antes que ser un obstáculo a la Buena Noticia acerca de Cristo.

[13]¿No se dan cuenta de que los que trabajan en el templo obtienen sus alimentos de las ofrendas que se llevan al templo? Y los que sirven en el altar reciben una porción de lo que se ofrece como sacrificio. [14]Del mismo modo, el Señor ordenó que los que predican la Buena Noticia sean sostenidos por los que reciben el beneficio del mensaje. [15]Sin embargo, yo jamás me he valido de ninguno de esos derechos. Y no escribo esto para sugerir que es mi deseo comenzar a hacerlo ahora. De hecho, preferiría morir antes que perder mi derecho a jactarme de predicar sin cobrar. [16]Sin embargo, predicar la Buena Noticia no es algo de lo que pueda jactarme. Estoy obligado por Dios a hacerlo. ¡Qué terrible sería para mí si no predicara la Buena Noticia!

[17]Si lo hiciera por mi propia iniciativa, merecería que me paguen; pero no tengo opción, porque Dios me ha encomendado este deber sagrado. [18]¿Cuál es, entonces, mi paga? Es la oportunidad de predicar la Buena Noticia sin cobrarle a nadie. Por esa razón, nunca reclamo mis derechos cuando predico la Buena Noticia.

[19]A pesar de que soy un hombre libre y sin amo, me he hecho esclavo de todos para llevar a muchos a Cristo. [20]Cuando estaba con los judíos, vivía como un judío para llevar a los judíos a Cristo. Cuando estaba con los que siguen la ley judía, yo también vivía bajo esa ley. A pesar de que no estoy sujeto a la ley, me sujetaba a ella para poder llevar a Cristo a los que están bajo la ley. [21]Cuando estoy con los gentiles,* quienes no siguen la ley judía,* yo también vivo independiente de esa ley para poder llevarlos a Cristo; pero no ignoro la ley de Dios, obedezco la ley de Cristo.

[22]Cuando estoy con los que son débiles, me hago débil con ellos, porque deseo llevar a los débiles a Cristo. Sí, con todos trato de encontrar algo que tengamos en común, y hago todo lo posible para salvar a algunos. [23]Hago lo que sea para difundir la Buena Noticia y participar de sus bendiciones.

[24]¿No se dan cuenta de que en una carrera todos corren, pero sólo una persona se lleva el premio? ¡Así que corran para ganar! [25]Todos los atletas se entrenan con disciplina. Lo hacen para ganar un premio que se desvanecerá, pero nosotros lo hacemos por un premio eterno. [26]Por eso yo corro cada paso con propósito. No sólo doy golpes al aire. [27]Disciplino mi cuerpo como lo hace un atleta, lo entreno para que haga lo que debe hacer. De lo contrario, temo que, después de predicarles a otros, yo mismo quede descalificado.

Lecciones de la idolatría de Israel

10 Amados hermanos, no quiero que se olviden de lo que les sucedió a nuestros antepasados hace mucho tiempo en el desierto. Todos fueron guiados por una nube que iba delante de ellos y todos caminaron a través del mar sobre tierra seca. [2]Todos ellos fueron bautizados en la nube y en el mar como segui-

9:21a *Gentil[es]*, que no es judío. **9:21b** En griego *quienes no tienen la ley*.

dores de Moisés. [3]Todos comieron el mismo alimento espiritual [4]y todos bebieron la misma agua espiritual. Pues bebieron de la roca espiritual que viajaba con ellos, y esa roca era Cristo. [5]Sin embargo, Dios no se agradó con la mayoría de ellos, y sus cuerpos fueron dispersados por el desierto.

[6]Esas cosas sucedieron como una advertencia para nosotros, a fin de que no codiciemos lo malo como hicieron ellos, [7]ni rindamos culto a ídolos como hicieron algunos de ellos. Como dicen las Escrituras: «El pueblo celebró con abundante comida y bebida, y se entregó a diversiones paganas»*. [8]Y no debemos cometer inmoralidad sexual como hicieron algunos de ellos, lo cual causó la muerte de veintitrés mil personas en un solo día.

[9]Tampoco deberíamos poner a prueba a Cristo* como hicieron algunos de ellos, y luego murieron mordidos por serpientes. [10]Y no murmuren como lo hicieron algunos de ellos, y luego el ángel de la muerte los destruyó. [11]Esas cosas les sucedieron a ellos como ejemplo para nosotros. Se pusieron por escrito para que nos sirvieran de advertencia a los que vivimos en el fin de los tiempos.

[12]Si ustedes piensan que están firmes, tengan cuidado de no caer. [13]Las tentaciones que enfrentan en su vida no son distintas de las que otros atraviesan. Y Dios es fiel; no permitirá que la tentación sea mayor de lo que puedan soportar. Cuando sean tentados, él les mostrará una salida, para que puedan resistir.

[14]Por lo tanto, mis queridos amigos, huyan de la adoración a los ídolos. [15]Ustedes son personas razonables. Juzguen por sí mismos si lo que digo es cierto. [16]Cuando bendecimos la copa en la Mesa del Señor, ¿no participamos en la sangre de Cristo? Y, cuando partimos el pan, ¿no participamos en el cuerpo de Cristo? [17]Aunque somos muchos, todos comemos de un mismo pan, con lo cual demostramos que somos un solo cuerpo. [18]Piensen en el pueblo de Israel. ¿No estaban unidos al comer de los sacrificios del altar?

[19]¿Qué es lo que trato de decir? ¿Que la comida ofrecida a ídolos tiene alguna importancia o que los ídolos son dioses verdaderos? [20]No, de ninguna manera. Lo que digo es que esos sacrificios se ofrecen a los demonios, no a Dios. Y no quiero que ustedes tengan parte con los demonios. [21]Ustedes no pueden beber de la copa del Señor y también de la copa de los demonios. No pueden comer de la Mesa del Señor y también de la mesa de los demonios. [22]¿Qué? ¿Acaso nos atreveremos a despertar los celos del Señor? ¿Piensan que somos más fuertes que él?

[23]Ustedes dicen: «Se me permite hacer cualquier cosa»*, pero no todo les conviene. Dicen: «Se me permite hacer cualquier cosa», pero no todo trae beneficio. [24]No se preocupen por su propio bien, sino por el bien de los demás.

[25]Así que pueden comer cualquier carne que se venda en el mercado sin preguntar nada por motivos de conciencia. [26]Pues «la tierra es del SEÑOR y todo lo que hay en ella»*.

[27]Si alguien que no es creyente los invita a cenar a su casa, acepten la invitación si desean. Coman todo lo que les ofrezcan sin preguntar nada por motivos de conciencia. [28](Pero supongamos que alguien les dice: «Esta carne se ofreció a un ídolo». No la coman, por respeto a la conciencia del que lo dijo. [29]Tal vez no sea una cuestión de conciencia para ustedes, pero lo es para la otra persona). Pues, ¿por qué tendría que ser restringida mi libertad por lo que piense otra

10:7 Ex 32:6. **10:9** Algunos manuscritos dicen *al Señor.* **10:23** En griego *Todas las cosas son lícitas;* también en 10:23b. **10:26** Sal 24:1.

persona? [30]Si puedo darle gracias a Dios por la comida y disfrutarla, ¿por qué debería ser condenado por comerla?

[31]Así que, sea que coman o beban o cualquier otra cosa que hagan, háganlo todo para la gloria de Dios. [32]No ofendan a los judíos ni a los gentiles* ni a la iglesia de Dios. [33]Yo también trato de complacer a todos en todo lo que hago. No hago sólo lo que es mejor para mí; hago lo que es mejor para otros a fin de que muchos sean salvos. [11:1]Y ustedes deberían imitarme a mí, así como yo imito a Cristo.

Instrucciones para la adoración en público

11 [2]Cuánto me alegro de que ustedes siempre me tienen en sus pensamientos y de que siguen las enseñanzas que les transmití. [3]Pero hay algo que quiero que sepan: la cabeza de todo hombre es Cristo, la cabeza de la mujer es el hombre, y la cabeza de Cristo es Dios.* [4]El hombre deshonra a su cabeza si se cubre la cabeza* mientras ora o profetiza. [5]En cambio, la mujer deshonra a su cabeza* si ora o profetiza sin cubrirse la cabeza, porque es como si se la rapara. [6]Efectivamente, si ella se niega a ponerse algo para cubrirse la cabeza, ¡debería cortarse todo el cabello! Ya que es vergonzoso que la mujer se corte el cabello o se rape la cabeza, debería cubrírsela con algo.*

[7]El hombre no debería ponerse nada sobre la cabeza cuando adora a Dios, porque el hombre fue hecho a la imagen de Dios y refleja la gloria de Dios. Y la mujer refleja la gloria del hombre. [8]Pues el primer hombre no provino de ninguna mujer, sino que la primera mujer provino de un hombre. [9]Y el hombre no fue hecho para la mujer, sino que la mujer fue hecha para el hombre. [10]Por esta razón y debido a que los ángeles observan, la mujer debería cubrirse la cabeza para mostrar que está bajo autoridad.*

[11]Sin embargo, entre el pueblo del Señor, las mujeres no son independientes de los hombres, y los hombres no son independientes de las mujeres. [12]Pues, aunque la primera mujer provino de un hombre, todos los demás hombres nacieron de una mujer, y todo proviene de Dios.

[13]Juzguen por sí mismos: ¿Es correcto que una mujer ore a Dios en público sin cubrirse la cabeza? [14]¿No es obvio que es vergonzoso que un hombre tenga el cabello largo? [15]¿Acaso el cabello largo no es el orgullo y la alegría de la mujer? Pues se le dio para que se cubra. [16]Pero si alguien quiere discutir este tema, simplemente digo que no tenemos otra costumbre más que ésa, y tampoco la tienen las demás iglesias de Dios.

Orden en la Cena del Señor

[17]En las siguientes instrucciones, no puedo elogiarlos. Pues parece que hacen más daño que bien cuando se juntan. [18]Primero, oigo que hay divisiones entre ustedes cuando se reúnen como iglesia y, hasta cierto punto, lo creo. [19]Así que, ¡por supuesto que tiene que haber divisiones entre ustedes, para que los que tienen la aprobación de Dios sean reconocidos!

[20]Cuando ustedes se reúnen, la verdad es que no les interesa la Cena del Señor. [21]Pues algunos se apresuran a comer su propia comida y no la comparten con los demás. Como resultado, algunos se quedan con hambre mientras que otros se emborrachan. [22]¿Qué? ¿Acaso no tienen

10:32 *Gentil[es]*, que no es judío. En griego *ni a los griegos.* **11:3** O *que sepan: el origen de todo hombre es Cristo, el origen de la mujer es el hombre, y el origen de Cristo es Dios.* O *que sepan: cada hombre es responsable ante Cristo, la mujer es responsable ante su marido, y Cristo es responsable ante Dios.* **11:4** O *deshonra a Cristo.* **11:5** O *deshonra a su marido.* **11:6** O *debería tener el cabello largo.* **11:10** En griego *debería tener una autoridad sobre su cabeza.*

sus propias casas para comer y beber? ¿O de veras quieren deshonrar a la iglesia de Dios y avergonzar a los pobres? ¿Qué se supone que debo decir? ¿Quieren que los elogie? Pues bien, ¡de ninguna manera los elogiaré por esto!

[23]Pues yo les transmito lo que recibí del Señor mismo. La noche en que fue traicionado, el Señor Jesús tomó pan [24]y dio gracias a Dios por ese pan. Luego lo partió en trozos y dijo: «Esto es mi cuerpo, el cual es entregado por ustedes.* Hagan esto en memoria de mí». [25]De la misma manera, tomó en sus manos la copa de vino después de la cena, y dijo: «Esta copa es el nuevo pacto entre Dios y su pueblo, un acuerdo confirmado con mi sangre. Hagan esto en memoria de mí todas las veces que la beban». [26]Pues, cada vez que coman este pan y beban de esta copa, anuncian la muerte del Señor hasta que él vuelva.

[27]Por lo tanto, cualquiera que coma este pan o beba de esta copa del Señor en forma indigna es culpable de pecar contra* el cuerpo y la sangre del Señor. [28]Por esta razón, cada uno debería examinarse a sí mismo antes de comer el pan y beber de la copa. [29]Pues, si alguno come el pan y bebe de la copa sin honrar el cuerpo de Cristo,* come y bebe el juicio de Dios sobre sí mismo. [30]Esa es la razón por la que muchos de ustedes son débiles y están enfermos y algunos incluso han muerto.

[31]Si nos examináramos a nosotros mismos, Dios no nos juzgaría de esa manera. [32]Sin embargo, cuando el Señor nos juzga, nos está disciplinado para que no seamos condenados junto con el mundo.

[33]Así que, mis amados hermanos, cuando se reúnan para la Cena del Señor, espérense unos a otros. [34]Si de veras tienen hambre, que cada uno coma en su casa, a fin de no traer juicio sobre ustedes mismos cuando se reúnan. Les daré instrucciones sobre los demás asuntos después de mi llegada.

Dones espirituales

12 Ahora, amados hermanos, con respeto a la pregunta acerca de las capacidades especiales que el Espíritu nos da, no quiero que lo malentiendan. [2]Ustedes saben que, cuando todavía eran paganos, fueron llevados por mal camino y arrastrados a rendir culto a ídolos mudos. [3]Por lo tanto, quiero que sepan que nadie que habla por el Espíritu de Dios maldice a Jesús, y nadie puede decir que Jesús es el Señor excepto por el Espíritu Santo.

[4]Hay distintas clases de dones espirituales, pero el mismo Espíritu es la fuente de todos ellos. [5]Hay distintas formas de servir, pero todos servimos al mismo Señor. [6]Dios trabaja de maneras diferentes, pero es el mismo Dios quien hace la obra en todos nosotros.

[7]A cada uno de nosotros se nos da un don espiritual para que nos ayudemos mutuamente. [8]A uno el Espíritu le da la capacidad de dar consejos sabios;* a otro el mismo Espíritu le da un mensaje de conocimiento especial.* [9]A otro el mismo Espíritu le da gran fe y a alguien más ese único Espíritu le da el don de sanidad. [10]A uno le da el poder para hacer milagros y a otro, la capacidad de profetizar. A alguien más le da la capacidad de discernir si un mensaje es del Espíritu de Dios o de otro espíritu. Todavía a otro se le da la capacidad de hablar en idiomas desconocidos,* mientras que a otro se le da la capacidad de interpretar lo que se está

11:24 En griego *que es para ustedes;* otros manuscritos dicen *que es partido para ustedes.* **11:27** O *es responsable de.* **11:29** En griego *el cuerpo;* otros manuscritos dicen *el cuerpo del Señor.* **12:8a** O *le da una palabra de sabiduría.* **12:8b** O *le da una palabra de conocimiento.* **12:10** O *en diversas lenguas,* también en 12:28, 30.

diciendo. [11]Es el mismo y único Espíritu quien distribuye todos esos dones. Sólo él decide qué don cada uno debe tener.

Un cuerpo con muchas partes

[12]El cuerpo humano tiene muchas partes, pero las muchas partes forman un cuerpo entero. Lo mismo sucede con el cuerpo de Cristo. [13]Entre nosotros hay algunos que son judíos y otros que son gentiles;* algunos son esclavos, y otros son libres. Pero todos fuimos bautizados en un solo cuerpo por un mismo Espíritu, y todos compartimos el mismo Espíritu.*

[14]Así es, el cuerpo consta de muchas partes diferentes, no de una sola parte. [15]Si el pie dijera: «No formo parte del cuerpo porque no soy mano», no por eso dejaría de ser parte del cuerpo. [16]Y si la oreja dijera: «No formo parte del cuerpo porque no soy ojo», ¿dejaría por eso de ser parte del cuerpo? [17]Si todo el cuerpo fuera ojo, ¿cómo podríamos oír? O si todo el cuerpo fuera oreja, ¿cómo podríamos oler?

[18]Pero nuestro cuerpo tiene muchas partes, y Dios ha puesto cada parte justo donde él quiere. [19]¡Qué extraño sería el cuerpo si tuviera sólo una parte! [20]Efectivamente, hay muchas partes, pero un solo cuerpo. [21]El ojo nunca puede decirle a la mano: «No te necesito». La cabeza tampoco puede decirle al pie: «No te necesito».

[22]De hecho, algunas partes del cuerpo que parecieran las más débiles y menos importantes, en realidad, son las más necesarias. [23]Y las partes que consideramos menos honorables son las que vestimos con más esmero. Así que protegemos con mucho cuidado esas partes que no deberían verse, [24]mientras que las partes más honorables no precisan esa atención especial. Por eso Dios ha formado el cuerpo de tal manera que se les dé más honor y cuidado a esas partes que tienen menos dignidad. [25]Esto hace que haya armonía entre los miembros a fin de que los miembros se preocupen los unos por los otros. [26]Si una parte sufre, las demás partes sufren con ella y, si a una parte se le da honra, todas las partes se alegran.

[27]Todos ustedes en conjunto son el cuerpo de Cristo, y cada uno de ustedes es parte de ese cuerpo. [28]A continuación hay algunas de las partes que Dios ha designado para la iglesia:

en primer lugar, los apóstoles,
en segundo lugar, los profetas,
en tercer lugar, los maestros,
luego los que hacen milagros,
los que tienen el don de sanidad,
los que pueden ayudar a otros,
los que tienen el don de liderazgo,
los que hablan en idiomas desconocidos.

[29]¿Acaso somos todos apóstoles? ¿Somos todos profetas? ¿Somos todos maestros? ¿Tenemos todos el poder de hacer milagros? [30]¿Tenemos todos el don de sanidad? ¿Tenemos todos la capacidad de hablar en idiomas desconocidos? ¿Tenemos todos la capacidad de interpretar idiomas desconocidos? ¡Por supuesto que no! [31]Por lo tanto, ustedes deberían desear encarecidamente los dones que son de más ayuda. Pero ahora déjenme mostrarles una manera de vida que supera a todas las demás.

La mayor es el amor

13 Si yo pudiera hablar todos los idiomas del mundo y de los ángeles pero no amara a los demás, yo sólo sería un metal ruidoso o un címbalo que resuena. [2]Si tuviera el don de profecía y entendiera todos los planes secretos de Dios y

12:13a *Gentil[es],* que no es judío. En griego *otros que son griegos.* **12:13b** En griego *a todos se nos dio a beber de un mismo Espíritu.*

contara con todo el conocimiento, y si tuviera una fe que me hiciera capaz de mover montañas, pero no amara a otros, yo no sería nada. [3]Si diera todo lo que tengo a los pobres y hasta sacrificara mi cuerpo,* podría jactarme de eso; pero si no amara a los demás, no habría logrado nada.

[4]El amor es paciente y bondadoso. El amor no es celoso ni fanfarrón ni orgulloso [5]ni ofensivo. No exige que las cosas se hagan a su manera. No se irrita ni lleva un registro de las ofensas recibidas. [6]No se alegra de la injusticia sino que se alegra cuando la verdad triunfa. [7]El amor nunca se da por vencido, jamás pierde la fe, siempre tiene esperanzas y se mantiene firme en toda circunstancia.

[8]La profecía, el hablar en idiomas desconocidos,* y el conocimiento especial se volverán inútiles. ¡Pero el amor durará para siempre! [9]Ahora nuestro conocimiento es parcial e incompleto, ¡y aun el don de profecía revela sólo una parte de todo el panorama! [10]Sin embargo, cuando llegue el tiempo de la perfección, esas cosas parciales se volverán inútiles.

[11]Cuando yo era niño, hablaba, pensaba y razonaba como un niño; pero cuando crecí, dejé atrás las cosas de niño. [12]Ahora vemos todo de manera imperfecta, como reflejos desconcertantes, pero luego veremos todo con perfecta claridad.* Todo lo que ahora conozco es parcial e incompleto, pero luego conoceré todo por completo, tal como Dios ya me conoce a mí completamente.

[13]Tres cosas durarán para siempre: la fe, la esperanza y el amor; y la mayor de las tres es el amor.

Lenguas y profecía

14 ¡Que el amor sea su meta más alta! Pero también deberían desear las capacidades especiales que da el Espíritu, sobre todo la capacidad de profetizar. [2]Pues, si alguien tiene la capacidad de hablar en lenguas,* le hablará sólo a Dios, dado que la gente no podrá entenderle. Hablará por el poder del Espíritu,* pero todo será un misterio. [3]En cambio el que profetiza fortalece a otros, los anima y los consuela. [4]La persona que habla en lenguas se fortalece a sí misma, pero el que dice una palabra de profecía fortalece a toda la iglesia.

[5]Yo desearía que todos pudieran hablar en lenguas, pero más aún me gustaría que todos pudieran profetizar. Pues la profecía es superior que hablar en lenguas, a menos que alguien interprete lo que se dice, para que toda la iglesia se fortalezca.

[6]Amados hermanos, si yo fuera a visitarlos y les hablara en un idioma desconocido,* ¿de qué les serviría a ustedes? En cambio, si les llevo una revelación o un conocimiento especial o una profecía o una enseñanza, eso sí les sería de ayuda. [7]Aun los instrumentos inanimados como la flauta y el arpa, tienen que emitir sonidos nítidos, o nadie reconocerá la melodía. [8]Si el toque de trompeta no es entendible, ¿cómo sabrán los soldados que se les llama a la batalla?

[9]Lo mismo ocurre con ustedes. Si hablan a la gente con palabras que no entienden, ¿cómo podrían saber lo que ustedes dicen? Igual estarían hablando al viento.

[10]Hay muchos idiomas diferentes en el mundo, y cada uno tiene significado; [11]pero si no entiendo un idioma, soy un extranjero para el que lo habla, y el que lo habla es un extranjero para mí. [12]Lo mismo ocurre con ustedes. Ya que están tan deseosos de tener las capacidades

13:3 Algunos manuscritos dicen *sacrificara mi cuerpo para ser quemado.* **13:8** O *en lenguas.* **13:12** En griego *veremos cara a cara.* **14:2a** O *en idiomas desconocidos;* también en 14:4, 5, 13, 14, 18, 22, 26, 27, 28, 39. **14:2b** O *Hablará en su espíritu.* **14:6** O *en lenguas;* también en 14:19, 23.

especiales que da el Espíritu, procuren las que fortalecerán a toda la iglesia.

[13]Por lo tanto, el que habla en lenguas también debería pedir en oración la capacidad de interpretar lo que se ha dicho. [14]Pues, si oro en lenguas, mi espíritu ora, pero yo no entiendo lo que digo.

[15]¿Qué debo hacer entonces? Oraré en el espíritu* y también oraré con palabras que entiendo. Cantaré en el espíritu y también cantaré con palabras que entiendo. [16]Pues, si alabas a Dios sólo en el espíritu, ¿cómo podrán los que no te entienden alabar a Dios contigo? ¿Cómo podrán unirse a tus agradecimientos cuando no entienden lo que dices? [17]Tú darás gracias muy bien, pero eso no fortalecerá a la gente que te oye.

[18]Yo le agradezco a Dios que hablo en lenguas más que cualquiera de ustedes; [19]pero en una reunión de la iglesia, para ayudar a otros preferiría hablar cinco palabras comprensibles que diez mil palabras en un idioma desconocido.

[20]Amados hermanos, no sean infantiles en su comprensión de estas cosas. Sean inocentes como bebés en cuanto a la maldad pero maduros en la comprensión de asuntos como éstos. [21]En las Escrituras* está escrito:

«Hablaré a mi propio pueblo
 en idiomas extraños
 y mediante labios de extranjeros.
Pero aun así, no me escucharán»*,
 dice el SEÑOR.

[22]Así que, como ven, el hablar en lenguas es una señal no para los creyentes sino para los incrédulos. La profecía, sin embargo, es para el beneficio de los creyentes, no de los incrédulos. [23]Aun así, si los incrédulos o la gente que no entiende esas cosas entran en la reunión de la iglesia y oyen a todos hablando en un idioma desconocido, pensarán que ustedes están locos; [24]pero si todos ustedes están profetizando, y los incrédulos o la gente que no entiende esas cosas entran en la reunión, serán convencidos de pecado y juzgados por lo que ustedes dicen. [25]Al escuchar, sus pensamientos secretos quedarán al descubierto y caerán de rodillas y adorarán a Dios declarando: «En verdad, Dios está aquí entre ustedes».

Un llamado a adorar con orden

[26]Ahora bien, mis hermanos, hagamos un resumen. Cuando se reúnan, uno de ustedes cantará, otro enseñará, otro contará alguna revelación especial que Dios le haya dado, otro hablará en lenguas y otro interpretará lo que se dice; pero cada cosa que se haga debe fortalecer a cada uno de ustedes.

[27]No más de dos o tres deberían hablar en lenguas. Deben hablar uno a la vez y que alguien interprete lo que ellos digan. [28]Pero si no hay nadie presente que pueda interpretar, ellos deberán guardar silencio en la reunión de la iglesia y hablar en lenguas a Dios en forma privada.

[29]Que dos o tres personas profeticen y que los demás evalúen lo que se dice. [30]Pero, si alguien está profetizando y otra persona recibe una revelación del Señor, el que está hablando debe callarse. [31]De esa manera, todos los que profeticen tendrán su turno para hablar, uno después de otro, para que todos aprendan y sean alentados. [32]Recuerden que la gente que profetiza está en control de su espíritu y puede turnarse con otros. [33]Pues Dios no es Dios de desorden sino de paz, como en todas las reuniones del pueblo santo de Dios.*

14:15 O *en el Espíritu;* también en 14:15b, 16. **14:21a** En griego *En la ley.* **14:21b** Is 28:11-12. **14:33** La frase *como en todas las reuniones del pueblo santo de Dios* podría, en cambio, unirse al comienzo de 14:34.

[34]Las mujeres deben guardar silencio durante las reuniones de la iglesia. No es apropiado que hablen. Deben ser sumisas, tal como dice la ley. [35]Si tienen preguntas, que le pregunten a su marido en casa, porque no es apropiado que las mujeres hablen en las reuniones de la iglesia.*

[36]¿O acaso piensan, corintios, que la palabra de Dios se originó con ustedes? ¿Son ustedes los únicos a quienes fue entregada? [37]Si alguien afirma ser profeta o piensa que es espiritual, debería reconocer que lo que digo es un mandato del Señor mismo; [38]pero si no lo reconoce, él tampoco será reconocido.*

[39]Por lo tanto, mis amados hermanos, con todo corazón deseen profetizar y no prohíban que se hable en lenguas; [40]pero asegúrense de que todo se haga de forma apropiada y con orden.

La resurrección de Cristo

15 Ahora, amados hermanos, permítanme recordarles la Buena Noticia que ya les prediqué. En ese entonces, la recibieron con gusto y todavía permanecen firmes en ella. [2]Esa es la Buena Noticia que los salva si ustedes siguen creyendo el mensaje que les prediqué, a menos que hayan creído algo que a principio de cuentas nunca fue cierto.*

[3]Yo les transmití a ustedes lo más importante y lo que se me había transmitido a mí también. Cristo murió por nuestros pecados tal como dicen las Escrituras. [4]Fue enterrado y al tercer día fue levantado de los muertos, tal como dicen las Escrituras. [5]Lo vio Pedro* y luego lo vieron los Doce. [6]Más tarde, lo vieron más de quinientos de sus seguidores* a la vez, la mayoría de los cuales todavía viven, aunque algunos ya han muerto. [7]Luego lo vio Santiago, y después lo vieron todos los apóstoles. [8]Por último, como si hubiera nacido en un tiempo que no me correspondía, también lo vi yo. [9]Pues soy el más insignificante de todos los apóstoles. De hecho, ni siquiera soy digno de ser llamado apóstol después de haber perseguido la iglesia de Dios, como lo hice.

[10]Sin embargo, lo que ahora soy, todo se debe a que Dios derramó su favor especial sobre mí, y no sin resultados. Pues he trabajado mucho más que cualquiera de los otros apóstoles; pero no fui yo sino Dios quien obraba a través de mí por su gracia. [11]Así que no importa si predico yo o predican ellos, porque todos predicamos el mismo mensaje que ustedes ya han creído.

La resurrección de los muertos

[12]Pero díganme lo siguiente: dado que nosotros predicamos que Cristo se levantó de los muertos, ¿por qué algunos de ustedes dicen que no habrá resurrección de los muertos? [13]Pues, si no hay resurrección de los muertos, entonces Cristo tampoco ha resucitado; [14]y si Cristo no ha resucitado, entonces toda nuestra predicación es inútil, y la fe de ustedes también es inútil. [15]Y nosotros, los apóstoles, estaríamos todos mintiendo acerca de Dios, porque hemos dicho que Dios levantó a Cristo de la tumba. Así que eso no puede ser cierto si no hay resurrección de los muertos; [16]y si no hay resurrección de los muertos, entonces Cristo no ha resucitado; [17]y si Cristo no ha resucitado, entonces la fe de ustedes es inútil, y todavía son culpables de sus pecados. [18]En ese caso, ¡todos los que murieron creyendo en Cristo están perdidos! [19]Y si nuestra esperanza en Cristo es sólo para esta vida, somos los más dignos de lástima de todo el mundo.

14:35 Algunos manuscritos ubican los versículos 34-35 después de 14:40. **14:38** Algunos manuscritos dicen *Si ignora esto, permanece en su ignorancia.* **15:2** O *a menos que a principio de cuentas ustedes nunca lo hayan creído.* **15:5** En griego *Cefas.* **15:6** En griego *los hermanos.*

[20]Lo cierto es que Cristo sí resucitó de los muertos. Él es el primer fruto de una gran cosecha, el primero de todos los que murieron.

[21]Así que, ya ven, tal como la muerte entró en el mundo por medio de un hombre, ahora la resurrección de los muertos ha comenzado por medio de otro hombre. [22]Así como todos mueren porque todos pertenecemos a Adán, todos los que pertenecen a Cristo recibirán vida nueva; [23]pero esta resurrección tiene un orden: Cristo fue resucitado como el primero de la cosecha, luego todos los que pertenecen a Cristo serán resucitados cuando él regrese.

[24]Después de eso, vendrá el fin, cuando él le entregará el reino a Dios el Padre, luego de destruir a todo gobernante y poder y toda autoridad. [25]Pues Cristo tiene que reinar hasta que humille a todos sus enemigos debajo de sus pies. [26]Y el último enemigo que será destruido es la muerte. [27]Pues las Escrituras dicen: «Dios ha puesto todas las cosas bajo su autoridad»*. (Claro que, cuando dice «todas las cosas están bajo su autoridad», no incluye a Dios mismo, quien le dio a Cristo su autoridad). [28]Entonces, cuando todas las cosas estén bajo su autoridad, el Hijo se pondrá a sí mismo bajo la autoridad de Dios, para que Dios, quien le dio a su Hijo la autoridad sobre todas las cosas, sea completamente supremo sobre todas las cosas en todas partes.

[29]Si los muertos no serán resucitados, ¿para qué se bautiza la gente por los que están muertos? ¿Para qué hacerlo a menos que los muertos algún día resuciten?

[30]¿Y para qué nosotros a todas horas pondríamos en peligro nuestra vida? [31]Pues juro, amados hermanos, que todos los días enfrento la muerte. Esto es tan cierto como el orgullo que siento por lo que Cristo Jesús nuestro Señor ha hecho en ustedes. [32]¿Y qué valor hubo en luchar contra las fieras salvajes —esa gente de Éfeso—* si no habrá resurrección de los muertos? Y si no hay resurrección, «¡comamos y bebamos, que mañana moriremos!»*. [33]No se dejen engañar por los que dicen semejantes cosas, porque «las malas compañías corrompen el buen carácter». [34]Piensen bien sobre lo que es correcto y dejen de pecar. Pues para su vergüenza les digo que algunos de ustedes no conocen a Dios en absoluto.

El cuerpo resucitado

[35]Pero alguien podría preguntar: «¿Cómo resucitarán los muertos? ¿Qué clase de cuerpos tendrán?». [36]¡Qué pregunta tan tonta! Cuando pones una semilla en la tierra, esta no crece y llega a ser una planta a menos que muera primero; [37]y lo que pones en el suelo no es la planta que crecerá sino tan sólo una simple semilla de trigo o de lo que estés sembrando. [38]Luego Dios le da el cuerpo nuevo que él quiere que tenga. De cada clase de semilla crece una planta diferente. [39]De modo parecido, hay diferentes clases de carne: una para los humanos, otra para los animales, otra para las aves y otra para los peces.

[40]También hay cuerpos en los cielos y cuerpos sobre la tierra. La gloria de los cuerpos celestiales es diferente de la gloria de los cuerpos terrenales. [41]El sol tiene una clase de gloria, mientras que la luna tiene otra y las estrellas tienen otra. Y hasta las estrellas se diferencian unas de otras por la gloria de cada una.

[42]Lo mismo sucede con la resurrección de los muertos. Cuando morimos, nuestros cuerpos terrenales son plantados en la tierra, pero serán resucitados para que vivan por siempre. [43]Nuestros

15:27 Sal 8:6. **15:32a** En griego *luchar contra las fieras salvajes en Éfeso.* **15:32b** Is 22:13.

cuerpos son enterrados en deshonra, pero serán resucitados en gloria. Son enterrados en debilidad, pero serán resucitados en fuerza. [44]Son enterrados como cuerpos humanos naturales, pero serán resucitados como cuerpos espirituales. Pues, así como hay cuerpos naturales, también hay cuerpos espirituales.

[45]Las Escrituras nos dicen: «El primer hombre, Adán, se convirtió en ser viviente»*, pero el último Adán —es decir, Cristo— es un Espíritu que da vida. [46]Lo que primero viene es el cuerpo natural, y más tarde viene el cuerpo espiritual. [47]Adán, el primer hombre, fue formado del polvo de la tierra, mientras que Cristo, el segundo hombre, vino del cielo. [48]Los que son terrenales son como el hombre terrenal, y los que son celestiales son como el hombre celestial. [49]Al igual que ahora somos como el hombre terrenal, algún día seremos como* el hombre celestial.

[50]Lo que les digo, amados hermanos, es que nuestros cuerpos físicos no pueden heredar el reino de Dios. Estos cuerpos que mueren no pueden heredar lo que durará para siempre.

[51]Pero permítanme revelarles un secreto maravilloso. ¡No todos moriremos, pero todos seremos transformados! [52]Sucederá en un instante, en un abrir y cerrar de ojos, cuando se toque la trompeta final. Pues, cuando suene la trompeta, los que hayan muerto resucitarán para vivir por siempre. Y nosotros, los que estemos vivos también seremos transformados. [53]Pues nuestros cuerpos mortales tienen que ser transformados en cuerpos que nunca morirán; nuestros cuerpos mortales deben ser transformados en cuerpos inmortales.

[54]Entonces, cuando nuestros cuerpos mortales hayan sido transformados en cuerpos que nunca morirán,* se cumplirá la siguiente Escritura:

«La muerte es devorada en victoria.*
[55] Oh muerte, ¿dónde está tu victoria?
Oh muerte, ¿dónde está tu
aguijón?»*.

[56]Pues el pecado es el aguijón que termina en muerte, y la ley le da al pecado su poder. [57]¡Pero gracias a Dios! Él nos da la victoria sobre el pecado y la muerte por medio de nuestro Señor Jesucristo.

[58]Por lo tanto, mis amados hermanos, permanezcan fuertes y constantes. Trabajen siempre para el Señor con entusiasmo, porque ustedes saben que nada de lo que hacen para el Señor es inútil.

La colecta para Jerusalén

16 Ahora bien, consideremos la pregunta acerca del dinero que se está juntando para el pueblo de Dios en Jerusalén. Deberían seguir el mismo procedimiento que les di a las iglesias de Galacia. [2]El primer día de cada semana, cada uno debería separar una parte del dinero que ha ganado. No esperen hasta que yo llegue para luego tratar de reunirlo todo de golpe. [3]Cuando yo vaya, escribiré cartas de recomendación para los mensajeros que ustedes escojan como encargados de entregar su ofrenda en Jerusalén; [4]y si parece oportuno que yo también vaya, ellos pueden viajar conmigo.

Instrucciones finales de Pablo

[5]Los visitaré después de haber ido a Macedonia,* pues estoy pensando pasar por Macedonia. [6]Tal vez me quede un tiempo con ustedes, quizá todo el invierno, y después podrán enviarme a

15:45 Gn 2:7. **15:49** Algunos manuscritos dicen *seamos como.* **15:54a** Algunos manuscritos incluyen *y nuestros cuerpos mortales hayan sido transformados en cuerpos inmortales.* **15:54b** Is 25:8. **15:55** Os 13:14 (versión griega). **16:5** *Macedonia* estaba situada en la región del norte de Grecia.

mi próximo destino. [7]Esta vez no quiero hacerles una visita corta nada más y luego seguir mi viaje. Deseo ir y quedarme un tiempo si el Señor me lo permite. [8]Mientras tanto, seguiré aquí, en Éfeso, hasta el Festival de Pentecostés. [9]Se ha abierto una puerta de par en par para hacer un gran trabajo en este lugar, aunque muchos se me oponen.

[10]Cuando llegue Timoteo, no lo intimiden. Él hace la obra del Señor igual que yo. [11]No permitan que nadie lo trate con desprecio. Despídanlo con su bendición cuando regrese para estar conmigo. Espero que venga, junto con los demás creyentes.*

[12]Ahora, en cuanto a nuestro hermano Apolos, yo le rogué que fuera a visitarlos en compañía de los otros creyentes, pero él no estaba dispuesto a ir por el momento. Los verá después, cuando tenga la oportunidad.

[13]Estén alerta. Permanezcan firmes en la fe. Sean valientes.* Sean fuertes. [14]Y hagan todo con amor.

[15]Ustedes ya saben que Estéfanas y los de su casa fueron los primeros frutos de la cosecha de creyentes en Grecia,* y ellos tienen su vida puesta al servicio del pueblo de Dios. Les ruego, amados hermanos, [16]que se sometan a ellos y a otros como ellos, que sirven con tanta devoción. [17]Estoy muy contento de que Estéfanas, Fortunato y Acaico hayan llegado. Ellos me han dado la ayuda que ustedes no pudieron darme al no estar aquí. [18]Ellos también han sido de mucho aliento para mí como lo fueron para ustedes. Muéstrenles agradecimiento a todos los que sirven así de bien.

Saludos finales de Pablo

[19]Las iglesias de aquí, en la provincia de Asia,* les mandan saludos en el Señor, igual que Aquila y Priscila* y todos los demás que se congregan en la casa de ellos para las reuniones de la iglesia. [20]Todos los hermanos de aquí les envían saludos. Salúdense unos a otros con amor cristiano.*

[21]ESTE ES MI SALUDO DE PUÑO Y LETRA: PABLO.

[22]Si alguien no ama al Señor, tal persona es maldita. Señor nuestro, ¡ven!*

[23]Que la gracia del Señor Jesús sea con ustedes.

[24]Mi amor a todos ustedes en Cristo Jesús.*

16:11 En griego *con los hermanos;* también en 16:12. **16:13** En griego *Sean hombres.* **16:15** En griego *en Acaya,* la región sur de la península griega. **16:19a** *Asia* era una provincia romana en lo que ahora es la parte occidental de Turquía. **16:19b** En griego *Prisca.* **16:20** En griego *con un beso santo.* **16:22** Del arameo, *Marana ta.* Algunos manuscritos dicen *Maran ata, «Nuestro Señor ha venido».* **16:24** Algunos manuscritos incluyen *Amén.*

«Si tuviera el don de profecía y entendiera todos los planes secretos de Dios y contara con todo el conocimiento, y si tuviera una fe que me hiciera capaz de mover montañas, pero no amara a otros, yo no sería nada. Si diera todo lo que tengo a los pobres y hasta sacrificara mi cuerpo, podría jactarme de eso; pero si no amara a los demás, no habría logrado nada. El amor es paciente y bondadoso. El amor no es celoso ni fanfarrón ni orgulloso ni ofensivo. No exige que las cosas se hagan a su manera. No se irrita ni lleva un registro de las ofensas recibidas. No se alegra de la injusticia sino que se alegra cuando la verdad triunfa. El amor nunca se da por vencido, jamás pierde la fe, siempre tiene esperanzas y se mantiene firme en toda circunstancia. La profecía, el hablar en idiomas desconocidos, y el conocimiento especial se volverán inútiles. ¡Pero el amor durará para siempre! [...] Tres cosas durarán para siempre: la fe, la esperanza y el amor; y la mayor de las tres es el amor».

1 CORINTIOS 13: 2-8, 13

INTRODUCCIÓN A LA SEGUNDA CARTA DE PABLO A LOS CORINTIOS

Propósito: Confirmar el ministerio de Pablo, consolidar su autoridad como apóstol, refutar a los falsos maestros en Corinto, y enseñar a los creyentes cómo entender y responder al sufrimiento.

Autor: Pablo.

Destinatarios: La iglesia en Corinto, y los cristianos en todo el mundo.

Fecha: Aproximadamente 55–57 d. C., desde la antigua Macedonia.

Contexto: Pablo ya había escrito tres cartas a los corintios (dos de las cuales se han perdido). La mayor parte de la iglesia había respondido bien a sus duras palabras, pero algunos rechazaban la autoridad de Pablo y cuestionaban sus motivaciones.

Versículo clave: «Así que somos embajadores de Cristo; Dios hace su llamado por medio de nosotros. Hablamos en nombre de Cristo cuando les rogamos: "¡Vuelvan a Dios!"» (5:20).

Nuestro mundo está lleno de sectas y de filosofías que declaran conocer el camino a Dios o a un poder superior. Estas religiones falsas, controladas por Satanás, tuercen el sencillo mensaje de la salvación de Dios. Enseñan mentiras tales como que todos los caminos conducen a Dios, que el ser humano es bueno y que el pecado no existe o no es tan grave. Pablo escribió 2 Corintios para defender la fe en Jesús y denunciar a los que estaban torciendo la verdad.

La carta de 1 Corintios había puesto de manifiesto la debilidad de esa iglesia. Los cristianos en Corinto, rodeados de idolatría y de inmoralidad, luchaban constantemente para mantener su fe y su pureza. Por medio de cartas y de visitas, Pablo los instruyó y los capacitó para resolver sus problemas y conflictos. La mayoría de los cristianos en Corinto respondieron bien a su primera carta, pero había falsos maestros que negaban las enseñanzas de Pablo y cuestionaban su persona.

Pablo alentó a los creyentes a que siguieran firmes en la verdad del mensaje de la salvación por medio de Cristo. Presentó una irrebatible defensa de sí mismo como seguidor de Jesús y auténtico apóstol, y les recordó del amor que les había demostrado al darles orientación espiritual sin esperar nada a cambio. Su motivación era refutar las acusaciones de los falsos maestros y denunciar su perjudicial influencia espiritual.

Pablo también animó a estos cristianos a cumplir con el compromiso de ayudar a los creyentes necesitados en Jerusalén. Relató de qué forma otros ya habían ofrendado, y alentó a los corintios a mostrar su amor en forma práctica, dando generosamente, tal como Cristo les había dado a ellos.

Pablo dio testimonio de sus sufrimientos y les dijo a sus amigos que los que ellos padecían no durarían para siempre (1:1-10; 4; 12:7-10). Así como el resultado del sufrimiento de Jesús fue la Salvación, el nuestro será utilizado para nuestra transformación y la de otros; todo para la gloria de Dios. Mientras lee esta carta tan personal, renueve su compromiso de obedecer a la verdad de la Palabra de Dios, y pida en oración sabiduría para reconocer y rechazar las falsas enseñanzas.

2 Corintios

Saludos de Pablo

1 Yo, Pablo, elegido por la voluntad de Dios para ser un apóstol de Cristo Jesús, escribo esta carta junto con nuestro hermano Timoteo.

Va dirigida a la iglesia de Dios en Corinto y a todo su pueblo santo que está en toda Grecia.*

[2]Que Dios nuestro Padre y el Señor Jesucristo les den gracia y paz.

Dios ofrece consuelo a todos

[3]Toda la alabanza sea para Dios, el Padre de nuestro Señor Jesucristo. Dios es nuestro Padre misericordioso y la fuente de todo consuelo. [4]Él nos consuela en todas nuestras dificultades para que nosotros podamos consolar a otros. Cuando otros pasen por dificultades, podremos ofrecerles el mismo consuelo que Dios nos ha dado a nosotros. [5]Pues, cuanto más sufrimos por Cristo, tanto más Dios nos colmará de su consuelo por medio de Cristo. [6]Aun cuando estamos abrumados por dificultades, ¡es para el consuelo y la salvación de ustedes! Pues, cuando nosotros somos consolados, ciertamente los consolaremos a ustedes. Entonces podrán soportar con paciencia los mismos sufrimientos que nosotros. [7]Tenemos la plena confianza de que, al participar ustedes de nuestros sufrimientos, también tendrán parte del consuelo que Dios nos da.

[8]Amados hermanos, pensamos que tienen que estar al tanto de las dificultades que hemos atravesado en la provincia de Asia. Fuimos oprimidos y agobiados más allá de nuestra capacidad de aguantar y hasta pensamos que no saldríamos con vida. [9]De hecho, esperábamos morir; pero, como resultado, dejamos de confiar en nosotros mismos y aprendimos a confiar sólo en Dios, quien resucita a los muertos. [10]Efectivamente él nos rescató del peligro mortal y volverá a hacerlo de nuevo. Hemos depositado nuestra confianza en Dios, y él seguirá rescatándonos, [11]y ustedes nos están ayudando al orar por nosotros. Entonces mucha gente dará gracias porque Dios contestó bondadosamente tantas oraciones por nuestra seguridad.

Cambio de planes de Pablo

[12]Podemos decir con confianza y con una conciencia limpia que, en todos nuestros asuntos, hemos vivido en santidad* y con una sinceridad dadas por Dios. Hemos dependido de la gracia de Dios y no de nuestra propia sabiduría humana. Ésa es la forma en que nos hemos comportado ante el mundo y en especial con ustedes. [13]Nuestras cartas fueron transparentes, y no hay nada escrito entre líneas ni nada que no puedan entender. Espero que algún día nos entiendan plenamente, [14]aunque por

1:1 En griego *Acaya*, la región sur de la península griega. **1:12** Algunos manuscritos dicen *honestidad*.

ahora no nos entiendan. Entonces, en el día que el Señor Jesús* regrese, estarán orgullosos de nosotros de la misma manera que nosotros estamos orgullosos de ustedes.

[15]Como estaba tan seguro de su comprensión y confianza, quise darles una doble bendición al visitarlos dos veces: [16]primero de camino a Macedonia, y otra vez al regresar de Macedonia.* Luego podrían ayudarme a seguir mi viaje a Judea.

[17]Tal vez se pregunten por qué cambié de planes. ¿Acaso piensan que hago mis planes a la ligera? ¿Piensan que soy como la gente del mundo que dice «sí» cuando en realidad quiere decir «no»? [18]Tan cierto como que Dios es fiel, nuestra palabra a ustedes no oscila entre el «sí» y el «no». [19]Pues Jesucristo, el Hijo de Dios, no titubea entre el «sí» y el «no». Él es aquél de quien Silas,* Timoteo y yo les predicamos, y siendo el «sí» definitivo de Dios, él siempre hace lo que dice. [20]Pues todas las promesas de Dios se cumplieron en Cristo con un resonante «¡sí!», y por medio de Cristo, nuestro «amén» (que significa «sí») se eleva a Dios para su gloria.

[21]Es Dios quien nos capacita, junto con ustedes, para estar firmes por Cristo. Él nos comisionó [22]y nos identificó como suyos al poner al Espíritu Santo en nuestro corazón como un anticipo que garantiza todo lo que él nos prometió.

[23]Ahora pongo a Dios por testigo de que les digo la verdad. La razón por la cual no regresé a Corinto fue para ahorrarles una severa reprimenda; [24]pero eso no significa que queramos dominarlos al decirles cómo poner en práctica su fe. Queremos trabajar junto con ustedes para que estén llenos de alegría, porque es por medio de su propia fe que se mantienen firmes.

2 Así que decidí que no les causaría tristeza con otra visita dolorosa. [2]Pues, si yo les causo tristeza, ¿quién me alegrará a mí? Por cierto, no será alguien a quien yo haya entristecido. [3]Por eso les escribí como lo hice, para que, cuando llegue, no me causen tristeza los mismos que deberían darme la más grande alegría. Seguramente, todos ustedes saben que mi alegría proviene de que estén alegres. [4]Escribí aquella carta con gran angustia, un corazón afligido y muchas lágrimas. No quise causarles tristeza, más bien quería que supieran cuánto amor tengo por ustedes.

Perdón para el pecador

[5]No exagero cuando digo que el hombre que causó todos los problemas los lastimó más a todos ustedes que a mí. [6]La mayoría de ustedes se le opusieron, y eso ya fue suficiente castigo. [7]No obstante, ahora es tiempo de perdonarlo y consolarlo; de otro modo, podría ser vencido por el desaliento. [8]Así que ahora les ruego que reafirmen su amor por él.

[9]Les escribí como lo hice para probarlos y ver si cumplirían mis instrucciones al pie de la letra. [10]Si ustedes perdonan a este hombre, yo también lo perdono. Cuando yo perdono lo que necesita ser perdonado, lo hago con la autoridad de Cristo en beneficio de ustedes, [11]para que Satanás no se aproveche de nosotros. Pues ya conocemos sus maquinaciones malignas.

[12]Cuando llegué a la ciudad de Troas para predicar la Buena Noticia de Cristo, el Señor me abrió una puerta de oportunidad; [13]pero no sentía paz, porque mi querido hermano Tito todavía no había llegado con un informe de ustedes. Así que me despedí y seguí hacia Macedonia para buscarlo.

1:14 Algunos manuscritos dicen *nuestro Señor Jesús.* **1:16** *Macedonia* estaba situada en la región del norte de Grecia. **1:19** En griego *Silvano.*

Ministros del nuevo pacto

[14]Así que, ¡gracias a Dios!, quien nos ha hecho sus cautivos y siempre nos lleva en triunfo en el desfile victorioso de Cristo. Ahora nos usa para difundir el conocimiento de Cristo por todas partes como un fragante perfume. [15]Nuestras vidas son la fragancia de Cristo que sube hasta Dios, pero esta fragancia se percibe de una manera diferente por los que se salvan y los que se pierden. [16]Para los que se pierden, somos un espantoso olor de muerte y condenación, pero para aquellos que se salvan, somos un perfume que da vida. ¿Y quién es la persona adecuada para semejante tarea?

[17]Ya ven, no somos como tantos charlatanes* que predican para provecho personal. Nosotros predicamos la palabra de Dios con sinceridad y con la autoridad de Cristo, sabiendo que Dios nos observa.

3 ¿Otra vez comenzamos a elogiarnos a nosotros mismos? ¿Acaso somos como otros, que necesitan llevarles cartas de recomendación o que les piden que se escriban tales cartas en nombre de ellos? ¡Por supuesto que no! [2]La única carta de recomendación que necesitamos son ustedes mismos. Sus vidas son una carta escrita en nuestro* corazón; todos pueden leerla y reconocer el buen trabajo que hicimos entre ustedes. [3]Es evidente que son una carta de Cristo que muestra el resultado de nuestro ministerio entre ustedes. Esta «carta» no está escrita con pluma y tinta, sino con el Espíritu del Dios viviente. No está tallada en tablas de piedra, sino en corazones humanos.

[4]Estamos seguros de todo esto debido a la gran confianza que tenemos en Dios por medio de Cristo. [5]No es que pensemos que estamos capacitados para hacer algo por nuestra propia cuenta. Nuestra aptitud proviene de Dios. [6]Él nos capacitó para que seamos ministros de su nuevo pacto. Este no es un pacto de leyes escritas, sino del Espíritu. El antiguo pacto escrito termina en muerte; pero, de acuerdo con el nuevo pacto, el Espíritu da vida.

La gloria del nuevo pacto

[7]El camino* antiguo, con leyes grabadas en piedra, conducía a la muerte, aunque comenzó con tanta gloria que el pueblo de Israel no podía mirar la cara de Moisés. Pues su rostro brillaba con la gloria de Dios, aun cuando el brillo ya estaba desvaneciéndose. [8]¿No deberíamos esperar mayor gloria dentro del nuevo camino, ahora que el Espíritu Santo da vida? [9]Si el antiguo camino, que trae condenación, era glorioso, ¡cuánto más glorioso es el nuevo camino, que nos hace justos ante Dios! [10]De hecho, aquella primera gloria no era para nada gloriosa comparada con la gloria sobreabundante del nuevo camino. [11]Así que si el antiguo camino, que ha sido reemplazado, era glorioso, ¡cuánto más glorioso es el nuevo, que permanece para siempre!

[12]Ya que este nuevo camino nos da tal confianza, podemos ser muy valientes. [13]No somos como Moisés, quien se cubría la cara con un velo para que el pueblo de Israel no pudiera ver la gloria, aun cuando esa gloria estaba destinada a desvanecerse. [14]Pero la mente de ellos se endureció, y hasta el día de hoy, cada vez que se lee el antiguo pacto, el mismo velo les cubre la mente para que no puedan entender la verdad. Este velo puede quitarse solamente al creer en Cristo. [15]Efectivamente, incluso hoy en día, cuando leen los escritos de Moisés,

2:17 Algunos manuscritos dicen *el resto de los charlatanes.* **3:2** Algunos manuscritos dicen *su.*
3:7 O *ministerio;* también en 3:8, 9, 10, 11, 12.

tienen el corazón cubierto con ese velo y no comprenden.

[16]En cambio, cuando alguien se vuelve al Señor, el velo es quitado. [17]Pues el Señor es el Espíritu, y donde está el Espíritu del Señor, allí hay libertad. [18]Así que, todos nosotros, a quienes nos ha sido quitado el velo, podemos ver y reflejar la gloria del Señor. El Señor, quien es el Espíritu, nos hace más y más parecidos a él a medida que somos transformados a su gloriosa imagen.

Tesoros en frágiles vasijas de barro

4 Por lo tanto, ya que Dios, en su misericordia, nos ha dado este nuevo camino,* nunca nos damos por vencidos. [2]Rechazamos todas las acciones vergonzosas y los métodos turbios. No tratamos de engañar a nadie ni de distorsionar la palabra de Dios. Decimos la verdad delante de Dios, y todos los que son sinceros lo saben bien.

[3]Si la Buena Noticia que predicamos está escondida detrás de un velo, sólo está oculta de la gente que se pierde. [4]Satanás, quien es el dios de este mundo, ha cegado la mente de los que no creen. Son incapaces de ver la gloriosa luz de la Buena Noticia. No entienden este mensaje acerca de la gloria de Cristo, quien es la imagen exacta de Dios.

[5]Como ven, no andamos predicando acerca de nosotros mismos. Predicamos que Jesucristo es Señor, y nosotros somos siervos de ustedes por causa de Jesús. [6]Pues Dios, quien dijo: «Que haya luz en la oscuridad», hizo que esta luz brille en nuestro corazón para que podamos conocer la gloria de Dios que se ve en el rostro de Jesucristo.

[7]Ahora tenemos esta luz que brilla en nuestro corazón, pero nosotros mismos somos como frágiles vasijas de barro que contienen este gran tesoro.* Esto deja bien claro que nuestro gran poder proviene de Dios, no de nosotros mismos.

[8]Por todos lados nos presionan las dificultades, pero no nos aplastan. Estamos perplejos pero no caemos en la desesperación. [9]Somos perseguidos pero nunca abandonados por Dios. Somos derribados, pero no destruidos. [10]Mediante el sufrimiento, nuestro cuerpo sigue participando de la muerte de Jesús, para que la vida de Jesús también pueda verse en nuestro cuerpo.

[11]Es cierto, vivimos en constante peligro de muerte porque servimos a Jesús, para que la vida de Jesús sea evidente en nuestro cuerpo que muere. [12]Así que vivimos de cara a la muerte, pero esto ha dado como resultado vida eterna para ustedes.

[13]Sin embargo, seguimos predicando porque tenemos la misma clase de fe que tenía el salmista cuando dijo: «Creí en Dios, por tanto hablé»*. [14]Sabemos que Dios, quien resucitó al Señor Jesús,* también nos resucitará a nosotros con Jesús y nos presentará ante sí mismo junto con ustedes. [15]Todo esto es para beneficio de ustedes, y a medida que la gracia de Dios alcance a más y más personas, habrá abundante acción de gracias, y Dios recibirá más y más gloria.

[16]Es por esto que nunca nos damos por vencidos. Aunque nuestro cuerpo está muriéndose, nuestro espíritu* va renovándose cada día. [17]Pues nuestras dificultades actuales son pequeñas y no durarán mucho tiempo. Sin embargo, ¡nos producen una gloria que durará para siempre y que es de mucho más peso que las dificultades! [18]Así que no miramos las dificultades que ahora vemos; en cambio, fijamos nuestra vista en cosas que no pueden verse. Pues las co-

4:1 O *ministerio.* **4:7** En griego *Ahora tenemos este tesoro en vasijas de barro.* **4:13** Sal 116:10. **4:14** Algunos manuscritos dicen *quien resucitó a Jesús.* **4:16** En griego *nuestro ser interior.*

sas que ahora podemos ver pronto se habrán ido, pero las cosas que no podemos ver permanecerán para siempre.

Nuevos cuerpos

5 Pues sabemos que, cuando se desarme esta carpa de campaña terrenal en la cual vivimos (es decir, cuando muramos y dejemos este cuerpo terrenal), tendremos una casa en el cielo, un cuerpo eterno hecho para nosotros por Dios mismo y no por manos humanas. [2]Nos fatigamos en nuestro cuerpo actual y anhelamos ponernos nuestro cuerpo celestial como si fuera ropa nueva. [3]Pues nos vestiremos con un cuerpo celestial; no seremos espíritus sin cuerpo.* [4]Mientras vivimos en este cuerpo terrenal, gemimos y suspiramos, pero no es que queramos morir y deshacernos de este cuerpo que nos viste. Más bien, queremos ponernos nuestro cuerpo nuevo para que este cuerpo que muere sea consumido por la vida. [5]Dios mismo nos ha preparado para esto, y como garantía nos ha dado su Espíritu Santo.

[6]Así que siempre vivimos en plena confianza, aunque sabemos que mientras vivamos en este cuerpo no estamos en el hogar celestial con el Señor. [7]Pues vivimos por lo que creemos y no por lo que vemos. [8]Sí, estamos plenamente confiados, y preferiríamos estar fuera de este cuerpo terrenal porque entonces estaríamos en el hogar celestial con el Señor. [9]Así que, ya sea que estemos aquí en este cuerpo o ausentes de este cuerpo, nuestro objetivo es agradarlo a él. [10]Pues todos tendremos que estar delante de Cristo para ser juzgados. Cada uno de nosotros recibirá lo que merezca por lo bueno o lo malo que haya hecho mientras estaba en este cuerpo terrenal.

Somos embajadores de Dios

[11]Dado que entendemos nuestra temible responsabilidad ante el Señor, trabajamos con esmero para persuadir a otros. Dios sabe que somos sinceros, y espero que ustedes también lo sepan. [12]¿Estamos de nuevo recomendándonos a ustedes? No, estamos dándoles un motivo para que estén orgullosos de nosotros,* para que puedan responder a los que se jactan de tener ministerios espectaculares en vez de tener un corazón sincero. [13]Si parecemos estar locos es para darle gloria a Dios, y si estamos en nuestro sano juicio, es para beneficio de ustedes. [14]Sea de una forma u otra, el amor de Cristo nos controla.* Ya que creemos que Cristo murió por todos, también creemos que todos hemos muerto a nuestra vida antigua.* [15]Él murió por todos para que los que reciben la nueva vida de Cristo ya no vivan más para sí mismos. Más bien, vivirán para Cristo, quien murió y resucitó por ellos.

[16]Así que hemos dejado de evaluar a otros desde el punto de vista humano. En un tiempo, pensábamos de Cristo sólo desde un punto de vista humano. ¡Qué tan diferente lo conocemos ahora! [17]Esto significa que todo el que pertenece a Cristo se ha convertido en una persona nueva. La vida antigua ha pasado, ¡una nueva vida ha comenzado!

[18]Y todo esto es un regalo de Dios, quien nos trajo de vuelta a sí mismo por medio de Cristo. Y Dios nos ha dado la tarea de reconciliar a la gente con él. [19]Pues Dios estaba en Cristo reconciliando al mundo consigo mismo, no tomando más en cuenta el pecado de la gente. Y nos dio a nosotros este maravilloso mensaje de reconciliación. [20]Así que somos embajadores de Cristo; Dios hace su llamado por medio de nosotros.

5:3 En griego *no estaremos desnudos.* **5:12** Algunos manuscritos dicen *orgullosos de ustedes mismos.* **5:14a** O *nos obliga.* **5:14b** En griego *Ya que uno murió por todos, entonces todos murieron.*

Hablamos en nombre de Cristo cuando les rogamos: «¡Vuelvan a Dios!». [21]Pues Dios hizo que Cristo, quien nunca pecó, fuera la ofrenda por nuestro pecado,* para que nosotros pudiéramos estar en una relación correcta con Dios por medio de Cristo.

6 Como colaboradores de Dios,* les suplicamos que no reciban ese maravilloso regalo de la bondad de Dios y luego no le den importancia. [2]Pues Dios dice:

«En el momento preciso, te oí.
En el día de salvación te ayudé»*.

Efectivamente, el «momento preciso» es ahora. Hoy es el día de salvación.

Dificultades y privaciones de Pablo

[3]Vivimos de tal manera que nadie tropezará a causa de nosotros, y nadie encontrará ninguna falta en nuestro ministerio. [4]En todo lo que hacemos, demostramos que somos verdaderos ministros de Dios. Con paciencia soportamos dificultades y privaciones y calamidades de toda índole. [5]Fuimos golpeados, encarcelados, enfrentamos a turbas enfurecidas, trabajamos hasta quedar exhaustos, aguantamos noches sin dormir y pasamos hambre. [6]Demostramos lo que somos por nuestra pureza, nuestro entendimiento, nuestra paciencia, nuestra bondad, por el Espíritu Santo que está dentro de nosotros* y por nuestro amor sincero. [7]Con fidelidad predicamos la verdad. El poder de Dios actúa en nosotros. Usamos las armas de la justicia con la mano derecha para atacar y con la izquierda para defender. [8]Servimos a Dios, ya sea que la gente nos honre o nos desprecie, sea que nos calumnie o nos elogie. Somos sinceros, pero nos llaman impostores. [9]Nos ignoran aun cuando somos bien conocidos. Vivimos al borde de la muerte, pero aún seguimos con vida. Nos han golpeado, pero no matado. [10]Hay dolor en nuestro corazón, pero siempre tenemos alegría. Somos pobres, pero damos riquezas espirituales a otros. No poseemos nada, y sin embargo, lo tenemos todo.

[11]¡Oh, queridos amigos corintios!, les hemos hablado con toda sinceridad y nuestro corazón está abierto a ustedes. [12]No hay falta de amor de nuestra parte, pero ustedes nos han negado su amor. [13]Les pido que respondan como si fueran mis propios hijos. ¡Ábrannos su corazón!

El templo del Dios viviente

[14]No se asocien íntimamente con los que son incrédulos. ¿Cómo puede la justicia asociarse con la maldad? ¿Cómo puede la luz vivir con las tinieblas? [15]¿Qué armonía puede haber entre Cristo y el diablo?* ¿Cómo puede un creyente asociarse con un incrédulo? [16]¿Y qué clase de unión puede haber entre el templo de Dios y los ídolos? Pues nosotros somos el templo del Dios viviente. Como dijo Dios:

«Viviré en ellos
y caminaré entre ellos.
Yo seré su Dios,
y ellos serán mi pueblo.*
[17] Por lo tanto, salgan de entre los incrédulos
y apártense de ellos, dice el SEÑOR.
No toquen sus cosas inmundas,
y yo los recibiré a ustedes.*
[18] Y yo seré su Padre,
y ustedes serán mis hijos e hijas,
dice el SEÑOR Todopoderoso»*.

5:21 O *fuera hecho pecado.* **6:1** O *Mientras trabajamos juntos.* **6:2** Is 49:8 (versión griega). **6:6** O *por nuestra santidad de espíritu.* **6:15** En griego *Beliar;* varios manuscritos traducen este nombre del diablo como *Belian, Beliab* o *Belial.* **6:16** Lv 26:12; Ez 37:27. **6:17** Is 52:11; Ez 20:34 (versión griega). **6:18** 2 Sm 7:14.

7 Queridos amigos, dado que tenemos estas promesas, limpiémonos de todo lo que pueda contaminar nuestro cuerpo o espíritu. Y procuremos alcanzar una completa santidad porque tememos a Dios.

[2]Por favor, ábrannos su corazón. No le hemos hecho mal a nadie ni hemos llevado a nadie por mal camino ni nos hemos aprovechado de nadie. [3]No les digo esto para condenarlos. Ya les dije antes que ustedes están en nuestro corazón y que vivimos o morimos junto con ustedes. [4]Tienen toda mi confianza, y estoy muy orgulloso de ustedes. Me han alentado en gran manera y me han hecho feliz a pesar de todas nuestras dificultades.

Alegría de Pablo por el arrepentimiento de la iglesia

[5]Cuando llegamos a Macedonia, no hubo descanso para nosotros. Enfrentamos conflictos de todos lados, con batallas por fuera y temores por dentro; [6]pero Dios, quien alienta a los desanimados, nos alentó con la llegada de Tito. [7]Su presencia fue una alegría, igual que la noticia que nos trajo del ánimo que él recibió de ustedes. Cuando nos dijo cuánto anhelan verme y cuánto sienten lo que sucedió y lo leales que me son, ¡me llené de alegría!

[8]No lamento haberles enviado esa carta tan severa, aunque al principio sí me lamenté porque sé que les causó dolor durante un tiempo. [9]Ahora me alegro de haberla enviado, no porque los haya lastimado, sino porque el dolor hizo que se arrepintieran y cambiaran su conducta. Fue la clase de tristeza que Dios quiere que su pueblo tenga, de modo que no les hicimos daño de ninguna manera. [10]Pues la clase de tristeza que Dios desea que suframos nos aleja del pecado y trae como resultado salvación. No hay que lamentarse por esa clase de tristeza; pero la tristeza del mundo, al cual le falta arrepentimiento, resulta en muerte espiritual.

[11]¡Tan sólo miren lo que produjo en ustedes esa tristeza que proviene de Dios! Tal fervor, tal ansiedad por limpiar su nombre, tal indignación, tal preocupación, tal deseo de verme, tal celo y tal disposición para castigar lo malo. Ustedes demostraron haber hecho todo lo necesario para corregir la situación. [12]Mi propósito, entonces, no fue escribir acerca de quién causó el daño o quién resultó dañado. Les escribí para que, a los ojos de Dios, pudieran comprobar por sí mismos qué tan leales son a nosotros. [13]Esto nos ha alentado en gran manera.

Además de nuestro propio aliento, nos deleitamos particularmente al ver lo feliz que estaba Tito por la manera en que todos ustedes lo recibieron y lo tranquilizaron.* [14]Le dije lo orgulloso que estaba de ustedes, y no me decepcionaron. Siempre les he dicho la verdad, ¡y ahora mi jactancia ante Tito también resultó ser cierta! [15]Ahora él se preocupa por ustedes más que nunca cuando recuerda cómo todos lo obedecieron y cómo lo recibieron con tanto temor y profundo respeto. [16]Ahora estoy muy feliz porque tengo plena confianza en ustedes.

Un llamado a dar con generosidad

8 Ahora quiero que sepan, amados hermanos, lo que Dios, en su bondad, ha hecho por medio de las iglesias de Macedonia. [2]Estas iglesias están siendo probadas con muchas aflicciones y además son muy pobres; pero a la vez rebosan de abundante alegría, la cual se desbordó en gran generosidad.

[3]Pues puedo dar fe de que dieron no sólo lo que podían, sino aún mucho más. Y lo hicieron por voluntad propia. [4]Nos

7:13 En griego *tranquilizaron su espíritu.*

suplicaron una y otra vez tener el privilegio de participar en la ofrenda para los creyentes de Jerusalén.* [5]Incluso hicieron más de lo que esperábamos, porque su primer paso fue entregarse ellos mismos al Señor y a nosotros, tal como Dios quería.

[6]Así que le hemos pedido a Tito —quien los alentó a que comenzaran a dar— que regrese a ustedes y los anime a completar este ministerio de ofrendar. [7]Dado que ustedes sobresalen en tantas maneras —en su fe, sus oradores talentosos, su conocimiento, su entusiasmo y el amor que reciben de nosotros*— quiero que también sobresalgan en este acto bondadoso de ofrendar.

[8]No estoy ordenándoles que lo hagan, pero pongo a prueba qué tan genuino es su amor al compararlo con el anhelo de las otras iglesias.

[9]Ustedes conocen la gracia generosa de nuestro Señor Jesucristo. Aunque era rico, por amor a ustedes se hizo pobre para que mediante su pobreza pudiera hacerlos ricos.

[10]Éste es mi consejo: sería bueno que completaran lo que comenzaron hace un año. El año pasado, ustedes fueron los primeros en querer dar y fueron los primeros en comenzar a hacerlo. [11]Ahora deberían terminar lo que comenzaron. Que el anhelo que mostraron al principio corresponda ahora con lo que den. Den en proporción a lo que tienen. [12]Todo lo que den es bien recibido si lo dan con entusiasmo. Y den según lo que tienen, no según lo que no tienen. [13]Claro, con eso no quiero decir que lo que ustedes den deba hacerles fácil la vida a otros y difícil a ustedes. Sólo quiero decir que debería haber cierta igualdad. [14]Ahora mismo ustedes tienen en abundancia y pueden ayudar a los necesitados. Más adelante, ellos tendrán en abundancia y podrán compartir con ustedes cuando pasen necesidad. De esta manera, habrá igualdad. [15]Como dicen las Escrituras:

«A los que recogieron mucho, nada les sobró,
y a los que recogieron sólo un poco, nada les faltó»*.

Tito y sus compañeros

[16]Por lo tanto, ¡gracias a Dios!, quien le ha dado a Tito el mismo entusiasmo que yo tengo por ustedes. [17]Tito recibió con agrado nuestra petición de que él volviera a visitarlos. De hecho, él mismo estaba deseoso por ir a verlos. [18]También les enviamos junto con Tito a otro hermano, a quien todas las iglesias elogian como predicador de la Buena Noticia. [19]Las iglesias lo nombraron para que nos acompañara a llevar la ofrenda a Jerusalén,* un servicio que glorifica al Señor y que demuestra nuestro anhelo de ayudar.

[20]Viajamos juntos para evitar cualquier crítica por la manera en que administramos esta generosa ofrenda. [21]Tenemos cuidado de ser honorables ante el Señor, pero también queremos que todos los demás vean que somos honorables.

[22]También les enviamos junto con ellos a otro de nuestros hermanos, que muchas veces ha demostrado lo que es y en varias ocasiones ha manifestado su gran fervor. Ahora está aún más entusiasmado debido a la gran confianza que tiene en ustedes. [23]Si alguien pregunta por Tito, díganle que él es mi colaborador, quien trabaja conmigo para ayudarlos. Y los hermanos que lo acompañan fueron enviados por las iglesias,* y le dan honor a Cristo. [24]Así que demuéstrenles su amor y pruébenles a todas las iglesias que está justificada nuestra jactancia por ustedes.

8:4 En griego *pueblo santo de Dios.* **8:7** Algunos manuscritos dicen *el amor por nosotros.* **8:15** Ex 16:18. **8:19** Ver 1 Co 16:3-4. **8:23** En griego *son apóstoles de las iglesias.*

Ofrenda para los cristianos de Jerusalén

9 En realidad, no necesito escribirles acerca del ministerio de ofrendar para los creyentes de Jerusalén.* [2]Pues sé lo deseosos que están de ayudar, y me estuve jactando en las iglesias de Macedonia de que ustedes, los de Grecia,* hace un año estuvieron dispuestos a enviar una ofrenda. De hecho, fue su entusiasmo lo que fomentó que muchos de los creyentes macedonios comenzaran a dar.

[3]Les envío a estos hermanos para estar seguro de que ustedes realmente están listos —como les he estado diciendo a ellos— y que ya tienen todo el dinero reunido. No quiero estar equivocado al jactarme de ustedes. [4]Sería vergonzoso para nosotros —ni hablar de la vergüenza que significaría para ustedes— si algunos creyentes macedonios llegaran conmigo, ¡y encontraran que ustedes no están preparados después de todo lo que les hablé de ustedes! [5]Así que pensé que debería enviarles a estos hermanos primero, a fin de estar seguro de que tienen lista la ofrenda que prometieron; pero quiero que sea una ofrenda voluntaria, no una ofrenda dada de mala gana.

[6]Recuerden lo siguiente: un agricultor que siembra sólo unas cuantas semillas obtendrá una cosecha pequeña. Pero el que siembra abundantemente obtendrá una cosecha abundante. [7]Cada uno debe decidir en su corazón cuánto dar; y no den de mala gana ni bajo presión, «porque Dios ama a la persona que da con alegría»*. [8]Y Dios proveerá con generosidad todo lo que necesiten. Entonces siempre tendrán todo lo necesario y habrá bastante de sobra que compartir con otros. [9]Como dicen las Escrituras:

«Ellos comparten con libertad y dan
generosamente a los pobres.
Sus buenas acciones serán
recordadas para siempre»*.

[10]Pues es Dios quien provee la semilla al agricultor y luego el pan para comer. De la misma manera, él proveerá y aumentará los recursos de ustedes y luego producirá una gran cosecha de generosidad* en ustedes.

[11]Efectivamente, serán enriquecidos en todo sentido para que siempre puedan ser generosos; y cuando llevemos sus ofrendas a los que las necesitan, ellos darán gracias a Dios. [12]Entonces dos cosas buenas resultarán del ministerio de dar: se satisfarán las necesidades de los creyentes de Jerusalén* y ellos expresarán con alegría su agradecimiento a Dios.

[13]Como resultado del ministerio de ustedes, ellos darán la gloria a Dios. Pues la generosidad de ustedes tanto hacia ellos como a todos los creyentes demostrará que son obedientes a la Buena Noticia de Cristo. [14]Y ellos orarán por ustedes con un profundo cariño debido a la desbordante gracia que Dios les ha dado a ustedes. [15]¡Gracias a Dios por este don* que es tan maravilloso que no puede describirse con palabras!

Pablo defiende su autoridad

10 Ahora yo, Pablo, les ruego con la ternura y bondad de Cristo, aunque me doy cuenta de que piensan que soy tímido en persona y valiente sólo cuando escribo desde lejos. [2]Pues bien, les suplico ahora, para que cuando vaya, no tenga que ser atrevido con los que piensan que actuamos con intenciones humanas.

[3]Somos humanos, pero no luchamos

9:1 En griego *acerca de la ofrenda para el pueblo santo de Dios.* **9:2** En griego *de Acaya.* La región sur de la península griega. *Macedonia* estaba situada en la región del norte de Grecia. **9:7** Ver la nota al pie de página en Pr 22:8. **9:9** Sal 112:9. **9:10** En griego *justicia.* **9:12** En griego *del pueblo santo de Dios.* **9:15** En griego *su don.*

como lo hacen los humanos. [4]*Usamos las armas poderosas de Dios, no las del mundo, para derribar las fortalezas del razonamiento humano y para destruir argumentos falsos. [5]Destruimos todo obstáculo de arrogancia que impide que la gente conozca a Dios. Capturamos los pensamientos rebeldes y enseñamos a las personas a obedecer a Cristo; [6]y una vez que ustedes lleguen a ser totalmente obedientes, castigaremos a todo el que siga en desobediencia.

[7]Fíjense en los hechos evidentes.* Los que afirman que pertenecen a Cristo deben reconocer que nosotros pertenecemos a Cristo tanto como ellos. [8]Pareciera que estoy jactándome demasiado de la autoridad que nos dio el Señor, pero nuestra autoridad los edifica a ustedes, no los destruye. Así que no me avergonzaré de usar mi autoridad.

[9]No es mi intención asustarlos con mis cartas. [10]Pues algunos dicen: «Las cartas de Pablo son exigentes y fuertes, ¡pero él en persona es débil y sus discursos no valen nada!». [11]Esas personas deberían darse cuenta de que nuestras acciones, cuando lleguemos en persona, serán tan enérgicas como lo que decimos en nuestras cartas, que llegan desde lejos.

[12]¡Ah, no se preocupen! No nos atreveríamos a decir que somos tan maravillosos como esos hombres, que les dicen qué importantes son ellos pero sólo se comparan el uno con el otro, empleándose a sí mismos como estándar de medición. ¡Qué ignorantes!

[13]Nosotros no nos jactaremos de cosas hechas fuera de nuestro campo de autoridad. Nos jactaremos sólo de lo que haya sucedido dentro de los límites del trabajo que Dios nos ha dado, los cuales incluyen nuestro trabajo con ustedes. [14]No traspasamos esos límites cuando afirmamos tener autoridad sobre ustedes, como si nunca hubiéramos ido a visitarlos. Pues fuimos los primeros en viajar hasta Corinto con la Buena Noticia de Cristo.

[15]Tampoco nos jactamos ni nos atribuimos el mérito por el trabajo que otro haya hecho. En cambio, esperamos que la fe de ustedes crezca, a fin de que se extiendan los límites de nuestro trabajo entre ustedes. [16]Entonces podremos ir a predicar la Buena Noticia en otros lugares más allá de ustedes, donde ningún otro esté trabajando. Así nadie pensará que nos jactamos de trabajar en el territorio de otro. [17]Como dicen las Escrituras: «Si quieres jactarte, jáctate sólo del Señor»*.

[18]Cuando la gente se alaba a sí misma, ese elogio no sirve de mucho. Lo importante es que los elogios provengan del Señor.

Pablo y los falsos apóstoles

11 Espero que toleren un poco más de mis «tonterías». Por favor, ténganme paciencia; [2]pues los celo, con el celo de Dios mismo. Los prometí como una novia pura* a su único esposo: Cristo. [3]Pero temo que, de alguna manera, su pura y completa devoción a Cristo se corrompa, tal como Eva fue engañada por la astucia de la serpiente. [4]Ustedes soportan de buena gana todo lo que cualquiera les dice, aun si les predican a un Jesús diferente del que nosotros predicamos o a un Espíritu diferente del que ustedes recibieron o un evangelio diferente del que creyeron.

[5]Pero de ninguna manera me considero inferior a esos «superapóstoles» que enseñan tales cosas. [6]Podré ser un orador inexperto, pero no me falta conocimiento. Eso

10:4 Diferentes traducciones al español dividen los versículos 4 y 5 de maneras distintas.
10:7 O *Ustedes ven las cosas sólo con base en las apariencias.* **10:17** Jr 9:24. **11:2** En griego *una virgen.*

es algo que les hemos dejado bien claro a ustedes de todas las maneras posibles.

[7]¿Estaba equivocado cuando me humillé y los honré al predicarles la Buena Noticia de Dios sin esperar nada a cambio? [8]Les «robé» a otras iglesias al aceptar sus contribuciones para poder servirlos a ustedes sin ningún costo. [9]Cuando estuve con ustedes y no tenía lo suficiente para vivir, no llegué a ser una carga financiera para nadie. Pues los hermanos que llegaron de Macedonia me trajeron todo lo que necesitaba. Nunca he sido una carga para ustedes y jamás lo seré. [10]Tan cierto como que la verdad de Cristo está en mí, nadie en toda Grecia* me impedirá que me jacte de esto. [11]¿Por qué? ¿Porque no los amo? Dios sabe que sí.

[12]Pero seguiré haciendo lo que siempre he hecho. Esto debilitará los argumentos de aquellos que andan buscando la oportunidad para jactarse de que su trabajo es igual al nuestro. [13]Estos individuos son falsos apóstoles. Son obreros engañosos que se disfrazan de apóstoles de Cristo. [14]¡Pero no me sorprende para nada! Aun Satanás se disfraza de ángel de luz. [15]Así que no es de sorprenderse que los que lo sirven también se disfracen de siervos de la justicia. Al final, recibirán el castigo que sus acciones perversas merecen.

Las muchas pruebas de Pablo

[16]Otra vez lo digo, no piensen que soy un necio por hablar así; pero aun si lo piensan, escúchenme, tal como lo harían con una persona necia, mientras que yo también me jacto un poco. [17]Dicha jactancia no proviene del Señor, pero actúo como un necio. [18]Ya que otros se jactan de sus logros humanos, yo también lo haré. [19]Después de todo, ustedes se creen muy sabios, ¡pero con gusto soportan a los necios! [20]Aguantan cuando alguien los esclaviza, les quita todo lo que tienen, se aprovecha de ustedes, toma control de todo y les da una bofetada. [21]¡Me da vergüenza decir que nosotros fuimos demasiado «débiles» para hacer lo mismo!

Pero sea lo que sea de lo que ellos se atrevan a jactarse —otra vez hablo como un necio— yo también me atrevo a jactarme de lo mismo. [22]¿Son ellos hebreos? Yo también lo soy. ¿Son israelitas? También lo soy yo. ¿Son descendientes de Abraham? También yo. [23]¿Son siervos de Cristo? Sé que sueno como un loco, ¡pero yo lo he servido mucho más! He trabajado con más esfuerzo, me han encarcelado más seguido, fui azotado innumerables veces y enfrenté la muerte en repetidas ocaciones. [24]En cinco ocasiones distintas, los líderes judíos me dieron treinta y nueve latigazos. [25]Tres veces me azotaron con varas. Una vez fui apedreado. Tres veces sufrí naufragios. Una vez pasé toda una noche y el día siguiente a la deriva en el mar. [26]He estado en muchos viajes muy largos. Enfrenté peligros de ríos y de ladrones. Enfrenté peligros de parte de mi propio pueblo, los judíos, y también de los gentiles.* Enfrenté peligros en ciudades, en desiertos y en mares. Y enfrenté peligros de hombres que afirman ser creyentes, pero no lo son.* [27]He trabajado con esfuerzo y por largas horas y soporté muchas noches sin dormir. He tenido hambre y sed, y a menudo me he quedado sin nada que comer. He temblado de frío, sin tener ropa suficiente para mantenerme abrigado.

[28]Además de todo eso, a diario llevo la carga de mi preocupación por todas las iglesias. [29]¿Quién está débil sin que yo no sienta esa misma debilidad? ¿Quién se ha dejado llevar por mal camino y sin que yo no arda de enojo?

[30]Si debo jactarme, preferiría jactarme

11:10 En griego *Acaya*, la región sur de la península griega. **11:26a** *Gentil[es]*, que no es judío. **11:26b** En griego *de falsos hermanos*.

de las cosas que muestran lo débil que soy. [31]Dios, el Padre de nuestro Señor Jesús, quien es digno de eterna alabanza, sabe que no miento. [32]Cuando estuve en Damasco, el gobernador bajo el mando del rey Aretas puso guardias en las puertas de la ciudad para atraparme. [33]Tuvieron que descolgarme en un canasto por una ventana en el muro de la ciudad para que escapara de él.

La visión de Pablo y la espina en su carne

12 Mi jactancia no servirá de nada, sin embargo, debo seguir adelante. A mi pesar contaré acerca de visiones y revelaciones que provienen del Señor. [2]Hace catorce años fui* llevado hasta el tercer cielo. Si fue en mi cuerpo o fuera de mi cuerpo no lo sé; sólo Dios lo sabe. [3]Es cierto, sólo Dios sabe si estaba yo en mi cuerpo o fuera del cuerpo; pero sí sé [4]que fui llevado al paraíso y oí* cosas tan increíbles que no pueden expresarse con palabras, cosas que a ningún humano se le permite contar.

[5]De esa experiencia vale la pena jactarse, pero no voy a hacerlo. Sólo me jactaré de mis debilidades. [6]Si quisiera jactarme, no sería ningún necio al hacerlo porque estaría diciendo la verdad; pero no lo haré, porque no quiero que nadie me atribuya méritos más allá de lo que pueda verse en mi vida u oírse en mi mensaje, [7]aun cuando he recibido de Dios revelaciones tan maravillosas. Así que, para impedir que me volviera orgulloso, se me dio una espina en mi carne, un mensajero de Satanás para atormentarme e impedir que me volviera orgulloso.

[8]En tres ocasiones distintas, le supliqué al Señor que me la quitara. [9]Cada vez él me dijo: «Mi gracia es todo lo que necesitas; mi poder actúa mejor en la debilidad». Así que ahora me alegra jactarme de mis debilidades, para que el poder de Cristo pueda actuar a través de mí. [10]Es por esto que me deleito en mis debilidades, y en los insultos, en privaciones, persecuciones y dificultades que sufro por Cristo. Pues, cuando soy débil, entonces soy fuerte.

Preocupación de Pablo por los corintios

[11]Ustedes hicieron que me comportara como un necio al jactarme como lo hice.* Deberían estar escribiendo elogios acerca de mí, porque no soy de ninguna manera inferior a esos «superapóstoles», aun cuando no soy nada en absoluto. [12]Cuando estuve con ustedes les di pruebas de que soy un apóstol. Pues con paciencia hice muchas señales, maravillas y milagros entre ustedes. [13]Lo único que no hice, y que sí hago en las demás iglesias, fue convertirme en una carga financiera para ustedes. Por favor, ¡perdónenme por esta falta!

[14]Ahora voy a visitarlos por tercera vez y no les seré una carga. No busco lo que tienen, los busco a ustedes mismos. Después de todo, los hijos no mantienen a los padres. Al contrario, son los padres quienes mantienen a sus hijos. [15]Con gusto me desgastaré por ustedes y también gastaré todo lo que tengo, aunque parece que cuanto más los amo, menos me aman ustedes a mí.

[16]Algunos de ustedes admiten que no les fui una carga, pero otros todavía piensan que fui muy astuto y que me aproveché de ustedes con engaños. [17]¿Pero cómo? ¿Acaso alguno de los hombres que les envié se aprovechó de ustedes? [18]Cuando le pedí a Tito que los visitara y envié con él al otro hermano, ¿acaso Tito se aprovechó de ustedes? ¡No!, porque ambos tenemos el mismo espíritu y ca-

12:2 En griego *Conozco a un hombre en Cristo que fue.* **12:3-4** En griego *Pero conozco a tal hombre,* [4] *que fue llevado al paraíso y oyó.* **12:11** Algunos manuscritos no incluyen *al jactarme como lo hice.*

minamos sobre las pisadas del otro y hacemos las cosas de la misma manera.

[19]Tal vez piensen que decimos estas cosas sólo para defendernos. No, les decimos esto como siervos de Cristo y con Dios como testigo. Todo lo que hacemos, queridos amigos, es para fortalecerlos. [20]Pues temo que, cuando vaya, no me gustará lo que encuentre, y que a ustedes no les gustará mi reacción. Temo que encontraré peleas, celos, enojo, egoísmo, calumnias, chismes, arrogancia y conducta desordenada. [21]Así es, tengo miedo de que, cuando vaya de nuevo, Dios me humille ante ustedes. Y quedaré entristecido porque varios de ustedes no han abandonado sus viejos pecados. No se han arrepentido de su impureza, de su inmoralidad sexual ni del intenso deseo por los placeres sensuales.

Consejos finales de Pablo

13 Esta es la tercera vez que los visito, (y como dicen las Escrituras: «Los hechos de cada caso deben ser establecidos por el testimonio de dos o tres testigos»*). [2]Ya puse sobre aviso a los que andaban en pecado cuando estuve ahí durante mi segunda visita. Ahora les advierto de nuevo a ellos y a todos los demás, tal como lo hice antes, que la próxima vez no tendré compasión de ellos.

[3]Les daré todas las pruebas que quieran de que Cristo habla por medio de mí. Cristo no es débil cuando trata con ustedes; es poderoso entre ustedes. [4]Aunque fue crucificado en debilidad, ahora vive por el poder de Dios. Nosotros también somos débiles, al igual que Cristo lo fue, pero cuando tratemos con ustedes, estaremos vivos con él y tendremos el poder de Dios.

[5]Examínense para saber si su fe es genuina. Pruébense a sí mismos. Sin duda saben que Jesucristo está entre ustedes;* de no ser así, ustedes han reprobado el examen de la fe genuina. [6]Al ponerse a prueba, espero que reconozcan que nosotros no hemos reprobado el examen de la autoridad apostólica.

[7]Pedimos a Dios en oración que ustedes no hagan lo malo al rechazar nuestra corrección. Espero que no sea necesario demostrar nuestra autoridad cuando lleguemos. Hagan lo correcto antes de nuestra llegada, aun si eso hace que parezca que no hemos demostrado nuestra autoridad. [8]Pues no podemos oponernos a la verdad, más bien siempre debemos defender la verdad. [9]Nos alegramos de parecer débiles si esto ayuda a mostrar que ustedes en realidad son fuertes. Nuestra oración es que lleguen a ser maduros.

[10]Les escribo todo esto antes de ir a verlos, con la esperanza de no tener que tratarlos con severidad cuando finalmente llegue. Pues mi deseo es usar la autoridad que el Señor me ha dado para fortalecerlos, no para destruirlos.

Saludos finales de Pablo

[11]Amados hermanos, termino mi carta con estas últimas palabras: estén alegres. Crezcan hasta alcanzar la madurez. Anímense unos a otros. Vivan en paz y armonía. Entonces el Dios de amor y paz estará con ustedes.

[12]Salúdense unos a otros con amor cristiano.* [13]Todo el pueblo de Dios que está aquí les envía sus saludos.

[14]*Que la gracia del Señor Jesucristo, el amor de Dios y la comunión del Espíritu Santo sean con todos ustedes.

13:1 Dt 19:15. **13:5** O *en ustedes.* **13:12** En griego *con un beso santo.* **13:14** Algunas traducciones al español tienen el versículo 13 como parte del 12 y, entonces, el versículo 14 se convierte en el 13.

INTRODUCCIÓN DE LA CARTA DE PABLO A LOS GÁLATAS

Propósito: Refutar a los judaizantes (judíos cristianos que enseñaban que los gentiles cristianos también estaban sujetos a ciertas prácticas ceremoniales del Antiguo Testamento, como la circuncisión) y hacer un llamado a los cristianos a que disfruten de la libertad en Cristo.

Autor: Pablo.

Destinatarios: Las iglesias en el sur de Galacia (Turquía), y los cristianos en todo el mundo.

Fecha: Aproximadamente 49 d. C., desde Antioquía (Turquía).

Versículo clave: «Por lo tanto, Cristo en verdad nos ha liberado. Ahora asegúrense de permanecer libres y no se esclavicen de nuevo a la ley» (5:1).

Personas clave: Pablo, Pedro, Bernabé, Tito, Abraham, y los falsos maestros.

Nada nos entusiasma tanto como saber que nuestro pasado ha sido perdonado y que podemos comenzar de nuevo. En Cristo quedamos libres de las cadenas de los hábitos pecaminosos, y libres para servir a nuestro Señor Jesucristo.

Como relata el libro de Hechos, las Buenas Noticias se proclamaron primero a los judíos, y es natural que la mayoría de los que aceptaron a Jesucristo como Mesías fueran judíos. Éstos estaban divididos entre sus dos identidades: el trasfondo judío los empujaba a mantener las leyes religiosas estrictas que se enseñaban en el Antiguo Testamento, pero su fe cristiana los impulsaba a celebrar su nueva libertad. Los líderes de la iglesia de Galacia insistían en que, siendo Jesús el Mesías judío prometido por Dios, para ser incluidos en la familia de Dios los no judíos debían aceptar las leyes ceremoniales del Antiguo Testamento.

La carta a los Gálatas fue escrita para exhortarlos a recuperar el mensaje puro de la gracia presentado por Jesús. Nadie puede alcanzar la salvación por medio de la obediencia a leyes o por hacer buenas obras. Dios nos la ofrece a todos como un regalo, mediante la muerte y la resurrección de su Hijo Jesús.

Pablo compartió el relato de su propio camino a la fe y a la transformación. Antes había sido un rabino judío (líder religioso) tenazmente opuesto a Jesús. Iba de un lugar a otro arrestando a los cristianos y poniéndolos en prisión. Un día en el que iba camino a Damasco, en Siria, Jesús se le apareció en forma dramática y sobrenatural (Hechos 9). La realidad de Jesús fue tan poderosa que Pablo se rindió y creyó en él como el Mesías que había venido a salvarlo de sus pecados. Cuando Jesús convirtió a Pablo, también lo llamó a predicar el evangelio, especialmente a los no judíos en lugares lejanos (Hechos 22; de hecho, la segunda mitad del libro de Hechos relata los viajes misioneros de Pablo).

Pablo conocía tan bien el Antiguo Testamento, que era la persona ideal para exponer su propósito, así como también la relación entre la ley, las promesas de Dios, y Jesucristo. También explicó que nuestra libertad significa que somos libres para amarnos y servirnos mutuamente, pero no para ser libertinos porque ya no somos esclavos de nuestra lujuria. Mientras lee Gálatas, procure comprender el conflicto entre la fe y las obras. Como Pablo, preserve la verdad de las Buenas Noticias y evite cualquier cosa que la tuerza o le agregue algo.

Gálatas

Saludos de Pablo

1 Les escribo, yo, el apóstol Pablo. No fui nombrado apóstol por ningún grupo de personas ni por ninguna autoridad humana, sino por Jesucristo mismo y por Dios Padre, quien levantó a Jesús de los muertos.

[2]Todos los hermanos de este lugar se unen a mí para enviar esta carta que escribo, a las iglesias de Galacia.

[3]Que Dios nuestro Padre y el Señor Jesucristo* les concedan gracia y paz. [4]Tal como Dios nuestro Padre lo planeó, Jesús entregó su vida por nuestros pecados para rescatarnos de este mundo de maldad en el que vivimos. [5]¡A Dios sea toda la gloria por siempre y para siempre! Amén.

Un solo camino verdadero

[6]Estoy horrorizado de que ustedes estén apartándose tan pronto de Dios, quien los llamó a sí mismo por medio de la amorosa misericordia de Cristo.* Están siguiendo un evangelio diferente, que aparenta ser la Buena Noticia, [7]pero no lo es en absoluto. Están siendo engañados por los que a propósito distorsionan la verdad acerca de Cristo.

[8]Si alguien —ya sea nosotros o incluso un ángel del cielo— les predica otra Buena Noticia diferente de la que nosotros les hemos predicado, que le caiga la maldición de Dios. [9]Repito lo que ya hemos dicho: si alguien predica otra Buena Noticia distinta de la que ustedes han recibido, que esa persona sea maldita.

[10]Queda claro que no es mi intención ganarme el favor de la gente, sino el de Dios. Si mi objetivo fuera agradar a la gente, no sería un siervo de Cristo.

El mensaje de Pablo procede de Cristo

[11]Amados hermanos, quiero que entiendan que el mensaje del evangelio que predico no se basa en un simple razonamiento humano. [12]No recibí mi mensaje de ninguna fuente humana ni nadie me lo enseñó. En cambio, lo recibí por revelación directa de Jesucristo.*

[13]Ustedes saben cómo me comportaba cuando pertenecía a la religión judía y cómo perseguí con violencia a la iglesia de Dios. Hice todo lo posible por destruirla. [14]Yo superaba ampliamente a mis compatriotas judíos en mi celo por las tradiciones de mis antepasados.

[15]Pero aun antes de que yo naciera, Dios me eligió y me llamó por su gracia maravillosa. Luego le agradó [16]revelarme* a su Hijo para que yo proclamara a los gentiles* la Buena Noticia acerca de Jesús.

1:3 Algunos manuscritos dicen *Dios Padre y nuestro Señor Jesucristo.* **1:6** Algunos manuscritos dicen *por medio de amorosa misericordia.* **1:12** O *por la revelación de Jesucristo.* **1:16a** O *revelar en mí.* **1:16b** *Gentil[es],* que no es judío.

Cuando esto sucedió, no me apresuré a consultar con ningún ser humano.* [17]Tampoco subí a Jerusalén para pedir consejo de los que eran apóstoles antes que yo. En cambio, me fui a la región de Arabia y después regresé a la ciudad de Damasco.

[18]Luego, tres años más tarde, fui a Jerusalén para conocer a Pedro* y me quedé quince días con él. [19]El único otro apóstol que conocí en esos días fue Santiago, el hermano del Señor. [20]Declaro delante de Dios que no es mentira lo que les escribo.

[21]Después de esa visita, me dirigí al norte, a las provincias de Siria y Cilicia. [22]Y aun así, las congregaciones cristianas de Judea todavía no me conocían personalmente. [23]Todo lo que sabían de mí era lo que la gente decía: «¡El que antes nos perseguía ahora predica la misma fe que trataba de destruir!». [24]Y alababan a Dios por causa de mí.

Los apóstoles aceptan a Pablo

2 Luego, catorce años más tarde, regresé a Jerusalén, esta vez con Bernabé; y Tito también vino. [2]Fui a Jerusalén, porque Dios me reveló que debía hacerlo. Durante mi tiempo allí, me reuní en privado con los que eran reconocidos como los dirigentes de la iglesia y les presenté el mensaje que predico a los gentiles.* Quería asegurarme de que estábamos de acuerdo, porque temía que todos mis esfuerzos hubieran sido inútiles y que estaba corriendo la carrera en vano. [3]Sin embargo ellos me respaldaron y ni siquiera exigieron que mi compañero Tito se circuncidara, a pesar de que era griego.*

[4]Incluso esa cuestión surgió sólo a causa de algunos que se dicen cristianos —falsos cristianos en realidad*—, que se habían infiltrado entre nosotros. Se metieron en secreto para espiarnos y privarnos de la libertad que tenemos en Cristo Jesús. Pues querían esclavizarnos y obligarnos a seguir los reglamentos judíos, [5]pero no nos doblegamos ante ellos ni por un solo instante. Queríamos preservar la verdad del mensaje del evangelio para ustedes.

[6]Los líderes de la iglesia no tenían nada que agregar a lo que yo predicaba. (Dicho sea de paso, su fama de grandes líderes a mí no me afectó para nada, porque Dios no tiene favoritos). [7]Al contrario, ellos comprendieron que Dios me había dado la responsabilidad de predicar el evangelio a los gentiles tal como le había dado a Pedro la responsabilidad de predicar a los judíos. [8]Pues el mismo Dios que actuaba por medio de Pedro, apóstol a los judíos, también actuaba por medio de mí, apóstol a los gentiles.

[9]De hecho, Santiago, Pedro* y Juan —quienes eran considerados pilares de la iglesia— reconocieron el don que Dios me había dado y nos aceptaron a Bernabé y a mí como sus colegas. Nos animaron a seguir predicando a los gentiles mientras ellos continuaban su tarea con los judíos. [10]La única sugerencia que hicieron fue que siguiéramos ayudando a los pobres, algo que yo siempre tengo deseos de hacer.

Pablo enfrenta a Pedro

[11]Pero cuando Pedro llegó a Antioquía, tuve que enfrentarlo cara a cara, porque él estaba muy equivocado en lo que hacía. [12]Cuando llegó por primera vez, Pedro comía con los gentiles que son cristianos, quienes no estaban circuncidados; pero después, cuando llegaron algunos amigos de Santiago, Pedro no quiso comer más con esos gentiles. Tenía miedo a la crítica de los que insistían en la necesidad de la circuncisión. [13]Como resultado,

1:16c En griego *con carne y sangre.* **1:18** En griego *Cefas.* **2:2** *Gentil[es],* que no es judío. **2:3** O *gentil.* **2:4** En griego *unos falsos hermanos.* **2:9** En griego *Cefas;* también en 2:11, 14.

otros cristianos judíos imitaron la hipocresía de Pedro, e incluso Bernabé se dejó llevar por esa hipocresía.

[14]Cuando vi que ellos no seguían la verdad del mensaje del evangelio, le dije a Pedro delante de todos los demás: «Si tú, que eres judío de nacimiento, dejaste a un lado las leyes judías y vives como un gentil, ¿por qué ahora tratas de obligar a estos gentiles a seguir las tradiciones judías?

[15]»Tú y yo somos judíos de nacimiento, no somos "pecadores" como los gentiles. [16]Sin embargo, sabemos que una persona es declarada justa ante Dios por la fe en Jesucristo y no por la obediencia a la ley. Y nosotros hemos creído en Cristo Jesús para poder ser declarados justos ante Dios por causa de nuestra fe en Cristo y no porque hayamos obedecido la ley. Pues nadie jamás será declarado justo ante Dios mediante la obediencia a la ley»*.

[17]Pero supongamos que intentamos ser declarados justos ante Dios por medio de la fe en Cristo y luego se nos declara culpables por haber abandonado la ley. ¿Acaso esto quiere decir que Cristo nos ha llevado al pecado? ¡Por supuesto que no! [18]Más bien, soy un pecador si vuelvo a construir el viejo sistema de la ley que ya eché abajo. [19]Pues, cuando intenté obedecer la ley, la ley misma me condenó. Así que morí a la ley —es decir, dejé de intentar cumplir todas sus exigencias— a fin de vivir para Dios. [20]Mi antiguo yo ha sido crucificado con Cristo. Ya no vivo yo, sino que Cristo vive en mí. Así que vivo en este cuerpo terrenal confiando en el Hijo de Dios, quien me amó y se entregó a sí mismo por mí. [21]Yo no tomo la gracia de Dios como algo sin sentido. Pues, si cumplir la ley pudiera hacernos justos ante Dios, entonces no habría sido necesario que Cristo muriera.

La ley y la fe en Cristo

3 ¡Ay gálatas tontos! ¿Quién los ha hechizado? Pues el significado de la muerte de Jesucristo se les explicó con tanta claridad como si lo hubieran visto morir en la cruz. [2]Déjenme hacerles una pregunta: ¿recibieron al Espíritu Santo por obedecer la ley de Moisés? ¡Claro que no! Recibieron al Espíritu porque creyeron el mensaje que escucharon acerca de Cristo. [3]¿Será posible que sean tan tontos? Después de haber comenzado a vivir la vida cristiana en el Espíritu, ¿por qué ahora tratan de ser perfectos mediante sus propios esfuerzos? [4]¿Acaso han pasado por tantas experiencias* en vano? ¡No puede ser que no les hayan servido para nada!

[5]Vuelvo a preguntarles: ¿acaso Dios les da al Espíritu Santo y hace milagros entre ustedes porque obedecen la ley? ¡Por supuesto que no! Es porque creen el mensaje que oyeron acerca de Cristo.

[6]Del mismo modo, «Abraham le creyó a Dios, y Dios lo consideró justo debido a su fe»*. [7]Así que los verdaderos hijos de Abraham son los que ponen su fe en Dios.

[8]Es más, las Escrituras previeron este tiempo en el que Dios declararía justos a los gentiles* por causa de su fe. Dios anunció esa Buena Noticia a Abraham hace tiempo, cuando le dijo: «Todas las naciones serán bendecidas por medio de ti»*. [9]Así que todos los que ponen su fe en Cristo participan de la misma bendición que recibió Abraham por causa de su fe.

[10]Sin embargo, los que dependen de la ley para hacerse justos ante Dios están bajo la maldición de Dios, porque las

2:16 Algunos traductores sostienen que la cita se extiende hasta el versículo 14; otros, hasta el versículo 16; e incluso otros, hasta el versículo 21. **3:4** O *han sufrido tantas cosas.* **3:6** Gn 15:6. **3:8a** *Gentil[es],* que no es judío. **3:8b** Gn 12:3; 18:18; 22:18.

Escrituras dicen: «Maldito es todo el que no cumple ni obedece cada uno de los mandatos que están escritos en el libro de la Ley de Dios»*. [11]Queda claro, entonces, que nadie puede hacerse justo ante Dios por tratar de cumplir la ley, ya que las Escrituras dicen: «Es por medio de la fe que el justo tiene vida»*. [12]El camino de la fe es muy diferente del camino de la ley, que dice: «Es mediante la obediencia a la ley que una persona tiene vida»*.

[13]Pero Cristo nos ha rescatado de la maldición dictada en la ley. Cuando fue colgado en la cruz, cargó sobre sí la maldición de nuestras fechorías. Pues está escrito: «Maldito todo el que es colgado en un madero»*. [14]Mediante Cristo Jesús, Dios bendijo a los gentiles con la misma bendición que le prometió a Abraham, a fin de que los creyentes pudiéramos recibir por medio de la fe al Espíritu Santo prometido.*

La ley y la promesa de Dios

[15]Amados hermanos, el siguiente es un ejemplo de la vida diaria: así como nadie puede anular ni modificar un acuerdo irrevocable, tampoco en este caso. [16]Dios ha dado las promesas a Abraham y a su hijo.* Y noten que la Escritura no dice «a sus hijos»*, como si significara muchos descendientes. Más bien, dice «a su hijo», y eso sin duda se refiere a Cristo. [17]Lo que trato de decir es lo siguiente: el acuerdo que Dios hizo con Abraham no podía anularse cuatrocientos treinta años más tarde —cuando Dios le dio la ley a Moisés—, porque Dios estaría rompiendo su promesa. [18]Pues, si fuera posible recibir la herencia por cumplir la ley, entonces esa herencia ya no sería el resultado de aceptar la promesa de Dios; pero Dios, por su gracia, se la concedió a Abraham mediante una promesa.

[19]Entonces, ¿para qué se entregó la ley? Fue añadida a la promesa para mostrarle a la gente sus pecados, pero la intención era que la ley durara sólo hasta la llegada del Hijo prometido. Por medio de ángeles, Dios entregó su ley a Moisés, quien hizo de mediador entre Dios y el pueblo. [20]Ahora bien, un mediador es de ayuda si dos o más partes tienen que llegar a un acuerdo, pero Dios —quien es uno solo— no usó ningún mediador cuando le dio la promesa a Abraham.

[21]¿Hay algún conflicto, entonces, entre la ley de Dios y las promesas de Dios?* ¡De ninguna manera! Si la ley pudiera darnos vida nueva, nosotros podríamos hacernos justos ante Dios por obedecerla; [22]pero las Escrituras declaran que todos somos prisioneros del pecado, así que recibimos la promesa de libertad que Dios hizo únicamente por creer en Jesucristo.

Hijos de Dios por medio de la fe

[23]Antes de que se nos abriera el camino de la fe en Cristo, estábamos vigilados por la ley. Nos mantuvo en custodia protectora, por así decirlo, hasta que fuera revelado el camino de la fe.

[24]Dicho de otra manera, la ley fue nuestra tutora hasta que vino Cristo; nos protegió hasta que se nos declarara justos ante Dios por medio de la fe. [25]Y ahora que ha llegado el camino de la fe, ya no necesitamos que la ley sea nuestra tutora.

[26]Pues todos ustedes son hijos de Dios por la fe en Cristo Jesús. [27]Y todos los que fueron unidos a Cristo en el bautismo se han puesto a Cristo como si se pusieran ropa nueva.* [28]Ya no hay judío ni gentil,* esclavo ni libre, hombre ni mujer,

3:10 Dt 27:26. **3:11** Ha 2:4. **3:12** Lv 18:5. **3:13** Dt 21:23 (versión griega). **3:14** Algunos manuscritos dicen *la bendición del Espíritu Santo.* **3:16a** En griego *simiente;* también en 3:16c, 19. Ver notas en Gn 12:7 y 13:15. **3:16b** En griego *simientes.* **3:21** Algunos manuscritos dicen *y las promesas?* **3:27** En griego *se han puesto a Cristo.* **3:28** En griego *judío ni griego.*

porque todos ustedes son uno en Cristo Jesús. [29]Y ahora que pertenecen a Cristo, son verdaderos hijos* de Abraham. Son sus herederos, y la promesa de Dios a Abraham les pertenece a ustedes.

4 Piénsenlo de la siguiente manera: si un padre muere y deja una herencia a sus hijos pequeños, esos niños no están en mejor situación que los esclavos hasta que se hagan mayores de edad, aunque son los verdaderos dueños de todas las posesiones de su padre. [2]Tienen que obedecer a sus tutores hasta que cumplan la edad establecida por su padre. [3]Eso mismo sucedía con nosotros antes de que viniera Cristo. Éramos como niños; éramos esclavos de los principios* espirituales básicos de este mundo.

[4]Sin embargo, cuando se cumplió el tiempo establecido, Dios envió a su Hijo, nacido de una mujer y sujeto a la ley. [5]Dios lo envió para que comprara la libertad de los que éramos esclavos de la ley, a fin de poder adoptarnos como sus propios hijos; [6]y debido a que somos* sus hijos, Dios envió al Espíritu de su Hijo a nuestro corazón, el cual nos impulsa a exclamar «Abba, Padre»*. [7]Ahora ya no eres un esclavo sino un hijo de Dios, y como eres su hijo, Dios te ha hecho su heredero.

Preocupación de Pablo por los gálatas

[8]Antes de conocer a Dios, ustedes, los gentiles,* eran esclavos de los llamados dioses, que ni siquiera existen. [9]Así que ahora que conocen a Dios (o mejor dicho, ahora que Dios los conoce a ustedes), ¿por qué quieren retroceder y convertirse otra vez en esclavos de los débiles e inútiles principios espirituales de este mundo? [10]Pretenden ganarse el favor de Dios al cumplir con ciertos días o meses, estaciones o años. [11]Temo por ustedes. Quizá todo el arduo trabajo que hice entre ustedes fue en vano. [12]Amados hermanos, les ruego que vivan como yo, libres de esas cosas, pues yo llegué a ser como ustedes, los gentiles, libre de esas leyes.

Ustedes no me trataron mal cuando les prediqué por primera vez. [13]Sin duda, recordarán que yo estaba enfermo la primera vez que les llevé la Buena Noticia. [14]Aunque mi condición los tentaba a no aceptarme, ustedes no me despreciaron ni me rechazaron. Todo lo contrario, me recibieron y me cuidaron como si yo fuera un ángel de Dios o incluso el mismo Cristo Jesús. [15]¿Dónde ha ido a parar el espíritu de alegría y de gratitud que antes tenían? Estoy seguro de que ustedes se hubieran arrancado los propios ojos para dármelos de haber sido posible. [16]¿Acaso ahora me volví su enemigo porque les digo la verdad?

[17]Esos falsos maestros están muy ansiosos de ganarse el favor de ustedes, pero sus intenciones no son nada buenas. Lo que quieren es aislarlos de mí para que ustedes sólo les presten atención a ellos. [18]Si alguien quiere hacer cosas buenas por ustedes, no hay ningún problema; pero que lo haga en todo tiempo, no sólo cuando estoy con ustedes.

[19]¡Oh mis hijos queridos! Siento como si volviera a sufrir dolores de parto por ustedes, y seguirán hasta que Cristo se forme por completo en sus vidas. [20]Desearía estar con ustedes en este momento para poder hablarles en otro tono, pero estando tan lejos, no sé qué más puedo hacer para ayudarlos.

Los dos hijos de Abraham

[21]Díganme ustedes, los que quieren vivir bajo la ley, ¿saben lo que en realidad

3:29 En griego *simiente.* **4:3** O *poderes;* también en 4:9. **4:6a** En griego *ustedes son.* **4:6b** *Abba* es un término arameo para la palabra «padre». **4:8** *Gentil[es],* que no es judío.

dice la ley? [22]Las Escrituras dicen que Abraham tuvo dos hijos, uno de la mujer esclava y el otro de su esposa, quien había nacido libre.* [23]El nacimiento del hijo de la esclava fue el resultado de un intento humano por lograr que se cumpliera la promesa de Dios; pero el nacimiento del hijo de la libre fue la manera en que Dios cumplió su promesa.

[24]Esas dos mujeres son una ilustración de los dos pactos de Dios. La primera mujer, Agar, representa el monte Sinaí, donde el pueblo recibió la ley que los hizo esclavos. [25]Y ahora Jerusalén es igual que el monte Sinaí, en Arabia,* porque la ciudad y sus hijos viven bajo la esclavitud de la ley; [26]pero la otra mujer, Sara, representa la Jerusalén celestial. Ella es la mujer libre y es nuestra madre. [27]Como dijo Isaías:

«¡Alégrate, oh mujer sin hijos,
tú que nunca diste a luz!
¡Ponte a gritar de alegría,
tú que nunca tuviste dolores de parto!
¡Pues la mujer desolada ahora tiene más hijos
que la que vive con su esposo!»*.

[28]Y ustedes, amados hermanos, son hijos de la promesa igual que Isaac; [29]pero ahora son perseguidos por los que quieren que cumplan la ley, tal como Ismael —el hijo que nació del esfuerzo humano— persiguió a Isaac, el hijo que nació por el poder del Espíritu.

[30]¿Pero qué dicen las Escrituras al respecto? «Echa fuera a la esclava y a su hijo, porque el hijo de la mujer esclava no compartirá la herencia del hijo de la mujer libre»*. [31]Así que, amados hermanos, no somos hijos de la mujer esclava; somos hijos de la mujer libre.

Libertad en Cristo

5 Por lo tanto, Cristo en verdad nos ha liberado. Ahora asegúrense de permanecer libres y no se esclavicen de nuevo a la ley.

[2]¡Presten atención! Yo, Pablo, les digo lo siguiente: si dependen de la circuncisión para hacerse justos ante Dios, entonces Cristo no les servirá de nada. [3]Lo repito: si pretenden lograr el favor de Dios mediante la circuncisión, entonces están obligados a obedecer cada una de las ordenanzas de la ley de Moisés. [4]Pues, si ustedes pretenden hacerse justos ante Dios por cumplir la ley, ¡han quedado separados de Cristo! Han caído de la gracia de Dios.

[5]Sin embargo, los que vivimos por el Espíritu esperamos con anhelo recibir por la fe la justicia que Dios nos ha prometido. [6]Pues, una vez que depositamos nuestra fe en Cristo Jesús, de nada sirve estar o no circuncidado. Lo importante es la fe que se expresa por medio del amor.

[7]Ustedes corrían muy bien la carrera. ¿Quién les impidió seguir la verdad? [8]Seguro que no fue Dios, porque él es quien los llamó a ser libres. [9]¡Esa falsa enseñanza es como un poquito de levadura que impregna toda la masa! [10]Confío en que el Señor los guardará de creer falsas enseñanzas. Dios juzgará a la persona que los está confundiendo, sea quien fuere.

[11]Amados hermanos, si yo todavía predicara que ustedes deben circuncidarse —como algunos dicen que hago—, ¿por qué, entonces, aún se me persigue? Si ya no predicara que la salvación es por medio de la cruz de Cristo, nadie se ofendería. [12]Cómo me gustaría que esos perturbadores que quieren mutilarlos a

4:22 Ver Gn 16:15; 21:2-3. **4:25** En griego *Y Agar es el monte Sinaí, en Arabia, y ahora es como Jerusalén;* otros manuscritos dicen *Y el monte Sinaí, en Arabia, ahora es como Jerusalén.* **4:27** Is 54:1. **4:30** Gn 21:10.

ustedes mediante la circuncisión se mutilaran ellos mismos.*

[13]Pues ustedes, mis hermanos, han sido llamados a vivir en libertad; pero no usen esa libertad para satisfacer los deseos de la naturaleza pecaminosa. Al contrario, usen la libertad para servirse unos a otros por amor. [14]Pues toda la ley puede resumirse en un solo mandato: «Ama a tu prójimo como a ti mismo»*, [15]pero si están siempre mordiéndose y devorándose unos a otros, ¡tengan cuidado! Corren peligro de destruirse unos a otros.

Vivir por el poder del Espíritu

[16]Por eso les digo: dejen que el Espíritu Santo los guíe en la vida. Entonces no se dejarán llevar por los impulsos de la naturaleza pecaminosa. [17]La naturaleza pecaminosa desea hacer el mal, que es precisamente lo contrario de lo que quiere el Espíritu. Y el Espíritu nos da deseos que se oponen a lo que desea la naturaleza pecaminosa. Estas dos fuerzas luchan constantemente entre sí, entonces ustedes no son libres para llevar a cabo sus buenas intenciones, [18]pero cuando el Espíritu los guía, ya no están obligados a cumplir la ley de Moisés.

[19]Cuando ustedes siguen los deseos de la naturaleza pecaminosa, los resultados son más que claros: inmoralidad sexual, impureza, pasiones sensuales, [20]idolatría, hechicería, hostilidad, peleas, celos, arrebatos de furia, ambición egoísta, discordias, divisiones, [21]envidia, borracheras, fiestas desenfrenadas y otros pecados parecidos. Permítanme repetirles lo que les dije antes: cualquiera que lleve esa clase de vida no heredará el reino de Dios.

[22]En cambio, la clase de fruto que el Espíritu Santo produce en nuestra vida es: amor, alegría, paz, paciencia, gentileza, bondad, fidelidad, [23]humildad y control propio. ¡No existen leyes contra esas cosas!

[24]Los que pertenecen a Cristo Jesús han clavado en la cruz las pasiones y los deseos de la naturaleza pecaminosa y los han crucificado allí. [25]Ya que vivimos por el Espíritu, sigamos la guía del Espíritu en cada aspecto de nuestra vida. [26]No nos hagamos vanidosos ni nos provoquemos unos a otros ni tengamos envidia unos de otros.

Siempre cosechamos lo que sembramos

6 Amados hermanos, si otro creyente* está dominado por algún pecado, ustedes, que son espirituales, deberían ayudarlo a volver al camino recto con ternura y humildad. Y tengan mucho cuidado de no caer ustedes en la misma tentación. [2]Ayúdense a llevar los unos las cargas de los otros, y obedezcan de esa manera la ley de Cristo. [3]Si te crees demasiado importante para ayudar a alguien, sólo te engañas a ti mismo. No eres tan importante.

[4]Presta mucha atención a tu propio trabajo, porque entonces obtendrás la satisfacción de haber hecho bien tu labor y no tendrás que compararte con nadie. [5]Pues cada uno es responsable de su propia conducta.

[6]Los que reciben enseñanza de la palabra de Dios deberían proveer a las necesidades de sus maestros, compartiendo todas las cosas buenas con ellos.

[7]No se dejen engañar: nadie puede burlarse de la justicia de Dios. Siempre se cosecha lo que se siembra. [8]Los que viven sólo para satisfacer los deseos de su propia naturaleza pecaminosa cosecharán, de esa naturaleza, destrucción y muerte; pero los que viven para agradar al Espíritu, del Espíritu, cosecharán vida eterna. [9]Así que no nos cansemos de hacer el bien. A su

5:12 O *se castraran a sí mismos,* o *se amputaran de ustedes;* en griego dice *se amputaran a sí mismos.*
5:14 Lv 19:18. **6:1** En griego *Hermanos, si un hombre.*

debido tiempo, cosecharemos numerosas bendiciones si no nos damos por vencidos. [10]Por lo tanto, siempre que tengamos la oportunidad, hagamos el bien a todos, en especial a los de la familia de la fe.

Último consejo de Pablo

[11]FÍJENSE QUE USO LETRAS GRANDES PARA ESCRIBIRLES DE MI PROPIO PUÑO Y LETRA ESTAS ÚLTIMAS PALABRAS.

[12]Los que tratan de obligarlos a circuncidarse lo hacen para quedar bien con otros. No quieren ser perseguidos por enseñar que sólo la cruz de Cristo salva. [13]Ni siquiera los que luchan a favor de la circuncisión cumplen toda la ley. Sólo quieren que ustedes se circunciden para poder jactarse de ello y decir a todos que ustedes son sus discípulos.

[14]En cuanto a mí, que nunca me jacte de otra cosa que no sea la cruz de nuestro Señor Jesucristo. Debido a esa cruz*, mi interés por este mundo fue crucificado y el interés del mundo por mí también ha muerto. [15]No importa si fuimos o no circuncidados. Lo que importa es que hayamos sido transformados en una creación nueva. [16]Que la paz y la misericordia de Dios sean con todos los que viven según ese principio; ellos son el nuevo pueblo de Dios.*

[17]De ahora en adelante, que nadie me cause problemas con esas cosas. Pues yo llevo, en mi cuerpo, cicatrices que muestran que pertenezco a Jesús.

[18]Amados hermanos, que la gracia de nuestro Señor Jesucristo sea con el espíritu de cada uno de ustedes. Amén.

6:14 O *Debido a él.* **6:16** En griego *ese principio y [sean] con el Israel de Dios.*

«Cuando ustedes siguen los deseos de la naturaleza pecaminosa, los resultados son más que claros: inmoralidad sexual, impureza, pasiones sensuales, idolatría, hechicería, hostilidad, peleas, celos, arrebatos de furia, ambición egoísta, discordias, divisiones, envidia, borracheras, fiestas desenfrenadas y otros pecados parecidos [...] En cambio, la clase de fruto que el Espíritu Santo produce en nuestra vida es: amor, alegría, paz, paciencia, gentileza, bondad, fidelidad, humildad y control propio. ¡No existen leyes contra esas cosas! Los que pertenecen a Cristo Jesús han clavado en la cruz las pasiones y los deseos de la naturaleza pecaminosa y los han crucificado allí. Ya que vivimos por el Espíritu, sigamos la guía del Espíritu en cada aspecto de nuestra vida».

GÁLATAS 5:19-21A, 22-25

INTRODUCCIÓN A LA CARTA DE PABLO A LOS EFESIOS

Propósito: Explicar la naturaleza y el propósito de la iglesia, y desafiar a los cristianos a vivir en armonía y en coherencia con la moral de Cristo.

Autor: Pablo.

Destinatarios: La iglesia en Éfeso (Turquía), y los cristianos en todo el mundo.

Fecha: Aproximadamente 60 d. C. desde Roma, donde Pablo estaba encarcelado.

Versículo clave: «Pues hay un solo cuerpo y un solo Espíritu, tal como ustedes fueron llamados a una misma esperanza gloriosa para el futuro. Hay un solo Señor, una sola fe, un solo bautismo, y un solo Dios y Padre de todos, quien está sobre todos y en todos, y vive por medio de todos» (4:4-6).

Una de las iglesias más numerosas fundadas por Pablo fue la de Éfeso, donde estuvo tres años predicando y enseñando. Efesios es una carta de estímulo, en la que Pablo describe el carácter y la naturaleza de la iglesia, y desafía a los creyentes a trabajar juntos para extender las Buenas Noticias de Jesucristo. Usa diversas metáforas para explicar qué es la iglesia: el cuerpo de Cristo (1:22-23); un nuevo templo no hecho de piedras sino de personas y levantado sobre el fundamento de Cristo, para ser el lugar donde Dios habita (2:19-22), y la novia de Cristo (5:23).

Después de un afectuoso saludo, Pablo afirma que aquellos que creen y confían en Jesucristo han comenzado una relación personal con Dios. Han sido generosamente bendecidos por su gracia, llenos del Espíritu Santo, y liberados del dominio del pecado. Son su morada, construida sobre el fundamento de los profetas y de los apóstoles, y Jesucristo nuestro Señor es la piedra angular (2:19-20).

En el capítulo 4, Pablo dirige su atención a la responsabilidad que tienen los cristianos de comprometerse unos con otros en Jesucristo, de usar los dones que han recibido de Dios para edificar la iglesia, y de vivir según los más elevados principios morales. La iglesia de Jesucristo es su pueblo de toda raza y nación, aquellos que lo aman y se han comprometido en servirlo.

Por último, en el capítulo 6, Pablo le recuerda a los efesios que la iglesia está en constante lucha contra los poderes de Satanás, y describe las armas espirituales que Dios ha provisto a los cristianos para que se protejan.

Mientras lee esta hermosa descripción de lo que significa formar parte de la iglesia agradezca a Dios porque, como cristiano, ha sido adoptado como miembro de su diversa familia. Luego ore por sus hermanos y hermanas en todo el mundo y fortalezca su relación con los miembros de su comunidad cristiana local.

Efesios

Saludos de Pablo

1 Yo, Pablo, elegido por la voluntad de Dios para ser apóstol de Cristo Jesús, escribo esta carta al pueblo santo de Dios en Éfeso,* fieles seguidores de Cristo Jesús.

[2]Que Dios nuestro Padre y el Señor Jesucristo les den gracia y paz.

Bendiciones espirituales

[3]Toda la alabanza sea para Dios, el Padre de nuestro Señor Jesucristo, quien nos ha bendecido con toda clase de bendiciones espirituales en los lugares celestiales, porque estamos unidos a Cristo. [4]Incluso antes de haber hecho el mundo, Dios nos amó y nos eligió en Cristo para que seamos santos e intachables a sus ojos. [5]Dios decidió de antemano adoptarnos como miembros de su familia al acercarnos a sí mismo por medio de Jesucristo. Eso es precisamente lo que él quería hacer, y le dio gran gusto hacerlo. [6]De manera que alabamos a Dios por la abundante gracia que derramó sobre nosotros, los que pertenecemos a su Hijo amado.* [7]Dios es tan rico en gracia y bondad que compró nuestra libertad con la sangre de su Hijo y perdonó nuestros pecados. [8]Él desbordó su bondad sobre nosotros junto con toda la sabiduría y el entendimiento.

[9]Ahora Dios nos ha dado a conocer su misterioso plan acerca de Cristo, un plan ideado para cumplir el buen propósito de Dios. [10]Y el plan es el siguiente: a su debido tiempo, Dios reunirá todas las cosas y las pondrá bajo la autoridad de Cristo, todas las cosas que están en el cielo y también las que están en la tierra. [11]Es más, dado que estamos unidos a Cristo, hemos recibido una herencia de parte de Dios,* porque él nos eligió de antemano y hace que todas las cosas resulten de acuerdo con su plan.

[12]El propósito de Dios fue que nosotros, los judíos —que fuimos los primeros en confiar en Cristo—, diéramos gloria y alabanza a Dios. [13]Y ahora ustedes, los gentiles,* también han oído la verdad, la Buena Noticia de que Dios los salva. Además, cuando creyeron en Cristo, Dios los identificó como suyos* al darles el Espíritu Santo, el cual había prometido tiempo atrás. [14]El Espíritu es la garantía que tenemos de parte de Dios de que nos dará la herencia que nos prometió y de que nos ha comprado para que seamos su pueblo. Dios hizo todo esto para que nosotros le diéramos gloria y alabanza.

Pablo ora por sabiduría espiritual

[15]Desde que me enteré de su profunda fe en el Señor Jesús y del amor que tienen

1:1 Los manuscritos más antiguos no incluyen la frase *en Éfeso.* **1:6** En griego *sobre nosotros en el Amado.* **1:11** O *nos hemos convertido en herencia de Dios.* **1:13a** *Gentil[es],* que no es judío. **1:13b** O *puso su sello en ustedes.*

por el pueblo de Dios en todas partes,* [16]no he dejado de dar gracias a Dios por ustedes. Los recuerdo constantemente en mis oraciones [17]y le pido a Dios, el glorioso Padre de nuestro Señor Jesucristo, que les dé sabiduría espiritual* y percepción, para que crezcan en el conocimiento de Dios. [18]Pido que les inunde de luz el corazón, para que puedan entender la esperanza segura que él ha dado a los que llamó —es decir, su pueblo santo—, quienes son su rica y gloriosa herencia.*

[19]También pido en oración que entiendan la increíble grandeza del poder de Dios para nosotros, los que creemos en él. Es el mismo gran poder [20]que levantó a Cristo de los muertos y lo sentó en el lugar de honor, a la derecha de Dios, en los lugares celestiales. [21]Ahora Cristo está muy por encima de todo, sean gobernantes o autoridades o poderes o dominios o cualquier otra cosa, no sólo en este mundo sino también en el mundo que vendrá. [22]Dios ha puesto todo bajo la autoridad de Cristo, a quien hizo cabeza de todas las cosas para beneficio de la iglesia. [23]Y la iglesia es el cuerpo de Cristo; él la completa y la llena, y también es quien da plenitud a todas las cosas en todas partes con su presencia.

Vida nueva con Cristo

2 Antes ustedes estaban muertos a causa de su desobediencia y sus muchos pecados. [2]Vivían en pecado, igual que el resto de la gente, obedeciendo al diablo —el líder de los poderes del mundo invisible*—, quien es el espíritu que actúa en el corazón de los que se niegan a obedecer a Dios. [3]Todos vivíamos así en el pasado, siguiendo los deseos de nuestras pasiones y la inclinación de nuestra naturaleza pecaminosa. Por nuestra propia naturaleza, éramos objeto del enojo de Dios igual que todos los demás.

[4]Pero Dios es tan rico en misericordia y nos amó tanto [5]que, a pesar de que estábamos muertos por causa de nuestros pecados, nos dio vida cuando levantó a Cristo de los muertos. (¡Es sólo por la gracia de Dios que ustedes han sido salvados!) [6]Pues nos levantó de los muertos junto con Cristo y nos sentó con él en los lugares celestiales, porque estamos unidos a Cristo Jesús. [7]De modo que, en los tiempos futuros, Dios puede ponernos como ejemplos de la increíble riqueza de la gracia y la bondad que nos tuvo, como se ve en todo lo que ha hecho por nosotros, que estamos unidos a Cristo Jesús.

[8]Dios los salvó por su gracia cuando creyeron. Ustedes no tienen ningún mérito en eso; es un regalo de Dios. [9]La salvación no es un premio por las cosas buenas que hayamos hecho, así que ninguno de nosotros puede jactarse de ser salvo. [10]Pues somos la obra maestra de Dios. Él nos creó de nuevo en Cristo Jesús, a fin de que hagamos las cosas buenas que preparó para nosotros tiempo atrás.

Unidad y paz por medio de Cristo

[11]No olviden que ustedes, los gentiles,* antes estaban excluidos. Eran llamados «paganos incircuncisos» por los judíos, quienes estaban orgullosos de la circuncisión, aun cuando esa práctica sólo afectaba su cuerpo, no su corazón. [12]En esos tiempos, ustedes vivían apartados de Cristo. No se les permitía ser ciudadanos de Israel, y no conocían las promesas del pacto que Dios había

1:15 Algunos manuscritos dicen *la fidelidad de ustedes para con el Señor Jesús y al pueblo de Dios en todas partes.* **1:17** O *que les dé el Espíritu de sabiduría.* **1:18** O *llamó, y la rica y gloriosa herencia que ha dado a su pueblo santo.* **2:2** En griego *obedeciendo al líder del poder del aire.* **2:11** *Gentil[es],* que no es judío.

hecho con ellos. Ustedes vivían en este mundo sin Dios y sin esperanza, [13]pero ahora han sido unidos a Cristo Jesús. Antes estaban muy lejos de Dios, pero ahora fueron acercados por medio de la sangre de Cristo.

[14]Pues Cristo mismo nos ha traído la paz. Él unió a judíos y a gentiles en un solo pueblo cuando, por medio de su cuerpo en la cruz, derribó el muro de hostilidad que nos separaba. [15]Lo logró al poner fin al sistema de leyes de mandamientos y ordenanzas. Hizo la paz entre judíos y gentiles al crear de los dos grupos un nuevo pueblo en él. [16]Cristo reconcilió a ambos grupos con Dios en un solo cuerpo por medio de su muerte en la cruz, y la hostilidad que había entre nosotros quedó destruida.

[17]Cristo les trajo la Buena Noticia de paz tanto a ustedes, los gentiles, que estaban lejos de él, como a los judíos, que estaban cerca. [18]Ahora todos podemos tener acceso al Padre por medio del mismo Espíritu Santo gracias a lo que Cristo hizo por nosotros.

Un templo para el Señor

[19]Así que ahora ustedes, los gentiles, ya no son unos desconocidos ni extranjeros. Son ciudadanos junto con todo el pueblo santo de Dios. Son miembros de la familia de Dios. [20]Juntos constituimos su casa, la cual está edificada sobre el fundamento de los apóstoles y los profetas. Y la piedra principal es Cristo Jesús mismo. [21]Estamos cuidadosamente unidos en él y vamos formando un templo santo para el Señor. [22]Por medio de él, ustedes, los gentiles, también llegan a formar parte de esa morada donde Dios vive mediante su Espíritu.

El plan secreto de Dios

3 Cuando pienso en todo esto, yo, Pablo, prisionero de Cristo Jesús por el bien de ustedes, los gentiles...* [2]A propósito, doy por sentado que ustedes saben que Dios me encargó de manera especial extenderles su gracia a ustedes, los gentiles. [3]Tal como antes les escribí brevemente, Dios mismo me reveló su misterioso plan. [4]Cuando lean esto que les escribo, entenderán la percepción que tengo de este plan acerca de Cristo. [5]Dios no se lo reveló a las generaciones anteriores, pero ahora, por medio de su Espíritu, lo ha revelado a sus santos apóstoles y profetas.

[6]Y el plan de Dios consiste en lo siguiente: tanto los judíos como los gentiles que creen la Buena Noticia gozan por igual de las riquezas heredadas por los hijos de Dios. Ambos pueblos forman parte del mismo cuerpo y ambos disfrutan de la promesa de las bendiciones porque pertenecen a Cristo Jesús.* [7]Por la gracia y el gran poder de Dios, se me ha dado el privilegio de servirlo anunciando esta Buena Noticia.

[8]Aunque soy el menos digno de todo el pueblo de Dios, por su gracia él me concedió el privilegio de contarles a los gentiles acerca de los tesoros inagotables que tienen a disposición por medio de Cristo. [9]Fui elegido para explicarles a todos* el misterioso plan que Dios, el Creador de todas las cosas, mantuvo oculto desde el comienzo.

[10]El propósito de Dios con todo esto fue utilizar a la iglesia para mostrar la amplia variedad de su sabiduría a todos los gobernantes y autoridades invisibles que están en los lugares celestiales. [11]Ése era su plan eterno, que él llevó a cabo por medio de Cristo Jesús nuestro Señor.

3:1 *Gentil[es],* que no es judío. Pablo completa este pensamiento en el versículo 14: *caigo de rodillas y elevo una oración al Padre.* **3:6** O *porque están unidos a Cristo Jesús.* **3:9** Algunos manuscritos no incluyen *a todos.*

[12]Gracias a Cristo y a nuestra fe en él,* podemos entrar en la presencia de Dios con toda libertad y confianza. [13]Por eso les ruego que no se desanimen a causa de mis pruebas en este lugar. Mi sufrimiento es por ustedes, así que deberían sentirse honrados.

Pablo ora por crecimiento espiritual

[14]Cuando pienso en todo esto, caigo de rodillas y elevo una oración al Padre,* [15]el Creador de todo lo que existe en el cielo y en la tierra.* [16]Pido en oración que, de sus gloriosos e inagotables recursos, los fortalezca con poder en el ser interior por medio de su Espíritu. [17]Entonces Cristo habitará en el corazón de ustedes a medida que confíen en él. Echarán raíces profundas en el amor de Dios, y ellas los mantendrán fuertes. [18]Espero que puedan comprender, como corresponde a todo el pueblo de Dios, cuán ancho, cuán largo, cuán alto y cuán profundo es su amor. [19]Es mi deseo que experimenten el amor de Cristo, aun cuando es demasiado grande para comprenderlo todo. Entonces serán completos con toda la plenitud de la vida y el poder que proviene de Dios.

[20]Y ahora, que toda la gloria sea para Dios, quien puede lograr mucho más de lo que pudiéramos pedir o incluso imaginar mediante su gran poder, que actúa en nosotros. [21]¡Gloria a él en la iglesia y en Cristo Jesús por todas las generaciones desde hoy y para siempre! Amén.

Unidad en el cuerpo

4 Por lo tanto, yo, prisionero por servir al Señor, les suplico que lleven una vida digna del llamado que han recibido de Dios, porque en verdad han sido llamados. [2]Sean siempre humildes y amables. Sean pacientes unos con otros y tolérense las faltas por amor. [3]Hagan todo lo posible por mantenerse unidos en el Espíritu y enlazados mediante la paz. [4]Pues hay un solo cuerpo y un solo Espíritu, tal como ustedes fueron llamados a una misma esperanza gloriosa para el futuro. [5]Hay un solo Señor, una sola fe, un solo bautismo, [6]y un solo Dios y Padre de todos, quien está sobre todos y en todos, y vive por medio de todos.

[7]No obstante, él nos ha dado a cada uno de nosotros un don* especial mediante la generosidad de Cristo. [8]Por eso las Escrituras dicen:

«Cuando ascendió a las alturas,
se llevó a una multitud de cautivos
y dio dones a su pueblo»*.

[9]Fíjense que dice «ascendió». Sin duda, eso significa que Cristo también descendió a este mundo inferior.* [10]Y el que descendió es el mismo que ascendió por encima de todos los cielos, a fin de llenar la totalidad del universo con su presencia.

[11]Ahora bien, Cristo dio los siguientes dones a la iglesia: los apóstoles, los profetas, los evangelistas, y los pastores y maestros. [12]Ellos tienen la responsabilidad de preparar al pueblo de Dios para que lleve a cabo la obra de Dios y edifique la iglesia, es decir, el cuerpo de Cristo. [13]Ese proceso continuará hasta que todos alcancemos tal unidad en nuestra fe y conocimiento del Hijo de Dios que seamos maduros en el Señor, es decir, hasta que lleguemos a la plena y completa medida de Cristo.

[14]Entonces ya no seremos inmaduros como los niños. No seremos arrastrados de un lado a otro ni empujados por cualquier corriente de nuevas enseñanzas.

3:12 O *Debido a la fidelidad de Cristo.* **3:14** Algunos manuscritos dicen *el Padre de nuestro Señor Jesucristo.* **3:15** O *de quien toda familia en el cielo y en la tierra toma su nombre.* **4:7** En griego *una gracia.* **4:8** Sal 68:18. **4:9** O *a las partes más bajas de la tierra.*

No nos dejaremos llevar por personas que intenten engañarnos con mentiras tan hábiles que parezcan la verdad. [15]En cambio, hablaremos la verdad con amor y así creceremos en todo sentido hasta parecernos más y más a Cristo, quien es la cabeza de su cuerpo, que es la iglesia. [16]Él hace que todo el cuerpo encaje perfectamente. Y cada parte, al cumplir con su función específica, ayuda a que las demás se desarrollen, y entonces todo el cuerpo crece y está sano y lleno de amor.

Vivir como hijos de luz

[17]Con la autoridad del Señor digo lo siguiente: ya no vivan como los que no conocen a Dios,* porque ellos están irremediablemente confundidos. [18]Tienen la mente llena de oscuridad; vagan lejos de la vida que Dios ofrece, porque cerraron la mente y endurecieron el corazón hacia él. [19]Han perdido la vergüenza. Viven para los placeres sensuales y practican con gusto toda clase de impureza.

[20]Pero eso no es lo que ustedes aprendieron acerca de Cristo. [21]Ya que han oído sobre Jesús y han conocido la verdad que procede de él, [22]deshágansе de su vieja naturaleza pecaminosa y de su antigua manera de vivir, que está corrompida por la sensualidad y el engaño. [23]En cambio, dejen que el Espíritu les renueve los pensamientos y las actitudes. [24]Pónganse la nueva naturaleza, creada para ser a la semejanza de Dios, quien es verdaderamente justo y santo.

[25]Así que dejen de decir mentiras. Digamos siempre la verdad a todos porque nosotros somos miembros de un mismo cuerpo. [26]Además, «no pequen al dejar que el enojo los controle»*. No permitan que el sol se ponga mientras siguen enojados, [27]porque el enojo da lugar al diablo.

[28]Si eres ladrón, deja de robar. En cambio, usa tus manos en un buen trabajo digno y luego comparte generosamente con los que tienen necesidad. [29]No empleen un lenguaje grosero ni ofensivo. Que todo lo que digan sea bueno y útil, a fin de que sus palabras resulten de estímulo para quienes las oigan.

[30]No entristezcan al Espíritu Santo de Dios con la forma en que viven. Recuerden que él los identificó como suyos,* y así les ha garantizado que serán salvos el día de la redención.

[31]Líbrense de toda amargura, furia, enojo, palabras ásperas, calumnias y toda clase de mala conducta. [32]Por el contrario, sean amables unos con otros, sean de buen corazón, y perdónense unos a otros, tal como Dios los ha perdonado a ustedes por medio de Cristo.

Vivir en la luz

5 Por lo tanto, imiten a Dios en todo lo que hagan porque ustedes son sus hijos queridos. [2]Vivan una vida llena de amor, siguiendo el ejemplo de Cristo. Él nos amó* y se ofreció a sí mismo como sacrificio por nosotros, como aroma agradable a Dios.

[3]Que no haya ninguna inmoralidad sexual, impureza ni avaricia entre ustedes. Tales pecados no tienen lugar en el pueblo de Dios. [4]Los cuentos obscenos, las conversaciones necias y los chistes groseros no son para ustedes. En cambio, que haya una actitud de agradecimiento a Dios. [5]Pueden estar seguros de que ninguna persona inmoral, impura o avara heredará el reino de Cristo y de Dios. Pues el avaro es un idólatra, que adora las cosas de este mundo.

[6]No se dejen engañar por los que tratan de justificar esos pecados, porque el enojo de Dios caerá sobre todos los

4:17 En griego *los gentiles*. *(Gentil[es]*, que no es judío). **4:26** Sal 4:4. **4:30** O *ha puesto su sello en ustedes*. **5:2** Algunos manuscritos dicen *los amó*.

que lo desobedecen. [7]No participen en las cosas que hace esa gente. [8]Pues antes ustedes estaban llenos de oscuridad, pero ahora tienen la luz que proviene del Señor. Por lo tanto, ¡vivan como gente de luz! [9]Pues esa luz que está dentro de ustedes produce sólo cosas buenas, rectas y verdaderas.

[10]Averigüen bien lo que agrada al Señor. [11]No participen en las obras inútiles de la maldad y la oscuridad; al contrario, sáquenlas a la luz. [12]Es vergonzoso siquiera hablar de las cosas que la gente malvada hace en secreto. [13]No obstante, sus malas intenciones se descubrirán cuando la luz las ilumine, [14]porque la luz hace todo visible. Por eso se dice:

«Despiértate tú que duermes,
levántate de los muertos,
y Cristo te dará luz».

Vivir por el poder del Espíritu

[15]Así que tengan cuidado de cómo viven. No vivan como necios sino como sabios. [16]Saquen el mayor provecho de cada oportunidad en estos días malos. [17]No actúen sin pensar, más bien procuren entender lo que el Señor quiere que hagan. [18]No se emborrachen con vino, porque eso les arruinará la vida. En cambio, sean llenos del Espíritu Santo [19]cantando salmos e himnos y canciones espirituales entre ustedes, y haciendo música al Señor en el corazón. [20]Y den gracias por todo a Dios el Padre en el nombre de nuestro Señor Jesucristo.

Relaciones guiadas por el Espíritu: El matrimonio

[21]Es más, sométanse unos a otros por reverencia a Cristo.

[22]Para las esposas, eso significa: sométase cada una a su marido como al Señor, [23]porque el marido es la cabeza de su esposa como Cristo es cabeza de la iglesia. Él es el Salvador de su cuerpo, que es la iglesia. [24]Así como la iglesia se somete a Cristo, de igual manera la esposa debe someterse en todo a su marido.

[25]Para los maridos, eso significa: ame cada uno a su esposa tal como Cristo amó a la iglesia. Él entregó su vida por ella [26]a fin de hacerla santa y limpia al lavarla mediante la purificación de la palabra de Dios.* [27]Lo hizo para presentársela a sí mismo como una iglesia gloriosa, sin mancha ni arruga ni ningún otro defecto. Será, en cambio, santa e intachable. [28]De la misma manera, el marido debe amar a su esposa como ama a su propio cuerpo. Pues un hombre que ama a su esposa en realidad demuestra que se ama a sí mismo. [29]Nadie odia su propio cuerpo, sino que lo alimenta y lo cuida tal como Cristo lo hace por la iglesia. [30]Y nosotros somos miembros de su cuerpo.

[31]Como dicen las Escrituras: «El hombre deja a su padre y a su madre, y se une a su esposa, y los dos se convierten en uno solo»*. [32]Eso es un gran misterio, pero ilustra la manera en que Cristo y la iglesia son uno. [33]Por eso les repito: cada hombre debe amar a su esposa como se ama a sí mismo, y la esposa debe respetar a su marido.

Padres e hijos

6 Hijos, obedezcan a sus padres porque ustedes pertenecen al Señor,* pues esto es lo correcto. [2]«Honra a tu padre y a tu madre». Ese es el primer mandamiento que contiene una promesa: [3]si honras a tu padre y a tu madre, «te irá bien y tendrás una larga vida en la tierra»*.

[4]Padres,* no hagan enojar a sus hijos

5:26 En griego *al lavarla con agua mediante la palabra.* **5:31** Gn 2:24. **6:1** O *Hijos, obedezcan a sus padres que pertenecen al Señor;* algunos manuscritos dicen simplemente *Hijos, obedezcan a sus padres.* **6:2-3** Ex 20:12; Dt 5:16. **6:4** En griego esta palabra se refiere sólo a los hombres.

con la forma en que los tratan. Más bien, críenlos con la disciplina e instrucción que proviene del Señor.

Esclavos y amos

[5]Esclavos, obedezcan a sus amos terrenales con profundo respeto y temor. Sírvanlos con sinceridad, tal como servirían a Cristo. [6]Traten de agradarlos todo el tiempo, no sólo cuando ellos los observan. Como esclavos de Cristo, hagan la voluntad de Dios con todo el corazón. [7]Trabajen con entusiasmo, como si lo hicieran para el Señor y no para la gente. [8]Recuerden que el Señor recompensará a cada uno de nosotros por el bien que hagamos, seamos esclavos o libres.

[9]Y ustedes, amos, traten a sus esclavos de la misma manera. No los amenacen; recuerden que ambos tienen el mismo Amo en el cielo, y él no tiene favoritos.

Toda la armadura de Dios

[10]Una palabra final: sean fuertes en el Señor y en su gran poder. [11]Pónganse toda la armadura de Dios para poder mantenerse firmes contra todas las estrategias del diablo. [12]Pues no luchamos* contra enemigos de carne y hueso, sino contra gobernadores malignos y autoridades del mundo invisible, contra fuerzas poderosas de este mundo tenebroso y contra espíritus malignos de los lugares celestiales.

[13]Por lo tanto, pónganse todas las piezas de la armadura de Dios para poder resistir al enemigo en el tiempo del mal. Así, después de la batalla, todavía seguirán de pie, firmes. [14]Defiendan su posición, poniéndose el cinturón de la verdad y la coraza de la justicia de Dios. [15]Pónganse como calzado la paz que proviene de la Buena Noticia a fin de estar completamente preparados.* [16]Además de todo eso, levanten el escudo de la fe para detener las flechas encendidas del diablo.* [17]Pónganse la salvación como casco y tomen la espada del Espíritu, la cual es la palabra de Dios.

[18]Oren en el Espíritu en todo momento y en toda ocasión. Manténganse alerta y sean persistentes en sus oraciones por todos los creyentes en todas partes.*

[19]Y oren también por mí. Pídanle a Dios que me dé las palabras adecuadas para poder explicar con valor su misterioso plan: que la Buena Noticia es para judíos y gentiles* por igual.* [20]Ahora estoy encadenado, pero sigo predicando este mensaje como embajador de Dios. Así que pidan en oración que yo siga hablando de él con valentía, como debo hacerlo.

Saludos finales

[21]Para tenerlos al tanto, Tíquico les dará un informe completo de lo que estoy haciendo y de cómo me va. Él es un amado hermano y un fiel colaborador en la obra del Señor. [22]Lo envié a ustedes con un propósito específico: que sepan cómo estamos y reciban ánimo.

[23]La paz sea con ustedes, queridos hermanos, y que Dios el Padre y el Señor Jesucristo les den amor junto con fidelidad. [24]Que la gracia de Dios sea eternamente con todos los que aman a nuestro Señor Jesucristo.

6:12 Algunos manuscritos dicen *luchan.* **6:15** O *A modo de calzado, alístense para predicar la Buena Noticia de la paz con Dios.* **6:16** En griego *del maligno.* **6:18** En griego *todo el pueblo santo de Dios.* **6:19a** *Gentil[es],* que no es judío. **6:19b** En griego *explicar el misterio de la Buena Noticia;* algunos manuscritos dicen simplemente *explicar el misterio.*

INTRODUCCIÓN A LA CARTA DE PABLO A LOS FILIPENSES

Propósito: Agradecer a los cristianos en la ciudad de Filipos por su ofrenda material, y mostrarles que la verdadera alegría viene sólo de Jesús.

Autor: Pablo.

Destinatarios: La iglesia en la ciudad griega de Filipos, y los cristianos en todo el mundo.

Fecha: Aproximadamente 61 d. C., desde Roma, mientras estaba encarcelado.

Contexto: Pablo y sus amigos fundaron la iglesia en Filipos durante su segundo viaje misionero (Hechos 16:11-40). Esta fue la primera iglesia establecida en el continente europeo.

Versículo clave: «He aprendido el secreto de vivir en cualquier situación [...] Pues todo lo puedo hacer por medio de Cristo, quien me da las fuerzas» (4:12-13).

Personas clave: Pablo, Timoteo, Epafrodito, Evodia, Síntique.

Filipenses es la carta de la alegría (la palabra aparece más de diez veces). La iglesia en la ciudad de Filipos fue un gran estímulo para Pablo. Los cristianos allí eran compasivos; su compromiso con Jesús y su apoyo al trabajo de Pablo eran bien conocidos. Pablo les mostró su gratitud escribiendo una carta personal en la que expresa amor y afecto. Hizo un recuento del gozo, del verdadero sentido de la vida, y de la plenitud que resulta de seguir a Jesús de todo corazón y de compartir con otros las Buenas Noticias de salvación.

Pablo sabía que felicidad y gozo no son lo mismo. A lo largo de su vida había vivido en riqueza y en pobreza, en bienestar y en sufrimiento, bien recibido por algunos y rechazado por muchos. Aun así, y aunque escribía desde una miserable celda de la prisión romana, difícilmente un lugar feliz, escribió esta carta llena de gozo. Al concentrar su energía y su atención en la meta de conocer y obedecer a Jesucristo, Pablo había aprendido a estar satisfecho, independientemente de las circunstancias en las que se encontrara.

Pablo expresó su deseo de conocer a Jesús antes que cualquier otra cosa, y desafió a la iglesia en Filipos a mantenerse fiel al Señor. El verdadero gozo, les recordó, no depende de las cosas materiales ni de las circunstancias placenteras.

El gozo consiste en una confianza serena en el amor fiel del Dios todopoderoso. ¡Él estará con nosotros en todo momento! Ese gozo es más profundo y fuerte que cualquier situación adversa. Mientras medita en Filipenses, siga el ejemplo de Pablo y busque su seguridad y satisfacción solamente en Jesucristo.

«Estén siempre llenos de alegría en el Señor. Lo repito, ¡alégrense! Que todo el mundo vea que son considerados en todo lo que hacen» (4:4-5).

Filipenses

Saludos de Pablo

1 Saludos de Pablo y de Timoteo, esclavos de Cristo Jesús.

Yo, Pablo, escribo esta carta a todo el pueblo santo de Dios en Filipos que pertenece a Cristo Jesús, incluidos los ancianos gobernantes* y los diáconos.

[2]Que Dios nuestro Padre y el Señor Jesucristo les den gracia y paz.

Oración y agradecimiento de Pablo

[3]Cada vez que pienso en ustedes, le doy gracias a mi Dios. [4]Siempre que oro, pido por todos ustedes con alegría, [5]porque han colaborado conmigo en dar a conocer la Buena Noticia acerca de Cristo desde el momento que la escucharon por primera vez hasta ahora. [6]Y estoy seguro de que Dios, quien comenzó la buena obra en ustedes, la continuará hasta que quede completamente terminada el día que Cristo Jesús vuelva.

[7]Está bien que sienta estas cosas por todos ustedes, porque ocupan un lugar especial en mi corazón. Participan conmigo del favor especial de Dios, tanto en mi prisión como al defender y confirmar la verdad de la Buena Noticia. [8]Dios sabe cuánto los amo y los extraño con la tierna compasión de Cristo Jesús.

[9]Le pido a Dios que el amor de ustedes desborde cada vez más y que sigan creciendo en conocimiento y entendimiento. [10]Quiero que entiendan lo que realmente importa, a fin de que lleven una vida pura e intachable hasta el día que Cristo vuelva. [11]Que estén siempre llenos del fruto de la salvación —es decir el carácter justo que Jesucristo produce en su vida*— porque esto traerá mucha gloria y alabanza a Dios.

Alegría de Pablo porque se predica a Cristo

[12]Además, mis amados hermanos, quiero que sepan que todo lo que me ha sucedido en este lugar ha servido para difundir la Buena Noticia. [13]Pues cada persona de aquí —incluida toda la guardia del palacio*— sabe que estoy encadenado por causa de Cristo; [14]y dado que estoy preso, la mayoría de los creyentes* de este lugar ha aumentado su confianza y anuncia con valentía el mensaje de Dios* sin temor.

[15]Es cierto que algunos predican acerca de Cristo por celos y rivalidad, pero otros lo hacen con intenciones puras. [16]Estos últimos predican porque me aman, pues saben que fui designado para defender la Buena Noticia. [17]Los otros no tienen intenciones puras cuando predican de Cristo. Lo hacen con ambición egoísta, no con sinceridad sino con el propósito de que las cadenas me resulten más dolorosas. [18]Pero eso no

1:1 O *supervisores;* u *obispos.* **1:11** En griego *con el fruto de la rectitud por medio de Jesucristo.* **1:13** En griego *incluido todo el pretorio.* **1:14a** En griego *hermanos en el Señor.* **1:14b** Algunos manuscritos no incluyen *de Dios.*

importa; sean falsas o genuinas sus intenciones, el mensaje acerca de Cristo se predica de todas maneras, de modo que me gozo. Y seguiré gozándome [19]porque sé que la oración de ustedes y la ayuda del Espíritu de Jesucristo, darán como resultado mi libertad.

Pablo vive para Cristo

[20]Tengo la plena seguridad y la esperanza que jamás seré avergonzado, sino que seguiré actuando con valor por Cristo, como lo he hecho en el pasado. Y confío en que mi vida dará honor a Cristo, sea que yo viva o muera. [21]Pues, para mí, vivir significa vivir para Cristo y morir es aún mejor. [22]Pero si vivo, puedo realizar más labor fructífera para Cristo. Así que realmente no sé qué es mejor. [23]Estoy dividido entre dos deseos: quisiera partir y estar con Cristo, lo cual sería mucho mejor para mí; [24]pero por el bien de ustedes, es mejor que siga viviendo.

[25]Al estar consciente de esto, estoy convencido de que seguiré con vida para continuar ayudándolos a todos ustedes a crecer y a experimentar la alegría de su fe. [26]Y cuando vuelva, tendrán más razones todavía para sentirse orgullosos en Cristo Jesús de lo que él está haciendo por medio de mí.

Vivan como ciudadanos del cielo

[27]Sobre todo, deben vivir como ciudadanos del cielo, comportándose de un modo digno de la Buena Noticia acerca de Cristo. Entonces, sea que vuelva a verlos o solamente tenga noticias de ustedes, sabré que están firmes y unidos en un mismo espíritu y propósito, luchando juntos por la fe, es decir la Buena Noticia. [28]No se dejen intimidar por sus enemigos de ninguna manera. Eso les será por señal a ellos de que serán destruidos, mientras que ustedes serán salvos, aun por Dios mismo. [29]Pues a ustedes se les dio no sólo el privilegio de confiar en Cristo sino también el privilegio de sufrir por él. [30]Estamos juntos en esta lucha. Ustedes han visto mi lucha en el pasado y saben que aún no ha terminado.

Tengan la actitud de Cristo

2 ¿Hay algún estímulo en pertenecer a Cristo? ¿Existe algún consuelo en su amor? ¿Tenemos en conjunto alguna comunión en el Espíritu? ¿Tienen ustedes un corazón tierno y compasivo? [2]Entonces, háganme verdaderamente feliz poniéndose de acuerdo de todo corazón entre ustedes, amándose unos a otros y trabajando juntos con un mismo pensamiento y un mismo propósito.

[3]No sean egoístas; no traten de impresionar a nadie. Sean humildes, es decir, considerando a los demás como mejores que ustedes. [4]No se ocupen sólo de sus propios intereses, sino también procuren interesarse en los demás.

[5]Tengan la misma actitud que tuvo Cristo Jesús.

[6] Aunque era Dios,*
no consideró que el ser igual a Dios
fuera algo a lo cual aferrarse.
[7] En cambio, renunció a sus privilegios
divinos;*
adoptó la humilde posición de un
esclavo*
y nació como un ser humano.
Cuando apareció en forma de hombre,*
[8] se humilló a sí mismo en obediencia
a Dios
y murió en una cruz como morían
los criminales.
[9] Por lo tanto, Dios lo elevó al lugar
de máximo honor

2:6 O *Siendo en la forma de Dios.* **2:7a** En griego *se vació a sí mismo.* **2:7b** O *la forma de un esclavo.* **2:7c** Algunas versiones colocan esta frase en el versículo 8.

y le dio el nombre que está por
encima de todos los demás
nombres
[10] para que, ante el nombre de Jesús, se
doble toda rodilla
en el cielo y en la tierra y debajo de
la tierra,
[11] y toda lengua confiese que Jesucristo
es el Señor
para la gloria de Dios Padre.

Brillen intensamente por Cristo

[12]Queridos amigos, siempre siguieron mis instrucciones cuando estaba con ustedes; y ahora que estoy lejos, es aún más importante que lo hagan. Esfuércense por demostrar los resultados de su salvación obedeciendo a Dios con profunda reverencia y temor. [13]Pues Dios trabaja en ustedes y les da el deseo y el poder para que hagan lo que a él le agrada.

[14]Hagan todo sin quejarse y sin discutir, [15]para que nadie pueda criticarlos. Lleven una vida limpia e inocente como corresponde a hijos de Dios y brillen como luces radiantes en un mundo lleno de gente perversa y corrupta. [16]Aférrense a la palabra de vida; entonces, el día que Cristo vuelva, me sentiré orgulloso de no haber corrido la carrera en vano y de que mi trabajo no fue inútil. [17]Sin embargo, me alegraré aun si tengo que perder la vida derramándola como ofrenda líquida a Dios,* así como el fiel servicio de ustedes también es una ofrenda a Dios. Y quiero que todos ustedes participen de esta alegría. [18]Claro que sí, deberían alegrarse, y yo me gozaré con ustedes.

Pablo encomienda a Timoteo

[19]Si el Señor Jesús quiere, espero enviarles pronto a Timoteo para que los visite. Así él puede animarme al traerme noticias de cómo están. [20]No cuento con nadie como Timoteo, quien se preocupa genuinamente por el bienestar de ustedes. [21]Todos los demás sólo se ocupan de sí mismos y no de lo que es importante para Jesucristo, [22]pero ustedes saben cómo Timoteo ha dado muestras de lo que es. Como un hijo con su padre, él ha servido a mi lado en la predicación de la Buena Noticia. [23]Espero enviarlo a ustedes en cuanto sepa lo que me sucederá aquí, [24]y el Señor me ha dado la confianza que yo mismo iré pronto a verlos.

Pablo encomienda a Epafrodito

[25]Mientras tanto, pensé que debería enviarles de vuelta a Epafrodito. Él es un verdadero hermano, colaborador y compañero de lucha. Además, fue el mensajero de ustedes para ayudarme en mi necesidad. [26]Lo envío porque, desde hace tiempo, tiene deseos de verlos y se afligió mucho cuando ustedes se enteraron de que estaba enfermo. [27]Es cierto que estuvo enfermo e incluso a punto de morir; pero Dios tuvo misericordia de él, como también la tuvo de mí, para que yo no tuviera una tristeza tras otra.

[28]Así que estoy aún más ansioso por enviarlo de regreso a ustedes, porque sé que se pondrán contentos al verlo, y entonces ya no estaré tan preocupado por ustedes. [29]Recíbanlo con amor cristiano* y mucha alegría, y denle el honor que una persona como él merece. [30]Pues arriesgó su vida por la obra de Cristo y estuvo al borde de la muerte mientras hacía por mí lo que ustedes no podían desde tan lejos.

El valor incalculable de conocer a Cristo

3 Mis amados hermanos, pase lo que pase, alégrense en el Señor. Nunca me canso de decirles estas cosas y lo hago para proteger su fe.

2:17 En griego *me regocijaré aun si tengo que ser derramado como ofrenda líquida.* **2:29** En griego *en el Señor.*

[2]Cuídense de esos «perros», de esa gente que hace lo malo, esos mutiladores que les dicen que deben circuncidarse para ser salvos. [3]Pues los que adoramos por medio del Espíritu de Dios* somos los verdaderos circuncisos. Confiamos en lo que Cristo Jesús hizo por nosotros. No depositamos ninguna confianza en esfuerzos humanos [4]aunque, si alguien pudiera confiar en sus propios esfuerzos, ése sería yo. De hecho, si otros tienen razones para confiar en sus propios esfuerzos, ¡yo las tengo aún más!

[5]Fui circuncidado cuando tenía ocho días de vida. Soy un ciudadano de Israel de pura cepa y miembro de la tribu de Benjamín, ¡un verdadero hebreo como no ha habido otro! Fui miembro de los fariseos, quienes exigen la obediencia más estricta a la ley judía. [6]Era tan fanático que perseguía con crueldad a la iglesia, y en cuanto a la justicia, obedecía la ley al pie de la letra.

[7]Antes creía que esas cosas eran valiosas, pero ahora considero que no tienen ningún valor debido a lo que Cristo ha hecho. [8]Así es, todo lo demás no vale nada cuando se le compara con el infinito valor de conocer a Cristo Jesús, mi Señor. Por amor a él, he desechado todo lo demás y lo considero basura a fin de ganar a Cristo [9]y llegar a ser uno con él. Ya no me apoyo en mi propia justicia, por medio de obedecer la ley; más bien, llego a ser justo por medio de la fe en Cristo.* Pues la forma en que Dios nos hace justos delante de él se basa en la fe. [10]Quiero conocer a Cristo y experimentar el gran poder que lo levantó de los muertos. ¡Quiero sufrir con él y participar de su muerte, [11]para poder experimentar, de una u otra manera, la resurrección de los muertos!

Avanzar hacia la meta

[12]No quiero decir que ya haya logrado estas cosas ni que ya haya alcanzado la perfección; pero sigo adelante a fin de hacer mía esa perfección para la cual Cristo Jesús primeramente me hizo suyo. [13]No, amados hermanos, no lo he logrado,* pero me concentro sólo en esto: olvido el pasado y fijo la mirada en lo que tengo por delante, y así [14]avanzo hasta llegar al final de la carrera para recibir el premio celestial al cual Dios nos llama por medio de Cristo Jesús.

[15]Que todos los que son espiritualmente maduros estén de acuerdo en estas cosas. Si ustedes difieren en algún punto, estoy seguro que Dios se lo hará entender; [16]pero debemos aferrarnos al avance que ya hemos logrado.

[17]Amados hermanos, tomen mi vida como modelo y aprendan de los que siguen nuestro ejemplo. [18]Pues ya les dije varias veces y ahora se los repito de nuevo con lágrimas en los ojos: hay muchos cuya conducta demuestra que son verdaderos enemigos de la cruz de Cristo. [19]Van camino a la destrucción. Su dios son sus propios apetitos, se jactan de cosas vergonzosas y sólo piensan en esta vida terrenal. [20]En cambio, nosotros somos ciudadanos del cielo, donde vive el Señor Jesucristo; y esperamos con mucho anhelo que él regrese como nuestro Salvador. [21]Él tomará nuestro débil cuerpo mortal y lo transformará en un cuerpo glorioso, igual al de él. Lo hará valiéndose del mismo poder con el que pondrá todas las cosas bajo su dominio.

4 Por lo tanto, mis amados hermanos, manténganse fieles al Señor. Los amo y anhelo verlos, mis queridos ami-

3:3 Algunos manuscritos dicen *adoramos a Dios en espíritu;* uno de los manuscritos más antiguos dice *adoramos en espíritu.* **3:9** O *mediante la fidelidad de Cristo.* **3:13** Algunos manuscritos dicen *aún no lo he logrado.*

gos, porque ustedes son mi alegría y la corona que recibo por mi trabajo.

Palabras de aliento

[2]Ahora les ruego a Evodia y a Síntique, dado que pertenecen al Señor, que arreglen su desacuerdo. [3]Y te pido a ti, mi fiel colaborador,* que ayudes a esas dos mujeres, porque trabajaron mucho a mi lado para dar a conocer a otros la Buena Noticia. Trabajaron junto con Clemente y mis demás colaboradores, cuyos nombres están escritos en el Libro de la Vida.

[4]Estén siempre llenos de alegría en el Señor. Lo repito, ¡alégrense! [5]Que todo el mundo vea que son considerados en todo lo que hacen. Recuerden que el Señor vuelve pronto.

[6]No se preocupen por nada; en cambio, oren por todo. Díganle a Dios lo que necesitan y denle gracias por todo lo que él ha hecho. [7]Así experimentarán la paz de Dios, que supera todo lo que podemos entender. La paz de Dios cuidará su corazón y su mente mientras vivan en Cristo Jesús.

[8]Y ahora, amados hermanos, una cosa más para terminar. Concéntrense en todo lo que es verdadero, todo lo honorable, todo lo justo, todo lo puro, todo lo bello y todo lo admirable. Piensen en cosas excelentes y dignas de alabanza. [9]No dejen de poner en práctica todo lo que aprendieron y recibieron de mí, todo lo que oyeron de mis labios y vieron que hice. Entonces el Dios de paz estará con ustedes.

Pablo agradece las ofrendas

[10]¡Cuánto alabo al Señor de que hayan vuelto a preocuparse por mí! Sé que siempre se han preocupado por mí, pero no tenían la oportunidad de ayudarme. [11]No que haya pasado necesidad alguna vez, porque he aprendido a estar contento con lo que tengo. [12]Sé vivir con casi nada o con todo lo necesario. He aprendido el secreto de vivir en cualquier situación, sea con el estómago lleno o vacío, con mucho o con poco. [13]Pues todo lo puedo hacer por medio de Cristo,* quien me da las fuerzas. [14]De todos modos, han hecho bien al compartir conmigo en la dificultad por la que ahora atravieso.

[15]Como saben, filipenses, ustedes fueron los únicos que me ayudaron económicamente cuando les llevé la Buena Noticia por primera vez y luego seguí mi viaje desde Macedonia. Ninguna otra iglesia hizo lo mismo. [16]Incluso cuando estuve en Tesalónica, ustedes me mandaron ayuda más de una vez. [17]No digo esto esperando que me envíen una ofrenda. Más bien, quiero que ustedes reciban una recompensa por su bondad.

[18]Por el momento, tengo todo lo que necesito, ¡y aún más! Estoy bien abastecido con las ofrendas que ustedes me enviaron por medio de Epafrodito. Son un sacrificio de olor fragante aceptable y agradable a Dios. [19]Y este mismo Dios quien me cuida suplirá todo lo que necesiten, de las gloriosas riquezas que nos ha dado por medio de Cristo Jesús.

[20]¡Toda la gloria sea a Dios nuestro Padre por siempre y para siempre! Amén.

Saludos finales de Pablo

[21]Denle saludos de mi parte a cada persona del pueblo santo de Dios, a todos los que pertenecen a Cristo Jesús. Los hermanos que están conmigo envían saludos. [22]Los demás del pueblo de Dios también les envían saludos, en particular los de la casa de César.

[23]Que la gracia del Señor Jesucristo sea con el espíritu de cada uno de ustedes.

4:3 O *leal Sícigo.* **4:13** En griego *por medio de aquél.*

INTRODUCCIÓN A LA CARTA DE PABLO A LOS COLOSENSES

Propósito: Combatir los errores doctrinales en la iglesia, exaltando a Cristo y mostrando que él es suficiente en todas las circunstancias.

Autor: Pablo.

Destinatarios: La iglesia en Colosas, una ciudad en Asia menor (Turquía), y los cristianos en todo el mundo. Esta iglesia fue fundada por un nativo de Colosas llamado Epafras (1:7), quien alcanzó la fe en Cristo durante los tres años del ministerio de Pablo en la ciudad cercana de Éfeso, donde a diario Pablo mantenía debates en una sala de conferencias «de modo que gente de toda la provincia de Asia —tanto judíos como griegos— oyó la palabra del Señor» (Hechos 19:10). Al parecer Pablo no había visitado Colosas.

Fecha: Aproximadamente 60 d. C., desde Roma, donde Pablo estaba encarcelado.

Versículo clave: «Pues en Cristo habita toda la plenitud de Dios en un cuerpo humano. De modo que ustedes también están completos mediante la unión con Cristo, quien es la cabeza de todo gobernante y toda autoridad» (2:9-10).

Personas clave: Pablo, Timoteo, Tíquico, Onésimo, Aristarco, Marcos y Epafras.

La iglesia en Colosas estaba enfrentando problemas a causa de falsos maestros que mezclaban las prácticas ocultas con la devoción cristiana. Es difícil definir con precisión en qué consistía la falsa enseñanza, aunque algunas cosas quedan claras: se mezclaban las prácticas judías (leyes ceremoniales, normas sobre alimentos, observancia de los días religiosos) con creencias paganas en las fuerzas espirituales (espíritus, ángeles y otros) a las cuales se debía apaciguar si se deseaba tener comunión con Dios.

Para corregir estos errores, Pablo enfatiza que para ser aceptados por Dios al único que necesitamos es a Cristo. Los creyentes ya han sido aceptados por Dios en virtud de su unión con Jesús y su muerte en la cruz: «. . . están completos mediante la unión con Cristo» (2:10).

En los capítulos 3 y 4 Pablo enseña de qué manera se practica el cristianismo verdadero en la relación con otros: padres e hijos, esposos y esposas, empleadores y empleados. Nos aconseja amar y perdonar como Cristo nos perdonó. Nos instruye a que nos ayudemos los unos a los otros a fin de vencer los sufrimientos y los males del mundo.

Hemos muerto a la inmoralidad, a la ira, a la avaricia, a la malicia, a la calumnia y al lenguaje abusivo. Pablo ruega que nos revistamos con la naturaleza de la compasión, la bondad, la humildad, la paciencia, el perdón y el amor, el cual nos une en perfecta armonía. Promete que entonces la paz que proviene de Cristo reinará en nuestro corazón (3:14–15).

Colosenses es un libro sobre la unidad y la verdad: unidad con Dios y entre los creyentes, y lealtad a la Palabra de Dios. Mientras lee, comprenderá que Jesús es la plenitud de Dios, el único camino a la salvación, y la única fuente de poder para vivir la vida cristiana.

Colosenses

Saludos de Pablo

1 Yo, Pablo, elegido por la voluntad de Dios para ser apóstol de Cristo Jesús, y nuestro hermano Timoteo [2]les escribimos esta carta a los fieles hermanos en Cristo que conforman el pueblo santo de Dios en la ciudad de Colosas.

Que Dios nuestro Padre les dé gracia y paz.

Oración y agradecimiento de Pablo

[3]Siempre oramos por ustedes y le damos gracias a Dios, el Padre de nuestro Señor Jesucristo, [4]porque hemos oído de su fe en Cristo Jesús y del amor que tienen por todo el pueblo de Dios. [5]Ambas cosas provienen de la firme esperanza puesta en lo que Dios les ha reservado en el cielo. Ustedes han tenido esa esperanza desde la primera vez que escucharon la verdad de la Buena Noticia.

[6]Esa misma Buena Noticia que llegó a ustedes ahora corre por todo el mundo. Da fruto en todas partes mediante el cambio de vida que produce, así como les cambió la vida a ustedes desde el día que oyeron y entendieron por primera vez la verdad de la maravillosa gracia de Dios.

[7]Ustedes se enteraron de la Buena Noticia por medio de Epafras, nuestro amado colaborador; él es un fiel servidor de Cristo y nos ayuda en nombre de ustedes.* [8]Nos contó del amor por los demás que el Espíritu Santo les ha dado.

[9]Así que, desde que supimos de ustedes, no dejamos de tenerlos presentes en nuestras oraciones. Le pedimos a Dios que les dé pleno conocimiento de su voluntad y que les conceda sabiduría y comprensión espiritual. [10]Entonces la forma en que vivan siempre honrará y agradará al Señor, y sus vidas producirán toda clase de buenos frutos. Mientras tanto, irán creciendo a medida que aprendan a conocer a Dios más y más.

[11]También pedimos que se fortalezcan con todo el glorioso poder de Dios para que tengan toda la constancia y la paciencia que necesitan. Mi deseo es que estén llenos de alegría* [12]y den siempre gracias al Padre. Él los hizo aptos para que participen de la herencia que pertenece a su pueblo, el cual vive en la luz. [13]Pues él nos rescató del reino de la oscuridad y nos trasladó al reino de su Hijo amado, [14]quien compró nuestra libertad* y perdonó nuestros pecados.

Cristo es supremo

[15] Cristo es la imagen visible del Dios
invisible.
Él ya existía antes de que las cosas
fueran creadas y es supremo
sobre toda la creación*

1:7 O *ministra en nombre de ustedes;* algunos manuscritos dicen *ministra en nombre de nosotros.* **1:11** O *toda la paciencia y constancia que necesitan con alegría.* **1:14** Algunos manuscritos incluyen *con su sangre.* **1:15** O *Él es el primogénito de toda la creación.*

[16] porque, por medio de él, Dios creó
todo lo que existe
en los lugares celestiales y en la
tierra.
Hizo las cosas que podemos ver
y las que no podemos ver,
tales como tronos, reinos, gobernantes
y autoridades del mundo
invisible.
Todo fue creado por medio de él
y para él.
[17] Él ya existía antes de todas las cosas
y mantiene unida toda la creación.
[18] Cristo también es la cabeza de la
iglesia,
la cual es su cuerpo.
Él es el principio,
es supremo sobre todos los que
se levantan de los muertos.*
Así que él es el primero en todo.
[19] Pues a Dios, en toda su plenitud,
le agradó vivir en Cristo
[20] y por medio de él, Dios reconcilió
consigo
todas las cosas.
Hizo la paz con todo lo que existe
en el cielo y en la tierra,
por medio de la sangre de Cristo
en la cruz.

[21]Eso los incluye a ustedes, que antes estaban lejos de Dios. Eran sus enemigos, estaban separados de él por sus malos pensamientos y acciones; [22]pero ahora él los reconcilió consigo mediante la muerte de Cristo en su cuerpo físico. Como resultado, los ha trasladado a su propia presencia, y ahora ustedes son santos, libres de culpa y pueden presentarse delante de él sin ninguna falta.

[23]Pero deben seguir creyendo esa verdad y mantenerse firmes en ella. No se alejen de la seguridad que recibieron cuando oyeron la Buena Noticia. Esa Buena Noticia ha sido predicada por todo el mundo, y yo, Pablo, fui designado servidor de Dios para proclamarla.

Trabajo de Pablo por la iglesia

[24]Me alegro cuando sufro en carne propia por ustedes, porque así participo de los sufrimientos de Cristo, que continúan a favor de su cuerpo, que es la iglesia. [25]Dios me ha dado la responsabilidad de servir a su iglesia mediante la proclamación de todo su mensaje a ustedes. [26]Este mensaje se mantuvo en secreto durante siglos y generaciones, pero ahora se dio a conocer al pueblo de Dios. [27]Pues él quería que su pueblo supiera que las riquezas y la gloria de Cristo también son para ustedes, los gentiles.* Y el secreto es: Cristo vive en ustedes. Eso les da la seguridad de que participarán de su gloria.

[28]Por lo tanto, hablamos a otros de Cristo, advertimos a todos y enseñamos a todos con toda la sabiduría que Dios nos ha dado. Queremos presentarlos a Dios perfectos* en su relación con Cristo. [29]Es por eso que trabajo y lucho con tanto empeño, apoyado en el gran poder de Cristo que actúa dentro de mí.

2 Quiero que sepan cuánta angustia he sufrido por ustedes y por la iglesia en Laodicea y por muchos otros creyentes que nunca me conocieron personalmente. [2]Quiero que ellos cobren ánimo y estén bien unidos con fuertes lazos de amor. Quiero que tengan la plena confianza de que entienden el misterioso plan de Dios, que es Cristo mismo. [3]En él están escondidos todos los tesoros de la sabiduría y el conocimiento.

[4]Les digo esto a ustedes para que nadie los engañe con argumentos ingeniosos. [5]Pues, si bien estoy lejos, mi corazón está con ustedes. Y me alegro de que viven como deben hacerlo y de que su fe en Cristo se mantiene firme.

1:18 O *sobre el primogénito de los muertos.* **1:27** *Gentil[es],* que no es judío. **1:28** O *maduros.*

Libertad y vida nueva en Cristo

[6]Por lo tanto, de la manera que recibieron a Cristo Jesús como Señor, ahora deben seguir sus pasos. [7]Arráiguense profundamente en él y edifiquen toda la vida sobre él. Entonces la fe de ustedes se fortalecerá en la verdad que se les enseñó, y rebosarán de gratitud.

[8]No permitan que nadie los atrape con filosofías huecas y disparates elocuentes, que nacen del pensamiento humano y de los poderes espirituales* de este mundo y no de Cristo. [9]Pues en Cristo habita toda la plenitud de Dios en un cuerpo humano.* [10]De modo que ustedes también están completos mediante la unión con Cristo, quien es la cabeza de todo gobernante y toda autoridad.

[11]Cuando ustedes llegaron a Cristo, fueron «circuncidados», pero no mediante un procedimiento corporal. Cristo llevó a cabo una circuncisión espiritual, es decir, les quitó la naturaleza pecaminosa.* [12]Pues ustedes fueron sepultados con Cristo cuando se bautizaron. Y con él también fueron resucitados para vivir una vida nueva, debido a que confiaron en el gran poder de Dios, quien levantó a Cristo de los muertos.

[13]Ustedes estaban muertos a causa de sus pecados y porque aún no les habían quitado la naturaleza pecaminosa. Entonces Dios les dio vida con Cristo al perdonar todos nuestros pecados. [14]Él anuló el acta con los cargos que había contra nosotros y la eliminó clavándola en la cruz. [15]De esa manera, desarmó* a los gobernantes y a las autoridades espirituales. Los avergonzó públicamente con su victoria sobre ellos en la cruz.

[16]Por lo tanto, no permitan que nadie los condene por lo que comen o beben, o porque no celebran ciertos días santos ni ceremonias por luna nueva ni los días de descanso. [17]Pues esas reglas son sólo sombras de la realidad que vendrá. Y Cristo mismo es esa realidad. [18]No dejen que los condene ninguno de aquellos que insisten en una religiosa abnegación o en el culto a los ángeles,* al afirmar que han tenido visiones sobre estas cosas. Su mente pecaminosa los ha llenado de arrogancia [19]y no están unidos a Cristo, la cabeza del cuerpo. Pues él mantiene todo el cuerpo unido con las articulaciones y los ligamentos, el cual va creciendo a medida que Dios lo nutre.

[20]Ustedes han muerto con Cristo, y él los ha rescatado de los poderes espirituales de este mundo. Entonces, ¿por qué siguen cumpliendo las reglas del mundo, tales como: [21]«¡No toques esto! ¡No pruebes eso! ¡No te acerques a aquello!»? [22]Esas reglas son simples enseñanzas humanas acerca de cosas que se deterioran con el uso. [23]Podrán parecer sabias porque exigen una gran devoción, una religiosa abnegación de uno mismo y una severa disciplina corporal; pero a una persona no le ofrecen ninguna ayuda para vencer sus malos deseos.

Vida nueva con Cristo

3 Ya que han sido resucitados a una vida nueva con Cristo, pongan la mira en las verdades del cielo, donde Cristo está sentado en el lugar de honor, a la derecha de Dios. [2]Piensen en las cosas del cielo, no en las de la tierra. [3]Pues ustedes han muerto a esta vida, y su verdadera vida está escondida con Cristo en Dios. [4]Cuando Cristo —quien es la vida de ustedes*— sea revelado a todo el mundo, ustedes participarán de toda su gloria.

[5]Así que hagan morir las cosas pecaminosas y terrenales que acechan dentro

2:8 O *los principios espirituales;* también en 2:20. **2:9** O *en él habita toda la plenitud de la deidad en forma corporal.* **2:11** En griego *les cortó el cuerpo de carne.* **2:15** O *despojó.* **2:18** O *la adoración con ángeles.* **3:4** Algunos manuscritos dicen *nuestra vida.*

de ustedes. No tengan nada que ver con la inmoralidad sexual, la impureza, las bajas pasiones y los malos deseos. No sean avaros, pues la persona avara es idólatra porque adora las cosas de este mundo. [6]A causa de esos pecados, viene la furia de Dios.* [7]Ustedes solían hacer esas cosas cuando su vida aún formaba parte de este mundo; [8]pero ahora es el momento de eliminar el enojo, la furia, el comportamiento malicioso, la calumnia y el lenguaje sucio. [9]No se mientan unos a otros, porque ustedes ya se han quitado la vieja naturaleza pecaminosa y todos sus actos perversos. [10]Vístanse con la nueva naturaleza y se renovarán a medida que aprendan a conocer a su Creador y se parezcan más a él. [11]En esta vida nueva, no importa si uno es judío o gentil,* si está o no circuncidado, si es inculto, incivilizado,* esclavo o libre. Cristo es lo único que importa, y él vive en todos nosotros.

[12]Dado que Dios los eligió para que sean su pueblo santo y amado por él, ustedes tienen que vestirse de tierna compasión, bondad, humildad, gentileza y paciencia. [13]Sean comprensivos con las faltas de los demás y perdonen a todo el que los ofenda. Recuerden que el Señor los perdonó a ustedes, así que ustedes deben perdonar a otros. [14]Sobre todo, vístanse de amor, lo cual nos une a todos en perfecta armonía. [15]Y que la paz que viene de Cristo gobierne en sus corazones. Pues, como miembros de un mismo cuerpo, ustedes son llamados a vivir en paz. Y sean siempre agradecidos.

[16]Que el mensaje de Cristo, con toda su riqueza, llene sus vidas. Enséñense y aconséjense unos a otros con toda la sabiduría que él da. Canten salmos e himnos y canciones espirituales a Dios con un corazón agradecido. [17]Y todo lo que hagan o digan, háganlo como representantes del Señor Jesús y den gracias a Dios Padre por medio de él.

Instrucciones para las familias cristianas

[18]Esposas, sujétese cada una a su esposo como corresponde a quienes pertenecen al Señor.

[19]Maridos, ame cada uno a su esposa y nunca la trate con aspereza.

[20]Hijos, obedezcan siempre a sus padres, porque eso agrada al Señor. [21]Padres,* no exasperen a sus hijos, para que no se desanimen.

[22]Esclavos, obedezcan en todo a sus amos terrenales. Traten de agradarlos todo el tiempo, no sólo cuando ellos los observan. Sírvanlos con sinceridad debido al temor reverente que ustedes tienen al Señor. [23]Trabajen de buena gana en todo lo que hagan, como si fuera para el Señor y no para la gente. [24]Recuerden que el Señor los recompensará con una herencia y que el Amo a quien sirven es Cristo;* [25]pero si hacen lo que está mal, recibirán el pago por el mal que hayan hecho, porque Dios no tiene favoritos.

4 Amos, sean justos e imparciales con sus esclavos. Recuerden que ustedes también tienen un Amo en el cielo.

Aliento para orar

[2]Dedíquense a la oración con una mente alerta y un corazón agradecido. [3]Oren también por nosotros, para que Dios nos dé muchas oportunidades para hablar de su misterioso plan acerca de Cristo. Por eso estoy aquí en cadenas. [4]Oren para que pueda proclamar ese mensaje con la claridad que debo hacerlo.

3:6 Algunos manuscritos dicen *la furia de Dios viene sobre todos los que lo desobedecen.* **3:11a** *Gentil,* que no es judío. En griego *o griego.* **3:11b** En griego *bárbaro, escita.* **3:21** En griego esta palabra se refiere sólo a los hombres. **3:24** O *y sirvan a Cristo como su Amo.*

[5]Vivan sabiamente entre los que no creen en Cristo y aprovechen al máximo cada oportunidad. [6]Que sus conversaciones sean cordiales y agradables,* a fin de que ustedes tengan la respuesta adecuada para cada persona.

Instrucciones finales y saludos de Pablo

[7]Tíquico les contará con detalles cómo me va. Él es un amado hermano y un fiel colaborador que sirve conmigo en la obra del Señor. [8]Precisamente lo envié para que les cuente cómo estamos y los anime. [9]También les envío a Onésimo, un fiel y amado hermano, quien es uno de ustedes. Él y Tíquico les contarán todo lo que sucede aquí.

[10]Aristarco, quien está en la cárcel conmigo, les manda saludos; y también los saluda Marcos, el primo de Bernabé. Tal como ya se les indicó, si Marcos pasa por allí, hagan que se sienta bienvenido. [11]Jesús (al que llamamos Justo) también envía saludos. Ellos son los únicos creyentes judíos entre mis colaboradores; trabajan aquí conmigo para el reino de Dios. ¡Y qué consuelo han sido para mí!

[12]Les manda saludos Epafras, un miembro de la misma comunidad de fe que ustedes y siervo de Cristo Jesús. Siempre ora con fervor por ustedes y le pide a Dios que los fortalezca y perfeccione, y les dé la plena confianza de que están cumpliendo toda la voluntad de Dios. [13]Puedo asegurarles que él ora intensamente por ustedes y también por los creyentes en Laodicea y Hierápolis.

[14]Les manda saludos Lucas, el médico amado, y también Demas. [15]Les ruego que saluden de mi parte a nuestros hermanos en Laodicea, y también a Ninfas y a la iglesia que se reúne en su casa.

[16]Una vez que hayan leído esta carta, pásenla a la iglesia en Laodicea para que ellos también puedan leerla. Y ustedes deberían leer la carta que les escribí a ellos.

[17]Además, díganle a Arquipo: «Asegúrate de llevar a cabo el ministerio que el Señor te dio».

[18]FIRMO MI PROPIO SALUDO DE PUÑO Y LETRA: PABLO.

Recuerden que estoy en cadenas.

Que la gracia de Dios sea con ustedes.

4:6 En griego *y condimentadas con sal.*

INTRODUCCIÓN A LA PRIMERA CARTA DE PABLO A LOS TESALONICENSES

Propósito: Fortalecer la fe de los cristianos en Tesalónica y darles la seguridad del regreso de Cristo.

Autor: Pablo.

Destinatarios: La iglesia en Tesalónica (Grecia), y los cristianos en todo el mundo.

Fecha: Aproximadamente 51 d. C., desde Corinto (Grecia).

Contexto: Timoteo había enviado a Pablo un buen informe sobre los creyentes en Tesalónica. Aunque la iglesia estaba en sus comienzos, los creyentes se esforzaban por madurar en la fe a pesar de la persecución. Pablo escribió esta carta para alentarlos en su crecimiento y para corregir algunas ideas erróneas sobre el regreso de Cristo.

Versículo clave: «Pues, ya que creemos que Jesús murió y resucitó, también creemos que cuando Jesús vuelva, Dios traerá junto con él a los creyentes que hayan muerto» (4:14).

Los cristianos del primer siglo con frecuencia se enfrentaban con la muerte, tal como cualquiera de nosotros debería estar dispuesto a hacer. Ya fueran perseguidos por los líderes religiosos judíos que habían rechazado a Jesús, o por las crueles autoridades romanas, el acoso contra los cristianos primitivos incluía lapidación, azote, encarcelamiento y hasta crucifixión. Seguir a Cristo requería que uno estuviera dispuesto a renunciar a todas las cosas.

Pablo fundó la iglesia en Tesalónica, pero tuvo que irse de la ciudad apenas tres semanas después a causa de la violenta oposición por parte de los judíos. En consecuencia, los nuevos convertidos no tuvieron quien les enseñara o respondiera a sus preguntas. Pablo escribió esta carta poco tiempo después, para confirmar su amor hacia estos nuevos creyentes y recordarles lo que necesitaban saber para mantenerse firmes en medio de la persecución. Aunque se ocupa de varios asuntos, el tema dominante es la segunda venida de Cristo. Todos los capítulos de la carta mencionan ese acontecimiento, y es el tema central en el capítulo 4.

A fin de estar preparados para el regreso de Cristo, lo cual podría ocurrir en cualquier momento («como un ladrón en la noche», 5:2), Pablo los alentó a «llevar una vida que Dios considere digna» (2:12), a agradecer a Dios cada día, a disciplinar a los perezosos, a alentar a los tímidos, a ayudar a los débiles, a ser pacientes y bondadosos con todos, a orar continuamente, a evitar el mal, y a poner a prueba todo lo que se les enseñara, a la luz de lo que habían aprendido de él.

Mientras lee 1 Tesalonicenses, piense en el hecho de que un día, quizás muy pronto, Jesús regresará en poder y en gran gloria. En momentos de tristeza, deje que la esperanza de su venida le traiga gozo, paz, y fortaleza; y en momentos de alegría, deje que esta esperanza le impida distraerse con cosas de menor valor que el vivir para Cristo. Jesucristo vendrá otra vez, vencerá a todos sus enemigos, llevará a los suyos para estar con él para siempre, y pondrá en orden todas las cosas.

1 Tesalonicenses

Saludos de Pablo

1 Nosotros, Pablo, Silas* y Timoteo, escribimos esta carta a la iglesia en Tesalónica, a ustedes que pertenecen a Dios Padre y al Señor Jesucristo.

Que Dios les dé gracia y paz.

La fe de los creyentes de Tesalónica

[2]Siempre damos gracias a Dios por todos ustedes y continuamente los tenemos presentes en nuestras oraciones. [3]Al orar a nuestro Dios y Padre por ustedes, pensamos en el fiel trabajo que hacen, las acciones de amor que realizan y la constante esperanza que tienen a causa de nuestro Señor Jesucristo.

[4]Sabemos, amados hermanos, que Dios los ama y los ha elegido para que sean su pueblo. [5]Pues, cuando les llevamos la Buena Noticia, no fue sólo con palabras sino también con poder, porque el Espíritu Santo les dio plena certeza* de que lo que decíamos era verdad. Y ya saben de nuestra preocupación por ustedes por la forma en que nos comportamos entre ustedes. [6]Así que recibieron el mensaje con la alegría del Espíritu Santo, a pesar del gran sufrimiento que les trajo. De este modo nos imitaron a nosotros y también al Señor. [7]Como resultado, han llegado a ser un ejemplo para todos los creyentes de Grecia, es decir, por toda Macedonia y Acaya.*

[8]Y ahora, la palabra del Señor está siendo anunciada, partiendo de ustedes a gente de todas partes, aun más allá de Macedonia y Acaya, pues adondequiera que vamos, encontramos personas que nos hablan de la fe que ustedes tienen en Dios. No hace falta que se la mencionemos, [9]pues no dejan de hablar de la maravillosa bienvenida que ustedes nos dieron y de cómo se apartaron de los ídolos para servir al Dios vivo y verdadero. [10]También comentan cómo ustedes esperan con ansias la venida, desde el cielo, del Hijo de Dios, Jesús, a quien Dios levantó de los muertos. Él es quien nos rescató de los horrores del juicio venidero.

Pablo recuerda su visita

2 Ustedes bien saben, amados hermanos, que nuestra visita a ustedes no fue un fracaso. [2]Saben lo mal que nos trataron en Filipos y cuánto sufrimos allí justo antes de verlos a ustedes. Aun así, nuestro Dios nos dio el valor de anunciarles la Buena Noticia con valentía, a pesar de gran oposición. [3]Como ven, no predicamos con engaño ni con intenciones impuras o artimañas.

[4]Pues hablamos como mensajeros

1:1 En griego *Silvano,* la forma griega de este nombre. **1:5** O *con el poder del Espíritu Santo, para que pudieran tener plena certeza.* **1:7** *Macedonia* y *Acaya* eran la región del norte y la región del sur de Grecia respectivamente.

aprobados por Dios, a quienes se les confió la Buena Noticia. Nuestro propósito es agradar a Dios, no a las personas. Solamente él examina las intenciones de nuestro corazón. [5]Como bien saben, ni una sola vez tratamos de ganarlos adulándolos. ¡Y Dios es nuestro testigo de que nunca aparentamos ser amigos de ustedes con el fin de sacarles dinero! [6]En cuanto a elogios humanos, nunca los hemos buscado ni de ustedes ni de nadie.

[7]Como apóstoles de Cristo, sin duda teníamos el derecho de hacerles ciertas exigencias; sin embargo, fuimos como niños* entre ustedes. O bien, fuimos como una madre que alimenta y cuida a sus propios hijos. [8]Los amamos tanto que no sólo les presentamos la Buena Noticia de Dios, sino que también les abrimos nuestra propia vida.

[9]¿Acaso no se acuerdan, amados hermanos, cuánto trabajamos entre ustedes? Día y noche nos esforzamos por ganarnos la vida, a fin de no ser una carga para ninguno de ustedes mientras les predicábamos la Buena Noticia de Dios. [10]Ustedes mismos son nuestros testigos —al igual que Dios— de que fuimos consagrados, sinceros e intachables con todos ustedes, los creyentes. [11]Y saben que tratamos a cada uno como un padre trata a sus propios hijos. [12]Les rogamos, los alentamos, y les insistimos que lleven una vida que Dios considere digna. Pues él los llamó para que tengan parte en su reino y gloria.

[13]Por lo tanto, nunca dejamos de darle gracias a Dios de que cuando recibieron su mensaje de parte nuestra, ustedes no consideraron nuestras palabras como sólo ideas humanas. Tomaron lo que dijimos como la misma palabra de Dios, la cual, por supuesto, lo es. Y esta palabra sigue actuando en ustedes los que creen.

[14]Y luego, amados hermanos, sufrieron persecución por parte de sus propios compatriotas. De esta manera imitaron a los creyentes de las iglesias de Dios en Judea, quienes por su fe en Cristo Jesús sufrieron a manos de su propio pueblo, los judíos. [15]Pues algunos de los judíos mataron a los profetas, y otros incluso mataron al Señor Jesús. Ahora también nos han perseguido a nosotros. Ellos no agradan a Dios y actúan en contra de toda la humanidad [16]al tratar de impedir que prediquemos la Buena Noticia de salvación a los gentiles.* Cuando hacen esto siguen amontonando sus pecados, pero la ira de Dios por fin los ha alcanzado.

El buen informe de Timoteo sobre la iglesia

[17]Amados hermanos, después de estar separados de ustedes por un breve tiempo (aunque nuestro corazón nunca los dejó), hicimos todo lo posible por regresar, debido a nuestro intenso anhelo de volver a verlos. [18]Teníamos muchas ganas de visitarlos de nuevo, y yo, Pablo, lo intenté una y otra vez, pero Satanás nos lo impidió. [19]Después de todo, ¿qué es lo que nos da esperanza y alegría?, ¿y cuál será nuestra orgullosa recompensa y corona al estar delante del Señor Jesús cuando él regrese? ¡Son ustedes! [20]Sí, ustedes son nuestro orgullo y nuestra alegría.

3 Por último, cuando ya no pudimos soportarlo más, decidimos quedarnos solos en Atenas [2]y enviamos a Timoteo para que los visitara. Él es hermano nuestro y colaborador de Dios* en la proclamación de la Buena Noticia de Cristo. Lo

2:7 Algunos manuscritos dicen *fuimos tiernos.* **2:16** *Gentil[es],* que no es judío. **3:2** Otros manuscritos dicen *y siervo de Dios;* incluso otros dicen *y un colaborador,* o *y siervo y colaborador de Dios,* o *y siervo de Dios y colaborador nuestro.*

enviamos a ustedes para que los fortaleciera, los alentara en su fe [3]y los ayudara a no ser perturbados por las dificultades que atravesaban; pero ustedes saben que estamos destinados a pasar por tales dificultades. [4]Aun cuando estábamos con ustedes, les advertimos que las dificultades pronto llegarían, y así sucedió, como bien saben. [5]Por esta razón, cuando ya no pude más, envié a Timoteo para averiguar si la fe de ustedes seguía firme. Tenía miedo de que el tentador los hubiera vencido y que nuestro trabajo hubiera sido en vano.

[6]Pero ahora Timoteo acaba de regresar y nos trajo buenas noticias acerca de la fe y el amor de ustedes. Nos contó que siempre recuerdan nuestra visita con alegría y que desean vernos tanto como nosotros deseamos verlos a ustedes. [7]Así que, amados hermanos, en medio de nuestras dificultades y sufrimientos hemos sido muy animados porque han permanecido firmes en su fe. [8]Nos reaviva saber que están firmes en el Señor.

[9]¡Cuánto le agradecemos a Dios por ustedes! Gracias a ustedes tenemos gran alegría cuando entramos en la presencia de Dios. [10]Día y noche oramos con fervor por ustedes, pidiéndole a Dios que nos permita volver a verlos y completar lo que falte en su fe.

[11]Que Dios nuestro Padre y nuestro Señor Jesús nos lleven muy pronto a verlos a ustedes. [12]Y que el Señor haga crecer y sobreabundar el amor que tienen unos por otros y por toda la gente, tanto como sobreabunda nuestro amor por ustedes. [13]Que él, como resultado, fortalezca su corazón para que esté sin culpa y sea santo al estar ustedes delante de Dios nuestro Padre cuando nuestro Señor Jesús regrese con todo su pueblo santo. Amén.

Vivir para agradar a Dios

4 Finalmente, amados hermanos, les rogamos en el nombre del Señor Jesús a que vivan de una manera que le agrada a Dios, tal como les enseñamos. Ustedes ya viven de esta manera, y los animamos a que lo sigan haciendo aún más. [2]Pues recuerdan lo que les enseñamos por la autoridad del Señor Jesús.

[3]La voluntad de Dios es que sean santos, entonces aléjense de todo pecado sexual. [4]Como resultado cada uno controlará su propio cuerpo* y vivirá en santidad y honor, [5]no en pasiones sensuales como viven los paganos, que no conocen a Dios ni sus caminos. [6]Nunca hagan daño ni engañen a un hermano cristiano en este asunto, teniendo relaciones sexuales con su esposa,* porque el Señor toma venganza de todos esos pecados, como ya les hemos advertido solemnemente. [7]Dios nos ha llamado a vivir vidas santas, no impuras. [8]Por lo tanto, todo el que se niega a vivir de acuerdo con estas reglas no desobedece enseñanzas humanas sino que rechaza a Dios, quien les da el Espíritu Santo.

[9]Pero no hace falta que les escribamos sobre la importancia de amarse mutuamente,* pues Dios mismo les ha enseñado a amarse unos a otros. [10]Es más, ustedes ya muestran amor por todos los creyentes* en toda Macedonia. Aun así, amados hermanos, les rogamos que los amen todavía más.

[11]Pónganse como objetivo vivir una vida tranquila, ocúpense de sus propios asuntos y trabajen con sus manos, tal como los instruimos anteriormente. [12]Entonces la gente que no es cristiana respetará la manera en que ustedes viven, y no tendrán que depender de otros.

4:4 O *sabrá cómo tomar a una esposa para sí mismo;* o *aprenderá a vivir con su propia esposa;* en griego dice *sabrá cómo poseer su propia vasija.* **4:6** En griego *Nunca hagan daño ni engañen a un hermano.* **4:9** En griego *sobre el amor fraternal.* **4:10** En griego *los hermanos.*

La esperanza de la resurrección

[13]Y ahora, amados hermanos, queremos que sepan lo que sucederá con los creyentes que han muerto,* para que no se entristezcan como los que no tienen esperanza. [14]Pues, ya que creemos que Jesús murió y resucitó, también creemos que cuando Jesús vuelva, Dios traerá junto con él a los creyentes que hayan muerto.

[15]Les decimos lo siguiente de parte del Señor: nosotros, los que todavía estemos vivos cuando el Señor regrese, no nos encontraremos con él antes de los que ya hayan muerto. [16]Pues el Señor mismo descenderá del cielo con un grito de mando, con voz de arcángel y con el llamado de trompeta de Dios. Primero, los cristianos que hayan muerto* se levantarán de sus tumbas. [17]Luego, junto con ellos, nosotros los que aún sigamos vivos sobre la tierra, seremos arrebatados en las nubes para encontrarnos con el Señor en el aire. Entonces estaremos con el Señor para siempre. [18]Así que anímense unos a otros con estas palabras.

5 Ahora bien, amados hermanos, con respecto a cómo y cuándo sucederá todo esto, en realidad no es necesario que les escribamos. [2]Pues ustedes saben muy bien que el día del regreso del Señor llegará inesperadamente, como un ladrón en la noche. [3]Cuando la gente esté diciendo: «Todo está tranquilo y seguro», entonces le caerá encima la catástrofe tan repentinamente como le vienen los dolores de parto a una mujer embarazada; y no habrá escapatoria posible.

[4]Pero ustedes, amados hermanos, no están a oscuras acerca de estos temas, y no serán sorprendidos cuando el día del Señor venga como un ladrón.* [5]Pues todos ustedes son hijos de la luz y del día; no pertenecemos a la oscuridad y a la noche. [6]Así que manténganse en guardia, no dormidos como los demás. Estén alerta y lúcidos. [7]Es en la noche cuando la gente duerme y los bebedores se emborrachan; [8]pero los que vivimos en la luz estemos lúcidos, protegidos por la armadura de la fe y el amor, y usemos, por casco, la confianza de nuestra salvación.

[9]Pues Dios escogió salvarnos por medio de nuestro Señor Jesucristo y no derramar su enojo sobre nosotros. [10]Cristo murió por nosotros para que —estemos vivos o muertos cuando regrese— podamos vivir con él para siempre. [11]Así que aliéntense y edifíquense unos a otros, tal como ya lo hacen.

Consejos finales de Pablo

[12]Amados hermanos, honren a sus líderes en la obra del Señor. Ellos trabajan arduamente entre ustedes y les dan orientación espiritual. [13]Ténganles mucho respeto y de todo corazón demuéstrenles amor por la obra que realizan. Y vivan en paz unos con otros.

[14]Hermanos, les rogamos que amonesten a los perezosos. Alienten a los tímidos. Cuiden con ternura a los débiles. Sean pacientes con todos.

[15]Asegúrense de que ninguno pague mal por mal, más bien siempre traten de hacer el bien entre ustedes y a todos los demás.

[16]Estén siempre alegres. [17]Nunca dejen de orar. [18]Sean agradecidos en toda circunstancia, pues esta es la voluntad de Dios para ustedes, los que pertenecen a Cristo Jesús.

[19]No apaguen al Espíritu Santo. [20]No se burlen de las profecías, [21]sino pongan a prueba todo lo que se dice. Retengan lo que es bueno. [22]Aléjense de toda clase de mal.

4:13 En griego *los que han dormido;* también en 4:14, 15. **4:16** En griego *los muertos en Cristo.*
5:4 Algunos manuscritos dicen *les sobrevenga como si ustedes fueran ladrones.*

Saludos finales de Pablo

[23]Ahora, que el Dios de paz los haga santos en todos los aspectos, y que todo su espíritu, alma y cuerpo se mantenga sin culpa hasta que nuestro Señor Jesucristo vuelva. [24]Dios hará que esto suceda, porque aquél que los llama es fiel.

[25]Amados hermanos, oren por nosotros.

[26]Saluden a todos los hermanos con amor cristiano.*

[27]Les ordeno, en el nombre del Señor, que les lean esta carta a todos los demás hermanos.

[28]Que la gracia de nuestro Señor Jesucristo sea con ustedes.

5:26 En griego *con un beso santo.*

INTRODUCCIÓN A LA SEGUNDA CARTA A LOS TESALONICENSES

Propósito: Corregir los malos entendidos que habían surgido en cuanto al regreso de Cristo.

Autor: Pablo.

Destinatarios: La iglesia en Tesalónica (Grecia), y los cristianos en todo el mundo.

Fecha: Aproximadamente 51 ó 52 d. C., pocos meses después de 1 Tesalonicenses, desde Corinto (Grecia).

Contexto: Muchos de los miembros de la iglesia estaban confundidos respecto al momento del regreso de Cristo. Habían interpretado la primera carta de Pablo en el sentido de que Jesús regresaría tan pronto que podían dejar de trabajar y simplemente esperar su regreso.

Versículo clave: «Que el Señor les guíe el corazón a un entendimiento total y a una expresión plena del amor de Dios, y a la perseverancia con paciencia que proviene de Cristo» (3:5).

Aun cuando uno se exprese con claridad, las palabras pueden ser malinterpretadas. Este fue el problema que Pablo tuvo con los tesalonicenses. Les había escrito para ayudarlos a crecer en la fe cristiana y para darles consuelo, recordándoles que Jesús vendría otra vez. Sin embargo, algunos de ellos habían decidido que, ya que Jesús volvería pronto, no era necesario trabajar; en consecuencia habían dejado de hacerlo y sólo esperaban su regreso. Pablo escribió 2 Tesalonicenses a fin de aclarar los malos entendidos y explicar la necesidad de ser valientes y de llevar una vida santa, aun en las circunstancias más difíciles.

Pablo también les dijo que no prestaran atención a los rumores de que Jesús ya había regresado. Hasta que él volviera, debían defender la fe, recibir aliento de Dios, orar por la fortaleza necesaria, y compartir las Buenas Noticias. Pablo también les recordó que corrigieran a los perezosos, que mantuvieran una vida disciplinada (siguiendo el ejemplo de él), y que trabajaran para satisfacer sus necesidades materiales.

Casi dos mil años después, estamos más cerca del regreso de Jesucristo, pero también sería un error que usáramos este acontecimiento como una excusa para ser perezosos. Deberíamos trabajar y servir como si Cristo no fuera a regresar en el lapso de nuestra vida, y a la vez vivir de manera cuidadosa, de modo que, si regresara hoy, no nos encontrara haciendo alguna cosa que pudiera desagradarle. Mientras lee este libro, comparta las Buenas Noticias en preparación para su venida, ayude a los que están necesitados, y viva para Cristo hasta que él regrese.

2 Tesalonicenses

Saludos de Pablo

1 Nosotros, Pablo, Silas* y Timoteo, escribimos esta carta a la iglesia en Tesalónica, a ustedes que pertenecen a Dios nuestro Padre y al Señor Jesucristo.

[2]Que Dios nuestro Padre* y el Señor Jesucristo les den gracia y paz.

Ánimo durante la persecución

[3]Amados hermanos, no podemos más que agradecerle a Dios por ustedes, porque su fe está floreciendo, y el amor de unos por otros, creciendo. [4]Con orgullo les contamos a las demás iglesias de Dios acerca de la constancia y la fidelidad de ustedes en todas las persecuciones y privaciones que están sufriendo. [5]Y Dios usará esa persecución para mostrar su justicia y para hacerlos dignos de su reino, por el cual sufren. [6]En su justicia él les dará su merecido a quienes los persiguen.

[7]Y Dios les brindará descanso a ustedes que están siendo perseguidos y también a nosotros cuando el Señor Jesús aparezca desde el cielo. Él vendrá con sus ángeles poderosos, [8]en llamas de fuego, y traerá juicio sobre los que no conocen a Dios y sobre los que se niegan a obedecer la Buena Noticia de nuestro Señor Jesús. [9]Serán castigados con destrucción eterna, separados para siempre del Señor y de su glorioso poder. [10]Aquel día cuando él venga, recibirá gloria de su pueblo santo y alabanza de todos los que creen. Esto también los incluye a ustedes, porque creyeron lo que les dijimos acerca de él.

[11]Así que seguimos orando por ustedes, pidiéndole a nuestro Dios que los ayude para que vivan una vida digna de su llamado. Que él les dé el poder para llevar a cabo todas las cosas buenas que la fe los mueve a hacer. [12]Entonces el nombre de nuestro Señor Jesús será honrado por la vida que llevan ustedes, y serán honrados junto con él. Todo esto se hace posible por la gracia de nuestro Dios y Señor, Jesucristo.*

Acontecimientos previos a la segunda venida del Señor

2 Ahora, amados hermanos, aclaremos algunos aspectos sobre la venida de nuestro Señor Jesucristo y cómo seremos reunidos para encontrarnos con él. [2]No se dejen perturbar ni se alarmen tan fácilmente por los que dicen que el día del Señor ya ha comenzado. No les crean, ni siquiera si afirman haber tenido una visión espiritual, una revelación o haber recibido una carta supuestamente de nosotros. [3]No se dejen engañar por lo que dicen. Pues aquel día no vendrá hasta que haya una gran rebelión contra Dios y

1:1 En griego *Silvano*, la forma griega de este nombre. **1:2** Algunos manuscritos dicen *Dios el Padre*.
1:12 O *de nuestro Dios y de nuestro Señor Jesucristo*.

se dé a conocer el hombre de anarquía,* aquél que trae destrucción.* [4]Se exaltará a sí mismo y se opondrá a todo lo que la gente llame «dios» y a cada objeto de culto. Incluso se sentará en el templo de Dios y afirmará que él mismo es Dios.

[5]¿No se acuerdan de que les mencioné todo esto cuando estuve con ustedes? [6]Y ustedes saben qué es lo que lo detiene, porque sólo puede darse a conocer cuando le llegue su momento. [7]Pues esa anarquía ya está en marcha en forma secreta, y permanecerá secreta hasta que el que la detiene se quite de en medio. [8]Entonces el hombre de anarquía será dado a conocer, pero el Señor Jesús lo matará con el soplo de su boca y lo destruirá con el esplendor de su venida.

[9]Ese hombre vendrá a hacer la obra de Satanás con poder, señales y milagros falsos. [10]Se valdrá de toda clase de mentiras malignas para engañar a los que van rumbo a la destrucción, porque se niegan a amar y a aceptar la verdad que los salvaría. [11]Por lo tanto, Dios hará que ellos sean engañados en gran manera y creerán esas mentiras. [12]Entonces serán condenados por deleitarse en la maldad en lugar de creer en la verdad.

Los creyentes deben permanecer firmes

[13]En cuanto a nosotros, no podemos más que agradecerle a Dios por ustedes, queridos hermanos, amados por el Señor. Siempre estamos agradecidos de que Dios los eligió para que estén entre los primeros* en experimentar la salvación, una salvación que vino mediante el Espíritu —quien los hace santos— y por creer en la verdad. [14]Él los llamó a la salvación cuando les anunciamos la Buena Noticia; ahora pueden participar de la gloria de nuestro Señor Jesucristo.

[15]Con todo esto en mente, amados hermanos, permanezcan firmes y sigan bien aferrados a las enseñanzas que les transmitimos tanto en persona como por carta.

[16]Que nuestro Señor Jesucristo mismo y Dios nuestro Padre, quien nos amó y por su gracia nos dio consuelo eterno y una esperanza maravillosa, [17]los conforten y fortalezcan en todo lo bueno que ustedes hagan y digan.

Pablo pide oración

3 Finalmente, amados hermanos, les pedimos que oren por nosotros. Oren para que el mensaje del Señor se difunda rápidamente y sea honrado en todo lugar adonde llegue, así como cuando les llegó a ustedes. [2]Oren, también, para que seamos rescatados de gente perversa y mala, porque no todos son creyentes. [3]Pero el Señor es fiel; él los fortalecerá y los protegerá del maligno.* [4]Además, confiamos en el Señor que ustedes hacen y seguirán haciendo lo que les ordenamos. [5]Que el Señor les guíe el corazón a un entendimiento total y a una expresión plena del amor de Dios, y a la perseverancia con paciencia que proviene de Cristo.

Exhortación a vivir correctamente

[6]Y ahora, amados hermanos, les damos el siguiente mandato en el nombre de nuestro Señor Jesucristo: aléjense de todos los creyentes* que llevan vidas ociosas y que no siguen la tradición que recibieron* de nosotros. [7]Pues ustedes saben que deben imitarnos. No estuvimos sin hacer nada cuando los visitamos a ustedes. [8]En ningún momento aceptamos comida de nadie sin pagarla. Trabajamos mucho de día y de noche a fin de no ser una carga para ninguno de ustedes. [9]Por

2:3a Algunos manuscritos dicen *el hombre de pecado.* **2:3b** En griego *el hijo de destrucción.*
2:13 Algunos manuscritos dicen *los eligió desde el principio para experimentar.* **3:3** O *del mal.*
3:6a En griego *de todo hermano.* **3:6b** Algunos manuscritos dicen *ustedes recibieron.*

cierto, teníamos el derecho de pedirles que nos alimentaran, pero quisimos dejarles un ejemplo que seguir. [10]Incluso mientras estábamos con ustedes les dimos la siguiente orden: «Los que no están dispuestos a trabajar que tampoco coman».

[11]Sin embargo, oímos que algunos de ustedes llevan vidas de ocio, se niegan a trabajar y se entrometen en los asuntos de los demás. [12]Les ordenamos a tales personas y les rogamos en el nombre del Señor Jesucristo que se tranquilicen y que trabajen para ganarse la vida. [13]En cuanto al resto de ustedes, amados hermanos, nunca se cansen de hacer el bien.

[14]Tomen nota de quienes rehúsan obedecer lo que decimos en esta carta. Aléjense de ellos, para que se avergüencen. [15]No los vean como enemigos, sino que llámenles la atención como lo harían con un hermano.*

Saludos finales de Pablo

[16]Ahora, que el mismo Señor de paz les dé su paz en todo momento y en cada situación. El Señor sea con todos ustedes.

[17]AQUÍ ESTÁ MI SALUDO DE MI PROPIO PUÑO Y LETRA: PABLO.

HAGO ESTO EN TODAS MIS CARTAS PARA PROBAR QUE SON MÍAS.

[18]Que la gracia de nuestro Señor Jesucristo sea con todos ustedes.

3:15 En griego *como a un hermano.*

INTRODUCCIÓN A LA PRIMERA CARTA DE PABLO A TIMOTEO

Propósito: Animar e instruir a Timoteo, un joven líder y pastor de la iglesia en Éfeso.

Autor: Pablo.

Destinatarios: Timoteo, líderes jóvenes de la iglesia, y los cristianos en todo el mundo.

Fecha: Aproximadamente 64 d. C., desde Roma (Italia) y la antigua Macedonia o posiblemente Filipos (Grecia).

Versículo clave: «No permitas que nadie te subestime por ser joven. Sé un ejemplo para todos los creyentes en lo que dices, en la forma en que vives, en tu amor, tu fe y tu pureza» (4:12).

Durante su cuarto viaje misionero, Pablo dejó a Timoteo a cargo de la iglesia en Éfeso (Turquía), mientras él continuaba hacia Macedonia. Cuando Pablo se dio cuenta que no podría regresar pronto a Éfeso, escribió esta carta para alentar y aconsejar a Timoteo. Al invertir en Timoteo, Pablo no sólo estaba formando a un hombre joven, sino también estableciendo un fundamento sólido para toda la historia. En esta carta, destacó las cualidades que deberían tener los líderes de la iglesia, llamados diáconos o ancianos. Pablo le dio consejos prácticos en cuanto al cuidado de jóvenes y adultos, de viudas, de ancianos y de esclavos. Aconsejó a Timoteo que fuera disciplinado, que cultivara motivaciones puras, que se mantuviera firme en la fe, y que viviera de tal manera que nadie pudiera criticarlo.

Pablo concluyó su carta diciéndole a Timoteo de qué manera aconsejar a los que poseen riquezas materiales: «Enséñales a los ricos de este mundo que no sean orgullosos ni que confíen en su dinero, el cual es tan inestable. Deberían depositar su confianza en Dios, quien nos da en abundancia todo lo que necesitamos para que lo disfrutemos. Diles que usen su dinero para hacer el bien. Deberían ser ricos en buenas acciones, generosos con los que pasan necesidad y estar siempre dispuestos a compartir con otros» (6:17-18).

Si es joven, siga el ejemplo de los líderes cristianos consagrados, tal como lo hizo Timoteo al imitar a Pablo. Si tiene hijos, no olvide el efecto profundo que un hogar cristiano puede tener en la familia, así como sobre Timoteo lo tuvieron su madre y su abuela. Mientras lee esta carta, recuerde que, dondequiera que esté, hay personas que observan su vida, y por lo tanto usted es un ejemplo para alguien; sus palabras y su estilo de vida tendrán un impacto duradero sobre aquellos que lo rodean.

1 Timoteo

Saludos de Pablo

1 Yo, Pablo, apóstol de Cristo Jesús, nombrado por mandato de Dios nuestro Salvador y de Cristo Jesús, quien nos da esperanza, [2]le escribo esta carta a Timoteo, mi verdadero hijo en la fe.

Que Dios Padre y Cristo Jesús nuestro Señor te den gracia, misericordia y paz.

Advertencia contra las falsas enseñanzas

[3]Cuando partí hacia Macedonia, te rogué que te quedaras ahí en Éfeso y que frenaras a esas personas cuyas enseñanzas son contrarias a la verdad. [4]No dejes que pierdan el tiempo en debates interminables sobre mitos y linajes espirituales. Esto sólo conduce a especulaciones sin sentido alguno,* que no ayudan a que la gente lleve una vida de fe en Dios.*

[5]El propósito de mi instrucción es que todos los creyentes sean llenos del amor que brota de un corazón puro, de una conciencia limpia y de una fe genuina; [6]pero algunos no lo entendieron. Se desviaron de estas cosas y pasan el tiempo en debates sin sentido. [7]Quieren ser reconocidos como maestros de la ley de Moisés, pero no tienen ni idea de lo que están diciendo a pesar de que hablan con mucha seguridad.

[8]Nosotros sabemos que la ley es buena cuando se usa correctamente. [9]Pues la ley no fue diseñada para la gente que hace lo correcto. Es para los transgresores y rebeldes, para los desobedientes a Dios y los pecadores, para quienes no consideran nada sagrado y que profanan lo que es santo, para quienes matan a su padre o a su madre, o cometen otros homicidios. [10]La ley es para los que cometen inmoralidades sexuales o los que practican la homosexualidad o los traficantes de esclavos,* los mentirosos, los que no cumplen sus promesas o los que hacen cualquier otra cosa que contradiga la sana enseñanza [11]que proviene de la gloriosa Buena Noticia, que me confió nuestro bendito Dios.

Gratitud de Pablo por la misericordia de Dios

[12]Le doy gracias a Cristo Jesús nuestro Señor, quien me ha dado fuerzas para llevar a cabo su obra. Él me consideró digno de confianza y me designó para servirlo, [13]a pesar de que yo antes blasfemaba el nombre de Cristo. En mi insolencia, yo perseguía a su pueblo; pero Dios tuvo misericordia de mí, porque lo hacía por ignorancia y porque era un incrédulo. [14]¡Oh, qué tan generoso y lleno de gracia fue el Señor! Me llenó de la fe y del amor que provienen de Cristo Jesús.

1:4a En griego *en mitos y genealogías interminables, que generan especulaciones.* **1:4b** En griego *una mayordomía de Dios en la fe.* **1:10** O *secuestradores.*

[15]La siguiente declaración es digna de confianza, y todos deberían aceptarla: «Cristo Jesús vino al mundo para salvar a los pecadores», de los cuales yo soy el peor de todos. [16]Pero Dios tuvo misericordia de mí, para que Cristo Jesús me usara como principal ejemplo de su gran paciencia con aun los peores pecadores. De esa manera, otros se darán cuenta de que también pueden creer en él y recibir la vida eterna. [17]¡Qué todo el honor y toda la gloria sean para Dios por siempre y para siempre! Él es el Rey eterno, el invisible que nunca muere; solamente él es Dios. Amén.

La responsabilidad de Timoteo

[18]Timoteo, hijo mío, te doy estas instrucciones, basadas en las palabras proféticas que se dijeron tiempo atrás acerca de ti. Espero que te ayuden a pelear bien en las batallas del Señor. [19]Aférrate a tu fe en Cristo y mantén limpia tu conciencia. Pues algunas personas desobedecieron a propósito lo que les dictaba su conciencia y, como resultado, su fe naufragó. [20]Himeneo y Alejandro son dos ejemplos. Yo los expulsé y se los entregué a Satanás, para que aprendieran a no blasfemar contra Dios.

Instrucciones sobre la adoración

2 En primer lugar, te ruego que ores por todos los seres humanos. Pídele a Dios que los ayude; intercede en su favor, y da gracias por ellos. [2]Ora de ese modo por los reyes y por todos los que están en autoridad, para que podamos tener una vida pacífica y tranquila, caracterizada por la devoción a Dios y la dignidad. [3]Esto es bueno y le agrada a Dios nuestro Salvador, [4]quien quiere que todos se salven y lleguen a conocer la verdad. [5]Pues hay sólo un Dios y sólo un Mediador que puede reconciliar a la humanidad con Dios, y es el hombre Cristo Jesús. [6]Él dio su vida para comprarles la libertad a todos. Éste es el mensaje que Dios le dio al mundo justo en el momento preciso. [7]Y yo fui elegido como predicador y apóstol para enseñarles a los gentiles* este mensaje acerca de la fe y la verdad. No estoy exagerando, sólo digo la verdad.

[8]Deseo que en cada lugar de adoración los hombres oren con manos santas, levantadas a Dios, y libres de enojo y controversia.

[9]Y quiero que las mujeres se vistan de una manera modesta.* Deberían llevar ropa decente y apropiada y no llamar la atención con la manera en que se arreglan el cabello ni con accesorios de oro ni con perlas ni ropa costosa. [10]Pues las mujeres que pretenden ser dedicadas a Dios deberían hacerse atractivas por las cosas buenas que hacen.

[11]Las mujeres deben aprender en silencio y sumisión. [12]Yo no les permito a las mujeres que les enseñen a los hombres ni que tengan autoridad sobre ellos,* sino que escuchen en silencio. [13]Pues Dios primero creó a Adán y luego hizo a Eva. [14]Ahora bien, no fue Adán el engañado por Satanás; la mujer fue la engañada y la consecuencia fue el pecado. [15]Sin embargo, las mujeres se salvarán al tener hijos,* siempre y cuando sigan viviendo en la fe, el amor, la santidad y la modestia.

Los líderes de la iglesia

3 La siguiente declaración es digna de confianza: «Si alguno aspira a ocupar el cargo de anciano en la iglesia,* desea una posición honorable». [2]Por esta razón un anciano debe ser un hombre que

2:7 *Gentil[es],* que no es judío. **2:9** U *oren con ropa modesta.* **2:12** O *enseñen a los hombres ni usurpen su autoridad.* **2:15** O *serán salvas al aceptar su rol de madres,* o *serán salvas por el nacimiento del Niño.* **3:1** O *supervisor,* u *obispo;* también en 3:2, 6.

lleve una vida intachable. Debe serle fiel a su esposa.* Debe tener control propio, vivir sabiamente y tener una buena reputación. Con agrado debe recibir visitas y huéspedes en su casa y también debe tener la capacidad de enseñar. [3]No debe emborracharse* ni ser violento. Debe ser amable, no debe buscar pleitos ni amar el dinero. [4]Debe dirigir bien a su propia familia, y que sus hijos lo respeten y lo obedezcan. [5]Pues, si un hombre no puede dirigir a los de su propia casa, ¿cómo podrá cuidar de la iglesia de Dios?

[6]Un anciano no debe ser un nuevo creyente porque podría volverse orgulloso, y el diablo lo haría caer.* [7]Además, la gente que no es de la iglesia debe hablar bien de él, para que no sea deshonrado y caiga en la trampa del diablo.

[8]De la misma manera, los diáconos deben ser dignos de mucho respeto y tener integridad. No deben emborracharse ni ser deshonestos con el dinero. [9]Tienen que estar comprometidos con el misterio de la fe que ahora ha sido revelado y vivir con la conciencia limpia. [10]Que sean evaluados cuidadosamente antes de ser nombrados como diáconos. Si pasan el examen, entonces que sirvan como diáconos.

[11]De la misma manera, sus esposas* deben ser dignas de respeto y no calumniar a nadie. Deben tener control propio y ser fieles en todo lo que hagan.

[12]Un diácono debe serle fiel a su esposa, dirigir bien a sus hijos y a los demás de su casa. [13]Los que hagan bien su trabajo como diáconos serán recompensados con el respeto de los demás y aumentarán su confianza en la fe en Cristo Jesús.

Verdades de nuestra fe

[14]Aunque espero verte pronto te escribo estas cosas ahora, [15]para que, si me retraso, sepas cómo deben comportarse las personas en la familia de Dios. Esta es la iglesia del Dios viviente, columna y fundamento de la verdad.

[16]Sin duda alguna, el gran misterio de nuestra fe es el siguiente:*

Cristo* fue revelado en un cuerpo humano
y vindicado por el Espíritu.*
Fue visto por ángeles
y anunciado a las naciones.
Fue creído en todo el mundo
y llevado al cielo en gloria.

Advertencias contra los falsos maestros

4 Ahora bien, el Espíritu Santo nos dice claramente que en los últimos tiempos algunos se apartarán de la fe verdadera; seguirán espíritus engañosos y enseñanzas que provienen de demonios. [2]Estas personas son hipócritas y mentirosas, y tienen muerta* la conciencia.

[3]Dirán que está mal casarse y que está mal comer determinados alimentos; pero Dios creó esos alimentos para que los coman con gratitud las personas fieles que conocen la verdad. [4]Ya que todo lo que Dios creó es bueno, no deberíamos rechazar nada, sino recibirlo con gratitud. [5]Pues sabemos que se hace aceptable* por la palabra de Dios y la oración.

Un buen siervo de Cristo Jesús

[6]Timoteo, si les explicas estas cosas a los hermanos, serás un digno siervo de Cristo Jesús, bien alimentado con el mensaje de fe y la buena enseñanza que has seguido. [7]No pierdas el

3:2 O *debe tener una sola esposa,* o *debe estar casado sólo una vez;* en griego dice *debe ser esposo de una sola esposa;* también en 3:12. **3:3** En griego *no debe beber demasiado vino;* similar en 3:8. **3:6** O *podría caer en el mismo juicio que el diablo.* **3:11** O *las diaconisas.* La palabra griega puede traducirse *mujeres* o *esposas.* **3:16a** O *de la sumisión a Dios.* **3:16b** En griego *Él, quien;* otros manuscritos dicen *Dios.* **3:16c** O *en su espíritu.* **4:2** En griego *cauterizada.* **4:5** O *se hace santo.*

tiempo discutiendo sobre ideas mundanas y cuentos de viejas. En lugar de eso, entrénate para la sumisión a Dios. [8]«El entrenamiento físico es bueno, pero entrenarse en la sumisión a Dios es mucho mejor, porque promete beneficios en esta vida y en la vida que viene». [9]Esta declaración es digna de confianza, y todos deberían aceptarla. [10]Es por eso que trabajamos con esmero y seguimos luchando,* porque nuestra esperanza está puesta en el Dios viviente, quien es el Salvador de toda la humanidad y, en especial, de todos los creyentes.

[11]Enseña esas cosas e insiste en que todos las aprendan. [12]No permitas que nadie te subestime por ser joven. Sé un ejemplo para todos los creyentes en lo que dices, en la forma en que vives, en tu amor, tu fe y tu pureza. [13]Hasta que yo llegue, dedícate a leer las Escrituras a la iglesia, y a animar y a enseñarles a los creyentes.

[14]No descuides el don espiritual que recibiste mediante la profecía que se pronunció acerca de ti cuando los ancianos de la iglesia te impusieron las manos. [15]Presta suma atención a estos asuntos. Entrégate de lleno a tus tareas, para que todos vean cuánto has progresado. [16]Ten mucho cuidado de cómo vives y de lo que enseñas. Mantente firme en lo que es correcto por el bien de tu propia salvación y la de quienes te oyen.

Consejos sobre las viudas, los ancianos y los esclavos

5 Nunca le hables con aspereza a un hombre mayor,* sino llámale la atención con respeto como lo harías con tu propio padre. Dirígete a los jóvenes como si les hablaras a tus propios hermanos. [2]Trata a las mujeres mayores como lo harías con tu madre y trata a las jóvenes como a tus propias hermanas, con toda pureza.

[3]Atiende* a toda viuda que no tenga a nadie quien la cuide. [4]Pero, si ella tiene hijos o nietos, la primera responsabilidad de ellos es poner en práctica la sumisión a Dios en su hogar y retribuir a sus padres al cuidarlos. Esto es algo que le agrada a Dios.

[5]Ahora bien, una verdadera viuda —una mujer que realmente está sola en este mundo— es aquella que ha puesto su esperanza en Dios. Día y noche ora a Dios pidiéndole su ayuda, [6]pero la viuda que solamente vive para el placer está espiritualmente muerta en vida. [7]Dale estas instrucciones a la iglesia, para que nadie quede expuesto a la crítica.

[8]Aquellos que se niegan a cuidar de sus familiares, especialmente los de su propia casa, han negado la fe verdadera y son peores que los incrédulos.

[9]Para que una viuda esté en la lista de ayuda tiene que tener al menos sesenta años y haberle sido fiel a su marido.* [10]Debe ser alguien que se haya ganado el respeto de todos por el bien que haya hecho. ¿Crió bien a sus hijos? ¿Fue amable con los extranjeros y sirvió con humildad a otros creyentes?* ¿Ha ayudado a los que están en dificultades? ¿Ha estado siempre dispuesta a hacer el bien?

[11]Las viudas más jóvenes no deberían estar en la lista, porque sus deseos físicos podrán más que su devoción a Cristo y querrán volver a casarse. [12]De esa manera, serían culpables de romper su promesa anterior. [13]Y si están en la lista, se acostumbrarán a ser perezosas y pasarán todo el tiempo yendo de casa en casa chismeando, entrometiéndose en la vida de los demás y hablando de lo que no deben. [14]Así que yo aconsejo a estas viudas jóvenes que vuelvan a casarse, que tengan

4:10 Algunos manuscritos dicen *seguimos sufriendo.* **5:1** O *un anciano.* **5:3** U *Honra.* **5:9** En griego *haber sido esposa de un solo marido.* **5:10** En griego *y lavó los pies del pueblo santo de Dios?*

hijos y que cuiden de sus propios hogares. Entonces el enemigo no podrá decir nada en contra de ellas. 15Pues me temo que algunas ya se han descarriado y ahora siguen a Satanás.

16Si una mujer creyente tiene parientes que son viudas, debe cuidar de ellas y no darle a la iglesia la responsabilidad. Entonces, la iglesia podrá atender a las viudas que están realmente solas.

17Los ancianos que cumplen bien su función deberían ser respetados y bien remunerados,* en particular los que trabajan con esmero tanto en la predicación como en la enseñanza. 18Pues la Escritura dice: «No le pongas bozal al buey para impedirle que coma mientras trilla el grano». Y dice también: «¡Todo el que trabaja merece recibir su salario!»*.

19No escuches ninguna acusación contra un anciano, a menos que haya dos o tres testigos que la confirmen. 20Los que están en pecado deberían ser reprendidos delante de toda la congregación, lo cual servirá de firme advertencia para los demás.

21Te ordeno solemnemente, en presencia de Dios y de Cristo Jesús y de los ángeles altísimos, que obedezcas estas instrucciones sin tomar partido ni mostrar favoritismo por nadie.

22Nunca te apresures cuando tengas que nombrar a un líder de la iglesia.* No participes en los pecados de los demás. Mantente puro.

23No bebas agua solamente. Deberías tomar un poco de vino por el bien de tu estómago, ya que te enfermas muy seguido.

24Recuerda que los pecados de algunos individuos son evidentes, y los llevan a un juicio inevitable; pero los pecados de otros se revelarán después. 25De la misma manera, las buenas acciones de algunos son evidentes. Y las buenas acciones que se hacen en secreto algún día saldrán a la luz.

6 Todos los esclavos deberían tener sumo respeto por sus amos para no avergonzar el nombre de Dios y su enseñanza. 2El hecho de que tengan amos creyentes no es excusa para ser irrespetuosos. Al contrario, esos esclavos deberían servir a sus amos con mucho más esmero, porque ese esfuerzo beneficia a otros muy amados creyentes.*

La falsa enseñanza y la verdadera riqueza

Timoteo, enseña estas cosas y anima a todos a que las obedezcan. 3Puede ser que algunas personas nos contradigan, pero lo que enseñamos es la sana enseñanza de nuestro Señor Jesucristo, la cual conduce a una vida de sumisión a Dios. 4Cualquiera que enseñe algo diferente es arrogante y le falta entendimiento. Tal persona tiene el deseo enfermizo de cuestionar el significado de cada palabra. Esto provoca discusiones que terminan en celos, divisiones, calumnias y malas sospechas. 5Individuos como éstos siempre causan problemas. Tienen la mente corrompida y le han dado la espalda a la verdad. Para ellos, mostrar sumisión a Dios es sólo un medio para enriquecerse.

6Ahora bien, la verdadera sumisión a Dios es una gran riqueza en sí misma cuando uno está contento con lo que tiene. 7Después de todo, no trajimos nada cuando vinimos a este mundo ni tampoco podremos llevarnos nada cuando lo dejemos. 8Así que, si tenemos suficiente alimento y ropa, estemos contentos.

9Pero los que viven con la ambición de hacerse ricos caen en tentación y quedan atrapados por muchos deseos necios y dañinos que los hunden en la ruina y la

5:17 En griego *deberían ser dignos de doble honor.* **5:18** Dt 25:4; Lc 10:7. **5:22** En griego *con la imposición de manos.* **6:2** En griego *hermanos.*

destrucción. [10]Pues el amor al dinero es la raíz de toda clase de mal; y algunas personas, en su intenso deseo por el dinero, se han desviado de la fe verdadera y se han causado muchas heridas dolorosas.

Instrucciones finales de Pablo

[11]Pero tú, Timoteo, eres un hombre de Dios; así que huye de todas esas maldades. Persigue la justicia y la vida sujeta a Dios, junto con la fe, el amor, la perseverancia y la amabilidad. [12]Pelea la buena batalla por la fe verdadera. Aférrate a la vida eterna a la que Dios te llamó y que confesaste tan bien delante de muchos testigos. [13]Te encargo delante de Dios, quien da vida a todos, y delante de Cristo Jesús, quien dio un buen testimonio frente a Poncio Pilato, [14]que obedezcas este mandamiento sin vacilar. Entonces nadie podrá encontrar ninguna falta en ti desde ahora y hasta que nuestro Señor Jesucristo regrese. [15]Pues, en el momento preciso, Cristo será revelado desde el cielo por el bendito y único Dios todopoderoso, el Rey de todos los reyes y el Señor de todos los señores. [16]Él es el único que nunca muere y vive en medio de una luz tan brillante que ningún ser humano puede acercarse a él. Ningún ojo humano jamás lo ha visto y nunca lo hará. ¡Que a él sea todo el honor y el poder para siempre! Amén.

[17]Enséñales a los ricos de este mundo que no sean orgullosos ni que confíen en su dinero, el cual es tan inestable. Deberían depositar su confianza en Dios, quien nos da en abundancia todo lo que necesitamos para que lo disfrutemos. [18]Diles que usen su dinero para hacer el bien. Deberían ser ricos en buenas acciones, generosos con los que pasan necesidad y estar siempre dispuestos a compartir con otros. [19]De esa manera, al hacer esto, acumularán su tesoro como un buen fundamento para el futuro, a fin de poder experimentar lo que es la vida verdadera.

[20]Timoteo, cuida bien lo que Dios te ha confiado. Evita las discusiones mundanas y necias con los que se oponen a ti, con su así llamado «conocimiento». [21]Algunos se han desviado de la fe por seguir semejantes tonterías.

Que la gracia de Dios sea con todos ustedes.

«Ahora bien, la verdadera sumisión a Dios
es una gran riqueza en sí misma cuando uno está
contento con lo que tiene. Después de todo, no trajimos
nada cuando vinimos a este mundo ni tampoco
podremos llevarnos nada cuando lo dejemos. Así que, si
tenemos suficiente alimento y ropa, estemos contentos.
Pero los que viven con la ambición de hacerse ricos caen
en tentación y quedan atrapados por muchos deseos
necios y dañinos que los hunden en la ruina y la
destrucción. Pues el amor al dinero es la raíz de toda
clase de mal; y algunas personas, en su intenso deseo
por el dinero, se han desviado de la fe verdadera
y se han causado muchas heridas dolorosas.
Pero tú, Timoteo, eres un hombre de Dios; así que huye
de todas esas maldades. Persigue la justicia
y la vida sujeta a Dios, junto con la fe, el amor,
la perseverancia y la amabilidad».

1 TIMOTEO 6:6-11

INTRODUCCIÓN A LA SEGUNDA CARTA DE PABLO A TIMOTEO

Propósito: Dar instrucciones finales y estímulo a Timoteo, pastor de la iglesia en Éfeso (Turquía), y hacer un llamado a perseverar en la fe.

Autor: Pablo.

Destinatarios: Timoteo, y los cristianos en todo el mundo.

Fecha: Aproximadamente 66 ó 67 d. C., desde una cárcel en Roma.

Versículo clave: «Esfuérzate para poder presentarte delante de Dios y recibir su aprobación. Sé un buen obrero, alguien que no tiene de qué avergonzarse y que explica correctamente la palabra de verdad» (2:15).

En 2 Timoteo encontramos las famosas últimas palabras de uno de los hombres más amados y más influyentes de la historia: el apóstol Pablo. Condenado por ser seguidor de Jesús, Pablo estaba encarcelado en una prisión romana, separado de la mayoría de sus amigos y próximo a ser ejecutado (4:6). A pesar de su situación, Pablo no lamentaba haber seguido a Jesús y manifestaba que, aunque él estuviera en cadenas, la Palabra de Dios no lo estaba (2:9). Pablo escribió a Timoteo diciendole que mantuviera el valor en medio de las dificultades, y que fuera comprometido, dedicado y constante, como un buen soldado, un atleta o un agricultor. Le insistió que se apegara estrictamente a la verdad de las Escrituras y a Cristo, que huyera de la lujuria, y que buscara la rectitud, el amor, y la paz. Le advirtió que se mantuviera en guardia contra los engañadores que usan a la iglesia para su beneficio personal. Le recordó que el origen de este problema es Satanás, y que buscara fortaleza en la Palabra de Dios, la Biblia.

2 Timoteo tiene un valor histórico fundamental. Fue escrita cuando la iglesia estaba pasando de la era apostólica a la post-apostólica. Los apóstoles fueron hombres elegidos por Cristo para recibir la revelación de Dios y pasarla a la iglesia. En consecuencia, junto con los profetas del Antiguo Testamento, fueron el «cimiento» de la iglesia (Efesios 2:20). La partida del último apóstol planteaba un interrogante decisivo a los cristianos de aquellos días: ¿qué ocurriría con el cristianismo sin los apóstoles? Pablo respondió: «Me has oído enseñar verdades, que han sido confirmadas por muchos testigos confiables. Ahora enseña estas verdades a otras personas dignas de confianza que estén capacitadas para transmitirlas a otros» (2:2). De una época a otra, «Dios ha confiado [la fe] una vez y para siempre» (Judas 1:3) a la iglesia, y se transmite por la gracia y el poder de Dios, a pesar de la oposición. Mientras medita en esta carta, recuerde que, si conoce a Jesús, ¡usted también es responsable de pasar la antorcha de una generación a otra!

Pablo era un hombre de fe firme, de amor inquebrantable, de esperanza constante, de convicciones sólidas y de profundo discernimiento; dispuesto a compartir con todos aquellos con quienes se encontrara. Mientras lee 2 Timoteo, asuma el compromiso de aprender la Palabra, de sostener la verdad de Dios con valentía, y de vivir en el Espíritu Santo. «Un siervo del Señor no debe andar peleando, sino que debe ser bondadoso con todos, capaz de enseñar y paciente con las personas difíciles. Instruye con ternura a los que se oponen a la verdad. Tal vez Dios les cambie el corazón, y aprendan la verdad» (2:24-25).

2 Timoteo

Saludos de Pablo

1 Yo, Pablo, elegido por la voluntad de Dios para ser apóstol de Cristo Jesús escribo esta carta. Fui enviado para contarles a otros acerca de la vida que él ha prometido mediante la fe en Cristo Jesús.

[2]Le escribo a Timoteo, mi querido hijo.

Que Dios Padre y Cristo Jesús nuestro Señor te den gracia, misericordia y paz.

Animado a ser fiel

[3]Timoteo, doy gracias a Dios por ti, al mismo Dios que sirvo con la conciencia limpia tal como lo hicieron mis antepasados. Día y noche te recuerdo constantemente en mis oraciones. [4]Tengo muchos deseos de volver a verte porque no me olvido de tus lágrimas cuando nos separamos. Y me llenaré de alegría cuando estemos juntos otra vez.

[5]Me acuerdo de tu fe sincera, pues tú tienes la misma fe de la que primero estuvieron llenas tu abuela Loida y tu madre, Eunice, y sé que esa fe sigue firme en ti. [6]Por esta razón, te recuerdo que avives el fuego del don espiritual que Dios te dio cuando te impuse mis manos. [7]Pues Dios no nos ha dado un espíritu de temor y timidez sino de poder, amor y autodisciplina.

[8]Así que nunca te avergüences de contarles a otros acerca de nuestro Señor, ni te avergüences de mí, aun cuando estoy preso por él. Con las fuerzas que Dios te da prepárate para sufrir conmigo a causa de la Buena Noticia. [9]Pues Dios nos salvó y nos llamó para vivir una vida santa. No lo hizo porque lo mereciéramos, sino porque ése era su plan desde antes del comienzo del tiempo, para mostrarnos su gracia por medio de Cristo Jesús; [10]y ahora todo esto él nos lo ha hecho evidente mediante la venida de Cristo Jesús, nuestro Salvador. Destruyó el poder de la muerte e iluminó el camino a la vida y a la inmortalidad por medio de la Buena Noticia. [11]Y Dios me eligió para que sea predicador, apóstol y maestro de esta Buena Noticia.

[12]Por eso estoy sufriendo aquí, en prisión; pero no me avergüenzo de ello, porque yo sé en quién he puesto mi confianza y estoy seguro de que él es capaz de guardar lo que le he confiado* hasta el día de su regreso.

[13]Aférrate al modelo de la sana enseñanza que aprendiste de mí, un modelo formado por la fe y el amor que tienes en Cristo Jesús. [14]Mediante el poder del Espíritu Santo, quien vive en nosotros, guarda con sumo cuidado la preciosa verdad que se te confió.

[15]Como tú sabes, todos los de la provincia de Asia me abandonaron, incluso Figelo y Hermógenes.

1:12 O *lo que me ha sido confiado.*

[16]Que el Señor muestre una bondad especial con Onesíforo y toda su familia, porque él me visitó muchas veces y me dio ánimo. Jamás se avergonzó de que yo estuviera en cadenas. [17]Cuando vino a Roma, me buscó por todas partes hasta que me encontró. [18]Que el Señor le muestre una bondad especial el día que Cristo vuelva. Y tú bien sabes de cuánta ayuda fue en Éfeso.

Un buen soldado de Cristo Jesús

2 Timoteo, mi querido hijo, sé fuerte por medio de la gracia que Dios te da en Cristo Jesús. [2]Me has oído enseñar verdades, que han sido confirmadas por muchos testigos confiables. Ahora enseña estas verdades a otras personas dignas de confianza que estén capacitadas para transmitirlas a otros.

[3]Soporta el sufrimiento junto conmigo como un buen soldado de Cristo Jesús. [4]Ningún soldado se enreda en los asuntos de la vida civil, porque de ser así, no podría agradar al oficial que lo reclutó. [5]Asimismo ningún atleta puede obtener el premio a menos que siga las reglas. [6]Y el agricultor que se esfuerza en su trabajo debería ser el primero en gozar del fruto de su labor. [7]Piensa en lo que te digo. El Señor te ayudará a entender todas estas cosas.

[8]Siempre recuerda que Jesucristo, descendiente del rey David, fue levantado de los muertos; ésta es la Buena Noticia que yo predico. [9]Debido a que predico esta Buena Noticia, sufro y estoy encadenado como un criminal; pero la palabra de Dios no puede ser encadenada. [10]Por eso estoy dispuesto a soportar cualquier cosa si esta traerá salvación y gloria eterna en Cristo Jesús a los que Dios ha elegido.

[11]La siguiente declaración es digna de confianza:

Si morimos con él,
también viviremos con él.
[12] Si soportamos privaciones,
reinaremos con él.
Si lo negamos,
él nos negará.
[13] Si somos infieles,
él permanece fiel,
pues él no puede negar quién es.

[14]Recuérdales estas cosas a todos y ordénales en presencia de Dios que dejen de pelearse por palabras. Esos altercados son inútiles y pueden destruir a los que los oyen.

Un obrero aprobado

[15]Esfuérzate para poder presentarte delante de Dios y recibir su aprobación. Sé un buen obrero, alguien que no tiene de qué avergonzarse y que explica correctamente la palabra de verdad. [16]Evita las conversaciones inútiles y necias, que sólo llevan a una conducta cada vez más mundana. [17]Este tipo de conversaciones se extienden como el cáncer,* así como en el caso de Himeneo y Fileto. [18]Ellos han abandonado el camino de la verdad al afirmar que la resurrección de los muertos ya ocurrió; de esa manera, desviaron de la fe a algunas personas.

[19]Sin embargo, la verdad de Dios se mantiene firme como una piedra de cimiento con la siguiente inscripción: «El Señor conoce a los que son suyos»*, y «Todos los que pertenecen al Señor deben apartarse de la maldad»*.

[20]En una casa de ricos, algunos utensilios son de oro y plata, y otros son de madera y barro. Los utensilios costosos se usan en ocasiones especiales, mientras que los baratos son para el uso diario. [21]Si te mantienes puro, serás un utensilio especial para uso honorable. Tu vida será

2:17 En griego *gangrena*. **2:19a** Nm 16:5. **2:19b** Ver Is 52:11.

limpia, y estarás listo para que el Maestro te use en toda buena obra.

[22]Huye de todo lo que estimule las pasiones juveniles. En cambio, sigue la vida recta, la fidelidad, el amor y la paz. Disfruta del compañerismo de los que invocan al Señor con un corazón puro.

[23]Te repito: no te metas en discusiones necias y sin sentido que sólo inician pleitos. [24]Un siervo del Señor no debe andar peleando, sino que debe ser bondadoso con todos, capaz de enseñar y paciente con las personas difíciles. [25]Instruye con ternura a los que se oponen a la verdad. Tal vez Dios les cambie el corazón, y aprendan la verdad. [26]Entonces entrarán en razón y escaparán de la trampa del diablo. Pues él los ha tenido cautivos, para que hagan lo que él quiere.

Peligros de los últimos días

3 Timoteo, es bueno que sepas que, en los últimos días, habrá tiempos muy difíciles. [2]Pues la gente sólo tendrá amor por sí misma y por su dinero. Serán fanfarrones y orgullosos, se burlarán de Dios, serán desobedientes a sus padres y malagradecidos. No considerarán nada sagrado. [3]No amarán ni perdonarán; calumniarán a otros y no tendrán control propio. Serán crueles y odiarán lo que es bueno. [4]Traicionarán a sus amigos, serán imprudentes, se llenarán de soberbia y amarán el placer en lugar de amar a Dios. [5]Actuarán como religiosos pero rechazarán el único poder capaz de hacerlos obedientes a Dios. ¡Aléjate de esa clase de individuos!

[6]Pues son de los que se las ingenian para meterse en las casas de otros y ganarse la confianza de* mujeres vulnerables que cargan con la culpa del pecado y están dominadas por todo tipo de deseos. [7](Dichas mujeres siempre van detrás de nuevas enseñanzas pero jamás logran entender la verdad). [8]Estos «maestros» se oponen a la verdad, tal como Janes y Jambres se opusieron a Moisés. Tienen la mente depravada, y una fe falsa; [9]pero no se saldrán con la suya por mucho tiempo. Algún día, todos se darán cuenta de lo tontos que son, tal como pasó con Janes y Jambres.

Encargo de Pablo a Timoteo

[10]Pero tú, Timoteo, sabes muy bien lo que yo enseño y cómo vivo y cuál es el propósito de mi vida. También conoces mi fe, mi paciencia, mi amor y mi constancia. [11]Sabes cuánta persecución y sufrimiento he soportado, y cómo fui perseguido en Antioquía, Iconio y Listra; pero el Señor me rescató de todo eso. [12]Es cierto, y todo el que quiera vivir una vida de sumisión a Dios en Cristo Jesús sufrirá persecución; [13]pero los malos y los impostores serán cada vez más fuertes. Engañarán a otros, y ellos mismos serán engañados.

[14]Pero tú debes permanecer fiel a las cosas que se te han enseñado. Sabes que son verdad, porque sabes que puedes confiar en quienes te las enseñaron. [15]Desde la niñez, se te han enseñado las sagradas Escrituras, las cuales te han dado la sabiduría para recibir la salvación que viene por confiar en Cristo Jesús. [16]Toda la Escritura es inspirada por Dios y es útil para enseñarnos lo que es verdad y para hacernos ver lo que está mal en nuestra vida. Nos corrige cuando estamos equivocados y nos enseña a hacer lo correcto. [17]Dios la usa para preparar y capacitar a su pueblo para que haga toda buena obra.

4 En presencia de Dios y de Cristo Jesús —quien un día juzgará a los vivos y a los muertos cuando venga para establecer su reino— te pido encarecidamente:

3:6 En griego *y tomar cautivas a.*

[2]predica la palabra de Dios. Mantente preparado, sea o no el tiempo oportuno. Corrige, reprende y anima a tu gente con paciencia y buena enseñanza.

[3]Llegará el tiempo en que la gente no escuchará más la sólida y sana enseñanza. Seguirán sus propios deseos y buscarán maestros que les digan lo que sus oídos se mueren por oír. [4]Rechazarán la verdad e irán tras de mitos.

[5]Pero tú debes mantener la mente clara en toda situación. No tengas miedo de sufrir por el Señor. Ocúpate en decirles a otros la Buena Noticia y lleva a cabo todo el ministerio que Dios te dio.

[6]En cuanto a mí, mi vida ya fue derramada como una ofrenda a Dios. Se acerca el tiempo de mi muerte. [7]He peleado la buena batalla, he terminado la carrera y he permanecido fiel. [8]Ahora me espera el premio, la corona de justicia que el Señor, el Juez justo, me dará el día de su regreso; y el premio no es sólo para mí, sino para todos los que esperan con anhelo su venida.

Palabras finales de Pablo

[9]Timoteo, por favor ven lo más pronto posible. [10]Demas me abandonó porque ama las cosas de esta vida y se fue a Tesalónica. Crescente se fue a Galacia, y Tito a Dalmacia. [11]Sólo Lucas está conmigo. Trae a Marcos contigo cuando vengas, porque me será de ayuda en mi ministerio. [12]A Tíquico lo envié a Éfeso. [13]Cuando vengas, no te olvides de traer el abrigo que dejé con Carpo en Troas. Tráeme también mis libros y especialmente mis pergaminos.

[14]Alejandro —el que trabaja el cobre— me hizo mucho daño, pero el Señor lo juzgará por lo que ha hecho. [15]Cuídate de él, porque se opuso firmemente a todo lo que dijimos.

[16]La primera vez que fui llevado ante el juez, nadie me acompañó. Todos me abandonaron; que no se lo tomen en cuenta. [17]Pero el Señor estuvo a mi lado y me dio fuerzas, a fin de que yo pudiera predicar la Buena Noticia en toda su plenitud, para que todos los gentiles* la oyeran. Y él me libró de una muerte segura.* [18]Así es, y el Señor me librará de todo ataque maligno y me llevará a salvo a su reino celestial. ¡A Dios sea toda la gloria por siempre y para siempre! Amén.

Saludos finales de Pablo

[19]Dales mis saludos a Priscila y a Aquila, y a los que viven en la casa de Onesíforo. [20]Erasto se quedó en Corinto, y a Trófimo lo dejé enfermo en Mileto.

[21]Haz todo lo posible por llegar aquí antes del invierno. Eubulo te envía saludos, al igual que Pudente, Lino, Claudia y todos los hermanos.

[22]Que el Señor esté con tu espíritu, y que su gracia sea con todos ustedes.

4:17a *Gentil[es]*, que no es judío. **4:17b** En griego *de la boca de un león.*

«Pues Dios no nos ha dado
un espíritu de temor y timidez sino de poder,
amor y utodisciplina».

2 TIMOTEO 1:7

«Un siervo del Señor no debe andar peleando,
sino que debe ser bondadoso con todos, capaz
de enseñar y paciente con las personas difíciles.
Instruye con ternura a los que se oponen a la verdad.
Tal vez Dios les cambie el corazón, y aprendan la verdad.
Entonces entrarán en razón y escaparán de la trampa
del diablo. Pues él los ha tenido cautivos,
para que hagan lo que él quiere».

2 TIMOTEO 2:24-26

INTRODUCCIÓN A LA CARTA DE PABLO A TITO

Propósito: Aconsejar a Tito en cuanto a sus responsabilidades como supervisor de las iglesias en la isla de Creta (Grecia).

Autor: Pablo.

Destinatarios: Tito, un griego probablemente convertido a Cristo por el ministerio de Pablo y designado como su representante en la isla de Creta, y los cristianos en todo el mundo.

Fecha: Aproximadamente 64 d. C., quizás en el mismo período en el que Pablo escribió 1 Timoteo, posiblemente desde la antigua Macedonia, mientras viajaba entre las dos ocasiones que estuvo en la cárcel.

Versículo clave: «... él nos salvó, no por las acciones justas que nosotros habíamos hecho, sino por su misericordia [...] Los nuestros tienen que aprender a hacer el bien al satisfacer las necesidades urgentes de otros; entonces no serán personas improductivas» (3:5a, 14).

Pablo sabía que la iglesia debía estar construida sobre Jesucristo, y que en algún momento él ya no estaría vivo para ocuparse de discipular, de alentar, de disciplinar y de enseñar. Por esta razón entrenó a pastores jóvenes para que ejercieran el liderazgo cuando él hubiera muerto. Pablo los urgió a centrar sus vidas y su prédica en la Palabra de Dios, la Biblia, y a entrenar a otros para que continuaran el ministerio.

Tito era un griego convertido al cristianismo, y llegó a ser el líder espiritual de las iglesias en la isla de Creta. Al igual que Timoteo, Tito fue uno de los fieles compañeros de Pablo durante parte de sus viajes. Con el tiempo, Pablo ayudó a Tito a convertirse en un líder cristiano responsable y maduro. En esta carta, Pablo le explica cómo dirigir a las iglesias en Creta. Luego enumera las condiciones para ser un pastor y explica la diferencia entre los líderes auténticos y los falsos.

Más adelante Pablo enseñó a Tito la manera en que debía relacionarse con personas de diferentes edades en la iglesia. Le aconsejó que fuera ejemplo de madurez cristiana y que enseñara con valentía y autoridad. Aconsejó a las mujeres que fueran sensibles, puras y buenas; a los empleados a ser honestos; y a todos a ser humildes y afectuosos. Pidio evitar las discusiones inútiles que podrían dañar la unidad de la iglesia.

Mientras lee, medite en estas enseñanzas para que su vida cotidiana refleje en palabras y hechos a Jesús el Salvador.

Tito

Saludos de Pablo

1 Yo, Pablo, esclavo de Dios y apóstol de Jesucristo, escribo esta carta. Fui enviado para proclamar fe a* los que Dios ha elegido y para enseñarles a conocer la verdad que les muestra cómo vivir una vida dedicada a Dios. [2]Esta verdad les da la confianza de que tienen la vida eterna, la cual Dios —quien no miente— les prometió antes de que comenzara el mundo. [3]Y ahora, en el momento preciso, él dio a conocer este mensaje, que nosotros anunciamos a todos. Es por mandato de Dios nuestro Salvador que se me ha confiado esta tarea para él.

[4]Le escribo a Tito, mi verdadero hijo en la fe que compartimos.

Que Dios Padre y Cristo Jesús nuestro Salvador te den gracia y paz.

Tarea de Tito en Creta

[5]Te dejé en la isla de Creta para que pudieras terminar nuestro trabajo ahí y nombrar ancianos en cada ciudad, tal como te lo indiqué. [6]El anciano debe llevar una vida intachable. Tiene que serle fiel a su esposa,* y sus hijos deben ser creyentes que no tengan una reputación de ser desenfrenados ni rebeldes. [7]Pues un anciano* es un administrador de la casa de Dios, y debe vivir de manera intachable. No debe ser arrogante, ni iracundo, ni emborracharse,* ni ser violento, ni deshonesto con el dinero.

[8]Al contrario, debe recibir huéspedes en su casa con agrado y amar lo que es bueno. Debe vivir sabiamente y ser justo. Tiene que llevar una vida de devoción y disciplina. [9]Debe tener una fuerte creencia en el mensaje fiel que se le enseñó; entonces podrá animar a otros con la sana enseñanza y demostrar a los que se oponen en qué están equivocados.

[10]Pues hay muchos rebeldes que participan en conversaciones inútiles y engañan a otros. Me refiero especialmente a los que insisten en que es necesario circuncidarse para ser salvo. [11]Hay que callarlos, porque, con su falsa enseñanza, alejan a familias enteras de la verdad, y sólo lo hacen por dinero. [12]Incluso uno de sus propios hombres, un profeta de Creta, dijo acerca de ellos: «Todos los cretenses son mentirosos, animales crueles y glotones perezosos».* [13]Es la verdad. Así que repréndelos con severidad para fortalecerlos en la fe. [14]Tienen que dejar de prestar atención a mitos judíos y a los mandatos de aquellos que se han apartado de la verdad.

[15]Todo es puro para los de corazón puro. En cambio, para los corruptos e incrédulos nada es puro, porque tienen la mente y la conciencia corrompidas.

1:1 O *para fortalecer la fe de.* **1:6** O *Debe tener una sola esposa,* o *Debe estar casado una sola vez;* en griego dice *Debe ser marido de una sola esposa.* **1:7a** O *supervisor,* u *obispo.* **1:7b** En griego *ni beber demasiado vino.* **1:12** Esta cita es del poeta cretense Epiménides de Cnosos (siglo VI a. C.).

[16]Tales personas afirman que conocen a Dios, pero lo niegan con su manera de vivir. Son detestables y desobedientes, no sirven para hacer nada bueno.

Fomenta la enseñanza correcta

2 Tito, en cuanto a ti, fomenta la clase de vida que refleje la sana enseñanza. [2]Enseña a los hombres mayores a ejercitar el control propio, a ser dignos de respeto y a vivir sabiamente. Deben tener una fe sólida y estar llenos de amor y paciencia.

[3]De manera similar, enseña a las mujeres mayores a vivir de una manera que honre a Dios. No deben calumniar a nadie ni emborracharse.* En cambio, deberían enseñarles a otros lo que es bueno. [4]Esas mujeres mayores tienen que instruir a las más jóvenes a amar a sus esposos y a sus hijos, [5]a vivir sabiamente y a ser puras, a trabajar en su hogar,* a hacer el bien y a someterse a sus esposos. Entonces no deshonrarán la palabra de Dios.

[6]Del mismo modo, anima a los hombres jóvenes a vivir sabiamente. [7]Y sé tú mismo un ejemplo para ellos al hacer todo tipo de buenas acciones. Que todo lo que hagas refleje la integridad y la seriedad de tu enseñanza. [8]Enseña la verdad, para que no puedan criticar tu enseñanza. Entonces los que se nos oponen quedarán avergonzados y no tendrán nada malo que decir de nosotros.

[9]Los esclavos siempre deben obedecer a sus amos y hacer todo lo posible por agradarlos. No deben ser respondones [10]ni robar, sino demostrar que son buenos y absolutamente dignos de confianza. Entonces harán que la enseñanza acerca de Dios nuestro Salvador sea atractiva en todos los sentidos.

[11]Pues la gracia de Dios ya ha sido revelada, la cual trae salvación a todas las personas. [12]Y se nos instruye a que nos apartemos de la vida mundana y de los placeres pecaminosos. En este mundo maligno, debemos vivir con sabiduría, justicia y devoción a Dios, [13]mientras anhelamos con esperanza ese día maravilloso en que se revele la gloria de nuestro gran Dios y Salvador Jesucristo. [14]Él dio su vida para liberarnos de toda clase de pecado, para limpiarnos y para hacernos su pueblo, totalmente comprometidos a hacer buenas acciones.

[15]Debes enseñar estas cosas y alentar a los creyentes a que las hagan. Tienes la autoridad para corregirlos cuando sea necesario, así que no permitas que nadie ignore lo que dices.

Hagan lo que es bueno

3 Recuérdales a los creyentes que se sometan al gobierno y a sus funcionarios. Tienen que ser obedientes, siempre dispuestos a hacer lo que es bueno. [2]No deben calumniar a nadie y tienen que evitar pleitos. En cambio, deben ser amables y mostrar verdadera humildad en el trato con todos.

[3]En otro tiempo nosotros también éramos necios y desobedientes. Fuimos engañados y nos convertimos en esclavos de toda clase de pasiones y placeres. Nuestra vida estaba llena de maldad y envidia, y nos odiábamos unos a otros.

[4]Pero: «Cuando Dios nuestro Salvador dio a conocer su bondad y amor, [5]él nos salvó, no por las acciones justas que nosotros habíamos hecho, sino por su misericordia. Nos lavó, quitando nuestros pecados, y nos dio un nuevo nacimiento y vida nueva por medio del Espíritu Santo.* [6]Él derramó su Espíritu sobre nosotros en abundancia por medio de Jesucristo nuestro Salvador. [7]Por su gracia él nos de-

2:3 En griego *estar esclavizadas por mucho vino.* 2:5 Algunos manuscritos dicen *a cuidar su hogar.* 3:5 En griego *él nos salvó por medio del lavamiento de la regeneración y la renovación del Espíritu Santo.*

claró justos y nos dio la seguridad de que vamos a heredar la vida eterna». [8]Esta declaración es digna de confianza, y quiero que insistas en estas enseñanzas, para que todos los que confían en Dios se dediquen a hacer el bien. Estas enseñanzas son buenas y de beneficio para todos.

[9]No te metas en discusiones necias sobre listas de linajes espirituales* o en riñas y peleas acerca de la obediencia a las leyes judías. Todo esto es inútil y una pérdida de tiempo. [10]Si entre ustedes hay individuos que causan divisiones, dales una primera y una segunda advertencia. Después de eso, no tengas nada más que ver con ellos. [11]Pues personas como ésas se han apartado de la verdad y sus propios pecados las condenan.

3:9 O *genealogías espirituales.*

Comentarios y saludos finales de Pablo

[12]Tengo pensado enviarte a Artemas o a Tíquico. Tan pronto como uno de ellos llegue, haz todo lo posible para encontrarte conmigo en Nicópolis, porque he decidido pasar allí el invierno. [13]Haz todo lo que puedas para ayudar al abogado Zenas y a Apolos en su viaje. Asegúrate de que se les dé todo lo que necesiten. [14]Los nuestros tienen que aprender a hacer el bien al satisfacer las necesidades urgentes de otros; entonces no serán personas improductivas.

[15]Todos aquí te envían saludos. Por favor, da mis saludos a los creyentes, a todos los que nos aman.

Que la gracia de Dios sea con todos ustedes.

INTRODUCCIÓN DE LA CARTA DE PABLO A FILEMÓN

Propósito: Convencer a Filemón que perdone a Onésimo (un esclavo que se había escapado) y que lo acepte como hermano en la fe.

Autor: Pablo.

Destinatarios: Filemón, probablemente miembro de la iglesia en Colosas (Turquía), y los cristianos en todo el mundo.

Fecha: Aproximadamente 60 d. C., durante el primer encarcelamiento de Pablo en Roma (Italia).

Contexto: Pablo hace una declaración radical, al referirse al esclavo de Filemón como su hermano en Cristo.

Versículo clave: «Parece que perdiste a Onésimo por un corto tiempo para que ahora pudieras tenerlo de regreso para siempre. Él ya no es como un esclavo para ti. Es más que un esclavo, es un hermano amado, especialmente para mí. Ahora será de más valor para ti, como persona y como hermano en el Señor» (1:15-16).

Las culturas antiguas estaban llenas de barreras, y la sociedad estaba dividida en grupos y en clases: hombres y mujeres; esclavos y libres; ricos y pobres; judíos y gentiles (aquellos que no eran judíos).

A pesar de nuestros avances tecnológicos, nuestra sociedad no ha progresado mucho en este sentido y muchas de estas paredes divisorias todavía existen. No son murallas de piedra, sino prejuicios que nos separan de las demás personas y de Dios. Sin embargo, Cristo vino para derribar esas murallas mediante su muerte y su resurrección.

Esta verdad transformadora es la base de la carta a Filemón, amigo de Pablo y miembro de la iglesia en Colosas. Se había provocado un problema grave, debido a que un esclavo de Filemón llamado Onésimo le había robado y había huido a Roma, un delito que la ley romana castigaba con la muerte. Pablo estaba preso en Roma y allí conoció a Onésimo y lo condujo a Jesús. Después de esto, Pablo escribió a Filemón urgiéndolo a que aceptara y perdonara a Onésimo, ya que ahora eran hermanos en Cristo. El nombre «Onésimo» significa «útil», y Pablo usó este nombre para respaldar su pedido: «Onésimo no fue de mucha ayuda para ti en el pasado, pero ahora nos es muy útil a los dos» (1:11). Las barreras del pasado no debían separar a estos dos hombres que ahora eran hermanos en Cristo y tenían el mismo valor ante los ojos del Señor.

Este breve libro demuestra la importancia de la gracia de Dios y es un profundo ejemplo del genuino perdón de Cristo. ¿Ha sufrido abuso, rechazo o crueldad de manos de otros? Mientras lee este libro, recuerde que Jesús le pide que perdone como él lo perdonó. ¿Hay muros en su hogar, en su vecindario o en su iglesia, causados por las diferencias de raza, de riqueza, de educación, o de personalidad? Tal como se lo pidió a Filemón, Dios le pide a usted que derribe esas murallas y que acepte y ame a los demás creyentes.

Filemón

Saludos de Pablo

Yo, Pablo, prisionero por predicar la Buena Noticia acerca de Cristo Jesús, junto con nuestro hermano Timoteo, les escribo esta carta a Filemón, nuestro amado colaborador, [2]a nuestra hermana Apia, a Arquipo, nuestro compañero en la lucha, y a la iglesia que se reúne en tu casa.

[3]Que Dios nuestro Padre y el Señor Jesucristo les den gracia y paz.

Agradecimiento y oración de Pablo

[4]Filemón, siempre le doy gracias a mi Dios cuando oro por ti [5]porque sigo oyendo de tu fe en el Señor Jesús y de tu amor por todo el pueblo de Dios. [6]Pido a Dios que pongas en práctica la generosidad que proviene de tu fe a medida que comprendes y vives todo lo bueno que tenemos en Cristo. [7]Hermano, tu amor me ha dado mucha alegría y consuelo, porque muchas veces tu bondad reanimó el corazón del pueblo de Dios.

Súplica de Pablo por Onésimo

[8]Por esta razón me atrevo a pedirte un favor. Podría exigírtelo en el nombre de Cristo, porque es correcto que lo hagas; [9]pero por amor, prefiero simplemente pedirte el favor. Toma esto como una petición mía, de Pablo, un hombre viejo y ahora también preso por la causa de Cristo Jesús.*

[10]Te suplico que le muestres bondad a mi hijo Onésimo. Me convertí en su padre en la fe mientras yo estaba aquí, en la cárcel. [11]Onésimo* no fue de mucha ayuda para ti en el pasado, pero ahora nos es muy útil a los dos. [12]Te lo envío de vuelta, y con él va mi propio corazón.

[13]Quería retenerlo aquí conmigo mientras estoy en cadenas por predicar la Buena Noticia, y él me hubiera ayudado de tu parte; [14]pero no quise hacer nada sin tu consentimiento. Preferí que ayudaras de buena gana y no por obligación. [15]Parece que perdiste a Onésimo por un corto tiempo para que ahora pudieras tenerlo de regreso para siempre. [16]Él ya no es como un esclavo para ti. Es más que un esclavo, es un hermano amado, especialmente para mí. Ahora será de más valor para ti, como persona y como hermano en el Señor.

[17]Así que, si me consideras tu compañero, recíbelo a él como me recibirías a mí. [18]Si te perjudicó de alguna manera o te debe algo, cóbramelo a mí. [19]Yo, PABLO, ESCRIBO ESTO CON MI PROPIA MANO: «YO TE LO PAGARÉ». ¡Y NO MENCIONARÉ QUE TÚ ME DEBES TU PROPIA ALMA!

[20]Sí, mi hermano, te ruego que me

9 O *un preso de Cristo Jesús.* **11** *Onésimo* significa «útil».

hagas este favor* por amor al Señor. Dame ese ánimo en Cristo.

[21]Mientras escribo esta carta estoy seguro de que harás lo que te pido, ¡y aún más! [22]Otra cosa: por favor prepárame un cuarto de huéspedes, porque espero que Dios responda a las oraciones de ustedes y que me permita volver a visitarlos pronto.

Saludos finales de Pablo

[23]Epafras, mi compañero de prisión en Cristo Jesús, les manda saludos. [24]También los saludan Marcos, Aristarco, Demas y Lucas, mis colaboradores.

[25]Que la gracia del Señor Jesucristo sea con el espíritu de cada uno de ustedes.

20 En griego *onaimen,* un juego de palabras con el nombre Onésimo.

El tercer viaje misionero de Pablo / *Hechos 18:23–21:16*

Los nombres en mayúsculas (sin cursivas) indican regiones.

INTRODUCCIÓN A LA CARTA A LOS HEBREOS

Propósito: Presentar la superioridad y la completa suficiencia de Cristo. Advertir a los judíos cristianos que no se alejaran de Cristo para volverse al judaísmo.

Autor: Desconocido; se ha sugerido Pablo, Lucas, Bernabé, Silas, o Priscila, entre otros.

Fecha: Probablemente antes de la destrucción del templo en Jerusalén en el 70 d. C.

Versículos clave: «El Hijo irradia la gloria de Dios y expresa el carácter mismo de Dios, y sostiene todo con el gran poder de su palabra. Después de habernos limpiado de nuestros pecados, se sentó en el lugar de honor, a la derecha del majestuoso Dios en el cielo» (1:3).

Esta carta fue escrita principalmente a los judíos cristianos perseguidos y presionados a renegar de su fe en Cristo. El escritor los anima a no retroceder a sus caminos pre-cristianos porque Jesús es superior a cualquier otra cosa: a los ángeles (1:4), a Moisés (3:1-6), a la ley (capítulo 7), y al pacto del Antiguo Testamento porque es el mediador de un mejor pacto (capítulo 8). Él es el eterno Sumo Sacerdote (4:15-16; 5:1-10; 7) y el sacrificio perfecto hecho una vez y para siempre (7:27; 9:28; 10:10). Por Jesús, los cristianos vamos hacia «un lugar mejor, una patria celestial» (11:16) donde tendremos «cosas mejores, que durarán para siempre», por lo cual no necesitamos aferrarnos a las cosas terrenales (10:34).

Para seguir el argumento del autor, es preciso comprender que Dios había hecho un pacto de lealtad con la nación de Israel. Sin embargo, los israelitas fueron infieles y violaron ese pacto. Aún así, Dios cumplió su parte y proveyó un sistema de sacrificios que simbolizaba el arrepentimiento para que recibieran perdón de sus pecados. Ahora bien, para que la gente pudiera mantener su relación con Dios, debían repetir continuamente esos sacrificios porque continuaban pecando. Finalmente, Dios proveyó el sacrificio definitivo en su Hijo Jesucristo, el Mesías anunciado por los profetas del Antiguo Testamento. Él vino a la tierra para morir por todos y, al no tener pecado, es el único apto para pagar la condena de nuestra rebelión contra Dios.

La idea de la reencarnación es una esperanza falsa y engañosa de obtener un futuro mejor (9:27). Hoy se habla mucho de guías espirituales, de gurúes, de ángeles, de meditación y de profetas, pero, como explica Hebreos, Jesús es superior a todos ellos, y es el único Sumo Sacerdote santo y perfecto que puede salvarnos y darnos vida eterna, paz, gozo, y una relación íntima con Dios. Sin Cristo no hay salvación. Esta carta advierte contundentemente a aquellos que no consideran la urgencia de aceptar a Cristo ni de vivir para él: «No endurezcan el corazón» (3:8); no sigan rechazando a Cristo porque sufrirán su juicio, ya que no hay otro sacrificio por el pecado (10:26); y no se nieguen a escuchar a Dios, quien habló desde el cielo (12:25, ver también 2:1 y 6:6).

Nada deshonra tanto a Dios como rechazar o ignorar a su amado Hijo. Si Jesús no es suficiente para usted, Dios no tiene más para ofrecerle. Mientras lee, considere que si no ha aceptado a Jesús como su Salvador, no tiene tarea más urgente que la de confesar su pecado a Dios, clamar su misericordia y postrarse ante su Hijo, Jesucristo. Si ya conoce a Jesús, tiene acceso directo en todo momento al Dios del universo. Su oído está siempre atento a usted, y puede hablar con él como un niño con su Padre amoroso.

Hebreos

Jesucristo es el Hijo de Dios

1 Hace mucho tiempo, Dios habló muchas veces y de diversas maneras a nuestros antepasados por medio de los profetas. [2]Y ahora, en estos últimos días, nos ha hablado por medio de su Hijo. Dios le prometió todo al Hijo como herencia y, mediante el Hijo, creó el universo. [3]El Hijo irradia la gloria de Dios y expresa el carácter mismo de Dios, y sostiene todo con el gran poder de su palabra. Después de habernos limpiado de nuestros pecados, se sentó en el lugar de honor, a la derecha del majestuoso Dios en el cielo. [4]Esto demuestra que el Hijo es muy superior a los ángeles, así como el nombre que Dios le dio es superior al nombre de ellos.

El Hijo es superior a los ángeles

[5]Pues Dios nunca le dijo a ningún ángel lo que le dijo a Jesús:

«Tú eres mi Hijo.
Hoy he llegado a ser tu Padre»*.

Dios también dijo:

«Yo seré su Padre,
y él será mi Hijo»*.

[6]Además, cuando trajo a su Hijo supremo* al mundo, Dios dijo:*

«Que lo adoren todos los ángeles
de Dios»*.

[7]Pero con respecto a los ángeles, Dios dice:

«Él envía a sus ángeles como los vientos
y a sus sirvientes como llamas de
fuego»*.

[8]Pero al Hijo le dice:

«Tu trono, oh Dios, permanece por
siempre y para siempre.
Tú gobiernas con cetro de justicia.
[9] Amas la justicia y odias la maldad.
Por eso oh Dios —tu Dios— te ha
ungido
derramando el aceite de alegría
sobre ti más que sobre cualquier
otro»*.

[10]También le dice al Hijo:

«Señor, en el principio echaste los
cimientos de la tierra
y con tus manos formaste los cielos.
[11] Ellos dejarán de existir, pero tú
permaneces para siempre.
Ellos se desgastarán como ropa
vieja.
[12] Los doblarás como un manto
y los desecharás como ropa usada.
Pero tú eres siempre el mismo;
tú vivirás para siempre»*.

1:5a U *Hoy te doy a conocer como mi Hijo.* Sal 2:7. **1:5b** 2 Sm 7:14. **1:6a** O *primogénito.* **1:6b** O *Cuando traiga nuevamente a su Hijo supremo* [o *Hijo primogénito*] *al mundo, Dios dirá.* **1:6c** Dt 32:43. **1:7** Sal 104:4 (versión griega). **1:8-9** Sal 45:6-7. **1:10-12** Sal 102:25-27.

[13]Además, Dios nunca le dijo a ninguno de los ángeles:

«Siéntate en el lugar de honor a mi derecha,
hasta que humille a tus enemigos
y los ponga por debajo de tus pies»*.

[14]Por lo tanto, los ángeles sólo son sirvientes, espíritus enviados para cuidar a quienes heredarán la salvación.

Advertencia para no desviarse del camino

2 Así que debemos prestar mucha atención a las verdades que hemos oído, no sea que nos desviemos de ellas. [2]Pues el mensaje que Dios transmitió mediante los ángeles se ha mantenido siempre firme, y toda infracción de la ley y todo acto de desobediencia recibió el castigo que merecía. [3]Entonces, ¿qué nos hace pensar que podemos escapar si descuidamos esta salvación tan grande, que primeramente fue anunciada por el mismo Señor Jesús y luego nos fue transmitida por quienes lo oyeron hablar? [4]Además, Dios confirmó el mensaje mediante señales, maravillas, diversos milagros y dones del Espíritu Santo según su voluntad.

Jesús, el hombre

[5]Es más, no son los ángeles quienes gobernarán el mundo futuro del cual hablamos, [6]porque en cierto lugar las Escrituras dicen:

«¿Qué son los simples mortales para que pienses en ellos,
o el hijo del hombre* para que te preocupes por él?
[7] Sin embargo, lo hiciste un poco menor que los ángeles
y lo coronaste de gloria y honor.*
[8] Le diste autoridad sobre todas las cosas»*.

Ahora bien, cuando dice «todas las cosas», significa que nada queda afuera; pero todavía no vemos que todas las cosas sean puestas bajo su autoridad. [9]No obstante, lo que sí vemos es a Jesús, a quien se le dio una posición «un poco menor que los ángeles»; y debido a que sufrió la muerte por nosotros, ahora está «coronado de gloria y honor». Efectivamente, por la gracia de Dios, Jesús conoció la muerte por todos. [10]Dios —para quien y por medio de quien todo fue hecho— eligió llevar a muchos hijos a la gloria. Convenía a Dios que, mediante el sufrimiento, hiciera a Jesús un líder perfecto, apto para llevarlos a la salvación.

[11]Por lo tanto, Jesús y los que él hace santos tienen el mismo Padre. Por esa razón, Jesús no se avergüenza de llamarlos sus hermanos, [12]pues le dijo a Dios:

«Anunciaré tu nombre a mis hermanos.
Entre tu pueblo reunido te alabaré»*.

[13]También dijo:

«Pondré mi confianza en él»,
es decir, «yo y los hijos que Dios me dio»*.

[14]Debido a que los hijos de Dios son seres humanos —hechos de carne y sangre— el Hijo también se hizo de carne y sangre. Pues sólo como ser humano podía morir y sólo mediante la muerte podía quebrantar el poder del diablo, quien tenía* el poder sobre la muerte. [15]Únicamente de esa manera el Hijo podía libertar a todos los que vivían esclavizados por temor a la muerte.

[16]También sabemos que el Hijo no

1:13 Sal 110:1. **2:6** O *el Hijo del Hombre.* **2:7** Algunos manuscritos incluyen *Le pusiste a cargo de todo lo que creaste.* **2:6-8** Sal 8:4-6 (versión griega). **2:12** Sal 22:22. **2:13** Is 8:17-18. **2:14** O *tiene.*

vino para ayudar a los ángeles, sino que vino para ayudar a los descendientes de Abraham. [17]Por lo tanto, era necesario que en todo sentido él se hiciera semejante a nosotros, sus hermanos,* para que fuera nuestro Sumo Sacerdote fiel y misericordioso, delante de Dios. Entonces podría ofrecer un sacrificio que quitaría los pecados del pueblo. [18]Debido a que él mismo ha pasado por sufrimientos y pruebas, puede ayudarnos cuando pasamos por pruebas.

Jesús es superior a Moisés

3 Así que, amados hermanos, ustedes que pertenecen a Dios y* tienen parte con los que han sido llamados al cielo, consideren detenidamente a este Jesús a quien declaramos mensajero de Dios* y Sumo Sacerdote. [2]Pues él fue fiel a Dios, quien lo nombró, así como Moisés fue fiel cuando se le encomendó toda* la casa de Dios.

[3]Pero Jesús merece mucha más gloria que Moisés, así como el que construye una casa merece más elogio que la casa misma. [4]Pues cada casa tiene un constructor, pero el que construyó todo es Dios.

[5]En verdad Moisés fue fiel como siervo en la casa de Dios. Su trabajo fue una ilustración de las verdades que Dios daría a conocer tiempo después; [6]pero Cristo, como Hijo, está a cargo de toda la casa de Dios; y nosotros somos la casa de Dios si nos armamos de valor y permanecemos confiados en nuestra esperanza en Cristo.*

[7]Por eso el Espíritu Santo dice:

«Cuando oigan hoy su voz,
[8] no endurezcan el corazón
como lo hicieron los israelitas cuando
se rebelaron,
aquel día que me pusieron a prueba
en el desierto.
[9] Allí sus antepasados me tentaron y
pusieron a prueba mi paciencia
a pesar de haber visto mis milagros
durante cuarenta años.
[10] Por eso, me enojé con ellos y dije:
"Su corazón siempre se aleja de mí.
Rehúsan hacer lo que les digo".
[11] Así que en mi enojo juré:
"Ellos nunca entrarán en mi lugar
de descanso"»*.

[12]Por lo tanto, amados hermanos, ¡cuidado! Asegúrense de que ninguno de ustedes tenga un corazón maligno e incrédulo que los aleje del Dios vivo. [13]Adviértanse unos a otros todos los días mientras dure ese «hoy», para que ninguno sea engañado por el pecado y se endurezca contra Dios. [14]Pues, si somos fieles hasta el fin, confiando en Dios con la misma firmeza que teníamos al principio, cuando creímos en él, entonces tendremos parte en todo lo que le pertenece a Cristo. [15]Recuerden lo que dice:

«Cuando oigan hoy su voz,
no endurezcan el corazón
como hicieron los israelitas cuando
se rebelaron»*.

[16]¿Y quiénes fueron los que se rebelaron contra Dios a pesar de haber oído su voz? ¿No fue acaso el pueblo que salió de Egipto guiado por Moisés? [17]¿Y quiénes hicieron enojar a Dios durante cuarenta años? ¿Acaso no fueron los que pecaron, cuyos cadáveres quedaron tirados en el desierto? [18]¿Y a quiénes hablaba Dios cuando juró que jamás entrarían en su descanso? ¿Acaso no fue a los que lo desobedecieron? [19]Como vemos, ellos no pudieron entrar en el descanso de Dios a causa de su incredulidad.

2:17 En griego *semejante a los hermanos.* **3:1a** En griego *Así que, hermanos santos quienes.* **3:1b** En griego *apóstol de Dios.* **3:2** Algunos manuscritos no incluyen *toda.* **3:6** Algunos manuscritos incluyen *fieles hasta el fin.* **3:7-11** Sal 95:7-11. **3:15** Sal 95:7-8.

El descanso prometido para el pueblo de Dios

4 Todavía sigue vigente la promesa que hizo Dios de entrar en su descanso; por lo tanto, debemos temblar de miedo ante la idea de que alguno de ustedes no llegue a alcanzarlo. [2]Pues esta buena noticia —del descanso que Dios ha preparado— se nos ha anunciado tanto a ellos como a nosotros, pero a ellos no les sirvió de nada porque no tuvieron la fe de los que escucharon a Dios.* [3]Pues sólo los que creemos podemos entrar en su descanso. En cuanto a los demás, Dios dijo:

«En mi enojo juré:
"Ellos nunca entrarán en mi lugar de descanso"»*,

si bien ese descanso está preparado desde que él hizo el mundo. [4]Sabemos que está preparado debido al pasaje en las Escrituras que menciona el séptimo día: «En el séptimo día Dios descansó de todo su trabajo»*. [5]Pero en el otro pasaje Dios dijo: «Nunca entrarán en mi lugar de descanso»*.

[6]Así que el descanso de Dios está disponible para que la gente entre, pero los primeros en oír esta buena noticia no entraron, porque desobedecieron a Dios. [7]Entonces Dios fijó otro tiempo para entrar en su descanso, y ese tiempo es hoy. Lo anunció mucho más tarde por medio de David en las palabras que ya se han citado:

«Cuando oigan hoy su voz
no endurezcan el corazón»*.

[8]Ahora bien, si Josué hubiera logrado darles ese descanso, Dios no habría hablado de otro día de descanso aún por venir. [9]Así que todavía hay un descanso especial* en espera para el pueblo de Dios. [10]Pues todos los que han entrado en el descanso de Dios han descansado de su trabajo, tal como Dios descansó del suyo después de crear el mundo. [11]Entonces, hagamos todo lo posible por entrar en ese descanso, pero si desobedecemos a Dios, como lo hizo el pueblo de Israel, caeremos.

[12]Pues la palabra de Dios es viva y poderosa. Es más cortante que cualquier espada de dos filos; penetra entre el alma y el espíritu, entre la articulación y la médula del hueso. Deja al descubierto nuestros pensamientos y deseos más íntimos. [13]No hay nada en toda la creación que esté oculto a Dios. Todo está desnudo y expuesto ante sus ojos; y es a él a quien rendimos cuentas.

Cristo es nuestro Sumo Sacerdote

[14]Por lo tanto, ya que tenemos un gran Sumo Sacerdote que entró en el cielo, Jesús el Hijo de Dios, aferrémonos a lo que creemos. [15]Nuestro Sumo Sacerdote comprende nuestras debilidades, porque enfrentó todas y cada una de las pruebas que enfrentamos nosotros, sin embargo él nunca pecó. [16]Así que acerquémonos con toda confianza al trono de la gracia de nuestro Dios. Allí recibiremos su misericordia y encontraremos la gracia que nos ayudará cuando más la necesitemos.

5 Todo sumo sacerdote es un hombre escogido para representar a otras personas en su trato con Dios. Él presenta a Dios las ofrendas de esas personas y ofrece sacrificios por los pecados. [2]Y puede tratar con paciencia a los ignorantes y descarriados, porque él también está sujeto a las mismas debilidades. [3]Por esa razón, debe ofrecer sacrificios tanto por sus propios pecados como por los del pueblo.

[4]Y nadie puede llegar a ser sumo sacer-

4:2 Algunos manuscritos dicen *no combinaron fe con lo que oyeron.* **4:3** Sal 95:11. **4:4** Gn 2:2. **4:5** Sal 95:11. **4:7** Sal 95:7-8. **4:9** O *descanso sabático.*

dote sólo porque desee tener ese honor. Tiene que ser llamado por Dios para ese trabajo, como sucedió con Aarón. [5]Por eso, Cristo no se honró a sí mismo haciéndose Sumo Sacerdote, sino que fue elegido por Dios, quien le dijo:

«Tú eres mi Hijo.
Hoy he llegado a ser tu padre»*.

[6]Y en otro pasaje Dios le dijo:

«Tú eres sacerdote para siempre,
según el orden de
Melquisedec»*.

[7]Mientras estuvo aquí en la tierra, Jesús ofreció oraciones y súplicas con gran clamor y lágrimas al que podía rescatarlo de la muerte. Y Dios oyó sus oraciones por la gran reverencia que Jesús le tenía. [8]Aunque era Hijo de Dios, Jesús aprendió obediencia por las cosas que sufrió. [9]De ese modo, Dios lo hizo apto para ser el Sumo Sacerdote perfecto, y Jesús llegó a ser la fuente de salvación eterna para todos los que le obedecen. [10]Y Dios lo designó Sumo Sacerdote según el orden de Melquisedec.

Llamado al crecimiento espiritual

[11]Nos gustaría decir mucho más sobre este tema, pero es difícil de explicar, sobre todo porque ustedes son torpes espiritualmente y tal parece que no escuchan. [12]Hace tanto que son creyentes que ya deberían estar enseñando a otros. En cambio, necesitan que alguien vuelva a enseñarles las cosas básicas de la palabra de Dios.* Son como niños pequeños que necesitan leche y no pueden comer alimento sólido. [13]Pues el que se alimenta de leche sigue siendo bebé y no sabe cómo hacer lo correcto. [14]El alimento sólido es para los que son maduros, los que a fuerza de práctica están capacitados para distinguir entre lo bueno y lo malo.

6 Así que dejemos de repasar una y otra vez las enseñanzas elementales acerca de Cristo. Por el contrario, sigamos adelante hasta llegar a ser maduros en nuestro entendimiento. No puede ser que tengamos que comenzar de nuevo con los importantes cimientos acerca del arrepentimiento de las malas acciones* y de tener fe en Dios. [2]Ustedes tampoco necesitan más enseñanza acerca de los bautismos, la imposición de manos, la resurrección de los muertos y el juicio eterno. [3]Así que, si Dios quiere, avanzaremos hacia un mayor entendimiento.

[4]Pues es imposible lograr que vuelvan a arrepentirse los que una vez fueron iluminados —aquellos que experimentaron las cosas buenas del cielo y fueron partícipes del Espíritu Santo, [5]que saborearon la bondad de la palabra de Dios y el poder del mundo venidero— [6]y que luego se alejan de Dios. Es imposible lograr que esas personas vuelvan a arrepentirse; al rechazar al Hijo de Dios, ellos mismos lo clavan otra vez en la cruz y lo exponen a la vergüenza pública.

[7]Cuando la tierra se empapa de la lluvia que cae y produce una buena cosecha para el agricultor, recibe la bendición de Dios. [8]En cambio, el campo que produce espinos y cardos no sirve para nada. El agricultor no tardará en maldecirlo y quemarlo.

[9]Queridos amigos, aunque hablamos de este modo, no creemos que esto se aplica a ustedes. Estamos convencidos de que ustedes están destinados para cosas mejores, las cuales vienen con la salvación. [10]Pues Dios no es injusto. No olvidará con cuánto esfuerzo han trabajado para él y cómo han demostrado su amor

5:5 O *Hoy te doy a conocer como mi Hijo.* Sal 2:7. **5:6** Sal 110:4. **5:12** O *de los oráculos de Dios.* **6:1** En griego *acciones muertas.*

por él sirviendo a otros creyentes* como todavía lo hacen. [11]Nuestro gran deseo es que sigan amando a los demás mientras tengan vida, para asegurarse de que lo que esperan se hará realidad. [12]Entonces, no se volverán torpes ni indiferentes espiritualmente. En cambio seguirán el ejemplo de quienes, gracias a su fe y perseverancia, heredarán las promesas de Dios.

Las promesas de Dios traen esperanza

[13]Por ejemplo, estaba la promesa que Dios le hizo a Abraham. Como no existía nadie superior a Dios por quién jurar, Dios juró por su propio nombre, diciendo:

[14] «Ciertamente te bendeciré
y multiplicaré tu descendencia
hasta que sea incontable»*.

[15]Entonces Abraham esperó con paciencia y recibió lo que Dios le había prometido.

[16]Ahora bien, cuando las personas hacen un juramento, invocan a alguien superior a ellas para obligarse a cumplirlo; y no cabe ninguna duda de que ese juramento conlleva una obligación. [17]Dios también se comprometió mediante un juramento, para que los que recibieran la promesa pudieran estar totalmente seguros de que él jamás cambiaría de parecer. [18]Así que Dios ha hecho ambas cosas: la promesa y el juramento. Estas dos cosas no pueden cambiar, porque es imposible que Dios mienta. Por lo tanto, los que hemos acudido a él en busca de refugio podemos estar bien confiados aferrándonos a la esperanza que está delante de nosotros. [19]Esta esperanza es un ancla firme y confiable para el alma; nos conduce a través de la cortina al santuario interior de Dios. [20]Jesús ya entró allí por nosotros. Él ha llegado a ser nuestro eterno Sumo Sacerdote, según el orden de Melquisedec.

Melquisedec es superior a Abraham

7 Este Melquisedec fue rey de la ciudad de Salem y también sacerdote del Dios Altísimo. Cuando Abraham regresaba triunfante de una gran batalla contra los reyes, Melquisedec salió a su encuentro y lo bendijo. [2]Después Abraham tomó la décima parte de todo lo que había capturado en la batalla y se la dio a Melquisedec. El nombre Melquisedec significa «rey de justicia», y rey de Salem significa «rey de paz». [3]No hay registro de su padre ni de su madre ni de ninguno de sus antepasados; no hay principio ni fin de su vida. A semejanza del Hijo de Dios, sigue siendo sacerdote para siempre.

[4]Consideren, entonces, la grandeza de este Melquisedec. Incluso Abraham, el gran patriarca de Israel, reconoció esto al entregarle la décima parte de lo que había capturado en la batalla. [5]Ahora bien, la ley de Moisés exigía que los sacerdotes, que son descendientes de Leví, le cobraran el diezmo al resto del pueblo de Israel,* quienes también son descendientes de Abraham. [6]Sin embargo, Melquisedec, que no era descendiente de Leví, recibió de Abraham la décima parte. Y Melquisedec bendijo a Abraham, quien ya había recibido las promesas de Dios. [7]Sin lugar a dudas, el que tiene el poder para bendecir es superior a quien recibe la bendición.

[8]Los sacerdotes que reciben los diezmos son hombres que mueren, así que Melquisedec es superior a ellos porque se nos dice que sigue viviendo. [9]Además podríamos decir que esos levitas —los que reciben el diezmo— pagaron un diezmo a Melquisedec cuando lo pagó su antepasado Abraham. [10]A pesar de

6:10 En griego *para el pueblo santo de Dios.* **6:14** Gn 22:17. **7:5** En griego *de sus hermanos.*

que Leví aún no había nacido, la simiente de la cual provino ya existía en el cuerpo de Abraham cuando Melquisedec recibió su diezmo.

[11]Entonces, si el sacerdocio de Leví —sobre el cual se basó la ley— hubiera podido lograr la perfección que Dios propuso, ¿por qué fue necesario que Dios estableciera un sacerdocio diferente, con un sacerdote según el orden de Melquisedec en lugar del orden de Leví y Aarón?*

[12]Y si se cambia el sacerdocio, también es necesario cambiar la ley para permitirlo. [13]Pues el sacerdote a quien nos referimos pertenece a una tribu diferente, cuyos miembros jamás han servido en el altar como sacerdotes. [14]Lo que quiero decir es que nuestro Señor vino de la tribu de Judá, y Moisés nunca habló de que los sacerdotes provinieran de esa tribu.

Jesús es como Melquisedec

[15]Ese cambio resulta aún más evidente, ya que ha surgido un sacerdote diferente, quien es como Melquisedec. [16]Jesús llegó a ser sacerdote, no por cumplir con la ley del requisito físico de pertenecer a la tribu de Leví, sino por el poder de una vida que no puede ser destruida. [17]Y el salmista lo señaló cuando profetizó:

«Tú eres sacerdote para siempre,
según el orden de
Melquisedec»*.

[18]Así que el antiguo requisito del sacerdocio quedó anulado por ser débil e inútil. [19]Pues la ley nunca perfeccionó nada, pero ahora confiamos en una mejor esperanza por la cual nos acercamos a Dios.

[20]Este nuevo sistema se estableció mediante un juramento solemne. Los descendientes de Aarón llegaron a ser sacerdotes sin un juramento, [21]pero había un juramento con relación a Jesús. Pues Dios le dijo:

«El SEÑOR ha jurado y no romperá su
juramento:
"Tú eres sacerdote para siempre"»*.

[22]Debido a ese juramento, Jesús es quien garantiza este mejor pacto con Dios.

[23]Hubo muchos sacerdotes bajo el sistema antiguo, porque la muerte les impedía continuar con sus funciones; [24]pero dado que Jesús vive para siempre, su sacerdocio dura para siempre. [25]Por eso puede salvar —una vez y para siempre—* a los que vienen a Dios por medio de él, quien vive para siempre, a fin de interceder con Dios a favor de ellos.

[26]Él es la clase de Sumo Sacerdote que necesitamos, porque es santo y no tiene culpa ni mancha de pecado. Él ha sido apartado de los pecadores y se le ha dado el lugar de más alto honor en el cielo.* [27]A diferencia de los demás sumos sacerdotes, no tiene necesidad de ofrecer sacrificios cada día. Ellos los ofrecían primero por sus propios pecados y luego por los del pueblo. Sin embargo, Jesús lo hizo una vez y para siempre cuando se ofreció a sí mismo como sacrificio por los pecados del pueblo. [28]La ley nombra a sumos sacerdotes que están limitados por debilidades humanas; pero después de que la ley fue entregada, Dios nombró a su Hijo mediante un juramento y su Hijo ha sido hecho el perfecto Sumo Sacerdote para siempre.

Cristo es nuestro Sumo Sacerdote

8 El punto principal es el siguiente: tenemos un sumo sacerdote quien se sentó en el lugar de honor, a la derecha del trono del Dios majestuoso en el cielo. [2]Allí sirve como ministro en el tabernáculo* del cielo, el verdadero lugar de

7:11 En griego *la clase de Aarón?* **7:17** Sal 110:4. **7:21** Sal 110:4. **7:25** O *puede salvar completamente.* **7:26** O *ha sido exaltado más que los cielos.* **8:2** O *carpa;* también en 8:5.

adoración construido por el Señor y no por manos humanas.

[3]Ya que es deber de todo sumo sacerdote presentar ofrendas y sacrificios, nuestro Sumo Sacerdote también tiene que presentar una ofrenda. [4]Si estuviera aquí en la tierra, ni siquiera sería sacerdote, porque ya hay sacerdotes que presentan las ofrendas que exige la ley. [5]Ellos sirven dentro de un sistema de adoración que es sólo una copia, una sombra del verdadero, que está en el cielo. Pues cuando Moisés estaba por construir el tabernáculo, Dios le advirtió lo siguiente: «Asegúrate de hacer todo según el modelo que te mostré aquí en la montaña»*.

[6]Pero ahora a Jesús, nuestro Sumo Sacerdote, se le ha dado un ministerio que es muy superior al sacerdocio antiguo porque él es mediador a nuestro favor de un mejor pacto con Dios basado en promesas mejores.

[7]Si el primer pacto no hubiera tenido defectos, no habría sido necesario reemplazarlo con un segundo pacto. [8]Pero cuando Dios encontró defectos en el pueblo, dijo:

«Llegará el día, dice el Señor,
en que haré un nuevo pacto
con el pueblo de Israel y de Judá.
[9] Este pacto no será como el que
hice con sus antepasados
cuando los tomé de la mano
y los saqué de la tierra de Egipto.
Ellos no permanecieron fieles a mi
pacto,
por eso les di la espalda, dice el
Señor.
[10] Pero éste es el nuevo pacto que haré
con el pueblo de Israel en ese día,*
dice el Señor:
Pondré mis leyes en su mente
y las escribiré en su corazón.
Yo seré su Dios,
y ellos serán mi pueblo.
[11] Y no habrá necesidad de enseñar a sus
vecinos
ni habrá necesidad de enseñar a sus
parientes,*
diciendo: "Deberías conocer al
Señor".
Pues todos ya me conocerán,
desde el más pequeño hasta el más
grande.
[12] Y perdonaré sus maldades
y nunca más me acordaré de sus
pecados»*.

[13]Cuando Dios habla de un «nuevo» pacto, quiere decir que ha hecho obsoleto al primero, el cual ha caducado y pronto desaparecerá.

Reglas antiguas sobre la adoración

9 Ese primer pacto entre Dios e Israel incluía ordenanzas para la adoración y un lugar de culto aquí, en la tierra. [2]Ese tabernáculo estaba formado por dos salas.* En la primera sala había un candelabro, una mesa y los panes consagrados sobre ella. Esta sala se llamaba Lugar Santo. [3]Luego había una cortina detrás de la cual se encontraba la segunda sala,* llamada Lugar Santísimo. [4]En esa sala había un altar de oro para el incienso y un cofre de madera conocido como el arca del pacto, el cual estaba totalmente cubierto de oro. Dentro del arca había un recipiente de oro que contenía el maná, la vara de Aarón a la que le habían salido hojas y las tablas del pacto que eran de piedra. [5]Por encima del arca estaban los querubines de la gloria divina, cuyas alas se extendían sobre la tapa del arca, es decir, el lugar de la expiación; pero ahora no podemos explicar estas cosas en detalle.

[6]Cuando estos elementos estaban en

8:5 Ex 25:40; 26:30. **8:10** En griego *después de esos días.* **8:11** En griego *su hermano.* **8:8-12** Jr 31:31-34. **9:2** O *carpa;* ver también 9:11, 21. **9:3** En griego *segunda carpa.*

su lugar, los sacerdotes entraban con regularidad en la primera sala,* durante el cumplimiento de sus deberes religiosos. [7]Pero sólo el sumo sacerdote entraba en el Lugar Santísimo y lo hacía una sola vez al año; y siempre ofrecía sangre por sus propios pecados y por los pecados que el pueblo cometía por ignorancia. [8]Mediante esas ordenanzas, el Espíritu Santo daba a entender que la entrada al Lugar Santísimo no estaba abierta a todos en tanto siguiera en pie el tabernáculo* y el sistema que representaba.

[9]Esta es una ilustración que apunta al tiempo presente. Pues las ofrendas y los sacrificios que ofrecen los sacerdotes no pueden limpiar la conciencia de las personas que los traen. [10]Pues ese sistema antiguo sólo consiste en alimentos, bebidas y diversas ceremonias de purificación, es decir, ordenanzas externas* que permanecieron vigentes sólo hasta que se estableció un sistema mejor.

Cristo es el sacrificio perfecto

[11]Entonces Cristo ahora ha llegado a ser el Sumo Sacerdote por sobre todas las cosas buenas que han venido.* Él entró en ese tabernáculo superior y más perfecto que está en el cielo, el cual no fue hecho por manos humanas ni forma parte del mundo creado. [12]Con su propia sangre —no con la sangre de cabras ni de becerros— entró en el Lugar Santísimo una sola vez y para siempre, y aseguró nuestra redención eterna.

[13]Bajo el sistema antiguo, la sangre de cabras y toros y las cenizas de una ternera podían limpiar el cuerpo de las personas que estaban ceremonialmente impuras. [14]Imagínense cuánto más la sangre de Cristo nos purificará la conciencia de acciones pecaminosas* para que adoremos al Dios viviente. Pues por el poder del Espíritu eterno, Cristo se ofreció a sí mismo a Dios como sacrificio perfecto por nuestros pecados. [15]Por eso él es el mediador de un nuevo pacto entre Dios y la gente, para que todos los que son llamados puedan recibir la herencia eterna que Dios les ha prometido. Pues Cristo murió para librarlos del castigo por los pecados que habían cometido bajo ese primer pacto.

[16]Ahora bien, cuando alguien deja un testamento,* es necesario comprobar que la persona que lo hizo ha muerto.* [17]El testamento sólo entra en vigencia después de la muerte de la persona. Mientras viva el que lo hizo, el testamento no puede entrar en vigencia.

[18]Por eso, aun el primer pacto fue puesto en vigencia con la sangre de un animal. [19]Pues después de que Moisés había leído cada uno de los mandamientos de Dios a todo el pueblo, tomó la sangre de los becerros y las cabras* junto con agua, y roció tanto el libro de la ley de Dios como a todo el pueblo con ramas de hisopo y lana de color escarlata. [20]Entonces dijo: «Esta sangre confirma el pacto que Dios ha hecho con ustedes»*. [21]De la misma manera roció con la sangre el tabernáculo y todo lo que se usaba para adorar a Dios. [22]De hecho, según la ley de Moisés, casi todo se purificaba con sangre porque sin derramamiento de sangre no hay perdón.

[23]Por esa razón, el tabernáculo y todo lo que en él había —que eran copias de las cosas del cielo— debían ser purificados mediante la sangre de animales; pero

9:6 En griego *primera carpa.* **9:8** O *la primera sala;* en griego dice *la primera carpa.* **9:10** En griego *ordenanzas para el cuerpo.* **9:11** Algunos manuscritos dicen *que están por venir.* **9:14** En griego *de obras muertas.* **9:16a** O *pacto;* también en 9:17. **9:16b** O *Ahora bien, cuando alguien hace un pacto, es necesario ratificarlo con la muerte de un sacrificio.* **9:19** Algunos manuscritos no incluyen *y las cabras.* **9:20** Ex 24:8.

las cosas verdaderas del cielo debían ser purificadas mediante sacrificios superiores a la sangre de animales.

[24]Pues Cristo no entró en un lugar santo hecho por manos humanas, que era sólo una copia del verdadero, que está en el cielo. Él entró en el cielo mismo para presentarse ahora delante de Dios a favor de nosotros; [25]y no entró en el cielo para ofrecerse a sí mismo una y otra vez, como lo hace el sumo sacerdote aquí en la tierra, que entra en el Lugar Santísimo año tras año con la sangre de un animal. [26]Si eso hubiera sido necesario, Cristo tendría que haber sufrido la muerte una y otra vez, desde el principio del mundo; pero ahora, en el fin de los tiempos,* Cristo se presentó una sola vez y para siempre para quitar el pecado mediante su propia muerte en sacrificio.

[27]Y así como cada persona está destinada a morir una sola vez y después vendrá el juicio, [28]así también Cristo murió en sacrificio una sola vez y para siempre, a fin de quitar los pecados de muchas personas. Cristo vendrá otra vez, no para ocuparse de nuestros pecados, sino para traer salvación a todos los que esperan con anhelo su venida.

El sacrificio de Cristo, una vez y para siempre

10 El sistema antiguo bajo la ley de Moisés era sólo una sombra —un tenue anticipo de las cosas buenas por venir— no las cosas buenas en sí mismas. Bajo aquel sistema se repetían los sacrificios una y otra vez, año tras año, pero nunca pudieron limpiar por completo a quienes venían a adorar. [2]Si los sacrificios hubieran podido limpiar por completo, entonces habrían dejado de ofrecerlos, porque los adoradores se habrían purificado una sola vez y para siempre, y habrían desaparecido los sentimientos de culpa.

[3]Pero en realidad, esos sacrificios les recordaban sus pecados año tras año. [4]Pues no es posible que la sangre de los toros y las cabras quite los pecados. [5]Por eso, cuando Cristo* vino al mundo, le dijo a Dios:

«Tú no quisiste sacrificios de animales
ni ofrendas por el pecado.
Pero me has dado un cuerpo para
ofrecer.
[6] No te agradaron las ofrendas quemadas
ni otras ofrendas por el pecado.
[7] Luego dije: "Aquí estoy, oh Dios, he
venido a hacer tu voluntad
como está escrito acerca de mí en
las Escrituras"»*.

[8]Primero, Cristo dijo: «No quisiste sacrificios de animales ni ofrendas por el pecado; ni ofrendas quemadas ni otras ofrendas por el pecado. Todas esas ofrendas tampoco te agradaron» (aun cuando la ley de Moisés las exige). [9]Luego dijo: «Aquí estoy, he venido a hacer tu voluntad». Él anula el primer pacto para que el segundo entre en vigencia. [10]Pues la voluntad de Dios fue que el sacrificio del cuerpo de Jesucristo nos hiciera santos, una vez y para siempre.

[11]Bajo el antiguo pacto, el sacerdote oficia de pie delante del altar día tras día, ofreciendo los mismos sacrificios una y otra vez, los cuales nunca pueden quitar los pecados; [12]pero nuestro Sumo Sacerdote se ofreció a sí mismo a Dios como un solo sacrificio por los pecados, válido para siempre. Luego se sentó en el lugar de honor, a la derecha de Dios. [13]Allí espera hasta que sus enemigos sean humillados y puestos por debajo de sus pies. [14]Pues mediante esa única ofrenda, él perfeccionó para siempre a los que está haciendo santos.

9:26 En griego *los siglos.* **10:5** En griego *él;* también en 10:8. **10:5-7** Sal 40:6-8 (versión griega).

[15]Y el Espíritu Santo también da testimonio de que es verdad, pues dice:

[16] «Éste es el nuevo pacto que haré
con mi pueblo en aquel día* —dice
el SEÑOR—:
Pondré mis leyes en su corazón
y las escribiré en su mente»*.

[17]Después dice:

«Nunca más me acordaré
de sus pecados y sus
transgresiones»*.

[18]Y cuando los pecados han sido perdonados, ya no hace falta ofrecer más sacrificios.

Un llamado a permanecer firmes

[19]Así que, amados hermanos, podemos entrar con valentía en el Lugar Santísimo del cielo por causa de la sangre de Jesús. [20]Por su muerte,* Jesús abrió un nuevo camino —un camino que da vida— a través de la cortina al Lugar Santísimo. [21]Ya que tenemos un gran Sumo Sacerdote que gobierna la casa de Dios, [22]entremos directamente a la presencia de Dios con corazón sincero y con plena confianza en él. Pues nuestra conciencia culpable ha sido rociada con la sangre de Cristo a fin de purificarnos, y nuestro cuerpo ha sido lavado con agua pura.

[23]Mantengámonos firmes sin titubear en la esperanza que afirmamos, porque se puede confiar en que Dios cumplirá su promesa. [24]Pensemos en maneras de motivarnos unos a otros a realizar actos de amor y buenas acciones. [25]Y no dejemos de congregarnos, como lo hacen algunos, sino animémonos unos a otros, sobre todo ahora que el día de su regreso se acerca.

[26]Queridos amigos, si seguimos pecando a propósito después de haber recibido el conocimiento de la verdad, ya no queda ningún sacrificio que cubra esos pecados. [27]Sólo queda la terrible expectativa del juicio de Dios y el fuego violento que consumirá a sus enemigos. [28]Pues todo el que rehusaba obedecer la ley de Moisés era ejecutado sin compasión por el testimonio de dos o tres testigos. [29]Piensen, pues, cuánto mayor será el castigo para quienes han pisoteado al Hijo de Dios y han considerado la sangre del pacto —la cual nos hizo santos— como si fuera algo vulgar e inmundo, y han insultado y despreciado al Espíritu Santo que nos trae la misericordia de Dios. [30]Pues conocemos al que dijo:

«Yo tomaré venganza.
Yo les pagaré lo que se merecen»*.

También dijo:

«El SEÑOR juzgará a su propio
pueblo»*.

[31]¡Es algo aterrador caer en manos del Dios vivo!

[32]Acuérdense de los primeros tiempos, cuando recién aprendían acerca de Cristo.* Recuerden cómo permanecieron fieles aunque tuvieron que soportar terrible sufrimiento. [33]Algunas veces los ponían en ridículo públicamente y los golpeaban, otras veces ustedes ayudaban a los que pasaban por lo mismo. [34]Sufrieron junto con los que fueron metidos en la cárcel y, cuando a ustedes les quitaron todos sus bienes, lo aceptaron con alegría. Sabían que en el futuro les esperaban cosas mejores, que durarán para siempre.

[35]Por lo tanto, no desechen la firme confianza que tienen en el Señor. ¡Tengan presente la gran recompensa que les traerá! [36]Perseverar con paciencia es lo que necesitan ahora para seguir haciendo

10:16a En griego *después de aquellos días.* **10:16b** Jr 31:33a. **10:17** Jr 31:34b. **10:20** En griego *Mediante su carne.* **10:30a** Dt 32:35. **10:30b** Dt 32:36. **10:32** En griego *cuando fueron iluminados por primera vez.*

la voluntad de Dios. Entonces recibirán todo lo que él ha prometido.

[37] «Pues, dentro de muy poco tiempo,
aquél que viene vendrá sin demorarse.
[38] Mis justos vivirán por la fe.*
Pero no me agradará aquél que se aparte de mí»*.

[39]Pero nosotros no somos de los que se apartan de Dios hacia su propia destrucción. Somos los fieles, y nuestras almas serán salvas.

Grandes ejemplos de fe

11 La fe es la confianza de que en verdad sucederá lo que esperamos; es lo que nos da la certeza de las cosas que no podemos ver. [2]Por su fe, la gente de antaño gozó de una buena reputación.

[3]Por la fe entendemos que todo el universo fue formado por orden de Dios, de modo que lo que ahora vemos no vino de cosas visibles.

[4]Fue por la fe que Abel presentó a Dios una ofrenda más aceptable que la que presentó Caín. La ofrenda de Abel demostró que era un hombre justo, y Dios aprobó sus ofrendas. Aunque Abel murió hace mucho tiempo, todavía nos habla por su ejemplo de fe.

[5]Fue por la fe que Enoc ascendió al cielo sin morir, «desapareció porque Dios se lo llevó»*; porque antes de ser llevado, lo conocían como una persona que agradaba a Dios. [6]De hecho, sin fe es imposible agradar a Dios. Todo el que desee acercarse a Dios debe creer que él existe y que él recompensa a los que lo buscan con sinceridad.

[7]Fue por la fe que Noé construyó un barco grande para salvar a su familia del diluvio en obediencia a Dios, quien le advirtió de cosas que nunca antes habían sucedido. Por su fe, Noé condenó al resto del mundo y recibió la justicia que viene por la fe.

[8]Fue por la fe que Abraham obedeció cuando Dios lo llamó para que dejara su tierra y fuera a otra que él le daría por herencia. Se fue sin saber adónde iba. [9]Incluso cuando llegó a la tierra que Dios le había prometido, vivió allí por fe, pues era como un extranjero que vive en carpas de campaña. Lo mismo hicieron Isaac y Jacob, quienes heredaron la misma promesa. [10]Abraham esperaba con confianza una ciudad de cimientos eternos, una ciudad diseñada y construida por Dios.

[11]Fue por la fe que hasta Sara pudo tener un hijo, a pesar de ser estéril y demasiado anciana. Ella creyó* que Dios cumpliría su promesa. [12]Así que una nación entera provino de este solo hombre, quien estaba casi muerto en cuanto a tener hijos; una nación con tantos habitantes que, como las estrellas de los cielos y la arena de la orilla del mar, es imposible contar.

[13]Todas estas personas murieron aún creyendo lo que Dios les había prometido. Y aunque no recibieron lo prometido lo vieron desde lejos y lo aceptaron con gusto. Coincidieron en que eran extranjeros y nómadas aquí en este mundo. [14]Es obvio que quienes se expresan así esperan tener su propio país. [15]Si hubieran añorado el país del que salieron, bien podrían haber regresado. [16]Sin embargo, buscaban un lugar mejor, una patria celestial. Por eso, Dios no se avergüenza de ser llamado el Dios de ellos, pues les ha preparado una ciudad.

[17]Fue por la fe que Abraham ofreció a Isaac en sacrificio cuando Dios lo puso a prueba. Abraham, quien había recibido

10:38 O *mis justos vivirán por su fidelidad;* en griego dice *mi justo vivirá por fe.* **10:37-38** Hab 2:3-4. **11:5** Gn 5:24. **11:11** O *Fue por la fe que él [Abraham] pudo tener un hijo, aun cuando Sara era estéril y él demasiado anciano. Él creyó.*

las promesas de Dios, estuvo dispuesto a sacrificar a su único hijo, Isaac, [18]aun cuando Dios le había dicho: «Isaac es el hijo mediante el cual procederán tus descendientes»*. [19]Abraham llegó a la conclusión de que si Isaac moría, Dios tenía el poder para volverlo a la vida; y en cierto sentido, Abraham recibió de vuelta a su hijo de entre los muertos.

[20]Fue por la fe que Isaac prometió a sus hijos, Jacob y Esaú, bendiciones para el futuro.

[21]Fue por la fe que Jacob, cuando ya era anciano y estaba por morir, bendijo a cada uno de los hijos de José y se inclinó para adorar, apoyado en su vara.

[22]Fue por la fe que José, cuando iba a morir, declaró con confianza que el pueblo de Israel saldría de Egipto. Incluso les mandó que se llevaran sus huesos cuando ellos salieran.

[23]Fue por la fe que cuando nació Moisés, sus padres lo escondieron durante tres meses. Vieron que Dios les había dado un hijo fuera de lo común y no tuvieron temor de desobedecer la orden del rey.

[24]Fue por la fe que Moisés, cuando ya fue adulto, rehusó llamarse hijo de la hija del faraón. [25]Prefirió ser maltratado con el pueblo de Dios a disfrutar de los placeres momentáneos del pecado. [26]Consideró que era mejor sufrir por causa de Cristo que poseer los tesoros de Egipto, pues tenía la mirada puesta en la gran recompensa que recibiría. [27]Fue por la fe que Moisés salió de la tierra de Egipto sin temer el enojo del rey. Siguió firme en su camino porque tenía los ojos puestos en el Invisible. [28]Fue por la fe que Moisés ordenó que el pueblo de Israel celebrara la Pascua y rociara con sangre los marcos de las puertas para que el ángel de la muerte no matara a ninguno de sus primeros hijos varones.

[29]Fue por la fe que el pueblo de Israel atravesó el mar Rojo como si estuviera pisando tierra seca, pero cuando los egipcios intentaron seguirlos, murieron todos ahogados.

[30]Fue por la fe que el pueblo de Israel marchó alrededor de Jericó durante siete días, y las murallas se derrumbaron.

[31]Fue por la fe que Rahab, la prostituta, no fue destruida junto con los habitantes de su ciudad que se negaron a obedecer a Dios. Pues ella había recibido en paz a los espías.

[32]¿Cuánto más les tengo que decir? Se necesitaría demasiado tiempo para contarles acerca de la fe de Gedeón, Barac, Sansón, Jefté, David, Samuel y todos los profetas. [33]Por la fe esas personas conquistaron reinos, gobernaron con justicia y recibieron lo que Dios les había prometido. Cerraron bocas de leones, [34]apagaron llamas de fuego y escaparon de morir a filo de espada. Su debilidad se convirtió en fortaleza. Llegaron a ser poderosos en batalla e hicieron huir a ejércitos enteros. [35]Hubo mujeres que recibieron otra vez con vida a sus seres queridos que habían muerto.

Sin embargo, otros fueron torturados, porque rechazaron negar a Dios a cambio de la libertad. Ellos pusieron su esperanza en una vida mejor que viene después de la resurrección. [36]Algunos fueron ridiculizados y sus espaldas fueron laceradas con látigos; otros fueron encadenados en prisiones. [37]Algunos murieron apedreados, a otros los cortaron por la mitad con una sierra* y a otros los mataron a espada. Algunos anduvieron vestidos con pieles de ovejas y cabras, desposeídos y oprimidos y maltratados. [38]Este mundo no era digno de ellos. Vagaron por desiertos y montañas, se escondieron en cuevas y hoyos de la tierra.

[39]Debido a su fe, todas esas personas

11:18 Gn 21:12. **11:37** Algunos manuscritos incluyen *algunos fueron puestos a prueba.*

gozaron de una buena reputación, aunque ninguno recibió todo lo que Dios le había prometido. [40]Pues Dios tenía preparado algo mejor para nosotros, de modo que ellos no llegaran a la perfección sin nosotros.

La disciplina de Dios demuestra su amor

12 Por lo tanto, ya que estamos rodeados por una enorme multitud de testigos de la vida de fe, quitémonos todo peso que nos impida correr, especialmente el pecado que tan fácilmente nos hace tropezar. Y corramos con perseverancia la carrera que Dios nos ha puesto por delante. [2]Esto lo hacemos al fijar la mirada en Jesús, el campeón que inicia y perfecciona nuestra fe.* Debido al gozo* que le esperaba, Jesús soportó la cruz, sin importarle la vergüenza que ésta representaba. Ahora está sentado en el lugar de honor, junto al trono de Dios. [3]Piensen en toda la hostilidad que soportó por parte de pecadores,* así no se cansarán ni se darán por vencidos. [4]Después de todo, ustedes aún no han dado su vida en la lucha contra el pecado.

[5]¿Acaso olvidaron las palabras de aliento con que Dios les habló a ustedes como a hijos? Él dijo:

«Hijo mío, no tomes a la ligera la
disciplina del Señor
y no te des por vencido cuando te
corrija.
[6] Pues el Señor disciplina a los que ama
y castiga a todo el que recibe como
hijo»*.

[7]Al soportar esta disciplina divina, recuerden que Dios los trata como a sus propios hijos. ¿Acaso alguien oyó hablar de un hijo que nunca fue disciplinado por su padre? [8]Si Dios no los disciplina a ustedes como lo hace con todos sus hijos, quiere decir que ustedes no son verdaderamente sus hijos, sino ilegítimos. [9]Ya que respetábamos a nuestros padres terrenales que nos disciplinaban, entonces, ¿acaso no deberíamos someternos aún más a la disciplina del Padre de nuestro espíritu, y así vivir para siempre?*

[10]Pues nuestros padres terrenales nos disciplinaron durante algunos años e hicieron lo mejor que pudieron, pero la disciplina de Dios siempre es buena para nosotros, a fin de que participemos de su santidad. [11]Ninguna disciplina resulta agradable a la hora de recibirla. Al contrario, ¡es dolorosa! Pero después, produce la apacible cosecha de una vida recta para los que han sido entrenados por ella.

[12]Por lo tanto, renueven las fuerzas de sus manos cansadas y fortalezcan sus rodillas debilitadas. [13]Tracen un camino recto para sus pies, a fin de que los débiles y los cojos no caigan, sino que se fortalezcan.

Un llamado a escuchar a Dios

[14]Esfuércense por vivir en paz con todos y procuren llevar una vida santa, porque los que no son santos no verán al Señor. [15]Cuídense unos a otros, para que ninguno de ustedes deje de recibir la gracia de Dios. Tengan cuidado de que no brote ninguna raíz venenosa de amargura, la cual los trastorne a ustedes y envenene a muchos. [16]Asegúrense de que ninguno sea inmoral ni profano como Esaú, que cambió sus derechos de primer hijo varón por un simple plato de comida. [17]Ustedes saben que después, cuando quiso recibir la bendición de su padre, fue rechazado. Ya era demasiado tarde para arrepentirse, a pesar de que suplicó con lágrimas amargas.

12:2a O *Jesús, el autor y perfeccionador de nuestra fe.* **12:2b** O *En lugar del gozo.* **12:3** Algunos manuscritos dicen *Piensen en cómo la gente se hiere a sí misma al oponerse a él.* **12:5-6** Pr 3:11-12 (versión griega). **12:9** O *y viviremos verdaderamente?*

[18]Ustedes no se han acercado a una montaña que se pueda tocar,* a un lugar que arde en llamas, un lugar de oscuridad y tinieblas, rodeado por un torbellino, como les sucedió a los israelitas cuando llegaron al monte Sinaí. [19]Ellos oyeron un imponente toque de trompeta y una voz tan temible que le suplicaron a Dios que dejara de hablar. [20]Retrocedieron tambaleándose bajo el mandato de Dios: «Si tan sólo un animal toca la montaña, deberá morir apedreado»*. [21]Incluso Moisés se asustó tanto de lo que vio, que dijo: «Estoy temblando de miedo»*.

[22]En cambio, ustedes han llegado al monte Sión, a la ciudad del Dios viviente, a la Jerusalén celestial, y a incontables miles de ángeles que se han reunido llenos de gozo. [23]Ustedes han llegado a la congregación de los primogénitos de Dios, cuyos nombres están escritos en el cielo. Ustedes han llegado a Dios mismo, quien es el juez sobre todas las cosas. Ustedes han llegado a los espíritus de los justos, que están en el cielo y que ya han sido perfeccionados. [24]Ustedes han llegado a Jesús, el mediador del nuevo pacto entre Dios y la gente, y también a la sangre rociada, que habla de perdón en lugar de clamar por venganza como la sangre de Abel.

[25]Tengan cuidado de no negarse a escuchar a aquél que habla. Pues, si el pueblo de Israel no escapó cuando se negó a escuchar a Moisés, el mensajero terrenal, ¡ciertamente nosotros tampoco escaparemos si rechazamos a aquél que nos habla desde el cielo! [26]Cuando Dios habló desde el monte Sinaí, su voz hizo temblar la tierra, pero ahora él hace otra promesa: «Una vez más, haré temblar no sólo la tierra, sino también los cielos»*. [27]Eso significa que toda la creación será agitada y removida, para que sólo permanezcan las cosas inconmovibles.

[28]Ya que estamos recibiendo un reino inconmovible, seamos agradecidos y agrademos a Dios adorándolo con santo temor y reverencia, [29]porque nuestro Dios es un fuego que todo lo consume.

Palabras finales

13 Sigan amándose unos a otros como hermanos.* [2]No se olviden de brindar hospitalidad a los desconocidos, porque algunos que lo han hecho ¡han hospedado ángeles sin darse cuenta! [3]Acuérdense de aquellos que están en prisión, como si ustedes mismos estuvieran allí. Acuérdense también de los que son maltratados, como si ustedes mismos sintieran en carne propia el dolor de ellos.

[4]Honren el matrimonio, y los casados manténganse fieles el uno al otro. Con toda seguridad, Dios juzgará a los que cometen inmoralidades sexuales y a los que cometen adulterio.

[5]No amen el dinero; estén contentos con lo que tienen, pues Dios ha dicho:

«Nunca te fallaré.
Jamás te abandonaré»*.

[6]Así que podemos decir con toda confianza:

«El SEÑOR es quien me ayuda,
por eso no tendré miedo.
¿Qué me puede hacer un simple
mortal?»*.

[7]Acuérdense de los líderes que les enseñaron la palabra de Dios. Piensen en todo lo bueno que haya resultado de su vida y sigan el ejemplo de su fe.

[8]Jesucristo es el mismo ayer, hoy y siempre. [9]Así que no se dejen cautivar por ideas nuevas y extrañas. Su fortaleza

12:18 En griego *a algo que se pueda tocar.* **12:20** Ex 19:13. **12:21** Dt 9:19. **12:26** Hag 2:6.
13:1 En griego *Continúen en amor fraternal.* **13:5** Dt 31:6, 8. **13:6** Sal 118:6.

espiritual proviene de la gracia de Dios y no depende de reglas sobre los alimentos, que de nada sirven a quienes las siguen.

[10]Tenemos un altar del cual los sacerdotes del tabernáculo* no tienen derecho a comer. [11]Bajo el sistema antiguo, el sumo sacerdote llevaba la sangre de los animales al Lugar Santo como sacrificio por el pecado, y los cuerpos de esos animales se quemaban fuera del campamento. [12]De igual manera, Jesús sufrió y murió fuera de las puertas de la ciudad para hacer santo a su pueblo mediante su propia sangre. [13]Entonces salgamos al encuentro de Jesús, fuera del campamento, y llevemos la deshonra que él llevó. [14]Pues este mundo no es nuestro hogar permanente; esperamos el hogar futuro.

[15]Por lo tanto, por medio de Jesús, ofrezcamos un sacrificio continuo de alabanza a Dios, mediante el cual proclamamos nuestra lealtad a su nombre. [16]Y no se olviden de hacer el bien ni de compartir lo que tienen con quienes pasan necesidad. Estos son los sacrificios que le agradan a Dios.

[17]Obedezcan a sus líderes espirituales y hagan lo que ellos dicen. Su tarea es cuidar el alma de ustedes y tienen que rendir cuentas a Dios. Denles motivos para que la hagan con alegría y no con dolor. Esto último ciertamente no los beneficiará a ustedes.

[18]Oren por nosotros, pues tenemos la conciencia limpia y deseamos comportarnos con integridad en todo lo que hacemos. [19]Y oren especialmente para que pueda regresar a verlos pronto.

[20] Y ahora, que el Dios de paz
—quien levantó de entre los
muertos a nuestro Señor Jesús,
el gran Pastor de las ovejas,
y que ratificó un pacto eterno con
su sangre—
[21] los capacite con todo lo que necesiten
para hacer su voluntad.
Que él produzca en ustedes,*
mediante el poder de Jesucristo,
todo lo bueno que a él le agrada.
¡A él sea toda la gloria por siempre y
para siempre! Amén.

[22]Les ruego, amados hermanos, que hagan caso a lo que les escribí en esta breve exhortación.

[23]Quiero que sepan que nuestro hermano Timoteo ya salió de la cárcel. Si llega pronto, lo llevaré conmigo cuando vaya a verlos.

[24]Saluden a todos los líderes y a todos los creyentes que están allí. Los creyentes de Italia les envían sus saludos.

[25]Que la gracia de Dios sea con todos ustedes.

13:10 O *carpa.* **13:21** Algunos manuscritos dicen *en nosotros.*

Por lo tanto, ya que estamos rodeados
por una enorme multitud de testigos de la vida de fe,
quitémonos todo peso que nos impida correr,
especialmente el pecado que tan fácilmente nos hace
tropezar. Y corramos con perseverancia la carrera que
Dios nos ha puesto por delante. Esto lo hacemos al fijar
la mirada en Jesús, el campeón que inicia y perfecciona
nuestra fe. Debido al gozo que le esperaba, Jesús
soportó la cruz, sin importarle la vergüenza que ésta
representaba. Ahora está sentado en el lugar de honor,
junto al trono de Dios. Piensen en toda la hostilidad
que soportó por parte de pecadores, así no se
cansarán ni se darán por vencidos».

HEBREOS 12:1-3

INTRODUCCIÓN A LA CARTA DE SANTIAGO

Propósito: Desenmascarar a los hipócritas, e instruir en el comportamiento cristiano apropiado.

Autor: Santiago, medio hermano de Jesús y líder de la iglesia en Jerusalén.

Destinatarios: Los cristianos judíos del primer siglo que vivían en las comunidades gentiles fuera de Palestina, y los cristianos en todo el mundo.

Fecha: Aproximadamente 49 d. C., antes del Concilio de Jerusalén, en el 50 d. C.

Contexto: Esta carta expresa la preocupación de Santiago por los cristianos que habían pertenecido a la iglesia en Jerusalén, y ahora sufrían persecución.

Versículo clave: «Ahora bien, alguien podría argumentar: "Algunas personas tienen fe; otras, buenas acciones". Pero yo les digo: "¿Cómo me mostrarás tu fe si no haces buenas acciones? Yo les mostraré mi fe con mis buenas acciones"» (2:18).

Una de las características singulares de esta carta es que contiene muchos mandamientos, alrededor de uno por cada dos versículos. También se encuentran numerosas figuras retóricas, analogías, y alusiones al Antiguo Testamento. Se citan más de 20 libros del Antiguo Testamento que mencionan a personajes como Abraham, Rahab, Job y Elías. Incluye varias referencias a la enseñanza de Jesús. En su estilo, el libro se parece a Proverbios, y a veces a las parábolas de nuestro Señor.

Santiago destaca con más insistencia que otros tres doctrinas: 1) la doctrina de Dios; 2) la doctrina del pecado, que se repite con énfasis, en coherencia con el carácter ético de la epístola; y 3) la doctrina del retorno de Cristo, la cual contiene el énfasis doctrinal más prominente.

Una de las razones por la que esta carta es hoy valiosa para nosotros es que como cristianos hemos sido perdonados, pero continuamos en el proceso de ser transformados. Decimos seguir a Dios pero en ocasiones nos aferramos al mundo y a sus valores. Muchas veces nuestros actos contradicen nuestras palabras.

Santiago enfrenta abiertamente este problema. No es suficiente hablar sobre la fe cristiana: debemos demostrarla a diario. La evidencia de la firmeza de nuestra fe es una vida transformada, porque la fe genuina produce buenas obras. En la carta de Santiago encontramos consejos prácticos para una vida sabia y santa.

Santiago comienza su carta enumerando algunas características de la vida cristiana. Demuestra la importancia de usar un lenguaje que construya y no que destruya, que aliente a otros a seguir a Jesús y que no sea sarcástico ni hiriente. Describe la verdadera sabiduría y anima a sus lectores a huir de todo lo que se opone a Dios, y a corregir amablemente a quienes confían en sus propios planes y en sus posesiones terrenales.

Mientras lee la carta de Santiago, siga su consejo de ser paciente con los demás, de cumplir sus promesas, de orar por otros y de ayudarlos a mantenerse fieles a Dios. Santiago nos invita a vivir con coherencia, a controlar la lengua, a ser pacientes en el sufrimiento, y a someternos a Dios. Amonesta a los opresores pidiéndoles que renuncien al egoísmo y al orgullo, y que busquen la justicia y la sabiduría que sólo proceden de Dios.

Santiago

Saludos de Santiago

1 Yo, Santiago, esclavo de Dios y del Señor Jesucristo, escribo esta carta a las «doce tribus»: los creyentes judíos que están dispersos por el mundo.

¡Reciban mis saludos!

Fe y constancia

[2]Amados hermanos, cuando tengan que enfrentar problemas, considérenlo como un tiempo para alegrarse mucho [3]porque ustedes saben que, siempre que se pone a prueba la fe, la constancia tiene una oportunidad para desarrollarse. [4]Así que dejen que crezca, pues una vez que su constancia se haya desarrollado plenamente, serán perfectos y completos, y no les faltará nada.

[5]Si necesitan sabiduría, pídansela a nuestro generoso Dios, y él se la dará; no los reprenderá por pedirla. [6]Cuando se la pidan, asegúrense de que su fe sea solamente en Dios, y no duden, porque una persona que duda tiene la lealtad dividida y es tan inestable como una ola del mar que el viento arrastra y empuja de un lado a otro. [7]Esas personas no deberían esperar nada del Señor; [8]su lealtad está dividida entre Dios y el mundo, y son inestables en todo lo que hacen.

[9]Los creyentes que son pobres* pueden estar orgullosos, porque Dios los ha honrado; [10]y los que son ricos* deberían estar orgullosos de que Dios los ha humillado. Se marchitarán como una pequeña flor de campo. [11]Cuando el sol calienta mucho y se seca el pasto, la flor pierde su fuerza, cae y desaparece su belleza. De la misma manera, se marchitarán los ricos junto con todos sus logros.

[12]Dios bendice a los que soportan con paciencia las pruebas y las tentaciones, porque después de superarlas, recibirán la corona de vida que Dios ha prometido a quienes lo aman. [13]Cuando sean tentados, acuérdense de no decir: «Dios me está tentando». Dios nunca es tentado a hacer el mal y jamás tienta a nadie. [14]La tentación viene de nuestros propios deseos, los cuales nos seducen y nos arrastran. [15]De esos deseos nacen los actos pecaminosos, y el pecado, cuando se deja crecer, da a luz la muerte.

[16]Así que no se dejen engañar, mis amados hermanos. [17]Todo lo que es bueno y perfecto desciende a nosotros de parte de Dios nuestro Padre, quien creó todas las luces de los cielos.* Él nunca cambia ni varía como una sombra en movimiento.* [18]Él, por su propia voluntad, nos hizo nacer de nuevo por medio de la palabra de verdad que nos dio y, de toda la creación, nosotros llegamos a ser su valiosa posesión.*

1:9 En griego *El hermano que es de condición humilde.* **1:10** En griego *El que es rico.* **1:17a** En griego *de lo alto, del Padre de las luces.* **1:17b** Algunos manuscritos dicen *Él nunca cambia, como lo hace una sombra en movimiento.* **1:18** En griego *llegamos a ser una clase de primicia de sus criaturas.*

Escuchar y obedecer

[19]Mis amados hermanos, quiero que entiendan lo siguiente: todos ustedes deben ser rápidos para escuchar, lentos para hablar y lentos para enojarse. [20]El enojo humano* no produce la rectitud* que Dios desea. [21]Así que quiten de su vida todo lo malo y lo sucio, y acepten con humildad la palabra que Dios les ha sembrado en el corazón, porque tiene el poder para salvar su alma.

[22]No sólo escuchen la palabra de Dios, tienen que ponerla en práctica. De lo contrario, solamente se engañan a sí mismos. [23]Pues, si escuchas la palabra pero no la obedeces, sería como ver tu cara en un espejo: [24]te ves a ti mismo, luego te alejas y te olvidas cómo eres. [25]Pero si miras atentamente en la ley perfecta que te hace libre y la pones en práctica y no olvidas lo que escuchaste, entonces Dios te bendecirá por tu obediencia.

[26]Si afirmas ser religioso pero no controlas tu lengua, te engañas a ti mismo y tu religión no vale nada. [27]La religión pura y verdadera a los ojos de Dios Padre consiste en ocuparse de los huérfanos y de las viudas en sus aflicciones, y no dejar que el mundo te corrompa.

No mostrar preferencia entre las personas

2 Mis amados hermanos, ¿cómo pueden afirmar que tienen fe en nuestro glorioso Señor Jesucristo si favorecen más a algunas personas que a otras?

[2]Por ejemplo, supongamos que alguien llega a su reunión* vestido con ropa elegante y joyas costosas y al mismo tiempo entra una persona pobre y con ropa sucia. [3]Si ustedes le dan un trato preferencial a la persona rica y le dan un buen asiento, pero al pobre le dicen: «Tú puedes quedarte de pie allá o bien sentarte en el piso», ¿acaso [4]esta discriminación no demuestra que sus juicios son guiados por malas intenciones?

[5]Escúchenme, amados hermanos. ¿No eligió Dios a los pobres de este mundo para que sean ricos en fe? ¿No son ellos los que heredarán el reino que Dios prometió a quienes lo aman? [6]¡Pero ustedes desprecian a los pobres! ¿Acaso no son los ricos quienes los oprimen a ustedes y los arrastran a los tribunales? [7]¿Acaso no son ellos los que insultan a Jesucristo, cuyo noble nombre* ustedes llevan?

[8]Por supuesto, hacen bien cuando obedecen la ley suprema tal como aparece en las Escrituras: «Ama a tu prójimo como a ti mismo»*; [9]pero si favorecen más a algunas personas que a otras, cometen pecado. Son culpables de violar la ley.

[10]Pues el que obedece todas las leyes de Dios menos una es tan culpable como el que las desobedece todas, [11]porque el mismo Dios que dijo: «No cometas adulterio», también dijo: «No cometas asesinato»*. Así que si ustedes matan a alguien pero no cometen adulterio, de todos modos han violado la ley.

[12]Entonces, en todo lo que digan y en todo lo que hagan, recuerden que serán juzgados por la ley que los hace libres. [13]No habrá compasión para quienes no hayan tenido compasión de otros, pero si ustedes han sido compasivos, Dios será misericordioso con ustedes cuando los juzgue.

La fe sin buenas acciones está muerta

[14]Amados hermanos, ¿de qué le sirve a uno decir que tiene fe si no lo demuestra con sus acciones? ¿Puede esa clase de fe salvar a alguien? [15]Supónganse que ven a un hermano o una hermana que no tiene qué comer ni con qué vestirse [16]y uno

1:20a En griego *El enojo del hombre.* **1:20b** O *la justicia.* **2:2** En griego *sinagoga.* **2:7** En griego *insultan el noble nombre.* **2:8** Lv 19:18. **2:11** Ex 20:13-14; Dt 5:17-18.

de ustedes le dice: «Adiós, que tengas un buen día; abrígate mucho y aliméntate bien», pero no le da ni alimento ni ropa. ¿Para qué le sirve?

[17]Como pueden ver, la fe por sí sola no es suficiente. A menos que produzca buenas acciones, está muerta y es inútil.

[18]Ahora bien, alguien podría argumentar: «Algunas personas tienen fe; otras, buenas acciones». Pero yo les digo: «¿Cómo me mostrarás tu fe si no haces buenas acciones? Yo les mostraré mi fe con mis buenas acciones».

[19]Tú dices tener fe porque crees que hay un solo Dios.* ¡Bien hecho! Aun los demonios lo creen y tiemblan aterrorizados. [20]¡Qué tontería! ¿Acaso no te das cuenta de que la fe sin buenas acciones es inútil?

[21]¿No recuerdas que nuestro antepasado Abraham fue declarado justo ante Dios por sus acciones cuando ofreció a su hijo Isaac sobre el altar? [22]¿Ya ves?, su fe y sus acciones actuaron en conjunto: sus acciones hicieron que su fe fuera completa. [23]Y así se cumplió lo que dicen las Escrituras: «Abraham le creyó a Dios, y Dios lo consideró justo debido a su fe»*. Incluso lo llamaron «amigo de Dios»*. [24]Como puedes ver, se nos declara justos a los ojos de Dios por lo que hacemos y no sólo por la fe.

[25]Rahab, la prostituta, es otro ejemplo. Fue declarada justa ante Dios por sus acciones cuando ella escondió a los mensajeros y los ayudó a regresar sin riesgo alguno por otro camino. [26]Así como el cuerpo sin aliento* está muerto, así también la fe sin buenas acciones está muerta.

Control de la lengua

3 Amados hermanos, no muchos deberían llegar a ser maestros en la iglesia, porque los que enseñamos seremos juzgados de una manera más estricta. [2]Es cierto que todos cometemos muchos errores. Pues, si pudiéramos dominar la lengua, seríamos perfectos, capaces de controlarnos en todo sentido.

[3]Podemos hacer que un caballo vaya adonde queramos si le ponemos un pequeño freno en la boca. [4]También un pequeño timón hace que un enorme barco gire adonde desee el capitán, por fuertes que sean los vientos. [5]De la misma manera, la lengua es algo pequeño que pronuncia grandes discursos.

Así también una sola chispa, puede incendiar todo un bosque. [6]Y la lengua es una llama de fuego. Es un mundo entero de maldad que corrompe todo el cuerpo. Puede incendiar toda la vida, porque el infierno mismo la enciende.*

[7]El ser humano puede domar toda clase de animales, aves, reptiles y peces, [8]pero nadie puede domar la lengua. Es maligna e incansable, llena de veneno mortal. [9]A veces alaba a nuestro Señor y Padre, y otras veces maldice a quienes Dios creó a su propia imagen. [10]Y así, la bendición y la maldición salen de la misma boca. Sin duda, hermanos míos, ¡eso no está bien! [11]¿Acaso puede brotar de un mismo manantial agua dulce y agua amarga? [12]¿Acaso una higuera puede dar aceitunas o una vid, higos? No, como tampoco puede uno sacar agua dulce de un manantial salado.*

La verdadera sabiduría proviene de Dios

[13]Si ustedes son sabios y entienden los caminos de Dios, demuéstrenlo viviendo una vida honesta y haciendo buenas acciones con la humildad que proviene de la sabiduría; [14]pero si tienen envidias amargas y ambiciones egoístas en el corazón,

2:19 Algunos manuscritos dicen *que Dios es uno;* ver Dt 6:4. **2:23a** Gn 15:6. **2:23b** Ver Is 41:8. **2:26** O *sin espíritu.* **3:6** O *porque se quemará en el infierno* (en griego *Gehenna*). **3:12** En griego *de la sal.*

no encubran la verdad con jactancias y mentiras. [15]Pues la envidia y el egoísmo no forman parte de la sabiduría que proviene de Dios. Dichas cosas son terrenales, puramente humanas y demoníacas. [16]Pues, donde hay envidias y ambiciones egoístas, también habrá desorden y toda clase de maldad.

[17]Sin embargo, la sabiduría que proviene del cielo es, ante todo, pura y también ama la paz; siempre es amable y dispuesta a ceder ante los demás. Está llena de compasión y de buenas acciones. No muestra favoritismo y siempre es sincera. [18]Y los que procuran la paz sembrarán semillas de paz y recogerán una cosecha de justicia.*

Acercarse más a Dios

4 ¿Qué es lo que causa las disputas y las peleas entre ustedes? ¿Acaso no surgen de los malos deseos que combaten en su interior? [2]Desean lo que no tienen, entonces traman y hasta matan para conseguirlo. Envidian lo que otros tienen, pero no pueden obtenerlo, por eso luchan y les hacen la guerra para quitárselo. Sin embargo, no tienen lo que desean porque no se lo piden a Dios. [3]Aun cuando se lo piden, tampoco lo reciben porque lo piden con malas intenciones: desean solamente lo que les dará placer.

[4]¡Adúlteros!* ¿No se dan cuenta de que la amistad con el mundo los convierte en enemigos de Dios? Lo repito: si alguien quiere ser amigo del mundo, se hace enemigo de Dios. [5]¿Qué creen ustedes que quieren decir las Escrituras cuando afirman que el espíritu que Dios ha puesto dentro de nosotros está lleno de envidia?* [6]Sin embargo, él nos da aún más gracia, para que hagamos frente a esos malos deseos. Como dicen las Escrituras:

«Dios se opone a los orgullosos
pero muestra su favor a los
humildes»*.

[7]Así que humíllense delante de Dios. Resistan al diablo, y él huirá de ustedes. [8]Acérquense a Dios, y Dios se acercará a ustedes. Lávense las manos, pecadores; purifiquen su corazón, porque su lealtad está dividida entre Dios y el mundo. [9]Derramen lágrimas por lo que han hecho. Que haya lamento y profundo dolor. Que haya llanto en lugar de risa y tristeza en lugar de alegría. [10]Humíllense delante del Señor, y él los levantará con honor.

No juzgar a los demás

[11]Amados hermanos, no hablen mal los unos de los otros. Si se critican y se juzgan entre ustedes, entonces critican y juzgan la ley de Dios. Les corresponde, en cambio, obedecer la ley, no hacer la función de jueces. [12]Sólo Dios, quien ha dado la ley, es el Juez. Solamente él tiene el poder para salvar o destruir. Entonces, ¿qué derecho tienes tú para juzgar a tu prójimo?

Advertencia para los que confían en sí mismos

[13]Presten atención, ustedes que dicen: «Hoy o mañana iremos a tal o cual ciudad y nos quedaremos un año. Haremos negocios allí y ganaremos dinero». [14]¿Cómo saben qué será de su vida el día de mañana? La vida de ustedes es como la neblina del amanecer: aparece un rato y luego se esfuma. [15]Lo que deberían decir es: «Si el Señor quiere, viviremos y haremos esto o aquello». [16]De lo contrario, están haciendo alarde de sus propios planes, y semejante jactancia es maligna.

[17]Recuerden que es pecado saber lo que se debe hacer y luego no hacerlo.

3:18 O *cosas buenas.* **4:4** En griego *¡Adúlteras!* **4:5** O *que Dios anhela celosamente el espíritu humano que ha puesto dentro de nosotros?* o *que el Espíritu Santo, el cual Dios ha puesto dentro de nosotros, se opone a nuestra envidia?* **4:6** Pr 3:34 (versión griega).

Advertencia para los ricos

5 Presten atención, ustedes los ricos: lloren y giman con angustia por todas las calamidades que les esperan. [2]Su riqueza se está pudriendo, y su ropa fina son trapos carcomidos por polillas. [3]Su oro y plata han perdido su valor. Las mismas riquezas con las que contaban les consumirán la carne como lo hace el fuego. El tesoro que han acumulado se usará como evidencia contra ustedes el día del juicio. [4]Así que, ¡escuchen! Oigan las protestas de los obreros del campo a quienes estafaron con el salario. El dinero que no les pagaron clama en contra de ustedes. Los reclamos de quienes les cosechan sus campos han llegado a los oídos del SEÑOR de los Ejércitos Celestiales.

[5]Sus años sobre la tierra los han pasado con lujos, satisfaciendo todos y cada uno de sus deseos. Se han dejado engordar para el día de la matanza. [6]Han condenado y matado a personas inocentes,* que no ponían resistencia.*

Paciencia y perseverancia

[7]Amados hermanos, tengan paciencia mientras esperan el regreso del Señor. Piensen en los agricultores, que con paciencia esperan las lluvias en el otoño y la primavera. Con ansias esperan a que maduren los preciosos cultivos. [8]Ustedes también deben ser pacientes. Anímense, porque la venida del Señor está cerca.

[9]Hermanos, no se quejen unos de otros, o serán juzgados. ¡Pues miren, el Juez ya está a la puerta!

[10]Amados hermanos, tomen como ejemplo de paciencia durante el sufrimiento a los profetas que hablaron en nombre del Señor. [11]Honramos en gran manera a quienes resisten con firmeza en tiempo de dolor. Por ejemplo, han oído hablar de Job, un hombre de gran perseverancia. Pueden ver cómo al final el Señor fue bueno con él, porque el Señor está lleno de ternura y misericordia.

[12]Pero sobre todo, hermanos míos, nunca juren por el cielo ni por la tierra ni por ninguna otra cosa. Simplemente digan «sí» o «no», para que no pequen y sean condenados.

El poder de la oración

[13]¿Alguno de ustedes está pasando por dificultades? Que ore. ¿Alguno está feliz? Que cante alabanzas. [14]¿Alguno está enfermo? Que llame a los ancianos de la iglesia, para que vengan y que oren por él y lo unjan con aceite en el nombre del Señor. [15]Una oración ofrecida con fe, sanará al enfermo, y el Señor hará que se recupere; y si ha cometido pecados, será perdonado.

[16]Confiésense los pecados unos a otros y oren los unos por los otros, para que sean sanados. La oración ferviente de una persona justa tiene mucho poder y da resultados maravillosos. [17]Elías era tan humano como cualquiera de nosotros; sin embargo, cuando oró con fervor para que no cayera lluvia, ¡no llovió durante tres años y medio! [18]Más tarde, cuando volvió a orar, el cielo envió lluvia, y la tierra comenzó a dar cosechas.

Restaurar a los creyentes que se apartan

[19]Mis amados hermanos, si alguno de ustedes se aparta de la verdad y otro lo hace volver, [20]pueden estar seguros de que quien haga volver al pecador de su mal camino salvará a esa persona de la muerte y traerá como resultado el perdón de muchos pecados.

5:6a O *al Justo;* en griego dice *al justo.* **5:6b** O *¿No se resisten a ustedes?* o *¿No se opone Dios a ustedes?* o *¿No los acusan ahora ellos a ustedes delante de Dios?*

INTRODUCCIÓN A LA PRIMERA CARTA DE PEDRO

Propósito: Alentar a los cristianos que están sufriendo.

Autor: Pedro, uno de los 12 discípulos de Jesús. Su nombre original era Cefas, pero Jesús se lo cambió a Petros, que significa «la roca».

Destinatarios: Cristianos dispersos por el mundo romano a causa de la persecución, y los cristianos en todo el mundo.

Fecha: Aproximadamente 62–64 d. C., posiblemente desde Roma (Italia).

Contexto: En el Imperio romano, durante el gobierno de Nerón y mucho más durante el de Domiciano, los cristianos eran torturados y asesinados por su fe, y la iglesia en Jerusalén había sido dispersada.

Versículo clave: «Estas pruebas demostrarán que su fe es auténtica [...] Entonces su fe, al permanecer firme en tantas pruebas, les traerá mucha alabanza, gloria y honra en el día que Jesucristo sea revelado a todo el mundo» (1:7).

Pedro escribió esta carta para dar consuelo, esperanza y fortaleza a los cristianos que habían sido forzados al exilio. Les recordó que los momentos difíciles ayudan a las personas a madurar, y los animó a mantenerse fieles a la verdad de Dios aun cuando la tristeza y el sufrimiento los tentaran a retroceder o a rendirse. Pedro dijo que si sufrimos no debería ser por haber hecho algo malo (4:15), pero que seremos bendecidos si sufrimos por seguir a Jesús. Cristo también sufrió injustamente, y es nuestro ejemplo (2:21-25; 3:18; 4:1, 13).

Pedro hablaba por experiencia personal. Él había sido amenazado, azotado y encarcelado más de una vez. Había visto morir a otros cristianos, pero amaba a Jesucristo y confiaba en él, y nada podía alterar su confianza en las promesas de su Señor resucitado.

Pedro comenzó su carta agradeciendo a Dios por la salvación incomparable y exhortando a los creyentes a vivir en la pureza porque habían sido comprados a gran precio (no con plata ni oro, sino con la sangre que Jesús había derramado). Por lo tanto, ya no se pertenecían a sí mismos sino al Señor. Pedro les encarecía que vivieran de una manera que agradara a Dios a fin de que pudieran ser cada vez más semejantes a Jesús.

Dio consejos sabios sobre el matrimonio (capítulo 3). Los estimuló a obedecer a las autoridades, a amar la verdad, a defender su fe con amabilidad (3:15) y a revestirse de humildad, porque Dios se opone a los soberbios pero muestra su favor a los humildes (5:5-6). Pedro sostuvo que la integridad de un cristiano auténtico ayudaría a atraer a los incrédulos a Jesús. Mientras lee esta carta de contenido moral, práctico y alentador, tenga presente que usted también enfrentará pruebas, y cuando esto ocurra, manténgase fiel a Dios con la certeza de que su gracia permanecerá con usted no importa qué suceda.

1 Pedro

Saludos de Pedro

1 Yo, Pedro, apóstol de Jesucristo, escribo esta carta a los elegidos por Dios que viven como extranjeros en las provincias de Ponto, Galacia, Capadocia, Asia y Bitinia.* [2]Dios Padre los conocía y los eligió desde hace mucho tiempo, y su Espíritu los ha hecho santos. Como resultado, ustedes lo obedecieron y fueron limpiados por la sangre de Jesucristo.

Que Dios les conceda cada vez más gracia y paz.

La esperanza de la vida eterna

[3]Que toda la alabanza sea para Dios, el Padre de nuestro Señor Jesucristo. Es por su gran misericordia que hemos nacido de nuevo, porque Dios levantó a Jesucristo de los muertos. Ahora vivimos con gran expectación [4]y tenemos una herencia que no tiene precio, una herencia que está reservada en el cielo para ustedes, pura y sin mancha, que no puede cambiar ni deteriorarse. [5]Por la fe que tienen, Dios los protege con su poder hasta que reciban esta salvación, la cual está lista para ser revelada en el día final, a fin de que todos la vean.

[6]Así que alégrense de verdad.* Les espera una alegría inmensa, aun cuando tengan que soportar muchas pruebas por un tiempo breve. [7]Estas pruebas demostrarán que su fe es auténtica. Está siendo probada de la misma manera que el fuego prueba y purifica el oro, aunque la fe de ustedes es mucho más preciosa que el mismo oro. Entonces su fe, al permanecer firme en tantas pruebas, les traerá mucha alabanza, gloria y honra en el día que Jesucristo sea revelado a todo el mundo.

[8]Ustedes aman a Jesucristo a pesar de que nunca lo han visto. Aunque ahora no lo ven, confían en él y se gozan con una alegría gloriosa e indescriptible. [9]La recompensa por confiar en él será la salvación de sus almas.

[10]Incluso los profetas quisieron saber más cuando profetizaron acerca de esta salvación inmerecida que estaba preparada para ustedes. [11]Se preguntaban a qué tiempo y en qué circunstancias se refería el Espíritu de Cristo, que estaba en ellos, cuando les dijo de antemano sobre los sufrimientos de Cristo y de la inmensa gloria que después vendría.

[12]Se les dijo que los mensajes que habían recibido no eran para ellos sino para ustedes. Y ahora esta Buena Noticia les fue anunciada a ustedes por medio de aquellos que la predicaron con el poder del Espíritu Santo, enviado del cielo. Todo es tan maravilloso que aun los ángeles observan con gran expectación cómo suceden estas cosas.

1:1 *Ponto, Galacia, Capadocia, Asia* y *Bitinia* eran provincias romanas en lo que ahora es Turquía.
1:6 O *Por eso están verdaderamente alegres.*

Llamados a una vida santa

[13]Así que piensen con claridad y ejerciten el control propio. Pongan su esperanza en la salvación inmerecida que recibirán cuando Jesucristo sea revelado al mundo. [14]Por lo tanto, vivan como hijos obedientes de Dios. No vuelvan atrás, a su vieja manera de vivir, con el fin de satisfacer sus propios deseos. Antes lo hacían por ignorancia, [15]pero ahora sean santos en todo lo que hagan, tal como Dios, quien los eligió, es santo. [16]Pues las Escrituras dicen: «Sean santos, porque yo soy santo»*.

[17]Recuerden que el Padre celestial, a quien ustedes oran, no tiene favoritos. Él los juzgará o los recompensará según lo que hagan. Así que tienen que vivir con un reverente temor de él mientras sean «extranjeros en la tierra». [18]Pues ustedes saben que Dios pagó un rescate para salvarlos de la vida vacía que heredaron de sus antepasados. Y el rescate que él pagó no consistió simplemente en oro o plata [19]sino que fue la preciosa sangre de Cristo, el Cordero de Dios, que no tiene pecado ni mancha. [20]Dios lo eligió como el rescate por ustedes mucho antes de que comenzara el mundo, pero ahora él se lo ha revelado a ustedes en estos últimos días.

[21]Por medio de Cristo, han llegado a confiar en Dios. Y han puesto su fe y su esperanza en Dios, porque él levantó a Cristo de los muertos y le dio una gloria inmensa.

[22]Al obedecer la verdad, ustedes quedaron limpios de sus pecados, por eso ahora tienen que amarse unos a otros como hermanos, con amor sincero.* Ámense profundamente de todo corazón.*

[23]Pues han nacido de nuevo pero no a una vida que pronto se acabará. Su nueva vida durará para siempre porque proviene de la eterna y viviente palabra de Dios. [24]Como dicen las Escrituras:

«Los seres humanos son como la
hierba,
su belleza es como la flor del
campo.
La hierba se seca, y la flor se marchita.
[25] Pero la palabra del Señor permanece
para siempre»*.

Y esta palabra es el mensaje de la Buena Noticia que se les ha predicado.

2

Por lo tanto, deshásganse de toda mala conducta. Acaben con todo engaño, hipocresía, celos y toda clase de comentarios hirientes. [2]Como bebés recién nacidos, deseen con ganas la leche espiritual pura para que crezcan a una experiencia plena de la salvación. Pidan a gritos ese alimento nutritivo [3]ahora que han probado la bondad del Señor.

Piedras vivas para la casa de Dios

[4]Ahora ustedes se acercan a Cristo, quien es la piedra viva principal del templo de Dios. La gente lo rechazó, pero Dios lo eligió para darle gran honra.

[5]Y ustedes son las piedras vivas con las cuales Dios edifica su templo espiritual. Además, son sacerdotes santos.* Por la mediación de Jesucristo, ustedes ofrecen sacrificios espirituales que agradan a Dios. [6]Como dicen las Escrituras:

«Pongo en Jerusalén* una piedra
principal,
elegida para gran honra,
y todo el que confíe en él
jamás será deshonrado»*.

[7]Así es, ustedes, los que confían en él, reconocen la honra que Dios le ha dado; pero para aquellos que lo rechazan,

«La piedra que los constructores
rechazaron

1:16 Lv 11:44-45; 19:2; 20:7. **1:22a** En griego *deben tener amor fraternal.* **1:22b** Algunos manuscritos dicen *con un corazón puro.* **1:24-25** Is 40:6-8. **2:5** En griego *sacerdocio santo.* **2:6a** En griego *en Sión.* **2:6b** Is 28:16 (versión griega).

ahora se ha convertido en la piedra
principal»*.

[8]Además,

«Él es la piedra que hace tropezar
a muchos,
es la roca que los hace caer»*.

Tropiezan porque no obedecen la palabra de Dios y por eso se enfrentan con el destino que les fue preparado.

[9]Pero ustedes no son así porque son un pueblo elegido. Son sacerdotes del Rey,* una nación santa, posesión exclusiva de Dios. Por eso pueden mostrar a otros la bondad de Dios, pues él los ha llamado a salir de la oscuridad y entrar en su luz maravillosa.

[10] «Antes no tenían identidad como
pueblo,
ahora son pueblo de Dios.
Antes no recibieron misericordia,
ahora han recibido la misericordia
de Dios»*.

[11]Queridos amigos, ya que son «extranjeros y residentes temporales», les advierto que se alejen de los deseos mundanos, que luchan contra el alma. [12]Procuren llevar una vida ejemplar entre sus vecinos no creyentes. Así, por más que ellos los acusen de actuar mal, verán que ustedes tienen una conducta honorable y le darán honra a Dios cuando él juzgue al mundo.*

Respeto por las autoridades

[13]Por amor al Señor, respeten a toda autoridad humana, ya sea el rey como jefe de Estado [14]o a los funcionarios que él ha nombrado. Pues a ellos el rey los ha mandando a que castiguen a aquellos que hacen el mal y a que honren a los que hacen el bien.

[15]La voluntad de Dios es que la vida honorable de ustedes calle a la gente ignorante que los acusa sin fundamento alguno. [16]Pues ustedes son libres, pero a la vez, son esclavos de Dios, así que no usen su libertad como una excusa para hacer el mal. [17]Respeten a todos y amen a sus hermanos en Cristo.* Teman a Dios y respeten al rey.

A los esclavos

[18]Ustedes, los que son esclavos, deben aceptar la autoridad de sus amos con todo respeto.* Hagan lo que ellos les ordenan, no sólo si son bondadosos y razonables, sino también si son crueles. [19]Pues Dios se complace en ustedes cuando hacen lo que saben que es correcto y sufren con paciencia cuando reciben un trato injusto. [20]Es obvio que no hay mérito en ser paciente si a uno lo golpean por haber actuado mal, pero si sufren por hacer el bien y lo soportan con paciencia, Dios se agrada de ustedes.

[21]Pues Dios los llamó a hacer lo bueno, aunque eso signifique que tengan que sufrir, tal como Cristo sufrió* por ustedes. Él es su ejemplo, y deben seguir sus pasos.

[22] Él nunca pecó
y jamás engañó a nadie.*
[23] No respondía cuando lo insultaban
ni amenazaba con vengarse cuando
sufría.
Dejaba su causa en manos de Dios,
quien siempre juzga con justicia.
[24] Él mismo cargó nuestros pecados
sobre su cuerpo en la cruz,
para que nosotros podamos estar
muertos al pecado
y vivir para lo que es recto.
Por sus heridas,

2:7 Sal 118:22. **2:8** Is 8:14. **2:9** En griego *sacerdocio del Rey.* **2:10** Os 1:6, 9; 2:23. **2:12** O *el día de la visitación.* **2:17** En griego *amen la hermandad.* **2:18** O *amos porque ustedes temen a Dios.* **2:21** Algunos manuscritos dicen *murió.* **2:22** Is 53:9.

son sanados.

[25] Antes eran como ovejas
que andaban descarriadas.
Pero ahora han vuelto a su Pastor,
al Guardián de sus almas.

A las esposas

3 De la misma manera, ustedes esposas, tienen que aceptar la autoridad de sus esposos. Entonces, aun cuando alguno de ellos se niegue a obedecer la Buena Noticia, la vida recta de ustedes les hablará sin palabras. Ellos serán ganados [2]al observar la vida pura y la conducta respetuosa de ustedes.

[3]No se interesen tanto por la belleza externa: los peinados extravagantes, las joyas costosas o la ropa elegante. [4]En cambio, vístanse con la belleza interior, la que no se desvanece, la belleza de un espíritu tierno y sereno, que es tan precioso a los ojos de Dios. [5]Así es como lucían hermosas las santas mujeres de la antigüedad. Ellas confiaban en Dios y aceptaban la autoridad de sus maridos. [6]Por ejemplo, Sara obedecía a su esposo, Abraham, y lo llamaba «señor». Ustedes son sus hijas cuando hacen lo correcto sin temor a lo que sus esposos pudieran hacer.

A los esposos

[7]De la misma manera, ustedes maridos, tienen que honrar a sus esposas. Cada uno viva con su esposa y trátela con entendimiento. Ella podrá ser más débil, pero participa por igual del regalo de la nueva vida que Dios les ha dado. Trátala como es debido, para que nada estorbe tus oraciones.

A todos los cristianos

[8]Por último, todos deben ser de un mismo parecer. Compadézcanse unos de otros. Ámense como hermanos y hermanas.* Sean de buen corazón y mantengan una actitud humilde. [9]No paguen mal por mal. No respondan con insultos cuando la gente los insulte. Por el contrario, contesten con una bendición. A esto los ha llamado Dios, y él los bendecirá por hacerlo. [10]Pues las Escrituras dicen:

«Si quieres disfrutar de la vida
y ver muchos días felices,
refrena tu lengua de hablar el mal
y tus labios de decir mentiras.

[11] Apártate del mal y haz el bien.
Busca la paz y esfuérzate por
mantenerla.

[12] Los ojos del Señor están sobre los que
hacen lo bueno,
y sus oídos están abiertos a sus
oraciones.
Pero el Señor aparta su rostro
de los que hacen lo malo»*.

Sufrir por hacer el bien

[13]Ahora bien, ¿quién querrá hacerles daño si ustedes están deseosos de hacer el bien? [14]Pero aun si sufren por hacer lo correcto, Dios va a recompensarlos. Así que no se preocupen ni tengan miedo a las amenazas. [15]En cambio, adoren a Cristo como el Señor de su vida. Si alguien les pregunta acerca de la esperanza cristiana que tienen, estén siempre preparados para dar una explicación; [16]pero háganlo con humildad y respeto.* Mantengan siempre limpia la conciencia. Entonces, si la gente habla en contra de ustedes será avergonzada al ver la vida recta que llevan porque pertenecen a Cristo. [17]Recuerden que es mejor sufrir por hacer el bien —si eso es lo que Dios quiere— ¡que sufrir por hacer el mal!

[18]Cristo sufrió* por nuestros pecados una sola vez y para siempre. Él nunca pecó, en cambio, murió por los pecadores para

3:8 En griego *Muestren amor fraternal.* **3:10-12** Sal 34:12-16. **3:16** Algunas traducciones colocan esta frase en el versículo 15. **3:18a** Algunos manuscritos dicen *murió.*

llevarlos a salvo con Dios. Sufrió la muerte física, pero volvió a la vida en el Espíritu.*

[19]Por lo tanto, fue a predicarles a los espíritus encarcelados, [20]esos que desobedecieron a Dios hace mucho tiempo, cuando Dios esperaba con paciencia mientras Noé construía el arca. Sólo ocho personas se salvaron de morir ahogadas en ese terrible diluvio.* [21]El agua del diluvio simboliza el bautismo que ahora los salva a ustedes —no por quitarles la suciedad del cuerpo, sino porque responden a Dios con una* conciencia limpia— y es eficaz por la resurrección de Jesucristo.

[22]Ahora Cristo ha ido al cielo. Él está sentado en el lugar de honor, al lado de Dios, y todos los ángeles, las autoridades y los poderes aceptan su autoridad.

Vivir para Dios

4 Por lo tanto, ya que Cristo sufrió dolor en su cuerpo, ustedes prepárense, adoptando la misma actitud que tuvo él y estén listos para sufrir también. Pues, si han sufrido físicamente por Cristo, han terminado con el pecado.* [2]No pasarán el resto de la vida siguiendo sus propios deseos, sino que estarán ansiosos de hacer la voluntad de Dios. [3]En el pasado, han tenido más que suficiente de las cosas perversas que les gusta hacer a los que no tienen a Dios: inmoralidad y pasiones sexuales, parrandas, borracheras, fiestas desenfrenadas y abominable adoración a ídolos.

[4]No es de extrañarse que sus amigos de la vieja vida se sorprendan de que ustedes ya no participan en las cosas destructivas y descontroladas que ellos hacen. Por eso los calumnian, [5]pero recuerden que ellos tendrán que enfrentarse con Dios, quien juzgará a todos, tanto a vivos como a muertos. [6]Por esta razón, la Buena Noticia fue predicada a los que ahora están muertos,* aunque fueron destinados a morir como toda la gente,* ahora vivirán para siempre con Dios en el Espíritu.*

[7]El fin del mundo se acerca. Por consiguiente, sean serios y disciplinados en sus oraciones. [8]Lo más importante de todo es que sigan demostrando profundo amor unos a otros, porque el amor cubre gran cantidad de pecados. [9]Abran las puertas de su hogar con alegría al que necesite un plato de comida o un lugar donde dormir.

[10]Dios, de su gran variedad de dones espirituales, les ha dado un don a cada uno de ustedes. Úsenlos bien para servirse los unos a los otros. [11]¿Has recibido el don de hablar en público? Entonces, habla como si Dios mismo estuviera hablando por medio de ti. ¿Has recibido el don de ayudar a otros? Ayúdalos con toda la fuerza y la energía que Dios te da. Así, cada cosa que hagan traerá gloria a Dios por medio de Jesucristo. ¡A él sea toda la gloria y todo el poder por siempre y para siempre! Amén.

Sufrir por ser cristiano

[12]Queridos amigos, no se sorprendan de las pruebas de fuego por las que están atravesando, como si algo extraño les sucediera. [13]En cambio, alégrense mucho, porque estas pruebas los hacen ser partícipes con Cristo de su sufrimiento, para que tengan la inmensa alegría de ver su gloria cuando sea revelada a todo el mundo.

[14]Así que alégrense cuando los insulten por ser cristianos,* porque el glorioso Espíritu de Dios* reposa sobre ustedes.*

3:18b O *en espíritu.* **3:20** En griego *se salvaron mediante agua.* **3:21** O *como una solicitud a Dios por.* **4:1** O *Pues el que* [o *Pues Aquel que*] *sufrió físicamente ha terminado con el pecado.* **4:6a** En griego *predicada aun a los muertos.* **4:6b** O *aunque la gente los haya juzgado dignos de la muerte.* **4:6c** O *en espíritu.* **4:14a** En griego *por el nombre de Cristo.* **4:14b** O *porque la gloria de Dios, que es su Espíritu.* **4:14c** Algunos manuscritos incluyen *Por ellos él es blasfemado, pero por ustedes es glorificado.*

[15]Sin embargo, si sufren, que no sea por matar, robar, causar problemas o entrometerse en asuntos ajenos. [16]En cambio, no es nada vergonzoso sufrir por ser cristianos. ¡Alaben a Dios por el privilegio de que los llamen por el nombre de Cristo! [17]Pues ha llegado el tiempo del juicio, y debe comenzar por la casa de Dios; y si el juicio comienza con nosotros, ¿qué terrible destino les espera a los que nunca obedecieron la Buena Noticia de Dios? [18]Además,

«Si el justo a duras penas se salva,
¿qué será de los pecadores que
viven sin Dios?»*.

[19]De modo que, si sufren de la manera que agrada a Dios, sigan haciendo lo correcto y confíenle su vida a Dios, quien los creó, pues él nunca les fallará.

Consejos para los líderes y los jóvenes

5 Y ahora, una palabra para ustedes los ancianos en las iglesias. También soy un anciano y testigo de los sufrimientos de Cristo. Y yo también voy a participar de su gloria cuando él sea revelado a todo el mundo. Como anciano igual que ustedes, les ruego: [2]cuiden del rebaño que Dios les ha encomendado. Háganlo con gusto, no de mala gana ni por el beneficio personal que puedan obtener de ello, sino porque están deseosos de servir a Dios. [3]No abusen de la autoridad que tienen sobre los que están a su cargo, sino guíenlos con su buen ejemplo. [4]Así, cuando venga el Gran Pastor, recibirán una corona de gloria y honor eternos.

[5]Del mismo modo, ustedes hombres más jóvenes tienen que aceptar la autoridad de los ancianos. Y todos sírvanse unos a otros con humildad, porque

«Dios se opone a los orgullosos
pero muestra su favor a los
humildes»*.

[6]Así que humíllense ante el gran poder de Dios y, a su debido tiempo, él los levantará con honor. [7]Pongan todas sus preocupaciones y ansiedades en las manos de Dios, porque él cuida de ustedes.

[8]¡Estén alerta! Cuídense de su gran enemigo, el diablo, porque anda al acecho como un león rugiente, buscando a quién devorar. [9]Manténganse firmes contra él y sean fuertes en su fe. Recuerden que sus hermanos en Cristo,* en todo el mundo, también están pasando por el mismo sufrimiento.

[10]En su bondad, Dios los llamó a ustedes a que participen de su gloria eterna por medio de Cristo Jesús. Entonces, después de que hayan sufrido un poco de tiempo, él los restaurará, los sostendrá, los fortalecerá y los afirmará sobre un fundamento sólido. [11]¡A él sea todo el poder para siempre! Amén.

Saludos finales de Pedro

[12]Les escribí y envié esta breve carta con la ayuda de Silas,* a quien les encomiendo como un hermano fiel. Mi propósito al escribirles es alentarlos y asegurarles que por lo que están atravesando es en verdad parte de la gracia de Dios para ustedes. Manténganse firmes en esta gracia.

[13]Su iglesia hermana aquí en Babilonia* les manda saludos, al igual que mi hijo Marcos. [14]Salúdense unos a otros con amor cristiano.*

La paz sea con todos ustedes que están en Cristo.

4:18 Pr 11:31 (versión griega). **5:5** Pr 3:34 (versión griega). **5:9** En griego *sus hermanos.* **5:12** En griego *Silvano.* **5:13** En griego *La elegida en Babilonia.* Es probable que Babilonia se usara como símbolo de Roma. **5:14** En griego *con un beso de amor [cristiano].*

«Y todos sírvanse unos a otros con humildad, porque "Dios se opone a los orgullosos pero muestra su favor a los humildes". Así que humíllense ante el gran poder de Dios y, a su debido tiempo, él los levantará con honor. Pongan todas sus preocupaciones y ansiedades en las manos de Dios, porque él cuida de ustedes. ¡Estén alerta! Cuídense de su gran enemigo, el diablo, porque anda al acecho como un león rugiente, buscando a quién devorar. Manténganse firmes contra él y sean fuertes en su fe. Recuerden que sus hermanos en Cristo, en todo el mundo, también están pasando por el mismo sufrimiento. En su bondad, Dios los llamó a ustedes a que participen de su gloria eterna por medio de Cristo Jesús. Entonces, después de que hayan sufrido un poco de tiempo, él los restaurará, los sostendrá, los fortalecerá y los afirmará sobre un fundamento sólido».

1 PEDRO 5:5B-10

INTRODUCCIÓN A LA SEGUNDA CARTA DE PEDRO

Propósito: Advertir sobre los falsos maestros y aconsejar a los cristianos que crezcan en la fe y en el conocimiento de Cristo.

Autor: Pedro.

Fecha: Próxima a su muerte (1:14) alrededor del 67 d. C., posiblemente desde Roma (Italia).

Contexto: Sabiendo que se acercaba su martirio (1:13-14), Pedro escribió para advertir a los cristianos sobre cosas que ocurrirían cuando él ya no estuviera en la tierra, especialmente en relación con los falsos maestros.

Versículo clave: «Mediante su divino poder, Dios nos ha dado todo lo que necesitamos para llevar una vida de rectitud. Todo esto lo recibimos al llegar a conocer a aquel que nos llamó por medio de su maravillosa gloria y excelencia» (1:3).

La segunda carta de Pedro es la última comunicación de este extraordinario soldado de Jesucristo, ya que poco después sería condenado a muerte por su fe.

Pedro había escrito antes para consolar y alentar a los creyentes que sufrían persecución. Ahora escribe para confrontar problemas que habían surgido a causa de los falsos maestros que estaban torciendo y distorsionando las enseñanzas sobre la vida de Cristo y la palabra de los apóstoles.

El análisis que Pedro hace acerca de los falsos maestros en el capítulo 2 es demoledor. Advierte que esos maestros inmorales harán y dirán cualquier cosa por dinero. Rechazarán las cosas de Dios y serán arrogantes y presumidos, pero al fin serán juzgados y castigados por Dios.

En contraste con los falsos maestros, Pedro recomienda a los cristianos mantenerse fieles a las Escrituras, porque la Biblia no es una colección de fábulas ni de ideas humanas acerca de Dios; son las palabras de Dios mismo entregadas por medio de seres humanos. «Sobre todo, tienen que entender que ninguna profecía de la Escritura jamás surgió de la comprensión personal de los profetas ni por iniciativa humana. Al contrario, fue el Espíritu Santo quien impulsó a los profetas y ellos hablaron de parte de Dios» (1:20-21).

Cualquier enseñanza que no sea coherente con lo que la Biblia enseña no proviene de Dios y debe ser rechazada, no importa lo atractiva y convincente que sea. El mundo está lleno de falsos maestros y «profetas», algunos de ellos bien intencionados pero confundidos, que declaran conocer (y quizás sinceramente creen conocer) la verdad, pero la tuercen. La Biblia es la única autoridad de vida y de fe, de modo que debe obedecer sus principios y evaluar todo lo demás bajo su luz. Mientras lee, decídase también a procurar la pureza, el conocimiento, la disciplina, la perseverancia, la santidad, la amabilidad y el amor, los cuales lo harán fructífero en el servicio al Señor (1:5-8).

2 Pedro

Saludos de Pedro

1 Yo, Simón* Pedro, esclavo y apóstol de Jesucristo, les escribo esta carta a ustedes, que gozan de la misma preciosa fe que tenemos. Esta fe les fue concedida debido a la justicia e imparcialidad* de Jesucristo, nuestro Dios y Salvador.

[2]Que Dios les dé cada vez más gracia y paz a medida que crecen en el conocimiento de Dios y de Jesús nuestro Señor.

Crecer en la fe

[3]Mediante su divino poder, Dios nos ha dado todo lo que necesitamos para llevar una vida de rectitud. Todo esto lo recibimos al llegar a conocer a aquel que nos llamó por medio de su maravillosa gloria y excelencia; [4]y debido a su gloria y excelencia, nos ha dado grandes y preciosas promesas. Estas promesas hacen posible que ustedes participen de la naturaleza divina y escapen de la corrupción del mundo, causada por los deseos humanos.

[5]En vista de todo esto, esfuércense al máximo por responder a las promesas de Dios complementando su fe con una abundante provisión de excelencia moral; la excelencia moral, con conocimiento; [6]el conocimiento, con control propio; el control propio, con perseverancia; la perseverancia, con sumisión a Dios; [7]la sumisión a Dios, con afecto fraternal, y el afecto fraternal, con amor por todos.

[8]Cuanto más crezcan de esta manera, más productivos y útiles serán en el conocimiento de nuestro Señor Jesucristo; [9]pero los que no llegan a desarrollarse de esta forma son cortos de vista o ciegos y olvidan que fueron limpiados de sus pecados pasados.

[10]Así que, amados hermanos, esfuércense por comprobar si realmente forman parte de los que Dios ha llamado y elegido. Hagan estas cosas y nunca caerán. [11]Entonces Dios les dará un gran recibimiento en el reino eterno de nuestro Señor y Salvador Jesucristo.

Prestar atención a las Escrituras

[12]Por lo tanto, siempre les recordaré todas estas cosas, aun cuando ya las saben y están firmes en la verdad que se les enseñó. [13]Y es justo que deba seguir recordándoselas mientras viva.* [14]Pues nuestro Señor Jesucristo me ha mostrado que pronto tendré que partir de esta vida terrenal,* [15]así que me esforzaré por asegurarme de que siempre recuerden estas cosas después de que me haya ido.

[16]Pues no estábamos inventando cuentos ingeniosos cuando les hablamos de la poderosa venida de nuestro Señor Jesucristo. Nosotros vimos su

1:1a En griego *Simeón.* **1:1b** O *les fue concedida a ustedes en la justicia.* **1:13** En griego *mientras esté en esta carpa* [o *tabernáculo*]. **1:14** En griego *pronto tendré que abandonar mi carpa* [o *tabernáculo*].

majestuoso esplendor con nuestros propios ojos [17]cuando él recibió honor y gloria de parte de Dios Padre. La voz de la majestuosa gloria de Dios le dijo: «Este es mi Hijo muy amado, quien me da gran gozo»*. [18]Nosotros mismos oímos aquella voz del cielo cuando estuvimos con él en el monte santo.

[19]Debido a esa experiencia, ahora confiamos aún más en el mensaje que proclamaron los profetas. Ustedes deben prestar mucha atención a lo que ellos escribieron, porque sus palabras son como una lámpara que brilla en un lugar oscuro hasta que el día amanezca y Cristo, la Estrella de la Mañana, brille* en el corazón de ustedes. [20]Sobre todo, tienen que entender que ninguna profecía de la Escritura jamás surgió de la comprensión personal de los profetas* [21]ni por iniciativa humana. Al contrario, fue el Espíritu Santo quien impulsó a los profetas y ellos hablaron de parte de Dios.

El peligro de los falsos maestros

2 En Israel también hubo falsos profetas, tal como habrá falsos maestros entre ustedes. Ellos les enseñarán con astucia herejías destructivas y hasta negarán al Señor, quien los compró. Esto provocará su propia destrucción repentina. [2]Habrá muchos que seguirán sus malas enseñanzas y su vergonzosa inmoralidad; y por culpa de estos maestros, se hablará mal del camino de la verdad. [3]Llevados por la avaricia, inventarán mentiras ingeniosas para apoderarse del dinero de ustedes; pero Dios los condenó desde hace mucho, y su destrucción no tardará en llegar.

[4]Pues Dios ni siquiera perdonó a los ángeles que pecaron, sino que los arrojó al infierno,* dentro de fosas tenebrosas,* donde están encerrados hasta el día del juicio. [5]Dios tampoco perdonó al mundo antiguo, aparte de Noé y a los otros siete miembros de su familia. Noé advirtió al mundo del justo juicio de Dios, y por eso Dios lo protegió cuando destruyó, con un gran diluvio, el mundo de los que vivían sin Dios. [6]Tiempo después, Dios condenó las ciudades de Sodoma y Gomorra, y las redujo a montones de cenizas. Las puso como ejemplo de lo que le sucederá a la gente que vive sin Dios. [7]Sin embargo, Dios también rescató a Lot y lo sacó de Sodoma, porque Lot era un hombre recto que estaba harto de la vergonzosa inmoralidad de la gente perversa que lo rodeaba. [8]Así es, Lot era un hombre recto atormentado en su alma por la perversión que veía y oía a diario. [9]Como ven, el Señor sabe rescatar de las pruebas a todos los que viven en obediencia a Dios, al mismo tiempo que mantiene castigados a los perversos hasta el día del juicio final. [10]Él trata con particular severidad a los que se entregan a sus propios deseos sexuales pervertidos y desprecian la autoridad.

Estas personas son orgullosas y arrogantes, y hasta se atreven a insultar a los seres sobrenaturales* sin ni siquiera temblar. [11]Aun los ángeles, que son mucho más grandes en poder y fuerza, no se atreven a presentar de parte del Señor* cargos de blasfemia en contra de esos seres sobrenaturales.

[12]Esos falsos maestros son como animales irracionales que viven por instinto y nacen para ser atrapados y destruidos. Se burlan de lo que no entienden e igual que animales serán destruidos. [13]Su destrucción será la recompensa que recibirán por el daño que han causado. A ellos

1:17 Mt 17:5; Mc 9:7; Lc 9:35. **1:19** O *salga.* **1:20** O *es cuestión de interpretación personal.* **2:4a** En griego *Tártaro.* **2:4b** Algunos manuscritos dicen *en cadenas de oscuridad.* **2:10** En griego *a los seres gloriosos,* probablemente se refiera a los ángeles caídos. **2:11** Otros manuscritos dicen *llevar ante el Señor;* y otros no incluyen esta frase.

les encanta entregarse a los placeres perversos a plena luz del día. Son una vergüenza y una mancha entre ustedes. Se deleitan en el engaño* incluso mientras comen con ustedes en las reuniones de compañerismo. [14]Cometen adulterio con sólo mirar y nunca sacian su deseo por el pecado. Incitan a los inestables a pecar y están bien entrenados en la avaricia. Viven bajo la maldición de Dios. [15]Se apartaron del buen camino y siguieron los pasos de Balaam, hijo de Beor,* a quien le encantaba ganar dinero haciendo el mal; [16]pero Balaam fue detenido de su locura cuando su burra lo reprendió con voz humana.

[17]Estos individuos son tan inútiles como manantiales secos o como la neblina que es llevada por el viento. Están condenados a la más negra oscuridad. [18]Se jactan de sí mismos con alardes tontos y sin sentido. Saben cómo apelar a los deseos sexuales pervertidos, para incitar a que vuelvan al pecado los que apenas se escapaban de una vida de engaño. [19]Prometen libertad, pero ellos mismos son esclavos del pecado y de la corrupción porque uno es esclavo de aquello que lo controla. [20]Y cuando la gente escapa de la maldad del mundo por medio de conocer a nuestro Señor y Salvador Jesucristo, pero luego se enreda y vuelve a quedar esclavizada por el pecado, termina peor que antes. [21]Les hubiera sido mejor nunca haber conocido el camino a la justicia, en lugar de conocerlo y luego rechazar el mandato que se les dio de vivir una vida santa. [22]Demuestran qué tan cierto es el proverbio que dice: «Un perro vuelve a su vómito»*. Y otro que dice: «Un cerdo recién lavado vuelve a revolcarse en el lodo».

El día del Señor se acerca

3 Queridos amigos, esta es la segunda carta que les escribo y, en ambas, he tratado de refrescarles la memoria y estimularlos a que sigan pensando sanamente. [2]Quiero que recuerden lo que los santos profetas dijeron hace mucho y lo que nuestro Señor y Salvador ordenó por medio de los apóstoles.

[3]Sobre todo, quiero recordarles que, en los últimos días, vendrán burladores que se reirán de la verdad y seguirán sus propios deseos. [4]Dirán: «¿Qué pasó con la promesa de que Jesús iba a volver? Desde tiempos antes de nuestros antepasados, el mundo sigue igual que al principio de la creación».

[5]Deliberadamente olvidan que Dios hizo los cielos al ordenarlo con una sola palabra y sacó la tierra de las aguas y la rodeó con agua. [6]Luego usó el agua para destruir el mundo antiguo con un potente diluvio. [7]Por esa misma palabra, los cielos y la tierra que ahora existen han sido reservados para el fuego. Están guardados para el día del juicio, cuando será destruida la gente que vive sin Dios.

[8]Sin embargo, queridos amigos, hay algo que no deben olvidar: para el Señor, un día es como mil años y mil años son como un día. [9]En realidad, no es que el Señor sea lento para cumplir su promesa, como algunos piensan. Al contrario, es paciente por amor a ustedes. No quiere que nadie sea destruido, quiere que todos se arrepientan. [10]Pero el día del Señor llegará tan inesperadamente como un ladrón. Entonces los cielos desaparecerán con un terrible estruendo, y los mismos elementos se consumirán en el fuego, y la tierra con todo lo que hay en ella quedará sometida a juicio.*

[11]Dado que todo lo que nos rodea será

2:13 Algunos manuscritos dicen *en las comidas de compañerismo.* **2:15** Otros manuscritos dicen *Bosor.* **2:22** Pr 26:11. **3:10** Otros manuscritos dicen *será consumida [por fuego];* incluso otros dicen *quedará destruida.*

destruido de esta manera, ¡cómo no llevar una vida santa y vivir en obediencia a Dios, [12]esperar con ansias el día de Dios y apresurar que este llegue! En aquel día, él prenderá fuego a los cielos, y los elementos se derretirán en las llamas. [13]Pero nosotros esperamos con entusiasmo los cielos nuevos y la tierra nueva que él prometió, un mundo lleno de la justicia de Dios.

[14]Por lo cual, queridos amigos, mientras esperan que estas cosas ocurran, hagan todo lo posible para que se vea que ustedes llevan una vida pacífica que es pura e intachable a los ojos de Dios.

[15]Y recuerden que la paciencia de nuestro Señor da tiempo para que la gente sea salva. Esto es lo que nuestro amado hermano Pablo también les escribió con la sabiduría que Dios le dio, [16]al tratar estos temas en todas sus cartas. Algunos de sus comentarios son difíciles de entender, y los que son ignorantes e inestables han tergiversado sus cartas, para que signifiquen algo muy diferente, así como lo hacen con otras partes de la Escritura. Esto resultará en su propia destrucción.

Palabras finales de Pedro

[17]Queridos amigos, los estoy previniendo con tiempo. Manténganse en guardia para no ser arrastrados por los errores de esa gente perversa y perder la base firme que tienen. [18]En cambio, crezcan en la gracia y el conocimiento de nuestro Señor y Salvador Jesucristo.

¡A él sea toda la gloria ahora y para siempre! Amén.

«En vista de todo esto,
esfuércense al máximo por responder
a las promesas de Dios complementando su fe con
una abundante provisión de excelencia moral;
la excelencia moral, con conocimiento; el conocimiento,
con control propio; el control propio, con perseverancia;
la perseverancia, con sumisión a Dios; la sumisión a
Dios, con afecto fraternal, y el afecto fraternal,
con amor por todos. Cuanto más crezcan de esta
manera, más productivos y útiles serán en el
conocimiento de nuestro Señor Jesucristo».

2 PEDRO 1:5-8

INTRODUCCIÓN A LA PRIMERA CARTA DE JUAN

Propósito: Persuadir a los lectores que crean en Jesús como el Hijo de Dios y sean salvos; dar seguridad de vida eterna a quienes han creído en Jesús (5:13), alentarlos a mantener un corazón puro delante de Dios, y enseñarles que se amen unos a otros como Cristo los amó a ellos.

Autor: El apóstol Juan; el estilo, el vocabulario, y el contenido de la carta se asemejan al Evangelio de Juan, y son evidencia de que la misma persona escribió esta carta y el Evangelio.

Fecha: Aproximadamente 85–90 d. C., desde Éfeso (Turquía).

Versículo clave: «Les he escrito estas cosas a ustedes, que creen en el nombre del Hijo de Dios, para que sepan que tienen vida eterna» (5:13).

Durante más de 2000 años se ha discutido la verdadera identidad de Jesús. Mucha gente lo ha considerado un maestro admirable, un hombre bueno o un reformador social, per no Dios. 1 Juan presenta una imagen definida de Jesús, quien era y es Dios, y quien vino a la tierra como hombre. Describe a Dios como un ser completamente puro y bueno de quien estamos separados a causa de nuestros pecados. Si examinamos nuestro corazón con honestidad, sabemos que no estamos a la altura de nuestras propias expectativas, mucho menos de las de Dios. Todos pecamos, pero si nos arrepentimos y seguimos a Jesús, podemos tener la certeza del perdón, de la nueva vida y de la salvación (4:2, 14; 5:1, 12).

Así como hay señales de vida (por ejemplo, la respiración y el pulso) que permiten determinar si alguien está vivo o muerto, también hay señales de vida espiritual mediante las cuales uno puede tener la seguridad de estar vivo en Cristo. Tres de esas señales se encuentran entretejidas en la carta de Juan: la obediencia a los mandamientos de Dios (2:3-6); la aceptación sincera de Jesús como Dios y único Salvador de los pecadores (2:24-25), y el amor por nuestro prójimo cristiano (3:14). Cada una de estas señales requiere de la acción sobrenatural del Espíritu, sea para abrir los ojos del entendimiento para que reconozcamos a Jesús o para transformar el corazón y la voluntad.

En la actualidad, muchas personas han sido instruidas a creer que, porque han pronunciado cierta oración, han hecho buenas obras, o han cumplido cierto ritual, tienen la salvación asegurada sin importar si sus vidas muestran o no evidencias de transformación. La meta de esta carta de Juan es destruir esa falsa certeza, a fin de establecer una auténtica seguridad de la salvación. Es importante observar que Juan no dice que el amor puede ser perfecto durante esta vida, ni que nuestra obediencia a Dios será impecable. Todavía no somos lo que debiéramos ser, pero gracias a Dios no somos lo que solíamos ser. La cuestión no es si la transformación de nuestra vida está completa, sino que si es perceptible.

Un segundo propósito de la carta es combatir a los falsos maestros que estaban infiltrándose en la iglesia. Juan advierte que aquellos que niegan la divinidad de Jesús también rechazan a Dios y a la vida eterna con él (5:12). Esas personas son los «anticristos» a quienes Satanás usará para alejarnos de la verdad. Para más información sobre la naturaleza de esas falsas enseñanzas vea la introducción a 2 Juan. El apóstol declara que Dios es amor: él sustenta, perdona y bendice. Esa verdad debiera motivarnos a conocerlo mejor, a adorarlo, y a seguir esta advertencia: no amemos de palabra, sino en hechos y en verdad (3:18).

1 Juan

Introducción

1 Les anunciamos al que existe desde el principio,* a quien hemos visto y oído. Lo vimos con nuestros propios ojos y lo tocamos con nuestras propias manos. Él es la Palabra de vida. [2]Él, quien es la vida misma, nos fue revelado, y nosotros lo vimos; y ahora testificamos y anunciamos a ustedes que él es la vida eterna. Estaba con el Padre, y luego nos fue revelado. [3]Les anunciamos lo que nosotros mismos hemos visto y oído, para que ustedes tengan comunión con nosotros; y nuestra comunión es con el Padre y con su Hijo, Jesucristo. [4]Escribimos estas cosas para que ustedes puedan participar plenamente de nuestra alegría.*

Vivamos en la luz

[5]Este es el mensaje que oímos de Jesús* y que ahora les declaramos a ustedes: Dios es luz y en él no hay nada de oscuridad. [6]Por lo tanto, mentimos si afirmamos que tenemos comunión con Dios pero seguimos viviendo en oscuridad espiritual; no estamos practicando la verdad. [7]Si vivimos en la luz, así como Dios está en la luz, entonces tenemos comunión unos con otros, y la sangre de Jesús, su Hijo, nos limpia de todo pecado.

[8]Si afirmamos que no tenemos pecado, lo único que hacemos es engañarnos a nosotros mismos y no vivimos en la verdad; [9]pero si confesamos nuestros pecados a Dios, él es fiel y justo para perdonarnos nuestros pecados y limpiarnos de toda maldad. [10]Si afirmamos que no hemos pecado, llamamos a Dios mentiroso y demostramos que no hay lugar para su palabra en nuestro corazón.

2 Mis queridos hijos, les escribo estas cosas para que no pequen; pero si alguno peca, tenemos un abogado que defiende nuestro caso ante el Padre. Es Jesucristo, el que es verdaderamente justo. [2]Él mismo es el sacrificio que pagó* por nuestros pecados, y no sólo los nuestros sino también los de todo el mundo.

[3]Podemos estar seguros de que conocemos a Dios si obedecemos sus mandamientos. [4]Si alguien afirma: «Yo conozco a Dios», pero no obedece los mandamientos de Dios, es un mentiroso y no vive en la verdad; [5]pero los que obedecen la palabra de Dios demuestran verdaderamente cuánto lo aman.* Así es como sabemos que vivimos en él. [6]Los que dicen que viven en Dios deben vivir como Jesús vivió.

Un mandamiento nuevo

[7]Queridos amigos, no les escribo un mandamiento nuevo, sino más bien uno

1:1 En griego *Lo que fue desde el principio.* 1:4 O *para que nuestra alegría sea completa;* algunos manuscritos dicen *la alegría de ustedes.* 1:5 En griego *de él.* 2:2 En griego *Él es la propiciación.* 2:5 O *demuestran que en ellos verdaderamente el amor de Dios se ha perfeccionado.*

antiguo que han tenido desde el principio. Ese mandamiento antiguo —ámense unos a otros— es el mismo mensaje que oyeron antes. [8]Sin embargo, también es un mandamiento nuevo. Jesús vivió la verdad de este mandamiento, y ustedes también la viven. Pues la oscuridad está desapareciendo, y ya brilla la luz verdadera.

[9]Si alguien afirma: «Vivo en la luz», pero odia a un hermano* en Cristo, esa persona aún vive en la oscuridad. [10]El que ama a su hermano vive en la luz y no hace que otros tropiecen; [11]pero el que odia a su hermano todavía vive y camina en la oscuridad. No sabe por dónde ir, pues la oscuridad lo ha cegado.

[12] Les escribo a ustedes, que son hijos de Dios,
porque sus pecados han sido perdonados por medio de Jesús.*
[13] Les escribo a ustedes, los que son maduros en la fe,*
porque conocen a Cristo, quien existe desde el principio.
Les escribo a ustedes, los que son jóvenes en la fe,
porque han ganado la batalla contra el maligno.
[14] Les he escrito a ustedes, que son hijos de Dios,
porque conocen al Padre.
Les he escrito a ustedes, los que son maduros en la fe,
porque conocen a Cristo, quien existe desde el principio.
Les he escrito a ustedes, los que son jóvenes en la fe,
porque son fuertes;
la palabra de Dios vive en sus corazones,
y han ganado la batalla contra el maligno.

No amen a este mundo

[15]No amen a este mundo ni a las cosas que les ofrece porque cuando aman al mundo, no tienen el amor del Padre en ustedes. [16]Pues el mundo sólo ofrece un intenso deseo por el placer físico, un deseo insaciable por todo lo que vemos y el orgullo de nuestros logros y posesiones. Nada de eso proviene del Padre, sino que viene del mundo; [17]y este mundo se acaba junto con todo lo que la gente tanto desea; pero el que hace lo que a Dios le agrada vivirá para siempre.

Cuidado con los anticristos

[18]Queridos hijos, llegó la última hora. Ustedes han oído que el Anticristo viene, y ya han surgido muchos anticristos. Por eso sabemos que la última hora ha llegado. [19]Esas personas salieron de nuestras iglesias, pero en realidad nunca fueron parte de nosotros; de haber sido así, se habrían quedado con nosotros. Al irse demostraron que no eran parte de nosotros.

[20]Pero ustedes no son así, porque el Santo les ha dado su Espíritu,* y todos ustedes conocen la verdad. [21]Así que les escribo no porque no conozcan la verdad, sino porque conocen la diferencia entre la verdad y la mentira. [22]¿Y quién es un mentiroso? El que dice que Jesús no es el Cristo.* El que niega al Padre y al Hijo es un anticristo.* [23]El que niega al Hijo tampoco tiene al Padre; pero el que confiesa al Hijo tiene al Padre también.

[24]Por lo tanto, ustedes deben seguir fieles a lo que se les ha enseñado desde el principio. Si lo hacen, permanecerán en comunión con el Hijo y con el Padre; [25]y en esta comunión disfrutamos de la vida eterna que él nos prometió.

[26]Les escribo estas cosas para adver-

2:9 En griego *odia a su hermano;* similar en 2:11. **2:12** En griego *por medio de su nombre.* **2:13** En griego *a ustedes, padres;* también en 2:14. **2:20** En griego *Pero ustedes tienen una unción del Santo.* **2:22a** O *el Mesías.* **2:22b** O *el Anticristo.*

tirles acerca de los que quieren apartarlos del camino. [27]Ustedes han recibido al Espíritu Santo,* y él vive dentro de cada uno de ustedes, así que no necesitan que nadie les enseñe lo que es la verdad. Pues el Espíritu* les enseña todo lo que necesitan saber, y lo que él enseña es verdad, no mentira. Así que, tal como él les ha enseñado, permanezcan en comunión con Cristo.

Vivan como hijos de Dios

[28]Y ahora, queridos hijos, permanezcan en comunión con Cristo para que, cuando él regrese, estén llenos de valor y no se alejen de él avergonzados.

[29]Ya que sabemos que Cristo es justo, también sabemos que todos los que hacen lo que es justo son hijos de Dios.

3 Miren con cuánto amor nos ama nuestro Padre que nos llama sus hijos, ¡y eso es lo que somos! Pero la gente de este mundo no reconoce que somos hijos de Dios, porque no lo conocen a él. [2]Queridos amigos, ya somos hijos de Dios, pero él todavía no nos ha mostrado lo que seremos cuando Cristo venga; pero sí sabemos que seremos como él, porque lo veremos tal como él es. [3]Y todos los que tienen esta gran expectativa se mantendrán puros, así como él es puro.

[4]Todo el que peca viola la ley de Dios, porque todo pecado va en contra de la ley de Dios; [5]y ustedes saben que Jesús vino para quitar nuestros pecados, y en él no hay pecado. [6]Todo el que siga viviendo en él no pecará; pero todo el que sigue pecando no lo conoce ni entiende quién es él.

[7]Queridos hijos, no dejen que nadie los engañe acerca de lo siguiente: cuando una persona hace lo correcto, demuestra que es justa, así como Cristo es justo. [8]Sin embargo, cuando alguien sigue pecando, demuestra que pertenece al diablo, el cual peca desde el principio; pero el Hijo de Dios vino para destruir las obras del diablo. [9]Los que han nacido en la familia de Dios no se caracterizan por practicar el pecado, porque la vida de Dios* está en ellos. Así que no pueden seguir pecando, porque son hijos de Dios. [10]Por lo tanto, podemos identificar quiénes son hijos de Dios y quiénes son hijos del diablo. Todo el que no se conduce con rectitud y no ama a los creyentes* no pertenece a Dios.

Amor y odio entre hermanos

[11]Este es el mensaje que ustedes han oído desde el principio: que nos amemos unos a otros. [12]No debemos ser como Caín, quien pertenecía al maligno y mató a su hermano. ¿Y por qué lo mató? Porque Caín hacía lo malo y su hermano lo recto. [13]Así que, amados hermanos, no se sorprendan si el mundo los odia.

[14]Si amamos a nuestros hermanos en Cristo,* eso demuestra que hemos pasado de muerte a vida; pero el que no tiene amor sigue muerto. [15]Todo el que odia a un hermano, en el fondo de su corazón es un asesino, y ustedes saben que ningún asesino tiene la vida eterna en él.

[16]Conocemos lo que es el amor verdadero, porque Jesús entregó su vida por nosotros. De manera que nosotros también tenemos que dar la vida por nuestros hermanos. [17]Si alguien tiene suficiente dinero para vivir bien y ve a un hermano en necesidad pero no le muestra compasión, ¿cómo puede estar el amor de Dios en esa persona?

[18]Queridos hijos, que nuestro amor no quede sólo en palabras; mostremos la verdad por medio de nuestras acciones. [19]Nuestras acciones demostrarán

2:27a En griego *la unción de parte de él.* **2:27b** En griego *la unción.* **3:9** En griego *porque la semilla de él.* **3:10** En griego *no ama a su hermano.* **3:14** En griego *los hermanos;* similar en 3:16.

que pertenecemos a la verdad, entonces estaremos confiados cuando estemos delante de Dios. [20]Aun si nos sentimos culpables, Dios es superior a nuestros sentimientos y él lo sabe todo.

[21]Queridos amigos, si no nos sentimos culpables, podemos acercarnos a Dios con plena confianza. [22]Y recibiremos de él todo lo que le pidamos porque lo obedecemos y hacemos las cosas que le agradan.

[23]Y su mandamiento es el siguiente: debemos creer en el nombre de su Hijo, Jesucristo, y amarnos unos a otros, así como él nos lo ordenó. [24]Los que obedecen los mandamientos de Dios permanecen en comunión con él, y él permanece en comunión con ellos. Y sabemos que él vive en nosotros, porque el Espíritu que nos dio vive en nosotros.

Cómo descubrir a los falsos profetas

4 Queridos amigos, no les crean a todos los que afirman hablar de parte del Espíritu. Pónganlos a prueba para averiguar si el espíritu que tienen realmente proviene de Dios, porque hay muchos falsos profetas en el mundo. [2]Esta es la manera en que sabremos si tienen o no el Espíritu de Dios: si una persona que afirma ser profeta* reconoce que Jesucristo vino en un cuerpo humano, esa persona tiene el Espíritu de Dios; [3]pero si alguien afirma ser profeta y no reconoce la verdad acerca de Jesús, aquella persona no es de Dios. Tal persona tiene el espíritu del Anticristo, del cual ustedes oyeron que viene al mundo, y de hecho, ya está aquí.

[4]Pero ustedes, mis queridos hijos, pertenecen a Dios. Ya lograron la victoria sobre esas personas, porque el Espíritu que vive en ustedes es más poderoso que el espíritu que vive en el mundo. [5]Esas personas pertenecen a este mundo, por eso hablan desde el punto de vista del mundo, y el mundo les presta atención. [6]En cambio, nosotros pertenecemos a Dios, y los que conocen a Dios nos prestan atención. Como ellos no pertenecen a Dios, no nos prestan atención. Así es como sabemos si alguien tiene el Espíritu de verdad o el espíritu de engaño.

Ámense unos a otros

[7]Queridos amigos, sigamos amándonos unos a otros, porque el amor viene de Dios. Todo el que ama es un hijo de Dios y conoce a Dios; [8]pero el que no ama no conoce a Dios, porque Dios es amor.

[9]Dios mostró cuánto nos ama al enviar a su único Hijo al mundo, para que tengamos vida eterna por medio de él. [10]En esto consiste el amor verdadero: no en que nosotros hayamos amado a Dios, sino en que él nos amó a nosotros y envió a su Hijo como sacrificio para quitar nuestros pecados.

[11]Queridos amigos, ya que Dios nos amó tanto, sin duda nosotros también debemos amarnos unos a otros. [12]Nadie jamás ha visto a Dios; pero si nos amamos unos a otros, Dios vive en nosotros y su amor llega a la máxima expresión en nosotros.

[13]Y Dios nos ha dado su Espíritu como prueba de que vivimos en él y él en nosotros. [14]Además, hemos visto con nuestros propios ojos y ahora damos testimonio de que el Padre envió a su Hijo para que fuera el Salvador del mundo. [15]Todos los que confiesan que Jesús es el Hijo de Dios, Dios vive en ellos y ellos en Dios. [16]Nosotros sabemos cuánto nos ama Dios y hemos puesto nuestra confianza en su amor.

Dios es amor, y todos los que viven en amor viven en Dios y Dios vive en ellos;

4:2 En griego *Si un espíritu;* similar en 4:3.

[17]y al vivir en Dios, nuestro amor crece hasta hacerse perfecto. Por lo tanto, no tendremos temor en el día del juicio, sino que podremos estar ante Dios con confianza, porque vivimos como vivió Jesús en este mundo.

[18]En esa clase de amor no hay temor, porque el amor perfecto expulsa todo temor. Si tenemos miedo es por temor al castigo, y esto muestra que no hemos experimentado plenamente el perfecto amor de Dios. [19]Nos amamos unos a otros,* porque él nos amó primero.

[20]Si alguien dice: «Amo a Dios» pero odia a un hermano en Cristo, esa persona es mentirosa pues, si no amamos a quienes podemos ver, ¿cómo vamos a amar a Dios, a quien no podemos ver? [21]Y él nos ha dado el siguiente mandato: los que aman a Dios amen también a sus hermanos en Cristo.*

La fe en el Hijo de Dios

5 Todo el que cree que Jesús es el Cristo* ha llegado a ser un hijo de Dios. Y todo el que ama al Padre ama también a los hijos nacidos de él. [2]Sabemos que amamos a los hijos de Dios si amamos a Dios y obedecemos sus mandamientos. [3]Amar a Dios significa obedecer sus mandamientos, y sus mandamientos no son una carga difícil de llevar. [4]Pues todo hijo de Dios vence a este mundo de maldad, y logramos esa victoria por medio de nuestra fe. [5]¿Y quién puede ganar esta batalla contra el mundo? Únicamente los que creen que Jesús es el Hijo de Dios.

[6]Y Jesucristo fue revelado como el Hijo de Dios por medio de su bautismo en agua y por derramar su sangre en la cruz,* es decir, no mediante agua solamente sino mediante agua y sangre. Y el Espíritu, quien es la verdad, lo confirma con su testimonio. [7]Por lo tanto, son tres los testigos* [8]—el Espíritu, el agua y la sangre— y los tres están de acuerdo. [9]Ya que creemos el testimonio humano, sin duda alguna podemos creer el testimonio de más valor que proviene de Dios; y Dios ha dado testimonio acerca de su Hijo. [10]Todo el que cree en el Hijo de Dios sabe en su corazón que este testimonio es verdadero. Los que no lo creen, en realidad llaman a Dios mentiroso porque no creen el testimonio que él ha dado acerca de su Hijo.

[11]Y este es el testimonio que Dios ha dado: él nos dio vida eterna, y esa vida está en su Hijo. [12]El que tiene al Hijo tiene la vida; el que no tiene al Hijo de Dios no tiene la vida.

Conclusión

[13]Les he escrito estas cosas a ustedes, que creen en el nombre del Hijo de Dios, para que sepan que tienen vida eterna. [14]Y estamos seguros de que él nos oye cada vez que le pedimos algo que le agrada; [15]y como sabemos que él nos oye cuando le hacemos nuestras peticiones, también sabemos que nos dará lo que le pedimos.

[16]Si alguno de ustedes ve que un hermano en Cristo* comete un pecado que no lleva a la muerte, debe orar por él, y Dios le dará vida a ese hermano. Pero hay un pecado que lleva a la muerte, y no digo que se ore por quienes lo cometen. [17]Todas las malas acciones son pecado, pero no todos los pecados llevan a la muerte.

[18]Sabemos que los hijos de Dios no se

4:19 En griego *Nosotros amamos.* Otros manuscritos dicen *Nosotros amamos a Dios;* incluso otros dicen *Nosotros lo amamos.* **4:21** En griego *El que ama a Dios también tiene que amar a su hermano.* **5:1** O *el Mesías.* **5:6** En griego *Este es el que vino mediante agua y sangre.* **5:7** Unos cuantos manuscritos muy tardíos incluyen *en el cielo: el Padre, la Palabra y el Espíritu Santo, y estos tres son uno. Y tenemos tres testigos en la tierra.* **5:16** En griego *un hermano.*

caracterizan por practicar el pecado, porque el Hijo de Dios los mantiene protegidos, y el maligno no puede tocarlos. [19]Sabemos que somos hijos de Dios y que el mundo que nos rodea está controlado por el maligno.

[20]Y sabemos que el Hijo de Dios ha venido y nos ha dado entendimiento, para que podamos conocer al Dios verdadero.* Y ahora vivimos en comunión con el Dios verdadero porque vivimos en comunión con su Hijo, Jesucristo. Él es el único Dios verdadero y él es la vida eterna.

[21]Queridos hijos, aléjense de todo lo que pueda ocupar el lugar de Dios en el corazón.*

5:20 En griego *al que es verdadero.* **5:21** En griego *guárdense de los ídolos.*

«Queridos amigos, sigamos amándonos unos a otros, porque el amor viene de Dios. Todo el que ama es un hijo de Dios y conoce a Dios; pero el que no ama no conoce a Dios, porque Dios es amor. Dios mostró cuánto nos ama al enviar a su único Hijo al mundo, para que tengamos vida eterna por medio de él. En esto consiste el amor verdadero: no en que nosotros hayamos amado a Dios, sino en que él nos amó a nosotros y envió a su Hijo como sacrificio para quitar nuestros pecados».

1 JUAN 4:7-10

INTRODUCCIÓN A LA SEGUNDA CARTA DE JUAN

Propósito: Contradecir la enseñanza de los falsos maestros que negaban la verdad fundamental del cristianismo: que Dios el Hijo vino al mundo como ser humano y divino. Enfatizar el amor y la verdad.

Autor: El apóstol Juan, hijo de Zebedeo, hermano de Santiago, autor del Evangelio de Juan, y de la 1ª y 3ª carta de Juan.

Destinatarios: «La señora elegida y sus hijos», o posiblemente una congregación local, y los cristianos en todo el mundo.

Fecha: La misma época de 1 Juan, aproximadamente 90 d. C., desde Éfeso (Turquía).

Versículo clave: «... él nos ha ordenado que nos amemos unos a otros, tal como ustedes lo oyeron desde el principio» (1:6).

Cristo encarna valores opuestos a la falsedad y al egoísmo que caracterizan a la sociedad; él es la encarnación de la verdad y del amor. Por lo tanto, los que dicen que lo aman deben comprometerse a obedecerlo y a seguir la verdad. Si vivimos en la verdad, también demostraremos el amor de Jesús a otras personas. El apóstol Juan había estado con Jesús, y todos sus escritos están saturados de este tema: la verdad y el amor son inseparables y están en el centro del cristianismo.

En aquellos días era común que los maestros itinerantes viajaran de pueblo en pueblo enseñando la verdad de Dios. Estos maestros dependían de la hospitalidad de los cristianos en cada comunidad que visitaban. Al parecer los falsos maestros estaban haciendo lo mismo y «la señora elegida» a la que Juan escribe quizás había abierto su hogar para recibirlos, por lo cual él la instruyó para que no les diera la bienvenida a esos líderes.

Los maestros mencionados en 1 Juan no creían que Jesús fuera divino, mientras que los falsos maestros mencionados en esta carta no creían en la humanidad de Cristo. De manera categórica, Juan refuta ambas herejías y sostiene que Jesús era completamente Dios y completamente hombre; sostiene que era como nosotros en todo, excepto en el hecho de que jamás pecó. En su Evangelio, Juan también rechazó esas herejías (ver capítulo 1:1–14).

Los falsos maestros, influenciados por la filosofía griega, creían que la materia era esencialmente mala, mientras que el espíritu era esencialmente bueno y perfecto, y por lo tanto eran tan incompatibles como el agua y el aceite. En consecuencia, por ser espíritu, Dios nunca podría encarnarse. La explicación que daban de Cristo era que el Espíritu de Dios había aparecido temporalmente en forma humana, pero que esa naturaleza humana no era real. Según esta herejía, llamada docetismo, la naturaleza humana de Jesucristo era una mera ilusión.

Juan demolió esta idea en el primer capítulo de su primera carta, al insistir que el cuerpo de Jesús era tangible y real, de lo cual podían dar testimonio los discípulos, quienes lo vieron con sus ojos y lo tocaron con sus manos. En esta segunda carta Juan también refutó aquella idea (versículo 7), calificando a quienes propagaban esta herejía como engañadores y anticristos. Jesús era Dios hecho carne y había vivido entre ellos.

Mientras reflexiona en estos pocos párrafos escritos por un anciano y sabio seguidor de Cristo, asuma el compromiso de seguir la verdad, de amar como el Señor nos lo enseñó, y de obedecer a Dios sin importar el costo.

2 Juan

Saludos

Yo, Juan, el anciano,* les escribo esta carta a la señora elegida y a sus hijos,* a quienes amo en la verdad —y no sólo yo sino también todos los que conocen la verdad—, [2]porque la verdad vive en nosotros y estará con nosotros para siempre.

[3]La gracia, la misericordia y la paz que provienen de Dios Padre y de Jesucristo —el Hijo del Padre— permanecerán con nosotros, los que vivimos en la verdad y el amor.

Vivan en la verdad

[4]¡Qué contento me puse al encontrarme con algunos de tus hijos y ver que viven de acuerdo con la verdad, tal como el Padre lo ordenó!

[5]Les escribo para recordarles, queridos amigos,* que nos amemos unos a otros. Este mandamiento no es nuevo, sino que lo hemos tenido desde el principio. [6]El amor consiste en hacer lo que Dios nos ha ordenado, y él nos ha ordenado que nos amemos unos a otros, tal como ustedes lo oyeron desde el principio.

[7]Les digo esto, porque muchos engañadores han salido por el mundo. Ellos niegan que Jesucristo vino* en un cuerpo humano. Tales personas son engañadores y anticristos. [8]Tengan cuidado de no perder lo que hemos* logrado con tanto trabajo. Sean diligentes para que reciban una recompensa completa. [9]Todo el que se desvía de esta enseñanza no tiene ninguna relación con Dios; pero el que permanece en la enseñanza de Cristo tiene una relación tanto con el Padre como con el Hijo.

[10]Si a sus reuniones llegara alguien que no enseña la verdad acerca de Cristo, no lo inviten a su casa ni le den ninguna clase de apoyo. [11]Cualquiera que apoye a ese tipo de gente se hace cómplice de sus malas acciones.

Conclusión

[12]Tengo mucho más que decirles, pero no quiero hacerlo con papel y tinta. Pues espero visitarlos pronto y hablarles cara a cara. Entonces nuestra alegría será completa.

[13]Recibe saludos de los hijos de tu hermana,* la elegida por Dios.

1a En griego *El anciano.* **1b** O *a la iglesia que Dios ha elegido y a sus miembros.* **5** En griego *Te ruego, señora.* **7** O *vendrá.* **8** Algunos manuscritos dicen *han.* **13** O *de los miembros de tu iglesia hermana.*

INTRODUCCIÓN A LA TERCERA CARTA DE JUAN

Propósito: Agradecer a Gayo por su hospitalidad y alentarlo en su vida cristiana.

Autor: El apóstol Juan, quien también escribió el Evangelio de Juan y otras dos cartas.

Destinatarios: Gayo, un distinguido cristiano miembro de una de las iglesias conocidas por Juan, y los cristianos en todo el mundo.

Fecha: Aproximadamente 90 d. C. desde Éfeso (Turquía).

Contexto: Los líderes de la iglesia viajaban de pueblo en pueblo ministrando a las distintas congregaciones de creyentes. Así que dependían de la hospitalidad de los hermanos de cada lugar. Gayo era uno de los que albergaba a esos líderes en su casa.

Versículo clave: «Querido amigo, le eres fiel a Dios cada vez que te pones al servicio de los maestros itinerantes que pasan por ahí aunque no los conozcas» (1:5).

La manera en que tratamos a otros pone en evidencia nuestros verdaderos valores. ¿Tratamos a las personas como cosas que sirven a nuestro beneficio personal, como una molestia, o las consideramos como criaturas especiales de un Dios amoroso? Una manera efectiva de demostrar los valores cristianos es por medio de la hospitalidad.

El apóstol Juan escribió esta carta personal a su amigo Gayo para agradecer la hospitalidad que había brindado a los creyentes y para estimularlo en la fe. En aquellos días, la mayoría de los predicadores viajaba de una ciudad a otra sin contar con un ingreso fijo. Al parecer Gayo brindaba comida y albergue sin costo a aquellos pastores y misioneros.

En esta carta se menciona a otros dos hombres: a Demetrio, fiel seguidor de Dios y un ejemplo a imitar, y por otro lado a Diótrefes, quien se había designado a sí mismo como líder de la iglesia. Era una persona autoritaria y un ejemplo indeseable. Juan le recomendó a Gayo que no se dejara influenciar por Diótrefes.

Uno de los propósitos por los que Dios pone personas en nuestra vida es para darnos la oportunidad de apoyarlas y alentarlas. La hospitalidad no necesita ser complicada. Puede consistir en agregar un lugar en la mesa, en dar un abrazo o un saludo, en dar la bienvenida a nuevos vecinos o a los visitantes en la iglesia con alegría y con una palabra de estímulo. Aun si se trata de un gesto sencillo, la hospitalidad es una manera eficaz de mostrar amor, afecto y apoyo. Mientras lee 3 Juan, decídase a seguir sólo lo que es bueno, como lo hicieron Demetrio y Gayo, y a dar generosamente a otros como Dios le ha dado a usted.

3 Juan

Saludos

Yo, Juan, el anciano,* le escribo esta carta a Gayo, mi querido amigo, a quien amo en la verdad.

[2]Querido amigo, espero que te encuentres bien, y que estés tan saludable en cuerpo así como eres fuerte en espíritu. [3]Hace poco regresaron algunos de los maestros itinerantes,* y me alegraron mucho cuando me contaron de tu fidelidad y de que vives de acuerdo con la verdad. [4]No hay nada que me cause más alegría que oír que mis hijos siguen la verdad.

Cuidar de los obreros del Señor

[5]Querido amigo, le eres fiel a Dios cada vez que te pones al servicio de los maestros itinerantes que pasan por ahí aunque no los conozcas. [6]Ellos le han contado a la iglesia de aquí de tu cariñosa amistad. Te pido que sigas supliendo las necesidades de esos maestros tal como le agrada a Dios; [7]pues viajan en servicio al Señor* y no aceptan nada de los que no son creyentes.* [8]Por lo tanto somos nosotros los que debemos apoyarlos y así ser sus colaboradores cuando enseñan la verdad.

[9]Le escribí a la iglesia acerca de esto, pero Diótrefes —a quien le encanta ser el líder— no quiere tener nada que ver con nosotros. [10]Cuando yo vaya sacaré a relucir las cosas que hace y sus infames acusaciones contra nosotros. No sólo se niega a recibir a los maestros itinerantes, sino que les dice a otros que no los ayuden y, cuando los ayudan, él los expulsa de la iglesia.

[11]Querido amigo, no te dejes influir por ese mal ejemplo. Imita solamente lo bueno. Recuerda que los que hacen lo bueno demuestran que son hijos de Dios, y los que hacen lo malo demuestran que no conocen a Dios.*

[12]Todos, incluso la verdad misma, hablan bien de Demetrio. Nosotros también podemos afirmar lo mismo de él, y ustedes saben que decimos la verdad.

Conclusión

[13]Tengo mucho más que decirte, pero no quiero hacerlo con pluma y tinta, [14]porque espero verte pronto, y entonces hablaremos cara a cara.

[15]La paz sea contigo.

Tus amigos de aquí te mandan saludos. Por favor, dales mis saludos a cada uno de nuestros amigos de ahí.

1 En griego *El anciano.* **3** En griego *los hermanos;* también en 5 y 10. **7a** En griego *Ellos salieron por causa del Nombre.* **7b** En griego *de los gentiles.* (*Gentil[es]*, que no es judío). **11** En griego *no han visto a Dios.*

INTRODUCCIÓN A LA CARTA DE JUDAS

Propósito: Alentar a la iglesia a ser constante en la fe y a oponerse a las herejías.

Autor: Judas, hermano de Santiago, y medio hermano de Jesús. En el Nuevo Testamento se mencionan por lo menos ocho Judas. La única clave que tenemos para identificar a este Judas es que se presenta como «hermano de Santiago» (versículo 1), y el único Santiago suficientemente conocido en los tiempos del Nuevo Testamento, para ser mencionado sólo por su nombre, es el medio hermano de Jesús (Gálatas 1:19). Santiago y Judas son mencionados dos veces como hijos de María y medio hermanos de Jesús (Mateo 13:55; Marcos 6:3).

Fecha: Aproximadamente 65 d. C.

Contexto: Judas escribió esta carta para defender la fe en Dios a la luz del hecho que «algunas personas que no tienen a Dios se han infiltrado en sus iglesias diciendo que la maravillosa gracia de Dios nos permite llevar una vida inmoral» (4).

Versículo clave: «... deben edificarse unos a otros en su más santísima fe, orar en el poder del Espíritu Santo y esperar la misericordia de nuestro Señor Jesucristo, quien les dará vida eterna. De esta manera, se mantendrán seguros en el amor de Dios» (20–21).

Judas escribió esta carta a los nuevos cristianos que habían tomado el compromiso moral y espiritual de obedecer a Dios, pero estaban siendo confrontados por falsos maestros que declaraban que los cristianos podían vivir como quisieran porque Dios había perdonado todos sus pecados.

Judas advirtió a sus lectores del peligro potencial que estos falsos profetas causan a la iglesia: «Cuando estos individuos participan con ustedes en sus comidas de compañerismo —las cuales conmemoran el amor del Señor—, son como arrecifes peligrosos que pueden hacerlos naufragar. Son como pastores que no tienen vergüenza y que sólo se preocupan por sí mismos. Son como nubes que pasan sobre la tierra sin dar lluvia. Son como árboles en el otoño, doblemente muertos, porque no dan frutos y han sido arrancados de raíz. Son como violentas olas del mar que arrojan la espuma de sus actos vergonzosos. Son como estrellas que han perdido su rumbo, condenadas para siempre a la más negra oscuridad» (12–13).

Como resultado, muchos nuevos creyentes eran tentados a vivir en el pecado; necesitaban ser estimulados a mantenerse firmes en la verdad y a no volver a los viejos hábitos. Hoy también estamos rodeados por una cultura que nos empuja a desobedecer a Dios y a vivir una doble vida.

¿Qué es más valioso para usted: la opinión de otros o lo que Dios dice en la Biblia? ¿Es obedecer a Jesús su prioridad más elevada, sin importar lo que los otros hagan ni tampoco el costo? Hay muchos falsos líderes que quieren destruir su confianza en la Biblia, impedir su crecimiento espiritual y alejarlo de Cristo. Manténgase firme en el amor de Dios, «quien es poderoso para evitar que caigan, y para llevarlos sin mancha y con gran alegría a su gloriosa presencia» (24).

Estos versículos también proveen un antídoto contra el miedo porque enfatizan el poder, la provisión, la justicia, y el amor de Dios. El futuro puede parecer oscuro y terrible, pero el todopoderoso Dios nos ama, se interesa por nosotros, y en el momento de nuestra muerte nos recibirá en sus brazos. No podríamos estar más seguros en la vida o en la muerte. Mientras lee Judas, crea en lo que él y millones de seguidores de Jesús han descubierto: que la vida enteramente consagrada a Dios no tiene nada que perder, nada que temer, y nada que lamentar.

Judas

Saludos de Judas

Yo, Judas, esclavo de Jesucristo y hermano de Santiago, les escribo esta carta a todos los que han sido llamados por Dios Padre, quien los ama y los protege con el cuidado de Jesucristo.*

[2]Que Dios les dé cada vez más misericordia, paz y amor.

El peligro de los falsos maestros

[3]Queridos amigos, con gran anhelo tenía pensado escribirles acerca de la salvación que compartimos. Sin embargo, ahora me doy cuenta de que debo escribirles sobre otro tema para rogarles que defiendan la fe que Dios ha confiado una vez y para siempre a su pueblo santo. [4]Les digo esto, porque algunas personas que no tienen a Dios se han infiltrado en sus iglesias diciendo que la maravillosa gracia de Dios nos permite llevar una vida inmoral. La condena de tales personas fue escrita hace mucho tiempo, pues han negado a Jesucristo, nuestro único Dueño y Señor.

[5]Aunque ustedes ya saben estas cosas, igual quiero recordarles que Jesús* primero rescató de Egipto a la nación de Israel pero luego destruyó a los que no permanecieron fieles. [6]Y les recuerdo de los ángeles que no se mantuvieron dentro de los límites de autoridad que Dios les puso, sino que abandonaron el lugar al que pertenecían. Dios los ha tenido firmemente encadenados en prisiones de oscuridad, en espera del gran día del juicio. [7]Asimismo no se olviden de Sodoma y Gomorra ni de las ciudades vecinas, las cuales estaban llenas de inmoralidad y de toda clase de perversión sexual. Esas ciudades fueron destruidas con fuego y sirven como advertencia del fuego eterno del juicio de Dios.

[8]De la misma manera, estos individuos —que pretenden tener autoridad por lo que reciben en sueños— llevan una vida inmoral, desafían a la autoridad y se burlan de los seres sobrenaturales.* [9]Pero ni siquiera Miguel, uno de los ángeles más poderosos,* se atrevió a acusar al diablo de blasfemia, sino que simplemente le dijo: «¡Que el Señor te reprenda!». (Esto ocurrió cuando Miguel disputaba con el diablo acerca del cuerpo de Moisés). [10]Pero esa gente se burla de cosas que no entiende. Como animales irracionales, hacen todo lo que les dictan sus instintos y de esta manera provocan su propia destrucción. [11]¡Qué aflicción les espera! Pues siguen los pasos de Caín, quien mató a su hermano. Al igual que Balaam, engañan a la gente por dinero; y, como Coré, perecen en su propia rebelión.

[12]Cuando estos individuos participan

1 O *los guarda para Jesucristo.* **5** Igual que en los mejores manuscritos; otros manuscritos dicen *[el] Señor*, o *Dios*, o *Cristo;* uno de ellos dice *Dios Cristo.* **8** En griego *de los seres gloriosos*, que probablemente son ángeles caídos. **9** En griego *Miguel, el arcángel.*

con ustedes en sus comidas de compañerismo —las cuales conmemoran el amor del Señor—, son como arrecifes peligrosos que pueden hacerlos naufragar.* Son como pastores que no tienen vergüenza y que sólo se preocupan por sí mismos. Son como nubes que pasan sobre la tierra sin dar lluvia. Son como árboles en el otoño, doblemente muertos, porque no dan fruto y han sido arrancados de raíz. [13]Son como violentas olas del mar que arrojan la espuma de sus actos vergonzosos. Son como estrellas que han perdido su rumbo, condenadas para siempre a la más negra oscuridad.

[14]Enoc, quien vivió en la séptima generación después de Adán, profetizó acerca de estas personas. Dijo: «¡Escuchen! El Señor viene con incontables millares de sus santos [15]para ejecutar juicio sobre la gente de este mundo. Declarará culpables a los seres humanos por todos los actos perversos que cada uno haya hecho y a los pecadores rebeldes por todos los insultos que hayan dicho contra él»*.

[16]Estos individuos son rezongones, se quejan de todo y viven sólo para satisfacer sus deseos. Son fanfarrones que se jactan de sí mismos y adulan a otros para conseguir lo que quieren.

Un llamado a permanecer fieles

[17]Pero ustedes, mis queridos amigos, deben recordar lo que dijeron los apóstoles de nuestro Señor Jesucristo. [18]Ellos les advirtieron que en los últimos tiempos habría gente burlona cuyo objetivo en la vida es satisfacer sus malos deseos. [19]Estos individuos son los que causan divisiones entre ustedes. Se dejan llevar por sus instintos naturales porque no tienen al Espíritu de Dios en ellos.

[20]Pero ustedes, queridos amigos, deben edificarse unos a otros en su más santísima fe, orar en el poder del Espíritu Santo* [21]y esperar la misericordia de nuestro Señor Jesucristo, quien les dará vida eterna. De esta manera, se mantendrán seguros en el amor de Dios.

[22]Deben tener compasión de* los que no están firmes en la fe. [23]Rescaten a otros arrebatándolos de las llamas del juicio. Incluso a otros muéstrenles compasión* pero háganlo con mucho cuidado, aborreciendo los pecados que contaminan la vida de ellos.*

Una oración de alabanza

[24]Y ahora, que toda la gloria sea para Dios, quien es poderoso para evitar que caigan, y para llevarlos sin mancha y con gran alegría a su gloriosa presencia. [25]Que toda la gloria sea para él, quien es el único Dios, nuestro Salvador por medio de Jesucristo nuestro Señor. ¡Toda la gloria, la majestad, el poder y la autoridad le pertenecen a él desde antes de todos los tiempos, en el presente y por toda la eternidad! Amén.

12 O *son contaminantes entre ustedes;* o *son manchas.* **14-15** La cita proviene de literatura intertestamentaria: Enoc 1:9. **20** En griego *orar en el Espíritu Santo.* **22** Algunos manuscritos dicen *Deben reprender a.* **22-23a** Algunos manuscritos sólo tienen dos categorías de personas: 1) las que no están firmes en la fe y, por lo tanto, necesitan ser arrebatadas de las llamas del juicio, y 2) las que necesitan que se les muestre compasión. **23b** En griego *con temor, aborreciendo hasta la ropa manchada por la carne.*

«Y ahora, que toda la gloria sea para Dios,
quien es poderoso para evitar que caigan, y para llevarlos
sin mancha y con gran alegría a su gloriosa presencia.
Que toda la gloria sea para él, quien es el único Dios,
nuestro Salvador por medio de Jesucristo nuestro Señor.
¡Toda la gloria, la majestad, el poder y la autoridad
le pertenecen a él desde antes de todos los tiempos,
en el presente y por toda la eternidad! Amén».

JUDAS 24-25

INTRODUCCIÓN A APOCALIPSIS

Propósito: Abrir una ventana hacia el futuro y mostrar la completa victoria de Jesús. Advertir a los creyentes y darles esperanza.

Autor: Juan, autor de tres cartas y del Evangelio de Juan. La iglesia primitiva lo reconocía como el escritor de los cinco libros, y no hay razones convincentes que nos lleven a otra conclusión.

Fecha: Entre 90–96 d. C., desde la isla griega de Patmos, durante el gobierno del emperador romano Domiciano.

Versículo clave: «… "Ahora el mundo ya es el reino de nuestro Señor y de su Cristo, y él reinará por siempre y para siempre"» (11:15).

Las iglesias en Asia Menor (Turquía) estaban sufriendo persecución y Juan sufría con ellas, exiliado y obligado al trabajo forzado en una isla griega que los romanos habían convertido en colonia penal.

El libro de Apocalipsis provee un final perfecto a la grandiosa historia de la redención que narra la Biblia. En esa asombrosa visión del apóstol Juan hay criaturas, seres divinos, señales, y diversas plagas y maldiciones relacionadas con la justicia final de Dios. Debemos entender que estos elementos extraños son símbolos de la realidad; por ejemplo el dragón rojo representa a Satanás (12:3, 9). No es necesario ni posible dar un significado preciso a cada símbolo y a cada criatura, pero estos sucesos futuros debieran ser un estímulo para invertir con sabiduría el corto tiempo que tenemos en esta tierra.

Mientras Jesús estaba en la tierra fue perseguido, acusado falsamente, sometido a un juicio injusto, y condenado a una ejecución vergonzosa. Lo escupieron, lo maldijeron y lo clavaron a una cruz a la vista de aquellos que se burlaban de él. Luego se levantó de los muertos y ascendió al cielo.

En el futuro regresará triunfante, y entonces todos sabrán que Jesús es el Señor del universo. Aquellos que lo aman se alegrarán, pero sus enemigos sentirán terror, y junto con Satanás unirán sus fuerzas en contra del Señor y de sus ejércitos. Las fuerzas diabólicas serán derrotadas por completo y para Satanás será el comienzo del fin.

El reino de Satanás opera mediante dos tipos básicos de amenazas: la bestia y la prostituta de Babilonia. La bestia representa la fuerza opresora de un futuro gobierno anticristiano que hará difícil la vida de los cristianos y aún los matará si se niegan a renegar de su fe. La prostituta representa el placer y la prosperidad (17:3-6, 18:3, 19) que seduce a los cristianos para que abandonen su pureza moral y doctrinal. Sin embargo nadie puede resistir a la justicia de Dios, y las fuerzas diabólicas serán derrotadas por completo, y Satanás condenado eternamente al infierno.

Nadie puede darse el lujo de no participar en este enfrentamiento, en el cual no habrá tregua alguna. Debemos ser leales a nuestro Rey crucificado y resucitado, y rendirle nuestra adoración, nuestro honor, alabanza y obediencia sin concesiones. Como creyentes, podemos mantener la valentía, no importa qué ocurra, porque nuestro destino eterno está en las manos de Jesús perforadas por los clavos. Si lo conoce y lo sigue, usted también verá el mundo nuevo, perfecto y hermoso que Jesús creará, donde Dios secará toda lágrima y donde «no habrá más muerte, ni tristeza, ni llanto, ni dolor. Todas esas cosas ya no existirán más» (21:4)

Apocalipsis

Prólogo

1 Esta es una revelación de Jesucristo, la cual Dios le dio para mostrar a sus siervos los acontecimientos que deben suceder pronto.* Él envió a un ángel a presentarle esta revelación a su siervo, Juan, [2]quien relató con fidelidad todo lo que vio. Éste es su relato de la palabra de Dios y del testimonio de Jesucristo.

[3]Dios bendice al que lee a la iglesia las palabras de esta profecía y bendice a todos los que escuchan el mensaje y obedecen lo que dice, porque el tiempo está cerca.

Saludo de Juan a las siete iglesias

[4]Yo, Juan, les escribo esta carta a las siete iglesias que están en la provincia de Asia.*

Gracia y paz a ustedes de aquél que es, que siempre era y que aún está por venir; y del Espíritu de siete aspectos* que está delante de su trono; [5]y de Jesucristo. Él es el testigo fiel de estas cosas, el primero en resucitar de los muertos y el gobernante de todos los reyes del mundo.

Toda la gloria sea al que nos ama y nos ha libertado de nuestros pecados al derramar su sangre por nosotros. [6]Él ha hecho de nosotros un reino de sacerdotes para Dios, su Padre. ¡A él sea toda la gloria y el poder por siempre y para siempre! Amén.

[7] ¡Miren! Él viene en las nubes del cielo.
Y todos lo verán,
incluso aquéllos que lo traspasaron.
Y todas las naciones del mundo
se lamentarán por él.
¡Sí! ¡Amén!

[8]«Yo soy el Alfa y la Omega, el principio y el fin* —dice el Señor Dios—. Yo soy el que es, que siempre era y que aún está por venir, el Todopoderoso».

Visión del Hijo del Hombre

[9]Yo, Juan, soy hermano de ustedes, y su compañero en el sufrimiento, en el reino de Dios y en la paciente perseverancia a la que Jesús nos llama. Me exiliaron a la isla de Patmos por predicar la palabra de Dios y por mi testimonio acerca de Jesús. [10]Era el día del Señor, y yo estaba adorando en el Espíritu.* De repente, oí detrás de mí una fuerte voz, como un toque de trompeta, [11]que decía: «Escribe en un libro* todo lo que veas y envíalo a las siete iglesias que están en las ciudades de Éfeso, Esmirna, Pérgamo, Tiatira, Sardis, Filadelfia y Laodicea».

[12]Cuando me di vuelta para ver quién me hablaba, vi siete candelabros de oro. [13]Y de pie en medio de los candelabros

1:1 O *de repente,* o *rápidamente.* **1:4a** *Asia* era una provincia romana en lo que ahora es el oeste de Turquía. **1:4b** En griego *los siete espíritus.* **1:8** En griego *Yo soy el Alfa y la Omega,* se refiere a la primera y a la última letra del alfabeto griego. **1:10** O *en espíritu.* **1:11** O *en un rollo.*

había alguien semejante al Hijo del Hombre.* Vestía una túnica larga con una banda de oro que cruzaba el pecho. [14]La cabeza y el cabello eran blancos como la lana, tan blancos como la nieve, y los ojos eran como llamas de fuego. [15]Los pies eran como bronce pulido refinado en un horno, y su voz tronaba como potentes olas del mar. [16]Tenía siete estrellas en la mano derecha, y una espada aguda de doble filo salía de su boca. Y la cara era semejante al sol cuando brilla en todo su esplendor.

[17]Cuando lo vi, caí a sus pies como muerto; pero él puso la mano derecha sobre mí y me dijo: «¡No tengas miedo! Yo soy el Primero y el Último. [18]Yo soy el que vive. Estuve muerto, ¡pero mira! ¡Ahora estoy vivo por siempre y para siempre! Y tengo en mi poder las llaves de la muerte y de la tumba.*

[19]»Escribe lo que has visto, tanto las cosas que suceden ahora, como las que van a suceder.* [20]Este es el significado del misterio de las siete estrellas que viste en mi mano derecha y de los siete candelabros de oro: las siete estrellas son los ángeles* de las siete iglesias, y los siete candelabros son las siete iglesias.

Mensaje a la iglesia de Éfeso

2 »Escribe esta carta al ángel* de la iglesia de Éfeso. Este es el mensaje de aquél que tiene las siete estrellas en la mano derecha, del que camina en medio de los siete candelabros de oro:

[2]»Yo sé todo lo que haces. He visto tu arduo trabajo y tu paciencia con perseverancia. Sé que no toleras a la gente malvada. Has puesto a prueba las pretensiones de esos que dicen ser apóstoles pero no lo son. Has descubierto que son mentirosos. [3]Has sufrido por mi nombre con paciencia sin darte por vencido.

[4]»Pero tengo una queja en tu contra. ¡No me amas a mí ni se aman entre ustedes como al principio!* [5]¡Mira hasta dónde has caído! Vuélvete a mí y haz las obras que hacías al principio. Si no te arrepientes, vendré y quitaré tu candelabro de su lugar entre las iglesias; [6]pero tienes esto a tu favor: odias las obras malvadas de los nicolaítas, al igual que yo.

[7]»Todo el que tenga oídos para oír debe escuchar al Espíritu y entender lo que él dice a las iglesias. A todos los que salgan vencedores, les daré del fruto del árbol de la vida, que está en el paraíso de Dios.

Mensaje a la iglesia de Esmirna

[8]»Escribe esta carta al ángel de la iglesia de Esmirna. Este es el mensaje de aquél que es el Primero y el Último, que estuvo muerto pero ahora vive:

[9]»Yo sé de tu sufrimiento y tu pobreza, ¡pero tú eres rico! Conozco la blasfemia de los que se te oponen. Dicen ser judíos pero no lo son, porque su sinagoga le pertenece a Satanás. [10]No tengas miedo de lo que estás a punto de sufrir. El diablo meterá a algunos de ustedes en la cárcel para ponerlos a prueba, y sufrirán por diez días; pero si permaneces fiel, incluso cuando te enfrentes a la muerte, te daré la corona de la vida.

[11]»Todo el que tenga oídos para oír debe escuchar al Espíritu y entender lo que él dice a las iglesias. Los que

1:13 O *semejante a un hijo de hombre.* Ver Dn 7:13. «Hijo del Hombre» es un título que Jesús empleaba para referirse a sí mismo. **1:18** En griego *el Hades.* **1:19** O *lo que has visto y su significado, las cosas que ya han comenzado a suceder.* **1:20** O *los mensajeros.* **2:1** O *el mensajero;* también en 2:8, 12, 18. **2:4** En griego *Has perdido tu primer amor.*

salgan vencedores no sufrirán daño de la segunda muerte.

Mensaje a la iglesia de Pérgamo

[12]»Escribe esta carta al ángel de la iglesia de Pérgamo. Este es el mensaje de aquél que tiene la espada aguda de doble filo:

[13]»Yo sé que vives en la ciudad donde Satanás tiene su trono; sin embargo, has permanecido leal a mi nombre. Te rehusaste a negarme aun cuando mi fiel testigo, Antipas, murió como mártir en medio de ustedes allí en la ciudad de Satanás.

[14]»Pero tengo unas cuantas quejas en tu contra. Toleras a algunos de entre ustedes que mantienen la enseñanza de Balaam, quien le enseñó a Balac cómo hacer tropezar al pueblo de Israel. Les enseñó a pecar, incitándolos a comer alimentos ofrecidos a ídolos y a cometer pecado sexual. [15]De modo parecido, entre ustedes hay algunos nicolaítas que siguen esa misma enseñanza. [16]Arrepiéntete de tu pecado, o de lo contrario, vendré a ti de repente y pelearé contra ellos con la espada de mi boca.

[17]»Todo el que tenga oídos para oír debe escuchar al Espíritu y entender lo que él dice a las iglesias. A todos los que salgan vencedores, les daré del maná que ha sido escondido en el cielo. Y le daré a cada uno una piedra blanca, y en la piedra estará grabado un nombre nuevo que nadie comprende aparte de aquél que lo recibe.

Mensaje a la iglesia de Tiatira

[18]»Escribe esta carta al ángel de la iglesia de Tiatira. Este es el mensaje del Hijo de Dios, el que tiene los ojos como llamas de fuego y los pies como bronce pulido:

[19]»Yo sé todo lo que haces; he visto tu amor, tu fe, tu servicio y tu paciencia con perseverancia. Y veo tu constante mejoría en todas estas cosas.

[20]»Pero tengo una queja en tu contra. Permites que esa mujer —esa Jezabel que se llama a sí misma profetisa— lleve a mis siervos por mal camino. Ella les enseña a cometer pecado sexual y a comer alimentos ofrecidos a ídolos. [21]Le di tiempo para que se arrepintiera, pero ella no quiere abandonar su inmoralidad.

[22]»Por lo tanto, la arrojaré en una cama de sufrimiento,* y los que cometen adulterio con ella sufrirán terriblemente, a menos que se arrepientan y abandonen las maldades de ella. [23]Heriré de muerte a sus hijos. Entonces todas las iglesias sabrán que yo soy el que examina los pensamientos y las intenciones de cada persona. Y le daré a cada uno de ustedes lo que se merezca.

[24]»Pero también tengo un mensaje para el resto de ustedes en Tiatira, los que no han seguido esa falsa enseñanza ("verdades más profundas", como ellos las llaman, que en realidad son profundidades de Satanás). No les pediré nada más, [25]sólo que retengan con firmeza lo que tienen hasta que yo venga. [26]A todos los que salgan vencedores y me obedezcan hasta el final:

Les daré autoridad sobre todas las naciones.
[27] Gobernarán las naciones con vara de hierro
y las harán pedazos como si fueran ollas de barro.*

2:22 En griego *una cama.* **2:26-27** Sal 2:8-9 (versión griega).

[28]Tendrán la misma autoridad que yo recibí de mi Padre, ¡y también les daré la estrella de la mañana!

[29]»Todo el que tenga oídos para oír debe escuchar al Espíritu y entender lo que él dice a las iglesias.

Mensaje a la iglesia de Sardis

3 »Escribe esta carta al ángel* de la iglesia de Sardis. Este es el mensaje de aquél que tiene el Espíritu* de Dios de siete aspectos y las siete estrellas:

»Yo sé todo lo que haces y que tienes la fama de estar vivo, pero estás muerto. [2]¡Despierta! Fortalece lo poco que te queda, porque hasta lo que queda está a punto de morir. Veo que tus acciones no cumplen con los requisitos de mi Dios. [3]Vuelve a lo que escuchaste y creíste al principio, y retenlo con firmeza. Arrepiéntete y regresa a mí. Si no despiertas, vendré a ti de repente, cuando menos lo esperes, como lo hace un ladrón.

[4]»Sin embargo, hay algunos en la iglesia de Sardis que no se han manchado la ropa con maldad. Ellos caminarán conmigo vestidos de blanco, porque son dignos. [5]Todos los que salgan vencedores serán vestidos de blanco. Nunca borraré sus nombres del Libro de la Vida, sino que anunciaré delante de mi Padre y de sus ángeles que ellos me pertenecen.

[6]»Todo el que tenga oídos para oír debe escuchar al Espíritu y entender lo que él dice a las iglesias.

Mensaje a la iglesia de Filadelfia

[7]»Escribe esta carta al ángel de la iglesia de Filadelfia.

Este es el mensaje de aquél que es
santo y verdadero,
el que tiene la llave de David.
Lo que él abre, nadie puede cerrar;
y lo que él cierra, nadie puede
abrir:*

[8]»Yo sé todo lo que haces y te he abierto una puerta que nadie puede cerrar. Tienes poca fuerza; sin embargo, has obedecido mi palabra y no negaste mi nombre. [9]Mira, a esos que pertenecen a la sinagoga de Satanás —esos mentirosos que dicen ser judíos y no lo son— los obligaré a que vengan y se postren a tus pies. Ellos reconocerán que es a ti a quien amo.

[10]»Dado que has obedecido mi mandato de perseverar, yo te protegeré del gran tiempo de prueba que vendrá sobre el mundo entero para probar a los que pertenecen a este mundo. [11]Yo vengo pronto.* Aférrate a lo que tienes, para que nadie te quite tu corona. [12]A todos los que salgan vencedores, los haré columnas en el templo de mi Dios, y nunca tendrán que salir de allí. Yo escribiré sobre ellos el nombre de mi Dios, y ellos serán ciudadanos de la ciudad de mi Dios, la nueva Jerusalén que desciende del cielo y de mi Dios. Y también escribiré en ellos mi nuevo nombre.

[13]»Todo el que tenga oídos para oír debe escuchar al Espíritu y entender lo que él dice a las iglesias.

Mensaje a la iglesia de Laodicea

[14]»Escribe esta carta al ángel de la iglesia de Laodicea. Este es el mensaje de aquél que es el Amén, el testigo fiel y verdadero, el principio* de la nueva creación de Dios:

[15]»Yo sé todo lo que haces, que no eres ni frío ni caliente. ¡Cómo quisiera que

3:1a O *el mensajero;* también en 3:7, 14. **3:1b** En griego *los siete espíritus.* **3:7** Is 22:22.
3:11 O *de repente*, o *rápidamente*. **3:14** O *el gobernante*, o *el origen*.

fueras lo uno o lo otro!; [16]pero ya que eres tibio, ni frío ni caliente, ¡te escupiré de mi boca! [17]Tú dices: "Soy rico, tengo todo lo que quiero, ¡no necesito nada!". Y no te das cuenta que eres un infeliz y un miserable; eres pobre, ciego y estás desnudo. [18]Así que te aconsejo que de mí compres oro —un oro purificado por fuego— y entonces serás rico. Compra también ropas blancas de mí, así no tendrás vergüenza por tu desnudez, y compra ungüento para tus ojos, para que así puedas ver. [19]Yo corrijo y disciplino a todos los que amo. Por lo tanto, sé diligente y arrepiéntete de tu indiferencia.

[20]»¡Mira! Yo estoy a la puerta y llamo. Si oyes mi voz y abres la puerta, yo entraré y cenaremos juntos como amigos. [21] Todos los que salgan vencedores se sentarán conmigo en mi trono, tal como yo salí vencedor y me senté con mi Padre en su trono.

[22]»Todo el que tenga oídos para oír debe escuchar al Espíritu y entender lo que él dice a las iglesias».

Adoración en el cielo

4 Entonces, mientras miraba, vi una puerta abierta en el cielo, y la misma voz que había escuchado antes me habló como un toque de trompeta. La voz dijo: «Sube aquí, y te mostraré lo que tiene que suceder después de esto». [2]Y al instante, yo estaba en el Espíritu* y vi un trono en el cielo y a alguien sentado en él. [3]El que estaba sentado en el trono brillaba como piedras preciosas: como el jaspe y la cornalina. El brillo de una esmeralda rodeaba el trono como un arco iris. [4]Lo rodeaban veinticuatro tronos en los cuales estaban sentados veinticuatro ancianos. Todos vestían de blanco y tenían una corona de oro sobre la cabeza. [5]Del trono salían relámpagos y estruendo de truenos. Delante del trono había siete antorchas con llamas encendidas; esto es el Espíritu de Dios de siete aspectos.* [6]Delante del trono también había un mar de vidrio brillante, reluciente como el cristal.

En el centro y alrededor del trono había cuatro seres vivientes, cada uno cubierto de ojos por delante y por detrás. [7]El primero de esos seres vivientes era semejante a un león, el segundo era como un buey, el tercero tenía cara humana, y el cuarto era como un águila en vuelo. [8]Cada uno de los seres vivientes tenía seis alas, y las alas estaban totalmente cubiertas de ojos por dentro y por fuera. Día tras día y noche tras noche repiten continuamente:

«Santo, santo, santo es el Señor Dios, el
Todopoderoso,
el que siempre fue, que es, y que
aún está por venir».

[9]Cada vez que los seres vivientes dan gloria, honor y gracias al que está sentado en el trono (el que vive por siempre y para siempre) [10]los veinticuatro ancianos se postran y adoran al que está sentado en el trono (el que vive por siempre y para siempre), y ponen sus coronas delante del trono, diciendo:

[11] «Tú eres digno, oh Señor nuestro Dios,
de recibir gloria y honor y poder.
Pues tú creaste todas las cosas,
y existen porque tú las creaste
según tu voluntad».

El Cordero abre el rollo

5 Luego vi un rollo* en la mano derecha de aquél que estaba sentado en el trono. El rollo estaba escrito por dentro y por fuera, y sellado con siete sellos. [2]Vi a

4:2 O *en espíritu.* **4:5** En griego *Estos son los siete espíritus de Dios.* **5:1** O *libro;* también en 5:2, 3, 4, 5, 7, 8, 9.

un ángel poderoso, que proclamaba con fuerte voz: «¿Quién es digno de romper los sellos de este rollo y abrirlo?». [3]Pero nadie en el cielo ni en la tierra ni debajo de la tierra podía abrir el rollo y leerlo.

[4]Entonces comencé a llorar amargamente porque no se encontraba a nadie digno de abrir el rollo y leerlo; [5]pero uno de los veinticuatro ancianos me dijo: «¡Deja de llorar! Mira, el León de la tribu de Judá, el heredero del trono de David,* ha ganado la victoria. Él es digno de abrir el rollo y sus siete sellos».

[6]Entonces vi a un Cordero que parecía que había sido sacrificado, pero que ahora estaba de pie entre el trono y los cuatro seres vivientes y en medio de los veinticuatro ancianos. Tenía siete cuernos y siete ojos, que representan los siete aspectos del Espíritu* de Dios el cual es enviado a todas las partes de la tierra. [7]Él pasó adelante y tomó el rollo de la mano derecha del que estaba sentado en el trono. [8]Y cuando tomó el rollo, los cuatro seres vivientes y los veinticuatro ancianos se postraron delante del Cordero. Cada uno tenía un arpa y llevaba copas de oro llenas de incienso, que son las oraciones del pueblo de Dios. [9]Y cantaban un nuevo canto con las siguientes palabras:

«Tú eres digno de tomar el rollo
y de romper los sellos y abrirlo.
Pues tú fuiste sacrificado y tu sangre
pagó el rescate para Dios
de gente de todo pueblo, tribu,
lengua y nación.
[10] Y la has transformado
en un reino de sacerdotes para
nuestro Dios.
Y reinarán* sobre la tierra».

[11]Entonces volví a mirar y oí las voces de miles de millones de ángeles alrededor del trono y de los seres vivientes y de los ancianos. [12]Ellos cantaban en un potente coro:

«Digno es el Cordero que fue
sacrificado,
de recibir el poder y las riquezas
y la sabiduría y la fuerza
y el honor y la gloria y la
bendición».

[13]Y entonces oí a toda criatura en el cielo, en la tierra, debajo de la tierra y en el mar que cantaban:

«Bendición y honor y gloria y poder
le pertenecen a aquél que está
sentado en el trono
y al Cordero por siempre y para
siempre».

[14]Y los cuatro seres vivientes decían: «¡Amén!». Y los veinticuatro ancianos se postraron y adoraron al Cordero.

El Cordero rompe los primeros seis sellos

6 Mientras miraba, el Cordero rompió el primero de los siete sellos que había en el rollo.* Entonces oí que uno de los cuatro seres vivientes decía con voz de trueno: «¡Ven!». [2]Levanté la vista y vi que había un caballo blanco, y su jinete llevaba un arco, y se le colocó una corona sobre la cabeza. Salió cabalgando para ganar muchas batallas y obtener la victoria.

[3]Cuando el Cordero rompió el segundo sello, oí que el segundo ser viviente decía: «¡Ven!». [4]Entonces apareció otro caballo, de color rojo. Al jinete se le dio una gran espada y la autoridad para quitar la paz de la tierra. Y hubo guerra y masacre por todas partes.

[5]Cuando el Cordero rompió el tercer sello, oí que el tercer ser viviente decía: «¡Ven!». Levanté la vista y vi un caballo negro, y el jinete llevaba una balanza

5:5 En griego *la raíz de David.* Ver Is 11:10. **5:6** En griego *que son los siete espíritus.* **5:10** Algunos manuscritos dicen *ellos están reinando.* **6:1** O *libro.*

en la mano. [6]Y oí que una voz que salió de entre los cuatro seres vivientes decía: «Un pan de trigo o tres panes de cebada costarán el salario de un día.* Y no desperdicies* el aceite de oliva y el vino».

[7]Cuando el Cordero rompió el cuarto sello, oí que el cuarto ser viviente decía: «¡Ven!». [8]Levanté la vista y vi un caballo de color verde pálido. El jinete se llamaba Muerte y su compañero era la Tumba.* A estos dos se les dio autoridad sobre una cuarta parte de la tierra, para matar con espada, con hambre y con enfermedad* y con animales salvajes.

[9]Cuando el Cordero rompió el quinto sello, vi debajo del altar las almas de todos los que habían muerto como mártires por causa de la palabra de Dios y por haber sido fieles en su testimonio. [10]Ellos clamaban al Señor y decían: «Oh, Soberano Señor, santo y verdadero, ¿cuánto tiempo hasta que juzgues a la gente de este mundo y tomes venganza de nuestra sangre por lo que nos han hecho?». [11]Entonces a cada uno de ellos se le dio una túnica blanca, y se les dijo que descansaran un poco más hasta que se completara el número de sus hermanos, los consiervos de Jesús que se unirían a ellos después de morir como mártires.

[12]Mientras yo miraba, el Cordero rompió el sexto sello, y hubo un gran terremoto. El sol se volvió tan oscuro como tela negra, y la luna se volvió tan roja como la sangre. [13]Entonces las estrellas del cielo cayeron sobre la tierra como los higos verdes que caen de un árbol cuando es sacudido por el fuerte viento. [14]El cielo fue enrollado como un pergamino, y todas las montañas y las islas fueron movidas de su lugar.

[15]Entonces todo el mundo —los reyes de la tierra, los gobernantes, los generales, los ricos, los poderosos, todo esclavo y hombre libre— se escondió en las cuevas y entre las rocas de las montañas. [16]Y gritaban a las montañas y a las rocas: «Caigan sobre nosotros y escóndannos del rostro de aquél que se sienta en el trono, y de la ira del Cordero; [17]porque ha llegado el gran día de su ira, ¿y quién podrá sobrevivir?».

El pueblo de Dios será protegido

7 Después vi a cuatro ángeles que estaban de pie en las cuatro esquinas de la tierra. Sujetaban los cuatro vientos para que no soplaran sobre la tierra ni sobre el mar ni sobre ningún árbol. [2]Vi a otro ángel que subía del oriente llevando el sello del Dios viviente. Gritó a los cuatro ángeles que habían recibido poder para dañar la tierra y el mar: [3]«¡Esperen! No hagan daño a la tierra ni al mar ni a los árboles hasta que hayamos puesto el sello de Dios en la frente de sus siervos».

[4]Y oí el número de los que fueron marcados con el sello de Dios. Fueron sellados 144.000 de todas las tribus de Israel:

[5] de la tribu de Judá 12.000
de la tribu de Rubén 12.000
de la tribu de Gad 12.000

[6] de la tribu de Aser 12.000
de la tribu de Neftalí 12.000
de la tribu de Manasés 12.000

[7] de la tribu de Simeón 12.000
de la tribu de Leví 12.000
de la tribu de Isacar 12.000

[8] de la tribu de Zabulón 12.000
de la tribu de José 12.000
de la tribu de Benjamín 12.000

Alabanza de la gran multitud

[9]Después de esto vi una enorme multitud de todo pueblo y toda nación, tribu y lengua, que era tan numerosa que nadie

6:6a En griego *un choinix* [un litro, o un cuarto de galón] *de trigo por un denario y tres choinix de cebada por un denario.* Un denario equivalía a la paga de un obrero por una jornada completa de trabajo. **6:6b** O *dañes.* **6:8a** En griego *era el Hades.* **6:8b** En griego *muerte.*

podía contarla. Estaban de pie delante del trono y delante del Cordero. Vestían túnicas blancas y tenían en sus manos ramas de palmeras. [10]Y gritaban con gran estruendo:

«¡La salvación viene de nuestro Dios
que está sentado en el trono
y del Cordero!».

[11]Y todos los ángeles estaban de pie alrededor del trono y alrededor de los ancianos y de los cuatro seres vivientes; y se postraron rostro en tierra delante del trono y adoraron a Dios, [12]cantando:

«¡Amén! ¡La bendición y la gloria
y la sabiduría
y la acción de gracias y el honor
y el poder y la fuerza pertenecen a
nuestro Dios
por siempre y para siempre! Amén».

[13]Entonces uno de los veinticuatro ancianos me preguntó:

—¿Quiénes son éstos que están vestidos de blanco? ¿De dónde vienen?

[14]Y yo le contesté:

—Tú eres quien lo sabe, señor.

Entonces él me dijo:

—Estos son los que murieron en* la gran tribulación.* Han lavado y blanqueado sus ropas en la sangre del Cordero.

[15] »Por eso están delante del trono
de Dios
y le sirven día y noche en su templo.
Y aquél que está sentado en el trono
les dará refugio.
[16] Nunca más tendrán hambre ni sed;
nunca más les quemará el calor
del sol.
[17] Pues el Cordero que está en el trono*
será su Pastor.
Él los guiará a manantiales del agua
que da vida.
Y Dios les secará cada lágrima
de sus ojos».

El Cordero rompe el séptimo sello

8 Cuando el Cordero rompió el séptimo sello del rollo,* hubo silencio por todo el cielo durante una media hora. [2]Vi a los siete ángeles que están de pie delante de Dios, a los cuales se les dieron siete trompetas.

[3]Entonces vino otro ángel con un recipiente de oro para quemar incienso y se paró ante el altar. Se le dio una gran cantidad de incienso para mezclarlo con las oraciones del pueblo de Dios como una ofrenda sobre el altar de oro delante del trono. [4]El humo del incienso, mezclado con las oraciones del pueblo santo de Dios, subió hasta la presencia de Dios desde el altar donde el ángel lo había derramado. [5]Entonces el ángel llenó el recipiente para quemar incienso con fuego del altar y lo lanzó sobre la tierra; y hubo truenos con gran estruendo, relámpagos y un gran terremoto.

Las primeras cuatro trompetas

[6]Entonces los siete ángeles con las siete trompetas se prepararon para hacerlas sonar.

[7]El primer ángel tocó su trompeta, y granizo y fuego mezclados con sangre fueron lanzados sobre la tierra. Se incendió la tercera parte de la tierra, y se quemó la tercera parte de los árboles y toda la hierba verde.

[8]Entonces el segundo ángel tocó su trompeta, y una gran montaña de fuego fue lanzada al mar. La tercera parte de las aguas del mar se convirtió en sangre, [9]y murió la tercera parte de todos los seres que viven en el mar, también fue destruida la tercera parte de todos los barcos.

7:14a En griego *salieron de.* **7:14b** O *el gran sufrimiento.* **7:17** En griego *en el centro del trono.* **8:1** O *libro.*

[10]Entonces el tercer ángel tocó su trompeta, y una gran estrella cayó del cielo, ardiendo como una antorcha. Cayó sobre una tercera parte de los ríos y sobre los manantiales de agua. [11]El nombre de la estrella era Amargura.* Hizo que la tercera parte de las aguas se volviera amarga, y mucha gente murió por beber de esa agua amarga.

[12]Entonces el cuarto ángel tocó su trompeta, y se dañó la tercera parte del sol y la tercera parte de la luna y la tercera parte de las estrellas, y se oscurecieron. Así que la tercera parte del día quedó sin luz, y también la tercera parte de la noche.

[13]Entonces miré, y oí la voz de un águila que cruzaba los cielos gritando fuerte: «¡Terror, terror, terror para todos los habitantes de este mundo por lo que vendrá cuando los últimos tres ángeles toquen sus trompetas!».

La quinta trompeta trae el primer terror

9 Entonces el quinto ángel tocó su trompeta, y vi una estrella que había caído del cielo a la tierra, y a la estrella se le dio la llave del pozo del abismo sin fondo.* [2]Cuando lo abrió, salió humo como si fuera de un gran horno, y la luz del sol y el aire se oscurecieron debido al humo.

[3]Entonces del humo salieron langostas y descendieron sobre la tierra, y se les dio poder para picar como escorpiones. [4]Se les ordenó que no dañaran la hierba ni las plantas ni los árboles, sino solamente a las personas que no tuvieran el sello de Dios en la frente. [5]Se les ordenó que no las mataran, sino que las torturaran durante cinco meses con un dolor similar al dolor que causa la picadura del escorpión. [6]Durante esos días, las personas buscarán la muerte, pero no la encontrarán; desearán morir, ¡pero la muerte escapará de ellas!

[7]Las langostas parecían caballos preparados para la batalla. Llevaban lo que parecían coronas de oro sobre la cabeza, y las caras parecían humanas. [8]Su cabello era como el de una mujer, y tenían dientes como los del león. [9]Llevaban puestas armaduras de hierro, y sus alas rugían como un ejército de carros de guerra que se apresura a la batalla. [10]Tenían colas que picaban como escorpiones, y durante cinco meses tuvieron el poder para atormentar a la gente. [11]Su rey es el ángel del abismo sin fondo; su nombre —el Destructor— en hebreo es *Abadón* y en griego es *Apolión*.

[12]El primer terror ya pasó, pero mira, ¡vienen dos terrores más!

La sexta trompeta trae el segundo terror

[13]Entonces el sexto ángel tocó su trompeta, y oí una voz que hablaba desde los cuatro cuernos del altar de oro que está en la presencia de Dios. [14]Y la voz le dijo al sexto ángel, que tenía la trompeta: «Suelta a los cuatro ángeles que están atados en el gran río Éufrates». [15]Entonces los cuatro ángeles que habían sido preparados para esa hora, ese día, ese mes y ese año, fueron desatados para matar a la tercera parte de toda la gente de la tierra. [16]Oí que su ejército estaba formado por doscientos millones de tropas a caballo.

[17]Así en mi visión, vi los caballos y a los jinetes montados sobre ellos. Los jinetes llevaban puesta una armadura de color rojo fuego, azul oscuro y amarillo. La cabeza de los caballos era como la de un león, y de la boca les salía fuego, humo y azufre ardiente. [18]La tercera parte de toda la gente de la tierra murió a causa de estas tres plagas: el fuego, el humo y el azufre ardiente que salían de la boca de

8:11 En griego *Ajenjo.* **9:1** O *el abismo*, o *el averno;* también en 9:11.

los caballos. [19]El poder de estos caballos estaba en la boca y en la cola, pues sus colas tenían cabezas como de serpiente, con el poder para herir a la gente.

[20]Sin embargo, los que no murieron en esas plagas aun así rehusaron arrepentirse de sus fechorías y volverse a Dios. Siguieron rindiendo culto a demonios y a ídolos hechos de oro, plata, bronce, piedra y madera, ¡ídolos que no pueden ni ver ni oír ni caminar! [21]Esa gente no se arrepintió de sus asesinatos ni de su brujería ni de su inmoralidad sexual ni de sus robos.

El ángel y el rollo pequeño

10 Entonces vi a otro ángel poderoso que descendía del cielo envuelto en una nube con un arco iris sobre su cabeza. Su cara brillaba como el sol, y sus pies eran como columnas de fuego. [2]En la mano tenía un rollo* pequeño que había sido abierto. Se paró con el pie derecho sobre el mar y el pie izquierdo sobre la tierra, [3]y dio un fuerte grito, como el rugido de un león. Y cuando gritó, los siete truenos respondieron.

[4]Cuando hablaron los siete truenos, yo estuve a punto de escribir, pero oí una voz del cielo que decía: «Guarda en secreto* lo que los siete truenos dijeron y no lo escribas».

[5]Entonces el ángel que vi de pie sobre el mar y sobre la tierra levantó la mano derecha hacia el cielo. [6]Hizo un juramento en el nombre de aquél que vive por siempre y para siempre, quien creó los cielos y todo lo que hay en ellos, la tierra y todo lo que hay en ella, y el mar y todo lo que hay en él. El ángel dijo: «Ya no habrá más demora. [7]Cuando el séptimo ángel toque su trompeta, el misterioso plan de Dios se cumplirá. Sucederá tal como él lo anunció a sus siervos los profetas».

[8]Después la voz del cielo me habló de nuevo: «Ve y toma el rollo abierto de la mano del ángel, que está de pie sobre el mar y sobre la tierra».

[9]Así que me acerqué al ángel y le dije que me diera el pequeño rollo. Él me dijo: «Sí, tómalo y cómelo. Será dulce como la miel en tu boca, ¡pero se volverá amargo en tu estómago!». [10]Entonces tomé el pequeño rollo de la mano del ángel, ¡y me lo comí! Fue dulce en mi boca, pero cuando lo tragué, se volvió amargo en mi estómago.

[11]Entonces me fue dicho: «Tienes que volver a profetizar sobre muchos pueblos, naciones, lenguas y reyes».

Los dos testigos

11 Luego me fue dada una vara para medir y me fue dicho: «Ve y mide el templo de Dios y el altar, y cuenta el número de adoradores; [2]pero no midas el atrio exterior porque ha sido entregado a las naciones, las cuales pisotearán la ciudad santa durante cuarenta y dos meses. [3]Mientras tanto yo daré poder a mis dos testigos, y ellos se vestirán de tela áspera y profetizarán durante esos 1260 días».

[4]Estos dos profetas son los dos olivos y los dos candelabros que están delante del Señor de toda la tierra. [5]Si alguien trata de hacerles daño, sale fuego de sus bocas y consume a sus enemigos. Así debe morir cualquiera que intente hacerles daño. [6]Ellos tienen el poder de cerrar los cielos para que no llueva durante el tiempo que profeticen. También tienen el poder de convertir los ríos y los mares en sangre, y de azotar la tierra cuantas veces quieran con toda clase de plagas.

[7]Cuando los testigos hayan terminado de dar su testimonio, la bestia que sube del abismo sin fondo* declarará la guerra contra ellos, los conquistará y los

10:2 O *libro;* también en 10:8, 9, 10. **10:4** En griego *Sella.* **11:7** O *el abismo,* o *el averno.*

matará. [8]Y sus cuerpos quedarán tendidos en la calle principal de Jerusalén,* la ciudad que simbólicamente se llama «Sodoma» y «Egipto», la ciudad en la cual su Señor fue crucificado. [9]Y durante tres días y medio, todos los pueblos y todas las tribus, lenguas y naciones se quedarán mirando los cadáveres. A nadie se le permitirá enterrarlos. [10]Los que pertenecen a este mundo se alegrarán y se harán regalos unos a otros para celebrar la muerte de los dos profetas que los habían atormentado.

[11]Pero después de tres días y medio, Dios sopló vida en ellos, ¡y se pusieron de pie! El terror se apoderó de todos los que estaban mirándolos. [12]Luego una fuerte voz del cielo llamó a los dos profetas: «¡Suban aquí!». Entonces ellos subieron al cielo en una nube mientras sus enemigos los veían.

[13]En ese mismo momento, hubo un gran terremoto que destruyó la décima parte de la ciudad. Murieron siete mil personas en el terremoto, y todos los demás quedaron aterrorizados y le dieron la gloria al Dios del cielo.

[14]El segundo terror ya pasó, pero mira, el tercer terror viene pronto.

La séptima trompeta trae el tercer terror

[15]Entonces el séptimo ángel tocó su trompeta, y hubo fuertes voces que gritaban en el cielo:

«Ahora el mundo ya es el reino de
nuestro Señor y de su Cristo,*
y él reinará por siempre y para
siempre».

[16]Los veinticuatro ancianos que estaban sentados en sus tronos delante de Dios se postraron rostro en tierra y lo adoraron, [17]diciendo:

«Te damos gracias, Señor Dios, el
Todopoderoso,
el que es y que siempre fue,
porque ahora has tomado tu gran
poder
y has comenzado a reinar.
[18] Las naciones se llenaron de ira,
pero ahora el tiempo de tu ira
ha llegado.
Es tiempo de juzgar a los muertos
y de recompensar a tus siervos,
los profetas,
y también a tu pueblo santo
y a todos los que temen tu nombre,
desde el menos importante hasta
el más importante.
Es tiempo de destruir
a todos los que han causado
destrucción en la tierra».

[19]Después se abrió en el cielo el templo de Dios, y el arca de su pacto se podía ver dentro del templo. Salieron relámpagos, rugieron truenos y estruendos, y hubo un terremoto y una fuerte tormenta de granizo.

La mujer y el dragón

12 Entonces fui testigo de un suceso de gran importancia en el cielo. Vi a una mujer vestida del sol, con la luna debajo de los pies y una corona de doce estrellas sobre la cabeza. [2]Estaba embarazada y gritaba a causa de los dolores de parto y de la agonía de dar a luz.

[3]Luego fui testigo de otro suceso importante en el cielo. Vi a un gran dragón rojo con siete cabezas y diez cuernos, y una corona en cada cabeza. [4]Con la cola arrastró la tercera parte de las estrellas en el cielo y las arrojó a la tierra. Cuando la mujer estaba a punto de dar a luz, el dragón se paró delante de ella, listo para devorar al bebé en cuanto naciera.

[5]Ella dio a luz a un hijo que gobernaría a todas las naciones con vara de hierro. Al dragón le arrebataron el hijo y lo llevaron

11:8 En griego *la gran ciudad.* **11:15** O *su Mesías.*

hasta Dios y su trono. [6]Y la mujer huyó al desierto, donde Dios había preparado un lugar para que la cuidaran durante 1260 días.

[7]Entonces hubo guerra en el cielo. Miguel y sus ángeles lucharon contra el dragón y sus ángeles. [8]El dragón perdió la batalla y él y sus ángeles fueron expulsados del cielo. [9]Este gran dragón —la serpiente antigua llamada diablo o Satanás, el que engaña al mundo entero— fue lanzado a la tierra junto con todos sus ángeles.

[10]Luego oí una fuerte voz que resonaba por todo el cielo:

«Por fin han llegado
la salvación y el poder,
el reino de nuestro Dios,
y la autoridad de su Cristo.*
Pues el acusador de nuestros hermanos
—el que los acusa delante de nuestro Dios día y noche—
ha sido lanzado a la tierra.
[11] Ellos lo han vencido por medio de la sangre del Cordero
y por el testimonio que dieron.
Y no amaron tanto la vida
como para tenerle miedo a la muerte.
[12] Por lo tanto, ¡alégrense, oh cielos!
¡Y alégrense, ustedes, los que viven en los cielos!
Pero el terror vendrá sobre la tierra y el mar,
pues el diablo ha descendido a ustedes con gran furia,
porque sabe que le queda poco tiempo».

[13]Cuando el dragón se dio cuenta de que había sido lanzado a la tierra, persiguió a la mujer que había dado a luz al hijo varón; [14]pero a ella se le dieron dos alas como las de una gran águila para que pudiera volar al lugar que se había preparado para ella en el desierto. Allí sería cuidada y protegida lejos del dragón* durante un tiempo, tiempos y la mitad de un tiempo.

[15]Luego el dragón trató de ahogar a la mujer con un torrente de agua que salía de su boca; [16]pero entonces la tierra ayudó a la mujer y abrió la boca y tragó el río que brotaba de la boca del dragón. [17]Así que el dragón se enfureció contra la mujer y le declaró la guerra al resto de sus hijos, a todos los que obedecen los mandamientos de Dios y se mantienen firmes en su testimonio de Jesús.

[18]Entonces el dragón se plantó* a la orilla junto al mar.

La bestia que sale del mar

13 Después vi a una bestia que subía del mar. Tenía siete cabezas y diez cuernos, y una corona en cada cuerno; y escrito en cada cabeza había nombres que blasfemaban a Dios. [2]Esta bestia se parecía a un leopardo, ¡pero tenía las patas de un oso y la boca de un león! Y el dragón le dio a la bestia su propio poder y trono y gran autoridad.

[3]Vi que una de las cabezas de la bestia parecía estar herida de muerte, pero ¡la herida mortal sanó! Todo el mundo se maravilló de este milagro y dio lealtad a la bestia. [4]Adoraron al dragón por haberle dado semejante poder a la bestia y también adoraron a la bestia. «¿Quién es tan grande como la bestia? —exclamaban—, ¿quién puede luchar contra ella?».

[5]A la bestia se le permitió decir grandes blasfemias contra Dios, y se le dio autoridad para hacer todo lo que quisiera durante cuarenta y dos meses. [6]Y abrió

12:10 O *su Mesías.* **12:14** En griego *de la serpiente;* también en 12:15. Ver 12:9. **12:18** En griego *Entonces él se plantó;* algunos manuscritos dicen *Entonces me planté*. Algunas traducciones incluyen todo este versículo en el 13:1.

la boca con terribles blasfemias contra Dios, maldiciendo su nombre y su habitación, es decir a los que habitan en el cielo.* [7]Además se le permitió a la bestia hacer guerra contra el pueblo santo de Dios y conquistarlo; y se le dio autoridad para gobernar sobre todo pueblo y toda tribu, lengua y nación. [8]Y adoraron a la bestia todos los que pertenecen a este mundo cuyos nombres no estaban escritos en el Libro de la Vida antes de la creación del mundo, el libro que le pertenece al Cordero, que fue sacrificado.*

[9] Todo el que tenga oídos para oír
debe escuchar y entender.
[10] Todo el que esté destinado a la cárcel,
a la cárcel será llevado.
Todo el que esté destinado a morir
a espada,
morirá a filo de espada.

Esto significa que el pueblo de Dios tiene que soportar la persecución con paciencia y permanecer fiel.

La bestia que sale de la tierra

[11]Luego vi a otra bestia; ésta salía de la tierra. Tenía dos cuernos como los de un cordero, pero hablaba con la voz de un dragón. [12]Ejercía toda la autoridad de la primera bestia y exigía que toda la tierra y sus habitantes adoraran a la primera bestia, la que se había recuperado de su herida mortal. [13]Hacía milagros asombrosos, incluso que cayera fuego del cielo a la tierra mientras todos observaban. [14]Con los milagros que se le permitió hacer en nombre de la primera bestia, engañó a todos los que pertenecen a este mundo. Les ordenó que hicieran una gran estatua de la primera bestia, la que estaba herida de muerte y después volvió a la vida. [15]Luego se le permitió dar vida a esa estatua para que pudiera hablar. Entonces la estatua de la bestia ordenó que todo el que se negara a adorarla debía morir.

[16]Además exigió que a todos —pequeños y grandes; ricos y pobres; libres y esclavos— se les pusiera una marca en la mano derecha o en la frente. [17]Y nadie podía comprar ni vender nada sin tener esa marca, que era el nombre de la bestia o bien el número que representa su nombre. [18]Aquí se requiere sabiduría. El que tenga entendimiento, que resuelva el significado del número de la bestia, porque es el número de un hombre.* Su número es 666.*

El Cordero y los 144.000

14 Luego vi al Cordero de pie sobre el monte Sión, y con él había 144.000 que tenían el nombre del Cordero y el de su Padre escrito en la frente. [2]Y oí un sonido que venía del cielo, era como el rugido de grandes olas del mar o el retumbar de fuertes truenos. Parecía el sonido de muchos arpistas tocando juntos.

[3]Ese gran coro entonaba un nuevo canto maravilloso delante del trono de Dios y delante de los cuatro seres vivientes y los veinticuatro ancianos. Nadie podía aprender ese canto aparte de los 144.000 que habían sido rescatados de la tierra. [4]Ellos se han mantenido tan puros como vírgenes,* y son los que siguen al Cordero dondequiera que va. Han sido comprados de entre los pueblos de la tierra como ofrenda especial* para Dios y para el Cordero. [5]Ellos no han dicho mentiras y son intachables.

13:6 Algunos manuscritos dicen *y su habitación y a todos los que viven en el cielo.* **13:8** O *no estaban escritos en el Libro de la Vida que pertenece al Cordero, que fue sacrificado antes de la creación del mundo.* **13:18a** O *de la humanidad.* **13:18b** Algunos manuscritos dicen *616.* **14:4a** En griego *Ellos son vírgenes que no se han contaminado con mujeres.* **14:4b** En griego *como primicias.*

Los tres ángeles

[6]Y vi a otro ángel, que volaba por el cielo y llevaba la eterna Buena Noticia para proclamarla a los que pertenecen a este mundo: a todo pueblo y toda nación, tribu y lengua. [7]«Teman a Dios —gritaba—. Denle gloria a él, porque ha llegado el tiempo en que ocupe su lugar como juez. Adoren al que hizo los cielos, la tierra, el mar y todos los manantiales de agua».

[8]Luego otro ángel lo siguió por el cielo mientras gritaba: «Babilonia ha caído —cayó esa gran ciudad— porque hizo que todas las naciones del mundo bebieran el vino de su apasionada inmoralidad».

[9]Después un tercer ángel los siguió mientras gritaba: «Todo el que adore a la bestia y a su estatua o acepte su marca en la frente o en la mano [10]tendrá que beber el vino de la ira de Dios, que se ha servido sin diluir en la copa del furor de Dios. Ellos serán atormentados con fuego y azufre ardiente en presencia de los ángeles santos y del Cordero. [11]El humo de su tormento subirá por siempre jamás, y no tendrán alivio ni de día ni de noche, porque adoraron a la bestia y a su estatua y aceptaron la marca de su nombre».

[12]Esto significa que el pueblo de Dios tiene que soportar la persecución con paciencia, obedeciendo sus mandamientos y manteniendo la fe en Jesús.

[13]Y oí una voz del cielo que decía: «Escribe lo siguiente: benditos son los que de ahora en adelante mueran en el Señor. El Espíritu dice: "Sí, ellos son en verdad benditos, porque descansarán de su arduo trabajo, ¡pues sus buenas acciones los siguen!"».

La cosecha de la tierra

[14]Entonces vi una nube blanca y sentado en la nube estaba alguien parecido al Hijo del Hombre.* Tenía una corona de oro en la cabeza y en la mano una hoz afilada.

[15]Entonces vino otro ángel desde el templo y le gritó al que estaba sentado en la nube: «Da rienda suelta a la hoz, porque ha llegado el tiempo para cosechar; ya está madura la cosecha en la tierra». [16]Y el que estaba sentado en la nube pasó la hoz sobre la tierra, y toda la tierra fue cosechada.

[17]Después vino otro ángel desde el templo que está en el cielo, y él también tenía una hoz afilada. [18]Luego otro ángel, que tenía poder para destruir con fuego, vino desde el altar y le gritó al ángel que tenía la hoz afilada: «Pasa ahora tu hoz y junta los racimos de los viñedos de la tierra, porque las uvas ya están maduras para el juicio». [19]Así que el ángel pasó su hoz sobre la tierra y echó las uvas en el gran lagar de la ira de Dios. [20]Las uvas fueron pisadas en el lagar fuera de la ciudad, y del lagar brotó un río de sangre de unos trescientos kilómetros* de largo y de una altura que llegaba a los frenos de un caballo.

El canto de Moisés y del Cordero

15 Luego vi en el cielo otro maravilloso suceso de gran importancia. Siete ángeles sostenían las últimas siete plagas, que completarían la ira de Dios. [2]Vi delante de mí algo que parecía un mar de cristal mezclado con fuego. Sobre este mar estaban de pie todos los que habían vencido a la bestia, a su estatua y al número que representa su nombre. Todos tenían arpas que Dios les había dado [3]y entonaban el canto de Moisés, siervo de Dios, y el canto del Cordero:

«Grandes y maravillosas son tus obras,
oh, Señor Dios, el Todopoderoso.
Justos y verdaderos son tus caminos,
oh, Rey de las naciones.*

14:14 O *semejante a un hijo de hombre.* Ver Dn 7:13. «Hijo del Hombre» es un título que Jesús empleaba para referirse a sí mismo. **14:20** En griego *mil 1600 estadios* [296 kilómetros ó 180 millas]. **15:3** Algunos manuscritos dicen *Rey de los siglos.*

[4] ¿Quién no te temerá, Señor,
y glorificará tu nombre?
Pues sólo tú eres santo.
Todas las naciones vendrán y adorarán
delante de ti,
porque tus obras de justicia han
sido reveladas».

Las siete copas de las siete plagas

[5]Luego miré y vi que se abría por completo el templo que está en el cielo, el tabernáculo de Dios. [6]Los siete ángeles que sostenían las siete plagas salieron del templo. Estaban vestidos de un lino blanco sin mancha alguna* y tenían una banda de oro que cruzaba el pecho. [7]Entonces uno de los cuatro seres vivientes le entregó a cada uno de los siete ángeles una copa de oro llena de la ira de Dios, quien vive por siempre y para siempre. [8]El templo se llenó del humo de la gloria y el poder de Dios. Nadie podía entrar en el templo hasta que los siete ángeles terminaran de derramar las siete plagas.

16 Luego oí una voz potente que venía del templo y decía a los siete ángeles: «Vayan y derramen sobre la tierra las siete copas que contienen la ira de Dios».

[2]Así que el primer ángel salió del templo y derramó su copa sobre la tierra, y a todos los que tenían la marca de la bestia y que adoraban a su estatua les salieron horribles llagas malignas.

[3]Después el segundo ángel derramó su copa sobre el mar, y el agua se volvió como la sangre de un cadáver, y murió todo lo que estaba en el mar.

[4]Entonces el tercer ángel derramó su copa sobre los ríos y los manantiales, y éstos se convirtieron en sangre. [5]Y oí que el ángel que tenía autoridad sobre todas las aguas decía:

«Oh Santo, el que es y que siempre era,
tú eres justo,
porque has enviado estos juicios.
[6] Como derramaron la sangre
de tu pueblo santo y de tus profetas,
tú les has dado a beber sangre.
Es su justa recompensa».

[7]Y oí una voz que venía del altar y* decía:

«Sí, oh Señor Dios, el Todopoderoso,
tus juicios son verdaderos y justos».

[8]Entonces el cuarto ángel derramó su copa sobre el sol, esto hacía que quemara a todos con su fuego. [9]Todos sufrieron quemaduras debido a la descarga de calor y maldijeron el nombre de Dios, quien tenía control sobre todas estas plagas. No se arrepintieron de sus pecados ni se volvieron a Dios ni le dieron la gloria.

[10]Después el quinto ángel derramó su copa sobre el trono de la bestia, y el reino de la bestia quedó sumergido en la oscuridad. Sus súbditos rechinaban los dientes de angustia [11]y maldecían al Dios del cielo por los dolores y las llagas, pero no se arrepintieron de sus fechorías ni volvieron a Dios.

[12]Luego el sexto ángel derramó su copa sobre el gran río Éufrates, y éste se secó para que los reyes del oriente pudieran marchar con sus ejércitos sin obstáculos hacia el occidente. [13]Y vi que de la boca del dragón, de la boca de la bestia y de la boca del falso profeta saltaban tres espíritus malignos* que parecían ranas. [14]Éstos son espíritus de demonios que hacen milagros y salen a reunir a todos los gobernantes del mundo para pelear contra el Señor en la batalla del gran día del juicio de Dios, el Todopoderoso.

[15]«Miren, ¡Yo vendré como un ladrón,
cuando nadie lo espere! Benditos son
todos los que me esperan y tienen su

15:6 Otros manuscritos dicen *piedra blanca;* incluso otros dicen *[prendas] blancas hechas de lino.*
16:7 En griego *oí que el altar.* **16:13** En griego *impuros.*

ropa lista para no tener que andar desnudos y avergonzados».

[16]Y los espíritus de demonios reunieron a todos los gobernantes y a sus ejércitos en un lugar que en hebreo se llama *Armagedón*.*

[17]Luego el séptimo ángel derramó su copa en el aire, y desde el trono del templo salió un fuerte grito: «¡Todo ha terminado!». [18]Entonces rugieron y retumbaron truenos, y salieron relámpagos; y se produjo un fuerte terremoto, el peor desde que el hombre fue puesto sobre la tierra. [19]La gran ciudad de Babilonia se partió en tres secciones, y las ciudades de muchas naciones cayeron y quedaron reducidas a escombros. Así que Dios se acordó de todos los pecados de Babilonia, y la hizo beber de la copa que estaba llena del vino del furor de su ira. [20]Entonces desaparecieron todas las islas, y las montañas se vinieron abajo y no existieron más. [21]Hubo una gran tormenta de granizo, y piedras de granizo, como de treinta y cuatro kilos* cada una, cayeron del cielo sobre las personas. Maldijeron a Dios debido a la terrible plaga de granizo.

La gran prostituta

17 Uno de los siete ángeles que derramaron las siete copas se acercó y me dijo: «Ven conmigo, y te mostraré la sentencia que recibirá la gran prostituta, que gobierna* sobre muchas aguas. [2]Los reyes del mundo cometieron adulterio con ella, y los que pertenecen a este mundo se emborracharon con el vino de su inmoralidad».

[3]Entonces el ángel me llevó en el Espíritu* al desierto. Allí vi a una mujer sentada sobre una bestia de color escarlata que tenía siete cabezas y diez cuernos, y estaba llena de blasfemias escritas contra Dios. [4]La mujer estaba vestida de púrpura y escarlata y llevaba puestas hermosas joyas de oro, piedras preciosas y perlas. En la mano tenía una copa de oro llena de obscenidades y de las inmundicias de su inmoralidad. [5]Tenía escrito en la frente un nombre misterioso: Babilonia la grande, madre de todas las prostitutas y obscenidades del mundo. [6]Pude ver que ella estaba borracha, borracha de la sangre del pueblo santo de Dios, es decir los que testificaron de Jesús. Me quedé mirándola totalmente asombrado.

[7]«¿Por qué te asombras tanto? —preguntó el ángel— Te explicaré el misterio de esta mujer y de la bestia con siete cabezas y diez cuernos sobre la que ella está sentada. [8]La bestia que viste, antes vivía pero ya no. Sin embargo, pronto subirá del abismo sin fondo* e irá a la destrucción eterna. Los que pertenecen a este mundo cuyos nombres no fueron escritos en el Libro de la Vida antes de la creación del mundo, se asombrarán al ver la reaparición de esta bestia, que había muerto.

[9]»Aquí se requiere una mente con entendimiento: las siete cabezas de la bestia representan las siete colinas donde la mujer gobierna. También representan siete reyes: [10]Cinco reyes ya han caído, el sexto reina actualmente, y el séptimo todavía no ha llegado pero su reino será breve.

[11]»La bestia escarlata que existía pero que ya no existe es el octavo rey. Este rey es como los otros siete, y él también va rumbo a la destrucción. [12]Los diez cuernos de la bestia son diez reyes que todavía no han subido al poder; pero éstos serán designados como reyes por un breve momento para reinar junto con la bestia. [13]Los diez estarán de acuerdo en entregarle a la bestia el poder y la auto-

16:16 O *Ar-Magedon*. **16:21** En griego *un talento* [75 libras]. **17:1** En griego *está sentada;* también en 17:9, 15. **17:3** O *en espíritu*. **17:8** O *el abismo*, o *el averno*.

ridad que tienen. [14]Irán juntos a la guerra contra el Cordero, pero el Cordero los derrotará porque él es el Señor de todos los señores y el Rey de todos los reyes. Y los que él ha llamado y elegido y le son fieles, estarán con él».

[15]Luego el ángel me dijo: «Las aguas donde la prostituta gobierna representan grandes multitudes de cada nación y lengua. [16]Tanto la bestia escarlata como sus diez cuernos odian a la prostituta. La desnudarán, comerán su carne y quemarán con fuego lo que quede de ella. [17]Pues Dios les ha puesto un plan en la mente, un plan que llevará a cabo los propósitos de Dios. Ellos estarán de acuerdo en entregarle a la bestia escarlata la autoridad que tienen, y así se cumplirán las palabras de Dios. [18]La mujer que viste en la visión representa la gran ciudad que reina sobre los reyes del mundo».

La caída de Babilonia

18 Después de todo esto vi que otro ángel bajaba del cielo con gran autoridad, y la tierra se iluminó con su resplandor. [2]Dio un fuerte grito:

«¡Ha caído Babilonia, cayó esa gran ciudad!
Se ha convertido en una casa para los demonios.
Es una guarida para todo espíritu inmundo*,
un nido para todo buitre repugnante
y una cueva para todo animal* sucio y espantoso.
[3] Pues todas las naciones han caído*
debido al vino de su apasionada inmoralidad.
Los reyes del mundo
cometieron adulterio con ella.
Debido a su deseo por lujos excesivos,
los comerciantes del mundo se han enriquecido».

[4]Después oí otra voz que clamaba desde el cielo:

«Pueblo mío, salgan de ella.
No participen en sus pecados
o serán castigados junto con ella.
[5] Pues sus pecados se han amontonado hasta el cielo,
y Dios se acuerda de sus maldades.
[6] Háganle a ella lo que ella les ha hecho a otros.
Denle doble castigo por* todas sus maldades.
Ella preparó una copa de terror para otros,
así que preparen el doble* para ella.
[7] Ella se glorificó a sí misma y vivió rodeada de lujos,
ahora denle la misma proporción de tormento y tristeza.
Ella se jactó en su corazón, diciendo:
"Soy reina en mi trono.
No soy ninguna viuda indefensa
ni tengo motivos para lamentarme".
[8] Por lo tanto, estas plagas le llegarán en un solo día:
la muerte, el lamento y el hambre.
Ella será totalmente consumida por el fuego,
porque el Señor Dios, quien la juzga, es poderoso».

[9]Y los reyes del mundo que cometieron adulterio con ella y disfrutaron de todos sus lujos, se lamentarán por ella cuando vean el humo que sube de sus restos carbonizados. [10]Aterrorizados por su gran tormento, los reyes del mundo se mantendrán a distancia y clamarán:

18:2a En griego *impuro;* igual en las dos frases siguientes donde aparecen las palabras *repugnante* y *sucio.* **18:2b** Algunos manuscritos condensan las últimas dos líneas y dicen *un nido para todo tipo de buitres sucios [impuros] y espantosos.* **18:3** Algunos manuscritos dicen *han bebido.* **18:6a** O *Denle un castigo igual a.* **18:6b** O *preparen la misma cantidad.*

«¡Qué terrible, qué terrible para ti,
oh Babilonia, tú, gran ciudad!
En un solo instante
el juicio de Dios cayó sobre ti».

[11]Los comerciantes del mundo llorarán y se lamentarán por ella, porque ya no queda nadie que les compre sus mercaderías. [12]Ella compró grandes cantidades de oro, plata, joyas y perlas; lino de la más alta calidad, púrpura, seda y tela de color escarlata; objetos hechos con la fragante madera de alerce, artículos de marfil y objetos hechos con madera costosa; y bronce, hierro y mármol. [13]También compró canela, especias, especias aromáticas, mirra, incienso, vino, aceite de oliva, harina refinada, trigo, ganado, ovejas, caballos, carruajes, y cuerpos, es decir esclavos humanos.

[14] «De las delicias que tanto amabas
ya no queda nada —claman los
comerciantes—.
Todos tus lujos y el esplendor
se han ido para siempre
y ya nunca volverán a ser tuyos».

[15]Los comerciantes que se enriquecieron vendiéndole esas cosas, se mantendrán a distancia, aterrados por el gran tormento de ella. Llorarán y clamarán:

[16] «¡Qué terrible, qué terrible para esa
gran ciudad!
¡Ella se vestía de púrpura de la más
alta calidad y lino escarlata,
adornada con oro, piedras preciosas
y perlas!
[17] ¡En un solo instante,
toda la riqueza de la ciudad se
esfumó!».

Y todos los capitanes de los barcos mercantes y los pasajeros, los marineros y las tripulaciones se mantendrán a distancia. [18]Todos clamarán cuando vean subir el humo y dirán: «¿Dónde habrá una ciudad de tanta grandeza como ésta?». [19]Y llorarán y echarán tierra sobre su cabeza para mostrar su dolor y clamarán:

«¡Qué terrible, qué terrible para esa
gran ciudad!
Los dueños de barcos se hicieron
ricos
transportando por los mares la gran
riqueza de ella.
En un solo instante, se esfumó todo».

[20] ¡Oh cielo, alégrate del destino de ella,
y también ustedes pueblo de Dios,
apóstoles y profetas!
Pues al fin Dios la ha juzgado
por amor a ustedes.

[21]Luego un ángel poderoso levantó una roca inmensa del tamaño de una gran piedra de molino, la lanzó al mar y gritó:

«Así es como la gran ciudad de
Babilonia
será derribada con violencia
y nunca más se encontrará.
[22] Nunca más se oirá en ti el sonido
de las
arpas, los cantantes, las flautas
y las trompetas.
No se encontrarán en ti
ni artesanos ni comercio,
ni se volverá a oír
el sonido del molino.
[23] Nunca más brillará en ti
la luz de una lámpara
ni se oirán las felices voces
de los novios y las novias.
Pues tus comerciantes eran los
grandes del mundo,
y tú engañaste a las naciones
con tus hechicerías.
[24] La sangre de los profetas y del pueblo
santo de Dios corrió en tus calles,*

18:24 En griego *las calles de ella.*

junto con la sangre de gente
masacrada por todo el mundo».

Cantos de victoria en el cielo

19 Después de esto, oí algo en el cielo que parecía las voces de una inmensa multitud que gritaba:

«¡Alabado sea el SEÑOR!*
La salvación, la gloria y el poder le
pertenecen a nuestro Dios.
[2] Sus juicios son verdaderos y justos.
Él ha castigado a la gran prostituta
que corrompió a la tierra con su
inmoralidad.
Él ha vengado la muerte de sus
siervos».

[3]Y otra vez, sus voces resonaron:

«¡Alabado sea el SEÑOR!
¡El humo de esa ciudad subirá por
siempre jamás!».

[4]Entonces los veinticuatro ancianos y los cuatro seres vivientes se postraron y adoraron a Dios, que estaba sentado en el trono. Exclamaron: «¡Amén! ¡Alabado sea el SEÑOR!».

[5]Y del trono salió una voz que dijo:

«Alaben a nuestro Dios
todos sus siervos
y todos los que le temen,
desde el más insignificante hasta el
más importante».

[6]Entonces volví a oír algo que parecía el grito de una inmensa multitud o el rugido de enormes olas del mar o el estruendo de un potente trueno, que decían:

«¡Alabado sea el SEÑOR!
Pues el Señor nuestro Dios,* el
Todopoderoso, reina.
[7] Alegrémonos y llenémonos de gozo
y démosle honor a él,
porque el tiempo ha llegado para la
boda del Cordero,
y su novia se ha preparado.
[8] A ella se le ha concedido vestirse del
lino blanco y puro de la más alta
calidad».
Pues el lino de la más alta calidad
representa las buenas acciones
del pueblo santo de Dios.

[9]Y el ángel me dijo: «Escribe esto: benditos son los que están invitados a la cena de la boda del Cordero —y añadió—. Estas son palabras verdaderas que provienen de Dios».

[10]Entonces me postré a sus pies para adorarlo, pero me dijo: «No, no me adores a mí. Yo soy un siervo de Dios, como tú y tus hermanos que dan testimonio de su fe en Jesús. Adora sólo a Dios, porque la esencia de la profecía es dar un claro testimonio de Jesús*».

El jinete sobre el caballo blanco

[11]Entonces vi el cielo abierto, y había allí un caballo blanco. Su jinete se llamaba Fiel y Verdadero, porque juzga con rectitud y hace una guerra justa. [12]Sus ojos eran como llamas de fuego, y llevaba muchas coronas en la cabeza. Tenía escrito un nombre que nadie entendía excepto él mismo. [13]Llevaba puesta una túnica bañada de sangre, y su título era «la Palabra de Dios». [14]Los ejércitos del cielo vestidos del lino blanco y puro de la más alta calidad lo seguían en caballos blancos. [15]De su boca salía una espada afilada para derribar a las naciones. Él las gobernará con vara de hierro y desatará el furor de la ira de Dios, el Todopoderoso, como el jugo que corre del lagar. [16]En la túnica, a la altura del muslo,* estaba

19:1 En griego *Aleluya;* también en 19:3, 4, 6. *Aleluya* es la transliteración de un término hebreo que significa «Alabado sea el SEÑOR». **19:6** Algunos manuscritos dicen *el Señor Dios.* **19:10** O *es el mensaje confirmado por Jesús.* **19:16** O *En la túnica y el muslo.*

escrito el título: «Rey de reyes y Señor de señores».

[17]Después vi a un ángel parado en el sol que les gritaba a los buitres que volaban en lo alto de los cielos: «¡Vengan! Reúnanse para el gran banquete que Dios ha preparado. [18]Vengan y coman la carne de los reyes, los generales y los fuertes guerreros; la de los caballos y sus jinetes y la de toda la humanidad, tanto esclavos como libres, tanto pequeños como grandes». [19]Después vi a la bestia y a los reyes del mundo y sus ejércitos, todos reunidos para luchar contra el que está sentado en el caballo y contra su ejército. [20]Y la bestia fue capturada, y junto con ella, el falso profeta que hacía grandes milagros en nombre de la bestia; milagros que engañaban a todos los que habían aceptado la marca de la bestia y adorado a su estatua. Tanto la bestia como el falso profeta fueron lanzados vivos al lago de fuego que arde con azufre. [21]Todo su ejército fue aniquilado por la espada afilada que salía de la boca del que montaba el caballo blanco. Y todos los buitres devoraron los cuerpos muertos hasta hartarse.

Los mil años

20 Luego vi a un ángel que bajaba del cielo con la llave del abismo sin fondo* y una pesada cadena en la mano. [2]Sujetó con fuerza al dragón —la serpiente antigua, quien es el diablo, Satanás— y lo encadenó por mil años. [3]El ángel lo lanzó al abismo sin fondo y lo encerró con llave para que Satanás no pudiera engañar más a las naciones hasta que se cumplieran los mil años. Pasado ese tiempo, debe ser soltado por un poco de tiempo.

[4]Después vi tronos, y los que estaban sentados en ellos habían recibido autoridad para juzgar. Vi las almas de aquéllos que habían sido decapitados por dar testimonio acerca de Jesús y proclamar la palabra de Dios. Ellos no habían adorado a la bestia ni a su estatua, ni habían aceptado su marca en la frente o en las manos. Volvieron a la vida, y reinaron con Cristo durante mil años.

[5]Ésta es la primera resurrección. (El resto de los muertos no volvieron a la vida hasta que se cumplieron los mil años). [6]Benditos y santos son aquéllos que forman parte de la primera resurrección, porque la segunda muerte no tiene ningún poder sobre ellos, sino que serán sacerdotes de Dios y de Cristo, y reinarán con él durante mil años.

La derrota de Satanás

[7]Cuando se cumplan los mil años, Satanás será liberado de su prisión. [8]Saldrá para engañar a las naciones —llamadas Gog y Magog— por todos los extremos de la tierra. Las reunirá a todas para la batalla: un poderoso ejército tan incalculable como la arena de la orilla del mar. [9]Los vi cuando subían por toda la anchura de la tierra y rodeaban al pueblo de Dios y a la ciudad amada; pero cayó fuego del cielo sobre el ejército que atacaba y lo consumió.

[10]Después el diablo, que los había engañado, fue lanzado al lago de fuego que arde con azufre, donde ya estaban la bestia y el falso profeta. Allí serán atormentados día y noche por siempre jamás.

El juicio final

[11]Y vi un gran trono blanco y al que estaba sentado en él. La tierra y el cielo huyeron de su presencia, pero no encontraron ningún lugar donde esconderse. [12]Vi a los muertos, tanto grandes como pequeños, de pie delante del trono de

20:1 O *el abismo*, o *el averno;* también en 20:3.

Dios. Los libros fueron abiertos, entre ellos el Libro de la Vida. A los muertos se les juzgó de acuerdo a las cosas que habían hecho, según lo que estaba escrito en los libros. [13]El mar entregó sus muertos, y la muerte y la tumba* también entregaron sus muertos; y todos fueron juzgados según lo que habían hecho. [14]Entonces la muerte y la tumba fueron lanzadas al lago de fuego. Este lago de fuego es la segunda muerte. [15]Y todo el que no tenía su nombre registrado en el Libro de la Vida fue lanzado al lago de fuego.

La nueva Jerusalén

21 Entonces vi un cielo nuevo y una tierra nueva, porque el primer cielo y la primera tierra habían desaparecido y también el mar. [2]Y vi la ciudad santa, la nueva Jerusalén, que descendía del cielo desde la presencia de Dios, como una novia hermosamente vestida para su esposo.

[3]Oí una fuerte voz que salía del trono y decía: «¡Miren, el hogar de Dios ahora está entre su pueblo! Él vivirá con ellos, y ellos serán su pueblo. Dios mismo estará con ellos.* [4]Él les secará toda lágrima de los ojos, y no habrá más muerte ni tristeza ni llanto ni dolor. Todas esas cosas ya no existirán más».

[5]Y el que estaba sentado en el trono dijo: «¡Miren, hago nuevas todas las cosas!». Entonces me dijo: «Escribe esto, porque lo que te digo es verdadero y digno de confianza». [6]También dijo: «¡Todo ha terminado! Yo soy el Alfa y la Omega, el Principio y el Fin. A todo el que tenga sed, yo le daré a beber gratuitamente de los manantiales del agua de la vida. [7]Los que salgan vencedores heredarán todas esas bendiciones, y yo seré su Dios, y ellos serán mis hijos.

[8]»Pero los cobardes, los incrédulos, los corruptos, los asesinos, los que cometen inmoralidades sexuales, los que practican la brujería, los que rinden culto a ídolos y todos los mentirosos, tendrán su destino en el lago de fuego que arde con azufre. Ésta es la segunda muerte».

[9]Entonces uno de los siete ángeles que tenían las siete copas con las últimas siete plagas se me acercó y me dijo: «¡Ven conmigo! Te mostraré a la novia, la esposa del Cordero».

[10]Así que me llevó en el Espíritu* a una montaña grande y alta, y me mostró la ciudad santa, Jerusalén, que descendía del cielo, desde la presencia de Dios. [11]Resplandecía de la gloria de Dios y brillaba como una piedra preciosa, como un jaspe tan transparente como el cristal. [12]La muralla de la ciudad era alta y ancha, y tenía doce puertas vigiladas por doce ángeles. Los nombres de las doce tribus de Israel estaban escritos en las puertas. [13]Había tres puertas a cada lado: al Este, al Norte, al Sur y al Oeste. [14]La muralla de la ciudad estaba fundada sobre doce piedras, las cuales llevaban escritos los nombres de los doce apóstoles del Cordero.

[15]El ángel que hablaba conmigo tenía en la mano una vara de oro para medir la ciudad, sus puertas y su muralla. [16]Cuando la midió se dio cuenta de que era cuadrada, que medía lo mismo de ancho que de largo. En realidad, medía 2220 kilómetros de largo, lo mismo de alto y lo mismo de ancho.* [17]Después midió el grosor de las murallas, que eran de sesenta y cinco metros* (según la medida humana que el ángel usó).

[18]La muralla estaba hecha de jaspe, y la ciudad era de oro puro y tan cristalino como el vidrio. [19]La muralla de la ciudad estaba fundada sobre doce piedras,

20:13 En griego *y el Hades;* también en 20:14. **21:3** Algunos manuscritos dicen *Dios mismo estará con ellos, su Dios.* **21:10** O *en espíritu.* **21:16** En griego *12.000 estadios* [1400 millas]. **21:17** En griego *144 codos* [216 pies].

cada una adornada con una piedra preciosa:* la primera con jaspe, la segunda con zafiro, la tercera con ágata, la cuarta con esmeralda, [20]la quinta con ónice, la sexta con cornalina, la séptima con crisólito, la octava con berilo, la novena con topacio, la décima con crisoprasa, la undécima con jacinto y la duodécima con amatista.

[21]Las doce puertas estaban hechas de perlas, ¡cada puerta hecha de una sola perla! Y la calle principal era de oro puro y tan cristalino como el vidrio.

[22]No vi ningún templo en la ciudad, porque el Señor Dios Todopoderoso y el Cordero son el templo. [23]La ciudad no tiene necesidad de sol ni de luna, porque la gloria de Dios ilumina la ciudad, y el Cordero es su luz. [24]Las naciones caminarán a la luz de la ciudad, y los reyes del mundo entrarán en ella con toda su gloria. [25]Las puertas nunca se cerrarán al terminar el día porque allí no existe la noche. [26]Todas las naciones llevarán su gloria y honor a la ciudad. [27]No se permitirá la entrada a ninguna cosa mala* ni tampoco a nadie que practique la idolatría y el engaño. Sólo podrán entrar los que tengan su nombre escrito en el Libro de la Vida del Cordero.

22 Luego el ángel me mostró un río con el agua de la vida, era transparente como el cristal y fluía del trono de Dios y del Cordero. [2]Fluía por el centro de la calle principal. A cada lado del río crecía el árbol de la vida, el cual produce doce cosechas de fruto,* y una cosecha nueva cada mes. Las hojas se usaban como medicina para sanar a las naciones.

[3]Ya no habrá más maldición sobre ninguna cosa, porque allí estará el trono de Dios y del Cordero, y sus siervos lo adorarán. [4]Verán su rostro y tendrán su nombre escrito en la frente. [5]Allí no existirá la noche —no habrá necesidad de la luz de lámparas ni del sol— porque el Señor Dios brillará sobre ellos. Y ellos reinarán por siempre y para siempre.

[6]Entonces el ángel me dijo: «Todo lo que has oído y visto es verdadero y digno de confianza. El Señor Dios, que inspira a sus profetas,* ha enviado a su ángel para decirle a sus siervos lo que pronto* sucederá».

Jesús viene

[7]«Miren, ¡yo vengo pronto! Benditos
son los que obedecen las palabras de
la profecía que están escritas en este
libro*».

[8]Yo, Juan, soy el que vio y oyó todas estas cosas. Cuando las oí y las vi, me postré para adorar a los pies del ángel que me las mostró. [9]Pero él dijo: «No, no me adores a mí. Yo soy un siervo de Dios tal como tú y tus hermanos los profetas, al igual que todos los que obedecen lo que está escrito en este libro. ¡Adora sólo a Dios!».

[10]Entonces me indicó: «No selles las palabras proféticas de este libro porque el tiempo está cerca. [11]Deja que el malo siga haciendo el mal; deja que el vil siga siendo vil; deja que el justo siga llevando una vida justa; deja que el santo permanezca santo».

[12]«Miren, yo vengo pronto, y traigo la
recompensa conmigo para pagarle a
cada uno según lo que haya hecho.
[13]Yo soy el Alfa y la Omega, el Primero
y el Último, el Principio y el Fin».

[14]Benditos son los que lavan sus ropas. A ellos se les permitirá entrar por las

21:19 La identidad de algunas de estas piedras preciosas es incierta. **21:27** O *nada ceremonialmente impuro.* **22:2** O *doce clases de fruto.* **22:6a** O *El Señor, el Dios de los espíritus de los profetas.* **22:6b** O *de repente,* o *rápidamente;* también en 22:7, 12, 20. **22:7** O *rollo;* también en 22:9, 10, 18, 19.

puertas de la ciudad y comer del fruto del árbol de la vida. [15]Fuera de la ciudad están los perros: los que practican la brujería, los que cometen inmoralidades sexuales, los asesinos, los que rinden culto a ídolos, y todos los que les encanta vivir una mentira.

[16]«Yo, Jesús, he enviado a mi ángel
con el fin de darte este mensaje para
las iglesias. Yo soy tanto la fuente de
David como el heredero de su trono.*
Yo soy la estrella brillante de la
mañana».

[17]El Espíritu y la esposa dicen: «Ven». Que todos los que oyen esto, digan: «Ven». Todos los que tengan sed, vengan. Todo aquel que quiera, beba gratuitamente del agua de la vida. [18]Yo declaro solemnemente a todos los que oyen las palabras de la profecía escritas en este libro: si alguien agrega algo a lo que está escrito aquí, Dios le agregará a esa persona las plagas que se describen en este libro. [19]Y si alguien quita cualquiera de las palabras de este libro de profecía, Dios le quitará su parte del árbol de la vida y de la ciudad santa que se describen en este libro.

[20]Aquel que es el testigo fiel de todas esas cosas dice: «¡Sí, yo vengo pronto!».

¡Amén! ¡Ven, Señor Jesús!

[21]Que la gracia del Señor Jesús sea con el pueblo santo de Dios.*

22:16 En griego *Yo soy la raíz y la descendencia de David.* **22:21** Otros manuscritos dicen *sea con todos;* incluso otros dicen *sea con todo el pueblo santo de Dios.* Algunos manuscritos incluyen *Amén.*

INTRODUCCIÓN A LOS SALMOS

Propósito: Alabar, adorar, y confesar nuestros pecados a Dios; buscar ayuda, sabiduría y fortaleza de Dios.

Autores: David escribió por lo menos 75 Salmos; Asaf escribió 12; los hijos de Coré, el rey Salomón, hijo de David, Etán y Moisés escribieron otros, y hay 51 Salmos anónimos.

Fecha: A lo largo de 9 siglos, desde la época de Moisés (aproximadamente 1440 a. C.) hasta la invasión babilónica que llevó a muchos judíos al exilio (586 a. C.); por lo menos uno de los Salmos (126) fue escrito después del regreso de la cautividad (536 a. C.).

Encontrará el libro de los Salmos en el centro de la Biblia, en el Antiguo Testamento. En esta colección de cánticos y oraciones, el rey David y otros autores confiesan sus pecados, admiten sus dudas y temores, suplican la ayuda de Dios, y lo alaban y adoran. Cualquiera que sea la situación que esté viviendo, encontrará un Salmo que refleja su condición y sus emociones.

Si tiene miedo puede encontrar confianza en los Salmos 27 y 56. Si está rodeado de inseguridad y peligro puede encontrar fortaleza y consuelo en el Salmo 23, que dice: «Aun cuando yo pase por el valle más oscuro, no temeré, porque tú estás a mi lado». ¿Está desanimado? Lea el Salmo 42. ¿Está en aprietos? Pruebe los Salmos 62 y 71. ¿Se siente agobiado por el pecado? El Salmo 51 es la oración de confesión de David. Si quiere expresar alegría, nada mejor que el Salmo 92. Si busca palabras de gratitud, lea el Salmo 100. ¿Siente envidia o ira ante la injusticia? Lea los Salmos 37 y 73. Los Salmos 145 y 146 nos aseguran la protección de Dios y la provisión para sus hijos.

Aunque estos poemas y canciones fueron escritos cientos de años antes de que Jesús viniera a la tierra, algunos Salmos llamados mesiánicos también nos revelan su persona. Al atardecer del día en que resucitó, Jesús se encontró con dos discípulos apesadumbrados, quienes creían que él estaba muerto y que con él habían muerto sus esperanzas. Jesús los reanimó enseñándoles cosas maravillosas acerca de sí mismo a partir del Antiguo Testamento, incluyendo los Salmos (Lucas 24:44). El Salmo 22 anuncia su crucifixión y su muerte (14–18), y el Salmo 110 contiene una conversación entre Dios y Jesús. El Salmo 2 presenta a Cristo como el centro de toda la historia. Dios dice que las naciones, las tribus, y los individuos encontrarán esperanza o serán juzgados según la manera en que se relacionen con el Hijo. «Sométanse al hijo de Dios, no sea que se enoje y sean destruidos [...] ¡Pero qué alegría para todos los que se refugian en él!» (2:12).

Meditar en los Salmos es una de las maneras de crecer en su relación con el Señor. Incluso puede tomar versículos de los Salmos que reflejen sus pensamientos y su experiencia, y pronunciarlos en oración a Dios, buscando humildemente su voluntad y esperando que él le guíe y provea para todas sus necesidades. Aun cuando esté abatido, puede cantar a Dios y su Padre escuchará el clamor sincero y angustiado de su oración. Junto a hombres y mujeres que a lo largo de la historia se aferraron a los Salmos en momentos de lucha y de angustia, en estas palabras encontrará el poder del perdón y el amor eterno y fiel de Dios.

Salmos

LIBRO PRIMERO (Salmos 1–41)

1 [1]Qué alegría para los que
no siguen el consejo de malos,
ni andan con pecadores,
ni se juntan con burlones;
[2] sino que se deleitan en la ley del SEÑOR
meditando en ella día y noche.
[3] Son como árboles plantados a la orilla de un río,
que siempre dan fruto en su tiempo.
Sus hojas nunca se marchitan,
y prosperan en todo lo que hacen.

[4] ¡No sucede lo mismo con los malos!
Son como paja inútil que esparce el viento.
[5] Serán condenados cuando llegue el juicio;
los pecadores no tendrán lugar entre los justos.
[6] Pues el SEÑOR cuida el sendero de los justos,
pero la senda de los malos lleva a la destrucción.

2 [1]¿Por qué se enojan tanto las naciones?
¿Por qué pierden el tiempo
haciendo planes inútiles?
[2] Los reyes de la tierra se preparan para la batalla,
los gobernantes conspiran juntos
en contra del SEÑOR
y en contra de su ungido.
[3] «¡Rompamos las cadenas! —gritan—,
¡y liberémonos de ser esclavos de Dios!».

[4] Pero el que gobierna en el cielo se ríe;
el Señor se burla de ellos.
[5] Después los reprende con enojo;
los aterroriza con su intensa furia.
[6] Pues el Señor declara:
«He puesto a mi rey elegido en el trono
de Jerusalén,* en mi monte santo».

[7] El rey proclama el decreto del SEÑOR:
«El SEÑOR me dijo: "Tú eres mi hijo.*
Hoy he llegado a ser tu Padre.*
[8] Sólo pídelo, y te daré como herencia las naciones,
toda la tierra como posesión tuya.
[9] Las quebrarás* con vara de hierro
y las harás pedazos como si fueran ollas de barro"».

[10] Ahora bien, ustedes reyes, ¡actúen con sabiduría!
¡Quedan advertidos, ustedes gobernantes de la tierra!
[11] Sirvan al SEÑOR con temor reverente
y alégrense con temblor.
[12] Sométanse al hijo de Dios,* no sea que se enoje

2:6 En hebreo *de Sión*. **2:7a** O *Hijo;* también en 2:12. **2:7b** U *Hoy te doy a conocer como mi hijo.*
2:9 La versión griega dice *gobernarás*. Comparar Ap 2:27. **2:12** El significado del hebreo es incierto.

y sean destruidos en plena actividad,
porque su ira se enciende en un instante.
¡Pero qué alegría para todos los que se refugian en él!

3

Salmo de David, acerca de cuando huía de su hijo Absalón.

1 Oh SEÑOR, tengo tantos enemigos;
son muchos los que están en mi contra.
2 Son tantos los que dicen:
«¡Dios no lo rescatará!».
*Interludio**
3 Pero tú, oh SEÑOR, eres un escudo que me rodea;
eres mi gloria, el que sostiene mi cabeza en alto.
4 Clamé al SEÑOR,
y él me respondió desde su monte santo. *Interludio*
5 Me acosté y dormí,
pero me desperté a salvo,
porque el SEÑOR me cuidaba.
6 No tengo miedo a los diez mil enemigos
que me rodean por todas partes.
7 ¡Levántate, oh SEÑOR!
¡Rescátame, Dios mío!
¡Abofetea a todos mis enemigos!
¡Destroza los dientes de los malvados!
8 La victoria proviene de ti, oh SEÑOR;
bendice a tu pueblo. *Interludio*

4

Para el director del coro: salmo de David; acompáñese con instrumentos de cuerda.

1 Respóndeme cuando clamo a ti,
oh Dios, tú que me declaras inocente.
Libérame de mis problemas;
ten misericordia de mí y escucha mi oración.
2 ¿Hasta cuándo, señores, arruinarán mi reputación?
¿Hasta cuándo harán acusaciones infundadas contra mí?
¿Hasta cuándo seguirán con sus mentiras? *Interludio*
3 De algo pueden estar seguros:
el SEÑOR ha separado para sí a los justos;
el SEÑOR me responderá cuando lo llame.
4 No pequen al dejar que el enojo los controle;
reflexionen durante la noche y quédense en silencio.
Interludio
5 Ofrezcan sacrificios con un espíritu correcto
y confíen en el SEÑOR.
6 Muchos dicen: «¿Quién nos mostrará tiempos mejores?».
Haz que tu rostro nos sonría, oh SEÑOR.
7 Me has dado más alegría
que los que tienen cosechas abundantes de grano y de vino nuevo.
8 En paz me acostaré y dormiré,
porque sólo tú, oh SEÑOR, me mantendrás a salvo.

5

Para el director del coro: salmo de David; acompáñese con flauta.

1 Oh SEÑOR, óyeme cuando oro;
presta atención a mi gemido.
2 Escucha mi grito de auxilio, mi Rey y mi Dios,
porque sólo a ti dirijo mi oración.
3 SEÑOR, escucha mi voz por la mañana;

3:2 En hebreo *Selah*. El significado de esta palabra es incierto, aunque es probable que sea un término literario o musical. Se traduce *Interludio* en todo el libro de Salmos.

cada mañana llevo a ti mis
peticiones y quedo a la espera.

4 Oh Dios, la maldad no te agrada;
no puedes tolerar los pecados de los
malvados.
5 Por lo tanto, los orgullosos no pueden
estar en tu presencia,
porque aborreces a todo el que hace
lo malo.
6 Destruirás a los que dicen mentiras;
el SEÑOR detesta a los asesinos y a
los engañadores.

7 Gracias a tu amor inagotable, puedo
entrar en tu casa;
adoraré en tu templo con la más
profunda reverencia.
8 Guíame por el camino correcto, oh
SEÑOR,
o mis enemigos me conquistarán;
allana tu camino para que yo lo siga.
9 Mis enemigos no pueden decir la
verdad;
sus deseos más profundos son
destruir a los demás.
Lo que hablan es repugnante, como el
mal olor de una tumba abierta;
su lengua está llena de
adulaciones.*
10 Oh Dios, declára los culpables
y haz que caigan en sus propias
trampas;
expúlsalos a causa de sus muchos
pecados,
porque se rebelaron contra ti.

11 Pero que se alegren todos los que en
ti se refugian;
que canten alegres alabanzas por
siempre.
Cúbrelos con tu protección,
para que todos los que aman tu
nombre estén llenos de alegría.

12 Pues tú bendices a los justos, oh
SEÑOR;
los rodeas con tu escudo de amor.

6

*Para el director del coro: salmo de David; acompáñese con instrumento de ocho cuerdas.**

1 Oh SEÑOR, no me reprendas en tu
enojo
ni me disciplines en tu ira.
2 Ten compasión de mí, SEÑOR, porque
soy débil;
sáname, SEÑOR, porque mis huesos
agonizan.
3 Mi corazón está angustiado;
¿cuánto falta, oh SEÑOR, para que
me restaures?

4 Vuelve, oh SEÑOR, y rescátame;
por tu amor inagotable, sálvame.
5 Pues los muertos no se acuerdan de ti;
¿quién puede alabarte desde la
tumba?*

6 Estoy agotado de tanto llorar;
toda la noche inundo mi cama con
llanto,
la empapo con mis lágrimas.
7 El dolor me nubla la vista;
tengo los ojos gastados a causa de
todos mis enemigos.

8 Váyanse todos los que hacen el mal,
porque el SEÑOR ha oído mi llanto.
9 El SEÑOR ha escuchado mi ruego;
el SEÑOR responderá a mi oración.
10 Que todos mis enemigos sean
deshonrados y aterrorizados;
que retrocedan de golpe,
avergonzados.

7

Salmo de David, quien lo cantó al SEÑOR acerca de Cus, de la tribu de Benjamín.

1 A ti acudo en busca de protección, oh
SEÑOR mi Dios.

5:9 La versión griega dice *de mentiras*. Comparar Rm 3:13. **6:TÍTULO** En hebreo *con instrumentos de cuerda; según el seminit*. **6:5** En hebreo *el Seol?*

¡Sálvame de los que me persiguen!
¡Rescátame!
2 Si no lo haces, me atacarán como leones,
me despedazarán y no habrá quien que me rescate.
3 Oh SEÑOR, Dios mío, si he hecho mal
o soy culpable de injusticia,
4 si he traicionado a un amigo
o he saqueado a mi adversario sin razón,
5 entonces que mis enemigos me capturen.
Deja que me pisoteen
y arrastren mi honor por el suelo.
Interludio

6 ¡Levántate, oh SEÑOR, con enojo!
¡Hazle frente a la furia de mis enemigos!
¡Despierta, Dios mío, y trae justicia!
7 Reúne a las naciones delante de ti;
gobiérnalas desde lo alto.
8 El SEÑOR juzga a las naciones.
Declárame justo, oh SEÑOR,
¡porque soy inocente, oh Altísimo!
9 Acaba con la maldad de los perversos,
y defiende al justo.
Pues tú miras lo profundo de la mente y del corazón,
Oh Dios justo.

10 Dios es mi escudo,
quien salva a los de corazón recto y sincero.
11 Dios es un juez honrado;
todos los días se enoja con los malvados.

12 Si una persona no se arrepiente,
Dios* afilará su espada,
tensará su arco y le pondrá la cuerda.
13 Preparará sus armas mortales
y disparará sus flechas encendidas.

14 Los malvados conciben el mal;
están preñados de dificultades
y dan a luz mentiras.
15 Cavan una fosa profunda para atrapar a otros,
luego caen en su propia trampa.
16 Los problemas que provocan a otros se vuelven en su contra;
la violencia que maquinan les cae sobre su propia cabeza.

17 Daré gracias al SEÑOR porque él es justo;
cantaré alabanzas al nombre del SEÑOR Altísimo.

8

*Para el director del coro: salmo de David; acompáñese con instrumento de cuerda.**

1 Oh SEÑOR, Señor nuestro, ¡tu majestuoso nombre llena la tierra!
Tu gloria es más alta que los cielos.
2 A los niños y a los bebés les has enseñado
a hablar de tu fuerza,*
así silencias a tus enemigos
y a todos los que se te oponen.

3 Cuando miro el cielo de noche y veo la obra de tus dedos
—la luna y las estrellas que pusiste en su lugar—, me pregunto:
4 ¿qué son los simples mortales para que pienses en ellos,
los seres humanos para que de ellos te ocupes?*
5 Sin embargo, los hiciste un poco menor que Dios*
y los* coronaste de gloria y honor.

7:12 En hebreo *él.* **8:TÍTULO** En hebreo *según el Gitit.* **8:2** La versión griega dice *a darte alabanza.* Comparar Mt 21:16. **8:4** En hebreo *¿qué es el hombre para que pienses en él, / el hijo del hombre para que de él te ocupes?* **8:5a** O *Sin embargo, los hiciste un poco menor que los ángeles;* en hebreo dice *Sin embargo, lo hiciste a él* [es decir, al hombre] *un poco menor que Elohim.* **8:5b** En hebreo *lo* [es decir, al hombre]; similar en 8:6.

[6] Los pusiste a cargo de todo lo que creaste,
y sometiste todas las cosas bajo su autoridad:
[7] los rebaños y las manadas
y todos los animales salvajes,
[8] las aves del cielo, los peces del mar,
y todo lo que nada por las corrientes oceánicas.

[9] Oh SEÑOR, Señor nuestro, ¡tu majestuoso nombre llena la tierra!

9

Para el director del coro: salmo de David; cántese con la melodía de «Muerte del hijo».

[1] Te alabaré, SEÑOR, con todo mi corazón;
contaré de las cosas maravillosas que has hecho.
[2] Gracias a ti, estaré lleno de alegría;
cantaré alabanzas a tu nombre, oh Altísimo.

[3] Mis enemigos retrocedieron,
tambalearon y murieron cuando apareciste.
[4] Pues has juzgado a mi favor;
desde tu trono juzgaste con imparcialidad.
[5] Reprendiste a las naciones y destruiste a los malvados;
borraste sus nombres para siempre.
[6] El enemigo está acabado, quedó en ruinas eternas;
las ciudades que arrancaste de raíz ya pasaron al olvido.

[7] Pero el SEÑOR reina para siempre,
desde su trono lleva a cabo el juicio.
[8] Juzgará al mundo con justicia
y gobernará a las naciones con imparcialidad.
[9] El SEÑOR es un refugio para los oprimidos,
un lugar seguro en tiempos difíciles.
[10] Los que conocen tu nombre confían en ti,
porque tú, oh SEÑOR, no abandonas a los que te buscan.

[11] Canten alabanzas al SEÑOR, que reina en Jerusalén.*
Cuéntenle al mundo acerca de sus inolvidables hechos.
[12] Pues el vengador de los que son asesinados cuida de los indefensos;
no pasa por alto el clamor de los que sufren.

[13] SEÑOR, ten misericordia de mí.
Mira cómo me atormentan mis enemigos;
arrebátame de las garras de la muerte.
[14] Sálvame, para que te alabe públicamente en las puertas de Jerusalén,
para que me alegre porque me has rescatado.

[15] Las naciones han caído en el hoyo que cavaron para otros;
sus propios pies quedaron atrapados en la trampa que tendieron.
[16] Al SEÑOR lo conocen por su justicia;
los malvados son presos de sus propias acciones.
*Interludio de silencio**

[17] Los malvados descenderán a la tumba;*
éste es el destino de las naciones que se olvidan de Dios.
[18] Pero aquellos que pasen necesidad no quedarán olvidados para siempre;

9:11 En hebreo *Sión;* también en 9:14. **9:16** En hebreo *Higaion Selah.* El significado de esta frase es incierto. **9:17** En hebreo *al Seol.*

las esperanzas del pobre no siempre
serán aplastadas.

19 ¡Levántate, oh SEÑOR!
¡No permitas que simples mortales
te desafíen!
¡Juzga a las naciones!
20 Haz que tiemblen de miedo, oh SEÑOR;
que las naciones sepan que no son
más que seres humanos.
Interludio

10

1 Oh SEÑOR, ¿por qué permaneces
tan distante?
¿Por qué te escondes cuando
estoy en apuros?
2 Con arrogancia los malvados
persiguen a los pobres;
¡que sean atrapados en el mal que
traman para otros!
3 Pues hacen alarde de sus malos deseos;
elogian al codicioso y maldicen al
SEÑOR.
4 Los malvados son demasiado
orgullosos para buscar a Dios;
parece que piensan que Dios está
muerto.
5 Sin embargo, prosperan en todo lo que
hacen.
No ven que les espera tu castigo;
miran con desdén a todos sus
enemigos.
6 Piensan: «¡Jamás nos sucederá algo
malo!
¡Estaremos para siempre sin
problemas!».

7 Su boca está llena de maldiciones,
mentiras y amenazas;*
tienen maldad y violencia en la
punta de la lengua.
8 Se esconden en emboscada en las
aldeas,
a la espera para matar a gente
inocente;
siempre buscan víctimas
indefensas.
9 Como leones agazapados en sus
escondites,
esperan para lanzarse sobre los
débiles.
Como cazadores capturan a los
indefensos
y los arrastran envueltos en redes.
10 Sus pobres víctimas quedan
aplastadas;
caen bajo la fuerza de los malvados.
11 Los perversos piensan: «¡Dios no nos
mira!
¡Ha cerrado los ojos y ni siquiera ve
lo que hacemos!».

12 ¡Levántate, oh SEÑOR!
¡Castiga a los perversos, oh Dios!
¡No te olvides de los indefensos!
13 ¿Por qué los perversos desprecian a
Dios y quedan impunes?
Piensan: «Dios nunca nos pedirá
cuentas».
14 Pero tú ves los problemas y el dolor
que causan;
lo tomas en cuenta y los castigas.
Los indefensos depositan su confianza
en ti;
tú defiendes a los huérfanos.

15 ¡Quiébrale los brazos a esta gente
malvada y perversa!
Persíguelos hasta destruir al último
de ellos
16 ¡El SEÑOR es rey por siempre y para
siempre!
Las naciones paganas
desaparecerán de la tierra.
17 SEÑOR, tú conoces las esperanzas
de los indefensos;
ciertamente escucharás sus
clamores y los consolarás.
18 Harás justicia a los huérfanos y a los
oprimidos,

10:7 La versión griega dice *maldición y amargura*. Comparar Rm 3:14.

para que ya no los aterre un simple
mortal.

11 *Para el director del coro: salmo de David.*

[1] Confío en la protección del Señor.
Entonces por qué me dicen:
«¡Vuela como un ave a las montañas
para ponerte a salvo!
[2] Los malvados ponen las cuerdas a sus
arcos
y acomodan sus flechas sobre las
cuerdas.
Disparan desde las sombras
contra los de corazón recto.
[3] Cuando los fundamentos de la ley y
del orden se desmoronan,
¿qué pueden hacer los justos?».

[4] Pero el Señor está en su santo templo;
el Señor aún gobierna desde el
cielo.
Observa de cerca a cada uno
y examina a cada persona sobre
la tierra.
[5] El Señor examina tanto a los justos
como a los malvados
y aborrece a los que aman la
violencia.
[6] Hará llover carbones encendidos
y azufre ardiente sobre los
malvados,
y los castigará con vientos
abrasadores.
[7] Pues el Señor es justo y ama la justicia;
los íntegros verán su rostro.

12 *Para el director del coro: salmo de David; acompáñese con instrumento de ocho cuerdas.**

[1] ¡Auxilio, oh Señor, porque los justos
desaparecen con rapidez!
¡Los fieles se han esfumado de la
tierra!
[2] Los vecinos se mienten unos a otros:
se halagan con la lengua y se
engañan con el corazón.
[3] Que el Señor les corte esos labios
aduladores
y silencie sus lenguas jactanciosas.
[4] «Mintamos todo lo que queramos
—dicen—.
Son nuestros los labios; ¿quién
puede detenernos?».

[5] El Señor responde: «He visto violencia
contra los indefensos
y he oído el gemir de los pobres.
Ahora me levantaré para rescatarlos
como ellos anhelaron que hiciera».
[6] Las promesas del Señor son puras
como la plata refinada en el horno,
purificada siete veces.
[7] Por lo tanto, Señor, sabemos que
protegerás a los oprimidos;
los guardarás para siempre de esta
generación mentirosa,
[8] aunque los malvados anden
pavoneándose
y se alabe el mal por toda la tierra.

13 *Para el director del coro: salmo de David.*

[1] Oh Señor, ¿hasta cuándo te olvidarás
de mí? ¿Será para siempre?
¿Hasta cuándo mirarás hacia otro
lado?
[2] ¿Hasta cuándo tendré que luchar con
angustia en mi alma,
con tristeza en mi corazón día
tras día?
¿Hasta cuándo mi enemigo seguirá
dominándome?

[3] Vuélvete hacia mí y contéstame, ¡oh
Señor, mi Dios!
Devuélvele el brillo a mis ojos,
o moriré.
[4] No permitas que mis enemigos se

12:título En hebreo *según el seminit.*

regodeen diciendo: «¡Lo hemos derrotado!».
No dejes que se regodeen en mi caída.

5 Pero yo confío en tu amor inagotable;
me alegraré porque me has rescatado.
6 Cantaré al SEÑOR
porque él es bueno conmigo.

14 *Para el director del coro: salmo de David.*

1 Sólo los necios dicen en su corazón:
«No hay Dios».
Ellos son corruptos y sus acciones son malas;
¡no hay ni uno solo que haga lo bueno!

2 El SEÑOR mira desde los cielos
a toda la raza humana;
observa para ver si hay alguien realmente sabio,
si alguien busca a Dios.
3 Pero no, todos se desviaron;
todos se corrompieron.*
No hay ni uno que haga lo bueno,
¡ni uno solo!

4 ¿Será posible que nunca aprendan los que hacen el mal?
Devoran a mi pueblo como si fuera pan
y ni siquiera piensan en orar al SEÑOR.
5 El terror se apoderará de ellos,
pues Dios está con los que lo obedecen.
6 Los perversos frustran los planes de los oprimidos,
pero el SEÑOR protegerá a su pueblo.

7 ¿Quién vendrá del monte Sión para rescatar a Israel?
Cuando el SEÑOR restaure a su pueblo,
Jacob gritará de alegría e Israel se gozará.

15 *Salmo de David.*

1 SEÑOR, ¿quién puede adorar en tu santuario?
¿Quién puede entrar a tu presencia en tu monte santo?
2 Los que llevan una vida intachable y hacen lo correcto,
los que dicen la verdad con corazón sincero.
3 Los que no se prestan al chisme
ni le hacen daño a su vecino,
ni hablan mal de sus amigos.
4 Los que desprecian a los pecadores descarados,
y honran a quienes siguen fielmente al SEÑOR
y mantienen su palabra aunque salgan perjudicados.
5 Los que prestan dinero sin cobrar intereses
y no aceptan sobornos para mentir acerca de un inocente.
Esa gente permanecerá firme para siempre.

16 *Salmo* de David.*

1 Mantenme a salvo, oh Dios,
porque a ti he acudido en busca de refugio.

2 Le dije al SEÑOR: «¡Tú eres mi dueño!
Todo lo bueno que tengo proviene de ti».
3 ¡Los justos de la tierra
son mis verdaderos héroes!
¡Ellos son mi deleite!
4 A quienes andan detrás de otros

14:3 La versión griega dice *se volvieron inútiles*. Comparar Rm 3:12. **16:TÍTULO** En hebreo *mictam*. Puede ser un término literario o musical.

dioses se les multiplican los problemas.
No participaré en sus sacrificios de sangre
ni siquiera mencionaré los nombres de sus dioses.

5 SEÑOR, sólo tú eres mi herencia, mi copa de bendición;
tú proteges todo lo que me pertenece.
6 La tierra que me has dado es agradable;
¡qué maravillosa herencia!
7 Bendeciré al SEÑOR, quien me guía;
aun de noche mi corazón me enseña.
8 Sé que el SEÑOR siempre está conmigo;
no seré sacudido, porque él está aquí a mi lado.

9 Con razón mi corazón está contento y yo me alegro;*
mi cuerpo descansa seguro,
10 porque tú no dejarás mi alma entre los muertos*
ni permitirás que tu santo* se pudra en la tumba.
11 Me mostrarás el camino de la vida,
me concederás la alegría de tu presencia
y el placer de vivir contigo para siempre.*

17

Oración de David.

1 Oh SEÑOR, oye mi ruego pidiendo justicia;
escucha mi grito de auxilio.
Presta oído a mi oración,
porque proviene de labios sinceros.
2 Declárame inocente,
porque tú ves a los que hacen lo correcto.
3 Pusiste a prueba mis pensamientos y examinaste mi corazón durante la noche;
me has escudriñado y no encontraste ningún mal.
Estoy decidido a no pecar con mis palabras.
4 He seguido tus mandatos,
los cuales me impidieron ir tras la gente cruel y perversa.
5 Mis pasos permanecieron en tu camino;
no he vacilado en seguirte.

6 Oh Dios, a ti dirijo mi oración porque sé que me responderás;
inclínate y escucha cuando oro.
7 Muéstrame tu amor inagotable de maravillosas maneras.
Con tu gran poder rescatas
a los que buscan refugiarse de sus enemigos.
8 Cuídame como cuidarías tus propios ojos;*
escóndeme bajo la sombra de tus alas.
9 Protégeme de los perversos que me atacan,
del enemigo mortal que me rodea.
10 No tienen compasión;
¡escucha cómo se jactan!
11 Me rastrean y me rodean,
a la espera de cualquier oportunidad para tirarme al suelo.
12 Son como leones hambrientos,
deseosos por despedazarme;
como leones jóvenes, escondidos en emboscada.

16:9 La versión griega dice *y mi lengua grita sus alabanzas.* Comparar Hch 2:26. **16:10a** En hebreo *en el Seol.* **16:10b** O *tu Santo.* **16:11** La versión griega dice *Me has mostrado el camino de la vida / y me llenarás con la alegría de tu presencia.* Comparar Hch 2:28. **17:8** En hebreo *como a la pupila de tu ojo.*

13 ¡Levántate, oh SEÑOR!
¡Enfréntalos y haz que caigan de rodillas!
¡Con tu espada rescátame de los perversos!
14 Con el poder de tu mano, oh SEÑOR,
destruye a los que buscan su recompensa en este mundo;
pero sacia el hambre de los que son tu tesoro.
Que sus hijos tengan abundancia
y dejen herencia a sus descendientes.
15 Porque soy recto, te veré;
cuando despierte, te veré cara a cara
y quedaré satisfecho.

18

Para el director del coro: salmo de David, siervo del SEÑOR. Entonó este cántico al SEÑOR el día que el SEÑOR lo rescató de todos sus enemigos y de Saúl. Cantó así:

1 Te amo, SEÑOR;
tú eres mi fuerza.
2 El SEÑOR es mi roca, mi fortaleza y mi salvador;
mi Dios es mi roca, en quien encuentro protección.
Él es mi escudo, el poder que me salva
y mi lugar seguro.
3 Clamé al SEÑOR, quien es digno de alabanza,
y me salvó de mis enemigos.

4 Me enredaron las cuerdas de la muerte;
me arrasó una inundación devastadora.
5 La tumba* me envolvió con sus cuerdas;
la muerte me tendió una trampa en el camino.
6 Pero en mi angustia, clamé al SEÑOR;
sí, oré a mi Dios para pedirle ayuda.
Él me oyó desde su santuario;
mi clamor llegó a sus oídos.

7 Entonces la tierra se estremeció y tembló;
se sacudieron los cimientos de las montañas;
temblaron a causa de su enojo.
8 De su nariz salía humo a raudales,
de su boca saltaban violentas llamas de fuego;
carbones encendidos se disparaban de él.
9 Abrió los cielos y descendió;
había oscuras nubes de tormenta debajo de sus pies.
10 Voló montado sobre un poderoso ser angelical,*
remontándose sobre las alas del viento.
11 Se envolvió con un manto de oscuridad
y ocultó su llegada con oscuras nubes de lluvia.
12 Nubes densas taparon el brillo a su alrededor,
e hicieron llover granizo y carbones encendidos.*
13 El SEÑOR retumbó desde el cielo;
la voz del Altísimo resonó
en medio del granizo y de los carbones encendidos.
14 Disparó sus flechas y dispersó a sus enemigos;
destelló su relámpago, y quedaron muy confundidos.
15 Luego, a tu orden, oh SEÑOR,
a la ráfaga de tu aliento,
pudo verse el fondo del mar,
y los cimientos de la tierra quedaron al descubierto.

16 Él extendió la mano desde el cielo y me rescató;
me sacó de aguas profundas.
17 Me rescató de mis enemigos poderosos,
de los que me odiaban y eran demasiado fuertes para mí.

18:5 En hebreo *El Seol.* **18:10** En hebreo *un querubín.* **18:12** O *y relámpagos;* también en 18:13.

18 Me atacaron en un momento de angustia,
pero el Señor me sostuvo.
19 Me condujo a un lugar seguro;
me rescató porque en mí se deleita.
20 El Señor me recompensó por hacer lo correcto;
me restauró debido a mi inocencia.
21 Pues he permanecido en los caminos del Señor;
no me he apartado de mi Dios para seguir el mal.
22 He seguido todas sus ordenanzas,
nunca he abandonado sus decretos.
23 Soy intachable delante de Dios;
me he abstenido del pecado.
24 El Señor me recompensó por hacer lo correcto;
él ha visto mi inocencia.

25 Con los fieles te muestras fiel;
a los íntegros les muestras integridad.
26 Con los puros te muestras puro,
pero te muestras hostil con los perversos.
27 Rescatas al humilde,
pero humillas al orgulloso.
28 Enciendes una lámpara para mí.
El Señor, mi Dios, ilumina mi oscuridad.
29 Con tu fuerza puedo aplastar a un ejército;
con mi Dios puedo escalar cualquier muro.

30 El camino de Dios es perfecto.
Todas las promesas del Señor demuestran ser verdaderas.
Él es escudo para todos los que buscan su protección.
31 Pues ¿quién es Dios aparte del Señor?
¿Quién más que nuestro Dios es una roca sólida?
32 Dios me arma de fuerza
y hace perfecto mi camino.
33 Me hace andar tan seguro como un ciervo,
para que pueda pararme en las alturas de las montañas.
34 Entrena mis manos para la batalla;
fortalece mi brazo para tensar un arco de bronce.
35 Me has dado tu escudo de victoria.
Tu mano derecha me sostiene;
tu ayuda me ha engrandecido.
36 Has trazado un camino ancho para mis pies
a fin de evitar que resbalen.

37 Perseguí a mis enemigos y los alcancé;
no me detuve hasta verlos vencidos.
38 Los herí de muerte para que no pudieran levantarse;
cayeron debajo de mis pies.
39 Me has armado de fuerza para la batalla;
has sometido a mis enemigos debajo de mis pies.
40 Pusiste mi pie sobre su cuello;
destruí a todos los que me odiaban.
41 Pidieron ayuda, pero nadie fue a rescatarlos.
Hasta clamaron al Señor, pero él se negó a responder.
42 Los molí tan fino como el polvo que se lleva el viento.
Los barrí y los eché a la calle como suciedad.
43 Me diste la victoria sobre los que me acusaban.
Me nombraste gobernante de naciones;
ahora me sirve gente que ni siquiera conozco.
44 En cuanto oyen hablar de mí, se rinden;
naciones extranjeras se arrastran ante mí.
45 Todas pierden el valor
y salen temblando de sus fortalezas.

46 ¡El SEÑOR vive! ¡Alabanzas a mi Roca!
¡Exaltado sea el Dios de mi salvación!
47 Él es el Dios que da su merecido a los que me dañan;
él somete a las naciones bajo mi control
48 y me rescata de mis enemigos.
Tú me mantienes seguro, lejos del alcance de mis enemigos;
me salvas de adversarios violentos.
49 Por eso, oh SEÑOR, te alabaré entre las naciones;
cantaré alabanzas a tu nombre.
50 Le das grandes victorias a tu rey;
le muestras amor inagotable a tu ungido,
a David y a todos sus descendientes para siempre.

19

Para el director del coro: salmo de David.

1 Los cielos proclaman la gloria de Dios
y el firmamento despliega la destreza de sus manos.
2 Día tras día no cesan de hablar;
noche tras noche lo dan a conocer.
3 Hablan sin sonidos ni palabras;
su voz jamás se oye.*
4 Sin embargo, su mensaje se ha difundido por toda la tierra
y sus palabras, por todo el mundo.

Dios preparó un hogar para el sol en los cielos,
5 y éste irrumpe como un novio radiante luego de su boda.
Se alegra como un gran atleta, ansioso por correr la carrera.
6 El sol sale de un extremo de los cielos
y sigue su curso hasta llegar al otro extremo;
nada puede ocultarse de su calor.

7 Las enseñanzas del SEÑOR son perfectas,
reavivan el alma.
Los decretos del SEÑOR son confiables,
hacen sabio al sencillo.
8 Los mandamientos del SEÑOR son rectos,
traen alegría al corazón.
Los mandatos del SEÑOR son claros,
dan buena percepción para vivir.
9 La reverencia al SEÑOR es pura,
permanece para siempre.
Las leyes del SEÑOR son verdaderas,
cada una de ellas es imparcial.
10 Son más deseables que el oro,
incluso que el oro más puro.
Son más dulces que la miel,
incluso que la miel que gotea del panal.
11 Sirven de advertencia para tu siervo,
una gran recompensa para quienes las obedecen.

12 ¿Cómo puedo conocer todos los pecados escondidos en mi corazón?
Límpiame de estas faltas ocultas.
13 ¡Libra a tu siervo de pecar intencionalmente!
No permitas que estos pecados me controlen.
Entonces estaré libre de culpa
y seré inocente de grandes pecados.

14 Que las palabras de mi boca
y la meditación de mi corazón
sean de tu agrado,
oh SEÑOR, mi roca y mi redentor.

20

Para el director del coro: salmo de David.

1 Que el SEÑOR responda a tu clamor en tiempos de dificultad;
que el nombre del Dios de Jacob te proteja de todo mal.
2 Que te envíe ayuda desde su santuario
y te fortalezca desde Jerusalén.*

19:3 O *No existe discurso ni idioma en el cual no se oiga su voz.* **20:2** En hebreo *Sión.*

[3] Que se acuerde de todas tus dádivas
y mire con agrado tus ofrendas
quemadas. *Interludio*

[4] Que él conceda los deseos de tu
corazón
y haga que todos tus planes tengan
éxito.
[5] Que gritemos de alegría cuando
escuchemos de tu triunfo
y levantemos una bandera
de victoria en el nombre de
nuestro Dios.
Que el SEÑOR conteste a todas tus
oraciones.
[6] Ahora sé que el SEÑOR rescata a su
rey ungido.
Le responderá desde su santo cielo
y lo rescatará con su gran poder.
[7] Algunas naciones se jactan de sus
caballos y sus carros de guerra,
pero nosotros nos jactamos en el
nombre del SEÑOR nuestro Dios.
[8] Esas naciones se derrumbarán y
caerán,
pero nosotros nos levantaremos y
estaremos firmes.
[9] ¡Da la victoria a nuestro rey, oh SEÑOR!
Responde a nuestro grito de auxilio.

21

Para el director del coro: salmo de David.

[1] ¡Cuánto se alegra el rey en tu fuerza,
oh SEÑOR!
Grita de alegría porque tú le das la
victoria.
[2] Pues le diste el deseo de su corazón;
no le has negado nada de lo que te
ha pedido. *Interludio*

[3] Le das la bienvenida con éxito y
prosperidad;
le colocaste una corona del oro más
puro sobre la cabeza.
[4] Te pidió que le preservaras la vida,
y le concediste su petición;
los días de su vida se alargan para
siempre.
[5] Tu victoria le da mucha honra,
y lo has vestido de esplendor y
majestad.
[6] Lo has dotado de bendiciones eternas
y le has dado la alegría de tu
presencia.
[7] Pues el rey confía en el SEÑOR;
el amor inagotable del Altísimo
cuidará que no tropiece.

[8] Capturarás a todos tus enemigos;
con tu poderosa mano derecha
atraparás a todos los que te
odian.
[9] Cuando te manifiestes,
los arrojarás a un horno en llamas.
En su enojo el SEÑOR los consumirá;
el fuego los devorará.
[10] Borrarás a sus hijos de la faz de la
tierra;
nunca tendrán descendientes.
[11] Aunque conspiren contra ti,
sus maquinaciones malignas jamás
prosperarán.
[12] Pues se darán vuelta y saldrán
corriendo
cuando vean que tus flechas
apuntan hacia ellos.
[13] Levántate, oh SEÑOR, en tu poder;
con música y cánticos celebramos
tus poderosos actos.

22

Para el director del coro: salmo de David; cántese con la melodía de «Cierva de la aurora».

[1] Dios mío, Dios mío, ¿por qué me has
abandonado?
¿Por qué estás tan lejos cuando
gimo por ayuda?
[2] Cada día clamo a ti, mi Dios, pero
no respondes;
cada noche oyes mi voz, pero
no encuentro alivio.

[3] Sin embargo, tú eres santo,
estás entronizado en las alabanzas de Israel.
[4] Nuestros antepasados confiaron en ti,
y los rescataste.
[5] Clamaron a ti, y los salvaste;
confiaron en ti y nunca fueron avergonzados.

[6] Pero yo soy un gusano, no un hombre;
¡todos me desprecian y me tratan con desdén!
[7] Todos los que me ven se burlan de mí;
sonríen con malicia y menean la cabeza mientras dicen:
[8] «¿Éste es el que confía en el SEÑOR?
Entonces ¡que el SEÑOR lo salve!
Si el SEÑOR lo ama tanto,
¡que lo rescate él!».

[9] Sin embargo, me sacaste a salvo del vientre de mi madre
y, desde que ella me amamantaba, me hiciste confiar en ti.
[10] Me arrojaron en tus brazos al nacer;
desde mi nacimiento, tú has sido mi Dios.

[11] No te quedes tan lejos de mí,
porque se acercan dificultades,
y nadie más puede ayudarme.
[12] Mis enemigos me rodean como una manada de toros;
¡toros feroces de Basán me tienen cercado!
[13] Como leones abren sus fauces contra mí;
rugen y despedazan a su presa.
[14] Mi vida se derrama como el agua,
y todos mis huesos se han dislocado.
Mi corazón es como cera
que se derrite dentro de mí.
[15] Mi fuerza se ha secado como barro cocido;
la lengua se me pega al paladar.
Me acostaste en el polvo y me diste por muerto.
[16] Mis enemigos me rodean como una jauría de perros;
una pandilla de malvados me acorrala;
han atravesado mis manos y mis pies.
[17] Puedo contar cada uno de mis huesos;
mis enemigos me miran fijamente y se regodean.
[18] Se reparten mi vestimenta entre ellos
y tiran los dados* por mi ropa.

[19] ¡Oh SEÑOR, no te quedes lejos!
Tú eres mi fuerza, ¡ven pronto en mi auxilio!
[20] Sálvame de la espada;
libra mi preciosa vida de estos perros.
[21] Arrebátame de las fauces del león
y de los cuernos de estos bueyes salvajes.

[22] Anunciaré tu nombre a mis hermanos;
entre tu pueblo reunido te alabaré.
[23] ¡Alaben al SEÑOR, todos los que le temen!
¡Hónrenlo, descendientes de Jacob!
¡Muéstrenle reverencia,
descendientes de Israel!
[24] Pues no ha pasado por alto ni ha tenido en menos el sufrimiento de los necesitados;
no les dio la espalda,
sino que ha escuchado sus gritos de auxilio.

[25] Te alabaré en la gran asamblea;
cumpliré mis promesas en presencia de los que te adoran.
[26] Los pobres comerán y quedarán satisfechos;
todos los que buscan al SEÑOR lo alabarán;
se alegrará el corazón con gozo eterno.

22:18 En hebreo *echan suertes*.

[27] Toda la tierra reconocerá al SEÑOR y
regresará a él;
todas las familias de las naciones
se inclinarán ante él.
[28] Pues el poder de la realeza pertenece
al SEÑOR;
él gobierna a todas las naciones.
[29] Que los ricos de la tierra hagan fiesta
y adoren;
inclínense ante él todos los
mortales,
aquellos cuya vida terminará como
polvo.
[30] Nuestros hijos también lo servirán;
las generaciones futuras oirán de
las maravillas del Señor.
[31] A los que aún no han nacido les
contarán de sus actos de justicia;
ellos oirán de todo lo que él ha
hecho.

23

Salmo de David.

[1] El SEÑOR es mi pastor;
tengo todo lo que necesito.
[2] En verdes prados me deja descansar;
me conduce junto a arroyos
tranquilos.
[3] Él renueva mis fuerzas.
Me guía por sendas correctas,
y así da honra a su nombre.
[4] Aun cuando yo pase
por el valle más oscuro,*
no temeré,
porque tú estás a mi lado.
Tu vara y tu cayado
me protegen y me confortan.
[5] Me preparas un banquete
en presencia de mis enemigos.
Me honras ungiendo mi cabeza
con aceite.
Mi copa se desborda de
bendiciones.
[6] Ciertamente tu bondad y tu amor
inagotable me seguirán
todos los días de mi vida,
y en la casa del SEÑOR viviré
por siempre.

24

Salmo de David.

[1] La tierra es del SEÑOR y todo lo que
hay en ella;
el mundo y todos sus habitantes
le pertenecen.
[2] Pues él echó los cimientos de la tierra
sobre los mares
y los estableció sobre las
profundidades de los océanos.

[3] ¿Quién puede subir al monte del
SEÑOR?
¿Quién puede estar en su lugar
santo?
[4] Sólo los de manos limpias y corazón
puro,
que no rinden culto a ídolos
y nunca dicen mentiras.
[5] Ellos recibirán la bendición del SEÑOR
y tendrán una relación correcta con
Dios su salvador.
[6] Gente así puede buscarte
y adorar en tu presencia, oh Dios
de Jacob. *Interludio*

[7] ¡Ábranse, portones antiguos!
Ábranse, puertas antiguas,
y dejen que entre el Rey de gloria.
[8] ¿Quién es el Rey de gloria?
El SEÑOR, fuerte y poderoso;
el SEÑOR, invencible en batalla.
[9] ¡Ábranse, portones antiguos!
Ábranse, puertas antiguas,
y dejen que entre el Rey de gloria.
[10] ¿Quién es el Rey de gloria?
El SEÑOR de los Ejércitos Celestiales,
él es el Rey de gloria. *Interludio*

23:4 O *el oscuro valle de la muerte.*

25*

Salmo de David.

1 Oh Señor, te entrego mi vida.
2 ¡Confío en ti, mi Dios!
No permitas que me avergüencen,
ni dejes que mis enemigos se
regodeen en mi derrota.
3 Nadie que confíe en ti será jamás
avergonzado,
pero la deshonra les llega a los que
tratan de engañar a otros.

4 Muéstrame la senda correcta, oh
Señor;
señálame el camino que debo
seguir.
5 Guíame con tu verdad y enséñame,
porque tú eres el Dios que me salva.
Todo el día pongo en ti mi
esperanza.
6 Recuerda, oh Señor, tu compasión y
tu amor inagotable,
que has mostrado desde hace
siglos.
7 No te acuerdes de los pecados de
rebeldía durante mi juventud.
Acuérdate de mí a la luz de tu amor
inagotable,
porque tú eres misericordioso, oh
Señor.

8 El Señor es bueno y hace lo correcto;
les muestra el buen camino a los
que andan descarriados.
9 Guía a los humildes para que hagan
lo correcto;
les enseña su camino.
10 El Señor guía con fidelidad y amor
inagotable
a todos los que obedecen su pacto
y cumplen sus exigencias.

11 Por el honor de tu nombre, oh Señor,
perdona mis pecados, que son
muchos.
12 ¿Quiénes son los que temen al Señor?
Él les mostrará el sendero que
deben elegir.
13 Vivirán en prosperidad,
y sus hijos heredarán la tierra.
14 El Señor es amigo de los que le temen;
a ellos les enseña su pacto.
15 Mis ojos están siempre puestos en el
Señor,
porque él me rescata de las trampas
de mis enemigos.

16 Vuélvete a mí y ten misericordia de mí,
porque estoy solo y profundamente
angustiado.
17 Mis problemas van de mal en peor,
¡oh, líbrame de todos ellos!
18 Siente mi dolor, considera mis
dificultades
y perdona todos mis pecados.
19 Mira cuántos enemigos tengo,
¡y de qué manera despiadada me
odian!
20 ¡Protégeme! ¡Rescata mi vida de sus
manos!
No permitas que me avergüencen,
pues yo en ti me refugio.
21 Que la integridad y la honestidad me
protejan,
porque en ti pongo mi esperanza.

22 Oh Dios, rescata a Israel
de todos sus problemas.

26

Salmo de David.

1 Declárame inocente, oh Señor,
porque he actuado con integridad;
he confiado en el Señor sin vacilar.
2 Ponme a prueba, Señor, e interrógame;
examina mis intenciones y mi
corazón.
3 Pues siempre estoy consciente de tu
amor inagotable,

25 Este salmo es un poema acróstico hebreo: cada verso comienza con una letra del alfabeto hebreo en forma consecutiva.

y he vivido de acuerdo con tu verdad.
4 No paso tiempo con mentirosos
ni ando con hipócritas.
5 Detesto las reuniones de los que hacen
el mal
y me niego a juntarme con los
perversos.
6 Me lavo las manos para declarar mi
inocencia.
Vengo ante tu altar, oh SEÑOR,
7 entonando un cántico de gratitud,
y contando de todas tus maravillas.
8 Amo tu santuario, SEÑOR,
el lugar donde habita tu gloriosa
presencia.

9 No permitas que sufra el destino
de los pecadores
ni me condenes junto con los
asesinos.
10 Tienen las manos sucias de
maquinaciones malignas
y constantemente aceptan
sobornos.
11 Pero yo no soy así; llevo una vida
intachable;
por eso, rescátame y muéstrame
tu misericordia.
12 Ahora piso tierra firme,
y en público alabaré al SEÑOR.

27

Salmo de David.

1 El SEÑOR es mi luz y mi salvación,
entonces ¿por qué habría de temer?
El SEÑOR es mi fortaleza y me protege
del peligro,
entonces ¿por qué habría de
temblar?
2 Cuando los malvados vengan a
devorarme,
cuando mis enemigos y adversarios
me ataquen,
tropezarán y caerán.
3 Aunque un ejército poderoso me rodee,
mi corazón no temerá.
Aunque me ataquen,
permaneceré confiado.

4 Lo único que le pido al SEÑOR
—lo que más anhelo—
es vivir en la casa del SEÑOR todos los
días de mi vida,
deleitándome en la perfección del
SEÑOR
y meditando dentro de su templo.
5 Pues él me ocultará allí cuando vengan
dificultades;
me esconderá en su santuario.
Me pondrá en una roca alta donde
nadie me alcanzará.
6 Entonces mantendré mi cabeza en
alto,
por encima de los enemigos que me
rodean.
En su santuario ofreceré sacrificios
con gritos de alegría,
y con música cantaré y alabaré al
SEÑOR.

7 Escúchame cuando oro, oh SEÑOR;
¡ten misericordia y respóndeme!
8 Mi corazón te ha oído decir: «Ven y
conversa conmigo».
Y mi corazón responde: «Aquí
vengo, SEÑOR».
9 No me des la espalda;
no rechaces a tu siervo con enojo.
Tú siempre has sido mi ayudador.
No me dejes ahora; no me abandones,
¡oh Dios de mi salvación!
10 Aunque mi padre y mi madre me
abandonen,
el SEÑOR me mantendrá cerca.

11 Enséñame cómo vivir, oh SEÑOR.
Guíame por el camino correcto,
porque mis enemigos me esperan.
12 No permitas que caiga en sus manos.
Pues me acusan de cosas que
nunca hice;
cada vez que respiran, me
amenazan con violencia.

13 Sin embargo, yo confío en que veré
la bondad del SEÑOR
mientras estoy aquí, en la tierra
de los vivientes.

14 Espera con paciencia al SEÑOR;
sé valiente y esforzado;
sí, espera al SEÑOR con paciencia.

28 *Salmo de David.*

1 A ti elevo mi oración, oh SEÑOR,
roca mía;
no cierres tus oídos a mi voz.
Pues si guardas silencio,
mejor sería darme por vencido
y morir.
2 Escucha mi oración que pide
misericordia,
cuando clamo a ti por ayuda,
cuando levanto mis manos hacia
tu santo templo.

3 No me arrastres junto con los
perversos
—con los que hacen lo malo—,
los que hablan con sus vecinos
amablemente
mientras traman maldades en su
corazón.
4 ¡Dales el castigo que tanto merecen!
Mídelo en proporción a su maldad.
¡Págales conforme a todas sus malas
acciones!
Hazles probar en carne propia lo
que ellos les han hecho a otros.
5 No les importa nada lo que el SEÑOR
hizo
ni lo que sus manos crearon.
Por lo tanto, él los derrumbará
y, ¡jamás serán reconstruidos!
6 ¡Alaben al SEÑOR!
Pues él oyó que clamaba por
misericordia.
7 El SEÑOR es mi fortaleza y mi escudo;
confío en él con todo mi corazón.
Me da su ayuda y mi corazón se llena
de alegría;
prorrumpo en canciones de acción
de gracias.

8 El SEÑOR le da fuerza a su pueblo;
es una fortaleza segura para su rey
ungido.
9 ¡Salva a tu pueblo!
Bendice a Israel, tu posesión más
preciada.*
Guíalos como un pastor
y llévalos en tus brazos por siempre.

29 *Salmo de David.*

1 Honren al SEÑOR, oh seres celestiales;*
honren al SEÑOR por su gloria y
fortaleza.
2 Honren al SEÑOR por la gloria de su
nombre;
adoren al SEÑOR en la
magnificencia de su santidad.

3 La voz del SEÑOR resuena sobre la
superficie del mar;
el Dios de gloria truena;
el SEÑOR truena sobre el poderoso
mar.
4 La voz del SEÑOR es potente;
la voz del SEÑOR es majestuosa.
5 La voz del SEÑOR parte los enormes
cedros;
el SEÑOR hace pedazos los cedros
del Líbano.
6 Hace brincar como terneras a las
montañas del Líbano;
hace saltar el monte Hermón*
como a un buey joven y salvaje.
7 La voz del SEÑOR resuena
con relámpagos.

28:9 En hebreo *Bendice a tu herencia.* **29:1** En hebreo *hijos de Dios.* **29:6** En hebreo *Sirión,* otro nombre para el monte Hermón.

[8] La voz del SEÑOR hace temblar al lugar desolado;
el SEÑOR sacude el desierto de Cades.
[9] La voz del SEÑOR retuerce los fuertes robles*
y desnuda los bosques.
En su templo todos gritan: «¡Gloria!».

[10] El SEÑOR gobierna las aguas de la inundación;
el SEÑOR gobierna como rey para siempre.
[11] El SEÑOR le da fuerza a su pueblo;
el SEÑOR lo bendice con paz.

30

Salmo de David. Cántico para la dedicación del templo.

[1] Te exaltaré, SEÑOR, porque me rescataste;
no permitiste que mis enemigos triunfaran sobre mí.
[2] Oh SEÑOR, mi Dios, clamé a ti por ayuda,
y me devolviste la salud.
[3] Me levantaste de la tumba,* oh SEÑOR;
me libraste de caer en la fosa de la muerte.

[4] ¡Canten al SEÑOR, ustedes los justos!
Alaben su santo nombre.
[5] Pues su ira dura sólo un instante,
¡pero su favor perdura toda una vida!
El llanto podrá durar toda la noche,
pero con la mañana llega la alegría.

[6] Cuando yo tenía prosperidad, decía:
«¡Ahora nada puede detenerme!».
[7] Tu favor, oh SEÑOR, me hizo tan firme como una montaña;
después te apartaste de mí, y quedé destrozado.

[8] A ti clamé, oh SEÑOR.
Le supliqué al SEÑOR que tuviera misericordia, le dije:
[9] «¿Qué ganarás si me muero,
si me hundo en la tumba?
¿Acaso podrá mi polvo alabarte?
¿Podrá hablar de tu fidelidad?
[10] Escúchame, SEÑOR, y ten misericordia de mí;
ayúdame, oh SEÑOR».

[11] Tú cambiaste mi duelo en alegre danza;
me quitaste la ropa de luto y me vestiste de alegría,
[12] para que yo te cante alabanzas y no me quede callado.
Oh SEÑOR, mi Dios, ¡por siempre te daré gracias!

31

Para el director del coro: salmo de David.

[1] Oh SEÑOR, a ti acudo en busca de protección;
no dejes que me avergüencen.
Sálvame, porque tú haces lo correcto.
[2] Inclina tu oído para escucharme;
rescátame pronto.
Sé mi roca de protección,
una fortaleza donde estaré a salvo.
[3] Tú eres mi roca y mi fortaleza;
por el honor de tu nombre, sácame de este peligro.
[4] Rescátame de la trampa que me tendieron mis enemigos,
porque sólo en ti encuentro protección.
[5] Encomiendo mi espíritu en tu mano;
rescátame, SEÑOR, porque tú eres un Dios fiel.

[6] Detesto a los que rinden culto a ídolos inútiles;
yo confío en el SEÑOR.
[7] Me gozaré y me alegraré en tu amor inagotable,
porque has visto mis dificultades

29:9 O *hace que las ciervas se retuerzan de dolor durante el parto.* **30:3** En hebreo *del Seol.*

y te preocupas por la angustia de
mi alma.
[8] No me entregaste a mis enemigos
sino que me pusiste en un lugar
seguro.

[9] Ten misericordia de mí, SEÑOR,
porque estoy angustiado.
Las lágrimas me nublan la vista;
mi cuerpo y mi alma se marchitan.
[10] Estoy muriendo de dolor;
se me acortan los años por la
tristeza.
El pecado me dejó sin fuerzas;
me estoy consumiendo por dentro.
[11] Todos mis enemigos me desprecian,
y mis vecinos me rechazan,
¡ni mis amigos se atreven a
acercarse a mí!
Cuando me ven por la calle,
salen corriendo para el otro lado.
[12] Me han olvidado como si estuviera
muerto,
como si fuera una vasija rota.
[13] He oído cantidad de rumores sobre mí,
y el terror me rodea.
Mis enemigos conspiran en mi contra,
hacen planes para quitarme la vida.

[14] Pero yo confío en ti, oh SEÑOR,
digo: «¡Tú eres mi Dios!».
[15] Mi futuro está en tus manos;
rescátame de los que me persiguen
sin tregua.
[16] Que tu favor brille sobre tu siervo;
por causa de tu amor inagotable,
rescátame.
[17] No permitas que me avergüencen, oh
SEÑOR,
pues a ti clamo por ayuda.
Que los malvados pasen vergüenza,
que queden callados en la tumba.*
[18] Silencia sus labios mentirosos,
esos labios orgullosos y arrogantes
que acusan al justo.

[19] Qué grande es la bondad
que has reservado para los que te
temen.
La derramas en abundancia sobre los
que acuden a ti en busca de
protección,
y los bendices ante la mirada del
mundo.
[20] Los escondes en el refugio de tu
presencia,
a salvo de los que conspiran contra
ellos.
Los proteges en tu presencia,
los alejas de las lenguas
acusadoras.

[21] Alaben al SEÑOR,
porque me ha mostrado las
maravillas de su amor inagotable;
me mantuvo a salvo cuando
atacaban mi ciudad.
[22] Lleno de pánico, clamé:
«¡Me han separado del SEÑOR!».
Pero tú oíste que supliqué
misericordia
y respondiste a mi pedido de
auxilio.

[23] ¡Amen al SEÑOR todos los justos!
Pues el SEÑOR protege a los que le
son leales,
pero castiga severamente a los
arrogantes.
[24] Así que, ¡sean fuertes y valientes,
ustedes los que ponen su esperanza
en el SEÑOR!

32

Salmo de David.*

[1] ¡Oh, qué alegría para aquellos
a quienes se les perdona la
desobediencia,
a quienes se les cubre su pecado!
[2] Sí, ¡qué alegría para aquellos

31:17 En hebreo *en el Seol.* **32:TÍTULO** En hebreo *masquil.* Puede ser un término literario o musical.

a quienes el SEÑOR les borró la culpa* de su cuenta,
los que llevan una vida de total transparencia!

[3] Mientras me negué a confesar mi pecado,
mi cuerpo se consumió,
y gemía todo el día.

[4] Día y noche tu mano de disciplina pesaba sobre mí;
mi fuerza se evaporó como agua al calor del verano. *Interludio*

[5] Finalmente te confesé todos mis pecados
y ya no intenté ocultar mi culpa.
Me dije: «Le confesaré mis rebeliones al SEÑOR»,
¡y tú me perdonaste! Toda mi culpa desapareció. *Interludio*

[6] Por lo tanto, que todos los justos oren a ti, mientras aún haya tiempo,
para que no se ahoguen en las desbordantes aguas del juicio.

[7] Pues tú eres mi escondite;
me proteges de las dificultades
y me rodeas con canciones de victoria. *Interludio*

[8] El SEÑOR dice: «Te guiaré por el mejor sendero para tu vida;
te aconsejaré y velaré por ti.

[9] No seas como el mulo o el caballo, que no tienen entendimiento,
que necesitan un freno y una brida para mantenerse controlados».

[10] Muchos son los dolores de los malvados,
pero el amor inagotable rodea a los que confían en el SEÑOR.

[11] ¡Así que alégrense mucho en el SEÑOR
y estén contentos, ustedes los que le obedecen!
¡Griten de alegría, ustedes de corazón puro!

32:2 La versión griega dice *el pecado.* Comparar Rm 4:7.

33

[1] Que los justos canten de alegría al SEÑOR;
les corresponde a los puros alabarle.

[2] Alaben al SEÑOR con melodías de la lira;
toquen música para él en el arpa de diez cuerdas.

[3] Entónenle un cántico nuevo de alabanza;
toquen el arpa con destreza y canten con alegría.

[4] Pues la palabra del SEÑOR es verdadera
y podemos confiar en todo lo que él hace.

[5] Él ama lo que es justo y bueno;
el amor inagotable del SEÑOR llena la tierra.

[6] El SEÑOR tan sólo habló
y los cielos fueron creados.
Sopló la palabra,
y nacieron todas las estrellas.

[7] Asignó los límites al mar
y encerró los océanos en enormes depósitos.

[8] Que todo el mundo tema al SEÑOR
y todos estén ante él con temor reverente.

[9] Pues cuando habló, el mundo comenzó a existir;
apareció por orden del SEÑOR.

[10] El SEÑOR frustra los planes de las naciones
y hace fracasar todas sus intrigas.

[11] Pero los planes del SEÑOR se mantienen firmes para siempre;
sus propósitos nunca serán frustrados.

[12] Qué alegría para la nación cuyo Dios es el SEÑOR,
cuyo pueblo él eligió como herencia.

[13] El SEÑOR mira desde el cielo
y ve a toda la raza humana.

14 Desde su trono observa
a todos los que viven en la tierra.
15 Él hizo el corazón de ellos,
así que entiende todo lo que hacen.
16 El ejército mejor equipado no puede
salvar a un rey,
ni una gran fuerza es suficiente
para salvar a un guerrero.
17 No confíes en tu caballo de guerra
para obtener la victoria,
por mucha fuerza que tenga, no
te puede salvar.

18 Pero el SEÑOR vela por los que le
temen,
por aquellos que confían en su
amor inagotable.
19 Los rescata de la muerte
y los mantiene con vida en tiempos
de hambre.

20 Nosotros ponemos nuestra esperanza
en el SEÑOR;
él es nuestra ayuda y nuestro escudo.
21 En él se alegra nuestro corazón,
porque confiamos en su santo
nombre.
22 Que tu amor inagotable nos rodee,
SEÑOR,
porque sólo en ti está nuestra
esperanza.

34*

Salmo de David, acerca de cuando se hizo pasar por loco frente a Abimelec, quien lo echó de su presencia.

1 Alabaré al SEÑOR en todo tiempo;
a cada momento pronunciaré sus
alabanzas.
2 Sólo en el SEÑOR me jactaré;
que todos los indefensos cobren
ánimo.
3 Vengan, hablemos de las grandezas
del SEÑOR;
exaltemos juntos su nombre.

4 Oré al SEÑOR, y él me respondió;
me libró de todos mis temores.
5 Los que buscan su ayuda, estarán
radiantes de alegría;
ninguna sombra de vergüenza les
oscurecerá el rostro.
6 En mi desesperación oré, y el SEÑOR
me escuchó;
me salvó de todas mis dificultades.
7 Pues el ángel del SEÑOR es un
guardián;
rodea y defiende a todos los que
le temen.

8 Prueben y vean que el SEÑOR es bueno;
¡qué alegría para los que se refugian
en él!
9 Teman al SEÑOR, ustedes los de su
pueblo santo,
pues los que le temen tendrán todo
lo que necesitan.
10 Hasta los leones jóvenes y fuertes a
veces pasan hambre,
pero a los que confían en el SEÑOR
no les faltará ningún bien.

11 Vengan, hijos míos, y escúchenme,
y les enseñaré a temer al SEÑOR.
12 ¿Quieres vivir una vida
larga y próspera?
13 ¡Entonces refrena tu lengua de hablar
el mal
y tus labios de decir mentiras!
14 Apártate del mal y haz el bien;
busca la paz y esfuérzate por
mantenerla.

15 Los ojos del SEÑOR están sobre los que
hacen lo bueno;
sus oídos están abiertos a sus gritos
de auxilio.
16 Pero el SEÑOR aparta su rostro de los
que hacen lo malo;
borrará todo recuerdo de ellos de
la faz de la tierra.

34 Este salmo es un poema acróstico hebreo: cada verso comienza con una letra del alfabeto hebreo en forma consecutiva.

[17] El SEÑOR oye a los suyos cuando
claman a él por ayuda;
los rescata de todas sus dificultades.
[18] El SEÑOR está cerca de los que tienen
quebrantado el corazón;
él rescata a los de espíritu
destrozado.

[19] La persona íntegra enfrenta muchas
dificultades,
pero el SEÑOR llega al rescate en
cada ocasión.
[20] Pues el SEÑOR protege los huesos
de los justos;
¡ni uno solo es quebrado!

[21] Sin duda, la calamidad alcanzará
a los perversos,
y los que odian a los justos serán
castigados.
[22] Pero el SEÑOR redimirá a los que le
sirven;
ninguno que se refugie en él será
condenado.

35

Salmo de David.

[1] Oh SEÑOR, ponte en contra de los que
se me oponen;
pelea contra los que luchan
contra mí.
[2] Ponte tu armadura y toma tu escudo;
prepárate para la batalla y ven en mi
ayuda.
[3] Levanta tu lanza y tu jabalina
contra los que me persiguen.
Quiero oírte decir:
«¡Yo te daré la victoria!».
[4] Avergüenza y causa deshonra a los que
tratan de matarme;
hazlos retroceder y humilla a los
que quieren hacerme daño.
[5] Sopla y espárcelos como paja en el
viento,
un viento mandado por el ángel del
SEÑOR.
[6] Haz que su camino sea oscuro y
resbaladizo,
y que el ángel del SEÑOR los persiga.
[7] Yo no les hice ningún mal, pero ellos
me tendieron una trampa;
no les hice ningún mal, pero
cavaron una fosa para atraparme.
[8] Por eso, ¡qué la ruina les llegue de
repente!
¡Qué queden atrapados en la
trampa que me tendieron!
Que se destruyan en la fosa que
cavaron para mí.

[9] Entonces me alegraré en el SEÑOR;
estaré feliz porque él me rescata.
[10] Con cada hueso de mi cuerpo lo
alabaré:
«SEÑOR, ¿quién se compara
contigo?
¿Quién otro rescata a los indefensos
de las manos de los fuertes?
¿Quién otro protege a los
indefensos y a los pobres de
quienes les roban?».

[11] Testigos maliciosos testifican en mi
contra
y me acusan de crímenes que
desconozco por completo.
[12] Me pagan mal por bien
y estoy enfermo de desesperación.
[13] Sin embargo, cuando ellos se
enfermaban, yo me entristecía;
me afligía a mí mismo ayunando
por ellos,
pero mis oraciones no tenían
respuesta.
[14] Estaba triste como si fueran mis
amigos o mi familia,
como si me lamentara por mi
propia madre.
[15] Pero ahora que yo estoy en
dificultades, ellos se ponen
contentos;
con aires de triunfo se unen en
mi contra.

Me ataca gente que ni siquiera conozco;
me calumnia sin cesar.
16 Se burla de mí y me insulta;
me gruñe.

17 ¿Hasta cuándo, oh Señor, te quedarás observando sin actuar?
Rescátame de sus ataques feroces.
¡Protege mi vida de estos leones!
18 Después te daré gracias frente a la gran asamblea;
te alabaré delante de todo el pueblo.
19 No permitas que mis enemigos traicioneros se regodeen en mi derrota;
no permitas que los que me odian sin motivo se deleiten en mi tristeza.
20 No hablan de paz;
conspiran contra personas inocentes que no se meten con nadie.
21 Gritan: «¡Ajá!
¡Con nuestros ojos lo vimos hacerlo!».

22 Oh SEÑOR, tú sabes de todo esto;
no te quedes callado.
No me abandones ahora, oh Señor.
23 ¡Despierta! ¡Levántate en mi defensa!
Toma mi caso, Dios mío y Señor mío.
24 Declárame inocente, oh SEÑOR mi Dios, porque tú haces justicia;
no permitas que mis enemigos se rían de mí en mis dificultades.
25 No les permitas decir: «¡Miren, conseguimos lo que queríamos!
¡Ahora lo comeremos vivo!».

26 Que sean humillados y avergonzados los que se alegran de mis dificultades;
que sean cubiertos de vergüenza y de deshonra
los que triunfan sobre mí.
27 Pero dales mucha alegría a los que vinieron a defenderme;
que todo el tiempo digan: «¡Grande es el SEÑOR,
quien se deleita en bendecir a su siervo con paz!».
28 Entonces proclamaré tu justicia
y te alabaré todo el día.

36

Para el director del coro: salmo de David, el siervo del SEÑOR.

1 A los malvados el pecado les susurra en lo profundo del corazón;
no tienen temor de Dios en absoluto.
2 Ciegos de presunción,
no pueden ver lo perversos que son en realidad.
3 Todo lo que dicen es retorcido y engañoso;
se niegan a actuar con sabiduría o a hacer el bien.
4 Se quedan despiertos por la noche tramando planes pecaminosos;
sus acciones nunca son buenas;
no hacen ningún intento por alejarse del mal.

5 Tu amor inagotable, oh SEÑOR, es tan inmenso como los cielos;
tu fidelidad sobrepasa las nubes.
6 Tu rectitud es como las poderosas montañas,
tu justicia, como la profundidad de los océanos.
Tú cuidas de la gente y de los animales por igual, oh SEÑOR.
7 ¡Qué precioso es tu amor inagotable, oh Dios!
Todos los seres humanos encuentran refugio
a la sombra de tus alas.
8 Los alimentas con la abundancia de tu propia casa
y les permites beber del río de tus delicias.

[9] Pues tú eres la fuente de vida,
la luz con la que vemos.

[10] Derrama tu amor inagotable sobre
los que te aman;
haz justicia a los de corazón
sincero.

[11] No permitas que los orgullosos me
pisoteen
ni que los malvados me intimiden.

[12] ¡Miren! ¡Han caído los que hacen el mal!
Están derribados, jamás volverán
a levantarse.

37*

Salmo de David.

[1] No te inquietes a causa de los
malvados
ni tengas envidia de los que hacen
lo malo.

[2] Pues como la hierba, pronto se
desvanecen;
como las flores de primavera,
pronto se marchitan.

[3] Confía en el SEÑOR y haz el bien;
entonces vivirás seguro en la tierra
y prosperarás.

[4] Deléitate en el SEÑOR,
y él te concederá los deseos de tu
corazón.

[5] Entrega al SEÑOR todo lo que haces;
confía en él, y él te ayudará.

[6] Él hará resplandecer tu inocencia
como el amanecer,
y la justicia de tu causa brillará
como el sol de mediodía.

[7] Quédate quieto en la presencia del
SEÑOR,
y espera con paciencia a que él
actúe.
No te inquietes por la gente mala que
prospera,
ni te preocupes por sus perversas
maquinaciones.

[8] ¡Ya no sigas enojado!
¡Deja a un lado tu ira!
No pierdas los estribos,
que eso sólo trae daño.

[9] Pues los perversos serán destruidos,
pero los que confían en el SEÑOR
poseerán la tierra.

[10] Pronto los perversos desaparecerán;
por más que los busques, no los
encontrarás.

[11] Los humildes poseerán la tierra
y vivirán en paz y prosperidad.

[12] Los malvados conspiran contra los
justos;
les gruñen de manera desafiante.

[13] Pero el Señor simplemente se ríe,
porque ve que el día de su juicio
se acerca.

[14] Los perversos sacan sus espadas
y ponen cuerdas a sus arcos
para matar al pobre y al oprimido,
para masacrar a los que hacen lo
correcto.

[15] Pero sus espadas atravesarán su propio
corazón,
y se les quebrarán los arcos.

[16] Es mejor ser justo y tener poco
que ser malvado y rico.

[17] Pues la fuerza de los malvados será
destrozada,
pero el SEÑOR cuida a los justos.

[18] Día a día el SEÑOR cuida a los
inocentes,
y ellos recibirán una herencia que
permanece para siempre.

[19] No serán avergonzados en tiempos
difíciles;
tendrán más que suficiente aun
en tiempo de hambre.

37 Este salmo es un poema acróstico hebreo: cada estrofa comienza con una letra del alfabeto hebreo en forma consecutiva.

20 Pero los perversos morirán;
los enemigos del SEÑOR son como las flores del campo,
desaparecerán como el humo.

21 Los perversos piden prestado y nunca pagan,
pero los justos dan con generosidad.
22 Los bendecidos por el SEÑOR poseerán la tierra,
pero aquellos a quienes él maldice, morirán.

23 El SEÑOR dirige los pasos de los justos;
se deleita en cada detalle de su vida.
24 Aunque tropiecen, nunca caerán,
porque el SEÑOR los sostiene de la mano.

25 Una vez fui joven, ahora soy anciano,
sin embargo, nunca he visto abandonado al justo
ni a sus hijos mendigando pan.
26 Los justos siempre prestan con generosidad
y sus hijos son una bendición.

27 Aléjate del mal y haz el bien,
y vivirás en la tierra para siempre.
28 Pues el SEÑOR ama la justicia
y nunca abandonará a los justos.

Los mantendrá a salvo para siempre,
pero los hijos de los perversos morirán.
29 Los justos poseerán la tierra
y vivirán allí para siempre.

30 Los justos ofrecen buenos consejos;
enseñan a diferenciar entre lo bueno y lo malo.
31 Han hecho suya la ley de Dios,
por eso, nunca resbalarán de su camino.

32 Los malvados esperan en emboscada a los justos,
en busca de una excusa para matarlos.
33 Pero el SEÑOR no permitirá que los perversos tengan éxito
ni que los justos sean condenados cuando los lleven a juicio.

34 Pon tu esperanza en el SEÑOR
y marcha con paso firme por su camino.
Él te honrará al darte la tierra
y verás destruidos a los perversos.

35 He visto a gente malvada y despiadada
florecer como árboles en tierra fértil.
36 Pero cuando volví a mirar, ¡habían desaparecido!
¡Aunque los busqué, no pude encontrarlos!

37 Miren a los que son buenos y honestos,
porque a los que aman la paz les espera un futuro maravilloso.
38 Pero los rebeldes serán destruidos,
para ellos no hay futuro.

39 El SEÑOR rescata a los justos;
él es su fortaleza en tiempos de dificultad.
40 El SEÑOR los ayuda,
los rescata de los malvados.
Él salva a los justos,
y ellos encuentran refugio en él.

38

Salmo de David, en el cual le pide a Dios que se acuerde de él.

1 ¡Oh SEÑOR, no me reprendas en tu enojo
ni me disciplines en tu ira!
2 Tus flechas me han herido muy adentro
y tus golpes me aplastan.
3 Debido a tu enojo, todo mi cuerpo está enfermo;
mi salud está arruinada a causa de mis pecados.
4 Mi culpa me abruma,
es una carga demasiado pesada para soportar.
5 Mis heridas se infectan y dan mal olor

a causa de mis necios pecados.
[6] Me retuerzo atormentado por el dolor;
todo el día estoy lleno de profunda tristeza.
[7] Una fiebre galopante me quema por dentro,
y mi salud está arruinada.
[8] Estoy agotado y totalmente destrozado;
mis gemidos salen de un corazón angustiado.

[9] Señor, tú sabes lo que anhelo,
oyes todos mis suspiros.
[10] Mi corazón late aceleradamente,
se me acaban las fuerzas
y estoy quedando ciego.
[11] Mis seres queridos y amigos no se me acercan, por temor a la enfermedad;
hasta mi propia familia se mantiene a distancia.
[12] Mientras tanto, mis enemigos tienden trampas para matarme;
los que desean mi mal hacen planes para arruinarme;
se pasan el día maquinando su traición.

[13] Pero yo hago oídos sordos a sus amenazas;
me quedo callado ante ellos como quien no puede hablar.
[14] Opté por no oír nada,
y tampoco respondo.
[15] Pues a ti te espero, oh SEÑOR.
Tú debes responder por mí, oh Señor mi Dios.
[16] Dije en oración: «No dejes que mis enemigos se burlen de mí,
ni que se regodeen en mi caída».

[17] Estoy al borde del colapso,
haciendo frente a un dolor constante.
[18] Pero confieso mis pecados;
estoy profundamente arrepentido por lo que hice.
[19] Tengo muchos enemigos agresivos;
me odian sin razón.
[20] Me pagan mal por bien
y se me oponen porque procuro lo bueno.
[21] No me abandones, oh SEÑOR;
no te quedes lejos, Dios mío.
[22] Ven pronto a ayudarme,
Oh Señor, mi salvador.

39

Para Jedutún, director del coro: salmo de David.

[1] Me dije: «Tendré cuidado con lo que hago
y no pecaré en lo que digo.
Refrenaré la lengua
cuando los que viven sin Dios anden cerca».
[2] Pero mientras estaba allí en silencio
—sin siquiera hablar de cosas buenas—,
el torbellino en mi interior se hizo cada vez peor.
[3] Cuanto más pensaba,
más me enardecía,
hasta que disparé un fuego de palabras:
[4] «SEÑOR, recuérdame lo breve que será mi tiempo sobre la tierra.
Recuérdame que mis días están contados,
¡y cuán fugaz es mi vida!
[5] La vida que me has dado no es más larga que el ancho de mi mano.
Toda mi vida es apenas un instante para ti;
cuando mucho, cada uno de nosotros es apenas un suspiro».
Interludio

[6] Somos tan sólo sombras que se mueven
y todo nuestro ajetreo diario termina en la nada.

Amontonamos riquezas
sin saber quién las gastará.
7 Entonces, Señor, ¿dónde pongo mi esperanza?
Mi única esperanza está en ti.
8 Rescátame de mis rebeliones.
No permitas que los necios se burlen de mí.
9 En silencio estoy delante de ti; no diré ni una palabra,
porque mi castigo proviene de ti.
10 ¡Pero por favor, deja de castigarme!,
estoy agotado por los golpes de tu mano.
11 Cuando nos disciplinas por nuestros pecados,
consumes como una polilla lo que estimamos precioso.
Cada uno de nosotros es apenas un suspiro. *Interludio*

12 ¡Oh Señor, oye mi oración!,
¡escucha mis gritos de auxilio!
No cierres los ojos ante mis lágrimas.
Pues soy tu invitado,
un viajero de paso,
igual que mis antepasados.
13 Déjame solo para que pueda volver a sonreír
antes de que parta de este mundo
y no exista más.

40

Para el director del coro: salmo de David.

1 Con paciencia esperé que el Señor me ayudara,
y él se fijo en mí y oyó mi clamor.
2 Me sacó del foso de desesperación,
del lodo y del fango.
Puso mis pies sobre suelo firme
y a medida que yo caminaba, me estabilizó.
3 Me dio un canto nuevo para entonar,
un himno de alabanza a nuestro Dios.
Muchos verán lo que él hizo y quedarán asombrados;
pondrán su confianza en el Señor.

4 Ah, qué alegría para los que confían en el Señor,
los que no confían en los orgullosos
ni en aquellos que rinden culto a ídolos.
5 Oh Señor mi Dios, has realizado muchas maravillas a nuestro favor.
Son tantos tus planes para nosotros que resulta imposible enumerarlos.
No hay nadie como tú.
Si tratara de mencionar todas tus obras maravillosas,
no terminaría jamás.
6 No te deleitas en las ofrendas ni en los sacrificios.
Ahora que me hiciste escuchar, finalmente comprendo:*
tú no exiges ofrendas quemadas ni ofrendas por el pecado.
7 Entonces dije: «Aquí estoy.
Como está escrito acerca de mí en las Escrituras:
8 me complace hacer tu voluntad, Dios mío,
pues tus enseñanzas están escritas en mi corazón».

9 A todo tu pueblo le conté de tu justicia.
No tuve temor de hablar con libertad,
como tú bien lo sabes, oh Señor.
10 No oculté en mi corazón las buenas noticias acerca de tu justicia;
hablé de tu fidelidad y de tu poder salvador.
A todos en la gran asamblea les conté de tu fidelidad y tu amor inagotable.

11 Señor, no me prives de tus tiernas misericordias;

40:6 El texto griego dice *Me has dado un cuerpo*. Comparar Hb 10:5.

que tu amor inagotable y tu
fidelidad siempre me protejan.

12 Pues me rodean las dificultades,
¡son demasiadas para contar!
Es tal la acumulación de mis pecados
que no puedo ver una salida.
Suman más que los cabellos de mi
cabeza
y he perdido toda mi valentía.

13 Por favor, SEÑOR, ¡rescátame!
Ven pronto, SEÑOR, y ayúdame.

14 Que los que tratan de destruirme
sean humillados y avergonzados;
que los que se deleitan en mis
dificultades
retrocedan con deshonra;

15 que su vergüenza los horrorice,
porque dijeron: «¡Ajá! ¡Ahora sí lo
atrapamos!».

16 Pero que todos los que te buscan
se alegren y se gocen en ti;
que los que aman tu salvación
griten una y otra vez: «¡El SEÑOR es
grande!».

17 En cuanto a mí, pobre y necesitado,
que el Señor me tenga en sus
pensamientos.
Tú eres mi ayudador y mi salvador;
oh Dios mío, no te demores.

41

Para el director del coro:
salmo de David.

1 ¡Qué alegría hay para los que tratan
bien a los pobres!
El SEÑOR los rescata cuando están
en apuros.

2 El SEÑOR los protege
y los mantiene con vida;
los prospera en la tierra
y los rescata de sus enemigos.

3 El SEÑOR los atiende cuando están
enfermos
y les devuelve la salud.

4 «Oh SEÑOR, ten misericordia de mí
—pedí en oración—,
sáname, porque contra ti he
pecado».

5 Pero mis enemigos sólo hablan mal
de mí.
Preguntan: «¿Falta mucho para que
se muera y pase al olvido?».

6 Me visitan como si fueran mis amigos,
pero mientras tanto juntan chismes
y, cuando se van, los divulgan a los
cuatro vientos.

7 Los que me odian susurran cosas
acerca de mí
y se imaginan lo peor.

8 «Tiene alguna enfermedad fatal
—dicen—.
¡Jamás se levantará de la cama!».

9 Hasta mi mejor amigo, en quien tenía
plena confianza,
quien compartía mi comida, se ha
puesto en mi contra.

10 SEÑOR, ten misericordia de mí.
¡Devuélveme la salud para que
pueda darles su merecido!

11 Sé que soy de tu agrado,
porque no permitiste que mis
enemigos triunfaran sobre mí.

12 Has preservado mi vida porque soy
inocente;
me has traído a tu presencia y eso
es para siempre.

13 Alaben al SEÑOR, Dios de Israel,
quien vive desde la eternidad hasta
la eternidad.
¡Amén y amén!

LIBRO SEGUNDO (Salmos 42–72)

42

*Para el director del coro: salmo**
de los descendientes de Coré.

1 Como el ciervo anhela las corrientes
de las aguas,
así te anhelo a ti, oh Dios.

42:TÍTULO En hebreo *masquil.* Puede ser un término literario o musical.

[2] Tengo sed de Dios, del Dios viviente.
¿Cuándo podré ir para estar delante de él?
[3] Día y noche sólo me alimento de lágrimas,
mientras que mis enemigos se burlan continuamente de mí diciendo:
«¿Dónde está ese Dios tuyo?».

[4] Se me destroza el corazón
al recordar cómo solían ser las cosas:
yo caminaba entre la multitud de adoradores,
encabezaba una gran procesión hacia la casa de Dios,
cantando de alegría y dando gracias
en medio del sonido de una gran celebración.

[5] ¿Por qué estoy desanimado?
¿Por qué está tan triste mi corazón?
¡Pondré mi esperanza en Dios!
Nuevamente lo alabaré,
¡mi Salvador y [6] mi Dios!

Ahora estoy profundamente desalentado,
pero me acordaré de ti,
aun desde el lejano monte Hermón,
donde nace el Jordán,
desde la tierra del monte Mizar.
[7] Oigo el tumulto de los embravecidos mares,
mientras me arrasan tus olas y las crecientes mareas.
[8] Pero cada día el SEÑOR derrama su amor inagotable sobre mí,
y todas las noches entono sus cánticos
y oro a Dios, quien me da vida.

[9] «¡Oh Dios, roca mía! —clamo—,
¿por qué me has olvidado?
¿Por qué tengo que andar angustiado,
oprimido por mis enemigos?».
[10] Sus insultos me parten los huesos.
Se burlan diciendo: «¿Dónde está ese Dios tuyo?».

[11] ¿Por qué estoy desanimado?
¿Por qué está tan triste mi corazón?
¡Pondré mi esperanza en Dios!
Nuevamente lo alabaré,
¡mi Salvador y mi Dios!

43

[1] ¡Declárame inocente, oh Dios!
Defiéndeme contra esta gente que vive sin ti;
rescátame de estos mentirosos injustos.
[2] Pues tú eres Dios, mi único refugio seguro.
¿Por qué me hiciste a un lado?
¿Por qué tengo que andar angustiado,
oprimido por mis enemigos?
[3] Envía tu luz y tu verdad,
que ellas me guíen.
Que me lleven a tu monte santo,
al lugar donde vives.
[4] Allí iré al altar de Dios,
a Dios mismo, la fuente de toda mi alegría.
Te alabaré con mi arpa,
¡oh Dios, mi Dios!
[5] ¿Por qué estoy desanimado?
¿Por qué está tan triste mi corazón?
¡Pondré mi esperanza en Dios!
Nuevamente lo alabaré,
¡mi Salvador y mi Dios!

44

Para el director del coro: salmo de los descendientes de Coré.*

[1] Oh Dios, lo oímos con nuestros propios oídos,
nuestros antepasados nos han contado
de todo lo que hiciste en su época,
hace mucho tiempo atrás:

44:TÍTULO En hebreo *masquil*. Puede ser un término literario o musical.

[2] Con tu poder expulsaste a las naciones paganas
y entregaste toda la tierra a nuestros antepasados.
Aplastaste a sus enemigos
y liberaste a nuestros antepasados.
[3] No fue con sus espadas que conquistaron la tierra,
ni sus brazos fuertes les dieron la victoria.
Fueron tu mano derecha y tu brazo fuerte,
y la luz cegadora de tu rostro que los ayudó,
porque los amabas.

[4] Tú eres mi Rey y mi Dios;
tú decretas las victorias de Israel.*
[5] Sólo con tu poder hacemos retroceder a nuestros enemigos,
sólo en tu nombre podemos pisotear a nuestros adversarios.
[6] No confío en mi arco
ni dependo de que mi espada me salve.
[7] Tú eres el que nos da la victoria sobre nuestros enemigos;
avergüenzas a los que nos odian.
[8] Oh Dios, todo el día te damos gloria
y alabamos tu nombre constantemente. *Interludio*

[9] Pero ahora nos hiciste a un lado en deshonra;
ya no estás al frente de nuestros ejércitos en batalla.
[10] Nos haces huir en retirada de nuestros enemigos
y dejas que los que nos odian saqueen nuestra tierra.
[11] Nos descuartizaste como a ovejas,
y nos esparciste entre las naciones.
[12] Vendiste a tu precioso pueblo por una miseria
y no ganaste nada con la venta.
[13] Permites que nuestros vecinos se burlen de nosotros;
somos objeto de desprecio y desdén de los que nos rodean.
[14] Nos has hecho el blanco de sus bromas;
menean la cabeza ante nosotros en señal de desprecio.
[15] No podemos escapar de la constante humillación;
tenemos la vergüenza dibujada en el rostro.
[16] Lo único que oímos son los insultos de los burlones;
lo único que vemos es a nuestros enemigos vengativos.

[17] Todo esto ocurrió aunque nunca te hemos olvidado
ni desobedecimos tu pacto.
[18] Nuestro corazón no te abandonó
ni nos hemos extraviado de tu camino.
[19] Sin embargo, nos aplastaste en el desierto, donde vive el chacal;
nos cubriste de oscuridad y muerte.
[20] Si nos hubiéramos olvidado del nombre de nuestro Dios
o hubiéramos extendido las manos en oración a dioses ajenos,
[21] con toda seguridad Dios lo habría sabido,
porque conoce los secretos de cada corazón.
[22] Pero por tu causa, nos matan cada día;
nos tratan como a ovejas en el matadero.

[23] ¡Despierta, oh Señor! ¿Por qué duermes?
¡Levántate! No nos rechaces para siempre.
[24] ¿Por qué miras para otro lado?

44:4 En hebreo *para Jacob*. Los nombres «Jacob» e «Israel» a menudo son intercambiables en el Antiguo Testamento. Algunas veces hacen referencia al patriarca como individuo y otras veces a la nación.

¿Por qué pasas por alto nuestro
sufrimiento y opresión?
25 Nos desplomamos en el polvo,
quedamos boca abajo en la mugre.
26 ¡Levántate! ¡Ayúdanos!
Rescátanos a causa de tu amor
inagotable.

45

Para el director del coro: cántico de amor. Entónese con la melodía de «Los lirios». Salmo de los descendientes de Coré.*

1 Hermosas palabras conmueven mi
corazón
por eso recitaré un bello poema
acerca del rey,
pues mi lengua es como la pluma
de un hábil poeta.

2 Eres el más apuesto de todos;
de tus labios se desprenden
palabras amables.
Dios mismo te ha bendecido para
siempre.
3 ¡Ponte la espada, oh poderoso guerrero!
¡Eres tan glorioso, tan majestuoso!
4 Cabalga con majestad hacia la victoria
y defiende la verdad, la humildad y
la justicia.
¡Avanza para realizar obras
imponentes!
5 Tus flechas son afiladas; traspasan el
corazón de tus enemigos,
y las naciones caen a tus pies.

6 Tu trono, oh Dios,* permanece por
siempre y para siempre;
tú gobiernas con un cetro de
justicia.
7 Amas la justicia y odias la maldad.
Por eso Dios —tu Dios— te ha
ungido
derramando el aceite de alegría sobre
ti más que sobre cualquier otro.
8 Mirra, áloe y casia perfuman tu manto;
en palacios de marfil, la música de
cuerdas te entretiene.
9 Hijas de reyes hay entre las mujeres de
tu corte;
a tu derecha está la reina,
¡lleva joyas del oro más fino de Ofir!

10 Escúchame, oh hija de la realeza; toma
en serio lo que te digo:
olvídate de tu pueblo y de tu familia,
que están lejos.
11 Pues tu esposo, el rey, se deleita en tu
belleza;
hónralo, porque él es tu señor.
12 La princesa de Tiro* te colmará de
regalos;
los ricos suplicarán tu favor.
13 La novia, una princesa, luce gloriosa
en su vestido dorado.
14 Con sus hermosas vestiduras la llevan
ante el rey,
acompañada por sus damas de
honor.
15 ¡Qué procesión tan alegre y entusiasta,
cuando entran en el palacio del rey!

16 Tus hijos se convertirán en reyes como
su padre;
los harás gobernantes de muchas
tierras.
17 Traeré honra a tu nombre en todas las
generaciones;
Por eso, las naciones te alabarán por
siempre y para siempre.

46

*Para el director del coro: cántico de los descendientes de Coré; entónese con voces de soprano.**

1 Dios es nuestro refugio y nuestra
fuerza,
siempre está dispuesto a ayudar en
tiempos de dificultad.

45:TÍTULO En hebreo *masquil.* Puede ser un término literario o musical. **45:6** O *Tu trono divino.* **45:12** En hebreo *La hija de Tiro.* **46:TÍTULO** En hebreo *según a alamot.*

[2] Por lo tanto, no temeremos cuando
vengan terremotos
y las montañas se derrumben en
el mar.
[3] ¡Que rujan los océanos y hagan
espuma!
¡Que tiemblen las montañas
mientras suben las aguas!
Interludio
[4] Un río trae gozo a la ciudad de nuestro
Dios,
el hogar sagrado del Altísimo.
[5] Dios habita en esa ciudad; no puede
ser destruida;
en cuanto despunte el día, Dios la
protegerá.
[6] ¡Las naciones se encuentran en un caos,
y sus reinos se desmoronan!
¡La voz de Dios truena,
y la tierra se derrite!
[7] El SEÑOR de los Ejércitos Celestiales
está entre nosotros;
el Dios de Israel* es nuestra
fortaleza. *Interludio*
[8] Vengan, vean las obras gloriosas del
SEÑOR:
miren cómo trae destrucción sobre
el mundo.
[9] Él hace cesar las guerras en toda la
tierra;
quiebra el arco y rompe la lanza
y quema con fuego los escudos.
[10] «¡Quédense quietos y sepan que yo
soy Dios!
Toda nación me honrará.
Seré honrado en el mundo entero».
[11] El SEÑOR de los Ejércitos Celestiales
está entre nosotros;
el Dios de Israel es nuestra
fortaleza. *Interludio*

47

Para el director del coro: salmo de los descendientes de Coré.

[1] ¡Vengan todos! ¡Aplaudan!
¡Griten alegres alabanzas a Dios!
[2] Pues el SEÑOR Altísimo es imponente;
es el gran Rey de toda la tierra.
[3] Él subyuga a las naciones frente a
nosotros;
pone a nuestros enemigos bajo
nuestros pies.
[4] Escogió la Tierra Prometida como
nuestra herencia y posesión,
el orgullo de los descendientes
de Jacob, a quienes ama.
Interludio
[5] Dios ascendió con un grito poderoso;
el SEÑOR ha ascendido al estruendo
de las trompetas.
[6] Canten alabanzas a Dios, canten
alabanzas;
¡canten alabanzas a nuestro Rey,
canten alabanzas!
[7] Pues Dios es el Rey de toda la tierra.
Alábenlo con un salmo.*
[8] Dios reina sobre las naciones,
sentado en su santo trono.
[9] Los gobernantes del mundo se han
reunido
con el pueblo del Dios de Abraham.
Pues todos los reyes de la tierra
pertenecen a Dios.
Él es exaltado en gran manera
en todas partes.

48

Un cántico. Salmo de los descendientes de Coré.

[1] ¡Qué grande es el SEÑOR,
cuán digno de alabanza
en la ciudad de nuestro Dios,
situada sobre su monte santo!
[2] Es alto y magnífico;
¡toda la tierra se alegra al verlo!
¡El monte Sión, el monte santo,*

46:7 En hebreo *de Jacob;* también en 46:11. Ver nota en 44:4. **47:7** En hebreo *masquil.* Puede ser un término literario o musical. **48:2** O *monte Sión, en el extremo norte;* en hebreo dice *monte de Sión, las alturas de Zafón.*

es la ciudad del gran Rey!
3 Dios mismo está en las torres
de Jerusalén
dándose a conocer como su
defensor.

4 Los reyes de la tierra unieron sus
fuerzas
y avanzaron contra la ciudad.
5 Pero al verla, se quedaron pasmados;
se llenaron de miedo y huyeron.
6 El terror se apoderó de ellos
y se retorcieron de dolor como una
mujer en parto.
7 Los destruiste como a los poderosos
barcos de Tarsis
que fueron despedazados por un
potente viento del este.

8 Habíamos oído de la gloria de la
ciudad,
pero ahora la hemos visto en
persona,
la ciudad del SEÑOR de los Ejércitos
Celestiales.
Es la ciudad de nuestro Dios;
él hará que sea segura para siempre.
Interludio

9 Oh Dios, meditamos en tu amor
inagotable
mientras adoramos en tu templo.
10 Como lo merece tu nombre, oh Dios,
serás alabado hasta los extremos
de la tierra;
tu fuerte mano derecha está llena
de victoria.
11 Que se goce la gente del monte Sión;
que se alegren todas las ciudades
de Judá
a causa de tu justicia.

12 Vayan a inspeccionar la ciudad de
Jerusalén;*
anden por ella y cuenten sus
muchas torres.
13 Fíjense en las murallas fortificadas
y recorran todas sus ciudadelas,
para que puedan describirlas
a las generaciones futuras.
14 Pues así es Dios.
Él es nuestro Dios por siempre y
para siempre,
y nos guiará hasta el día de nuestra
muerte.

49

Para el director del coro: salmo de los descendientes de Coré.

1 ¡Escuchen esto todos los pueblos!
¡Presten atención, habitantes
de todo el mundo!
2 Los de las altas esferas y la gente común,
ricos y pobres: ¡oigan!
3 Pues mis palabras son sabias
y mis pensamientos están llenos
de buena percepción.
4 Escucho con atención muchos
proverbios
y resuelvo enigmas con la
inspiración del sonido de un arpa.

5 ¿Por qué tendría que temer cuando
vienen dificultades,
cuando los enemigos me rodean?
6 Ellos se fían de sus posesiones
y se jactan de sus grandes riquezas.
7 Sin embargo, no pueden redimirse de
la muerte*
pagándole un rescate a Dios.
8 La redención no se consigue tan
fácilmente,
pues nadie podrá jamás pagar lo
suficiente
9 como para vivir para siempre
y nunca ver la tumba.

10 Los sabios finalmente tendrán que
morir,
al igual que los necios y los
insensatos,
y dejarán toda su riqueza atrás.
11 La tumba es su hogar eterno,

48:12 En hebreo *Sión*. **49:7** O *nadie puede redimir la vida de otro.*

donde permanecerán para siempre.
Podrán ponerle su propio nombre a sus propiedades,
[12] pero su fama no durará.
Morirán, al igual que los animales.
[13] Ese es el destino de los necios,
aunque sean recordados como si hubieran sido sabios.*
Interludio

[14] Como ovejas, son llevados a la tumba,*
donde la muerte será su pastor.
Por la mañana, los justos gobernarán sobre ellos.
Sus cuerpos se pudrirán en la tumba,
lejos de sus grandiosas propiedades.
[15] Pero en mi caso, Dios redimirá mi vida;
me arrebatará del poder de la tumba. *Interludio*

[16] Así que no te desanimes cuando los malvados se enriquezcan,
y en sus casas haya cada vez más esplendor.
[17] Pues al morir, no se llevan nada consigo;
sus riquezas no los seguirán a la tumba.
[18] En esta vida se consideran dichosos
y los aplauden por su éxito.
[19] Pero morirán como todos sus antepasados,
y nunca más volverán a ver la luz del día.
[20] La gente que se jacta de su riqueza no comprende;
morirán, al igual que los animales.

50 *Salmo de Asaf.*

[1] El SEÑOR, el Poderoso, es Dios y habló;
convocó a toda la humanidad
desde donde sale el sol hasta donde se pone.
[2] Desde el monte Sión, la perfección de la belleza,
Dios brilla con un resplandor glorioso.
[3] Nuestro Dios se acerca,
pero no en silencio.
A su paso el fuego devora todo lo que encuentra,
y a su alrededor se desata una gran tormenta.
[4] Pone al cielo arriba y a la tierra abajo
como testigos del juicio a su pueblo.
[5] «Tráiganme a mi pueblo fiel,
a los que hicieron un pacto conmigo, al ofrecer sacrificios».
[6] Luego dejen que los cielos proclamen la justicia divina,
porque Dios mismo será el juez.
Interludio

[7] «Oh pueblo mío, escucha cuando te hablo.
Éstas son las acusaciones que tengo contra ti, oh Israel:
¡Yo soy Dios, tu Dios!
[8] No tengo quejas de tus sacrificios
ni de las ofrendas quemadas que ofreces constantemente.
[9] Pero no necesito los toros de tus establos
ni las cabras de tus corrales.
[10] Pues todos los animales del bosque son míos,
y soy dueño del ganado de mil colinas.
[11] Conozco a cada pájaro de las montañas,
y todos los animales del campo me pertenecen.
[12] Si tuviera hambre, no te lo diría a ti,
porque mío es el mundo entero y todo lo que hay en él.
[13] ¿Acaso me alimento de carne de toro?
¿Acaso bebo sangre de cabra?

49:13 El significado del hebreo es incierto. **49:14** En hebreo *al Seol;* también en 49:14b, 15.

[14] Haz que sea la gratitud tu sacrificio a Dios
y cumple los votos que le has hecho al Altísimo.
[15] Luego llámame cuando tengas problemas,
y yo te rescataré,
y tú me darás la gloria».

[16] Pero Dios dice a los perversos:
«¿Para qué se molestan en recitar mis decretos
y en fingir que obedecen mi pacto?
[17] Pues rechazan mi disciplina
y tratan mis palabras como basura.
[18] Cuando ven ladrones, les dan su aprobación,
y se pasan el tiempo con adúlteros.
[19] Tienen la boca llena de maldad,
y la lengua repleta de mentiras.
[20] Se la pasan calumniando a su hermano,
a su propio hermano de sangre.
[21] Mientras ustedes hacían todo esto, yo permanecí en silencio,
y pensaron que no me importaba.
Pero ahora los voy a reprender,
presentaré todas las acusaciones
que tengo contra ustedes.
[22] Arrepiéntanse todos los que se olvidan de mí,
o los despedazaré
y nadie los ayudará.
[23] Pero el dar gracias es un sacrificio
que verdaderamente me honra;
si permanecen en mi camino,
les daré a conocer la salvación de Dios».

51

Para el director del coro: salmo de David, cuando el profeta Natán fue a verlo después que cometió adulterio con Betsabé.

[1] Ten misericordia de mí, oh Dios,
debido a tu amor inagotable;
a causa de tu gran compasión,
borra la mancha de mis pecados.
[2] Lávame de la culpa hasta que quede limpio
y purifícame de mis pecados.
[3] Pues reconozco mis rebeliones;
día y noche me persiguen.
[4] Contra ti y sólo contra ti he pecado;
he hecho lo que es malo ante tus ojos.
Quedará demostrado que tienes razón en lo que dices
y que tu juicio contra mí es justo.*
[5] Pues soy pecador de nacimiento,
así es, desde el momento en que me concibió mi madre.
[6] Pero tú deseas honradez desde el vientre*
y aun allí me enseñas sabiduría.
[7] Purifícame de mis pecados,* y quedaré limpio;
lávame, y quedaré más blanco que la nieve.
[8] Devuélveme la alegría otra vez;
deja que me goce
ahora que me has quebrantado.
[9] No sigas mirando mis pecados;
quita la mancha de mi culpa.
[10] Crea en mí, oh Dios, un corazón limpio
y renueva un espíritu fiel dentro de mí.
[11] No me expulses de tu presencia
y no me quites tu Espíritu Santo.*
[12] Restaura en mí la alegría de tu salvación
y haz que esté dispuesto a obedecerte.
[13] Entonces enseñaré a los rebeldes tus caminos,
y ellos se volverán a ti.

51:4 La versión griega dice *y ganarás tu caso en los tribunales*. Comparar Rm 3:4. **51:6** O *de corazón;* en hebreo dice *en las partes íntimas.* **51:7** En hebreo *Purifícame con un hisopo.* **51:11** O *tu espíritu de santidad.*

14 Perdóname por derramar sangre,
oh Dios que salva;
entonces con alegría cantaré
de tu perdón.
15 Desata mis labios, oh Señor,
para que mi boca pueda alabarte.

16 Tú no deseas sacrificios; de lo
contrario, te ofrecería uno.
Tampoco quieres una ofrenda
quemada.
17 El sacrificio que sí deseas es un
espíritu quebrantado;
tú no rechazarás un corazón
arrepentido y quebrantado,
oh Dios.
18 Mira a Sión con tu favor y ayúdala;
reconstruye las murallas de
Jerusalén.
19 Entonces te agradarán los sacrificios
ofrecidos con un espíritu
correcto;
con ofrendas quemadas y ofrendas
quemadas enteras.
Entonces volverán a sacrificarse
toros sobre tu altar.

52

Para el director del coro: salmo de David, acerca de cuando Doeg, el edomita, le dijo a Saúl: «David fue a ver a Ahimelec».*

1 ¿Por qué te jactas de tus delitos, gran
guerrero?
¿No te das cuenta de que la justicia
de Dios permanece para
siempre?
2 Todo el día conspiras destrucción.
Tu lengua es cortante como una
navaja afilada;
eres experto en decir mentiras.
3 Amas el mal más que el bien
y las mentiras más que la verdad.
Interludio

4 Te encanta destruir a la gente con tus
palabras,
¡mentiroso!
5 Pero Dios te herirá de muerte de una
vez por todas;
te sacará de tu casa
y te desarraigará de la tierra de los
vivientes. *Interludio*

6 Los justos lo verán y se asombrarán;
se reirán y dirán:
7 «Miren lo que les pasa a los guerreros
poderosos
que no ponen su confianza en Dios,
sino que confían en sus riquezas
y se vuelven más y más atrevidos en
su maldad».

8 Pero yo soy como un olivo que florece
en la casa de Dios
y siempre confiaré en su amor
inagotable.
9 Te alabaré para siempre, oh Dios,
por lo que has hecho.
Confiaré en tu buen nombre
en presencia de tu pueblo fiel.

53

Para el director del coro: meditación, salmo de David.*

1 Sólo los necios dicen en su corazón:
«No hay Dios».
Ellos son corruptos y sus acciones son
malas;
¡no hay ni uno que haga lo bueno!

2 Dios mira desde los cielos
a toda la raza humana;
observa para ver si hay alguien
realmente sabio,
si alguien busca a Dios.
3 Pero no, todos se desviaron;
todos se corrompieron.*
No hay ni uno que haga lo bueno,
¡ni uno solo!

52:TÍTULO En hebreo *masquil.* Puede ser un término literario o musical. **53:TÍTULO** En hebreo *según mahalat; un masquil.* Pueden ser términos literarios o musicales. **53:3** La versión griega dice *se han vuelto inútiles.* Comparar Rm 3:12.

4 ¿Será posible que nunca aprendan los
que hacen el mal?
Devoran a mi pueblo como si
fuera pan
y ni siquiera piensan en orar a Dios.
5 El terror se apoderará de ellos,
un terror como nunca habían
conocido.
Dios esparcirá los huesos de tus
enemigos.
Los avergonzarás, porque Dios los
ha rechazado.

6 ¿Quién vendrá del monte Sión para
rescatar a Israel?
Cuando Dios restaure a su pueblo,
Jacob gritará de alegría e Israel se
gozará.

54

Para el director del coro: salmo de David, acerca de cuando los zifeos fueron a decirle a Saúl: «Sabemos dónde se esconde David». Acompáñese con instrumentos de cuerda.*

1 ¡Ven con tu gran poder, oh Dios,
y rescátame!
Defiéndeme con tu poder.
2 Escucha mi oración, oh Dios;
presta atención a mi ruego.
3 Pues me atacan desconocidos;
gente violenta trata de matarme.
No les importa Dios en lo más
mínimo. *Interludio*

4 Pero Dios es mi ayudador;
¡el Señor me mantiene con vida!
5 Que los planes malvados de mis
enemigos se tornen en su contra;
haz lo que prometiste y acaba con
ellos.

6 Sacrificaré una ofrenda voluntaria a ti;
alabaré tu nombre,
porque es bueno, oh SEÑOR.
7 Pues me libraste de mis dificultades
y me ayudaste a triunfar sobre mis
enemigos.

55

Para el director del coro: salmo de David; acompáñese con instrumentos de cuerda.*

1 Escucha mi oración, oh Dios;
¡no pases por alto mi grito de
auxilio!
2 Por favor, escúchame y respóndeme,
porque las dificultades me
abruman.
3 Mis enemigos me gritan,
me lanzan perversas amenazas
a viva voz.
Me cargan de problemas
y con rabia me persiguen.

4 Mi corazón late en el pecho con
fuerza;
me asalta el terror de la muerte.
5 El miedo y el temblor me abruman,
y no puedo dejar de temblar.
6 Si tan sólo tuviera alas como una
paloma,
¡me iría volando y descansaría!
7 Volaría muy lejos,
a la tranquilidad del desierto.
Interludio

8 Qué rápido me escaparía
lejos de esta furiosa tormenta
de odio.

9 Confúndelos, Señor, y frustra sus
planes,
porque veo violencia y conflicto en
la ciudad.
10 Día y noche patrullan sus murallas
para cuidarla de invasores,
pero el verdadero peligro es la
maldad que hay dentro de la
ciudad.
11 Todo se viene abajo;

54:TÍTULO En hebreo *masquil.* Puede ser un término literario o musical. **55:TÍTULO** En hebreo *masquil.* Puede ser un término literario o musical.

las amenazas y el engaño abundan
por las calles.

12 No es un enemigo el que me hostiga,
eso podría soportarlo.
No son mis adversarios los que me
insultan con tanta arrogancia,
de ellos habría podido esconderme.

13 En cambio, eres tú, mi par,
mi compañero y amigo íntimo.

14 ¡Cuánto compañerismo disfrutábamos
cuando caminábamos juntos hacia
la casa de Dios!

15 Que la muerte aceche a mis enemigos;
que la tumba* se los trague vivos,
porque la maldad habita en ellos.

16 Pero clamaré a Dios,
y el SEÑOR me rescatará.

17 Mañana, tarde y noche
clamo en medio de mi angustia,
y el SEÑOR oye mi voz.

18 Él me rescata y me mantiene a salvo
de la batalla que se libra en mi
contra,
aunque muchos todavía se me
oponen.

19 Dios, quien siempre ha gobernado,
me oirá y los humillará.

Interludio

Pues mis enemigos se niegan a
cambiar de rumbo;
no tienen temor de Dios.

20 En cuanto a mi compañero, él
traicionó a sus amigos;
no cumplió sus promesas.

21 Sus palabras son tan suaves como
la mantequilla,
pero en su corazón hay guerra.
Sus palabras son tan relajantes como
una loción,
¡pero por debajo son dagas!

22 Entrégale tus cargas al SEÑOR,
y él cuidará de ti;
no permitirá que los justos
tropiecen y caigan.

23 Pero tú, oh Dios, mandarás a los
perversos
a la fosa de destrucción;
los asesinos y los mentirosos morirán
jóvenes,
pero yo confío en que tú me salves.

56

Para el director del coro: salmo de David, acerca de cuando los filisteos lo capturaron en Gat. Cántese con la melodía de «La paloma en los robles distantes».*

1 Oh Dios, ten misericordia de mí,
porque la gente me acosa.
Mis enemigos me atacan todo el día.

2 Los que me calumnian no dejan de
acosarme,
y muchos me atacan
descaradamente.

3 Pero cuando tenga miedo,
en ti pondré mi confianza.

4 Alabo a Dios por lo que ha prometido.
En Dios confío, ¿por qué habría de
tener miedo?
¿Qué pueden hacerme unos
simples mortales?

5 Siempre tergiversan lo que digo;
se pasan el día tramando cómo
hacerme daño.

6 Se juntan para espiarme,
vigilan cada paso que doy, ansiosos
de matarme.

7 No permitas que estos malvados se
salgan con la suya;
en tu enojo, oh Dios, derríbalos.

8 Tú llevas la cuenta de todas mis
angustias*
y has juntado todas mis lágrimas
en tu frasco;
has registrado cada una de ellas
en tu libro.

55:15 En hebreo *que el Seol.* **56:TÍTULO** En hebreo *mictam.* Puede ser un término literario o musical.
56:8 O *mis andanzas.*

[9] Mis enemigos emprenderán la retirada
cuando yo clame a ti por ayuda.
Una cosa sé: ¡Dios está de mi lado!
[10] Alabo a Dios por lo que ha prometido;
sí, alabo al SEÑOR por lo que ha
prometido.
[11] En Dios confío, ¿por qué habría de
tener miedo?
¿Qué pueden hacerme unos
simples mortales?

[12] Cumpliré los votos que te hice, oh Dios,
y ofreceré un sacrificio de gratitud
por tu ayuda.
[13] Pues me rescataste de la muerte;
no dejaste que mis pies resbalaran.
Así que ahora puedo caminar en tu
presencia, oh Dios,
en tu luz que da vida.

57

Para el director del coro: salmo de David, acerca de cuando huyó de Saúl y entró en una cueva. Cántese con la melodía de «¡No destruyas!».*

[1] ¡Ten misericordia de mí, oh Dios, ten
misericordia!
En ti busco la protección.
Me esconderé bajo la sombra de tus alas
hasta que haya pasado el peligro.
[2] Clamo al Dios Altísimo,*
a Dios, quien cumplirá su propósito
para mí.
[3] Él mandará ayuda del cielo para
rescatarme,
y avergonzará a los que me
persiguen. *Interludio*
Mi Dios enviará su amor inagotable
y su fidelidad.

[4] Me rodean leones feroces
que con avidez devoran a sus presas
humanas;
sus dientes penetran como lanzas y
flechas,
y sus lenguas cortan como espadas.
[5] ¡Exaltado seas, oh Dios, por encima
de los cielos más altos!
Que tu gloria brille sobre toda la
tierra.

[6] Mis enemigos me tendieron una
trampa;
estoy cansado de tanta angustia.
Cavaron un pozo profundo en mi
camino,
pero ellos mismos cayeron en la
trampa. *Interludio*

[7] Mi corazón está confiado en ti,
oh Dios;
mi corazón tiene confianza.
¡Con razón puedo cantar tus
alabanzas!
[8] ¡Despiértate, corazón mío!
¡Despiértense, lira y arpa!
Con mi canto despertaré al
amanecer.
[9] Te daré gracias, Señor, en medio
de toda la gente;
cantaré tus alabanzas entre las
naciones.
[10] Pues tu amor inagotable es tan alto
como los cielos;
tu fidelidad llega hasta las nubes.

[11] Exaltado seas, oh Dios, por encima
de los cielos más altos;
que tu gloria brille sobre toda
la tierra.

58

Para el director del coro: salmo de David; cántese con la melodía de «¡No destruyas!».*

[1] Gobernantes,* ¿saben acaso el
significado de la palabra justicia?
¿Juzgan a la gente con
imparcialidad?
[2] ¡No! En el corazón traman injusticia
y desparraman violencia por toda
la tierra.

57:TÍTULO En hebreo *mictam*. Puede ser un término literario o musical. **57:2** En hebreo *Elohim-Elión*.
58:TÍTULO En hebreo *mictam*. Puede ser un término literario o musical. **58:1** O *Oh dioses*.

[3] Estos malvados son pecadores de nacimiento,
desde que nacieron mienten y siguen su propio camino.
[4] Escupen veneno como serpientes mortíferas;
son como cobras que se niegan a escuchar,
[5] y hacen oídos sordos a las melodías de los encantadores de serpientes,
aunque toquen con mucha destreza.

[6] ¡Quiébrales los colmillos, oh Dios!
¡Destrózales las mandíbulas a estos leones, oh SEÑOR!
[7] Que desaparezcan como agua en tierra sedienta;
que sean inútiles las armas en sus manos.*
[8] Que sean como caracoles que se disuelven y se hacen baba,
como un niño que nace muerto y que nunca verá el sol.
[9] Dios los barrerá a todos, tanto a jóvenes como a ancianos,
más rápido de lo que se calienta una olla sobre espinos ardientes.

[10] Los justos se alegrarán cuando vean la injusticia vengada;
se lavarán los pies en la sangre de los perversos.
[11] Entonces, por fin, todos dirán:
«Es verdad que hay recompensa para los que viven para Dios;
es cierto que existe un Dios que juzga con justicia aquí en la tierra».

59

Para el director del coro: salmo de David, acerca de cuando Saúl envió soldados a vigilar la casa de David para matarlo. Cántese con la melodía de «¡No destruyas!».*

[1] Rescátame de mis enemigos, oh Dios;
protégeme de los que han venido a destruirme.
[2] Rescátame de estos criminales;
sálvame de estos asesinos.
[3] Me han tendido una emboscada.
Enemigos feroces están a la espera, SEÑOR,
aunque yo no pequé ni los he ofendido.
[4] No hice nada malo,
sin embargo, se preparan para atacarme.
¡Despierta! ¡Mira lo que sucede y ayúdame!
[5] Oh, SEÑOR, Dios de los Ejércitos Celestiales, el Dios de Israel,
despierta y castiga a esas naciones hostiles;
no tengas misericordia de los traidores malvados. *Interludio*

[6] Salen de noche
gruñendo como perros feroces
mientras merodean por las calles.
[7] Escucha la basura que sale de sus bocas;
sus palabras cortan como espadas.
Dicen con desdén: «Después de todo, ¿quién puede oírnos?».
[8] Pero tú SEÑOR, te ríes de ellos;
te burlas de las naciones hostiles.
[9] Tú eres mi fuerza; espero que me rescates,
porque, tú oh Dios, eres mi fortaleza.
[10] En su amor inagotable, mi Dios estará a mi lado
y me dejará mirar triunfante a todos mis enemigos.

[11] No los mates, porque mi pueblo pronto olvida esa clase de lecciones;
hazlos tambalear con tu poder y ponlos de rodillas,
Oh Señor, escudo nuestro.
[12] Debido a las cosas pecaminosas que dicen,
y a la maldad que está en sus labios,

58:7 O *Que los pisoteen y se marchiten como el pasto.* El significado del hebreo es incierto.
59:TÍTULO En hebreo *mictam.* Puede ser un término literario o musical.

haz que queden atrapados por su orgullo,
por sus maldiciones y por sus mentiras.

[13] ¡Destrúyelos en tu enojo!
¡Arrásalos por completo!
Entonces todo el mundo sabrá
que Dios reina en Israel.*
Interludio

[14] Mis enemigos salen de noche
gruñendo como perros feroces
mientras merodean por las calles.
[15] Escarban en busca de comida,
pero se van a dormir insatisfechos.*

[16] En cuanto a mí, yo cantaré de tu poder;
cada mañana cantaré con alegría
acerca de tu amor inagotable.
Pues tú has sido mi refugio,
un lugar seguro cuando estoy angustiado.
[17] Oh Fortaleza mía, a ti canto alabanzas,
porque tú, oh Dios, eres mi refugio,
el Dios que me demuestra amor inagotable.

60

Para el director del coro: salmo de David útil para enseñar, acerca de cuando peleó contra Aram-naharaim y Aram-soba, y Joab regresó y mató a doce mil edomitas en el valle de la Sal. Cántese con la melodía de «Lirio del testimonio».*

[1] Nos has rechazado, oh Dios, y
quebraste nuestras defensas.
Te enojaste con nosotros; ahora,
restáuranos al gozo de tu favor.
[2] Sacudiste nuestra tierra y la abriste en dos.
Sella las grietas, porque la tierra tiembla.
[3] Has sido muy estricto con nosotros,
nos hiciste beber de un vino que
nos dejó tambaleantes.
[4] Pero has levantado un estandarte para
los que te temen:
un punto de reunión en medio del ataque.
Interludio

[5] Rescata ahora a tu pueblo amado;
respóndenos y sálvanos por medio de tu poder.
[6] Por su santidad,* Dios ha prometido:
«Dividiré a Siquem con alegría
y mediré el valle de Sucot.
[7] Galaad es mío
y también Manasés.
Efraín, mi casco, producirá mis guerreros,
y Judá, mi cetro, producirá mis reyes.
[8] Pero Moab, mi lavamanos, se
convertirá en mi siervo,
y sobre Edom me limpiaré los pies
y gritaré triunfante sobre Filistea».

[9] ¿Quién me llevará a la ciudad fortificada?
¿Quién me dará la victoria sobre Edom?
[10] ¿Nos has rechazado, oh Dios?
¿Ya no marcharás junto a nuestros ejércitos?
[11] Por favor, ayúdanos contra nuestros enemigos,
porque toda la ayuda humana es inútil.
[12] Con el auxilio de Dios haremos cosas poderosas,
pues él pisoteará a nuestros enemigos.

61

Para el director del coro: salmo de David; acompáñese con instrumentos de cuerda.

[1] Oh Dios, ¡escucha mi clamor!
¡Oye mi oración!
[2] Desde los extremos de la tierra,
clamo a ti por ayuda
cuando mi corazón está abrumado.

59:13 En hebreo *en Jacob.* Ver nota en 44:4. **59:15** O *y rugen si no consiguen lo suficiente.*
60:TÍTULO En hebreo *mictam.* Puede ser un término literario o musical. **60:6** O *En su santuario.*

Guíame a la imponente roca de
seguridad,
[3] porque tú eres mi amparo seguro,
una fortaleza donde mis enemigos
no pueden alcanzarme.
[4] Permíteme vivir para siempre en tu
santuario,
¡a salvo bajo el refugio de tus alas!
Interludio

[5] Pues has oído mis votos, oh Dios;
me diste una herencia reservada
para los que temen tu nombre.
[6] ¡Añade muchos años a la vida del rey!
¡Que sus años abunden de
generación en generación!
[7] Que reine bajo la protección de Dios
para siempre,
y que tu amor inagotable y tu
fidelidad lo cuiden.
[8] Entonces cantaré alabanzas a tu
nombre para siempre,
mientras cumplo mis votos cada día.

62

Para Jedutún, director del coro: salmo de David.

[1] Espero en silencio delante de Dios,
porque de él proviene mi victoria.
[2] Sólo él es mi roca y mi salvación,
mi fortaleza donde jamás seré
sacudido.

[3] ¡Cuántos enemigos contra un solo
hombre!
Todos tratan de matarme.
Para ellos no soy más que una pared
derribada
o una valla inestable.
[4] Piensan derrocarme de mi alta
posición.
Se deleitan en decir mentiras
sobre mí.
Cuando están frente a mí, me elogian,
pero en su corazón me maldicen.
Interludio

[5] Que todo mi ser espere en silencio
delante de Dios,
porque en él está mi esperanza.
[6] Sólo él es mi roca y mi salvación,
mi fortaleza donde no seré
sacudido.
[7] Mi victoria y mi honor provienen
solamente de Dios;
él es mi refugio, una roca donde
ningún enemigo puede
alcanzarme.
[8] Oh pueblo mío, confía en Dios en todo
momento;
dile lo que hay en tu corazón,
porque él es nuestro refugio.
Interludio

[9] La gente común no vale más que una
bocanada de viento,
y los poderosos no son lo que
parecen ser;
si se les pesa juntos en una balanza,
ambos son más livianos que un
soplo de aire.

[10] No te ganes la vida mediante la
extorsión
ni pongas tu esperanza en el robo.
Y si tus riquezas aumentan,
no las hagas el centro de tu vida.

[11] Dios ha hablado con claridad,
y yo lo he oído muchas veces:
el poder, oh Dios, te pertenece a ti;
[12] el amor inagotable, oh Señor, es tuyo;
ciertamente tú pagas a todos
de acuerdo a lo que hayan hecho.

63

Salmo de David, de cuando estaba en el desierto de Judá.

[1] Oh Dios, tú eres mi Dios;
de todo corazón te busco.
Mi alma tiene sed de ti;
todo mi cuerpo te anhela
en esta tierra reseca y agotada
donde no hay agua.
[2] Te he visto en tu santuario

y he contemplado tu poder y tu gloria.
3 Tu amor inagotable es mejor que la
vida misma,
¡cuánto te alabo!
4 Te alabaré mientras viva,
a ti levantaré mis manos en oración.
5 Tú me satisfaces más que un suculento
banquete;
te alabaré con cánticos de alegría.

6 Recostado, me quedo despierto
pensando y meditando en ti
durante la noche.
7 Como eres mi ayudador,
canto de alegría a la sombra
de tus alas.
8 Me aferro a ti;
tu fuerte mano derecha me
mantiene seguro.

9 Pero los que traman destruirme
acabarán arruinados;
descenderán a las profundidades
de la tierra.
10 Morirán a espada
y se convertirán en comida de
chacales.
11 Pero el rey se alegrará en Dios;
todos los que confían en él lo
alabarán,
mientras que los mentirosos serán
silenciados.

64

Para el director del coro: salmo de David.

1 Oh Dios, escucha mi queja;
protege mi vida de las amenazas
de mis enemigos.
2 Escóndeme de las conspiraciones
de esta turba malvada,
de esta pandilla de malhechores.
3 Afilan su lengua como espada
y apuntan como flechas sus
palabras amargas.
4 Le tiran a los inocentes desde una
emboscada,
los atacan de repente y sin temor.
5 Se animan unos a otros a hacer el mal
y maquinan cómo tender sus
trampas en secreto.
«¿Quién se dará cuenta?»,
preguntan.
6 Dicen mientras traman sus delitos:
«¡Hemos orquestado el plan
perfecto!».
Es cierto, el corazón y la mente del
ser humano son astutos.

7 Pero Dios mismo les lanzará sus
flechas
y los herirá de repente.
8 Su propia lengua los arruinará,
y quienes los vean, menearán la
cabeza en señal de desprecio.
9 Entonces todos temerán;
proclamarán los poderosos actos
de Dios,
y se darán cuenta de todas las cosas
asombrosas que él hace.
10 Los justos se alegrarán en el Señor,
y en él encontrarán refugio.
Y los que hacen lo correcto
lo alabarán.

65

Para el director del coro: cántico. Salmo de David.

1 Qué poderosa alabanza, oh Dios,
te pertenece en Sión.
Cumpliremos los votos que te hemos
hecho
2 porque tú respondes a nuestras
oraciones.
Todos nosotros tenemos que
acudir a ti.
3 Aunque nuestros pecados nos
abruman,
tú los perdonas todos.
4 ¡Cuánta alegría para los que escoges y
acercas a ti,
aquellos que viven en tus santos
atrios!
¡Qué festejos nos esperan
dentro de tu santo templo!

[5] Fielmente respondes a nuestras
oraciones con imponentes obras,
oh Dios nuestro salvador.
Eres la esperanza de todos los que
habitan la tierra,
incluso de los que navegan en
mares distantes.
[6] Con tu poder formaste las montañas
y te armaste de una fuerza poderosa.
[7] Calmaste los océanos enfurecidos,
con sus impetuosas olas,
y silenciaste los gritos de las
naciones.
[8] Los que viven en los extremos
de la tierra
quedan asombrados ante tus
maravillas.
Desde donde sale el sol hasta donde
se pone,
tú inspiras gritos de alegría.

[9] Cuidas la tierra y la riegas,
la enriqueces y la haces fértil.
El río de Dios tiene agua en abundancia;
proporciona una exuberante
cosecha de grano,
porque así ordenaste que fuera.
[10] Con lluvias empapas la tierra arada,
disuelves los terrones y nivelas los
surcos.
Ablandas la tierra con aguaceros
y bendices sus abundantes cultivos.
[11] Coronas el año con una copiosa
cosecha;
hasta los senderos más pisoteados
desbordan de abundancia.
[12] Las praderas del desierto se
convierten en buenos pastizales,
y las laderas de las colinas florecen
de alegría.
[13] Los prados se visten con rebaños
de ovejas,
y los valles están alfombrados con
grano.
¡Todos gritan y cantan de alegría!

66

Para el director del coro: cántico. Salmo.

[1] ¡Griten alabanzas alegres a Dios todos
los habitantes de la tierra!
[2] ¡Canten de la gloria de su nombre!
Cuéntenle al mundo lo glorioso que
es él.
[3] Díganle a Dios: «¡Qué imponentes son
tus obras!
Tus enemigos se arrastran ante tu
gran poder.
[4] Todo lo que hay en la tierra te adorará;
cantará tus alabanzas
aclamando tu nombre con cánticos
gloriosos». *Interludio*

[5] Vengan y vean lo que nuestro Dios ha
hecho,
¡los imponentes milagros que
realiza a favor de la gente!
[6] Abrió un camino seco a través del
mar Rojo,*
y su pueblo cruzó a pie.
Allí nos alegramos en él.
[7] Pues con su gran poder gobierna para
siempre.
Observa cada movimiento de las
naciones;
que ningún rebelde se levante
desafiante. *Interludio*

[8] Que el mundo entero bendiga a
nuestro Dios
y cante sus alabanzas a viva voz.
[9] Nuestra vida está en sus manos,
él cuida que nuestros pies no
tropiecen.
[10] Nos pusiste a prueba, oh Dios;
nos purificaste como se purifica
la plata.
[11] Nos atrapaste en tu red
y pusiste sobre nuestra espalda
la carga de la esclavitud.
[12] Luego colocaste un líder sobre
nosotros.*

66:6 En hebreo *del mar.* **66:12** O *Hiciste que cabalgara gente sobre nuestra cabeza.*

Pasamos por el fuego y por la inundación,
pero nos llevaste a un lugar de mucha abundancia.

13 Ahora vengo a tu templo con ofrendas quemadas
para cumplir los votos que te hice,
14 sí, los votos sagrados que hice
cuando me encontraba en graves dificultades.
15 Por eso sacrifico ofrendas quemadas a ti,
lo mejor de mis carneros como aroma agradable,
y un sacrificio de toros y chivos.
Interludio

16 Vengan y escuchen todos los que temen a Dios,
y les contaré lo que hizo por mí.
17 Pues clamé a él por ayuda,
lo alabé mientras hablaba.
18 Si no hubiera confesado el pecado de mi corazón,
mi Señor no me habría escuchado.
19 ¡Pero Dios escuchó!
y prestó oídos a mi oración.
20 Alaben a Dios, quien no pasó por alto mi oración
ni me quitó su amor inagotable.

67

Para el director del coro: cántico. Salmo, acompáñese con instrumentos de cuerda.

1 Que Dios tenga misericordia y nos bendiga;
que su rostro nos sonría con favor.
Interludio

2 Que se conozcan tus caminos en toda la tierra
y tu poder salvador entre los pueblos por todas partes.
3 Que las naciones te alaben, oh Dios,
sí, que todas las naciones te alaben.
4 Que el mundo entero cante de alegría,
porque tú gobiernas a las naciones con justicia
y guías a los pueblos del mundo.
Interludio

5 Que las naciones te alaben, oh Dios,
sí, que todas las naciones te alaben.
6 Entonces la tierra dará sus cosechas,
y Dios, nuestro Dios, nos bendecirá en abundancia.
7 Así es, Dios nos bendecirá,
y gente de todo el mundo le temerá.

68

Para el director del coro: cántico. Salmo de David.

1 Levántate, oh Dios, y dispersa a tus enemigos;
que todos los que odian a Dios corran por sus vidas.
2 Sóplalos y disípalos como si fueran humo;
derrítelos como la cera en el fuego;
que los malvados perezcan en la presencia de Dios.
3 Pero que los justos se alegren;
que se gocen en la presencia de Dios;
que estén llenos de alegría.
4 ¡Canten alabanzas a Dios y a su nombre!
Canten alabanzas en alta voz al que cabalga sobre las nubes.
Su nombre es el SEÑOR;
¡alégrense en su presencia!

5 Padre de los huérfanos, defensor de las viudas,
éste es Dios y su morada es santa.
6 Dios ubica a los solitarios en familias;
pone en libertad a los prisioneros y los llena de alegría.
Pero a los rebeldes los hace vivir en una tierra abrasada por el sol.

7 Oh Dios, cuando sacaste a tu pueblo de Egipto,
cuando marchaste a través de las áridas tierras baldías,
Interludio

[8] la tierra tembló y los cielos
derramaron lluvia a raudales
delante de ti, el Dios del Sinaí,
delante de Dios, el Dios de Israel.
[9] Enviaste lluvia en abundancia, oh Dios,
para refrescar la tierra agotada.
[10] Finalmente allí se estableció tu pueblo
y, con una abundante cosecha, oh
Dios,
proveíste para tu pueblo necesitado.

[11] El Señor da la palabra,
y un gran ejército* trae las buenas
noticias.
[12] Los reyes enemigos y sus ejércitos
huyen,
mientras las mujeres de Israel
reparten el botín.
[13] Hasta los que vivían entre los rediles
encontraron tesoros,
palomas con alas de plata
y plumas de oro.
[14] El Todopoderoso esparció a los reyes
enemigos
como una tormenta de nieve que
sopla en el monte Salmón.

[15] Las montañas de Basán son
majestuosas,
con muchas cumbres altas que
llegan al cielo.
[16] Oh montañas empinadas, ¿por qué
miran con envidia
al monte Sión, donde Dios decidió
vivir,
donde el Señor vivirá para siempre?

[17] Rodeado de incontables millares de
carros de guerra,
el Señor llegó del monte Sinaí y
entró en su santuario.
[18] Cuando ascendiste a las alturas,
llevaste a una multitud de cautivos;
recibiste regalos de la gente,
incluso de quienes se rebelaron
contra ti.
Ahora el Señor Dios vivirá allí, en
medio de nosotros.

[19] ¡Alaben al Señor, alaben a Dios nuestro
salvador!
Pues cada día nos lleva en sus
brazos. *Interludio*
[20] ¡Nuestro Dios es un Dios que salva!
El Soberano Señor nos rescata de
la muerte.

[21] Pero Dios aplastará las cabezas de sus
enemigos,
aplastará los cráneos de los que
aman sus caminos perversos.
[22] El Señor dice: «Haré descender a mis
enemigos desde Basán;
los levantaré desde las
profundidades del mar.
[23] Ustedes, pueblo mío, se lavarán los
pies en la sangre de ellos,
¡y hasta los perros tendrán su
porción!».

[24] Ya asoma tu procesión, oh Dios,
la procesión de mi Dios y Rey
mientras él entra en el santuario.
[25] Los cantores van adelante, los músicos
van detrás;
en medio hay jovencitas que tocan
panderetas.
[26] Alaben a Dios todos los del pueblo de
Israel;
alaben al Señor, la fuente de vida
de Israel.
[27] Miren, la pequeña tribu de Benjamín
va al frente;
le sigue una gran multitud de
gobernantes de Judá
y todos los gobernantes de Zabulón
y Neftalí.

[28] Oh Dios, haz que tu poder se presente;
despliega tu poder, oh Dios, como lo
has hecho en el pasado.
[29] Los reyes de la tierra traen tributo
a tu templo en Jerusalén.

68:11 O *una hueste de mujeres.*

30 Reprende a estas naciones enemigas,
a estos animales salvajes que
acechan entre los juncos,
a esta manada de toros en medio
de los becerros más débiles.
Hazlos traer barras de plata como
humilde tributo.
Dispersa a las naciones que se
deleitan en la guerra.
31 Que Egipto venga con regalos de
metales preciosos;*
que Etiopía* se incline en sumisión
a Dios.
32 Canten a Dios, reinos de la tierra,
canten alabanzas al Señor.
Interludio
33 Canten al que cabalga por los cielos
antiguos;
su poderosa voz truena desde los
cielos.
34 Cuéntenles a todos acerca del poder
de Dios.
Su majestad brilla sobre Israel;
su fuerza es poderosa en los
cielos.
35 Dios es imponente en su santuario;
el Dios de Israel le da poder y fuerza
a su pueblo.

¡Alabado sea Dios!

69

Para el director del coro: salmo de David; cántese con la melodía de «Los lirios».

1 Sálvame oh Dios,
porque las aguas de la inundación
me llegan al cuello.
2 Me hundo cada vez más en el fango;
no encuentro dónde apoyar mis
pies.
Estoy en aguas profundas,
y el torrente me cubre.
3 Estoy agotado de tanto gritar por
ayuda;
tengo la garganta reseca.
Mis ojos están hinchados de tanto
llorar,
a la espera de la ayuda de mi Dios.
4 Los que me odian sin motivo
suman más que los cabellos de mi
cabeza.
Muchos enemigos tratan de
destruirme con mentiras,
me exigen que devuelva lo que
no robé.

5 Oh Dios, tú sabes lo necio que soy;
de ti no puedo ocultar mis pecados.
6 No dejes que los que confían en ti
sean avergonzados por mi culpa,
oh Soberano Señor de los Ejércitos
Celestiales.
No permitas que sean humillados por
mi causa,
oh Dios de Israel.
7 Pues yo soporto insultos por amor a ti;
tengo la humillación dibujada en
todo mi rostro.
8 Hasta mis propios hermanos fingen
no conocerme,
me tratan como a un extraño.

9 El celo por tu casa me ha consumido,
y los insultos de los que te insultan
han caído sobre mí.
10 Cuando lloro y ayuno,
se burlan de mí.
11 Cuando me visto de tela áspera en
señal de dolor,
se ríen de mí.
12 Soy el blanco de los chismes de la
ciudad,
y todos los borrachos cantan de mí.

13 Pero sigo orando a ti, Señor,
con la esperanza de que esta vez me
muestres tu favor.
En tu amor inagotable, oh Dios,
responde a mi oración con tu
salvación segura.
14 Rescátame del lodo,

68:31a O *de telas costosas.* **68:31b** En hebreo *Cus.*

¡no dejes que me hunda aún más!
Sálvame de aquellos que me odian
y sácame de estas aguas profundas.
[15] No permitas que el torrente me cubra,
ni que las aguas profundas me traguen,
ni que el foso de la muerte me devore.

[16] Contesta a mis oraciones, oh SEÑOR,
pues tu amor inagotable es maravilloso;
cuida de mí,
pues tu misericordia es muy abundante.
[17] No te escondas de tu siervo;
contéstame rápido, ¡porque estoy en graves dificultades!
[18] Ven y rescátame,
líbrame de mis enemigos.
[19] Tú conoces mi vergüenza, mi desprecio y mi deshonra;
ves todo lo que hacen mis enemigos.
[20] Sus insultos me han destrozado el corazón,
y estoy desesperado.
Si al menos una persona me tuviera compasión;
si tan sólo alguien volviera y me consolara.
[21] En cambio, de comida, me dan veneno*
y me ofrecen vino agrio para la sed.

[22] Que la abundante mesa servida ante ellos se convierta en una trampa,
y que su prosperidad se vuelva un engaño.*
[23] Que sus ojos queden ciegos para que no puedan ver,
y haz que sus cuerpos tiemblen continuamente.*
[24] Derrama tu furia sobre ellos,
consúmelos en el ardor de tu enojo.
[25] Que su casa quede desolada
y sus carpas de campaña, desiertas.
[26] A quien tú has castigado, agregan insultos;
añaden dolor a quienes tú has herido.
[27] Amontona sus pecados en una enorme pila,
y no los dejes en libertad.
[28] Borra sus nombres del Libro de la Vida;
no dejes que sean incluidos entre los justos.

[29] Estoy afligido y dolorido;
rescátame, oh Dios, con tu poder salvador.

[30] Entonces alabaré el nombre de Dios con cánticos,
y lo honraré con acción de gracias.
[31] Pues al SEÑOR esto le agradará más que el sacrificio de ganado
o que presentar un toro con cuernos y pezuñas.
[32] Los humildes verán a su Dios en acción y se pondrán contentos;
que todos los que buscan la ayuda de Dios reciban ánimo.
[33] Pues el SEÑOR oye el clamor de los necesitados;
no desprecia a su pueblo encarcelado.

[34] Alábenlo el cielo y la tierra,
los mares y todo lo que en ellos se mueve.
[35] Pues Dios salvará a Jerusalén*
y reconstruirá las ciudades de Judá.
Su pueblo vivirá allí
y se establecerá en su propia tierra.

69:21 O *hiel.* **69:22** La versión griega dice *Que la abundante mesa servida ante ellos se convierta en un trampa, / en un engaño que les haga pensar que todo está bien. / Que sus bendiciones los hagan tropezar, / y que reciban lo que se merecen.* Comparar Rm 11:9. **69:23** La versión griega dice *y que la espalda se les encorve para siempre.* Comparar Rm 11:10. **69:35** En hebreo *Sión.*

[36] Los descendientes de quienes lo obedecen heredarán la tierra,
y los que lo aman vivirán allí seguros.

70

Para el director del coro: salmo de David, en el cual le pide a Dios que se acuerde de él.

[1] Por favor, Dios, ¡rescátame!
Ven pronto, SEÑOR, y ayúdame.
[2] Que los que tratan de matarme
sean humillados y pasen vergüenza.
Que los que se deleitan en mis dificultades
retrocedan con deshonra.
[3] Que su vergüenza los horrorice,
porque dijeron: «¡Ajá! ¡Ahora sí lo atrapamos!».
[4] Pero que todos aquellos que te buscan
estén llenos de alegría y de felicidad en ti.
Que los que aman tu salvación
griten una y otra vez: «¡Grande es Dios!».
[5] En cuanto a mí, pobre y necesitado,
por favor, Dios, ven pronto a socorrerme.
Tú eres mi ayudador y mi salvador;
oh SEÑOR, no te demores.

71

[1] Oh SEÑOR, a ti acudo en busca de protección;
no permitas que me avergüencen.
[2] Sálvame y rescátame,
porque tú haces lo que es correcto.
Inclina tu oído para escucharme
y ponme en libertad.
[3] Sé tú mi roca de seguridad,
donde siempre pueda esconderme.
Da la orden de salvarme,
porque tú eres mi roca y mi fortaleza.
[4] Dios mío, rescátame del poder de los perversos,
de las garras de los crueles opresores.
[5] Oh Señor, sólo tú eres mi esperanza;
en ti he confiado, oh SEÑOR, desde mi niñez.
[6] Así es, estás conmigo desde mi nacimiento;
me has cuidado desde el vientre de mi madre.
¡Con razón siempre te alabo!
[7] Mi vida es un ejemplo para muchos,
porque tú has sido mi fuerza y protección.
[8] Por eso nunca puedo dejar de alabarte;
todo el día declaro tu gloria.
[9] Y ahora, en mi vejez, no me hagas a un lado;
no me abandones cuando me faltan las fuerzas.
[10] Pues mis enemigos murmuran contra mí
y juntos confabulan matarme.
[11] Dicen: «Dios lo ha abandonado.
Vayamos y agarrémoslo,
porque ahora nadie lo ayudará».
[12] Oh Dios, no te quedes lejos;
Dios mío, por favor, apresúrate a ayudarme.
[13] Trae deshonra y destrucción a los que me acusan;
humilla y avergüenza a los que quieren hacerme daño.
[14] Seguiré con la esperanza de tu ayuda;
te alabaré más y más.
[15] A todos les hablaré de tu justicia;
todo el día proclamaré tu poder salvador,
aunque no tengo facilidad de palabras.*
[16] Alabaré tus obras poderosas, oh Soberano SEÑOR,
y les contaré a todos que sólo tú eres justo.

71:15 O *aunque no puedo contarlo.*

[17] Oh Dios, tú me has enseñado desde mi tierna infancia,
y yo siempre les cuento a los demás acerca de tus hechos maravillosos.
[18] Ahora que estoy viejo y canoso,
no me abandones, oh Dios.
Permíteme proclamar tu poder a esta nueva generación,
tus milagros poderosos a todos los que vienen después de mí.

[19] Tu justicia, oh Dios, alcanza los cielos más altos;
¡has hecho cosas tan maravillosas!
¿Quién se compara contigo, oh Dios?
[20] Has permitido que sufra muchas privaciones,
pero volverás a darme vida
y me levantarás de las profundidades de la tierra.
[21] Me restaurarás incluso a mayor honor
y me consolarás una vez más.

[22] Entonces te alabaré con música de arpa,
porque eres fiel a tus promesas, oh mi Dios.
Te cantaré alabanzas con la lira,
Oh Santo de Israel.
[23] Gritaré de alegría y cantaré tus alabanzas,
porque me redimiste.
[24] Todo el día
hablaré de tus justas acciones,
porque todos los que trataron de hacerme daño
fueron humillados y avergonzados.

72

Salmo de Salomón.

[1] Oh Dios, concede al rey tu amor por la justicia,
y da rectitud al hijo del rey.
[2] Ayúdale a juzgar correctamente a tu pueblo;
que los pobres siempre reciban un trato imparcial.
[3] Que las montañas den prosperidad a todos
y que las colinas sean fructíferas.
[4] Ayúdalo a defender al pobre,
a rescatar a los hijos de los necesitados
y a aplastar a sus opresores.
[5] Que te teman* mientras el sol brille
y mientras la luna permanezca en el cielo;
¡sí, para siempre!

[6] Que el gobierno del rey tenga la frescura de las lluvias de primavera sobre la hierba recién cortada,
de los aguaceros que riegan la tierra.
[7] Que florezcan todos los justos durante su reinado;
que haya prosperidad abundante hasta que la luna deje de existir.
[8] Que reine de mar a mar,
y desde el río Éufrates* hasta los extremos de la tierra.
[9] Los nómadas del desierto se inclinarán ante él;
sus enemigos caerán a sus pies sobre el polvo.
[10] Los reyes occidentales, de Tarsis y de otras tierras distantes,
le llevarán tributo.
Los reyes orientales, de Sabá y de Seba,
le llevarán regalos.
[11] Todos los reyes se inclinarán ante él,
y todas las naciones le servirán.

[12] Rescatará a los pobres cuando a él clamen;
ayudará a los oprimidos, que no tienen quién los defienda.
[13] Él siente compasión por los débiles y los necesitados,
y los rescatará.

72:5 La versión griega dice *Que perduren.* **72:8** En hebreo *el río.*

[14] Los redimirá de la opresión y la
violencia,
porque sus vidas le son preciosas.

[15] ¡Viva el rey!
Que se le entregue el oro de Sabá.
Que la gente siempre ore por él
y lo bendiga todo el día.

[16] Que haya grano en abundancia por
toda la tierra,
que brote aun en la cima de las
colinas.
Que los árboles frutales florezcan
como los del Líbano
y los habitantes crezcan como la
hierba en el campo.

[17] Que el nombre del rey permanezca
para siempre;
que se perpetúe mientras el sol
brille.
Que todas las naciones sean
bendecidas por medio de él,
y lo elogien.

[18] Alaben al SEÑOR Dios, el Dios de Israel,
el único que hace semejantes
maravillas.

[19] ¡Alaben su glorioso nombre por
siempre!
Que toda la tierra se llene de su gloria.
¡Amén y amén!

[20] (Aquí terminan las oraciones de David,
hijo de Isaí).

LIBRO TERCERO (Salmos 73–89)

73

Salmo de Asaf.

[1] En verdad Dios es bueno con Israel,
con los de corazón puro.

[2] Pero en cuanto a mí, casi perdí el
equilibrio;
mis pies resbalaron y estuve a punto
de caer,

[3] porque envidiaba a los orgullosos
cuando los veía prosperar a pesar
de su maldad.

[4] Pareciera que viven sin problemas;
tienen el cuerpo tan sano y fuerte.

[5] No tienen dificultades como otras
personas;
no están llenos de problemas como
los demás.

[6] Lucen su orgullo como un collar de
piedras preciosas
y se visten de crueldad.

[7] ¡Estos gordos ricachones tienen todo
lo que su corazón desea!

[8] Se burlan y hablan sólo maldades;
en su orgullo procuran aplastar a
otros.

[9] Se jactan contra los cielos mismos,
y sus palabras se pasean
presuntuosas por toda la tierra.

[10] Entonces la gente se desanima y se
confunde,
al tragarse todas esas palabras.

[11] «¿Y qué sabe Dios? —preguntan—.
¿Acaso el Altísimo sabe lo que está
pasando?».

[12] Miren a esos perversos:
disfrutan de una vida fácil mientras
sus riquezas se multiplican.

[13] ¿Conservé puro mi corazón en vano?
¿Me mantuve en inocencia sin
ninguna razón?

[14] En todo el día no consigo más que
problemas;
cada mañana me trae dolor.

[15] Si yo realmente hubiera hablado a
otros de esta manera,
habría sido un traidor a tu pueblo.

[16] Traté de entender por qué los
malvados prosperan,
¡pero qué tarea tan difícil!

[17] Entonces entré en tu santuario, oh
Dios,
y por fin entendí el destino de los
perversos.

[18] En verdad, los pones en un camino
resbaladizo

y haces que se deslicen por el
precipicio hacia su ruina.
[19] Al instante quedan destruidos,
totalmente consumidos por los
terrores.
[20] Cuando te levantes, oh Señor,
te reirás de sus tontas ideas
como uno se ríe por la mañana
de lo que soñó en la noche.

[21] Entonces me di cuenta que mi
corazón se llenó de amargura,
y yo estaba destrozado por dentro.
[22] Fui tan necio e ignorante,
debo haberte parecido un animal
sin entendimiento.
[23] Sin embargo, todavía te pertenezco;
me tomas de la mano derecha.
[24] Me guías con tu consejo
y me conduces a un destino
glorioso.
[25] ¿A quién tengo en el cielo sino a ti?
Te deseo más que cualquier cosa en
la tierra.
[26] Puede fallarme la salud y debilitarse
mi espíritu,
pero Dios sigue siendo la fuerza de
mi corazón;
él es mío para siempre.

[27] Los que lo abandonen, perecerán,
porque tú destruyes a los que se
alejan de ti.
[28] En cuanto a mí, ¡qué bueno es estar
cerca de Dios!
Hice al Soberano SEÑOR mi refugio,
y a todos les contaré las maravillas
que haces.

74

Salmo de Asaf.*

[1] Oh Dios, ¿por qué nos has rechazado
tanto tiempo?
¿Por qué es tan intensa tu ira contra
las ovejas de tu propia manada?
[2] Recuerda que somos el pueblo que
elegiste hace tanto tiempo,
¡la tribu a la cual redimiste como
tu posesión más preciada!
Y acuérdate de Jerusalén,* tu hogar
aquí en la tierra.
[3] Camina por las espantosas ruinas
de la ciudad;
mira cómo el enemigo ha destruido
tu santuario.

[4] Allí tus enemigos dieron gritos
victoriosos de guerra;
allí levantaron sus estandartes
de batalla.
[5] Blandieron sus hachas
como leñadores en el bosque.
[6] Con hachas y picos,
destrozaron los paneles tallados.
[7] Redujeron tu santuario a cenizas;
profanaron el lugar que lleva tu
nombre.
[8] Luego pensaron: «¡Destruyamos todo!».
Entonces quemaron por completo
todos los lugares de adoración
a Dios.

[9] Ya no vemos tus señales milagrosas;
ya no hay más profetas,
y nadie puede decirnos cuándo
acabará todo esto.
[10] ¿Hasta cuándo, oh Dios, dejarás que
tus enemigos te insulten?
¿Permitirás que deshonren tu
nombre para siempre?
[11] ¿Por qué contienes tu fuerte brazo
derecho?
Descarga tu poderoso puño y
destrúyelos.

[12] Tú, oh Dios, eres mi rey desde hace
siglos,
traes salvación a la tierra.
[13] Dividiste el mar con tu fuerza
y les rompiste la cabeza a los
monstruos marinos.

74:TÍTULO En hebreo *masquil.* Puede ser un término literario o musical. **74:2** En hebreo *del monte Sión.*

14 Aplastaste las cabezas del Leviatán*
y dejaste que se lo comieran los
animales del desierto.
15 Hiciste que brotaran los manantiales
y los arroyos,
y secaste ríos que jamás se secan.
16 Tanto el día como la noche te
pertenecen;
tú creaste el sol y la luz de las
estrellas.*
17 Estableciste los límites de la tierra
e hiciste el verano, así como el
invierno.

18 Mira cómo te insultan estos enemigos,
SEÑOR;
una nación insensata ha
deshonrado tu nombre.
19 No permitas que estas bestias salvajes
destruyan a tus tórtolas;
no te olvides para siempre de tu
pueblo dolido.

20 Recuerda las promesas de tu pacto,
¡porque la tierra está llena de
oscuridad y violencia!
21 No permitas que humillen otra vez a
los oprimidos,
en cambio, deja que el pobre y el
necesitado alaben tu nombre.

22 Levántate, oh Dios, y defiende tu
causa;
recuerda cómo te insultan estos
necios todo el día.
23 No pases por alto lo que han dicho tus
enemigos
ni su creciente alboroto.

75

Para el director del coro: salmo de Asaf. Cántese con la melodía de «¡No destruyas!».

1 ¡Te damos gracias, oh Dios!,
te damos gracias porque estás cerca;
por todas partes, la gente habla de
tus hechos maravillosos.

2 Dios dice: «En el momento que tengo
pensado,
haré justicia contra los
perversos.
3 Cuando la tierra tiembla y sus
habitantes viven en caos,
yo soy quien mantiene firme sus
cimientos. *Interludio*

4 »Al orgulloso le advertí: "¡Deja de
jactarte!".
Al perverso le dije: "¡No levantes tus
puños!
5 No levantes tus puños desafiantes
contra los cielos
ni hables con semejante
arrogancia"».
6 Pues nadie en la tierra —del oriente
ni del occidente,
ni siquiera del desierto—
debería alzar* un puño
desafiante.
7 Dios es el único que juzga;
él decide quién se levantará y quién
caerá.
8 Pues el SEÑOR sostiene una copa en
la mano,
llena de vino espumoso mezclado
con especias.
Él derrama el vino en señal de juicio,
y todos los malvados lo beberán
hasta la última gota.

9 En cuanto a mí, siempre proclamaré
lo que Dios ha hecho;
cantaré alabanzas al Dios
de Jacob.
10 Pues Dios dice: «Quebraré la fuerza
de los malvados,
pero aumentaré el poder de los
justos».

74:14 La identidad del Leviatán es discutida, las ideas van desde una criatura terrestre hasta un mítico monstruo marino de la literatura antigua. **74:16** O *y la luna;* en hebreo dice *luz.* **75:6** En hebreo *debería levantar.*

76

Para el director del coro: salmo de Asaf. Cántico; acompáñese con instrumentos de cuerda.

[1] Dios recibe honra en Judá;
su nombre es grande en Israel.
[2] Jerusalén* es el lugar donde habita;
el monte Sión es su hogar.
[3] Allí quebró las flechas encendidas del enemigo,
los escudos, las espadas y las armas de guerra. *Interludio*

[4] Tú eres glorioso y superas en majestad
a las montañas eternas.*
[5] Nuestros enemigos más audaces fueron saqueados
y yacen ante nosotros en el sueño de la muerte.
No hay guerrero que pueda levantarse contra nosotros.
[6] A la ráfaga de tu aliento, oh Dios de Jacob,
sus caballos y carros de guerra quedan inmóviles.

[7] ¡Con razón eres tan temido!
¿Quién puede quedar en pie ante ti cuando estalla tu ira?
[8] Desde el cielo sentenciaste a tus enemigos;
la tierra tembló y permaneció en silencio delante de ti.
[9] Te levantas para juzgar a los que hacen lo malo, oh Dios,
y para rescatar a los oprimidos de la tierra. *Interludio*

[10] La rebeldía del ser humano sólo resalta tu gloria,
porque tú la usas como un arma.*
[11] Haz votos al SEÑOR tu Dios y cúmplelos;
que todos le lleven tributo al Temible.
[12] Él quiebra el orgullo de los príncipes,
y los reyes de la tierra le temen.

77

Para Jedutún, director del coro: salmo de Asaf.

[1] Clamo a Dios; sí, a gritos;
¡oh, si Dios me escuchara!
[2] Cuando estaba en graves dificultades, busqué al Señor.
Toda la noche oré con las manos levantadas hacia el cielo,
pero mi alma no encontró consuelo.
[3] Pienso en Dios y gimo,
abrumado de tanto anhelar su ayuda. *Interludio*

[4] No me dejas dormir;
¡estoy tan afligido que ni siquiera puedo orar!
[5] Pienso en los viejos tiempos,
que acabaron hace tanto,
[6] cuando mis noches estaban llenas de alegres canciones.
Ahora busco en mi alma y considero la diferencia.
[7] ¿Me habrá rechazado para siempre el Señor?
¿Nunca más volverá a ser bondadoso conmigo?
[8] ¿Se ha ido para siempre su amor inagotable?
¿Han dejado de cumplirse sus promesas para siempre?
[9] ¿Se ha olvidado Dios de ser bondadoso?
¿Habrá cerrado de un portazo la entrada a su compasión? *Interludio*

[10] Y yo digo: «Este es mi destino;
el Altísimo volvió su mano contra mí».
[11] Pero después me acuerdo de todo lo que has hecho, oh SEÑOR;
recuerdo tus obras maravillosas de tiempos pasados.

76:2 En hebreo *Salem,* otro nombre para Jerusalén. **76:4** Así aparece en la versión griega; en hebreo dice *que las montañas llenas de bestias de presa.* **76:10** El significado del hebreo es incierto.

12 Siempre están en mis pensamientos;
no puedo dejar de pensar en tus obras poderosas.
13 Oh Dios, tus caminos son santos.
¿Existe algún dios tan poderoso como tú?
14 ¡Eres el Dios de grandes maravillas!
Demuestras tu asombroso poder entre las naciones.
15 Con tu fuerte brazo, redimiste a tu pueblo,
los descendientes de Jacob y de José. *Interludio*

16 Cuando el mar Rojo te vio,* oh Dios,
sus aguas miraron y temblaron;
el mar se estremeció hasta las profundidades.
17 Las nubes derramaron lluvia;
el trueno retumbó en el cielo;
tus flechas destellaron como rayos.
18 Tu trueno rugió desde el torbellino;
¡los relámpagos iluminaron el mundo!
La tierra tembló y se estremeció.
19 Te abriste camino a través del mar
y tu sendero atravesó las poderosas aguas,
¡una senda que nadie sabía que estaba allí!
20 Guiaste a tu pueblo por ese camino
como a un rebaño de ovejas,
con Moisés y Aarón de pastores.

78

Salmo de Asaf.*

1 Oh pueblo mío, escucha mis enseñanzas;
abre tus oídos a lo que digo,
2 porque te hablaré por medio de una parábola.
Te enseñaré lecciones escondidas de nuestro pasado,
3 historias que hemos oído y conocido,
que nos trasmitieron nuestros antepasados.
4 No les ocultaremos estas verdades a nuestros hijos;
a la próxima generación le contaremos
de las gloriosas obras del SEÑOR,
de su poder y de sus imponentes maravillas.
5 Pues emitió sus leyes a Jacob;
entregó sus enseñanzas a Israel.
Les ordenó a nuestros antepasados
que se las enseñaran a sus hijos,
6 para que la siguiente generación las conociera
—incluso los niños que aún no habían nacido—,
y ellos, a su vez, las enseñaran a sus propios hijos.
7 De modo que cada generación volviera a poner su esperanza en Dios
y no olvidara sus gloriosos milagros,
sino que obedeciera sus mandamientos.
8 Entonces no serán obstinados, rebeldes e infieles
como sus antepasados,
quienes se negaron a entregar su corazón a Dios.

9 Los guerreros de Efraín, aunque estaban armados con arcos,
dieron la espalda y huyeron el día de la batalla.
10 No cumplieron el pacto de Dios
y se negaron a vivir según sus enseñanzas.
11 Se olvidaron de lo que él había hecho,
de las grandes maravillas que les había mostrado,
12 de los milagros que hizo para sus antepasados

77:16 En hebreo *las aguas te vieron.* **78:TÍTULO** En hebreo *masquil.* Puede ser un término literario o musical.

en la llanura de Zoán, en la tierra
de Egipto.
[13] Partió en dos el mar y los guió a
cruzarlo,
¡mientras sostenía las aguas como
si fueran una pared!
[14] Durante el día los guiaba con una nube,
y toda la noche, con una columna
de fuego.
[15] Partió las rocas en el desierto para
darles agua
como de un manantial burbujeante.
[16] Hizo que de la roca brotaran
corrientes de agua,
¡y que el agua fluyera como un río!
[17] Sin embargo, ellos siguieron pecando
contra él,
al rebelarse contra el Altísimo en
el desierto.
[18] Tercamente pusieron a prueba a Dios
en sus corazones,
al exigirle la comida que tanto
ansiaban.
[19] Hasta hablaron en contra de Dios
al decir:
«Dios no puede darnos comida
en el desierto.
[20] Por cierto, puede golpear una roca
para que brote agua,
pero no puede darle pan y carne
a su pueblo».
[21] Cuando el SEÑOR los oyó, se puso
furioso;
el fuego de su ira se encendió
contra Jacob.
Sí, su enojo aumentó contra Israel,
[22] porque no le creyeron a Dios
ni confiaron en su cuidado.
[23] Pero él ordenó que se abrieran los
cielos;
abrió las puertas del cielo.
[24] Hizo que lloviera maná para que
comieran;
les dio pan del cielo.
[25] ¡Se alimentaron con comida
de ángeles!
Dios les dio todo lo que podían
consumir.
[26] Soltó el viento del oriente en los cielos
y guió al viento del sur con su gran
poder.
[27] ¡Hizo llover tanta carne como si fuera
polvo
y cantidad de aves como la arena
a la orilla del mar!
[28] Hizo caer las aves dentro del
campamento
y alrededor de sus carpas
de campaña.
[29] El pueblo comió hasta saciarse;
él les dio lo que se les antojaba.
[30] Pero antes de que saciaran su antojo,
mientras aún tenían la comida en
la boca,
[31] la ira de Dios aumentó contra ellos,
e hirió de muerte a sus hombres
más fuertes;
derribó a los mejores jóvenes
de Israel.
[32] Sin embargo, el pueblo siguió
pecando;
a pesar de sus maravillas, se
negaron a confiar en él.
[33] Entonces, hizo que la vida de ellos
terminara en fracaso,
y sus años en horror.
[34] Cuando Dios comenzó a matarlos,
finalmente lo buscaron.
Se arrepintieron y tomaron en serio
a Dios.
[35] Entonces recordaron que Dios era
su roca,
que el Dios Altísimo* era su
redentor.
[36] Pero todo fue de dientes para afuera;
le mintieron con la lengua;
[37] con el corazón no eran leales a él.
No cumplieron su pacto.

78:35 En hebreo *El-Elión*.

[38] Sin embargo, él tuvo misericordia y
perdonó sus pecados,
y no los destruyó a todos.
Muchas veces contuvo su enojo
y no desató su furia.
[39] Se acordó de que eran simples
mortales
que desaparecen como una ráfaga
de viento que nunca vuelve.

[40] Cuántas veces se rebelaron contra él
en el desierto
y entristecieron su corazón en esa
tierra seca y baldía.
[41] Una y otra vez pusieron a prueba la
paciencia de Dios
y provocaron al Santo de Israel.
[42] No se acordaron de su poder
ni de cómo los rescató de sus
enemigos.
[43] No recordaron las señales milagrosas
que hizo en Egipto
ni sus maravillas en la llanura de
Zoán.
[44] Pues él convirtió los ríos en sangre,
para que nadie pudiera beber de
los arroyos.
[45] Envió grandes enjambres de moscas
para que los consumieran
y miles de ranas para que los
arruinaran.
[46] Les dio sus cultivos a las orugas;
las langostas consumieron sus
cosechas.
[47] Destruyó sus vides con granizo
y destrozó sus higueras con
aguanieve.
[48] Dejó su ganado a merced del granizo,
sus animales, abandonados a los
rayos.
[49] Desató sobre ellos su ira feroz,
toda su furia, su enojo y hostilidad.
Envió contra ellos
a un grupo de ángeles destructores.
[50] Se enfureció contra ellos;
no perdonó la vida de los egipcios,
sino que los devastó con plagas.
[51] Mató al hijo mayor de cada familia
egipcia,
la flor de la juventud en toda la
tierra de Egipto.*
[52] Pero guió a su propio pueblo como
a un rebaño de ovejas,
los condujo a salvo a través del
desierto.
[53] Los protegió para que no tuvieran
temor,
en cambio sus enemigos quedaron
cubiertos por el mar.
[54] Los llevó a la frontera de la tierra santa,
a la tierra de colinas que había
conquistado para ellos.
[55] A su paso expulsó a las naciones de
esa tierra,
la cual repartió por sorteo a su
pueblo como herencia
y estableció a las tribus de Israel
en sus hogares.

[56] Pero ellos siguieron tentando al Dios
Altísimo y rebelándose contra él;
no obedecieron sus leyes.
[57] Le dieron la espalda y fueron tan
infieles como sus padres;
eran tan poco fiables como un arco
torcido.
[58] Hicieron enojar a Dios al construir
santuarios a otros dioses;
con sus ídolos lo pusieron celoso.
[59] Cuando Dios los oyó, se enojó mucho,
y rechazó a Israel por completo.
[60] Entonces abandonó su morada en Silo,
el tabernáculo donde había vivido
en medio de su pueblo.
[61] Permitió que el arca de su poder fuera
capturada;
cedió su gloria a manos enemigas.
[62] Entregó a su pueblo para que los
masacraran a espada,
porque estaba muy enojado con su

78:51 En hebreo *en las carpas de Cam.*

propio pueblo, su posesión más
preciada.
[63] A los jóvenes los mataron con fuego;
las muchachas murieron antes de
entonar sus canciones de boda.
[64] Masacraron a los sacerdotes,
y sus viudas no pudieron llorar su
muerte.

[65] Entonces el Señor se levantó como si
despertara de un sueño,
como un guerrero que vuelve en sí
de una borrachera.
[66] Derrotó a sus enemigos en forma
aplastante
y los mandó a la vergüenza eterna.
[67] Pero rechazó a los descendientes de
José;
no escogió a la tribu de Efraín.
[68] En cambio, eligió a la tribu de Judá,
y al monte Sión, al cual amaba.
[69] Allí construyó su santuario tan alto
como los cielos,
tan sólido y perdurable como la
tierra.
[70] Escogió a su siervo David
y lo llamó del redil.
[71] Tomó a David de donde cuidaba a las
ovejas y a los corderos
y lo convirtió en pastor de los
descendientes de Jacob:
de Israel, el pueblo de Dios;
[72] lo cuidó con sinceridad de corazón
y lo dirigió con manos diestras.

79

Salmo de Asaf.

[1] Oh Dios, naciones paganas
conquistaron tu tierra,
tu posesión más preciada.
Profanaron tu santo templo
y convirtieron a Jerusalén en un
montón de ruinas.
[2] Dejaron los cadáveres de tus siervos
como alimento para las aves del
cielo.
La carne de tus justos
se ha convertido en comida para los
animales salvajes.
[3] La sangre fluyó como agua por toda
Jerusalén;
no queda nadie para enterrar a los
muertos.
[4] Nuestros vecinos se mofan de
nosotros;
somos objeto de desprecio y desdén
de quienes nos rodean.

[5] Oh Señor, ¿hasta cuándo seguirás
enojado con nosotros? ¿Será para
siempre?
¿Hasta cuándo arderá tu celo como
el fuego?
[6] Derrama tu ira sobre las naciones que
se niegan a reconocerte,
sobre los reinos que no invocan tu
nombre.
[7] Pues devoraron a tu pueblo, Israel,*
y convirtieron la tierra en un
desierto desolado.
[8] ¡No nos hagas responsables por
los pecados de nuestros
antepasados!
Que tu compasión satisfaga pronto
nuestras necesidades,
porque estamos al borde de la
desesperación.

[9] ¡Ayúdanos, oh Dios de nuestra
salvación!
Ayúdanos por la gloria de tu
nombre;
sálvanos y perdona nuestros pecados
por la honra de tu nombre.
[10] ¿Por qué se les permite a las naciones
paganas burlarse
y preguntar: «Dónde está su Dios»?
Muéstranos tu venganza contra las
naciones,

79:7 En hebreo *devoraron a Jacob.* Ver nota en 44:4.

porque han derramado la sangre
de tus siervos.
11 Escucha el lamento de los prisioneros.
Demuestra tu gran poder al salvar a
los condenados a muerte.

12 Oh Señor, multiplica siete veces
tu venganza contra nuestros
vecinos
por la burla que han lanzado contra ti.
13 Entonces nosotros, tu pueblo, las
ovejas de tu prado,
te agradeceremos por siempre y
para siempre,
y alabaremos tu grandeza de
generación en generación.

80

Para el director del coro: salmo de Asaf; cántese con la melodía de «Lirios del pacto».

1 Te pido que escuches, oh Pastor de
Israel,
tú, que guías como a un rebaño a los
descendientes de José.
Oh Dios, entronizado por encima de
los querubines,
despliega tu radiante gloria
2 ante Efraín, Benjamín y Manasés.
Muéstranos tu gran poder.
¡Ven a rescatarnos!

3 Oh Dios, haznos volver a ti otra vez;
haz que tu rostro brille sobre
nosotros.
Sólo entonces seremos salvos.
4 Oh Señor, Dios de los Ejércitos
Celestiales,
¿hasta cuándo seguirás enojado con
nuestras oraciones?
5 Nos diste tristeza por comida,
y nos hiciste beber lágrimas en
abundancia.
6 Nos convertiste en el desprecio* de las
naciones vecinas.
Nuestros enemigos nos tratan como
si fuéramos una broma.

7 Haznos volver a ti otra vez, oh Dios
de los Ejércitos Celestiales;
haz que tu rostro brille sobre
nosotros.
Sólo entonces seremos salvos.
8 Nos sacaste de Egipto como a una vid;
expulsaste a las naciones paganas y
nos trasplantaste a tu tierra.
9 Limpiaste el terreno para nosotros,
y echamos raíces y llenamos la
tierra.
10 Nuestra sombra cubrió las montañas;
nuestras ramas cubrieron los
poderosos cedros.
11 Extendimos las ramas al occidente,
hacia el mar Mediterráneo;
nuestros retoños se extendieron al
oriente, hacia el río Éufrates.*
12 Pero ahora, ¿por qué has derribado
nuestras murallas
de modo que todos los que pasan
pueden robarse nuestros frutos?
13 Los jabalíes del bosque los devoran,
y los animales salvajes se alimentan
de ellos.

14 Te suplicamos que regreses, oh Dios
de los Ejércitos Celestiales.
Observa desde los cielos y mira
nuestro aprieto.
Cuida de esta vid
15 que tú mismo plantaste,
este hijo que criaste para ti.
16 Somos cortados y quemados por
nuestros enemigos;
que perezcan al ver tu ceño
fruncido.
17 Fortalece al hombre que amas,
al hijo que elegiste.
18 Entonces jamás volveremos a
abandonarte.

80:6 Así aparece en la versión siríaca; en hebreo dice *conflicto.* **80:11** En hebreo *al occidente, hacia el mar [...] al oriente, hacia el río.*

Revívenos para que podamos
invocar tu nombre una vez más.

19 Haznos volver a ti otra vez, oh SEÑOR
Dios de los Ejércitos Celestiales;
haz que tu rostro brille sobre
nosotros.
Sólo entonces seremos salvos.

81

*Para el director del coro: salmo de Asaf; acompáñese con instrumento de cuerda.**

1 Entonen alabanzas a Dios, nuestra
fuerza;
canten al Dios de Jacob.
2 ¡Canten! Toquen la pandereta.
Hagan sonar la dulce lira y el arpa.
3 ¡Toquen el cuerno de carnero en la
luna nueva
y otra vez en la luna llena, para
convocar a un festival!
4 Pues los decretos de Israel así lo
exigen;
es una ordenanza del Dios de Jacob.
5 Él lo hizo ley para Israel*
cuando atacó a Egipto para
ponernos en libertad.

Oí una voz desconocida que decía:
6 «Ahora quitaré la carga de tus
hombros;
liberaré tus manos de las tareas
pesadas.
7 Clamaste a mí cuando estabas en
apuros, y yo te salvé;
respondí desde el nubarrón
y puse a prueba tu fe cuando no
había agua en Meriba.
Interludio
8 »Escúchame, pueblo mío, en tanto
te doy severas advertencias.
¡Oh Israel, si tan sólo me
escucharas!
9 Jamás debes tener un dios extranjero;
nunca debes inclinarte frente a un
dios falso.
10 Pues fui yo, el SEÑOR tu Dios,
quien te rescató de la tierra
de Egipto.
Abre bien tu boca, y la llenaré
de cosas buenas.

11 »Pero no, mi pueblo no quiso
escuchar;
Israel no quiso que estuviera cerca.
12 Así que dejé que siguiera sus tercos
deseos,
y que viviera según sus propias
ideas.
13 ¡Oh, si mi pueblo me escuchara!
¡Oh, si Israel me siguiera y caminara
por mis senderos!
14 ¡Qué rápido sometería a sus
adversarios!
¡Qué pronto pondría mis manos
sobre sus enemigos!
15 Los que odian al SEÑOR se arrastrarían
delante de él;
quedarían condenados para
siempre.
16 Pero a ustedes los alimentaría con
el mejor trigo;
los saciaría con miel silvestre
de la roca».

82

Salmo de Asaf.

1 Dios preside la corte de los cielos;
pronuncia juicio en medio de los
seres celestiales:
2 «¿Hasta cuándo dictarán decisiones
injustas
que favorecen a los malvados?
Interludio
3 »Hagan justicia al pobre y al huérfano;
defiendan los derechos de los
oprimidos y de los desposeídos.
4 Rescaten al pobre y al indefenso;

81:TÍTULO En hebreo *según el Gitit.* **81:5** En hebreo *para José.*

líbrenlos de las garras de los
malvados.
5 Pero esos opresores no saben nada;
¡son tan ignorantes!
Andan errantes en la oscuridad
mientras el mundo entero se
estremece hasta los cimientos.
6 Yo digo: "Ustedes son dioses;
son todos hijos del Altísimo.
7 Pero morirán como simples mortales
y caerán como cualquier otro
gobernante"».

8 Levántate, oh Dios, y juzga a la tierra,
porque todas las naciones te
pertenecen.

83

Un cántico. Salmo de Asaf.

1 ¡Oh Dios, no guardes silencio!
No cierres tus oídos;
no te quedes callado, oh Dios.
2 ¿No oyes el alboroto que hacen tus
enemigos?
¿No ves que tus arrogantes
adversarios se levantan?
3 Inventan intrigas astutas contra tu
pueblo;
conspiran en contra de tus seres
preciados.
4 «Vengan —dicen—, exterminemos a
Israel como nación;
destruiremos hasta el más mínimo
recuerdo de su existencia».
5 Efectivamente, ésta fue su decisión
unánime.
Firmaron un tratado de alianza
en tu contra:
6 los edomitas y los ismaelitas;
los moabitas y los agarenos;
7 los giblitas, los amonitas y los
amalecitas;
y los habitantes de Filistea y de Tiro.
8 Asiria también se unió a ellos
y se alió con los descendientes
de Lot. *Interludio*

9 Haz con ellos lo mismo que hiciste
con los madianitas
y como hiciste también con Sísara
y con Jabín en el río Quisón.
10 Fueron destruidos en Endor,
y sus cadáveres en descomposición
fertilizaron la tierra.
11 Que sus poderosos nobles mueran
como murieron Oreb y Zeb;
que todos sus príncipes mueran
como Zeba y Zalmuna,
12 porque dijeron: «¡Vamos a
apoderarnos de estos pastizales
de Dios
y a usarlos para nuestro beneficio!»
13 ¡Oh mi Dios, espárcelos como a
arbustos que ruedan,
como a paja que se lleva el viento!
14 Así como el fuego quema un bosque
y una llama incendia las montañas,
15 persíguelos con tu tormenta feroz,
atérralos con tu tempestad.
16 Desacredítalos por completo
hasta que se sometan a tu nombre,
oh SEÑOR.
17 Que sean avergonzados y
aterrorizados para siempre;
que mueran en deshonra.
18 Entonces aprenderán que sólo tú te
llamas el SEÑOR,
que sólo tú eres el Altísimo,
supremo sobre toda la tierra.

84

*Para el director del coro: salmo de los descendientes de Coré; acompáñese con instrumento de cuerda.**

1 Qué bella es tu morada,
oh SEÑOR de los Ejércitos
Celestiales.
2 Anhelo y hasta desfallezco de deseo
por entrar en los atrios del SEÑOR.
Con todo mi ser, mi cuerpo y mi alma,

84:TÍTULO En hebreo *según el Gitit.*

gritaré con alegría al Dios viviente.
[3] Hasta el gorrión encuentra un hogar
y la golondrina construye su nido
y cría a sus polluelos
cerca de tu altar,
¡oh SEÑOR de los Ejércitos
Celestiales, mi Rey y mi Dios!
[4] Qué alegría para los que pueden vivir
en tu casa
cantando siempre tus alabanzas.
Interludio
[5] Qué alegría para los que reciben su
fuerza del SEÑOR,
los que se proponen caminar hasta
Jerusalén.
[6] Cuando anden por el Valle del Llanto,*
se convertirá en un lugar de
manantiales refrescantes;
las lluvias de otoño lo cubrirán de
bendiciones.
[7] Ellos se harán cada vez más fuertes,
y cada uno se presentará delante
de Dios en Jerusalén.*
[8] Oh SEÑOR Dios de los Ejércitos
Celestiales, oye mi oración;
escucha, oh Dios de Jacob.
Interludio
[9] ¡Oh Dios, mira con favor al rey, nuestro
escudo!
Muestra bondad a quien has
ungido.
[10] Un solo día en tus atrios,
¡es mejor que mil en cualquier otro
lugar!
Prefiero ser un portero en la casa
de mi Dios
que vivir la buena vida en la casa
de los perversos.
[11] Pues el SEÑOR Dios es nuestro sol y
nuestro escudo;
él nos da gracia y gloria.
El SEÑOR no negará ningún bien
a quienes hacen lo que es correcto.
[12] Oh SEÑOR de los Ejércitos Celestiales,
qué alegría tienen los que confían
en ti.

85

Para el director del coro: salmo de los descendientes de Coré.

[1] ¡SEÑOR, tú derramaste bendiciones
sobre tu tierra!
Devolviste el bienestar a Israel.*
[2] Perdonaste la culpa de tu pueblo;
sí, cubriste todos sus pecados.
Interludio
[3] Contuviste tu furia
y refrenaste tu enojo encendido.
[4] Ahora, restáuranos otra vez, oh Dios
de nuestra salvación;
aparta tu enojo de nosotros una
vez más.
[5] ¿Seguirás enojado con nosotros para
siempre?
¿Extenderás tu ira a todas las
generaciones?
[6] ¿No volverás a darnos vida,
para que tu pueblo pueda alegrarse
en ti?
[7] Muéstranos tu amor inagotable,
oh SEÑOR,
y concédenos tu salvación.
[8] Presto mucha atención a lo que dice
Dios el SEÑOR,
pues él da palabras de paz a su
pueblo fiel.
Pero no le permitas volver a sus
necios caminos.
[9] Sin duda, la salvación de Dios está
cerca de los que le temen,
por lo tanto, nuestra tierra se llenará
de su gloria.
[10] El amor inagotable y la verdad se
encontraron;
¡la justicia y la paz se besaron!

84:6 O *Valle de (los) Álamos;* en hebreo dice *valle de Baca.* **84:7** En hebreo *Sión.* **85:1** En hebreo *a Jacob.* Ver nota en 44:4.

11 La verdad brota desde la tierra,
y la justicia sonríe desde los cielos.
12 Sí, el SEÑOR derrama sus bendiciones,
y nuestra tierra dará una abundante cosecha.
13 La justicia va delante de él como un heraldo,
preparando el camino para sus pasos.

86 *Oración de David.*

1 Inclínate, oh SEÑOR, y escucha mi oración;
contéstame, porque necesito tu ayuda.
2 Protégeme, pues estoy dedicado a ti.
Sálvame, porque te sirvo y confío en ti;
tú eres mi Dios.
3 Ten misericordia de mí, oh Señor,
porque a ti clamo constantemente.
4 Dame felicidad, oh Señor,
pues a ti me entrego.
5 ¡Oh Señor, eres tan bueno, estás tan dispuesto a perdonar,
tan lleno de amor inagotable para los que piden tu ayuda!
6 Escucha atentamente mi oración, oh SEÑOR;
oye mi urgente clamor.
7 A ti clamaré cada vez que esté en apuros,
y tú me responderás.
8 Ningún dios pagano es como tú, oh Señor;
¡nadie puede hacer lo que tú haces!
9 Todas las naciones que hiciste
vendrán y se inclinarán ante ti, Señor;
alabarán tu santo nombre.
10 Pues tú eres grande y haces obras maravillosas;
sólo tú eres Dios.
11 Enséñame tus caminos, oh SEÑOR,
para que viva de acuerdo con tu verdad.
Concédeme pureza de corazón,
para que te honre.
12 Con todo el corazón te alabaré, oh Señor mi Dios;
daré gloria a tu nombre para siempre,
13 porque muy grande es tu amor por mí;
me has rescatado de las profundidades de la muerte.*
14 Oh Dios, gente insolente se levanta en mi contra;
una pandilla violenta trata de matarme.
No significas nada para ellos.
15 Pero tú, oh Señor,
eres Dios de compasión y misericordia,
lento para enojarse
y lleno de amor inagotable y fidelidad.
16 Mírame y ten misericordia de mí.
Dale tu fuerza a tu siervo;
salva a este hijo de tu sierva.
17 Envíame una señal de tu favor.
Entonces, los que me odian pasarán vergüenza,
porque tú, oh SEÑOR, me ayudas y me consuelas.

87 *Cántico. Salmo de los descendientes de Coré.*

1 En el monte santo
está la ciudad fundada por el SEÑOR.
2 Él ama a la ciudad de Jerusalén
más que a cualquier otra de Israel.*
3 Oh ciudad de Dios,
¡qué cosas gloriosas se dicen de ti!
Interludio

86:13 En hebreo *del Seol.* **87:2** En hebreo *Ama a las puertas de Sión más que a todas las moradas de Jacob.* Ver nota en 44:4.

[4] Incluiré a Egipto* y a Babilonia entre
los que me conocen,
también a Filistea y a Tiro, e incluso
a la distante Etiopía.*
¡Ahora todas son ciudadanas de
Jerusalén!
[5] Con respecto a Jerusalén* se dirá:
«Allí todos disfrutan de los
derechos de ciudadanía».
Y el Altísimo en persona bendecirá
a esa ciudad.
[6] Cuando el SEÑOR escriba en el registro
a las naciones, dirá:
«Ahora todas son ciudadanas de
Jerusalén». *Interludio*
[7] La gente tocará flautas* y cantará:
«¡La fuente de mi vida brota de
Jerusalén!».

88

Para el director del coro: salmo de los descendientes de Coré. Cántico; entónese con la melodía de «El sufrimiento de la aflicción». Salmo de Hemán el ezraíta.*

[1] Oh SEÑOR, Dios de mi salvación,
a ti clamo de día.
A ti vengo de noche.
[2] Oye ahora mi oración;
escucha mi clamor.
[3] Mi vida está llena de dificultades,
y la muerte se acerca.*
[4] Estoy como muerto,
como un hombre vigoroso al que
no le quedan fuerzas.
[5] Me han dejado entre los muertos,
y estoy tendido como un cadáver
en la tumba.
Soy olvidado,
estoy separado de tu cuidado.
[6] Me arrojaste a la fosa más honda,
a las profundidades más oscuras.
[7] Tu ira me oprime;
con una ola tras otra me has
cercado. *Interludio*
[8] Alejaste a mis amigos
al hacerme repulsivo para ellos.
Estoy atrapado y no hay forma de
escapar.
[9] Los ojos se me cegaron de tantas
lágrimas.
Cada día suplico tu ayuda, oh SEÑOR;
levanto a ti mis manos para pedir
misericordia.
[10] ¿Acaso tus obras maravillosas sirven
de algo a los muertos?
¿Se levantan ellos y te alaban?
Interludio
[11] ¿Pueden anunciar tu amor inagotable
los que están en la tumba?
¿Pueden proclamar tu fidelidad en
el lugar de destrucción?*
[12] ¿Puede la oscuridad hablar de tus
obras maravillosas?
¿Puede alguien en la tierra del
olvido contar de tu justicia?
[13] Oh SEÑOR, a ti clamo;
seguiré rogando día tras día.
[14] Oh SEÑOR, ¿por qué me rechazas?
¿Por qué escondes tu rostro de mí?
[15] Desde mi juventud, estoy enfermo y al
borde de la muerte.
Me encuentro indefenso y
desesperado ante tus terrores.
[16] Tu ira feroz me ha abrumado;
tus terrores me paralizaron.
[17] Todo el día se arremolinan como las
aguas de una inundación
y me han cercado por completo.
[18] Me has quitado a mis compañeros
y a mis seres queridos;
la oscuridad es mi mejor amiga.

87:4a En hebreo *Rahab,* nombre de un mítico monstruo marino que en la literatura antigua representa el caos. Aquí se utiliza como un nombre poético para Egipto. **87:4b** En hebreo *Cus.* **87:5** En hebreo *Sión.* **87:7** O *bailará.* **88:TÍTULO** En hebreo *masquil.* Puede ser un término literario o musical. **88:3** En hebreo *el Seol.* **88:11** En hebreo *en Abadón?*

89

Salmo de Etán el ezraíta.*

1 ¡Siempre cantaré acerca del amor
inagotable del SEÑOR!
Jóvenes y ancianos oirán de tu
fidelidad.
2 Tu amor inagotable durará para
siempre;
tu fidelidad es tan perdurable como
los cielos.
3 Dijo el SEÑOR: «Hice un pacto con
David, mi siervo escogido.
Le hice este juramento:
4 "Estableceré a tus descendientes como
reyes para siempre;
se sentarán en tu trono desde ahora
y hasta la eternidad"».
Interludio
5 Todo el cielo alabará tus grandes
maravillas, SEÑOR;
multitud de ángeles te alabarán por
tu fidelidad.
6 Pues, ¿quién se compara con el SEÑOR
en todo el cielo?
¿Qué ángel poderosísimo se
asemeja en algo al SEÑOR?
7 Los poderes angélicos más altos
quedan en reverencia ante Dios
con temor;
él es mucho más imponente que
todos los que rodean su trono.
8 ¡Oh SEÑOR Dios de los Ejércitos
Celestiales!
¿Dónde hay alguien tan poderoso
como tú, SEÑOR?
Eres completamente fiel.
9 Gobiernas los océanos;
dominas las olas embravecidas por
la tormenta.
10 Aplastas al gran monstruo marino;*
dispersas a tus enemigos con tu
brazo poderoso.
11 Los cielos te pertenecen y la tierra
también;
todo lo que hay en el mundo es
tuyo; tú lo creaste todo.
12 Creaste el norte y el sur;
el monte Tabor y el monte Hermón
alaban tu nombre.
13 ¡Poderoso es tu brazo!
¡Fuerte es tu mano!
Tu mano derecha se levanta en alto
con gloriosa fuerza.
14 La rectitud y la justicia son el cimiento
de tu trono;
el amor inagotable y la verdad van
como séquito delante de ti.
15 Felices son los que oyen el alegre
llamado a la adoración,
porque caminarán a la luz de tu
presencia, SEÑOR.
16 Todo el día se alegran de tu
maravillosa fama;
se regocijan por tu justicia.
17 Tú eres la fuerza gloriosa de ellos.
A ti te agrada hacernos fuertes.
18 Así es, nuestra protección viene del
SEÑOR,
y él, el Santo de Israel, nos ha dado
nuestro rey.

19 Hace mucho tiempo hablaste a tu
pueblo fiel en una visión.
Dijiste: «He levantado a un guerrero;
lo seleccioné de la gente común
para que fuera rey.
20 Encontré a mi siervo David;
lo ungí con mi aceite santo.
21 Con mi mano lo mantendré firme,
con mi brazo poderoso, lo haré
fuerte.
22 Sus enemigos no lo vencerán
ni lo dominarán los malvados.
23 Aplastaré a sus adversarios frente a él
y destruiré a los que lo odian.

89:TÍTULO En hebreo *masquil*. Puede ser un término literario o musical. **89:10** En hebreo *a Rahab*, nombre de un mítico monstruo marino que en la literatura antigua representa el caos.

[24] Mi fidelidad y mi amor inagotable lo acompañarán,
y con mi autoridad crecerá en poder.
[25] Extenderé su gobierno sobre el mar,
su dominio sobre los ríos.
[26] Y él clamará a mí: "Tú eres mi Padre,
mi Dios y la Roca de mi salvación".
[27] Lo convertiré en mi primer hijo varón,
el rey más poderoso de la tierra.
[28] Lo amaré y le daré mi bondad para siempre;
mi pacto con él nunca tendrá fin.
[29] Me aseguraré de que tenga heredero;
su trono será interminable, como los días del cielo.
[30] Pero, si sus descendientes abandonan mis enseñanzas
y dejan de obedecer mis ordenanzas,
[31] si desobedecen mis decretos
y dejan de cumplir mis mandatos,
[32] entonces castigaré su pecado con vara
y su desobediencia con azotes.
[33] Pero jamás dejaré de amarlo
ni de cumplir la promesa que le hice.
[34] Por nada romperé mi pacto;
no retiraré ni una sola palabra que he dicho.
[35] Le hice un juramento a David
y por mi santidad no puedo mentir:
[36] su dinastía seguirá por siempre;
su reino perdurará como el sol.
[37] Será tan eterno como la luna,
¡la cual es mi fiel testigo en el cielo!» *Interludio*

[38] Pero ahora lo has rechazado y desechado
y estás enojado con tu rey ungido.
[39] Has renunciado al pacto que hiciste con él;
arrojaste su corona al polvo.
[40] Derribaste las murallas que lo protegían
y destruiste cada fuerte que lo defendía.
[41] Todos los que pasan por allí le han robado,
y se ha convertido en la burla de sus vecinos.
[42] Has fortalecido a sus enemigos
e hiciste que se alegraran.
[43] Has hecho inservible su espada
y te negaste a ayudarlo en la batalla.
[44] Pusiste fin a su esplendor
y derrocaste su trono.
[45] Lo has hecho envejecer antes de tiempo
y lo deshonraste en público. *Interludio*

[46] Oh SEÑOR, ¿hasta cuándo seguirá esto?
¿Te esconderás para siempre?
¿Hasta cuándo arderá tu ira como el fuego?
[47] Recuerda lo breve que es mi vida,
¡qué vacía e inútil es la existencia humana!
[48] Nadie puede vivir para siempre; todos morirán;
nadie puede escapar del poder de la tumba.* *Interludio*

[49] Señor, ¿dónde está tu amor inagotable?
Le diste tu palabra a David
mediante una promesa fiel.
[50] ¡Considera, Señor, cómo pasan vergüenza tus siervos!
Llevo en mi corazón los insultos de mucha gente.
[51] Tus enemigos se han burlado de mí, oh SEÑOR;
se mofan de tu rey ungido por dondequiera que va.

[52] ¡Alaben al SEÑOR para siempre!
¡Amén y amén!

89:48 En hebreo *del Seol.*

LIBRO CUARTO (Salmos 90–106)

90

Oración de Moisés, hombre de Dios.

1 Señor, a lo largo de todas las generaciones,
¡tú has sido nuestro hogar!
2 Antes de que nacieran las montañas,
antes de que dieras vida a la tierra y al mundo,
desde el principio y hasta el fin, tú eres Dios.

3 Haces que la gente vuelva al polvo con sólo decir:
«¡Vuelvan al polvo, ustedes, mortales!».
4 Para ti, mil años son como un día pasajero,
tan breves como unas horas de la noche.
5 Arrasas a las personas como si fueran sueños que desaparecen.
Son como la hierba que brota en la mañana.
6 Por la mañana se abre y florece,
pero al anochecer está seca y marchita.
7 Nos marchitamos bajo tu enojo;
tu furia nos abruma.
8 Despliegas nuestros pecados delante de ti
—nuestros pecados secretos— y los ves todos.
9 Vivimos la vida bajo tu ira,
y terminamos nuestros años con un gemido.

10 ¡Setenta son los años que se nos conceden!
Algunos incluso llegan a ochenta.
Pero hasta los mejores años se llenan de dolor y de problemas;
pronto desaparecen, y volamos.
11 ¿Quién puede comprender el poder de tu enojo?
Tu ira es tan imponente como el temor que mereces.
12 Enséñanos a entender la brevedad de la vida,
para que crezcamos en sabiduría.

13 ¡Oh SEÑOR, vuelve a nosotros!
¿Hasta cuándo tardarás?
¡Compadécete de tus siervos!
14 Sácianos cada mañana con tu amor inagotable,
para que cantemos de alegría hasta el final de nuestra vida.
15 ¡Danos alegría en proporción a nuestro sufrimiento anterior!
Compensa los años malos con bien.
16 Permite que tus siervos te veamos obrar otra vez,
que nuestros hijos vean tu gloria.
17 Y que el Señor nuestro Dios nos dé su aprobación
y haga que nuestros esfuerzos prosperen;
sí, ¡haz que nuestros esfuerzos prosperen!

91

1 Los que viven al amparo del Altísimo
encontrarán descanso a la sombra del Todopoderoso.
2 Declaro lo siguiente acerca del SEÑOR:
Sólo él es mi refugio, mi lugar seguro;
él es mi Dios y en él confío.
3 Te rescatará de toda trampa
y te protegerá de enfermedades mortales.
4 Con sus plumas te cubrirá
y con sus alas te dará refugio.
Sus fieles promesas son tu armadura y tu protección.
5 No tengas miedo de los terrores de la noche
ni de la flecha que se lanza en el día.
6 No temas a la enfermedad que acecha en la oscuridad,

ni a la catástrofe que estalla al
mediodía.
[7] Aunque caigan mil a tu lado,
aunque mueran diez mil a tu
alrededor,
esos males no te tocarán.
[8] Simplemente abre tus ojos
y mira cómo los perversos reciben
su merecido.

[9] Si haces al SEÑOR tu refugio
y al Altísimo tu resguardo,
[10] ningún mal te conquistará;
ninguna plaga se acercará a tu hogar.
[11] Pues él ordenará a sus ángeles
que te protejan por donde vayas.
[12] Te sostendrán con sus manos
para que ni siquiera te lastimes el
pie con una piedra.
[13] Pisotearás leones y cobras;
¡aplastarás feroces leones y
serpientes bajo tus pies!

[14] El SEÑOR dice: «Rescataré a los que me
aman;
protegeré a los que confían en mi
nombre.
[15] Cuando me llamen, yo les responderé;
estaré con ellos en medio de las
dificultades.
Los rescataré y los honraré.
[16] Los recompensaré con una larga vida
y les daré mi salvación».

92

Salmo. Cántico para entonar el día de reposo.

[1] Es bueno dar gracias al SEÑOR,
cantar alabanzas al Altísimo.
[2] Es bueno proclamar por la mañana tu
amor inagotable
y por la noche tu fidelidad,
[3] al son del arpa de diez cuerdas
y de la melodía de la lira.

[4] Todo lo que has hecho por mí, SEÑOR,
¡me emociona!
Canto de alegría por todo lo que has
hecho.
[5] ¡Oh SEÑOR, qué grandes son tus obras!
Y qué profundos son tus
pensamientos.
[6] Sólo un simplón no sabría
y un necio no entendería que:
[7] aunque los malvados broten como
maleza
y los malhechores florezcan,
serán destruidos para siempre.

[8] Tú, oh SEÑOR, para siempre serás
exaltado.
[9] Tus enemigos, SEÑOR, sin duda
perecerán;
todos los malhechores quedarán
esparcidos.
[10] Pero tú me has hecho fuerte como un
buey salvaje;
me has ungido con el mejor aceite.
[11] Mis ojos vieron la caída de mis
enemigos;
mis oídos escucharon la derrota
de mis perversos oponentes.
[12] Pero los justos florecerán como
palmeras
y se harán fuertes como los cedros
del Líbano;
[13] trasplantados a la casa del SEÑOR,
florecen en los atrios de nuestro
Dios.
[14] Incluso en la vejez aún producirán
fruto,
seguirán verdes y llenos de
vitalidad.
[15] Declararán: «¡El SEÑOR es justo!
¡Es mi roca!
¡No existe maldad en él!».

93

[1] ¡El SEÑOR es rey! Se viste
de majestad.
Ciertamente el SEÑOR se viste de
majestad y está armado con fuerza.
El mundo permanece firme
y no puede ser sacudido.

2 Tu trono, oh SEÑOR, permanece desde
tiempos inmemoriales;
tú mismo existes desde el pasado
eterno.
3 Las aguas crecieron, oh SEÑOR.
Los diluvios han rugido como
truenos;
las inundaciones elevaron sus
impetuosas olas.
4 Pero más poderoso que el estruendo
de los mares enfurecidos,
más potente que las rompientes
olas en la orilla;
el SEÑOR, quien está en lo alto, es
más poderoso que éstos.
5 Tus leyes soberanas no pueden ser
modificadas;
tu reino, oh SEÑOR, es santo por
siempre y para siempre.

94

1 Oh SEÑOR, Dios de venganza,
oh Dios de venganza, ¡haz
que tu gloriosa justicia
resplandezca!
2 Levántate, oh juez de la tierra;
dales su merecido a los orgullosos.
3 ¿Hasta cuándo, SEÑOR?
¿Hasta cuándo los perversos
tendrán permiso para
regodearse?
4 ¿Hasta cuándo hablarán con
arrogancia?
¿Hasta cuándo se jactarán estos
malvados?
5 Aplastan a tu pueblo, SEÑOR,
lastiman a los que llamas tuyos.
6 Matan a las viudas y a los extranjeros,
y asesinan a los huérfanos.
7 «El SEÑOR no está mirando —dicen—,
y además, al Dios de Israel* no le
importa».

8 ¡Piénsenlo mejor, necios!
¿Cuándo por fin se darán cuenta?
9 El que les hizo los oídos, ¿acaso es
sordo?
El que les formó los ojos, ¿acaso es
ciego?
10 Él castiga a las naciones, ¿acaso no los
castigará a ustedes?
Él todo lo sabe, ¿acaso no sabe
también lo que ustedes hacen?
11 El SEÑOR conoce los pensamientos
de la gente;
¡sabe que no valen nada!

12 Felices aquellos a quienes tú
disciplinas, SEÑOR,
aquellos a los que les enseñas tus
instrucciones.
13 Los alivias en tiempos difíciles
hasta que se cave un pozo para
capturar a los malvados.
14 El SEÑOR no rechazará a su pueblo,
no abandonará a su posesión más
preciada.
15 El juicio volverá a basarse en la
justicia,
y los de corazón íntegro la
procurarán.

16 ¿Quién me protegerá de los perversos?
¿Quién me defenderá de los
malvados?
17 Si el SEÑOR no me hubiera ayudado,
pronto me habría quedado en el
silencio de la tumba.
18 Clamé: «¡Me resbalo!»,
pero tu amor inagotable, oh SEÑOR,
me sostuvo.
19 Cuando mi mente se llenó de dudas,
tu consuelo renovó mi esperanza y
mi alegría.

20 ¿Acaso pueden los líderes injustos
afirmar que Dios está de su lado,
los líderes cuyos decretos permiten
la injusticia?
21 Se unen contra los justos
y condenan a muerte a los inocentes.

94:7 En hebreo *de Jacob*. Ver nota en 44:4.

22 Pero el SEÑOR es mi fortaleza;
mi Dios es la roca poderosa donde me escondo.
23 Dios hará que los pecados de los malvados se tornen contra ellos;
los destruirá por sus pecados.
El SEÑOR nuestro Dios los destruirá.

95

1 ¡Vengan, cantemos al SEÑOR!
Aclamemos con alegría a la Roca de nuestra salvación.
2 Acerquémonos a él con acción de gracias.
Cantémosle salmos de alabanza,
3 porque el SEÑOR es Dios grande,
un gran Rey sobre todos los dioses.
4 En sus manos sostiene las profundidades de la tierra
y las montañas más imponentes.
5 El mar le pertenece, pues él lo creó;
sus manos también formaron la tierra firme.

6 Vengan, adoremos e inclinémonos.
Arrodillémonos delante del SEÑOR, nuestro creador,
7 porque él es nuestro Dios.
Somos el pueblo que él vigila,
el rebaño a su cuidado.

¡Si tan sólo escucharan hoy su voz!
8 El SEÑOR dice: «No endurezcan el corazón como Israel en Meriba,
como lo hizo el pueblo en el desierto de Masá.
9 Allí sus antepasados me tentaron y pusieron a prueba mi paciencia,
a pesar de haber visto todo lo que hice.
10 Durante cuarenta años estuve enojado con ellos y dije:
"Son un pueblo cuyo corazón se aleja de mí;
rehúsan hacer lo que les digo".
11 Así que en mi enojo juré:
"Ellos nunca entrarán a mi lugar de descanso"».

96

1 ¡Canten al SEÑOR una nueva canción!
¡Qué toda la tierra cante al SEÑOR!
2 Canten al SEÑOR, alaben su nombre;
cada día anuncien las buenas noticias de que él salva.
3 Anuncien sus gloriosas obras entre las naciones;
cuéntenles a todos las cosas asombrosas que él hace.
4 ¡Grande es el SEÑOR! ¡Es el más digno de alabanza!
A él hay que temer por sobre todos los dioses.
5 Los dioses de las otras naciones no son más que ídolos,
¡pero el SEÑOR hizo los cielos!
6 Honor y majestad lo rodean;
fuerza y belleza llenan su santuario.

7 Oh naciones del mundo, reconozcan al SEÑOR;
reconozcan que el SEÑOR es fuerte y glorioso.
8 ¡Den al SEÑOR la gloria que merece!
Lleven ofrendas y entren en sus atrios.
9 Adoren al SEÑOR en todo su santo esplendor;
que toda la tierra tiemble delante de él.
10 Digan a todas las naciones: «¡El SEÑOR reina!».
El mundo permanece firme y no puede ser sacudido.
Él juzgará a todos los pueblos con imparcialidad.

11 ¡Que los cielos se alegren, y la tierra se goce!
¡Que el mar y todo lo que contiene exclamen sus alabanzas!
12 ¡Que los campos y sus cultivos estallen de alegría!
Que los árboles del bosque susurren con alabanza
13 delante del SEÑOR, ¡porque él viene!

Viene a juzgar la tierra.
Juzgará al mundo con justicia
y a las naciones con su verdad.

97

1 ¡El SEÑOR es rey!
¡Que se goce la tierra!
¡Que se alegren las costas más lejanas!
2 Nubes oscuras lo rodean.
La rectitud y la justicia son el cimiento de su trono.
3 Fuego se extiende delante de él
y calcina a todos sus enemigos.
4 Sus relámpagos destellan por el mundo;
la tierra lo ve y tiembla.
5 Las montañas se derriten como cera delante del SEÑOR,
delante del Señor de toda la tierra.
6 Los cielos proclaman su justicia;
toda nación ve su gloria.
7 Los que rinden culto a ídolos quedan deshonrados
—todos los que se jactan de sus inútiles dioses—
pues todos los dioses tienen que inclinarse ante él.
8 ¡Jerusalén* oyó y se alegró,
y todas las ciudades de Judá están felices
a causa de tu justicia, oh SEÑOR!
9 Pues tú, oh SEÑOR, eres supremo en toda la tierra,
exaltado muy por encima de todos los dioses.

10 ¡Ustedes, los que aman al SEÑOR, odien el mal!
Él protege la vida de sus justos
y los rescata del poder de los perversos.
11 La luz brilla sobre los justos,
y la alegría sobre los de corazón recto.
12 ¡Que todos los justos se alegren en el SEÑOR
y alaben su santo nombre!

98

Salmo.

1 Canten al SEÑOR una nueva canción,
porque ha hecho obras maravillosas.
Su mano derecha obtuvo una poderosa victoria;
su santo brazo ha mostrado su poder salvador.
2 El SEÑOR anunció su victoria
y reveló su justicia a toda nación.
3 Recordó su promesa de amar y de ser fiel a Israel.
¡Los extremos de la tierra han visto la victoria de nuestro Dios!

4 Aclamen al SEÑOR, habitantes de toda la tierra;
¡prorrumpan en alabanza y canten de alegría!
5 Canten alabanzas al SEÑOR con el arpa,
con el arpa y dulces melodías,
6 con trompetas y el sonido del cuerno de carnero.
¡Toquen una alegre sinfonía delante del SEÑOR, el Rey!

7 ¡Que el mar y todo lo que contiene le exclamen alabanzas!
¡Que se le unan la tierra y todas sus criaturas vivientes!
8 ¡Que los ríos aplaudan con júbilo!
¡Que las colinas entonen sus cánticos de alegría
9 delante del SEÑOR!
Pues el SEÑOR viene a juzgar la tierra.
Juzgará al mundo con justicia,
y a las naciones con imparcialidad.

97:8 En hebreo *Sión*.

99

[1] ¡El Señor es rey!
¡Qué tiemblen las naciones!
Está sentado en su trono, entre los querubines.
¡Qué se estremezca toda la tierra!
[2] El Señor se sienta con majestad en Jerusalén,*
exaltado sobre todas las naciones.
[3] Que ellas alaben tu nombre grande y temible.
¡Tu nombre es santo!
[4] Rey poderoso, amante de la justicia,
tú has establecido la imparcialidad.
Has actuado con justicia
y con rectitud en todo Israel.*
[5] ¡Exalten al Señor nuestro Dios!
¡Póstrense ante sus pies porque él es santo!

[6] Moisés y Aarón estaban entre sus sacerdotes;
Samuel también invocó su nombre.
Clamaron al Señor por ayuda,
y él les respondió.
[7] Habló a Israel desde la columna de nube,
y los israelitas siguieron las leyes y los decretos que les dio.
[8] Oh Señor nuestro Dios, tú les respondiste;
para ellos fuiste Dios perdonador,
pero los castigaste cuando se desviaron.

[9] Exalten al Señor nuestro Dios
y adoren en su monte santo, en Jerusalén,
¡porque el Señor nuestro Dios es santo!

100

Salmo de agradecimiento.

[1] ¡Aclamen con alegría al Señor,
habitantes de toda la tierra!
[2] Adoren al Señor con gozo.
Vengan ante él cantando con alegría.
[3] ¡Reconozcan que el Señor es Dios!
Él nos hizo, y le pertenecemos;*
somos su pueblo, ovejas de su prado.
[4] Entren por sus puertas con acción de gracias;
vayan a sus atrios con alabanza.
Denle gracias y alaben su nombre.
[5] Pues el Señor es bueno.
Su amor inagotable permanece para siempre,
y su fidelidad continúa de generación en generación.

101

Salmo de David.

[1] Cantaré de tu amor y de tu justicia, oh Señor;
te alabaré con canciones.
[2] Tendré cuidado de llevar una vida intachable,
¿cuándo vendrás a ayudarme?
Viviré con integridad
en mi propio hogar.
[3] Me negaré a mirar
cualquier cosa vil o vulgar.
Detesto a los que actúan de manera deshonesta;
no tendré nada que ver con ellos.
[4] Rechazaré las ideas perversas
y me mantendré alejado de toda clase de mal.
[5] No toleraré a los que calumnian a sus vecinos;
no soportaré la presunción ni el orgullo.

[6] Buscaré a personas fieles
para que sean mis compañeros;
sólo a los que sean irreprochables
se les permitirá servirme.
[7] No permitiré que los engañadores
sirvan en mi casa,

99:2 En hebreo *Sión*. **99:4** En hebreo *Jacob*. Ver nota en 44:4. **100:3** Así aparece en otra lectura del texto masorético; otra lectura y algunas versiones antiguas dicen *y no nosotros mismos*.

y los mentirosos no permanecerán
en mi presencia.
8 Mi tarea diaria será descubrir a los
perversos
y liberar de sus garras a la ciudad
del SEÑOR.

102

Oración de quien está abrumado de problemas y se desahoga ante el SEÑOR.

1 SEÑOR, ¡oye mi oración!
¡Escucha mi ruego!
2 No te alejes de mí
en el tiempo de mi angustia.
Inclínate para escuchar
y no tardes en responderme cuando
te llamo.
3 Pues mis días desaparecen como el
humo,
y los huesos me arden como
carbones al rojo vivo.
4 Tengo el corazón angustiado, marchito
como la hierba,
y perdí el apetito.
5 Por mi gemir,
quedé reducido a piel y huesos.
6 Soy como un búho en el desierto,
como un búho pequeño en un lugar
remoto y desolado.
7 Me acuesto y sigo despierto,
como un pájaro solitario en el
tejado.
8 Mis enemigos se burlan de mí día
tras día;
se mofan de mí y me maldicen.
9 Me alimento de cenizas;
las lágrimas corren por mis mejillas
y se mezclan con mi bebida,
10 a causa de tu enojo y de tu ira,
pues me levantaste y me echaste.
11 Mi vida pasa tan rápido como las
sombras de la tarde;
voy marchitándome como hierba.
12 Pero tú, oh SEÑOR, te sentarás en tu
trono para siempre;
tu fama durará por todas las
generaciones.
13 Te levantarás y tendrás misericordia
de Jerusalén;*
ya es tiempo de tener compasión
de ella,
ahora es el momento en que
prometiste ayudar.
14 Pues tu pueblo ama cada piedra de sus
murallas
y atesora hasta el polvo de sus
calles.
15 Entonces las naciones temblarán ante
el SEÑOR;
los reyes de la tierra temblarán ante
su gloria.
16 Pues el SEÑOR reconstruirá Jerusalén;
él aparecerá en su gloria.
17 Escuchará las oraciones de los
desposeídos;
no rechazará sus ruegos.

18 Que esto quede registrado para las
generaciones futuras,
para que un pueblo aún no nacido
alabe al SEÑOR.
19 Cuéntenles que el SEÑOR miró hacia
abajo,
desde su santuario celestial.
Desde los cielos miró la tierra
20 para escuchar los gemidos de los
prisioneros,
para poner en libertad a los
condenados a muerte.
21 Por eso la fama del SEÑOR se celebrará
en Sión,
y sus alabanzas en Jerusalén,
22 cuando las multitudes se reúnan
y los reinos vengan a adorar al
SEÑOR.

23 A la mitad de mi vida, me quebró las
fuerzas,
y así acortó mis días.

102:13 En hebreo *Sión;* también en 102:16.

[24] Pero clamé a él: «Oh mi Dios, el que vive para siempre,
¡no me quites la vida en la flor de mi juventud!
[25] Hace mucho tiempo echaste los cimientos de la tierra
y con tus manos formaste los cielos.
[26] Ellos dejarán de existir, pero tú permaneces para siempre;
se desgastarán como ropa vieja.
Tú los cambiarás
y los desecharás como si fueran ropa.
[27] Pero tú siempre eres el mismo;
tú vivirás para siempre.
[28] Los hijos de tu pueblo
vivirán seguros;
los hijos de sus hijos
prosperarán en tu presencia».

103

Salmo de David.

[1] Que todo lo que soy alabe al SEÑOR;
con todo el corazón alabaré su santo nombre.
[2] Que todo lo que soy alabe al SEÑOR;
que nunca olvide todas las cosas buenas que hace por mí.
[3] Él perdona todos mis pecados
y sana todas mis enfermedades.
[4] Me redime de la muerte
y me corona de amor y tiernas misericordias.
[5] Colma mi vida de cosas buenas;
¡mi juventud se renueva como la del águila!

[6] El SEÑOR da rectitud
y hace justicia a los que son tratados injustamente.

[7] Dio a conocer su carácter a Moisés
y sus obras al pueblo de Israel.
[8] El SEÑOR es compasivo y misericordioso,
lento para enojarse y está lleno de amor inagotable.
[9] No nos reprenderá todo el tiempo,
ni seguirá enojado para siempre.
[10] No nos castiga por todos nuestros pecados;
no nos trata con la severidad que merecemos.
[11] Pues su amor inagotable hacia los que le temen
es tan inmenso como la altura de los cielos sobre la tierra.
[12] Llevó nuestros pecados tan lejos de nosotros
como está el oriente del occidente.
[13] El SEÑOR es como un padre con sus hijos,
tierno y compasivo con los que le temen.
[14] Pues él sabe lo débiles que somos;
se acuerda de que somos tan sólo polvo.
[15] Nuestros días sobre la tierra son como la hierba;
igual que las flores silvestres, florecemos y morimos.
[16] El viento sopla, y desaparecemos
como si nunca hubiéramos estado aquí.
[17] Pero el amor del SEÑOR permanece para siempre
con los que le temen.
¡Su salvación se extiende a los hijos de los hijos
[18] de los que son fieles a su pacto,
de los que obedecen sus mandamientos!

[19] El SEÑOR ha hecho de los cielos su trono,
desde allí gobierna todo.

[20] Alaben al SEÑOR, ustedes los ángeles,
ustedes los poderosos que llevan a cabo sus planes,
que están atentos a cada uno de sus mandatos.
[21] ¡Sí, alaben al SEÑOR, ejércitos de ángeles

que le sirven y hacen su voluntad!
22 Alabe al SEÑOR todo lo que él ha creado,
todo lo que hay en su reino.

Que todo lo que soy, alabe al SEÑOR.

104

1 Que todo lo que soy, alabe al SEÑOR.

¡Oh SEÑOR mi Dios, eres grandioso!
Te has vestido de honor y majestad.
2 Te has envuelto en un manto de luz.
Despliegas la cortina de estrellas de los cielos;
3 colocas las vigas de tu hogar en las nubes de lluvia.
Haces de las nubes tu carro de guerra;
cabalgas sobre las alas del viento.
4 Los vientos son tus mensajeros,
las llamas de fuego, tus sirvientes.*

5 Colocaste el mundo sobre sus cimientos,
así jamás se removerá.
6 Vestiste a la tierra con torrentes de agua,
agua que cubrió aun a las montañas.
7 A tu orden, el agua huyó;
al sonido de tu trueno, salió corriendo.
8 Las montañas se elevaron y los valles se hundieron
hasta el nivel que tú decretaste.
9 Después, fijaste un límite para los mares,
para que nunca más cubrieran la tierra.

10 Tú haces que los manantiales viertan agua en los barrancos,
para que los arroyos broten con fuerza y desciendan desde las montañas.
11 Proveen agua a todos los animales,
y los burros salvajes sacian su sed.
12 Las aves hacen sus nidos junto a los arroyos
y cantan entre las ramas de los árboles.
13 Desde tu hogar celestial, envías lluvia sobre las montañas
y colmas la tierra con el fruto de tus obras.
14 Haces crecer el pasto para los animales
y las plantas para el uso de la gente.
Les permites producir alimento con el fruto de la tierra:
15 vino para que se alegren,
aceite de oliva para aliviarles la piel,
y pan para que se fortalezcan.
16 Los árboles del SEÑOR están bien cuidados,
los cedros del Líbano que plantó.
17 Allí hacen sus nidos las aves,
y en los cipreses las cigüeñas hacen su hogar.
18 En lo alto de las montañas viven las cabras salvajes,
y las rocas forman un refugio para los damanes.*

19 Creaste la luna para que marcara las estaciones,
y el sol sabe cuándo ponerse.
20 Envías la oscuridad, y se hace de noche,
la hora en que merodean los animales del bosque.
21 Los leones jóvenes rugen por su presa,
acechan en busca del alimento que Dios les provee.
22 Al amanecer, se escabullen
y se meten en sus guaridas para descansar.
23 Entonces la gente sale a trabajar
y realiza sus labores hasta el anochecer.

24 Oh SEÑOR, ¡cuánta variedad de cosas has creado!

104:4 La versión griega dice *Él envía a sus ángeles como vientos, / a sus sirvientes como llamas de fuego.* Comparar Hb 1:7. **104:18** O *conejos salvajes,* o *tejones de las rocas.*

Las hiciste todas con tu sabiduría;
la tierra está repleta de tus
criaturas.
25 Allí está el océano, ancho e inmenso,
rebosando de toda clase de vida,
especies tanto grandes como
pequeñas.
26 Miren los barcos que pasan navegando,
y al Leviatán,* al cual hiciste para
que juegue en el mar.

27 Todos dependen de ti
para recibir el alimento según su
necesidad.
28 Cuando tú lo provees, ellos lo recogen.
Abres tu mano para alimentarlos,
y quedan sumamente satisfechos.
29 Pero si te alejas de ellos, se llenan de
pánico.
Cuando les quitas el aliento,
mueren y vuelven otra vez al polvo.
30 Cuando les das tu aliento,* se genera
la vida
y renuevas la faz de la tierra.

31 ¡Que la gloria del SEÑOR continúe para
siempre!
¡El SEÑOR se deleita en todo lo que
ha creado!
32 La tierra tiembla ante su mirada;
las montañas humean cuando él
las toca.

33 Cantaré al SEÑOR mientras viva.
¡Alabaré a mi Dios hasta mi último
suspiro!
34 Que todos mis pensamientos le
agraden,
porque me alegro en el SEÑOR.
35 Que todos los pecadores desaparezcan
de la faz de la tierra;
que dejen de existir para siempre
los perversos.

Que todo lo que soy alabe al SEÑOR.

¡Alabado sea el SEÑOR!

105

1 Den gracias al SEÑOR y
proclamen su grandeza;
que todo el mundo sepa lo que él
ha hecho.
2 Canten a él; sí, cántenle alabanzas;
cuéntenle a todo el mundo acerca
de sus obras maravillosas.
3 Regocíjense por su santo nombre;
alégrense ustedes, los que adoran al
SEÑOR.
4 Busquen al SEÑOR y a su fuerza,
búsquenlo continuamente.
5 Recuerden las maravillas y los
milagros que ha realizado,
y los decretos que ha dictado,
6 ustedes, hijos de su siervo Abraham,
descendientes de Jacob, los elegidos
de Dios.

7 Él es el SEÑOR nuestro Dios;
su justicia se ve por toda la tierra.
8 Siempre se atiene a su pacto,
al compromiso que adquirió con
mil generaciones.
9 Es el pacto que hizo con Abraham
y el juramento que le hizo a Isaac.
10 Se lo confirmó a Jacob como un
decreto
y al pueblo de Israel como un pacto
eterno:
11 «Te daré la tierra de Canaán
como tu preciada posesión».

12 Eso lo dijo cuando eran unos pocos,
un pequeño grupo de extranjeros
en Canaán.
13 Anduvieron de nación en nación,
de un reino a otro.
14 Sin embargo, él no permitió que nadie
los oprimiera.
A favor de ellos, les advirtió a los
reyes:
15 «No toquen a mi pueblo elegido
ni hagan daño a mis profetas».

104:26 La identidad del Leviatán es discutida, las ideas van desde una criatura terrestre hasta un mítico monstruo marino de la literatura antigua. **104:30** O *Cuando envías tu Espíritu.*

16 Mandó hambre a la tierra de Canaán,
y cortó la provisión de alimentos.
17 Luego envió a un hombre a Egipto
delante de ellos:
a José, quien fue vendido como
esclavo.
18 Le lastimaron los pies con grilletes
y en el cuello le pusieron un collar
de hierro.
19 Hasta que llegó el momento de
cumplir sus sueños,*
el SEÑOR puso a prueba el carácter
de José.
20 Entonces el faraón mandó a buscarlo y
lo puso en libertad;
el gobernante de la nación le abrió
la puerta de la cárcel.
21 José quedó a cargo de toda la casa
del rey;
llegó a ser el administrador de todas
sus posesiones.
22 Con total libertad instruía a los
asistentes del rey
y enseñaba a los consejeros del rey.

23 Luego Israel llegó a Egipto;
Jacob vivió como extranjero en la
tierra de Cam.
24 Y el SEÑOR multiplicó a los israelitas
hasta que llegaron a ser más
poderosos que sus enemigos.
25 Después puso a los egipcios en contra
del pueblo de Israel,
y ellos conspiraron contra los
siervos del SEÑOR.

26 Pero el SEÑOR envió a su siervo Moisés,
junto con Aarón, a quien había
escogido.
27 Ellos realizaron señales asombrosas
entre los egipcios,
y maravillas en la tierra de Cam.
28 El SEÑOR cubrió a Egipto con
oscuridad,
porque los egipcios desobedecieron
las órdenes de dejar ir a su pueblo.
29 Convirtió sus aguas en sangre
y envenenó a todos los peces.
30 Luego las ranas infestaron la tierra
y hasta invadieron las habitaciones
del rey.
31 Cuando el SEÑOR habló, enjambres de
moscas descendieron sobre los
egipcios,
y hubo una nube de mosquitos por
todo Egipto.
32 Les envió granizo en lugar de lluvia,
y destellaron relámpagos sobre la
tierra.
33 Arruinó sus vides y sus higueras
y destrozó todos los árboles.
34 Habló, y vinieron oleadas de langostas,
langostas jóvenes en cantidades
innumerables.
35 Se comieron todo lo verde que había
en la tierra
y destruyeron todos los cultivos
de los campos.
36 Después mató al hijo mayor de cada
hogar egipcio,
el orgullo y la alegría de cada
familia.

37 El SEÑOR sacó a su pueblo de Egipto,
cargado de oro y de plata;
y ni una sola persona de las tribus
de Israel siquiera tropezó.
38 Egipto se alegró cuando se fueron,
porque les tenía mucho miedo.
39 El SEÑOR desplegó una nube sobre
ellos para que los cubriera
y les dio un gran fuego para que
iluminara la oscuridad.
40 Ellos le pidieron carne, y él les envió
codornices;
les sació el hambre con maná, pan
del cielo.
41 Partió una roca, y brotó agua a chorros
que formó un río a través de la
tierra árida y baldía.
42 Pues recordó la promesa sagrada

105:19 En hebreo *su palabra*.

que le había hecho a su siervo
Abraham.
[43] Así que sacó a su pueblo de Egipto con
alegría,
a sus escogidos, con gozo.
[44] Les dio las tierras de las naciones
paganas,
y cosecharon cultivos que otros
habían sembrado.
[45] Todo eso sucedió para que siguieran
los decretos del SEÑOR
y obedecieran sus enseñanzas.

¡Alabado sea el SEÑOR!

106

[1] ¡Alabado sea el SEÑOR!

¡Den gracias al SEÑOR,
porque él es bueno!
Su fiel amor perdura para siempre.
[2] ¿Quién podrá enumerar los gloriosos
milagros del SEÑOR?
¿Quién podrá alabarlo lo suficiente?
[3] Hay alegría para los que tratan con
justicia a los demás
y siempre hacen lo que es correcto.

[4] Acuérdate de mí, SEÑOR, cuando le
muestres favor a tu pueblo;
acércate y rescátame.
[5] Déjame tener parte en la prosperidad
de tus elegidos.
Permite que me alegre por el gozo
de tu pueblo;
concédeme alabarte con los que
son tu herencia.

[6] Hemos pecado como nuestros
antepasados.
¡Hicimos lo malo y actuamos de
manera perversa!
[7] Nuestros antepasados en Egipto
no quedaron conmovidos ante las
obras milagrosas del SEÑOR.
Pronto olvidaron sus muchos actos
de bondad hacia ellos;
en cambio se rebelaron contra él en
el mar Rojo.*
[8] Aun así, él los salvó:
para defender el honor de su
nombre
y para demostrar su gran poder.
[9] Ordenó al mar Rojo* que se secara
y condujo a Israel a través del mar
como si fuera un desierto.
[10] Así los rescató de sus enemigos
y los libertó de sus adversarios.
[11] Después el agua volvió y cubrió a sus
enemigos;
ninguno de ellos sobrevivió.
[12] Entonces el pueblo creyó las promesas
del SEÑOR
y le cantó alabanzas.

[13] Sin embargo, ¡qué pronto olvidaron lo
que él había hecho!
¡No quisieron esperar su consejo!
[14] En el desierto dieron rienda suelta a
sus deseos,
pusieron a prueba la paciencia de
Dios en esa tierra árida y baldía.
[15] Entonces les dio lo que pedían,
pero al mismo tiempo les envió
una plaga.
[16] La gente del campamento se puso
celosa de Moisés
y tuvo envidia de Aarón, el santo
sacerdote del SEÑOR.
[17] Por esa causa la tierra se abrió,
se tragó a Datán
y enterró a Abiram junto con los
otros rebeldes.
[18] Sobre sus seguidores cayó fuego;
una llama consumió a los perversos.
[19] Los israelitas hicieron un becerro en el
monte Sinaí;*
se inclinaron ante una imagen
hecha de oro.
[20] Cambiaron a su glorioso Dios

106:7 En hebreo *en el mar, el mar de juncos.* **106:9** En hebreo *mar de juncos;* también en 106:22.
106:19 En hebreo *en Horeb,* otro nombre para Sinaí.

por la estatua de un toro que come
hierba.
21 Se olvidaron de Dios, su salvador,
quien había realizado tantas
grandezas en Egipto:
22 obras tan maravillosas en la tierra
de Cam,
hechos tan asombrosos en el
mar Rojo.
23 Por lo tanto, él declaró que los
destruiría.
Pero Moisés, su escogido, intervino
entre el SEÑOR y los israelitas;
le suplicó que apartara su ira y que
no los destruyera.

24 El pueblo se negó a entrar en la
agradable tierra,
porque no creían la promesa de que
Dios los iba a cuidar.
25 En cambio, rezongaron en sus carpas
y se negaron a obedecer al SEÑOR.
26 Por lo tanto, él juró solemnemente
que los mataría en el desierto,
27 que dispersaría a sus descendientes
entre las naciones,
y los enviaría a tierras distantes.

28 Después nuestros antepasados se
unieron para rendir culto a Baal
en Peor;
¡hasta comieron sacrificios
ofrecidos a los muertos!
29 Con todo eso provocaron el enojo del
SEÑOR,
entonces se desató una plaga en
medio de ellos.
30 Pero Finees tuvo el valor de intervenir
y la plaga se detuvo.
31 Por eso, desde entonces,
se le considera un hombre justo.

32 También en Meriba, provocaron el
enojo del SEÑOR,
y le causaron serios problemas a
Moisés.
33 Hicieron que Moisés se enojara*
y hablara como un necio.

34 Israel no destruyó a las naciones que
había en la tierra,
como el SEÑOR le había ordenado.
35 En cambio, los israelitas se mezclaron
con los paganos
y adoptaron sus malas costumbres.
36 Rindieron culto a sus ídolos,
y eso resultó en su ruina.
37 Hasta sacrificaron a sus propios hijos
e hijas a los demonios.
38 Derramaron sangre inocente,
la sangre de sus hijos e hijas.
Al sacrificarlos a los ídolos de Canaán,
contaminaron la tierra con
asesinatos.
39 Se contaminaron a sí mismos con sus
malas acciones,
y su amor a los ídolos fue adulterio
a los ojos del SEÑOR.

40 Por eso, el enojo del SEÑOR se
encendió contra su pueblo,
y él aborreció a su posesión más
preciada.
41 Los entregó a las naciones paganas
y quedaron bajo el gobierno de
quienes los odiaban.
42 Sus enemigos los aplastaron
y los sometieron a su cruel poder.
43 Él los rescató una y otra vez,
pero ellos decidieron rebelarse en
su contra,
y finalmente su pecado los
destruyó.
44 Aun así, él sintió compasión por la
angustia de ellos
y escuchó sus clamores.
45 Recordó el pacto que les había hecho
y desistió a causa de su amor
inagotable.
46 Hasta hizo que sus captores
los trataran con amabilidad.

106:33 En hebreo *Amargaron su espíritu.*

[47] ¡Oh Señor nuestro Dios, sálvanos!
Vuelve a reunirnos de entre las naciones,
para que podamos agradecer a tu santo nombre,
alegrarnos y alabarte.

[48] Alaben al Señor, Dios de Israel,
quien vive desde siempre y para siempre.
Que todo el pueblo diga: «¡Amén!».
¡Alabado sea el Señor!

Libro Quinto (Salmos 107–150)

107

[1] ¡Den gracias al Señor,
porque él es bueno!
Su fiel amor perdura para siempre.
[2] ¿Los ha rescatado el Señor?
¡Entonces, hablen con libertad!
Cuenten a otros que él los ha rescatado de sus enemigos.
[3] Pues ha reunido a los desterrados de muchos países,
del oriente y del occidente,
del norte y del sur.

[4] Algunos vagaban por el desierto,
perdidos y sin hogar.
[5] Con hambre y con sed
estaban a punto de morir.
[6] «¡Señor, socorro!», clamaron en medio de su dificultad,
y él los rescató de su aflicción.
[7] Los llevó directo a un lugar seguro,
a una ciudad donde pudieran vivir.
[8] Que alaben al Señor por su gran amor
y por las obras maravillosas que ha hecho a favor de ellos.
[9] Pues él satisface al sediento
y al hambriento lo llena de cosas buenas.

[10] Algunos estaban en oscuridad y en una profunda penumbra,
presos del sufrimiento con cadenas de hierro.
[11] Se rebelaron contra las palabras de Dios,
se burlaron del consejo del Altísimo.
[12] Por eso los doblegó con trabajo forzado;
cayeron, y no hubo quien los ayudara.
[13] «¡Socorro, Señor!», clamaron en medio de su dificultad,
y él los salvó de su aflicción.
[14] Los sacó de la oscuridad y de la profunda penumbra;
les rompió las cadenas.
[15] Que alaben al Señor por su gran amor
y por las obras maravillosas que ha hecho a favor de ellos.
[16] Pues rompió las puertas de bronce de su prisión;
partió en dos los barrotes de hierro.

[17] Algunos fueron necios; se rebelaron
y sufrieron por sus pecados.
[18] No podían ni pensar en comer,
y estaban a las puertas de la muerte.
[19] «¡Socorro, Señor!», clamaron en medio de su dificultad
y él los salvó de su aflicción.
[20] Envió su palabra y los sanó;
los arrebató de las puertas de la muerte.
[21] Que alaben al Señor por su gran amor
y por las obras maravillosas que ha hecho a favor de ellos.
[22] Que ofrezcan sacrificios de agradecimiento
y canten con alegría por sus gloriosos actos.

[23] Algunos se hicieron a la mar en barcos
y surcaron las rutas comerciales del mundo.
[24] También observaron el poder del Señor en acción,
sus impresionantes obras en los mares más profundos.
[25] Él habló, y se desataron los vientos
que agitaron las olas.
[26] Los barcos fueron lanzados hacia los cielos

y cayeron nuevamente a las
profundidades;
los marineros se acobardaron de
terror.
27 Se tambaleaban y daban tumbos como
borrachos,
no sabían qué más hacer.
28 «SEÑOR, ¡socorro!», clamaron en
medio de su dificultad,
y él los salvó de su aflicción.
29 Calmó la tormenta hasta convertirla
en un susurro
y aquietó las olas.
30 ¡Qué bendición fue esa quietud
cuando los llevaba al puerto sanos
y salvos!
31 Que alaben al SEÑOR por su gran amor
y por las obras maravillosas que ha
hecho a favor de ellos.
32 Que lo exalten públicamente delante
de la congregación
y ante los líderes del pueblo.

33 Él transforma ríos en desiertos
y manantiales de agua en tierra
árida y sedienta.
34 Convierte la tierra fructífera en tierras
saladas y baldías,
a causa de la maldad de sus
habitantes.
35 Pero también convierte desiertos en
lagunas
y la tierra seca en fuentes de agua.
36 Lleva a los hambrientos para que se
establezcan allí
y construyan sus ciudades.
37 Siembran los campos, plantan viñedos,
y recogen cosechas abundantes.
38 ¡Cuánto los bendice!
Allí crían familias numerosas
y sus manadas de animales
aumentan.

39 Cuando disminuye la cantidad de ellos
y se empobrecen
por la opresión, las dificultades y el
dolor,
40 el SEÑOR derrama desprecio sobre sus
príncipes
y los hace vagar por tierras baldías
y sin sendero.
41 Pero rescata de la dificultad a los
pobres
y hace crecer a sus familias como
rebaños de ovejas.
42 Los justos verán estas cosas y se
alegrarán
mientras los perversos son
bruscamente silenciados.
43 Los sabios tomarán todo muy en serio;
verán en nuestra historia el fiel
amor del SEÑOR.

108 *Cántico. Salmo de David.*

1 Mi corazón está confiando en ti, oh
Dios;
¡con razón puedo cantar tus
alabanzas con toda el alma!
2 ¡Despiértense, lira y arpa!
Con mi canto despertaré al
amanecer.
3 Te daré gracias, SEÑOR, en medio
de toda la gente;
cantaré tus alabanzas entre las
naciones.
4 Pues tu amor inagotable es más alto
que los cielos;
tu fidelidad alcanza las nubes.
5 Exaltado seas, oh Dios, por encima
de los cielos más altos.
Que tu gloria brille sobre toda la
tierra.

6 Rescata ahora a tu pueblo amado;
respóndenos y sálvanos con tu
poder.
7 Por su santidad,* Dios ha prometido:
«Dividiré a Siquem con alegría
y mediré el valle de Sucot.

108:7 O *En su santuario.*

[8] Galaad es mío,
y también Manasés.
Efraín, mi casco, producirá mis guerreros,
y Judá, mi cetro, producirá mis reyes.
[9] Pero Moab, mi lavamanos, se convertirá en mi siervo,
y sobre Edom limpiaré mis pies,
y gritaré triunfante sobre Filistea».

[10] ¿Quién me llevará a la ciudad fortificada?
¿Quién me dará la victoria sobre Edom?
[11] ¿Nos has rechazado, oh Dios?
¿Ya no marcharás junto a nuestros ejércitos?
[12] Por favor, ayúdanos contra nuestros enemigos,
porque toda la ayuda humana es inútil.
[13] Con la ayuda de Dios, haremos cosas poderosas,
pues él pisoteará a nuestros enemigos.

109

Para el director del coro: salmo de David.

[1] Oh Dios, a quien alabo,
no te quedes distante y callado
[2] mientras los perversos me calumnian
y dicen mentiras acerca de mí.
[3] Me rodean con palabras de odio
y sin razón pelean contra mí.
[4] Yo los amo, pero ellos tratan de destruirme con acusaciones,
¡incluso mientras oro por ellos!
[5] Me devuelven mal por bien
y odio a cambio de mi amor.

[6] Dicen:* «Consigan a un malvado para que se ponga en su contra;
envíen a un acusador para que lo lleve a juicio.
[7] Cuando llegue el momento de juzgar su caso,
que lo declaren culpable.
Tomen como pecados sus oraciones.
[8] Que sean pocos sus años;
que otro tome su lugar.
[9] Que sus hijos queden huérfanos de padre,
y su esposa quede viuda.
[10] Que sus hijos vaguen como mendigos
y que los echen de sus hogares destruidos.
[11] Que los acreedores se apoderen de toda su propiedad,
y que los extraños se lleven todo lo que ha ganado.
[12] Que nadie sea amable con él;
que ninguno tenga piedad de sus hijos sin padre.
[13] Que toda su descendencia muera;
que el nombre de su familia quede borrado en una sola generación.
[14] Que el SEÑOR jamás olvide los pecados de su padre;
que los pecados de su madre nunca se borren de los registros.
[15] Que el SEÑOR siempre recuerde estos pecados,
y que su nombre desaparezca de la memoria humana.
[16] Pues rehusó mostrar bondad a los demás;
persiguió al pobre y al necesitado,
y acosó hasta la muerte a los de corazón quebrantado.
[17] Le encantaba maldecir a otros;
ahora, maldícelo tú a él.
Jamás bendijo a nadie;
ahora, no lo bendigas a él.
[18] Maldecir le resulta tan natural como la ropa que usa,
o el agua que bebe
o los alimentos deliciosos que come.

109:6 El hebreo no incluye *Dicen*.

[19] Ahora, que sus maldiciones se vuelvan en su contra y se le peguen como la ropa;
que le aprieten como un cinturón».

[20] Que esas maldiciones sean el castigo del SEÑOR
para los acusadores que hablan mal de mí.

[21] Pero a mí trátame bien, Soberano SEÑOR,
¡por el honor de tu propia fama!
Rescátame
porque eres tan fiel y tan bueno.

[22] Pues soy pobre y estoy necesitado,
y mi corazón está lleno de dolor.

[23] Me desvanezco como una sombra al anochecer;
me quitan de encima como una langosta.

[24] Mis rodillas están débiles de tanto ayunar
y estoy reducido a piel y huesos.

[25] Soy objeto de burla para la gente;
cuando me ven, menean la cabeza en señal de desprecio.

[26] ¡Ayúdame, SEÑOR mi Dios!
Sálvame a causa de tu amor inagotable.

[27] Haz que vean que esto proviene de ti,
que tú mismo lo has hecho, SEÑOR.

[28] Entonces que me maldigan si quieren,
¡pero tú me bendecirás!
Cuando me ataquen, ¡serán deshonrados!
¡Pero yo, tu siervo, seguiré alegrándome!

[29] Que mis acusadores se vistan de vergüenza;
que la humillación los cubra como un manto.

[30] Pero yo daré gracias al SEÑOR una y otra vez,
lo alabaré ante todo el mundo.

[31] Pues él está junto al necesitado,
listo para salvarlo de quienes lo condenan.

110

Salmo de David.

[1] El SEÑOR le dijo a mi Señor:
«Siéntate en el lugar de honor a mi derecha,
hasta que humille a tus enemigos
y los ponga por debajo de tus pies».

[2] El SEÑOR extenderá tu poderoso reino desde Jerusalén,*
y gobernarás a tus enemigos.

[3] Cuando vayas a la guerra,
tu pueblo te servirá por voluntad propia.
Estás envuelto en vestiduras santas,
y tu fuerza se renovará cada día como el rocío de la mañana.

[4] El SEÑOR ha hecho un juramento y no romperá su promesa:
«Tú eres sacerdote para siempre,
según el orden de Melquisedec».

[5] El Señor está a tu derecha para protegerte;
derribará a muchos reyes cuando estalle su enojo.

[6] Castigará a las naciones
y llenará de cadáveres sus territorios;
destrozará cabezas por toda la tierra.

[7] Pero él se refrescará en los arroyos junto al camino.
Saldrá vencedor.

111*

[1] ¡Alabado sea el SEÑOR!
Daré gracias al SEÑOR con todo mi corazón
al reunirme con su pueblo justo.

110:2 En hebreo *Sión.* **111** Este salmo es un poema acróstico hebreo; luego de la nota introductoria de alabanza, cada línea comienza con una letra del alfabeto hebreo en forma consecutiva.

2 ¡Qué asombrosas son las obras del
SEÑOR!
Todos los que se deleitan en él
deberían considerarlas.
3 Todo lo que él hace revela su gloria
y majestad;
su justicia nunca falla.
4 Él nos hace recordar sus maravillosas
obras.
¡Cuánta gracia y misericordia tiene
nuestro SEÑOR!
5 Da alimento a los que le temen;
siempre recuerda su pacto.
6 Ha mostrado su gran poder a su
pueblo
al entregarle las tierras de otras
naciones.
7 Todo lo que hace es justo y bueno,
y todos sus mandamientos son
confiables;
8 siempre son verdaderos,
para ser obedecidos fielmente y
con integridad.
9 Él pagó el rescate completo por su
pueblo
y les ha garantizado para siempre
el pacto que hizo con ellos.
¡Qué santo e imponente es su
nombre!
10 El temor del SEÑOR es la base de la
verdadera sabiduría;
todos los que obedecen sus
mandamientos crecerán en
sabiduría.

¡Alábenlo para siempre!

112*

1 ¡Alabado sea el SEÑOR!
Qué felices son los que
temen al SEÑOR
y se deleitan en obedecer sus
mandatos.
2 Sus hijos tendrán éxito en todas
partes;
toda una generación de justos será
bendecida.
3 Ellos mismos serán ricos,
y sus buenas acciones durarán para
siempre.
4 La luz brilla en la oscuridad para los
justos;
son generosos, compasivos y rectos.
5 Les va bien a los que prestan dinero
con generosidad
y manejan sus negocios
equitativamente.
6 A estas personas no las vencerá el mal;
a los rectos se les recordará por
mucho tiempo.
7 Ellos no tienen miedo de malas
noticias;
confían plenamente en que el
SEÑOR los cuidará.
8 Tienen confianza y viven sin temor,
y pueden enfrentar triunfantes a
sus enemigos.
9 Comparten con libertad y dan con
generosidad a los necesitados;
sus buenas acciones serán
recordadas para siempre.
Ellos tendrán influencia y recibirán
honor.
10 Los perversos lo verán y se pondrán
furiosos.
Rechinarán los dientes de enojo;
se escabullirán avergonzados con
sus esperanzas frustradas.

113

1 ¡Alabado sea el SEÑOR!
Sí, alábenle, oh siervos del
SEÑOR,
¡alaben el nombre del SEÑOR!
2 Bendito sea el nombre del SEÑOR
ahora y para siempre.
3 En todas partes —del Oriente al
Occidente—,
alaben el nombre del SEÑOR.

112 Este salmo es un poema acróstico hebreo; luego de la nota introductoria de alabanza, cada línea comienza con una letra del alfabeto hebreo en forma consecutiva.

[4] Él está por encima de las naciones;
su gloria es más alta que los cielos.

[5] ¿Quién puede compararse con el SEÑOR nuestro Dios,
quien está entronizado en las alturas?
[6] Él se inclina para mirar
el cielo y la tierra.
[7] Levanta del polvo a los pobres,
y a los necesitados, del basurero.
[8] Los pone entre príncipes,
¡incluso entre los príncipes de su propio pueblo!
[9] A la mujer sin hijos le da una familia
y la transforma en una madre feliz.

¡Alabado sea el SEÑOR!

114

[1] Cuando los israelitas escaparon de Egipto
—cuando la familia de Jacob dejó esa tierra extranjera—,
[2] la tierra de Judá se convirtió en el santuario de Dios,
e Israel llegó a ser su reino.

[3] El mar Rojo* los vio venir y se apuró a quitarse del camino;
el agua del río Jordán se hizo a un lado.
[4] ¡Las montañas saltaron como carneros,
las colinas brincaron como corderos!
[5] ¿Qué te pasa, mar Rojo, qué te llevó a quitarte del camino?
¿Qué sucedió, río Jordán, que te hiciste a un lado?
[6] Montañas, ¿por qué saltaron como carneros?
Colinas, ¿por qué brincaron como corderos?

[7] Tiembla, oh tierra, ante la presencia del Señor,
ante el Dios de Jacob.
[8] Él convirtió la roca en una laguna de agua;
sí, de la roca sólida fluyó un manantial.

115

[1] No a nosotros, oh SEÑOR, no a nosotros
sino a tu nombre le corresponde toda la gloria,
por tu amor inagotable y tu fidelidad.
[2] ¿Por qué dejar que las naciones digan:
«Dónde está el Dios de Israel»?
[3] Nuestro Dios está en los cielos
y hace lo que le place.
[4] Los ídolos de ellos no son más que objetos de plata y oro;
manos humanas les dieron forma.
[5] Tienen boca pero no pueden hablar,
tienen ojos pero no pueden ver.
[6] Tienen oídos pero no pueden oír,
y tienen nariz, pero no pueden oler.
[7] Tienen manos pero no pueden sentir,
tienen pies pero no pueden caminar,
y tienen garganta pero no pueden emitir sonidos.
[8] Y los que hacen ídolos son iguales a ellos,
como también todos los que confían en ellos.

[9] ¡Oh Israel, confía en el SEÑOR!
Él es tu ayudador y tu escudo.
[10] ¡Oh sacerdotes, descendientes de Aarón, confíen en el SEÑOR!
Él es su ayudador y su escudo.
[11] ¡Todos los que temen al SEÑOR, confíen en el SEÑOR!
Él es su ayudador y su escudo.

[12] El SEÑOR se acuerda de nosotros y nos bendecirá.
Bendecirá al pueblo de Israel
y bendecirá a los sacerdotes, los descendientes de Aarón.

114:3 En hebreo *El mar;* también en 114:5.

[13] Bendecirá a los que temen al SEÑOR,
tanto a los grandes como a los humildes.
[14] Que el SEÑOR los bendiga ricamente,
tanto a ustedes como a sus hijos.
[15] Que sean bendecidos por el SEÑOR,
quien hizo los cielos y la tierra.
[16] Los cielos pertenecen al SEÑOR,
pero él ha dado la tierra a toda la humanidad.
[17] Los muertos no pueden cantar alabanzas al SEÑOR
porque han entrado en el silencio de la tumba.
[18] ¡Pero nosotros podemos alabar al SEÑOR
ahora y para siempre!

¡Alabado sea el SEÑOR!

116

[1] Amo al SEÑOR porque escucha mi voz
y mi oración que pide misericordia.
[2] Debido a que él se inclina para escuchar,
¡oraré mientras tenga aliento!
[3] La muerte me envolvió en sus cuerdas;
los terrores de la tumba* se apoderaron de mí.
Lo único que veía era dificultad y dolor.
[4] Entonces invoqué el nombre del SEÑOR:
«¡SEÑOR, por favor, sálvame!».
[5] ¡Qué bondadoso es el SEÑOR! ¡Qué bueno es él!
¡Tan misericordioso, este Dios nuestro!
[6] El SEÑOR protege a los que tienen fe como de un niño;
estuve frente a la muerte, y él me salvó.
[7] Que mi alma descanse nuevamente,
porque el SEÑOR ha sido bueno conmigo.
[8] Me rescató de la muerte,
quitó las lágrimas de mis ojos,
y libró a mis pies de tropezar.
[9] ¡Así que camino en la presencia del SEÑOR
mientras vivo aquí en la tierra!
[10] Creí en ti, por tanto dije:
«SEÑOR, estoy muy afligido».
[11] En mi ansiedad clamé a ti:
«¡Estas personas son todas mentirosas!».
[12] ¿Qué puedo ofrecerle al SEÑOR
por todo lo que ha hecho a mi favor?
[13] Levantaré la copa de la salvación
y alabaré el nombre del SEÑOR por salvarme.
[14] Cumpliré las promesas que le hice al SEÑOR
en presencia de todo su pueblo.
[15] Al SEÑOR le conmueve profundamente
la muerte de sus amados.
[16] Oh SEÑOR, soy tu siervo;
sí, soy tu siervo, nací en tu casa;
me has liberado de mis cadenas.
[17] Te ofreceré un sacrificio de agradecimiento
e invocaré el nombre del SEÑOR.
[18] Cumpliré mis votos al SEÑOR
en presencia de todo su pueblo,
[19] en la casa del SEÑOR,
en el corazón de Jerusalén.

¡Alabado sea el SEÑOR!

117

[1] Alaben al SEÑOR, todas ustedes, las naciones.
Todos los pueblos de la tierra, alábenlo.
[2] Pues nos ama con amor inagotable;
la fidelidad del SEÑOR permanece para siempre.

¡Alabado sea el SEÑOR!

116:3 En hebreo *del Seol.*

118 [1]¡Den gracias al SEÑOR,
porque él es bueno!
Su fiel amor perdura para siempre.

[2] Que todo Israel repita:
«Su fiel amor perdura para siempre».
[3] Que los descendientes de Aarón, los sacerdotes, repitan:
«Su fiel amor perdura para siempre».
[4] Que todos los que temen al SEÑOR repitan:
«Su fiel amor perdura para siempre».

[5] En mi angustia oré al SEÑOR,
y el SEÑOR me respondió y me liberó.
[6] El SEÑOR está de mi parte, por tanto, no temeré;
¿qué me puede hacer un simple mortal?
[7] Así es, el SEÑOR está de mi parte; él me ayudará;
miraré triunfante a los que me odian.
[8] Es mejor refugiarse en el SEÑOR
que confiar en la gente.
[9] Es mejor refugiarse en el SEÑOR
que confiar en príncipes.

[10] Aunque me rodearon naciones hostiles,
las destruí a todas con la autoridad del SEÑOR.
[11] Así fue, me rodearon y me atacaron,
pero las destruí a todas con la autoridad del SEÑOR.
[12] Me rodearon como un enjambre de abejas;
se enardecieron contra mí como un fuego crepitante;
pero las destruí a todas con la autoridad del SEÑOR.
[13] Mis enemigos hicieron todo lo posible para matarme,
pero el SEÑOR me rescató.
[14] El SEÑOR es mi fuerza y mi canción;
me ha dado la victoria.
[15] Se entonan canciones de alegría y de victoria en el campamento de los justos.
¡El fuerte brazo derecho del SEÑOR ha hecho proezas gloriosas!
[16] El fuerte brazo derecho del SEÑOR se levanta triunfante.
¡El fuerte brazo derecho del SEÑOR ha hecho proezas gloriosas!
[17] No moriré; sino que viviré
para contar lo que hizo el SEÑOR.
[18] El SEÑOR me castigó severamente,
pero no me dejó morir.

[19] Ábranme las puertas por donde entran los justos,
y entraré y daré gracias al SEÑOR.
[20] Estas puertas conducen a la presencia del SEÑOR
y los justos entran allí.
[21] Te doy gracias por contestar mi oración,
¡y por darme la victoria!

[22] La piedra que los constructores rechazaron
ahora se ha convertido en la piedra principal.
[23] Esto es obra del SEÑOR
y es maravilloso verlo.
[24] Este es el día que hizo el SEÑOR;
nos gozaremos y alegraremos en él.
[25] Te rogamos, SEÑOR, por favor, sálvanos.
Te rogamos por favor, SEÑOR, haznos triunfar.
[26] Bendigan al que viene en el nombre del SEÑOR.
Desde la casa del SEÑOR, los bendecimos.
[27] El SEÑOR es Dios y brilla sobre nosotros.
Lleven el sacrificio y átenlo con cuerdas sobre el altar.
[28] ¡Tú eres mi Dios y te alabaré!
¡Eres mi Dios y te exaltaré!

[29] ¡Den gracias al SEÑOR, porque él es
bueno!
Su fiel amor perdura para siempre.

119*

Alef

[1] Felices son los íntegros,
los que siguen las enseñanzas del
SEÑOR.
[2] Felices son los que obedecen sus leyes
y lo buscan con todo el corazón.
[3] No negocian con el mal
y andan sólo en los caminos del
SEÑOR.
[4] Nos has ordenado
que cumplamos cuidadosamente
tus mandamientos.
[5] ¡Oh, cuánto deseo que mis acciones
sean un vivo reflejo de
tus decretos!
[6] Entonces no tendré vergüenza
cuando compare mi vida con tus
mandatos.
[7] A medida que aprendo tus justas
ordenanzas,
te daré las gracias viviendo como
debo hacerlo.
[8] Obedeceré tus decretos;
¡por favor, no te des por vencido
conmigo!

Bet

[9] ¿Cómo puede un joven mantenerse
puro?
Obedeciendo tu palabra.
[10] Me esforcé tanto por encontrarte,
no permitas que me aleje de tus
mandatos.
[11] He guardado tu palabra en mi
corazón,
para no pecar contra ti.
[12] Te alabo, oh SEÑOR;
enséñame tus decretos.
[13] Recité en voz alta
todas las ordenanzas que nos
has dado.
[14] Me alegré en tus leyes
tanto como en las riquezas.
[15] Estudiaré tus mandamientos
y reflexionaré sobre tus caminos.
[16] Me deleitaré en tus decretos
y no olvidaré tu palabra.

Guímel

[17] Sé bueno con este siervo tuyo,
para que viva y obedezca tu palabra.
[18] Abre mis ojos, para que vea
las verdades maravillosas que hay
en tus enseñanzas.
[19] No soy más que un extranjero en la
tierra.
¡No escondas de mí tus mandatos!
[20] Siempre me conmueve
el deseo de conocer tus ordenanzas.
[21] Tú reprendes al arrogante;
los que se alejan de tus mandatos
son malditos.
[22] No permitas que se burlen de mí y me
insulten,
pues he obedecido tus leyes.
[23] Hasta los príncipes se sientan y hablan
contra mí,
pero yo meditaré en tus decretos.
[24] Tus leyes me agradan;
me dan sabios consejos.

Dálet

[25] Estoy tirado en el polvo;
revíveme con tu palabra.
[26] Te conté mis planes y me respondiste.
Ahora, enséñame tus decretos.
[27] Ayúdame a comprender el significado
de tus mandamientos,
y meditaré en tus maravillosas
obras.
[28] Lloro con tristeza;
aliéntame con tu palabra.

119 Este salmo es un poema acróstico hebreo; hay 22 estrofas, una para cada letra del alfabeto hebreo en forma consecutiva. Cada uno de los 8 versos de cada estrofa comienza con la letra hebrea que se menciona en el encabezamiento.

[29] Líbrame de mentirme a mí mismo;
dame el privilegio de conocer tus enseñanzas.
[30] He optado por ser fiel;
estoy decidido a vivir de acuerdo con tus ordenanzas.
[31] Me aferro a tus leyes.
SEÑOR, ¡no dejes que pase vergüenza!
[32] Perseguiré tus mandatos,
porque tú aumentas mi comprensión.

He

[33] Enséñame tus decretos, oh SEÑOR;
los cumpliré hasta el fin.
[34] Dame entendimiento y obedeceré tus enseñanzas;
las pondré en práctica con todo mi corazón.
[35] Hazme andar por el camino de tus mandatos,
porque allí es donde encuentro mi felicidad.
[36] Dame entusiasmo por tus leyes
en lugar de amor por el dinero.
[37] Aparta mis ojos de cosas inútiles
y dame vida mediante tu palabra.*
[38] Confirma a tu siervo tu promesa,
la promesa que hiciste a los que te temen.
[39] Ayúdame a abandonar mis caminos vergonzosos,
porque tus ordenanzas son buenas.
[40] ¡Anhelo obedecer tus mandamientos!
Renueva mi vida con tu bondad.

Vav

[41] SEÑOR, concédeme tu amor inagotable,
la salvación que me prometiste.
[42] Entonces podré responder a los que se burlan de mí,
porque confío en tu palabra.
[43] No arrebates de mí tu palabra de verdad,
pues tus ordenanzas son mi única esperanza.
[44] Seguiré obedeciendo tus enseñanzas
por siempre y para siempre.
[45] Caminaré en libertad,
porque me he dedicado a tus mandamientos.
[46] A los reyes les hablaré de tu ley,
y no me avergonzaré.
[47] ¡Cuánto me deleito en tus mandatos!
¡Cómo los amo!
[48] Honro y amo tus mandatos;
en tus decretos medito.

Zain

[49] Recuerda la promesa que me hiciste;
es mi única esperanza.
[50] Tu promesa renueva mis fuerzas;
me consuela en todas mis dificultades.
[51] Los orgullosos me tratan con un desprecio total,
pero yo no me aparto de tus enseñanzas.
[52] Medito en tus antiguas ordenanzas;
oh SEÑOR, ellas me consuelan.
[53] Me pongo furioso con los perversos,
porque rechazan tus enseñanzas.
[54] Tus decretos han sido el tema de mis canciones
en todos los lugares donde he vivido.
[55] De noche reflexiono sobre quién eres, SEÑOR;
por lo tanto, obedezco tus enseñanzas.
[56] Así paso mis días:
obedeciendo tus mandamientos.

Jet

[57] ¡SEÑOR, eres mío!
¡Prometo obedecer tus palabras!
[58] Deseo tus bendiciones con todo el corazón;
ten misericordia, como lo prometiste.
[59] Consideré el rumbo de mi vida
y decidí volver a tus leyes.
[60] Me apresuraré sin demora
a obedecer tus mandatos.

119:37 Algunos manuscritos dicen *en tus caminos.*

[61] Gente malvada trata de arrastrarme al pecado,
pero estoy firmemente anclado a tus enseñanzas.
[62] Me levanto a medianoche para agradecerte
por tus justas ordenanzas.
[63] Soy amigo de todo el que te teme,
de todo el que obedece tus mandamientos.
[64] Oh SEÑOR, tu amor inagotable llena la tierra;
enséñame tus decretos.

Tet

[65] SEÑOR, has hecho muchas cosas buenas a mi favor
tal como lo prometiste.
[66] Creo en tus mandatos;
ahora enséñame el buen juicio y dame conocimiento.
[67] Yo solía desviarme, hasta que me disciplinaste;
pero ahora sigo de cerca tu palabra.
[68] Tú eres bueno y haces únicamente el bien;
enséñame tus decretos.
[69] Los arrogantes me difaman con mentiras,
pero la verdad es que obedezco tus mandamientos con todo el corazón.
[70] El corazón de ellos es torpe y necio,
yo, en cambio, me deleito en tus enseñanzas.
[71] El sufrimiento me hizo bien,
porque me enseñó a prestar atención a tus decretos.
[72] Tus enseñanzas son más valiosas para mí
que millones en oro y plata.

Yod

[73] Tú me hiciste; me creaste.
Ahora dame la sensatez de seguir tus mandatos.
[74] Que todos los que te temen
encuentren en mí un motivo de alegría,
porque he puesto mi esperanza en tu palabra.
[75] SEÑOR, sé que tus ordenanzas son justas;
me disciplinaste porque lo necesitaba.
[76] Ahora deja que tu amor inagotable me consuele,
tal como le prometiste a este siervo tuyo.
[77] Rodéame con tus tiernas misericordias, para que viva,
porque tus enseñanzas son mi deleite.
[78] Trae deshonra sobre los arrogantes que mintieron sobre mí;
mientras tanto, me concentraré en tus mandamientos.
[79] Permite que esté unido a todos los que te temen,
los que conocen tus leyes.
[80] Que sea intachable en guardar tus decretos;
entonces nunca seré avergonzado.

Caf

[81] Estoy agotado de tanto esperar a que me rescates
pero he puesto mi esperanza en tu palabra.
[82] Mis ojos se esfuerzan por ver cumplidas tus promesas,
¿cuándo me consolarás?
[83] Estoy arrugado como un odre ahumado,
pero no me olvidé de obedecer tus decretos.
[84] ¿Hasta cuándo tendré que esperar?
¿Cuándo castigarás a los que me persiguen?
[85] Estos arrogantes que odian tus enseñanzas
cavaron hoyos profundos para atraparme.

86 Todos tus mandatos son confiables.
Protégeme de aquellos que me persiguen sin causa.
87 Casi acaban conmigo,
pero me negué a abandonar tus mandamientos.
88 En tu amor inagotable, perdona mi vida;
entonces podré continuar obedeciendo tus leyes.

Lámed

89 Tu eterna palabra, oh SEÑOR,
se mantiene firme en el cielo.
90 Tu fidelidad se extiende a cada generación,
y perdura igual que la tierra que creaste.
91 Tus ordenanzas siguen siendo verdad hasta el día de hoy,
porque todo está al servicio de tus planes.
92 Si tus enseñanzas no me hubieran sostenido con alegría,
ya habría muerto en mi sufrimiento.
93 Jamás olvidaré tus mandamientos,
pues por medio de ellos me diste vida.
94 Soy tuyo, ¡rescátame!,
porque me he esforzado mucho en obedecer tus mandamientos.
95 Aunque los malvados se escondan por el camino para matarme,
con calma, mantendré mi mente puesta en tus leyes.
96 Aun la perfección tiene sus límites,
pero tus mandatos no tienen límite.

Mem

97 ¡Oh, cuánto amo tus enseñanzas!
Pienso en ellas todo el día.
98 Tus mandatos me hacen más sabio que mis enemigos,
pues me guían constantemente.
99 Así es, tengo mejor percepción que mis maestros,
porque siempre pienso en tus leyes.
100 Hasta soy más sabio que los ancianos,
porque he obedecido tus mandamientos.
101 Me negué a andar por cualquier mal camino,
a fin de permanecer obediente a tu palabra.
102 No me he apartado de tus ordenanzas,
porque me has enseñado bien.
103 ¡Qué dulces son a mi paladar tus palabras!;
son más dulces que la miel.
104 Tus mandamientos me dan entendimiento;
¡con razón detesto cada camino falso de la vida!

Nun

105 Tu palabra es una lámpara que guía mis pies
y una luz para mi camino.
106 Lo prometí una vez y volveré a prometerlo:
obedeceré tus justas ordenanzas.
107 He sufrido mucho, oh SEÑOR;
restaura mi vida otra vez, como lo prometiste.
108 SEÑOR, acepta mi ofrenda de alabanza
y enséñame tus ordenanzas.
109 Mi vida pende de un hilo constantemente,
pero no dejaré de obedecer tus enseñanzas.
110 Los malvados me han tendido sus trampas,
pero no me apartaré de tus mandamientos.
111 Tus leyes son mi tesoro;
son el deleite de mi corazón.
112 Estoy decidido a obedecer tus decretos hasta el final.

Sámec

113 Detesto a los que tienen divididas sus lealtades,
pero amo tus enseñanzas.

114 Tú eres mi refugio y mi escudo;
tu palabra es la fuente de mi esperanza.
115 Lárguense de mi vida, ustedes los de mente malvada,
porque tengo la intención de obedecer los mandatos de mi Dios.
116 ¡SEÑOR, sostenme como prometiste para que viva!
No permitas que se aplaste mi esperanza.
117 Sostenme y seré rescatado;
entonces meditaré continuamente en tus decretos.
118 Pero has rechazado a todos los que se apartan de tus decretos,
quienes no hacen más que engañarse a sí mismos.
119 Desechas a los perversos de la tierra como si fueran desperdicios;
¡con razón me encanta obedecer tus leyes!
120 Me estremezco por mi temor a ti;
quedo en temor reverente ante tus ordenanzas.

Ayin

121 No me dejes a merced de mis enemigos,
porque he hecho lo que es correcto y justo.
122 Te ruego que me des seguridad de una bendición.
¡No permitas que los arrogantes me opriman!
123 Mis ojos se esfuerzan por ver tu rescate,
por ver la verdad de tu promesa cumplida.
124 Soy tu siervo; trátame con tu amor inagotable
y enséñame tus decretos.
125 Da discernimiento a este siervo tuyo;
entonces comprenderé tus leyes.
126 SEÑOR, es tiempo de que actúes,
porque esta gente malvada ha desobedecido tus enseñanzas.
127 De verdad, amo tus mandatos
más que el oro, incluso que el oro más fino.
128 Cada uno de tus mandamientos es recto,
por eso detesto todo camino falso.

Pe

129 Tus leyes son maravillosas.
¡Con razón las obedezco!
130 La enseñanza de tu palabra da luz,
de modo que hasta los simples pueden entender.
131 Abro la boca y jadeo
anhelando tus mandatos.
132 Ven y muéstrame tu misericordia,
como lo haces con todos los que aman tu nombre.
133 Guía mis pasos conforme a tu palabra,
para que no me domine el mal.
134 Rescátame de la opresión de la gente malvada,
entonces podré obedecer tus mandamientos.
135 Mírame con amor;
enséñame tus decretos.
136 Torrentes de lágrimas brotan de mis ojos,
porque la gente desobedece tus enseñanzas.

Tsade

137 Oh SEÑOR, tú eres recto,
y tus ordenanzas son justas.
138 Tus leyes son perfectas
y absolutamente confiables.
139 La indignación me agobia,
porque mis enemigos despreciaron tus palabras.
140 Tus promesas fueron sometidas a una prueba rigurosa;
por eso las amo tanto.
141 Soy insignificante y despreciado,
pero no olvido tus mandamientos.

142 Tu justicia es eterna,
y tus enseñanzas son totalmente ciertas.
143 Cuando la presión y el estrés se me vienen encima,
yo encuentro alegría en tus mandatos.
144 Tus leyes siempre tienen razón;
ayúdame a entenderlas para poder vivir.

Cof

145 Oro con todo el corazón;
¡respóndeme, SEÑOR!
Obedeceré tus decretos.
146 A ti clamo; rescátame
para que pueda obedecer tus leyes.
147 Me levanto temprano, antes de que salga el sol;
clamo en busca de ayuda y pongo mi esperanza en tus palabras.
148 Me quedo despierto durante toda la noche,
pensando en tu promesa.
149 Oh SEÑOR, en tu fiel amor oye mi clamor,
que el seguir tus ordenanzas me reanime.
150 Los que no respetan la ley vienen a atacarme;
viven alejados de tus enseñanzas.
151 Pero tú estás cerca, oh SEÑOR,
y todos tus mandatos son ciertos.
152 Desde los primeros días
sé que tus leyes durarán para siempre.

Resh

153 Mira mi sufrimiento y rescátame,
porque no me he olvidado de tus enseñanzas.
154 ¡Defiende mi caso, ponte de mi lado!
Protege mi vida como lo prometiste.
155 Los perversos están lejos de ser rescatados,
porque no se interesan en tus decretos.
156 SEÑOR, qué grande es tu misericordia;
que el seguir tus ordenanzas me reanime.
157 Muchos me persiguen y me molestan,
sin embargo, no me he desviado de tus leyes.
158 Ver a esos traidores me enferma el corazón,
porque no les importa nada tu palabra.
159 Mira cómo amo tus mandamientos, SEÑOR.
Por tu amor inagotable, devuélveme la vida.
160 La esencia misma de tus palabras es verdad;
tus justas ordenanzas permanecerán para siempre.

Shin

161 Gente poderosa me acosa sin razón,
pero mi corazón tiembla sólo ante tu palabra.
162 Me alegro en tu palabra
como alguien que descubre un gran tesoro.
163 Odio y detesto toda falsedad,
pero amo tus enseñanzas.
164 Te alabaré siete veces al día
porque todas tus ordenanzas son justas.
165 Los que aman tus enseñanzas tienen mucha paz
y no tropiezan.
166 Anhelo que me rescates, SEÑOR,
por eso, he obedecido tus mandatos.
167 Obedecí tus leyes,
porque las amo mucho.
168 Así es, obedezco tus leyes y tus mandamientos
porque tú sabes todo lo que hago.

Tau

169 Oh SEÑOR, escucha mi clamor;
dame la capacidad de discernir que me prometiste.

170 Escucha mi oración;
rescátame como lo prometiste.
171 Que la alabanza fluya de mis labios,
porque me has enseñado tus decretos.
172 Que mi lengua cante de tu palabra,
porque todos tus mandatos son correctos.
173 Tiéndeme una mano de ayuda,
porque opté por seguir tus mandamientos.
174 Oh SEÑOR, he anhelado que me rescates,
y tus enseñanzas son mi deleite.
175 Déjame vivir para que pueda alabarte,
y que tus ordenanzas me ayuden.
176 He andado descarriado como una oveja perdida;
ven a buscarme,
porque no me he olvidado de tus mandatos.

120 *Cántico para los peregrinos que suben a Jerusalén.*

1 Llevé mis problemas al SEÑOR;
clamé a él, y respondió mi oración.
2 Rescátame, oh SEÑOR, de los mentirosos
y de todos los embusteros.
3 ¡Ay, lengua engañosa! ¿Qué hará Dios contigo?
¿Cómo aumentará tu castigo?
4 Te atravesarán con flechas afiladas
y te quemarán con brasas encendidas.

5 Cuánto sufro en el lejano Mesec.
Me duele habitar en el distante Cedar.
6 Estoy cansado de vivir
entre personas que odian la paz.
7 Busco la paz;
pero, cuando hablo de paz, ¡ellos quieren guerra!

121 *Cántico para los peregrinos que suben a Jerusalén.*

1 Levanto la vista hacia las montañas,
¿viene de allí mi ayuda?
2 ¡Mi ayuda viene del SEÑOR,
quien hizo el cielo y la tierra!

3 Él no permitirá que tropieces;
el que te cuida no se dormirá.
4 En efecto, el que cuida a Israel
nunca duerme ni se adormece.

5 ¡El SEÑOR mismo te cuida!
El SEÑOR está a tu lado como tu sombra protectora.
6 El sol no te hará daño durante el día,
ni la luna durante la noche.

7 El SEÑOR te libra de todo mal
y cuida tu vida.
8 El SEÑOR te protege al entrar y al salir,
ahora y para siempre.

122 *Cántico para los peregrinos que suben a Jerusalén. Salmo de David.*

1 Me alegré cuando me dijeron:
«Vayamos a la casa del SEÑOR».
2 Y ahora, aquí estamos,
de pie dentro de tus puertas, oh Jerusalén.
3 Jerusalén es una ciudad bien construida;
sus murallas compactas son impenetrables.
4 Todas las tribus de Israel —que son el pueblo del SEÑOR—
peregrinan hasta aquí.
Vienen a dar gracias al nombre del SEÑOR,
como la ley requiere de Israel.
5 Aquí están los tronos donde se emiten los juicios,
los tronos de la dinastía de David.

6 Oren por la paz de Jerusalén;

que todos los que aman a esta
ciudad prosperen.
7 Oh Jerusalén, que haya paz dentro
de tus murallas
y prosperidad en tus palacios.
8 Por amor a mi familia y a mis amigos,
diré:
«Que tengas paz».
9 Por amor a la casa del Señor nuestro
Dios,
buscaré lo mejor para ti, oh
Jerusalén.

123 *Cántico para los peregrinos que suben a Jerusalén.*

1 Levanto mis ojos a ti,
oh Dios, entronizado en el cielo.
2 Seguimos buscando la misericordia
del Señor nuestro Dios,
así como los sirvientes fijan los ojos
en su amo
y la esclava observa a su ama, atenta
al más mínimo gesto.
3 Ten misericordia de nosotros, Señor,
ten misericordia
porque ya estamos hartos de tanto
desprecio.
4 Ya estamos más que hartos de las
burlas de los orgullosos
y del desprecio de los arrogantes.

124 *Cántico para los peregrinos que suben a Jerusalén.*

Salmo de David.

1 ¿Qué habría ocurrido si el Señor no
hubiera estado de nuestro lado?
Que todo Israel repita:
2 ¿Qué habría ocurrido si el Señor no
hubiera estado de nuestro lado
cuando nos atacaron?
3 Nos habrían tragado vivos
en el ardor de su enojo.
4 Las aguas nos habrían envuelto;
un torrente nos habría inundado.
5 Así es, las impetuosas aguas de su
furia
nos habrían ahogado hasta la vida
misma.
6 ¡Alaben al Señor,
quien no permitió que nos
despedazaran con sus dientes!
7 Escapamos como un pájaro de la
trampa del cazador;
¡la trampa se rompió y somos libres!
8 Nuestra ayuda viene del Señor,
quien hizo el cielo y la tierra.

125 *Cántico para los peregrinos que suben a Jerusalén.*

1 Los que confían en el Señor están
seguros como el monte Sión;
no serán vencidos, sino que
permanecerán para siempre.
2 Así como las montañas rodean a
Jerusalén,
así rodea el Señor a su pueblo,
ahora y siempre.
3 Los perversos no gobernarán la tierra
de los justos,
porque entonces los justos podrían
ser tentados a hacer el mal.
4 Oh Señor, haz bien a los que son
buenos,
a los que tienen el corazón en
armonía contigo.
5 Pero expulsa a los que recurren a
caminos torcidos, oh Señor;
llévatelos junto con aquellos que
hacen el mal.

¡Que Israel tenga paz!

126 *Cántico para los peregrinos que suben a Jerusalén.*

1 Cuando el Señor trajo a los
desterrados de regreso
a Jerusalén,*
¡fue como un sueño!

126:1 En hebreo *Sión*.

[2] Nos llenamos de risa
y cantamos de alegría.
Y las otras naciones dijeron:
«Cuántas maravillas ha hecho el
SEÑOR por ellos».
[3] ¡Así es, el SEÑOR ha hecho maravillas
por nosotros!
¡Qué alegría!

[4] Restaura nuestro bienestar, SEÑOR,
como los arroyos renuevan el
desierto.
[5] Los que siembran con lágrimas
cosecharán con gritos de alegría.
[6] Lloran al ir sembrando sus semillas,
pero regresan cantando cuando
traen la cosecha.

127 *Cántico para los peregrinos que suben a Jerusalén. Salmo de Salomón.*

[1] Si el SEÑOR no construye la casa,
el trabajo de los constructores es
una pérdida de tiempo.
Si el SEÑOR no protege la ciudad,
protegerla con guardias no sirve
para nada.
[2] Es inútil que te esfuerces tanto,
desde la mañana temprano hasta
tarde en la noche,
y te preocupes por conseguir alimento;
porque Dios da descanso a sus
amados.

[3] Los hijos son un regalo del SEÑOR;
son una recompensa de su parte.
[4] Los hijos que le nacen a un hombre
joven
son como flechas en manos de un
guerrero.
[5] ¡Qué feliz es el hombre que tiene su
aljaba llena de ellos!
No pasará vergüenza cuando
enfrente a sus acusadores en las
puertas de la ciudad.

128 *Cántico de los peregrinos que suben a Jerusalén.*

[1] ¡Qué feliz es el que teme al SEÑOR,
todo el que sigue sus caminos!
[2] Gozarás del fruto de tu trabajo;
¡qué feliz y próspero serás!
[3] Tu esposa será como una vid
fructífera,
floreciente en el hogar.
Tus hijos serán como vigorosos
retoños de olivo
alrededor de tu mesa.
[4] Esa es la bendición del SEÑOR
para los que le temen.

[5] Que el SEÑOR te bendiga
continuamente desde Sión;
que veas prosperar a Jerusalén
durante toda tu vida.
[6] Que vivas para disfrutar de tus nietos.
¡Que Israel tenga paz!

129 *Cántico para los peregrinos que suben a Jerusalén.*

[1] Desde mi temprana juventud, mis
enemigos me han perseguido.
Que todo Israel repita:
[2] Desde mi temprana juventud, mis
enemigos me han perseguido
pero nunca me derrotaron.
[3] Tengo la espalda cubierta de heridas,
como si un agricultor hubiera arado
largos surcos.
[4] Pero el SEÑOR es bueno;
cortó las cuerdas con que me
ataban los impíos.

[5] Que todos los que odian a Jerusalén*
retrocedan en vergonzosa derrota.
[6] Que sean tan inútiles como la hierba
que crece en un techo,
que se pone amarilla a la mitad de
su desarrollo,
[7] que es ignorada por el cosechador

129:5 En hebreo *Sión.*

y despreciada por el que hace los
manojos.
[8] Y que los que pasan por allí
se nieguen a darles esta bendición:
«El SEÑOR los bendiga;
los bendecimos en el nombre del
SEÑOR».

130 *Cántico para los peregrinos que suben a Jerusalén.*

[1] Desde lo profundo de mi
desesperación, oh SEÑOR,
clamo por tu ayuda.
[2] Escucha mi clamor, oh Señor.
Presta atención a mi oración.

[3] SEÑOR, si llevaras un registro de
nuestros pecados,
¿quién, oh Señor, podría sobrevivir?
[4] Pero tú ofreces perdón,
para que aprendamos a temerte.

[5] Yo cuento con el SEÑOR;
sí, cuento con él;
en su palabra he puesto mi
esperanza.
[6] Anhelo al Señor
más que los centinelas el amanecer,
sí, más de lo que los centinelas
anhelan el amanecer.

[7] Oh Israel, espera en el SEÑOR;
porque en el SEÑOR hay amor
inagotable;
su redención sobreabunda.
[8] Él mismo redimirá a Israel
de toda clase de pecado.

131 *Cántico para los peregrinos que suben a Jerusalén.*

Salmo de David.

[1] SEÑOR, mi corazón no es orgulloso;
mis ojos no son altivos.
No me intereso en cuestiones
demasiado grandes
o impresionantes que no puedo
asimilar.
[2] En cambio, me he calmado y
aquietado,
como un niño destetado que ya no
llora por la leche de su madre.
Sí, tal como un niño destetado es mi
alma en mi interior.

[3] Oh Israel, pon tu esperanza en el
SEÑOR,
ahora y siempre.

132 *Cántico de los peregrinos que suben a Jerusalén.*

[1] SEÑOR, acuérdate de David
y de todo lo que sufrió.
[2] Le hizo una promesa solemne al
SEÑOR;
le juró al Poderoso de Israel:*
[3] «No iré a mi hogar
ni me permitiré descansar;
[4] no dejaré que mis ojos duerman
ni cerraré los párpados
adormecidos
[5] hasta que encuentre un lugar donde
construir una casa para el SEÑOR,
un santuario para el Poderoso de
Israel».

[6] Oímos que el arca estaba en Efrata;
luego la encontramos en los
campos distantes de Jaar.
[7] Vayamos al santuario del SEÑOR;
adoremos al pie de su trono.
[8] Levántate, oh SEÑOR, y entra en tu
lugar de descanso,
junto con el arca, símbolo de tu
poder.
[9] Que tus sacerdotes se vistan de
santidad;
que tus leales servidores canten
de alegría.
[10] Por amor a tu siervo David,
no rechaces al rey que has ungido.

132:2 En hebreo *de Jacob;* también en 132:5. Ver nota en 44:4.

[11] El SEÑOR le hizo un juramento a David
con una promesa que nunca
retirará:
«Pondré a uno de tus descendientes
en tu trono.
[12] Si tus descendientes obedecen las
condiciones de mi pacto
y las leyes que les enseño,
entonces tu linaje real
continuará por siempre y para
siempre».
[13] Pues el SEÑOR ha escogido a
Jerusalén;*
ha querido que sea su hogar.
[14] «Este es mi lugar de descanso para
siempre —dijo—;
viviré aquí porque este es el hogar
que he deseado.
[15] Bendeciré a esta ciudad y la haré
próspera;
saciaré a sus pobres con alimento.
[16] Vestiré a sus sacerdotes con santidad;
sus fieles servidores cantarán de
alegría.
[17] Aquí aumentaré el poder de David;
mi ungido será una luz para mi
pueblo.
[18] Vestiré de vergüenza a sus enemigos,
pero él será un rey glorioso».

133

Cántico para los peregrinos que suben a Jerusalén. Salmo de David.

[1] ¡Qué maravilloso y agradable es
cuando los hermanos conviven en
armonía!
[2] Pues la armonía es tan preciosa como
el aceite de la unción
que se derramó sobre la cabeza de
Aarón,
que corrió por su barba
hasta llegar al borde de su túnica.
[3] La armonía es tan refrescante como el
rocío del monte Hermón
que cae sobre las montañas de Sión.
Y allí el SEÑOR ha pronunciado su
bendición,
incluso la vida eterna.

134

Cántico para los peregrinos que suben a Jerusalén.

[1] Alaben al SEÑOR, todos ustedes,
siervos del SEÑOR,
que sirven de noche en la casa del
SEÑOR.
[2] Levanten manos santas en oración,
y alaben al SEÑOR.
[3] Que el SEÑOR, quien hizo el cielo y
la tierra
te bendiga desde Jerusalén.*

135

[1] ¡Alabado sea el SEÑOR!
¡Alaben el nombre del SEÑOR!
Alábenlo, ustedes, los que sirven al
SEÑOR,
[2] los que sirven en la casa del SEÑOR,
en los atrios de la casa de nuestro
Dios.
[3] Alaben al SEÑOR, porque el SEÑOR es
bueno;
celebren con música su precioso
nombre.
[4] Pues el SEÑOR escogió a Jacob para sí,
a Israel, como su tesoro especial.
[5] Yo conozco la grandeza del SEÑOR:
nuestro Señor es más grande que
cualquier otro dios.
[6] El SEÑOR hace lo que le place
por todo el cielo y toda la tierra,
y en los océanos y sus
profundidades.
[7] Hace que las nubes se eleven sobre
toda la tierra.
Envía relámpagos junto con la lluvia
y suelta el viento desde sus
depósitos.

132:13 En hebreo *Sión*. **134:3** En hebreo *Sión*.

[8] Destruyó al primer hijo varón de cada hogar egipcio
y a las primeras crías de los animales.
[9] Realizó señales milagrosas y maravillas en Egipto
en contra del faraón y todo su pueblo.
[10] Hirió de muerte a grandes naciones
y masacró a reyes poderosos:
[11] a Sehón, rey de los amorreos;
a Og, rey de Basán,
y a todos los reyes de Canaán.
[12] Entregó sus tierras como herencia,
como preciada posesión a su pueblo Israel.

[13] Tu nombre, oh SEÑOR, permanece para siempre;
tu fama, oh SEÑOR, se conoce en cada generación.
[14] Pues el SEÑOR hará justicia a su pueblo
y tendrá compasión de sus siervos.

[15] Los ídolos de las naciones no son más que objetos de plata y oro,
manos humanas les dieron forma.
[16] Tienen boca pero no pueden hablar,
tienen ojos pero no pueden ver.
[17] Tienen oídos pero no pueden oír,
tienen nariz pero no pueden oler.
[18] Y los que hacen ídolos son iguales a ellos,
como también todos los que confían en ellos.

[19] ¡Oh Israel, alaba al SEÑOR!
¡Oh sacerdotes —descendientes de Aarón—, alaben al SEÑOR!
[20] ¡Oh levitas, alaben al SEÑOR!
¡Todos los que temen al SEÑOR, alaben al SEÑOR!
[21] El SEÑOR sea alabado desde Sión,
porque él vive aquí en Jerusalén.

¡Alabado sea el SEÑOR!

136

[1] ¡Den gracias al SEÑOR,
porque él es bueno!
Su fiel amor perdura para siempre.
[2] Den gracias al Dios de dioses.
Su fiel amor perdura para siempre.
[3] Den gracias al Señor de señores.
Su fiel amor perdura para siempre.

[4] Den gracias al único que puede hacer milagros poderosos.
Su fiel amor perdura para siempre.
[5] Den gracias al que hizo los cielos con tanta habilidad.
Su fiel amor perdura para siempre.
[6] Den gracias al que ubicó la tierra en medio de las aguas.
Su fiel amor perdura para siempre.
[7] Den gracias al que hizo las lumbreras celestiales:
Su fiel amor perdura para siempre.
[8] el sol para que gobierne de día,
Su fiel amor perdura para siempre.
[9] y la luna y las estrellas para que gobiernen de noche.
Su fiel amor perdura para siempre.

[10] Den gracias al que mató a los hijos mayores de Egipto.
Su fiel amor perdura para siempre.
[11] Él sacó a Israel de Egipto.
Su fiel amor perdura para siempre.
[12] Actuó con mano fuerte y brazo poderoso.
Su fiel amor perdura para siempre.
[13] Den gracias al que separó las aguas del mar Rojo.*
Su fiel amor perdura para siempre.
[14] Hizo cruzar a salvo a Israel.
Su fiel amor perdura para siempre.
[15] Pero arrojó al mar Rojo al faraón y a su ejército.
Su fiel amor perdura para siempre.
[16] Den gracias al que guió a su pueblo por el desierto.
Su fiel amor perdura para siempre.

136:13 En hebreo *mar de juncos;* también en 136:15.

[17] Den gracias al que hirió de muerte a
reyes poderosos.
Su fiel amor perdura para siempre.
[18] Mató a reyes poderosos:
Su fiel amor perdura para siempre.
[19] a Sehón, rey de los amorreos,
Su fiel amor perdura para siempre.
[20] y a Og, rey de Basán.
Su fiel amor perdura para siempre.
[21] Dios entregó las tierras de estos reyes
como herencia:
Su fiel amor perdura para siempre.
[22] como preciada posesión a su siervo
Israel.
Su fiel amor perdura para siempre.

[23] Él se acordó de nosotros en nuestras
debilidades.
Su fiel amor perdura para siempre.
[24] Nos salvó de nuestros enemigos.
Su fiel amor perdura para siempre.
[25] Él provee alimento a todo ser viviente.
Su fiel amor perdura para siempre.
[26] Den gracias al Dios del cielo.
Su fiel amor perdura para siempre.

137

[1] Junto a los ríos de Babilonia,
nos sentamos
y lloramos
al pensar en Jerusalén.*
[2] Guardamos las arpas,
las colgamos en las ramas de los
álamos.
[3] Pues nuestros captores nos exigían
que cantáramos;
los que nos atormentaban insistían
en un himno de alegría:
«¡Cántennos una de esas canciones
acerca de Jerusalén!».
[4] ¿Pero cómo podemos entonar las
canciones del SEÑOR
mientras estamos en una tierra
pagana?
[5] Si me olvido de ti, oh Jerusalén,
que mi mano derecha se olvide de
cómo tocar el arpa.
[6] Que la lengua se me pegue al paladar
si dejo de recordarte,
si no hago de Jerusalén mi mayor
alegría.

[7] Oh SEÑOR, recuerda lo que hicieron
los edomitas
el día en que los ejércitos de
Babilonia tomaron a Jerusalén.
«¡Destrúyanla! —gritaron—.
¡Allánenla hasta reducirla a
escombros!».
[8] Oh Babilonia, serás destruida;
feliz será el que te haga pagar
por lo que nos has hecho.
[9] ¡Feliz será el que tome a tus bebés
y los estrelle contra las rocas!

138

Salmo de David.

[1] Te doy gracias, oh SEÑOR, con todo el
corazón;
delante de los dioses cantaré tus
alabanzas.
[2] Me inclino ante tu santo templo
mientras adoro;
alabo tu nombre por tu amor
inagotable y tu fidelidad,
porque tus promesas están
respaldadas
por todo el honor de tu nombre.
[3] En cuanto oro, tú me respondes;
me alientas al darme fuerza.

[4] Todos los reyes del mundo te darán
gracias, SEÑOR,
porque cada uno de ellos escuchará
tus palabras.
[5] Así es, cantarán acerca de los caminos
del SEÑOR,
porque la gloria del SEÑOR es muy
grande.

137:1 En hebreo *Sión;* también en 137:3.

6 Aunque el SEÑOR es grande, se ocupa
de los humildes,
pero se mantiene distante de los
orgullosos.

7 Aunque estoy rodeado de dificultades,
tú me protegerás del enojo de mis
enemigos.
Extiendes tu mano,
y el poder de tu mano derecha me
salva.
8 El SEÑOR llevará a cabo los planes que
tiene para mi vida,
pues tu fiel amor, oh SEÑOR,
permanece para siempre.
No me abandones, porque tú me
creaste.

139

Para el director del coro: salmo de David.

1 Oh SEÑOR, has examinado mi corazón
y sabes todo acerca de mí.
2 Sabes cuándo me siento y cuándo me
levanto;
conoces mis pensamientos aun
cuando me encuentro lejos.
3 Me ves cuando viajo
y cuando descanso en casa.
Sabes todo lo que hago.
4 Sabes lo que voy a decir
incluso antes de que lo diga, SEÑOR.
5 Vas delante y detrás de mí.
Pones tu mano de bendición sobre
mi cabeza.
6 Semejante conocimiento es
demasiado maravilloso para mí,
¡es tan elevado que no puedo
entenderlo!

7 ¡Jamás podría escaparme de tu
Espíritu!
¡Jamás podría huir de tu presencia!
8 Si subo al cielo, allí estás tú;
si desciendo a la tumba,* allí estás tú.
9 Si cabalgo sobre las alas de la mañana,
si habito junto a los océanos más
lejanos,
10 aun allí me guiará tu mano
y me sostendrá tu fuerza.
11 Podría pedirle a la oscuridad que me
ocultara,
y a la luz que me rodea, que se
convierta en noche;
12 pero ni siquiera en la oscuridad
puedo esconderme de ti.
Para ti, la noche es tan brillante como
el día.
La oscuridad y la luz son lo mismo
para ti.

13 Tú creaste las delicadas partes
internas de mi cuerpo
y me entretejiste en el vientre de mi
madre.
14 ¡Gracias por hacerme tan
maravillosamente complejo!
Tu fino trabajo es maravilloso, lo
sé muy bien.
15 Tú me observabas mientras iba
cobrando forma en secreto,
mientras se entretejían mis partes
en la oscuridad de la matriz.
16 Me viste antes de que naciera.
Cada día de mi vida estaba
registrado en tu libro.
Cada momento fue diseñado
antes de que un solo día pasara.

17 Qué preciosos son tus pensamientos
acerca de mí,* oh Dios.
¡No se pueden enumerar!
18 Ni siquiera puedo contarlos;
¡suman más que los granos
de la arena!
Y cuando despierto,
¡todavía estás conmigo!

19 ¡Oh Dios, si tan sólo destruyeras
a los perversos!
¡Lárguense de mi vida, ustedes
asesinos!

139:8 En hebreo *al Seol.* **139:17** O *Qué preciosos son para mí tus pensamientos.*

[20] Blasfeman contra ti;
tus enemigos hacen mal uso
de tu nombre.
[21] Oh SEÑOR, ¿no debería odiar a los
que te odian?
¿No debería despreciar a los que
se te oponen?
[22] Sí, los odio con todas mis fuerzas,
porque tus enemigos son mis
enemigos.

[23] Examíname, oh Dios, y conoce
mi corazón;
pruébame y conoce los
pensamientos que me inquietan.
[24] Señálame cualquier cosa en mí que te
ofenda
y guíame por el camino de la vida
eterna.

140

Para el director del coro: salmo de David.

[1] Oh SEÑOR, rescátame de los malvados;
protégeme de los que son violentos,
[2] de quienes traman el mal en el corazón
y causan problemas todo el día.
[3] Su lengua pica como una serpiente;
veneno de víbora gotea de sus
labios. *Interludio*
[4] Oh SEÑOR, líbrame de la mano de los
perversos;
protégeme de los violentos
porque traman un complot en mi
contra.
[5] Los orgullosos tendieron una trampa
para atraparme;
extendieron una red;
colocaron trampas a lo largo del
camino. *Interludio*
[6] Le dije al SEÑOR: «¡Tú eres mi Dios!».
¡Escucha, oh SEÑOR, mis súplicas
por misericordia!
[7] Oh Soberano SEÑOR, tú eres el
poderoso que me rescató.
Tú me protegiste en el día de la
batalla.
[8] SEÑOR, no permitas que los malvados
se salgan con la suya;
no dejes que prosperen sus
maquinaciones malignas
porque se volverán orgullosos.
Interludio
[9] Que mis enemigos sean destruidos
por el mismo mal que han planeado
contra mí.
[10] Que les caigan carbones encendidos
sobre la cabeza;
que sean arrojados al fuego
o a pozos llenos de agua donde no
haya escapatoria.
[11] No dejes que los mentirosos
prosperen en nuestra tierra;
haz que les caigan grandes
calamidades a los violentos.
[12] Pero a los que ellos persiguen, yo sé
que el SEÑOR los ayudará
y hará justicia a los pobres.
[13] Sin duda, los rectos alaban tu nombre;
los justos vivirán en tu presencia.

141

Salmo de David.

[1] Oh SEÑOR, clamo a ti. ¡Por favor,
apresúrate!
¡Escucha cuando clamo a ti por
ayuda!
[2] Acepta como incienso la oración que
te ofrezco,
y mis manos levantadas, como una
ofrenda vespertina.

[3] Toma control de lo que digo, oh SEÑOR,
y guarda mis labios.
[4] No permitas que me deslice hacia el mal
ni que me involucre en actos
perversos.
No me dejes participar de los
manjares
de quienes hacen lo malo.

[5] ¡Deja que los justos me golpeen!
¡Será un acto de bondad!
Si me corrigen, es un remedio calmante;
no permitas que lo rechace.

Pero oro constantemente
en contra de los perversos y de lo que hacen.
[6] Cuando a sus líderes los arrojen por un acantilado,
los perversos escucharán mis palabras y descubrirán que son verdad.
[7] Como las piedras que levanta el arado,
los huesos de los perversos quedarán esparcidos, sin que nadie los entierre.*

[8] Busco tu ayuda, oh Soberano SEÑOR.
Tú eres mi refugio; no dejes que me maten.
[9] Líbrame de las trampas que me han tendido
y de los engaños de los que hacen el mal.
[10] Que los perversos caigan en sus propias redes,
pero a mí, déjame escapar.

142 *Salmo* de David, acerca de su experiencia en la cueva. Oración.*

[1] Clamo al SEÑOR;
ruego la misericordia del SEÑOR.
[2] Expongo mis quejas delante de él
y le cuento todos mis problemas.
[3] Cuando me siento agobiado,
sólo tú sabes qué camino debo tomar.
Vaya adonde vaya,
mis enemigos me han tendido trampas.
[4] Busco a alguien que venga a ayudarme,
¡pero a nadie se le ocurre hacerlo!
Nadie me ayudará;
a nadie le importa un bledo lo que me pasa.
[5] Entonces oro a ti, oh SEÑOR
y digo: «Tú eres mi lugar de refugio.
En verdad, eres todo lo que quiero en la vida.
[6] Oye mi clamor,
porque estoy muy decaído.
Rescátame de mis perseguidores,
porque son demasiado fuertes para mí.
[7] Sácame de la prisión
para que pueda agradecerte.
Los justos se amontonarán a mi alrededor,
porque tú eres bueno conmigo».

143 *Salmo de David.*

[1] Oye mi oración, oh SEÑOR;
¡escucha mi ruego!
Respóndeme, porque eres fiel y justo.
[2] No lleves a juicio a tu siervo,
porque ante ti nadie es inocente.
[3] El enemigo me ha perseguido;
me ha tirado al suelo
y me obliga a vivir en la oscuridad
como los que están en la tumba.
[4] Estoy perdiendo toda esperanza;
quedé paralizado de miedo.
[5] Recuerdo los días de antaño.
Medito en todas tus grandes obras
y pienso en lo que has hecho.
[6] A ti levanto mis manos en oración;
tengo sed de ti como la tierra reseca tiene sed de lluvia. *Interludio*

[7] Ven pronto, SEÑOR, y respóndeme,
porque mi abatimiento se profundiza.
No te apartes de mí,
o moriré.

141:7 En hebreo *esparcidos en la boca del Seol.* **142:TÍTULO** En hebreo *masquil.* Puede ser un término literario o musical.

[8] Hazme oír cada mañana acerca de tu
amor inagotable,
porque en ti confío.
Muéstrame por dónde debo andar,
porque a ti me entrego.
[9] Rescátame de mis enemigos, SEÑOR;
corro a ti para que me escondas.
[10] Enséñame a hacer tu voluntad,
porque tú eres mi Dios.
Que tu buen Espíritu me lleve hacia
adelante
con pasos firmes.
[11] Para gloria de tu nombre, oh SEÑOR,
preserva mi vida;
por tu fidelidad, sácame de esta
angustia.
[12] En tu amor inagotable, silencia a todos
mis enemigos
y destruye a todos mis adversarios,
porque soy tu siervo.

144

Salmo de David.

[1] Alaben al SEÑOR, mi roca.
Él entrena mis manos para la guerra
y da destreza a mis dedos para la
batalla.
[2] Él es mi aliado amoroso y mi fortaleza,
mi torre de seguridad y quien me
rescata.
Es mi escudo, y en él me refugio.
Hace que las naciones* se sometan
a mí.
[3] Oh SEÑOR, ¿qué son los seres humanos
para que te fijes en ellos,
los simples mortales para que te
preocupes por ellos?
[4] Pues son como un suspiro;
sus días son como una sombra
pasajera.
[5] Abre los cielos, SEÑOR, y desciende;
toca las montañas para que echen
humo.
[6] ¡Lanza tus rayos y esparce a tus
enemigos!
¡Dispara tus flechas y confúndelos!
[7] Alcánzame desde el cielo y rescátame;
sálvame de las aguas profundas,
del poder de mis enemigos.
[8] Su boca está llena de mentiras;
juran decir la verdad pero, al
contrario, mienten.

[9] ¡Te entonaré una nueva canción, oh
Dios!
Cantaré tus alabanzas con un arpa
de diez cuerdas.
[10] ¡Pues tú concedes la victoria a los
reyes!
Rescataste a tu siervo David de la
espada mortal.
[11] ¡Sálvame!
Rescátame del poder de mis
enemigos.
Su boca está llena de mentiras;
juran decir la verdad pero, al
contrario, mienten.

[12] Que nuestros hijos florezcan en su
juventud
como plantas bien nutridas;
que nuestras hijas sean como
columnas elegantes,
talladas para embellecer un palacio.
[13] Que nuestros graneros estén llenos
de toda clase de cosechas;
que los rebaños en nuestros campos
se multipliquen de a miles,
y hasta de a diez miles,
[14] y que nuestros bueyes estén muy
cargados de alimentos.
Que ningún enemigo penetre nuestras
murallas,
ni nos lleve cautivos,
ni haya gritos de alarma en las
plazas de nuestras ciudades.
[15] ¡Felices los que viven así!
Felices de verdad son los que tienen
a Dios como el SEÑOR.

144:2 Algunos manuscritos dicen *mi pueblo.*

145*

Salmo de alabanza de David.

[1] Te exaltaré, mi Dios y Rey,
y alabaré tu nombre por siempre y para siempre.
[2] Te alabaré todos los días;
sí, te alabaré por siempre.
[3] ¡Grande es el SEÑOR! ¡El más digno de alabanza!
Nadie puede medir su grandeza.

[4] Que cada generación cuente a sus hijos de tus poderosos actos
y que proclame tu poder.
[5] Meditaré* en la gloria y la majestad de tu esplendor,
y en tus maravillosos milagros.
[6] Tus obras imponentes estarán en boca de todos;
proclamaré tu grandeza.
[7] Todos contarán la historia de tu maravillosa bondad;
cantarán de alegría acerca de tu justicia.

[8] El SEÑOR es misericordioso y compasivo,
lento para enojarse y lleno de amor inagotable.
[9] El SEÑOR es bueno con todos;
desborda compasión sobre toda su creación.
[10] Todas tus obras te agradecerán, SEÑOR,
y tus fieles seguidores te darán alabanza.
[11] Hablarán de la gloria de tu reino;
darán ejemplos de tu poder.
[12] Contarán de tus obras poderosas
y de la majestad y la gloria de tu reinado.
[13] Pues tu reino es un reino eterno;
gobiernas de generación en generación.
El SEÑOR siempre cumple sus promesas;
es bondadoso en todo lo que hace.*
[14] El SEÑOR ayuda a los caídos
y levanta a los que están agobiados por sus cargas.
[15] Los ojos de todos buscan en ti la esperanza;
les das su alimento según la necesidad.
[16] Cuando abres tu mano,
sacias el hambre y la sed de todo ser viviente.
[17] El SEÑOR es justo en todo lo que hace;
está lleno de bondad.
[18] El SEÑOR está cerca de todos los que lo invocan,
sí, de todos los que lo invocan de verdad.
[19] Él concede los deseos de los que le temen;
oye sus gritos de auxilio y los rescata.
[20] El SEÑOR protege a todos los que lo aman,
pero destruye a los perversos.

[21] Alabaré al SEÑOR,
y que todo el mundo bendiga su santo nombre
por siempre y para siempre.

146

[1] ¡Alabado sea el SEÑOR!
Que todo lo que soy alabe al SEÑOR.
[2] Alabaré al SEÑOR mientras viva;
cantaré alabanzas a mi Dios con el último aliento.

[3] No pongan su confianza en los poderosos;
no está allí la ayuda para ustedes.
[4] Ellos, al dar su último suspiro, vuelven al polvo,

145 Este salmo es un poema acróstico hebreo: cada verso (incluso 13b) comienza con una letra del alfabeto hebreo en forma consecutiva. **145:5** Algunos manuscritos dicen *Hablará de.* **145:13** Las dos últimas líneas de 145:13 no se encuentran en muchos manuscritos antiguos.

y todos sus planes mueren con
ellos.
5 Pero felices son los que tienen como
ayudador al Dios de Israel,*
los que han puesto su esperanza
en el SEÑOR su Dios.
6 Él hizo el cielo y la tierra,
el mar y todo lo que hay en ellos.
Él cumple todas sus promesas para
siempre.
7 Hace justicia al oprimido
y da alimento al que tiene hambre.
El SEÑOR libera a los prisioneros.
8 El SEÑOR abre los ojos de los ciegos.
El SEÑOR levanta a los agobiados.
El SEÑOR ama a los justos.
9 El SEÑOR protege a los extranjeros que
viven entre nosotros.
Cuida de los huérfanos y las viudas,
pero frustra los planes de los
perversos.
10 El SEÑOR reinará por siempre.
Él será tu Dios, oh Jerusalén,* por
todas las generaciones.

¡Alabado sea el SEÑOR!

147

1 ¡Alabado sea el SEÑOR!
¡Qué bueno es cantar
alabanzas a nuestro Dios!
¡Qué agradable y apropiado!
2 El SEÑOR reconstruye a Jerusalén
y trae a los desterrados de vuelta
a Israel.
3 Él sana a los de corazón quebrantado
y les venda las heridas.
4 Cuenta las estrellas
y llama a cada una por su nombre.
5 ¡Qué grande es nuestro Señor! ¡Su
poder es absoluto!
¡Su comprensión supera todo
entendimiento!
6 El SEÑOR sostiene a los humildes,
pero derriba a los perversos y los
hace morder el polvo.

7 Canten su gratitud al SEÑOR;
al son del arpa, entonen alabanzas
a nuestro Dios.
8 Él cubre los cielos con nubes,
provee lluvia a la tierra,
y hace crecer la hierba en los
pastizales de los montes.
9 Da alimento a los animales salvajes
y alimenta a las crías del cuervo
cuando chillan.
10 No se complace en la fuerza del
caballo
ni en el poder del ser humano.
11 No, el SEÑOR se deleita en los que
le temen,
en los que ponen su esperanza en
su amor inagotable.

12 ¡Glorifica al SEÑOR, oh Jerusalén!
¡Alaba a tu Dios, oh Sión!
13 Pues él ha reforzado las rejas de tus
puertas
y ha bendecido a tus hijos que
habitan dentro de tus murallas.
14 Envía paz por toda tu nación
y te sacia el hambre con el mejor
trigo.
15 Envía sus órdenes al mundo;
¡qué veloz corre su palabra!
16 Envía la nieve como lana blanca
y esparce la escarcha sobre la tierra
como ceniza.
17 Lanza el granizo como piedras.*
¿Quién puede resistir su frío
congelante?
18 Luego, a su orden todo se derrite;
envía sus vientos y el hielo se
disuelve.
19 Dios reveló su palabra a Jacob,
sus decretos y ordenanzas a Israel.
20 No ha hecho esto con ninguna otra
nación;

146:5 En hebreo *de Jacob.* Ver nota en 44:4. **146:10** En hebreo *Sión.* **147:17** En hebreo *como migas de pan.*

las demás naciones no conocen
sus ordenanzas.

¡Alabado sea el SEÑOR!

148

[1] ¡Alabado sea el SEÑOR!
¡Alaben al SEÑOR desde
los cielos!
¡Alábenlo desde el firmamento!
[2] ¡Alábenlo, todos sus ángeles!
¡Alábenlo, todos los ejércitos
celestiales!
[3] ¡Alábenlo, sol y luna!
¡Alábenlo, todas las estrellas
brillantes!
[4] ¡Alábenlo, los altos cielos!
¡Alábenlo, los vapores que están
mucho más allá de las nubes!
[5] Que toda cosa creada alabe al SEÑOR,
pues él dio la orden y todo cobró
vida.
[6] Puso todo lo creado en su lugar por
siempre y para siempre.
Su decreto jamás será revocado.

[7] Alaben al SEÑOR desde la tierra,
ustedes, criaturas de las
profundidades del océano,
[8] el fuego y el granizo, la nieve y las
nubes,*
el viento y el clima que le obedecen,
[9] ustedes, las montañas y todas las
colinas,
los árboles frutales y los cedros,
[10] los animales salvajes y todo el ganado,
los animales pequeños que corren
por el suelo y las aves,
[11] los reyes de la tierra y toda la gente,
los gobernantes y los jueces de la
tierra,
[12] los muchachos y las jovencitas,
los ancianos y los niños.

[13] Que todos alaben el nombre del SEÑOR,
porque su nombre es muy grande;
¡su gloria está por encima de la
tierra y el cielo!
[14] Dios hizo fuerte a su pueblo
y honró a sus fieles:
los del pueblo de Israel que están
cerca de él.

¡Alabado sea el SEÑOR!

149

[1] ¡Alabado sea el SEÑOR!
Canten al SEÑOR una nueva
canción;
canten sus alabanzas en la asamblea
de los fieles.

[2] Oh Israel, alégrate de tu Creador.
Oh pueblo de Jerusalén,* regocíjate
de tu Rey.
[3] Alaba su nombre con danza,
y acompáñala con panderetas y
arpas,
[4] porque el SEÑOR se deleita en su
pueblo;
él corona al humilde con victoria.
[5] Que los fieles se alegren de que él los
honra;
que canten de alegría mientras
descansan en sus camas.

[6] Que las alabanzas de Dios estén en sus
labios
y tengan una espada afilada en las
manos,
[7] para tomar venganza contra las
naciones
y castigar a los pueblos,
[8] para encadenar a sus reyes con
grilletes
y a sus líderes con cadenas de
hierro,
[9] para ejecutar el juicio que está escrito
contra ellos.
Éste es el privilegio glorioso que
tienen sus fieles.

¡Alabado sea el SEÑOR!

148:8 O *neblina,* o *humo.* **149:2** En hebreo *Sión.*

150 [1]¡Alabado sea el SEÑOR!

Alaben a Dios en su santuario;
¡alábenlo en su poderoso cielo!
[2] Alábenlo por sus obras poderosas;
¡alaben su grandeza sin igual!
[3] Alábenlo con un fuerte toque del
cuerno de carnero;
¡alábenlo con la lira y el arpa!
[4] Alábenlo con panderetas y danzas;
¡alábenlo con instrumentos
de cuerda y con flautas!
[5] Alábenlo con el sonido de los
címbalos;
alábenlo con címbalos fuertes
y resonantes.
[6] ¡Que todo lo que respira cante
alabanzas al SEÑOR!

¡Alabado sea el SEÑOR!

INTRODUCCIÓN AL LIBRO DE PROVERBIOS

Propósito: Enseñar sabiduría, disciplina, rectitud y justicia (ver 1:2-3).

Autor: El rey Salomón escribió y compiló la mayoría de estos proverbios al comienzo de su reinado, 10 siglos antes del nacimiento de Jesús, alrededor del 960 a. C.

Versículo clave: «El temor del Señor es la base del verdadero conocimiento, pero los necios desprecian la sabiduría y la disciplina» (1:7, ver también 9:10 y 15:33).

El rey Salomón, uno de los hijos del rey David, fue el hombre más sabio que jamás haya vivido. 1 Reyes 4:29-34 (en el Antiguo Testamento) dice: «Dios le dio a Salomón muchísima sabiduría y gran entendimiento, y un conocimiento tan vasto como la arena a la orilla del mar. De hecho, su sabiduría superaba la de todos los sabios del Oriente y la de los sabios de Egipto. Él era más sabio que cualquier otro [...] Su fama se extendía por todas las naciones vecinas. Compuso unos tres mil proverbios [...] Y los reyes de todas las naciones enviaban a sus embajadores a escuchar la sabiduría de Salomón».

Salomón, bajo la guía del Espíritu Santo, transmite su conocimiento práctico mediante refranes concisos que enseñan la verdad.

Toda la existencia debería vivirse con una percepción consciente de nuestra dependencia de la generosa providencia de Dios y de que estamos bajo su escrutinio. El conocimiento es bueno y el deseo de aprender y entender puede ser innato, pero sin la sabiduría el conocimiento es inútil. Ser sabio incluye el uso apropiado del conocimiento; nos enseña que la vida fue diseñada para funcionar de cierta manera, y que cualquier otro camino conduce al fracaso.

La mayoría de los proverbios son descriptivos, no prescriptivos. Es decir, no ordenan lo que se debe hacer sino que informan lo que funciona bien y lo que no. Así como hay leyes que gobiernan el universo físico, también hay principios que gobiernan el mundo espiritual, y nuestra vida marcha mejor cuando alineamos nuestro comportamiento con esos principios.

Proverbios exhorta al lector a ser honesto, diligente, amable, paciente, humilde, leal y a tener dominio propio y a evitar la ira, la violencia, la injusticia, la arrogancia, el chisme y la embriaguez.

El libro cubre una amplia gama de temas, tales como la familia, la relación con otros, el amor, la paz, la justicia, el trabajo, el buen y mal liderazgo, y la administración de las finanzas. Da consejos sabios a padres y a hijos; a esposos y a esposas; a jóvenes, a amigos, a funcionarios, y a otros líderes y trabajadores. Aquellos que los reciben, se evitan a sí mismos y a otros, muchos sufrimientos; aquellos que los rechazan lo lamentarán toda la vida.

Proverbios ha sido calificado como el mejor manual de vida jamás escrito, y aquellos que reciben con buena disposición las lecciones de Salomón pronto descubrirán que alcanzan santidad, productividad y satisfacción.

Mientras lee estos consejos, recuerde que conocer y temer a Dios son la clave de la sabiduría. Siga estas verdades para complacer a Dios, para vivir en paz con todos y para encontrar el verdadero gozo.

Proverbios

El propósito de los proverbios

1 Estos son los proverbios de Salomón, hijo de David, rey de Israel.

[2] El propósito de los proverbios es
enseñar sabiduría y disciplina,
y ayudar a las personas a comprender
la inteligencia de los sabios.
[3] Su propósito es enseñarles a vivir una
vida disciplinada y exitosa,
y ayudarles a hacer lo que es
correcto, justo e imparcial.
[4] Estos proverbios darán inteligencia
al ingenuo,
conocimiento y discernimiento
al joven.

[5] Que el sabio escuche estos proverbios
y se haga aún más sabio.
Que los que tienen entendimiento
reciban dirección
[6] al estudiar el significado de estos
proverbios y estas parábolas,
las palabras de los sabios y sus
enigmas.

[7] El temor del SEÑOR es la base del
verdadero conocimiento,
pero los necios desprecian la
sabiduría y la disciplina.

La exhortación de un padre: adquiere sabiduría

[8] Hijo mío, presta atención cuando
tu padre te corrige;
no descuides la instrucción
de tu madre.
[9] Lo que aprendas de ellos te coronará
de gracia
y será como un collar de honor
alrededor de tu cuello.
[10] Hijo mío, si los pecadores quieren
engatusarte,
¡dales la espalda!
[11] Quizás te digan: «Ven con nosotros.
¡Escondámonos y matemos a
alguien!
¡Vamos a emboscar a los inocentes,
sólo para divertirnos!
[12] Vamos a tragarlos vivos, como lo hace
la tumba;*
vamos a tragarlos enteros, como a
quienes descienden a la fosa de
la muerte.
[13] ¡Piensa en todas las grandes cosas que
conseguiremos!
Llenaremos nuestras casas con todo
lo robado.
[14] Ven, únete a nosotros;
entre todos compartiremos el botín».

[15] ¡Hijo mío, no vayas con ellos!
Mantente alejado de sus caminos.
[16] Ellos corren a cometer malas acciones;
van de prisa a matar.
[17] Si un pájaro ve que le tienden una
trampa,
sabe que tiene que alejarse.

1:12 En hebreo *como el Seol.*

18 En cambio esa gente se tiende una
emboscada a sí misma,
pareciera que busca su propia
muerte.
19 Así terminan todos los que codician
el dinero;
esa codicia les roba la vida.

La sabiduría hace oír su voz en las calles

20 La sabiduría hace oír su voz en las
calles;
clama en la plaza pública.
21 La sabiduría clama a los que están
reunidos frente a la entrada
de la ciudad
y a las multitudes por la calle
principal:
22 «Simplones, ¿hasta cuándo insistirán
en su ignorancia?
Burlones, ¿hasta cuándo disfrutarán
de sus burlas?
Necios, ¿hasta cuándo odiarán
el saber?
23 Vengan y escuchen mi consejo.
Les abriré mi corazón
y los haré sabios.

24 »Los llamé muy a menudo pero no
quisieron venir;
les tendí la mano pero no me
hicieron caso.
25 No prestaron atención a mi consejo
y rechazaron la corrección que les
ofrecí.
26 ¡Por eso me reiré cuando tengan
problemas!
Me burlaré de ustedes cuando les
llegue la desgracia,
27 cuando la calamidad caiga sobre
ustedes como una tormenta,
cuando el desastre los envuelva
como un ciclón,
y la angustia y la aflicción los
abrumen.

28 »Entonces, cuando clamen por ayuda,
no les responderé.
Aunque me busquen con ansiedad,
no me encontrarán.
29 Pues odiaron el conocimiento
y decidieron no temer al Señor.
30 Rechazaron mi consejo
y no prestaron atención cuando los
corregía.
31 Por lo tanto, tendrán que comer el
fruto amargo de vivir a su manera
y se ahogarán con sus propias
intrigas.
32 Pues los simplones se apartan de mí
hacia la muerte.
Los necios son destruidos por su
despreocupación.
33 En cambio, todos los que me escuchan
vivirán en paz,
tranquilos y sin temor del mal».

Los beneficios de la sabiduría

2 1 Hijo mío, presta atención a lo
que digo
y atesora mis mandatos.
2 Afina tus oídos a la sabiduría
y concéntrate en el entendimiento.
3 Clama por inteligencia
y pide entendimiento.
4 Búscalos como si fueran plata,
como si fueran tesoros escondidos.
5 Entonces comprenderás lo que
significa temer al Señor
y obtendrás conocimiento de Dios.
6 ¡Pues el Señor concede sabiduría!
De su boca provienen el saber
y el entendimiento.
7 Al que es honrado, él le concede
el tesoro del sentido común.
Él es un escudo para los que
caminan con integridad.
8 Él cuida las sendas de los justos
y protege a los que le son fieles.

9 Entonces comprenderás lo que es
correcto, justo e imparcial
y encontrarás el buen camino
que debes seguir.

[10] Pues la sabiduría entrará en tu
corazón,
y el conocimiento te llenará
de alegría.
[11] Las decisiones sabias te protegerán;
el entendimiento te mantendrá
a salvo.

[12] La sabiduría te salvará de la gente
mala,
de los que hablan con palabras
retorcidas.
[13] Estos hombres se alejan del camino
correcto
para andar por sendas tenebrosas.
[14] Se complacen en hacer lo malo
y disfrutan los caminos retorcidos
del mal.
[15] Sus acciones son torcidas,
y sus caminos son errados.

[16] La sabiduría te librará de la mujer
inmoral,
de las palabras seductoras de la
mujer promiscua.
[17] Ella abandonó a su marido
y no hace caso del pacto que hizo
ante Dios.
[18] Entrar a su casa lleva a la muerte;
es el camino a la tumba.*
[19] El hombre que la visita está
condenado;
nunca llegará a los senderos
de la vida.

[20] Tú, en cambio, sigue los pasos de los
hombres buenos
y permanece en los caminos
de los justos.
[21] Pues sólo los justos vivirán en la tierra
y los íntegros permanecerán en ella.
[22] Pero los perversos serán quitados de
la tierra,
y los traidores serán arrancados
de raíz.

La confianza en el SEÑOR

3 [1] Hijo mío, nunca olvides las cosas
que te he enseñado;
guarda mis mandatos en tu
corazón.
[2] Si así lo haces, vivirás muchos años,
y tu vida te dará satisfacción.
[3] ¡Nunca permitas que la lealtad
ni la bondad te abandonen!
Átalas alrededor de tu cuello como
un recordatorio.
Escríbelas en lo profundo
de tu corazón.
[4] Entonces tendrás tanto el favor
de Dios como el de la gente,
y lograrás una buena reputación.

[5] Confía en el SEÑOR con todo
tu corazón,
no dependas de tu propio
entendimiento.
[6] Busca su voluntad en todo
lo que hagas,
y él te mostrará cuál camino tomar.

[7] No te dejes impresionar por tu propia
sabiduría.
En cambio, teme al SEÑOR y aléjate
del mal.
[8] Entonces darás salud a tu cuerpo
y fortaleza a tus huesos.

[9] Honra al SEÑOR con tus riquezas
y con lo mejor de todo lo que
produces.
[10] Entonces él llenará tus graneros,
y tus tinajas se desbordarán de
buen vino.

[11] Hijo mío, no rechaces la disciplina
del SEÑOR
ni te enojes cuando te corrige.
[12] Pues el SEÑOR corrige a los que ama,
tal como un padre corrige al hijo
que es su deleite.*

2:18 En hebreo *a los espíritus de los muertos.* **3:12** La versión griega dice *y castiga a los que recibe como hijos.* Comparar Hb 12:6.

[13] Alegre es el que encuentra sabiduría,
el que adquiere entendimiento.
[14] Pues la sabiduría da más ganancia que la plata
y su paga es mejor que el oro.
[15] La sabiduría es más preciosa que los rubíes;
nada de lo que desees puede compararse con ella.
[16] Con la mano derecha, te ofrece una larga vida;
con la izquierda, riquezas y honor.
[17] Te guiará por sendas agradables,
todos sus caminos dan satisfacción.
[18] La sabiduría es un árbol de vida a los que la abrazan;
felices son los que se aferran a ella.

[19] Con sabiduría el SEÑOR fundó la tierra,
con entendimiento creó los cielos.
[20] Con su conocimiento se abrieron las fuentes profundas de la tierra
e hizo que el rocío se asiente bajo el cielo de la noche.

[21] Hijo mío, no pierdas de vista el sentido común ni el discernimiento.
Aférrate a ellos,
[22] porque refrescarán tu alma;
son como las joyas de un collar.
[23] Te mantienen seguro en tu camino,
y tus pies no tropezarán.
[24] Puedes irte a dormir sin miedo;
te acostarás y dormirás profundamente.
[25] No hay por qué temer la calamidad repentina
ni la destrucción que viene sobre los perversos,
[26] porque el SEÑOR es tu seguridad.
Él cuidará que tu pie no caiga en una trampa.

[27] No dejes de hacer el bien a todo el que lo merece,
cuando esté a tu alcance ayudarlos.
[28] Si puedes ayudar a tu prójimo hoy, no le digas:
«Vuelve mañana y entonces te ayudaré».

[29] No trames hacerle daño a tu vecino,
porque los que viven cerca confían en ti.
[30] No busques pelea sin motivo,
cuando nadie te ha hecho daño.

[31] No envidies a las personas violentas,
ni imites su conducta.
[32] El SEÑOR detesta a esa gente perversa;
en cambio, ofrece su amistad a los justos.

[33] El SEÑOR maldice la casa del perverso,
pero bendice el hogar de los justos.

[34] El SEÑOR se burla de los burlones,
pero muestra su bondad a los humildes.*

[35] Los sabios heredan honra,
¡pero los necios son avergonzados!

El sabio consejo de un padre

4 [1] Hijos míos, escuchen cuando su padre los corrige.
Presten atención y aprendan buen juicio,
[2] porque les doy una buena orientación.
No se alejen de mis instrucciones.
[3] Pues yo, igual que ustedes, fui hijo de mi padre,
amado tiernamente como el hijo único de mi madre.

[4] Mi padre me enseñó:
«Toma en serio mis palabras.
Sigue mis mandatos y vivirás.
[5] Adquiere sabiduría, desarrolla buen juicio.
No te olvides de mis palabras
ni te alejes de ellas.

3:34 La versión griega dice *El SEÑOR se opone a los orgullosos / pero muestra su favor a los humildes.* Comparar St 4:6; 1 P 5:5.

[6] No des la espalda a la sabiduría, pues ella te protegerá;
ámala, y ella te guardará.
[7] ¡Adquirir sabiduría es lo más sabio que puedes hacer!
Y en todo lo demás que hagas, desarrolla buen juicio.
[8] Si valoras la sabiduría, ella te engrandecerá.
Abrázala, y te honrará.
[9] Te pondrá una hermosa guirnalda de flores sobre la cabeza;
te entregará una preciosa corona».

[10] Hijo mío, escúchame y haz lo que te digo,
y tendrás una buena y larga vida.
[11] Te enseñaré los caminos de la sabiduría
y te guiaré por sendas rectas.
[12] Cuando camines, no te detendrán;
cuando corras, no tropezarás.
[13] Aférrate a mis instrucciones, no las dejes ir;
cuídalas bien, porque son la clave de la vida.

[14] No hagas lo que hacen los perversos
ni sigas el camino de los malos.
[15] ¡Ni se te ocurra! No tomes ese camino.
Aléjate de él y sigue avanzando.
[16] Pues las personas malvadas no pueden dormir sin hacer la mala acción del día.
No pueden descansar sin antes hacer tropezar a alguien.
[17] ¡Se alimentan de la perversidad
y beben el vino de la violencia!

[18] El camino de los justos es como la primera luz del amanecer,
que brilla cada vez más hasta que el día alcanza todo su esplendor.
[19] Pero el camino de los perversos es como la más densa oscuridad;
ni siquiera saben con qué tropiezan.

[20] Hijo mío, presta atención a lo que te digo.
Escucha atentamente mis palabras.
[21] No las pierdas de vista.
Déjalas llegar hasta lo profundo de tu corazón,
[22] pues traen vida a quienes las encuentran
y dan salud a todo el cuerpo.

[23] Sobre todas las cosas cuida tu corazón,
porque éste determina el rumbo de tu vida.

[24] Evita toda expresión perversa;
aléjate de las palabras corruptas.

[25] Mira hacia adelante
y fija los ojos en lo que está frente a ti.
[26] Traza un sendero recto para tus pies;
permanece en el camino seguro.
[27] No te desvíes,
evita que tus pies sigan el mal.

Evita a las mujeres inmorales

5 [1] Hijo mío, presta atención a mi sabiduría,
escucha cuidadosamente mi sabio consejo.
[2] Entonces demostrarás discernimiento,
y tus labios expresarán lo que has aprendido.
[3] Pues los labios de una mujer inmoral son tan dulces como la miel
y su boca es más suave que el aceite.
[4] Pero al final ella resulta ser tan amarga como el veneno,
tan peligrosa como una espada de dos filos.
[5] Sus pies descienden a la muerte,
sus pasos conducen derecho a la tumba.*
[6] Pues a ella no le interesa en absoluto el camino de la vida.

5:5 En hebreo *al Seol.*

Va tambaleándose por un sendero
torcido y no se da cuenta.

[7] Así que ahora, hijos míos,
escúchenme.
Nunca se aparten de lo que les voy
a decir:
[8] ¡Aléjate de ella!
¡No te acerques a la puerta
de su casa!
[9] Si lo haces perderás el honor,
y perderás todo lo que has logrado
a manos de gente que no tiene
compasión.
[10] Gente extraña consumirá tus riquezas,
y otro disfrutará del fruto de tu
trabajo.
[11] Al final, gemirás de angustia
cuando la enfermedad consuma
tu cuerpo.
[12] Dirás: «¡Cuánto odié la disciplina!
¡Si tan sólo no hubiera despreciado
todas las advertencias!
[13] ¿Por qué no escuché a mis maestros?
¿Por qué no presté atención a mis
instructores?
[14] He llegado al borde de la ruina
y ahora mi vergüenza será conocida
por todos».

[15] Bebe el agua de tu propio pozo,
comparte tu amor sólo con tu
esposa.*
[16] ¿Para qué derramar por las calles el
agua de tus manantiales
teniendo sexo con cualquiera?*
[17] Deben reservarla sólo para los dos;
jamás la compartan con
desconocidos.

[18] Que tu esposa sea una fuente de
bendición para ti.
Alégrate con la esposa de tu juventud.
[19] Es una cierva amorosa, una gacela
llena de gracia.
Que sus pechos te satisfagan
siempre.
Que siempre seas cautivado por
su amor.
[20] Hijo mío, ¿por qué dejarte cautivar por
una mujer inmoral
o acariciar los pechos de una mujer
promiscua?

[21] Pues el SEÑOR ve con claridad lo que
hace el hombre,
examina cada senda que toma.
[22] Un hombre malvado queda preso por
sus propios pecados;
son cuerdas que lo atrapan
y no lo sueltan.
[23] Morirá por falta de control propio;
se perderá a causa de su gran
insensatez.

Lecciones para la vida diaria

6 [1] Hijo mío, si has salido fiador por
la deuda de un amigo
o has aceptado garantizar la deuda
de un extraño,
[2] si quedaste atrapado por el acuerdo
que hiciste
y estás enredado por tus palabras,
[3] sigue mi consejo y sálvate,
pues te has puesto a merced
de tu amigo.
Ahora trágate tu orgullo;
ve y suplica que tu amigo borre
tu nombre.
[4] No postergues el asunto, ¡hazlo
enseguida!
No descanses hasta haberlo
realizado.
[5] Sálvate como una gacela que escapa
del cazador,
como un pájaro que huye de la red.

[6] Tú, holgazán, aprende una lección
de las hormigas.

5:15 En hebreo *Bebe el agua de tu propia cisterna, / el agua de tu propio pozo.* **5:16** En hebreo *¿Para qué derramar tus manantiales por las calles, / tus arroyos en las plazas de la ciudad?*

¡Aprende de lo que hacen
y hazte sabio!
[7] A pesar de que no tienen príncipe
ni gobernador ni líder que las
haga trabajar,
[8] se esfuerzan todo el verano,
juntando alimento para el invierno.
[9] Pero tú, holgazán, ¿hasta cuándo
seguirás durmiendo?
¿Cuándo despertarás?
[10] Un rato más de sueño, una breve
siesta,
un pequeño descanso cruzado
de brazos.
[11] Entonces la pobreza te asaltará como
un bandido;
la escasez te atacará como un
ladrón armado.

[12] ¿Cómo son las personas despreciables
y perversas?
Nunca dejan de mentir,
[13] demuestran su engaño al guiñar con
los ojos,
al dar golpes suaves con los pies o
hacer gestos con los dedos.
[14] Sus corazones pervertidos traman
el mal,
y andan siempre provocando
problemas.
[15] Sin embargo, serán destruidos
de repente,
quebrantados en un instante y sin la
menor esperanza de recuperarse.

[16] Hay seis cosas que el Señor odia,
no, son siete las que detesta:
[17] los ojos arrogantes,
la lengua mentirosa,
las manos que matan al inocente,
[18] el corazón que trama el mal,
los pies que corren a hacer lo malo,
[19] el testigo falso que respira mentiras,
y el que siembra discordia en una
familia.

[20] Hijo mío, obedece los mandatos
de tu padre,
y no descuides la instrucción
de tu madre.
[21] Guarda siempre sus palabras en
tu corazón;
átalas alrededor de tu cuello.
[22] Cuando camines, su consejo te guiará.
Cuando duermas, te protegerá.
Cuando despiertes, te orientará.
[23] Pues su mandato es una lámpara
y su instrucción es una luz;
su disciplina correctiva
es el camino que lleva a la vida.
[24] Te protegerán de la mujer inmoral,
de la lengua suave de la mujer
promiscua.
[25] No codicies su belleza;
no dejes que sus miradas coquetas
te seduzcan.
[26] Pues una prostituta te llevará a la
pobreza,*
pero dormir con la mujer de otro
hombre te costará la vida.
[27] ¿Acaso puede un hombre echarse
fuego sobre las piernas
sin quemarse la ropa?
[28] ¿Podrá caminar sobre carbones
encendidos
sin ampollarse los pies?
[29] Así le sucederá al hombre que duerme
con la esposa de otro hombre.
El que la abrace no quedará sin
castigo.

[30] Tal vez haya excusas para un ladrón
que roba porque se muere de
hambre.
[31] Pero si lo atrapan, deberá pagar siete
veces la cantidad que robó,
aunque tenga que vender todo lo
que hay en su casa.
[32] Pero el hombre que comete adulterio
es un necio total,
porque se destruye a sí mismo.

6:26 En hebreo *te reducirá a un pedazo de pan.*

[33] Será herido y deshonrado.
Su vergüenza no se borrará jamás.
[34] Pues el marido celoso de la mujer se enfurecerá,
y no tendrá misericordia cuando se cobre venganza.
[35] No aceptará ninguna clase de compensación
ni habrá suma de dinero que lo satisfaga.

Más advertencia sobre mujeres inmorales

7 [1] Hijo mío, sigue mi consejo,
atesora siempre mis mandatos.
[2] ¡Obedece mis mandatos y vive!
Guarda mis instrucciones tal como cuidas tus ojos.*
[3] Átalas a tus dedos como un recordatorio;
escríbelas en lo profundo de tu corazón.

[4] Ama a la sabiduría como si fuera tu hermana
y haz a la inteligencia un querido miembro de tu familia.
[5] Deja que ellas te prevengan de tener una aventura con una mujer inmoral
y de escuchar las adulaciones de una mujer promiscua.

[6] Mientras estaba junto a la ventana de mi casa,
mirando a través de la cortina,
[7] vi a unos muchachos ingenuos;
a uno en particular que le faltaba sentido común.
[8] Cruzaba la calle cercana a la casa de una mujer inmoral
y se paseaba frente a su casa.
[9] Era la hora del crepúsculo, al anochecer,
mientras caía la densa oscuridad.
[10] La mujer se le acercó,
vestida de manera seductora y con corazón astuto.
[11] Era rebelde y descarada,
de esas que nunca están conformes con quedarse en casa.
[12] Suele frecuentar las calles y los mercados,
ofreciéndose en cada esquina.
[13] Lo rodeó con sus brazos y lo besó,
y mirándolo con descaro le dijo:
[14] «Acabo de hacer mis ofrendas de paz
y de cumplir mis votos.
[15] ¡Tú eres precisamente al que estaba buscando!
¡Salí a encontrarte y aquí estás!
[16] Mi cama está tendida con hermosas colchas,
con coloridas sábanas de lino egipcio.
[17] La he perfumado
con mirra, áloes y canela.
[18] Ven, bebamos sin medida la copa del amor hasta el amanecer.
Disfrutemos de nuestras caricias,
[19] ahora que mi esposo no está en casa.
Se fue de viaje por mucho tiempo.
[20] Se llevó la cartera llena de dinero
y no regresará hasta fin de mes».*

[21] Y así lo sedujo con sus dulces palabras
y lo engatusó con sus halagos.
[22] Él la siguió de inmediato,
como un buey que va al matadero.
Era como un ciervo que cayó en la trampa,
[23] en espera de la flecha que le atravesaría el corazón.
Era como un ave que vuela directo a la red,
sin saber que le costará la vida.

[24] Por eso, hijos míos, escúchenme
y presten atención a mis palabras.
[25] No dejen que el corazón se desvíe tras ella.

7:2 En hebreo *como la pupila de tu ojo.* **7:20** En hebreo *hasta la luna llena.*

No anden vagando por sus caminos
descarriados.
[26] Pues ella ha sido la ruina de muchos;
numerosos hombres han caído en
sus garras.
[27] Su casa es el camino a la tumba.*
Su alcoba es la guarida de
la muerte.

Llamado de la Sabiduría

8 [1] ¡Escuchen cuando la Sabiduría
llama!
¡Oigan cuando el entendimiento
alza su voz!
[2] La Sabiduría toma su puesto en las
encrucijadas,
en la cumbre de la colina, junto
al camino.
[3] Junto a las puertas de entrada
a la ciudad,
en el camino de ingreso, grita
con fuerza:
[4] «¡A ustedes los llamo, a todos ustedes!
Levanto mi voz a toda persona.
[5] Ustedes, ingenuos, usen el buen juicio.
Ustedes, necios, muestren un poco
de entendimiento.
[6] ¡Escúchenme! Tengo cosas
importantes que decirles.
Todo lo que digo es correcto
[7] pues hablo la verdad
y detesto toda clase de engaño.
[8] Mi consejo es sano;
no tiene artimañas ni falsedad.
[9] Mis palabras son obvias para todos
los que tienen entendimiento,
claras para los que poseen
conocimiento.
[10] Elijan mi instrucción en lugar
de la plata
y el conocimiento antes que
el oro puro.
[11] Pues la sabiduría es mucho más
valiosa que los rubíes.
Nada de lo que uno pueda desear se
compara con ella.

[12] »Yo, la Sabiduría, convivo con el buen
juicio.
Sé dónde encontrar conocimiento
y discernimiento.
[13] Todos los que temen al SEÑOR odiarán
la maldad.
Por eso odio el orgullo y la arrogancia,
la corrupción y el lenguaje perverso.
[14] El sentido común y el éxito me
pertenecen.
La fuerza y la inteligencia son mías.
[15] Gracias a mí reinan los reyes
y los gobernantes dictan decretos
justos.
[16] Los mandatarios gobiernan con
mi ayuda
y los nobles emiten juicios justos.*

[17] »Amo a todos los que me aman.
Los que me buscan, me encontrarán.
[18] Tengo riquezas y honor,
así como justicia y prosperidad
duraderas.
[19] ¡Mis dones son mejores que el oro,
aun el oro más puro;
mi paga es mejor que la plata
refinada!
[20] Camino en rectitud,
por senderos de justicia.
[21] Los que me aman heredan riquezas;
llenaré sus cofres de tesoros.

[22] »El SEÑOR me formó desde el
comienzo,
antes de crear cualquier otra cosa.
[23] Fui nombrada desde la eternidad,
en el principio mismo, antes de que
existiera la tierra.
[24] Nací antes de que los océanos fueran
creados,
antes de que brotara agua de los
manantiales.

7:27 En hebreo *al Seol.* **8:16** Algunos manuscritos hebreos y la versión griega dicen *y los nobles son jueces sobre la tierra.*

[25] Antes de que se formaran las
montañas,
antes que las colinas, yo nací,
[26] antes de que el SEÑOR hiciera la tierra
y los campos
y los primeros puñados de tierra.
[27] Estaba presente cuando él estableció
los cielos,
cuando trazó el horizonte sobre los
océanos.
[28] Estaba ahí cuando colocó las nubes
arriba,
cuando estableció los manantiales
en lo profundo de la tierra.
[29] Estaba ahí cuando puso límites a los
mares,
para que no se extendieran más allá
de sus márgenes.
Y también cuando demarcó los
cimientos de la tierra,
[30] era la arquitecta a su lado.
Yo era su constante deleite,
y me alegraba siempre en su
presencia.
[31] ¡Qué feliz me puse con el mundo que
él creó;
cuánto me alegré con la familia
humana!

[32] «Y ahora, hijos míos, escúchenme,
pues todos los que siguen mis
caminos son felices.
[33] Escuchen mi instrucción y sean
sabios;
no la pasen por alto.
[34] ¡Alegres son los que me escuchan,
y están atentos a mis puertas día
tras día,
y me esperan afuera de mi casa!
[35] Pues todo el que me encuentra, halla
la vida
y recibe el favor del SEÑOR.
[36] Pero el que no me encuentra se
perjudica a sí mismo.
Todos los que me odian aman
la muerte».

9 [1] La Sabiduría edificó su casa,
labró sus siete pilares.
[2] Preparó un gran banquete,
mezcló los vinos y puso la mesa.
[3] Envió a sus sirvientes para que
invitaran a todo el mundo.
Ahora convoca desde el lugar más
alto con vista a la ciudad:
[4] «Entren conmigo», clama a los
ingenuos.
Y a quienes les falta buen juicio,
les dice:
[5] «Vengan, disfruten mi comida
y beban el vino que he mezclado.
[6] Dejen atrás sus caminos de
ingenuidad y empiecen a vivir;
aprendan a usar el buen juicio».

[7] El que reprende a un burlón recibirá
un insulto a cambio;
el que corrige al perverso saldrá
herido.
[8] Por lo tanto, no te molestes en corregir
a los burlones;
sólo ganarás su odio.
En cambio, corrige a los sabios
y te amarán.
[9] Instruye a los sabios,
y se volverán aún más sabios.
Enseña a los justos,
y aprenderán aún más.

[10] El temor del SEÑOR es la base
de la sabiduría.
Conocer al Santo da por resultado
el buen juicio.
[11] La sabiduría multiplicará tus días
y dará más años a tu vida.
[12] Si te haces sabio, serás tú quien
se beneficie.
Si desprecias la sabiduría, serás
tú quien sufra.

Llamado de la Necedad

[13] La mujer llamada Necedad
es una atrevida

y aunque no se da cuenta es una
ignorante.

[14] Se sienta a la entrada de su casa,
en el lugar más alto con vista
a la ciudad.

[15] Llama a los hombres que pasan
por ahí,
ocupados en sus propios asuntos.

[16] «Entren conmigo», les dice a los
ingenuos.
Y a los que les falta buen juicio,
les dice:

[17] «¡El agua robada es refrescante;
lo que se come a escondidas es más
sabroso!».

[18] Pero lo que menos se imaginan es que
allí están los muertos.
Sus invitados están en lo profundo
de la tumba.*

Proverbios de Salomón

10 Los proverbios de Salomón:
Un hijo sabio trae alegría
a su padre;
un hijo necio trae dolor
a su madre.

[2] Las riquezas mal habidas no tienen
ningún valor duradero;
pero vivir debidamente puede
salvar tu vida.

[3] El Señor no dejará que el justo pase
hambre,
pero se niega a satisfacer los antojos
del perverso.

[4] Los perezosos pronto se
empobrecen;
los que se esfuerzan en su trabajo
se hacen ricos.

[5] El joven sabio cosecha en el verano,
pero el que se duerme durante la
siega es una vergüenza.

[6] Los justos se llenan de bendiciones;
las palabras de los perversos
encubren intenciones violentas.

[7] Tenemos buenos recuerdos
de los justos,
pero el nombre del perverso
se pudre.

[8] El sabio con gusto recibe instrucción,
pero el necio que habla hasta por
los codos caerá de narices.

[9] Las personas con integridad caminan
seguras,
pero las que toman caminos
torcidos tropezarán y caerán.

[10] Quien guiña el ojo aprobando la
maldad, causa problemas,
pero una reprensión firme
promueve la paz.*

[11] Las palabras de los justos son como
una fuente que da vida;
las palabras de los perversos
encubren intenciones violentas.

[12] El odio provoca peleas,
pero el amor cubre todas las
ofensas.

[13] Las palabras sabias provienen
de los labios de la gente con
entendimiento,
pero a los que les falta sentido
común, serán castigados
con vara.

[14] Las personas sabias atesoran el
conocimiento,
pero el hablar por hablar del necio
invita al desastre.

[15] La riqueza del rico es su fortaleza,
la pobreza del pobre es su ruina.

[16] Las ganancias de los justos realzan
sus vidas,

9:18 En hebreo *en el Seol.* **10:10** Como en la versión griega; la versión hebrea dice *pero el necio que habla hasta por los codos caerá de narices.*

pero la gente malvada derrocha su
dinero en el pecado.

17 Los que aceptan la disciplina van por
el camino que lleva a la vida,
pero los que no hacen caso a la
corrección se descarriarán.

18 Encubrir el odio te hace un mentiroso;
difamar a otros te hace un necio.

19 Hablar demasiado conduce al pecado.
Sé prudente y mantén la boca
cerrada.

20 Las palabras del justo son como la
plata refinada;
el corazón del necio no vale nada.

21 Las palabras del justo animan
a muchos,
pero a los necios los destruye su
falta de sentido común.

22 La bendición del SEÑOR enriquece
a una persona
y él no añade ninguna tristeza.

23 Al necio le divierte hacer el mal,
pero al sensato le da placer vivir
sabiamente.

24 Los temores del perverso se
cumplirán;
las esperanzas del justo se
concederán.

25 Cuando lleguen las tormentas de la
vida, arrasarán con los perversos;
pero los justos tienen un cimiento
eterno.

26 Los perezosos irritan a sus patrones,
como el vinagre a los dientes o el
humo a los ojos.

27 El temor del SEÑOR prolonga la vida,
pero los años de los perversos serán
truncados.

28 Las esperanzas del justo traen
felicidad,
pero las expectativas de los
perversos no resultan en nada.

29 El camino del SEÑOR es una fortaleza
para los que andan en
integridad,
pero destruye a los que hacen
maldad.

30 Los justos nunca serán perturbados,
pero los perversos serán quitados
de la tierra.

31 La boca del justo da sabios consejos,
pero la lengua engañosa será
cortada.

32 Los labios del justo hablan palabras
provechosas,
pero la boca de los malvados habla
perversidad.

11

1 El Señor detesta el uso de las
balanzas adulteradas,
pero se deleita en pesas exactas.

2 El orgullo lleva a la deshonra,
pero con la humildad viene la
sabiduría.

3 La honestidad guía a la gente buena;
la deshonestidad destruye a los
traicioneros.

4 Las riquezas no servirán para nada
en el día del juicio,
pero la vida recta puede salvarte
de la muerte.

5 La honestidad dirige los pasos
de los justos;
los perversos caen bajo el peso
de su pecado.

6 La justicia rescata a las personas
buenas;
los traidores quedan atrapados por
su propia ambición.

7 Cuando los perversos mueren, sus
esperanzas mueren con ellos,

porque confían en sus propias y
deficientes fuerzas.

[8] Los justos son rescatados de
dificultades,
y éstas caen sobre los perversos.

[9] Los que no tienen a Dios destruyen
a sus amigos con sus palabras,
pero el conocimiento rescatará
a los justos.

[10] Toda la ciudad festeja cuando el justo
triunfa;
grita de alegría cuando el perverso
muere.

[11] Los ciudadanos íntegros son de
beneficio para la ciudad y
la hacen prosperar,
pero las palabras de los perversos
la destruyen.

[12] Es necio denigrar al vecino;
una persona sensata guarda
silencio.

[13] El chismoso anda contando secretos;
pero los que son dignos de
confianza saben guardar una
confidencia.

[14] Sin liderazgo sabio, la nación se hunde;
la seguridad está en tener muchos
consejeros.

[15] Es peligroso dar garantía por la deuda
de un desconocido;
es más seguro no ser fiador
de nadie.

[16] La mujer bondadosa se gana el
respeto,
pero los hombres despiadados sólo
ganan riquezas.

[17] Tu bondad te recompensará,
pero tu crueldad te destruirá.

[18] Los malvados se enriquecen
temporalmente,
pero la recompensa de los justos
permanecerá.

[19] Los justos encuentran la vida;
los malvados hallan la muerte.

[20] El Señor detesta a los de corazón
retorcido,
pero se deleita en los que tienen
integridad.

[21] Los malvados seguramente recibirán
castigo,
pero los hijos de los justos serán
liberados.

[22] Una mujer hermosa sin discreción
es como un anillo de oro en el
hocico de un cerdo.

[23] Los justos pueden esperar una
recompensa,
mientras que a los perversos sólo
les espera juicio.

[24] Da con generosidad y serás más rico;
sé tacaño y lo perderás todo.

[25] El generoso prosperará,
y el que reanima a otros será
reanimado.

[26] La gente maldice a los que acaparan
el grano,
pero bendice al que lo vende en
tiempo de necesidad.

[27] Si buscas el bien, hallarás favor;
pero si buscas el mal, ¡el mal te
encontrará!

[28] El que confía en su dinero, se hundirá,
pero los justos reverdecen como las
hojas en primavera.

[29] Los que traen problemas a su familia
heredan el viento.
El necio será sirviente del sabio.

[30] La semilla de las buenas acciones se
transforma en un árbol de vida;
una persona sabia gana amigos.*

11:30 O *el que gana almas es sabio.*

[31] Si los justos reciben su recompensa
aquí en la tierra,
¡cuánto más los pecadores
perversos!*

12

[1] Para aprender, hay que amar
la disciplina;
es tonto despreciar la corrección.

[2] El SEÑOR aprueba a los que son
buenos,
pero condena a quienes traman
el mal.

[3] La perversidad nunca produce
estabilidad,
pero los justos tienen raíces
profundas.

[4] Una esposa digna es una corona para
su marido,
pero la desvergonzada es como
cáncer a sus huesos.

[5] Los planes de los rectos son justos,
pero el consejo de los perversos
es traicionero.

[6] Las palabras de los perversos son
como una emboscada mortal,
pero las palabras de los justos
salvan vidas.

[7] Los perversos mueren y no dejan rastro,
mientras que la familia de los justos
permanece firme.

[8] La persona sensata gana admiración,
pero la persona con la mente
retorcida recibe desprecio.

[9] Más vale ser una persona ordinaria
con sirvientes,
que darse aires de grandeza y no
tener para comer.

[10] Los justos cuidan de sus animales,
pero los perversos siempre son
crueles.

[11] El que se esfuerza en su trabajo tiene
comida en abundancia,
pero el que persigue fantasías no
tiene sentido común.

[12] Cada ladrón envidia el botín del otro,
pero los justos están bien
arraigados y dan su propio fruto.

[13] Los perversos quedan atrapados por
sus propias palabras,
pero los justos escapan de
semejante enredo.

[14] Las palabras sabias producen muchos
beneficios,
y el arduo trabajo trae recompensas.

[15] Los necios creen que su propio
camino es el correcto,
pero los sabios prestan atención
a otros.

[16] Un necio se enoja enseguida,
pero una persona sabia mantiene
la calma cuando la insultan.

[17] Un testigo honrado dice la verdad,
un testigo falso dice mentiras.

[18] Algunas personas hacen comentarios
hirientes,
pero las palabras del sabio traen
alivio.

[19] Las palabras veraces soportan la
prueba del tiempo,
pero las mentiras pronto se
descubren.

[20] El corazón que trama el mal está lleno
de engaño;
¡el corazón que procura la paz
rebosa de alegría!

[21] Nada malo le sucederá a los justos,
pero los perversos se llenarán de
dificultades.

11:31 La versión griega dice *Si los justos apenas se salvan / ¿qué será de los pecadores impíos?* Comparar 1 P 4:18.

[22] El SEÑOR detesta los labios mentirosos,
pero se deleita en los que dicen la verdad.

[23] Los sabios no hacen alarde de sus conocimientos,
pero los necios hacen pública su. necedad.

[24] Trabaja duro y serás un líder;
sé un flojo y serás un esclavo.

[25] La preocupación agobia a la persona;
una palabra de aliento la anima.

[26] Los justos dan buenos consejos a sus amigos,*
los perversos los llevan por mal camino.

[27] Los perezosos ni siquiera cocinan la presa que han atrapado,
pero los diligentes aprovechan todo lo que encuentran.

[28] El camino de los justos conduce a la vida;
ese rumbo no lleva a la muerte.

13

[1] El hijo sabio acepta la disciplina de sus padres;*
el burlón se niega a escuchar la corrección.

[2] Con palabras sabias te conseguirás una buena comida,
pero la gente traicionera tiene hambre de violencia.

[3] Los que controlan su lengua tendrán una larga vida;
el abrir la boca puede arruinarlo todo.

[4] Los perezosos ambicionan mucho y obtienen poco,
pero los que trabajan con esmero prosperarán.

[5] Los justos odian las mentiras;
los perversos son motivo de vergüenza y deshonra.

[6] La justicia protege el camino del intachable,
pero el pecado engaña a los malvados.

[7] Hay quienes son pobres y se hacen pasar por ricos;
hay otros que, siendo ricos, se hacen pasar por pobres.

[8] El rico puede pagar rescate por su vida,
pero al pobre ni siquiera lo amenazan.

[9] La vida del justo está llena de luz y de alegría,
pero la luz del pecador se apagará.

[10] El orgullo lleva a conflictos;
los que siguen el consejo son sabios.

[11] La riqueza lograda de la noche a la mañana pronto desaparece;
pero la que es fruto del arduo trabajo, aumenta con el tiempo.

[12] La esperanza postergada aflige al corazón,
pero un sueño cumplido es un árbol de vida.

[13] Los que desprecian el consejo buscan problemas;
los que respetan un mandato tendrán éxito.

[14] La instrucción de los sabios es como una fuente que da vida;
los que la aceptan evitan las trampas de la muerte.

[15] Una persona de buen juicio es respetada;

12:26 O *Los justos son cautelosos en la amistad*, o *Los justos son librados del mal.* El significado del hebreo es incierto. **13:1** En hebreo *Un hijo sabio acepta la disciplina de su padre.*

una persona traicionera va directo
a la destrucción.*

[16] Las personas sabias piensan antes
de actuar;
los necios no lo hacen y hasta se
jactan de su necedad.

[17] El mensajero no confiable cae en
problemas,
pero el mensajero fiel trae alivio.

[18] Si desprecias la crítica constructiva,
acabarás en pobreza y deshonra;
si aceptas la corrección, recibirás
honra.

[19] Es agradable ver que los sueños se
hacen realidad,
pero los necios se niegan a
abandonar el mal para alcanzarlos.

[20] Camina con sabios y te harás sabio;
júntate con necios y te meterás
en dificultades.

[21] Los problemas persiguen a los
pecadores,
mientras que las bendiciones
recompensan a los justos.

[22] La gente buena deja una herencia
a sus nietos,
pero la riqueza de los pecadores
pasa a manos de los justos.

[23] La granja del pobre puede que
produzca mucho alimento,
pero la injusticia arrasa con todo.

[24] Quienes no emplean la vara de
disciplina odian a sus hijos.
Los que en verdad aman a sus hijos
se preocupan lo suficiente para
disciplinarlos.

[25] Los justos comen hasta quedar bien
satisfechos,
pero el estómago de los perversos
quedará vacío.

14

[1] La mujer sabia edifica su hogar,
pero la necia con sus propias
manos lo destruye.

[2] Los que siguen el buen camino temen
al SEÑOR;
los que van por mal camino lo
desprecian.

[3] Las palabras arrogantes del necio se
convierten en una vara que lo
golpea,
pero las palabras de los sabios los
protegen.

[4] Sin bueyes un establo se mantiene
limpio,
pero se necesita un buey fuerte para
una gran cosecha.

[5] El testigo honrado no miente;
el testigo falso respira mentiras.

[6] El burlón busca la sabiduría y nunca
la encuentra;
pero para el entendido, el
conocimiento es cosa fácil.

[7] No te acerques a los necios,
porque no encontrarás
conocimiento en sus labios.

[8] Los prudentes saben a dónde van,
en cambio los necios se engañan
a sí mismos.

[9] Los necios se burlan de la culpa,
pero los justos la reconocen y
buscan la reconciliación.

[10] Cada corazón conoce su propia
amargura,
y nadie más puede compartir
totalmente su alegría.

[11] La casa de los perversos será
destruida,
pero la humilde morada de los
justos prosperará.

13:15 Así aparece en la versión griega; en hebreo dice *el camino del traidor es duradero.*

[12] Delante de cada persona hay un
camino que parece correcto,
pero termina en muerte.

[13] La risa puede ocultar un corazón
afligido,
pero cuando la risa termina, el
dolor permanece.

[14] Los descarriados reciben su merecido;
la gente buena recibe su
recompensa.

[15] ¡Sólo los simplones creen todo lo que
se les dice!
Los prudentes examinan
cuidadosamente sus pasos.

[16] Los sabios son precavidos* y evitan
el peligro;
los necios, confiados en sí mismos,
se precipitan con imprudencia.

[17] Los que se enojan fácilmente cometen
locuras,
y los que maquinan maldad son
odiados.

[18] Los simplones están vestidos de
necedad,*
pero los prudentes son coronados
de conocimiento.

[19] Los malvados se inclinarán ante los
buenos;
los perversos harán reverencia
a las puertas de los justos.

[20] A los pobres hasta sus vecinos los
desprecian,
mientras que a los ricos les sobran
«amigos».

[21] Denigrar al prójimo es pecado;
benditos los que ayudan a los
pobres.

[22] Si te propones hacer el mal, te perderás;
si te propones hacer el bien
recibirás amor inagotable y
fidelidad.

[23] El trabajo trae ganancias,
¡pero el sólo hablar lleva a la pobreza!

[24] La riqueza es una corona para los
sabios;
el esfuerzo de los necios sólo
produce necedad.

[25] El testigo veraz salva vidas,
pero el testigo falso es un traidor.

[26] Los que temen al SEÑOR están seguros;
él será un refugio para sus hijos.

[27] El temor del SEÑOR es fuente que
da vida,
ofrece un escape de las trampas
de la muerte.

[28] Una población que crece es
la gloria del rey;
un príncipe sin súbditos
no tiene nada.

[29] Los que tienen entendimiento no
pierden los estribos;
los que se enojan fácilmente
demuestran gran necedad.

[30] La paz en el corazón da salud al
cuerpo;
los celos son como cáncer en los
huesos.

[31] Quienes oprimen a los pobres insultan
a su Creador,
pero quienes los ayudan lo honran.

[32] Los perversos son aplastados por el
desastre,
pero los justos tienen un refugio
cuando mueren.

[33] La sabiduría es venerada en el corazón
comprensivo;
la sabiduría no* se encuentra entre
los necios.

14:16 En hebreo *Los sabios temen.* **14:18** O *heredan necedad.* **14:33** Así aparece en la versión griega y en la siríaca; el hebreo no incluye el *no.*

[34] La justicia engrandece a la nación,
pero el pecado es la deshonra de cualquier pueblo.

[35] El rey se alegra de los siervos sabios,
pero se enoja con aquellos que lo avergüenzan.

15

[1] La respuesta apacible desvía el enojo,
pero las palabras ásperas encienden los ánimos.

[2] La lengua de los sabios hace que el conocimiento sea atractivo,
pero la boca de un necio escupe tonterías.

[3] Los ojos del SEÑOR están en todo lugar,
vigilando tanto a los malos como a los buenos.

[4] Las palabras suaves son un árbol de vida;
la lengua engañosa destruye el espíritu.

[5] Sólo un necio desprecia la disciplina de sus padres;*
el que aprende de la corrección es sabio.

[6] En la casa del justo hay tesoros,
pero las ganancias del perverso le acarrean dificultades.

[7] Los labios del sabio dan buenos consejos;
el corazón del necio no tiene nada para ofrecer.

[8] El SEÑOR detesta el sacrificio de los perversos,
pero se deleita con las oraciones de los íntegros.

[9] El SEÑOR detesta el camino de los perversos,
pero ama a quienes siguen la justicia.

[10] El que abandona el buen camino será severamente disciplinado;
el que odia la corrección morirá.

[11] Ni la Muerte ni la Destrucción*
ocultan secretos al SEÑOR,
¡mucho menos el corazón humano!

[12] Los burlones odian ser corregidos,
por eso se alejan de los sabios.

[13] El corazón contento alegra el rostro;
el corazón quebrantado destruye el espíritu.

[14] El sabio tiene hambre de conocimiento,
mientras que el necio se alimenta de basura.

[15] Para el abatido, cada día acarrea dificultades;
para el de corazón feliz, la vida es un banquete continuo.

[16] Más vale tener poco, con el temor del SEÑOR,
que tener grandes tesoros y vivir llenos de angustia.

[17] Un plato de verduras con alguien que amas
es mejor que carne asada con alguien que odias.

[18] El que pierde los estribos con facilidad provoca peleas;
el que se mantiene sereno, las detiene.

[19] El camino de los perezosos está obstruido por espinas,
pero la senda de los íntegros es una carretera despejada.

[20] Los hijos sensatos traen alegría a su padre;
los hijos necios desprecian a su madre.

15:5 En hebreo *de su padre.* **15:11** En hebreo *el Seol y el Abadón.*

[21] La necedad alegra a los que les falta
juicio;
la persona sensata permanece
en el buen camino.

[22] Los planes fracasan por falta de
consejo;
muchos consejeros traen éxito.

[23] A todo el mundo le gusta una
respuesta apropiada;
¡es hermoso decir lo correcto
en el momento oportuno!

[24] Para los sabios, el camino de la vida
avanza hacia arriba;
ellos dejan la tumba* atrás.

[25] El Señor derriba la casa de los
orgullosos,
pero protege la propiedad de las
viudas.

[26] El Señor detesta los planes perversos,
pero se deleita en las palabras
puras.

[27] El avaro causa mucho dolor a toda
la familia,
pero los que odian el soborno
vivirán.

[28] El corazón del justo piensa bien antes
de hablar;
la boca de los perversos rebosa
de palabras malvadas.

[29] El Señor está lejos de los perversos,
pero oye las oraciones de los justos.

[30] Una mirada alegre trae gozo al
corazón;
las buenas noticias contribuyen
a la buena salud.

[31] Si escuchas la crítica constructiva,
te sentirás en casa entre los sabios.

[32] Si rechazas la disciplina, sólo te harás
daño a ti mismo,
pero si escuchas la corrección,
crecerás en entendimiento.

[33] El temor del Señor enseña sabiduría;
la humildad precede a la honra.

16

[1] Podemos hacer nuestros
propios planes,
pero la respuesta correcta viene del
Señor.

[2] La gente puede considerarse pura
según su propia opinión,
pero el Señor examina sus
intenciones.

[3] Pon todo lo que hagas en manos del
Señor,
y tus planes tendrán éxito.

[4] El Señor ha hecho todo para sus
propios propósitos,
incluso al perverso para el día
de la calamidad.

[5] El Señor detesta a los orgullosos.
Ciertamente recibirán su castigo.

[6] Con amor inagotable y fidelidad se
perdona el pecado.
Con el temor del Señor el mal
se evita.

[7] Cuando la vida de alguien agrada
al Señor,
hasta sus enemigos están en paz
con él.

[8] Es mejor tener poco con justicia,
que ser rico y deshonesto.

[9] Podemos hacer nuestros planes,
pero el Señor determina nuestros
pasos.

[10] El rey habla con sabiduría divina;
nunca debe juzgar injustamente.

[11] El Señor exige el uso de pesas
y balanzas exactas,
él es quien fija los parámetros
de la justicia.

15:24 En hebreo *el Seol.*

[12] El rey detesta las fechorías,
porque su gobierno se basa
en la justicia.

[13] El rey se complace en las palabras
de labios justos;
ama a quienes hablan con la
verdad.

[14] El enojo del rey es amenaza de muerte;
el sabio tratará de aplacarlo.

[15] Cuando el rey sonríe, hay vida;
su favor refresca como lluvia de
primavera.

[16] ¡Cuánto mejor es adquirir sabiduría
que oro,
y el buen juicio que la plata!

[17] El camino de los íntegros lleva lejos
del mal;
quien lo siga estará a salvo.

[18] El orgullo va delante de la destrucción,
y la arrogancia antes de la caída.

[19] Es mejor vivir humildemente con los
pobres,
que compartir el botín con los
orgullosos.

[20] Los que están atentos a la instrucción
prosperarán;
los que confían en el SEÑOR se
llenarán de gozo.

[21] Los sabios son conocidos por su
entendimiento,
y las palabras agradables son
persuasivas.

[22] La discreción es fuente que da vida
para quienes la poseen,
pero la disciplina se desperdicia
en los necios.

[23] De una mente sabia provienen
palabras sabias;
las palabras de los sabios son
persuasivas.

[24] Las palabras amables son como la miel:
dulces al alma y saludables para
el cuerpo.

[25] Delante de cada persona hay un
camino que parece correcto,
pero termina en muerte.

[26] Es bueno que los trabajadores tengan
hambre;
el estómago vacío los motiva a
seguir su labor.

[27] Los sinvergüenzas crean problemas;
sus palabras son un fuego
destructor.

[28] El alborotador siembra conflictos;
el chisme separa a los mejores
amigos.

[29] Los violentos engañan a sus
compañeros,
los llevan por un camino peligroso.

[30] Con los ojos entrecerrados se trama
el mal;
con una sonrisita se planean las
maldades.

[31] Las canas son una corona de gloria
que se obtiene por llevar una vida
justa.

[32] Mejor es ser paciente que poderoso;
más vale tener control propio que
conquistar una ciudad.

[33] Podremos tirar los dados,*
pero el SEÑOR decide cómo caen.

17

[1] Mejor comer pan duro donde
reina la paz,
que vivir en una casa llena de
banquetes donde hay peleas.

[2] El sirviente sabio gobernará sobre el
hijo sinvergüenza de su amo
y compartirá la herencia con los
demás hijos.

16:33 En hebreo *Podremos echar suertes.*

[3] El fuego prueba la pureza del oro
y de la plata,
pero el SEÑOR prueba el corazón.

[4] Los malhechores están ansiosos por
escuchar el chisme;
los mentirosos prestan suma
atención a la calumnia.

[5] Los que se burlan del pobre insultan
a su Creador;
los que se alegran de la desgracia
de otros serán castigados.

[6] Los nietos son la corona de gloria
de los ancianos;
los padres* son el orgullo
de sus hijos.

[7] Las palabras elocuentes no son
apropiadas para el necio;
mucho menos las mentiras para
el gobernante.

[8] El soborno es como tener un amuleto
de la suerte;
¡el que lo da, prospera!

[9] Cuando se perdona una falta, el amor
florece,
pero mantenerla presente separa
a los amigos íntimos.

[10] Es más efectivo un solo regaño al que
tiene entendimiento
que cien latigazos en la espalda
del necio.

[11] Los malvados están ansiosos por
rebelarse,
pero serán severamente castigados.

[12] Es menos peligroso toparse con una
osa a la que le han robado sus
crías
que enfrentar a un necio en plena
necedad.

[13] Si pagas mal por bien,
el mal nunca se irá de tu casa.

[14] Comenzar una pelea es como abrir las
compuertas de una represa,
así que detente antes de que estalle
la disputa.

[15] Absolver al culpable y condenar al
inocente
son dos actos que el SEÑOR detesta.

[16] Es absurdo pagar por la educación
de un necio,
puesto que no tiene deseos de
aprender.

[17] Un amigo es siempre leal,
y un hermano nace para ayudar
en tiempo de necesidad.

[18] Es una insensatez dar garantía por
la deuda de otro
o ser fiador de un amigo.

[19] Al que le gusta pelear, le gusta pecar;
el que confía en sus altas murallas
invita al desastre.

[20] El corazón retorcido no prosperará;
la lengua mentirosa cae en
problemas.

[21] Los padres de un necio sufren;
no hay alegría para el padre
de un rebelde.

[22] El corazón alegre es una buena
medicina,
pero el espíritu quebrantado
consume las fuerzas.

[23] Los perversos aceptan sobornos
a escondidas
para pervertir el curso de la justicia.

[24] Los sensatos mantienen sus ojos
en la sabiduría,
pero los ojos del necio vagan por los
confines de la tierra.

[25] Los hijos necios traen* dolor
a su padre
y amargura a la que los dio a luz.

17:6 En hebreo esta palabra se refiere sólo a los hombres. **17:25** En hebreo *Un hijo necio trae*.

[26] Está mal castigar al justo por ser bueno
o azotar a los líderes por ser honestos.

[27] El verdadero sabio emplea pocas palabras;
la persona con entendimiento es serena.

[28] Hasta los necios pasan por sabios si permanecen callados;
parecen inteligentes cuando mantienen la boca cerrada.

18

[1] La gente poco amistosa sólo se preocupa de sí misma;
se opone al sentido común.

[2] A los necios no les interesa tener entendimiento;
sólo quieren expresar sus propias opiniones.

[3] Hacer el mal resulta en la vergüenza,
y la conducta escandalosa trae desprecio.

[4] Las palabras sabias son como aguas profundas;
la sabiduría fluye del sabio como un arroyo burbujeante.

[5] No es correcto absolver al culpable
o negarle la justicia al inocente.

[6] Con sus palabras, los necios se meten continuamente en pleitos;
van en busca de una paliza.

[7] La boca de los necios es su ruina;
quedan atrapados por sus labios.

[8] Los rumores son deliciosos bocaditos
que penetran en lo profundo del corazón.

[9] El perezoso es tan malo
como el que destruye cosas.

[10] El nombre del SEÑOR es una fortaleza firme;
los justos corren a él y quedan a salvo.

[11] Los ricos piensan que su riqueza es una gran defensa;
imaginan que es una muralla alta y segura.

[12] La arrogancia va delante de la destrucción;
la humildad precede al honor.

[13] Precipitarse a responder antes de escuchar los hechos
es a la vez necio y vergonzoso.

[14] El espíritu humano puede soportar un cuerpo enfermo,
¿pero quién podrá sobrellevar un espíritu destrozado?

[15] Las personas inteligentes están siempre dispuestas a aprender;
tienen los oídos abiertos al conocimiento.

[16] Ofrecer un regalo puede abrir puertas;
¡es una vía de acceso a la gente importante!

[17] El primero que habla en la corte parece tener la razón,
hasta que comienza el interrogatorio.

[18] Tirar una moneda* puede acabar con la disputa;
resuelve los desacuerdos entre grandes oponentes.

[19] Un amigo ofendido es más difícil de recuperar que una ciudad fortificada.
Las disputas separan a los amigos como un portón cerrado con rejas.

[20] Las palabras sabias satisfacen igual que una buena comida;
las palabras acertadas traen satisfacción.

18:18 En hebreo *Echar suertes.*

[21] La lengua puede traer vida o muerte;
los que hablan mucho cosecharán las consecuencias.

[22] El hombre que halla esposa encuentra un tesoro,
y recibe el favor del SEÑOR.

[23] El pobre ruega misericordia;
el rico responde con insultos.

[24] Hay quienes parecen amigos pero se destruyen unos a otros;
el amigo verdadero se mantiene más leal que un hermano.

19

[1]Es mejor ser pobre y honesto,
que deshonesto y necio.

[2] El entusiasmo sin conocimiento no vale nada;
la prisa produce errores.

[3] La gente arruina su vida por su propia necedad,
y después se enoja con el SEÑOR.

[4] Las riquezas atraen muchos amigos;
la pobreza los aleja a todos.

[5] El testigo falso no quedará sin castigo;
el mentiroso tampoco escapará.

[6] Son muchos los que buscan favores del gobernante;
¡todos son amigos del que da regalos!

[7] Los parientes del pobre lo desprecian;
¡cuánto más lo evitarán sus amigos!
Por más que el pobre les ruegue,
los amigos ya no están.

[8] Adquirir sabiduría es amarse a uno mismo;
los que atesoran el entendimiento prosperarán.

[9] El testigo falso no quedará sin castigo,
y el mentiroso será destruido.

[10] ¡No es correcto que un necio viva rodeado de lujos
ni que un esclavo gobierne sobre príncipes!

[11] Las personas sensatas no pierden los estribos;
se ganan el respeto pasando por alto las ofensas.

[12] El enojo del rey es como el rugido del león,
pero su favor es como el rocío sobre el pasto.

[13] El hijo necio es una calamidad para su padre;
una esposa que busca pleitos es tan molesta como una gotera continua.

[14] Los padres* pueden dar en herencia a sus hijos casa y fortuna,
pero sólo el SEÑOR puede dar una esposa comprensiva.

[15] Los perezosos duermen profundamente,
pero su ocio los deja con hambre.

[16] Guarda los mandamientos y guardarás tu vida;
despreciarlos te llevará a la muerte.

[17] Si ayudas al pobre, le prestas al SEÑOR,
¡y él te lo pagará!

[18] Disciplina a tus hijos mientras haya esperanza;
de lo contrario, arruinarás sus vidas.

[19] Los que pierden los estribos con facilidad tendrán que sufrir las consecuencias.
Si los proteges de ellas una vez,
tendrás que volver a hacerlo.

[20] Consigue todo el consejo y la instrucción que puedas,

19:14 En hebreo esta palabra se refiere sólo a los hombres.

para que seas sabio por el resto
de tu vida.

21 Puedes hacer todos los planes que
quieras,
pero el propósito del SEÑOR
prevalecerá.

22 Lo que hace atractiva a una persona
es su lealtad.
Es mejor ser pobre que deshonesto.

23 El temor del SEÑOR conduce a la vida;
da seguridad y protección contra
cualquier daño.

24 Los perezosos toman la comida
en la mano,
pero ni siquiera se la llevan
a la boca.

25 Si castigas al burlón, los ingenuos
aprenderán una lección;
si corriges al sabio, será aún más
sabio.

26 Los hijos que maltratan a su padre
o echan fuera a su madre
son una deshonra pública y una
vergüenza.

27 Hijo mío, si dejas de escuchar la
instrucción,
le darás la espalda al conocimiento.

28 Un testigo corrupto ridiculiza la
justicia;
la boca del perverso se traga
de golpe la maldad.

29 El castigo está hecho para los
burlones,
y la espalda de los necios, para
recibir golpes.

20

1 El vino produce burlones; la
bebida alcohólica lleva
a la pelea.
Los que se dejan llevar por la
bebida, no pueden ser sabios.

2 La furia del rey es como el rugido
del león;
quien provoca su enojo, pone en
peligro su vida.

3 Evitar la pelea es una señal de honor;
sólo los necios insisten en pelear.

4 Los que por pereza no aran en la
temporada correspondiente,
no tendrán alimento en la cosecha.

5 Aunque el buen consejo esté en
lo profundo del corazón,
la persona con entendimiento
lo extraerá.

6 Muchos se dicen ser amigos fieles,
¿pero quién podrá encontrar uno
realmente digno de confianza?

7 Los justos caminan con integridad;
benditos son los hijos que siguen
sus pasos.

8 Cuando el rey se sienta a juzgar en
el tribunal, analiza todas las
pruebas,
y separa lo malo de lo bueno.

9 ¿Quién puede decir: «He limpiado
mi corazón;
soy puro y estoy libre de pecado»?

10 El SEÑOR detesta las pesas falsas y las
medidas engañosas;*
al igual que cualquier tipo
de engaño.

11 Aun a los niños se les conoce por
su modo de actuar,
si su conducta es o no pura y recta.

12 Los oídos para oír y los ojos para ver;
ambos son regalos del SEÑOR.

13 Si te encanta dormir terminarás
en la pobreza.
¡Mantén los ojos abiertos y tendrás
comida en abundancia!

20:10 En hebreo *una piedra y una piedra, un efa y un efa.*

[14] El comprador regatea el precio
diciendo: «Esto no vale nada»,
¡y después se jacta por una buena
compra!

[15] Las palabras sabias son más valiosas
que mucho oro y multitud de
rubíes.

[16] Al que salga fiador por la deuda
de un desconocido, pídele
una garantía.
Exígele un depósito como garantía
si lo hace por extranjeros.*

[17] El pan robado tiene un sabor dulce,
pero se transforma en arena dentro
de la boca.

[18] Con buenos consejos los planes tienen
éxito;
no entres en guerra sin consejos
sabios.

[19] El chismoso anda por ahí ventilando
secretos,
así que no andes con los que hablan
de más.

[20] Si insultas a tu padre o a tu madre,
se apagará tu luz en la más densa
oscuridad.

[21] Una herencia que se obtiene
demasiado temprano en la vida
al final no es de bendición.

[22] No digas: «Me voy a vengar
de este mal»;
espera a que el SEÑOR se ocupe
del asunto.

[23] El SEÑOR detesta el engaño;
no le agradan las balanzas
adulteradas.

[24] El SEÑOR dirige nuestros pasos,
entonces, ¿por qué tratar de
entender todo lo que pasa?

[25] No te acorrales al hacer una promesa
apresurada a Dios
y calcular el costo después.

[26] El rey sabio esparce a los perversos
como trigo,
y luego los atropella con su rueda
de trillar.

[27] La luz del SEÑOR penetra el espíritu
humano*
y pone al descubierto cada
intención oculta.

[28] El amor inagotable y la fidelidad
protegen al rey;
su trono se afianza por medio
de su amor.

[29] La gloria de los jóvenes es su fuerza;
las canas de la experiencia son el
esplendor de los ancianos.

[30] El castigo físico limpia la maldad;*
semejante disciplina purifica el
corazón.

21

[1] El corazón del rey es como un
arroyo dirigido por el SEÑOR,
quien lo guía por donde él quiere.

[2] La gente puede considerarse en lo
correcto según su propia opinión,
pero el SEÑOR examina el corazón.

[3] Al SEÑOR le agrada más cuando
hacemos lo que es correcto
y justo
que cuando le ofrecemos
sacrificios.

[4] Los ojos arrogantes, el corazón
orgulloso,
y las malas acciones, son pecado.

[5] Los planes bien pensados y el arduo
trabajo llevan a la prosperidad,
pero los atajos tomados a la carrera
conducen a la pobreza.

20:16 Otra lectura del texto masorético es *por una mujer promiscua.* **20:27** O *El espíritu humano es la luz del SEÑOR.* **20:30** El significado del hebreo es incierto.

[6] La riqueza fruto de una lengua mentirosa
es una neblina que se esfuma y una trampa mortal.*

[7] La violencia de los perversos arrasará con ellos,
porque se niegan a hacer lo que es justo.

[8] El culpable camina por un sendero torcido;
el inocente anda por un camino recto.

[9] Es mejor vivir solo en un rincón de la azotea
que en una casa preciosa con una esposa que busca pleitos.

[10] Los malvados desean el mal;
no muestran compasión a sus vecinos.

[11] Si castigas al burlón, los ingenuos llegan a ser sabios;
si instruyes al sabio será aún más sabio.

[12] El Justo* sabe lo que ocurre en el hogar de los perversos;
él traerá desastre sobre ellos.

[13] Los que tapan sus oídos al clamor del pobre
tampoco recibirán ayuda cuando pasen necesidad.

[14] El regalo en secreto calma el enojo;
el soborno por debajo de la mesa aplaca la furia.

[15] La justicia es una alegría para los justos,
pero hace temblar a los malhechores.

[16] La persona que se aparta del sentido común
terminará en compañía de los muertos.

[17] Los que aman el placer se vuelven pobres;
los que aman el vino y el lujo nunca llegarán a ser ricos.

[18] Los perversos son castigados en lugar de los justos,
y los traidores, en lugar de las personas honradas.

[19] Es mejor vivir solo en el desierto
que con una esposa que se queja y busca pleitos.

[20] Los sabios tienen riquezas y lujos,
pero los necios gastan todo lo que consiguen.

[21] El que busca la justicia y el amor inagotable
encontrará vida, justicia y honor.

[22] El sabio conquista la ciudad de los fuertes
y arrasa la fortaleza en que confían.

[23] Cuida tu lengua y mantén la boca cerrada,
y no te meterás en problemas.

[24] Los burlones son orgullosos y altaneros;
actúan con una arrogancia que no tiene límites.

[25] Por mucho que desee, el perezoso acabará en la ruina,
porque sus manos se niegan a trabajar.

[26] Hay quienes se la pasan codiciando todo el tiempo,
¡pero a los justos les encanta dar!

[27] El sacrificio del malvado es detestable,
sobre todo cuando lo ofrece con malas intenciones.

[28] El testigo falso será silenciado,
pero al testigo creíble se le permitirá hablar.

21:6 Así aparece en la versión griega; en hebreo dice *neblina para aquellos que buscan la muerte.*
21:12 O *El hombre justo.*

[29] El perverso finge para salir del apuro,
pero el honrado piensa antes
de actuar.

[30] No hay sabiduría humana ni
entendimiento ni proyecto
que puedan hacerle frente
al SEÑOR.

[31] El caballo se prepara para el día
de la batalla,
pero la victoria pertenece al SEÑOR.

22

[1] Elige una buena reputación
sobre las muchas riquezas;
ser tenido en gran estima es mejor
que la plata o el oro.

[2] El rico y el pobre tienen esto en
común:
a ambos los hizo el SEÑOR.

[3] El prudente se anticipa al peligro
y toma precauciones.
El simplón avanza a ciegas y sufre
las consecuencias.

[4] La verdadera humildad y el temor
del SEÑOR
conducen a riquezas, a honor
y a una larga vida.

[5] Los corruptos van por un camino
espinoso y traicionero;
el que aprecie la vida lo evitará.

[6] Dirige a tus hijos por el camino
correcto,
y cuando sean mayores, no lo
abandonarán.

[7] Así como el rico gobierna al pobre,
el que pide prestado es sirviente
del que presta.

[8] Los que siembran injusticia
cosecharán desgracia,
y su régimen de terror se acabará.*

[9] Benditos son los generosos,
porque alimentan a los pobres.

[10] Echa fuera al burlón, y también
se acabarán las peleas.
Los pleitos y los insultos
desaparecerán.

[11] El que ama la pureza del corazón
y habla con gracia
tendrá al rey como amigo.

[12] El SEÑOR preserva a los que tienen
conocimiento,
pero arruina los planes de los
traicioneros.

[13] El perezoso afirma: «¡Hay un león
allí afuera!
¡Si salgo, me puede matar!».

[14] La boca de la mujer inmoral es una
trampa peligrosa;
los que provoquen el enojo del
SEÑOR caerán en ella.

[15] El corazón del muchacho está lleno
de necedad,
pero la disciplina física la alejará
de él.

[16] La persona que saca ventaja
oprimiendo al pobre,
o llenando de regalos al rico,
terminará en la pobreza.

Dichos de los sabios

[17] Escucha las palabras de los sabios;
aplica tu corazón a mi enseñanza.

[18] Pues es bueno guardar estos dichos
en tu corazón
y tenerlos siempre a flor de labios.

[19] Yo te enseño hoy —sí, a ti—
para que confíes en el SEÑOR.

[20] Te he escrito treinta dichos*
llenos de consejos y de
conocimiento.

22:8 La versión griega incluye un proverbio adicional: *Dios bendice a la persona que da con alegría, / pero sus acciones inútiles acabarán.* Comparar 2 Co 9:7. **22:20** O *dichos excelentes;* el significado del hebreo es incierto.

[21] Así podrás conocer la verdad
y llevar un informe preciso a
quienes te enviaron.

[22] No le robes al pobre tan sólo porque
puedes hacerlo,
ni saques provecho de los
necesitados en la corte,
[23] porque el SEÑOR es su defensor.
Él destruirá a todo el que los
destruya.

[24] No te hagas amigo de la gente irritable,
ni te juntes con los que pierden los
estribos con facilidad,
[25] porque aprenderás a ser como ellos
y pondrás en peligro tu alma.

[26] No te comprometas a garantizar la
deuda de otro
ni seas fiador de nadie.
[27] Si no puedes pagar,
te quitarán hasta la cama en la que
duermes.

[28] No engañes a tu vecino cambiando
de lugar los antiguos límites
de propiedad
establecidos por generaciones
pasadas.

[29] ¿Has visto a alguien realmente hábil
en su trabajo?
Servirá a los reyes
en lugar de trabajar para la gente
común.

23

[1] Cuando te sientes a la mesa
de un gobernante,
fíjate bien en lo que te sirven.
[2] Si eres de buen comer,
ponle un cuchillo a tu garganta;
[3] no desees todos los manjares,
porque tal vez tenga la intención
de engañarte.

[4] No te desgastes tratando de
hacerte rico.
Sé lo suficientemente sabio para
saber cuándo detenerte.
[5] Las riquezas desaparecen en un abrir y
cerrar de ojos,
porque les saldrán alas
y se irán volando como las águilas.

[6] No aceptes comer con los tacaños
ni desees sus manjares.
[7] Están siempre pensando cuánto cuesta.*
«Come y bebe», te invitan, pero
no lo dicen con sinceridad.
[8] Vomitarás lo poco que hayas comido,
y se desperdiciarán tus cumplidos.

[9] No gastes saliva con los necios,
porque despreciarán hasta el más
sabio consejo.

[10] No engañes a tu vecino cambiando
de lugar los antiguos límites
de propiedad;
ni te apropies de la tierra de
huérfanos indefensos.
[11] Pues el Redentor* de ellos es fuerte;
él mismo levantará cargos
en tu contra.

[12] Entrégate a la instrucción;
presta suma atención a las palabras
de conocimiento.

[13] No dejes de disciplinar a tus hijos;
no morirán si les das unos buenos
azotes.
[14] La disciplina física
bien puede salvarlos de la muerte.*

[15] Hijo mío, si tu corazón es sabio,
¡mi propio corazón saltará de
alegría!
[16] Todo mi ser celebrará
cuando hables con rectitud.

[17] No envidies a los pecadores,
en cambio, teme siempre al SEÑOR.
[18] Si lo haces, serás recompensado;
tu esperanza no se frustrará.

23:7 El significado del hebreo es incierto. **23:11** O *redentor.* **23:14** En hebreo *del Seol.*

[19] Hijo mío, presta atención y sé sabio:
mantén tu corazón en el camino recto.
[20] No andes de juerga con borrachos
ni festejes con glotones,
[21] porque van camino a la pobreza,
y por dormir tanto, vestirán harapos.

[22] Escucha a tu padre, que te dio la vida,
y no desprecies a tu madre cuando sea anciana.
[23] Adquiere la verdad y nunca la vendas;
consigue también sabiduría, disciplina y buen juicio.
[24] El padre de hijos justos tiene motivos para alegrarse.
¡Qué satisfacción es tener hijos sabios!*
[25] ¡Por eso, alegra a tu padre y a tu madre!
Que sea feliz la que te dio a luz.

[26] Oh, hijo mío, dame tu corazón;
que tus ojos se deleiten en seguir mis caminos.
[27] Una prostituta es una trampa peligrosa;
la mujer promiscua es tan peligrosa como caer en un pozo estrecho.
[28] Se esconde y espera como lo hace un ladrón,
ansiosa por hacer que más hombres sean infieles.

[29] ¿Quién tiene angustia? ¿Quién siente tristeza?
¿Quién es el que siempre pelea?
¿Quién está siempre quejándose?
¿Quién tiene moretones sin motivo?
¿Quién tiene los ojos rojos?
[30] Es el que pasa muchas horas en las tabernas,
probando nuevos tragos.
[31] No te fijes en lo rojo que es el vino,
ni en cómo burbujea en la copa,
ni en lo suave que se desliza.
[32] Pues al final muerde como serpiente venenosa;
pica como una víbora.
[33] Tendrás alucinaciones
y dirás disparates.
[34] Te tambalearás como un marinero en alta mar,
aferrado a un mástil que se mueve.
[35] Y entonces dirás: «Me golpearon pero no lo sentí.
Ni siquiera me di cuenta cuando me dieron la paliza.
¿Cuándo despertaré
para ir en busca de otro trago?».

24

[1] No envidies a la gente malvada,
ni desees su compañía.
[2] Pues en su corazón traman violencia
y sus palabras siempre traen problemas.

[3] Una casa se edifica con sabiduría
y se fortalece por medio del buen juicio.
[4] Mediante el conocimiento se llenan sus cuartos
de toda clase de riquezas y objetos valiosos.

[5] Los sabios son más poderosos que los fuertes,*
y los que tienen conocimiento se hacen cada vez más fuertes.
[6] Así que, no vayas a la guerra sin consejo sabio;
la victoria depende de que tengas muchos consejeros.

[7] La sabiduría es demasiado elevada para los necios.
Entre los líderes en la puerta de la ciudad, los necios no tienen nada que decir.

23:24 En hebreo *tener un hijo sabio.* **24:5** Así aparece en la versión griega; en hebreo dice *Un hombre sabio es fuerza.*

[8] Una persona que maquina el mal
se gana la fama de alborotador.
[9] Las intrigas del necio son pecaminosas;
todos detestan al burlón.

[10] Si fallas bajo presión,
tu fuerza es escasa.

[11] Rescata a los que están injustamente
condenados a morir,
sálvalos mientras van tambaleando
hacia su muerte.
[12] No te excuses diciendo: «Ay, no lo
sabíamos».
Pues Dios conoce cada corazón
y él te ve.
El que cuida tu alma sabe bien que
tú sabías.
Él pagará a cada uno según merecen
sus acciones.

[13] Come miel, hijo mío, porque es buena,
y el panal es dulce al paladar.
[14] Así también, la sabiduría es dulce
a tu alma.
Si la encuentras, tendrás un futuro
brillante,
y tus esperanzas no se truncarán.

[15] No estés al acecho frente a la casa
del justo,
ni ataques el lugar donde vive.
[16] Los justos podrán tropezar siete veces,
pero volverán a levantarse.
En cambio, basta una sola
calamidad para derribar al
perverso.

[17] No te alegres cuando tus enemigos
caigan;
no te pongas contento cuando
tropiecen.
[18] Pues el SEÑOR se molestará contigo
y quitará su enojo de ellos.

[19] No te inquietes por causa de los que
hacen el mal,
ni envidies a los perversos.
[20] Pues la gente mala no tiene futuro;
la luz de los perversos se apagará.

[21] Hijo mío, teme al SEÑOR y al rey.
No te juntes con los rebeldes,
[22] porque repentinamente les vendrá
la calamidad.
¿Quién sabe qué castigo les caerá
de parte del SEÑOR y del rey?

Más dichos de los sabios

[23]A continuación hay más dichos de los sabios:

No es correcto mostrar favoritismo
al emitir un juicio.
[24] El juez que dice al perverso: «Eres
inocente»,
será maldecido por muchos y
denunciado por las naciones.
[25] En cambio les irá bien a los que
condenan al culpable;
recibirán bendiciones en
abundancia.

[26] Una respuesta sincera
es como un beso amistoso.

[27] Antes de construir tu casa
haz tus planes y prepara los campos.

[28] No testifiques contra tus vecinos
sin motivo;
no mientas cuando hables
de ellos.
[29] No digas: «¡Ahora me voy a vengar
de lo que me hicieron!
¡Me desquitaré con ellos!».

[30] Pasé por el campo de un perezoso,
por el viñedo de uno que carece
de sentido común.
[31] Vi que habían crecido espinos por
todas partes.
Estaba cubierto de maleza,
y sus muros destruidos.
[32] Entonces, mientras miraba y pensaba
en lo que veía,
aprendí esta lección:
[33] un rato más de dormir, un poquito
más de sueño,

un breve descanso con los brazos cruzados,
[34] entonces la pobreza te asaltará como un bandido;
la escasez te atacará como un ladrón armado.

Más proverbios de Salomón

25 Estos son más proverbios de Salomón, reunidos por los consejeros del rey Ezequías de Judá.

[2] Es privilegio de Dios ocultar un asunto,
y privilegio del rey descubrirlo.

[3] Nadie puede comprender la altura de los cielos, la profundidad de la tierra,
¡ni todo lo que pasa por la mente del rey!

[4] Quita las impurezas de la plata
y quedará lista para el orfebre.
[5] Quita al perverso de la corte del rey
y su reino se afianzará por medio de la justicia.

[6] No exijas una audiencia con el rey
ni insistas en hacerte un lugar entre los grandes.
[7] Es mejor esperar a que te inviten a la mesa principal
y no que te echen y pases vergüenza en público.

Tan sólo por haber visto algo,
[8] no vayas corriendo a los tribunales.
Pues, ¿qué harás si a fin de cuentas
tu prójimo te desmiente y te hace pasar vergüenza?

[9] Cuando discutas con tu prójimo,
no reveles los secretos que otros te confiaron.
[10] Te podrían acusar de chismoso,
y nunca recuperarás tu buena reputación.

[11] El consejo oportuno es precioso,
como manzanas de oro en canasta de plata.

[12] La crítica constructiva es, para quien la escucha,
como un pendiente u otras joyas de oro.

[13] Los mensajeros confiables refrescan como la nieve en verano.
Reviven el espíritu de su patrón.

[14] La persona que promete un regalo pero nunca lo da
es como las nubes y el viento que no traen lluvia.

[15] La paciencia puede persuadir al príncipe,
y las palabras suaves pueden quebrar los huesos.

[16] ¿Te gusta la miel?
¡No comas demasiada, porque te darán ganas de vomitar!

[17] No visites a tus vecinos muy seguido,
porque se cansarán de ti y no serás bienvenido.

[18] Decir mentiras acerca de otros
es tan dañino como golpearlos con un hacha,
herirlos con una espada
o lanzarles una flecha afilada.

[19] Confiar en alguien inestable en tiempos de angustia
es como masticar con un diente roto o caminar con un pie cojo.

[20] Cantar canciones alegres a quien tiene el corazón afligido
es como quitarle a alguien el abrigo cuando hace frío
o echarle vinagre a una herida.*

[21] Si tus enemigos tienen hambre, dales de comer.
Si tienen sed, dales agua para beber.

25:20 Así aparece en la versión griega; en hebreo *echar vinagre sobre la soda.*

[22] Amontonarás carbones encendidos
de vergüenza sobre su cabeza,
y el SEÑOR te recompensará.

[23] Tan cierto como que el viento del
norte trae lluvia,
¡la lengua chismosa causa enojo!

[24] Mejor vivir solo en un rincón
de la azotea
que en una casa preciosa con una
esposa que busca pleitos.

[25] Las buenas noticias que llegan de lejos
son como el agua fresca para el que
tiene sed.

[26] Si el justo se doblega ante el perverso
es como contaminar una fuente o
enturbiar un manantial.

[27] No es bueno comer mucha miel,
ni buscar honores para uno mismo.

[28] Una persona sin control propio
es como una ciudad con las
murallas destruidas.

26

[1] Como la nieve no es para el
verano ni la lluvia para la
cosecha
tampoco el honor es para los
necios.

[2] Como gorrión que revolotea o
golondrina que vuela sin rumbo,
la maldición inmerecida no llegará
a quien iba dirigida.

[3] Guía al caballo con el látigo, al burro
con el freno,
¡y al necio con la vara en la espalda!

[4] No respondas a los argumentos
absurdos de los necios
o te volverás tan necio como ellos.

[5] Responde a los argumentos absurdos
de los necios
o se creerán sabios en su propia
opinión.

[6] Confiarle a un necio que lleve un
mensaje,
¡es como cortarse los pies o tomar
veneno!

[7] Un proverbio en boca de un necio
es tan inútil como una pierna
paralizada.

[8] Honrar a un necio
es tan absurdo como atar la piedra
a la honda.

[9] Un proverbio en boca de un necio
es como una rama espinosa agitada
por un borracho.

[10] El patrón que contrata a un necio
o a cualquiera que pasa
es como un arquero que lanza su
flecha al azar.

[11] Así como el perro vuelve a su vómito,
el necio repite su necedad.

[12] Hay más esperanza para los necios
que para los que se creen sabios.

[13] El perezoso afirma: «¡Hay un león
en el camino!
¡Sí, estoy seguro de que allí afuera
hay un león!».

[14] Así como la puerta gira sobre sus
bisagras,
el perezoso da vueltas en la cama.

[15] Los perezosos toman la comida
con la mano
pero ni siquiera se la llevan
a la boca.

[16] Los perezosos se creen más listos
que siete consejeros sabios.

[17] Entrometerse en los pleitos ajenos
es tan necio como jalarle las orejas
a un perro.

[18] Tanto daña
un loco que dispara un arma mortal
[19] como el que miente a un amigo

y luego le dice: «Sólo estaba
bromeando».

20 El fuego se apaga cuando falta madera,
y las peleas se acaban cuando
termina el chisme.

21 El buscapleitos inicia disputas con
tanta facilidad
como las brasas calientes
encienden el carbón o el fuego
prende la madera.

22 Los rumores son deliciosos bocaditos
que penetran en lo profundo del
corazón.

23 Las palabras suaves* pueden ocultar
un corazón perverso,
así como un barniz atractivo cubre
una olla de barro.

24 La gente podrá encubrir su odio con
palabras agradables,
pero te están engañando.

25 Fingen ser amables, pero no les creas;
tienen el corazón lleno de muchas
maldades.*

26 Aunque su odio esté encubierto por
engaños,
sus fechorías serán expuestas
en público.

27 Si tiendes una trampa para otros,
tú mismo caerás en ella.
Si echas a rodar una roca sobre otros,
no los aplastará a ellos sino a ti.

28 La lengua mentirosa odia a sus víctimas,
y las palabras aduladoras llevan
a la ruina.

27

1 No te jactes del mañana,
ya que no sabes lo que el
día traerá.

2 Que te alabe otro y no tu propia boca;
que lo haga un desconocido,
no tus propios labios.

3 Una piedra es pesada, y la arena
también,
pero el resentimiento causado por
el necio es aún más pesado.

4 El enojo es cruel, y la ira es como una
inundación,
pero los celos son aún más
peligrosos.

5 ¡Una reprensión franca
es mejor que amar en secreto!

6 Las heridas de un amigo sincero
son mejores que muchos besos
de un enemigo.

7 El que tiene el estómago lleno rechaza
la miel;
pero al hambriento, hasta la comida
amarga le sabe dulce.

8 El que se aleja de su hogar
es como el ave que se aleja
de su nido.

9 El perfume y el incienso alegran
el corazón,
y el dulce consejo de un amigo es
mejor que la confianza propia.

10 Nunca abandones a un amigo,
sea tuyo o de tu padre.
Cuando ocurra la calamidad, no
tendrás que pedirle ayuda
a tu hermano.
Mejor es recurrir a un vecino que
a un hermano que vive lejos.

11 Sé sabio, hijo mío, y alegra mi corazón.
Entonces podré responder a los que
me critican.

12 El prudente se anticipa al peligro
y toma precauciones.
El simplón sigue adelante a ciegas
y sufre las consecuencias.

13 Al que salga fiador por la deuda de un
desconocido, pídele una garantía.

26:23 Así aparece en la versión griega; en hebreo dice *ardientes*. **26:25** En hebreo *siete maldades*.

Exígele un depósito como garantía
si lo hace por extranjeros.*

[14] Un saludo alegre y en voz alta
temprano en la mañana,
¡será considerado una maldición!

[15] Una esposa que busca pleitos
es tan molesta
como una gotera continua
en un día de lluvia.

[16] Poner fin a sus quejas es como tratar
de detener el viento
o de sostener algo con las manos
llenas de grasa.

[17] Como el hierro se afila con hierro,
así un amigo se afila con su amigo.

[18] Como a los que cuidan de la higuera
se les permite comer del fruto,
así serán recompensados los
empleados que protegen los
intereses de su patrón.

[19] Así como el rostro se refleja
en el agua,
el corazón refleja a la persona
tal como es.

[20] Así como la Muerte y la Destrucción*
nunca se sacian,
el deseo del hombre nunca queda
satisfecho.

[21] El fuego prueba la pureza del oro
y de la plata,
pero la persona es probada por las
alabanzas que recibe.*

[22] Es imposible separar al necio
de su necedad,
aunque lo muelas como al grano
en un mortero.

[23] Mantente al tanto del estado
de tus rebaños
y entrégate de lleno al cuidado
de tus ganados,

[24] porque las riquezas no duran para
siempre,
y tal vez la corona no pase a la
próxima generación.

[25] Cuando se haya cosechado el heno
y aparezca la nueva cosecha
y se recojan las hierbas de los
montes,

[26] tus ovejas proveerán la lana para
vestirte,
y tus cabras servirán para comprar
un campo.

[27] Y tendrás suficiente leche de cabra
para ti,
para tu familia y para tus criadas.

28

[1] Los perversos huyen aun
cuando nadie los persigue,
pero los justos son tan valientes
como el león.

[2] Cuando hay corrupción moral en
una nación, su gobierno se
desmorona fácilmente.
En cambio con líderes sabios
y entendidos viene la
estabilidad.

[3] El pobre que oprime a los pobres
es como la lluvia torrencial que
destruye la cosecha.

[4] Rechazar la ley es enaltecer a los
perversos,
obedecer la ley es luchar contra ellos.

[5] Los malvados no comprenden
la justicia,
pero los que siguen al Señor
la entienden a la perfección.

[6] Es mejor ser pobre y honesto
que ser rico y deshonesto.

[7] Los jóvenes que obedecen la ley son
sabios,
los que tienen amigos

27:13 Así aparece en la versión griega y en la latina (ver también 20:16); en hebreo dice *por una mujer promiscua.* **27:20** En hebreo *el Seol y el Abadón.* **27:21** O *por las adulaciones que recibe.*

desenfrenados traen vergüenza
a sus padres.*

[8] Los ingresos que se obtienen por
cobrar altos intereses
terminarán en el bolsillo del que
trata bien a los pobres.

[9] Dios detesta la oración
del que no hace caso de la ley.

[10] El que lleva a la gente buena por mal
camino
caerá en su propia trampa,
pero los honrados heredarán cosas
buenas.

[11] Los ricos se creen sabios,
pero no pueden engañar a un pobre
que tiene discernimiento.

[12] Cuando los justos triunfan, todo el
mundo se alegra.
Cuando los perversos toman el
control, todos se esconden.

[13] Los que encubren sus pecados no
prosperarán,
pero si los confiesan y los
abandonan, recibirán
misericordia.

[14] Benditos los que tienen temor
de hacer lo malo;*
pero los tercos van directo a graves
problemas.

[15] Para los pobres, un gobernante
malvado es tan peligroso
como un león rugiente o un oso
a punto de atacar.

[16] Un gobernante sin entendimiento
oprimirá a su pueblo,
pero el que odia la corrupción
tendrá una larga vida.

[17] La conciencia atormentada del
asesino lo llevará a la tumba.
¡No lo protejas!

[18] Los intachables serán librados del
peligro,
pero los corruptos serán destruidos
de repente.

[19] El que se esfuerza en su trabajo tiene
comida en abundancia,
pero el que persigue fantasías
termina en la pobreza.

[20] La persona digna de confianza
obtendrá gran recompensa,
pero el que quiera enriquecerse de
la noche a la mañana, se meterá
en problemas.

[21] Nunca es bueno mostrar parcialidad,
incluso algunos hacen lo malo por
un simple pedazo de pan.

[22] Los avaros tratan de hacerse ricos
de la noche a la mañana,
pero no se dan cuenta que van
directo a la pobreza.

[23] A fin de cuentas, la gente aprecia
la crítica sincera
mucho más que la adulación.

[24] El que roba a su padre y a su madre,
y dice: «¿Qué tiene de malo?»,
es igual que un asesino.

[25] La avaricia provoca pleitos;
confiar en el SEÑOR resulta
en la prosperidad.

[26] Los que confían en su propia
inteligencia son necios,
pero el que camina con sabiduría
está a salvo.

[27] Al que ayuda al pobre no le
faltará nada,
en cambio, los que cierran sus
ojos ante la pobreza serán
maldecidos.

[28] Cuando los perversos toman el
control, todos se esconden.

28:7 En hebreo *su padre.* **28:14** O *los que temen al SEÑOR;* en hebreo dice *los que temen.*

Cuando los perversos caen en la
calamidad, los justos prosperan.

29

[1]Quien se niega tercamente a
aceptar la crítica
será destruido de repente sin poder
recuperarse.

[2] Cuando los justos gobiernan, el pueblo
se alegra.
Pero cuando los perversos están en
el poder, el pueblo gime.

[3] El hombre que ama la sabiduría hace
feliz a su padre,
pero si anda con prostitutas,
desperdicia su fortuna.

[4] El rey que hace justicia da estabilidad
a su nación,
pero uno que exige sobornos
la destruye.

[5] Adular a un amigo
es tenderle una trampa para los pies.

[6] La gente malvada queda atrapada por
el pecado,
pero los justos escapan con gritos
de alegría.

[7] Los justos se preocupan por los
derechos del pobre;
al perverso no le importa en
absoluto.

[8] Los burlones pueden alborotar a toda
una ciudad,
pero los sabios calman los ánimos.

[9] Si un sabio lleva a un necio a juicio
habrá alboroto y burlas pero no
se solucionará nada.

[10] Los sanguinarios odian a las personas
intachables,
pero los honrados procuran
ayudarlas.*

[11] Los necios dan rienda suelta
a su enojo,
pero los sabios calladamente
lo controlan.

[12] Si un gobernante presta atención
a los mentirosos,
todos sus consejeros serán
perversos.

[13] El pobre y el opresor tienen esto
en común:
el SEÑOR les da la vista a ambos.

[14] Si un rey juzga al pobre con justicia,
su trono perdurará para siempre.

[15] Disciplinar a un niño produce
sabiduría,
pero un hijo sin disciplina
avergüenza a su madre.

[16] Cuando los perversos están en
autoridad, el pecado abunda,
pero los justos vivirán para
verlos caer.

[17] Disciplina a tus hijos, y te darán
tranquilidad de espíritu
y alegrarán tu corazón.

[18] Cuando la gente no acepta la dirección
divina, se desenfrena.
Pero el que obedece la ley es alegre.

[19] No sólo con palabras se disciplina
a un sirviente;
podrá entender las palabras, pero
no hará caso.

[20] Hay más esperanza para un necio
que para la persona que habla
sin pensar.

[21] El sirviente mimado desde pequeño
se volverá un rebelde.

[22] La persona enojada comienza
pleitos;

29:10 O *Los sanguinarios odian a las personas intachables / y procuran matar a los honrados;* en hebreo dice *Los sanguinarios odian a las personas intachables; / mientras que los honrados van en busca de su vida.*

el que pierde los estribos con
facilidad comete todo tipo
de pecados.

[23] El orgullo termina en humillación,
mientras que la humildad trae
honra.

[24] Si ayudas a un ladrón, sólo te
perjudicas a ti mismo;
juras decir la verdad, pero
no testificarás.

[25] Temer a la gente es una trampa
peligrosa,
pero confiar en el SEÑOR significa
seguridad.

[26] Muchos buscan el favor del
gobernante,
pero la justicia proviene del SEÑOR.

[27] Los justos desprecian a los injustos;
los perversos desprecian a los
justos.

Los dichos de Agur

30 Los dichos de Agur, hijo de Jaqué, contienen el siguiente mensaje.*

Cansado estoy, oh Dios;
cansado, oh Dios, y agotado.*

[2] Soy demasiado torpe para ser humano
y me falta el sentido común.

[3] No he dominado la sabiduría humana,
ni conozco al Santo.

[4] ¿Quién sino Dios sube a los cielos
y desciende de ellos?
¿Quién retiene al viento
en sus puños?
¿Quién envuelve a los océanos
en su manto?
¿Quién ha creado al mundo entero?
¿Cuál es su nombre? ¿Y el nombre
de su hijo?
¡Dime, si los sabes!

[5] Toda palabra de Dios demuestra ser
verdadera.
Él es un escudo para todos los que
buscan su protección.

[6] No agregues nada a sus palabras,
o podría reprenderte y ponerte al
descubierto como un
mentiroso.

[7] Oh Dios, te ruego dos favores;
concédemelos antes de que muera.

[8] Primero, ayúdame a no mentir jamás.
Segundo, ¡no me des pobreza ni
riqueza!
Dame sólo lo suficiente para
satisfacer mis necesidades.

[9] Pues si me hago rico, podría negarte
y decir: «¿Quién es el SEÑOR?».
Y si soy demasiado pobre, podría
robar y así ofender el santo
nombre de Dios.

[10] Nunca difames al empleado ante
su patrón,
porque te maldecirá, y sufrirás las
consecuencias.

[11] Algunas personas maldicen a su padre
y no son agradecidos con su madre.

[12] Se consideran puros en su propia
opinión,
pero están sucios y no se han
lavado.

[13] Contemplan a su alrededor con
soberbia
y miran a otros con desdén.

[14] Tienen los dientes como espadas
y los colmillos como cuchillos.
Devoran al pobre de la tierra
y a los necesitados de entre
la humanidad.

[15] La sanguijuela tiene dos bocas
que chupan,
y gritan: «¡Más, más!».*

30:1a O *hijo de Jaqué, de Massa;* o *hijo de Jaqué, un oráculo.* **30:1b** En hebreo también puede traducirse *El hombre hace esta declaración a Itiel, / a Itiel y a Ucal.* **30:15** En hebreo *dos hijas que gritan: «¡Dame, dame!».*

Hay tres cosas que nunca se sacian;
no, son cuatro las que nunca dicen
«¡basta!»:
[16] la tumba,*
la matriz estéril,
el desierto árido,
y el fuego abrasador.

[17] El ojo que se burla de su padre
y desprecia las instrucciones
de su madre
será arrancado por los cuervos del valle
y devorado por los buitres.

[18] Hay tres cosas que me asombran;
no, son cuatro las que no
comprendo:
[19] cómo planea el águila por el cielo,
cómo se desliza la serpiente sobre
la roca,
cómo navega el barco en el océano,
y cómo ama el hombre a la mujer.

[20] La mujer adúltera devora al hombre,
luego se limpia la boca y dice:
«¿Qué hice de malo?».

[21] Hay tres cosas que hacen temblar
la tierra;
no, son cuatro las que no puede
soportar:
[22] al esclavo que llega a ser rey,
al necio autoritario que prospera,
[23] a la mujer amargada que finalmente
encuentra marido,
y a la criada que toma el lugar
de su señora.

[24] Hay cuatro cosas sobre la tierra
que son pequeñas pero
extraordinariamente sabias:
[25] las hormigas no son fuertes
pero almacenan su alimento todo
el verano.
[26] Los damanes* no son poderosos
pero construyen su hogar entre
las rocas.
[27] Las langostas no tienen rey
pero marchan en fila.
[28] Las lagartijas son fáciles de atrapar
pero se encuentran hasta en los
palacios reales.

[29] Hay tres cosas que caminan con paso
firme y majestuoso;
no, son cuatro las que se dan aires
al andar:
[30] el león, rey de los animales, que no
retrocede ante nada,
[31] el gallo que se pavonea,
el macho cabrío,
y el rey al frente de su ejército.

[32] Si como un necio has sido orgulloso
o has tramado el mal,
tapa tu boca de vergüenza.

[33] Así como al batir la crema se obtiene
mantequilla
y al golpearse la nariz sale sangre,
al provocar el enojo surgen peleas.

Los dichos del rey Lemuel

31 Los dichos del rey Lemuel contienen el siguiente mensaje,* que le enseñó su madre.

[2] Oh hijo mío, oh hijo de mi vientre,
oh hijo de mis votos,
[3] no desperdicies tu vigor con mujeres,
ésas que arruinan a los reyes.

[4] No es para los reyes, oh Lemuel, beber
mucho vino.
Los gobernantes no deberían ansiar
bebidas alcohólicas.
[5] Pues si beben, podrían olvidarse
de la ley
y no harían justicia a los oprimidos.
[6] Las bebidas alcohólicas son para los
que se están muriendo,
y el vino para los que sufren
angustias amargas.

30:16 En hebreo *el Seol.* **30:26** O *conejos salvajes,* o *tejones de las rocas.* **31:1** O *de Lemuel, rey de Massa;* o *del rey Lemuel, un oráculo.*

[7] Que beban para olvidar su pobreza
y nunca más se acuerden de sus problemas.

[8] Habla a favor de los que no pueden hablar por sí mismos;
garantiza justicia para todos los abatidos.

[9] Sí, habla a favor de los pobres e indefensos,
y asegúrate de que se les haga justicia.

La esposa de carácter noble

[10] *¿Quién podrá encontrar una esposa virtuosa y capaz?
Es más preciosa que los rubíes.

[11] Su marido puede confiar en ella,
y ella le enriquecerá en gran manera la vida.

[12] Esa mujer le hace bien y no mal,
todos los días de su vida.

[13] Ella encuentra lana y lino
y laboriosamente los hila con sus manos.

[14] Es como un barco mercante
que trae su alimento de lejos.

[15] Se levanta de madrugada y prepara el desayuno para su familia
y planifica las labores de sus criadas.

[16] Va a inspeccionar un campo y lo compra;
con sus ganancias planta un viñedo.

[17] Ella es fuerte y llena de energía
y es muy trabajadora.

[18] Se asegura de que sus negocios tengan ganancias;
su lámpara está encendida hasta altas horas de la noche.

[19] Tiene sus manos ocupadas en el hilado,
con sus dedos tuerce el hilo.

[20] Tiende la mano al pobre
y abre sus brazos al necesitado.

[21] Cuando llega el invierno, no teme por su familia,
porque todos tienen ropas abrigadas.*

[22] Ella hace sus propias colchas.
Se viste con túnicas de lino de alta calidad y vestiduras de color púrpura.

[23] Su esposo es bien conocido en las puertas de la ciudad,
donde se sienta junto con los otros líderes del pueblo.

[24] Confecciona vestimentas de lino con cintos
y fajas para vender a los comerciantes.

[25] Está vestida de fortaleza y dignidad,
y se ríe sin temor al futuro.

[26] Cuando habla, sus palabras son sabias,
y da órdenes con bondad.

[27] Está atenta a todo lo que ocurre en su hogar,
y no sufre las consecuencias de la pereza.

[28] Sus hijos se levantan y la bendicen.
Su marido la alaba:

[29] «Hay muchas mujeres virtuosas y capaces en el mundo,
¡pero tú las superas a todas!».

[30] El encanto es engañoso, y la belleza no perdura,
pero la mujer que teme al SEÑOR será sumamente alabada.

[31] Recompénsenla por todo lo que ha hecho.
Que sus obras declaren en público su alabanza.

31:10 Los versículos 10-31 conforman un poema acróstico; cada verso comienza con letras consecutivas del alfabeto hebreo. **31:21** Así aparece en la versión griega y en la latina; en hebreo dice *escarlata*.

Apéndices

Promesas de Dios

AUTOESTIMA

¿Somos importantes para Dios?

Salmo 8:3-8 Cuando miro el cielo de noche y veo la obra de tus dedos [...] ¿qué son los simples mortales para que pienses en ellos, los seres humanos para que de ellos te ocupes? [...] Los pusiste a cargo de todo lo que creaste... (Página 426)

Salmo 139:13-16 Tú creaste las delicadas partes internas de mi cuerpo y me entretejiste en el vientre de mi madre... (Página 524)

Reflexión: *Somos importantes para Dios pues él nos creó a su imagen. Es decir que, a diferencia de otras criaturas, tenemos la capacidad de razonar, de decidir asuntos de moralidad y de conocer a Dios.*

Salmo 139:1-3, 6 Oh Señor, has examinado mi corazón y sabes todo acerca de mí. Sabes cuándo me siento y cuándo me levanto; conoces mis pensamientos aun cuando me encuentro lejos. Me ves cuando viajo y cuando descanso en casa. Sabes todo lo que hago [...] Semejante conocimiento es demasiado maravilloso para mí... (Página 524)

Reflexión: *Dios diseñó cada día de nuestras vidas. No somos producto del azar.*

1 Corintios 6:19-20 ¿No se dan cuenta de que su cuerpo es el templo del Espíritu Santo, quien vive en ustedes y les fue dado por Dios?... (Página 251)

Gálatas 3:26 Pues todos ustedes son hijos de Dios por la fe en Cristo Jesús. (Página 284)

Gálatas 4:7 Ahora ya no eres un esclavo sino un hijo de Dios, y como eres su hijo, Dios te ha hecho su heredero. (Página 285)

Reflexión: *Aunque Dios nos creó a todos, no todos somos parte de su familia espiritual. Por naturaleza, éramos hijos de Satanás (ver Juan 8:44, pág. 150), pero Dios nos ama tanto que nos adopta como parte de su familia cuando ponemos nuestra confianza en Cristo.*

Romanos 12:3 ... Sean realistas al evaluarse a ustedes mismos... (Página 236)

Reflexión: *Una autoestima sana es una evaluación honesta de nosotros mismos. No debemos enorgullecernos de los dones y las habilidades que Dios nos ha dado, sino reconocer con humildad y gratitud el valor que Dios nos da al hacernos sus hijos y al prepararnos para servirle.*

Promesa de Dios: Mateo 10:29-31. ... ni un solo gorrión puede caer a tierra sin que el Padre lo sepa [...] para Dios ustedes son más valiosos que toda una bandada de gorriones. (Páginas 16-17)

CONSUELO

2 Corintios 1:3-7 Toda la alabanza sea para Dios, el Padre de nuestro Señor Jesucristo. Dios es nuestro Padre misericordioso y la fuente de todo consuelo... (Página 267)

¿A quién debemos recurrir pidiendo consuelo cuando nos hallamos en dificultades?

2 Tesalonicenses 2:16-17 Que nuestro Señor Jesucristo [...] quien [...] nos dio consuelo eterno y una esperanza maravillosa, los conforten y fortalezcan en todo lo bueno que ustedes hagan y digan. (Página 318)

Reflexión: *Ya que Dios es nuestra máxima consolación, su Palabra es nuestra mayor fuente de aliento.*

¿Cuándo nos consuela Dios?

Mateo 5:4 Dios bendice a los que lloran, porque serán consolados. (Página 7)

Juan 16:33 ... Aquí en el mundo tendrán muchas pruebas y tristezas; pero anímense, porque yo he vencido al mundo. (Página 163)

Salmo 23:4 ... no temeré, porque tú estás a mi lado. Tu vara y tu cayado me protegen y me confortan. (Página 437)

Salmo 138:3 En cuanto oro, tú me respondes; me alientas al darme fuerza. (Página 523)

Salmo 145:14 El SEÑOR ayuda a los caídos y levanta a los que están agobiados por sus cargas. (Página 528)

Salmo 147:3 Él sana a los de corazón quebrantado y les venda las heridas. (Página 529)

Promesa de Dios: 1 Pedro 5:7. Pongan todas sus preocupaciones y ansiedades en las manos de Dios, porque él cuida de ustedes. (Página 372)

DEPRESIÓN

Salmo 63:1 Oh Dios, tú eres mi Dios; de todo corazón te busco. Mi alma tiene sed de ti; todo mi cuerpo te anhela en esta tierra reseca y agotada donde no hay agua. (Página 465)

Salmo 88:18 Me has quitado a mis compañeros y a mis seres queridos; la oscuridad es mi mejor amiga. (Página 487)

Salmo 139:1-12 ... pero ni siquiera en la oscuridad puedo esconderme de ti... (Página 524)

Reflexión: *No importa cuán oscura sea la noche, Dios siempre está presente. Cuando la depresión nos aflija debemos recordar que aunque no podamos ver o sentir su presencia, él no nos ha abandonado.*

Salmo 40:12 Pues me rodean las dificultades, ¡son demasiadas para contar! Es tal la acumulación de mis pecados que no puedo ver una salida... (Página 451)

Reflexión: *La depresión puede ser causada por otros o por circunstancias fuera de nuestro control, pero a veces también es causada por nuestros propios pecados no confesados.*

Romanos 8:38-39 ... nada en toda la creación podrá jamás separarnos del amor de Dios, que está revelado en Cristo Jesús nuestro Señor. (Página 231)

Salmo 42:3-6 Día y noche sólo me alimento de lágrimas [...] Se me destroza el corazón [...] ¿Por qué estoy desanimado? ¿Por qué está tan triste mi corazón? ¡Pondré mi esperanza en Dios! Nuevamente lo alabaré, ¡mi Salvador y mi Dios!... (Página 452)

Salmo 130:1-8 Desde lo profundo de mi desesperación, oh SEÑOR, clamo por tu ayuda [...] porque en el SEÑOR hay amor inagotable... (Página 520)

Reflexión: *Tal vez sea imposible cambiar nuestras circunstancias, pero podemos seguir alabando y poniendo nuestra confianza en Dios.*

¿A quién podemos recurrir cuando nos sentimos deprimidos?

Mateo 14:29-31 ... cuando vio el fuerte viento y las olas, se aterrorizó y comenzó a hundirse. «¡Sálvame, Señor!», gritó. De inmediato, Jesús extendió la mano y lo agarró... (Página 24)

Salmo 35:9 ... estaré feliz porque él me rescata. (Página 445)

Salmo 40:1-3 ... Me sacó del foso de desesperación, del lodo y del fango. Puso mis pies sobre suelo firme... (Página 450)

Salmo 143:7 Ven pronto, SEÑOR, y respóndeme, porque mi abatimiento se profundiza... (Página 526)

Reflexión: *Dios es fiel y lo guiará en sus tribulaciones por medio de las Escrituras. Confíe en él, pues hará lo que sea mejor para nosotros y para su gloria.*

Promesa de Dios: Mateo 11:28-30. Luego dijo Jesús: «Vengan a mí todos los que están cansados y llevan cargas pesadas, y yo les daré descanso. Pónganse mi yugo [...] Pues mi yugo es fácil de llevar y la carga que les doy es liviana». (Página 18)

ESPERANZA

Proverbios 10:28 Las esperanzas del justo traen felicidad, pero las expectativas de los perversos no resultan en nada. (Página 544)

¿Qué es la esperanza, en términos bíblicos?

Romanos 8:18-24 … los creyentes también gemimos —aunque tenemos al Espíritu de Dios en nosotros como una muestra anticipada de la gloria futura— porque anhelamos que nuestro cuerpo sea liberado del pecado y el sufrimiento. Nosotros también deseamos con una esperanza ferviente que llegue el día en que Dios nos dé todos nuestros derechos como sus hijos adoptivos, incluido el nuevo cuerpo que nos prometió. Recibimos esa esperanza cuando fuimos salvos… (Páginas 230-231)

Hebreos 11:1 La fe es la confianza de que en verdad sucederá lo que esperamos; es lo que nos da la certeza de las cosas que no podemos ver. (Página 354)

Reflexión: *En la Biblia, la esperanza mencionada no es equivalente a nuestro anhelo. La esperanza en términos bíblicos es la certeza de que lo que Dios ha prometido indudablemente sucederá.*

Hebreos 6:18-19 Así que Dios ha hecho ambas cosas: la promesa y el juramento. Estas dos cosas no pueden cambiar, porque es imposible que Dios mienta. Por lo tanto, los que hemos acudido a él en busca de refugio podemos estar bien confiados aferrándonos a la esperanza que está delante de nosotros. Esta esperanza es un ancla firme y confiable para el alma… (Página 348)

1 Pedro 1:3-4 Que toda la alabanza sea para Dios, el Padre de nuestro Señor Jesucristo. Es por su gran misericordia que hemos nacido de nuevo, porque Dios levantó a Jesucristo de los muertos. Ahora vivimos con gran expectación y tenemos una herencia que no tiene precio, una herencia que está reservada en el cielo para ustedes, pura y sin mancha, que no puede cambiar ni deteriorarse. (Página 367)

Reflexión: *Dios no puede mentir ni puede romper su juramento. Él llevará a cabo en la tierra lo que les ha prometido a sus hijos y finalmente los llevará al Cielo.*

¿Qué podemos hacer cuando no parece haber esperanza?

Hechos 16:22-34 … Así que el carcelero los puso en el calabozo de más adentro y les sujetó los pies en el cepo. Alrededor de la medianoche, Pablo y Silas estaban orando y cantando himnos a Dios… (Página 199)

Reflexión: *Nada está verdaderamente perdido cuando Dios toma parte activa en el asunto. Aunque esté atravesando por el valle más oscuro (Salmo 23, pág. 437), un verdadero creyente puede cantar alabanzas a Dios.*

Salmo 27:14 Espera con paciencia al SEÑOR; sé valiente y esforzado; sí, espera al SEÑOR con paciencia. (Página 440)

Reflexión: *Uno de los aspectos más difíciles de la vida cristiana es confiar en Dios en medio de las tribulaciones, pero ese es el momento que él usa para afianzar nuestra fe. No debemos desmayar ante las circunstancias; entreguémosle al Señor nuestras cargas y él nos fortalecerá.*

Salmo 71:5 Oh Señor, sólo tú eres mi esperanza… (Página 472) (Ver también Salmo 39:7, pág. 450).

Salmo 73:26 Puede fallarme la salud y debilitarse mi espíritu, pero Dios sigue siendo la fuerza de mi corazón; él es mío para siempre. (Página 475)

Reflexión: *La esperanza es tener la certeza de que viviremos con Cristo para siempre en el Cielo, tal como él nos lo ha prometido; allí no existe el dolor, ni la tristeza ni el sufrimiento. Podemos esperar el cumplimiento de todas sus promesas, tanto aquí como en el Cielo, porque él es todopoderoso, omnisciente y bondadoso.*

Filipenses 3:13-14 … olvido el pasado y fijo la mirada en lo que tengo por delante, y así avanzo hasta llegar al final de la carrera para recibir el premio celestial al cual Dios nos llama por medio de Cristo Jesús. (Página 302)

Reflexión: *No importa lo que pase, jamás debemos alejar la vista de la meta.*

Promesa de Dios: Salmo 65:5. Fielmente respondes a nuestras oraciones con imponentes obras, oh Dios nuestro Salvador. Eres la esperanza de todos los que habitan la tierra… (Página 467)

GRACIA

¿De dónde proviene la gracia y cómo debemos recibirla?

Romanos 11:6 Y como es mediante la bondad de Dios, entonces no es por medio de buenas acciones. Pues, en ese caso, la gracia de Dios no sería lo que realmente es: gratuita e inmerecida. (Página 234)

Efesios 2:8-9 Dios los salvó por su gracia cuando creyeron. Ustedes no tienen ningún mérito en eso; es un regalo de Dios… (Página 292)

Salmo 84:11 Pues el SEÑOR Dios es nuestro sol y nuestro escudo; él nos da gracia y gloria. El SEÑOR no negará ningún bien a quienes hacen lo que es correcto. (Página 485)

Reflexión: *El viaje cristiano comienza cuando Dios derrama sus ricas bendiciones sobre personas que se merecen exactamente lo opuesto (eso es gracia) y termina en gloria (la presencia de Dios en el Cielo). Entre la gracia y la gloria enfrentamos dificultades en la vida, pero Dios nos da provisión y suficiencia (el sol), y protección y seguridad (el escudo) para el viaje, no importa qué tan difícil sea este.*

Hebreos 4:16 Así que acerquémonos con toda confianza al trono de la gracia de nuestro Dios. Allí recibiremos su misericordia y encontraremos la gracia que nos ayudará cuando más la necesitemos. (Página 346)

Reflexión: *La gracia de Dios está a nuestra disposición cada vez que la necesitemos, pero al pedirla debemos tener presente que quien la otorga ocupa un trono.*

¿Cómo debemos responder a la gracia de Dios?

Filipenses 2:3-7 No sean egoístas; no traten de impresionar a nadie. Sean humildes, es decir, considerando a los demás como mejores que ustedes.

No se ocupen sólo de sus propios intereses, sino también procuren interesarse en los demás... (Página 300) (Ver también Efesios 4:2, 32 [págs. 294, 295]).

Promesa de Dios: Salmo 103:8. El SEÑOR es compasivo y misericordioso, lento para enojarse y está lleno de amor inagotable. (Página 497)

GUERRA ESPIRITUAL

Santiago 4:7 ... Resistan al diablo, y él huirá de ustedes. (Página 364)

1 Pedro 5:8-9 ¡Estén alerta! Cuídense de su gran enemigo, el diablo, porque anda al acecho como un león rugiente, buscando a quién devorar. Manténganse firmes contra él y sean fuertes en su fe... (Página 372)

Reflexión: *Cuando resistimos al demonio en el nombre y el poder de Jesús, éste huye de nosotros. Somos débiles pero Jesús es todopoderoso.*

Efesios 6:10-18 ... Pónganse toda la armadura de Dios para poder mantenerse firmes contra todas las estrategias del diablo [...] poniéndose el cinturón de la verdad y la coraza de la justicia de Dios. Pónganse como calzado la paz que proviene de la Buena Noticia... (Página 297)

Promesa de Dios: Hebreos 4:14-16. Por lo tanto, ya que tenemos un gran Sumo Sacerdote que entró en el cielo, Jesús el Hijo de Dios, aferrémonos a lo que creemos. Nuestro Sumo Sacerdote comprende nuestras debilidades, porque enfrentó todas y cada una de las pruebas que enfrentamos nosotros, sin embargo él nunca pecó. Así que acerquémonos con toda confianza al trono de la gracia de nuestro Dios. Allí recibiremos su misericordia y encontraremos la gracia que nos ayudará cuando más la necesitemos. (Página 346)

MUERTE

¿Qué pasa cuando muere alguien que no seguía a Jesús?

Juan 3:18-20 ... el que no cree en él ya ha sido condenado por no haber creído en el único Hijo de Dios... (Página 139)

Apocalipsis 14:9-12 ... su tormento subirá por siempre jamás, y no tendrán alivio ni de día ni de noche, porque adoraron a la bestia y a su estatua y aceptaron la marca de su nombre... (Página 410)

Apocalipsis 20:15 Y todo el que no tenía su nombre registrado en el Libro de la Vida fue lanzado al lago de fuego. (Página 417)

Reflexión: *Aquel que no haya aceptado a Jesús se enfrenta al castigo eterno y a la separación de Dios.*

¿Qué pasa cuando muere alguien que seguía a Jesús?

Romanos 14:8 Si vivimos, es para honrar al Señor, y si morimos, es para honrar al Señor. Entonces, tanto si vivimos como si morimos, pertenecemos al Señor. (Página 238)

1 Corintios 15:52 ... cuando suene la trompeta, los que hayan muerto resucitarán para vivir por siempre... (Página 263)

1 Tesalonicenses 4:13-18 ... queremos que sepan lo que sucederá con los creyentes que han muerto [...] Pues, ya que creemos que Jesús murió y resucitó, también creemos que cuando Jesús vuelva, Dios traerá junto con él a los creyentes que hayan muerto [...] Entonces estaremos con el Señor para siempre... (Página 314)

Reflexión: *Mientras vivamos en la tierra, el Señor siempre estará con nosotros; cuando nos llame a nuestro hogar celestial estaremos con él para siempre.*

Hebreos 9:27-28 Y así como cada persona está destinada a morir una sola vez y después vendrá el juicio, así también Cristo murió en sacrificio una sola vez y para siempre, a fin de quitar los pecados de muchas personas. Cristo vendrá otra vez, no para ocuparse de nuestros pecados, sino para traer salvación a todos los que esperan con anhelo su venida. (Página 352)

¿Cómo es el Cielo?

Romanos 8:10 Y Cristo vive en ustedes; entonces, aunque el cuerpo morirá por causa del pecado, el Espíritu les da vida, porque ustedes ya fueron declarados justos a los ojos de Dios. (Página 230)

2 Corintios 5:1-10 ... queremos ponernos nuestro cuerpo nuevo para que este cuerpo que muere sea consumido por la vida... (Página 271)

Reflexión: *Cuando morimos, nuestro cuerpo se deteriora pero nuestro espíritu, lo que en realidad somos, continúa viviendo. Cuando Jesús regrese, nuestro espíritu y nuestro nuevo cuerpo se unirán y viviremos en un mundo nuevo.*

Juan 14:2-3, 6 En el hogar de mi Padre, hay lugar más que suficiente. Si no fuera así, ¿acaso les habría dicho que voy a prepararles un lugar? Cuando todo esté listo, volveré para llevarlos, para que siempre estén conmigo donde yo estoy [...] Jesús le contestó: —Yo soy el camino, la verdad y la vida; nadie puede ir al Padre si no es por medio de mí. (Página 159)

1 Corintios 2:9 A eso se refieren las Escrituras cuando dicen: «Ningún ojo ha visto, ningún oído ha escuchado, ninguna mente ha imaginado, lo que Dios tiene preparado para quienes lo aman». (Página 247)

Filipenses 1:21-22 Pues, para mí, vivir significa vivir para Cristo y morir es aún mejor. Pero si vivo, puedo realizar más labor fructífera para Cristo. Así que realmente no sé qué es mejor. (Página 300)

Apocalipsis 21:1-4 Entonces vi un cielo nuevo y una tierra nueva, porque el primer cielo y la primera tierra habían desaparecido y también el mar [...] Oí una fuerte voz que salía del trono y decía: «¡Miren, el hogar de Dios ahora está entre su pueblo! Él vivirá con ellos, y ellos serán su pueblo. Dios mismo estará con ellos. Él les secará toda lágrima de los ojos, y no habrá más muerte ni tristeza ni llanto ni dolor. Todas esas cosas ya no existirán más». (Página 417)

Reflexión: *Si no conoce a Dios personalmente o si no está seguro en dónde va a pasar la eternidad lea «Pasos hacia la paz con Dios» (página 655).*

Promesa de Dios: Juan 11:25. Jesús le dijo: —Yo soy la resurrección y la vida. El que cree en mí vivirá aun después de haber muerto. (Página 154)

PAZ

¿Quién es la verdadera fuente de paz?

Salmo 4:8 En paz me acostaré y dormiré, porque sólo tú, oh SEÑOR, me mantendrás a salvo. (Página 424)

Salmo 29:11 El SEÑOR le da fuerza a su pueblo; el SEÑOR lo bendice con paz. (Página 441)

Salmo 32:7 Pues tú eres mi escondite; me proteges de las dificultades y me rodeas con canciones de victoria. (Página 443)

Salmo 55:16-18, 22 Pero clamaré a Dios, y el SEÑOR me rescatará [...] Entrégale tus cargas al SEÑOR, y él cuidará de ti; no permitirá que los justos tropiecen y caigan. (Página 461)

Reflexión: *Dios es la fuente de la paz verdadera y duradera; por lo tanto, no podremos encontrar la paz en un mundo turbulento hasta que no hayamos hecho primero la paz con Dios por medio de nuestro Señor Jesucristo, quien pagó la terrible pena por nuestros pecados. No habrá paz verdadera en este mundo hasta que Cristo regrese, pero si él vive en nosotros nos dará paz con Dios, con otros e interiormente.*

Colosenses 1:21-22 ... Eran sus enemigos, estaban separados de él por sus malos pensamientos y acciones; pero ahora él los reconcilió consigo mediante la muerte de Cristo en su cuerpo físico. Como resultado, los ha trasladado a su propia presencia, y ahora ustedes son santos, libres de culpa y pueden presentarse delante de él sin ninguna falta. (Página 306) (Ver también Romanos 5:1-2 [pág. 226] y 1 Timoteo 2:5 [pág. 322]).

Reflexión: *Nuestra rebelión nos ha alejado del Dios santo. Nacimos siendo sus enemigos, pero Jesús ha pagado el máximo precio para establecer la paz y ofrecernos amnistía si entregamos nuestras armas.*

¿Cómo podemos encontrar paz?

Romanos 2:10 ... pero habrá gloria, honra y paz de parte de Dios para todos los que hacen lo bueno... (Página 223)

Gálatas 5:22 En cambio, la clase de fruto que el Espíritu Santo produce en nuestra vida es: [...] paz... (Página 287)

Filipenses 4:6-7 No se preocupen por nada; en cambio, oren por todo [...] Así experimentarán la paz de Dios, que supera todo lo que podemos entender... (Página 303)

Salmo 34:14 Apártate del mal y haz el bien; busca la paz y esfuérzate por mantenerla. (Página 444)

Salmo 46:1-2, 10 Dios es nuestro refugio y nuestra fuerza, siempre está dispuesto a ayudar en tiempos de dificultad. Por lo tanto, no temeremos cuando vengan terremotos y las montañas se derrumben en el mar... «¡Quédense quietos y sepan que yo soy Dios!»... (Páginas 454-455)

Salmo 119:165 Los que aman tus enseñanzas tienen mucha paz y no tropiezan. (Página 516)

Promesa de Dios: Juan 14:27. Les dejo un regalo: paz en la mente y en el corazón. Y la paz que yo doy es un regalo que el mundo no puede dar. Así que no se angustien ni tengan miedo. (Página 160)

PECADO

¿Qué es el pecado? ¿La gente buena es pecadora?

Romanos 3:23 Pues todos hemos pecado; nadie puede alcanzar la meta gloriosa establecida por Dios. (Página 225)

Santiago 2:10 Pues el que obedece todas las leyes de Dios menos una es tan culpable como el que las desobedece todas… (Página 362)

Santiago 4:17 Recuerden que es pecado saber lo que se debe hacer y luego no hacerlo. (Página 364)

Salmo 53:3 Pero no, todos se desviaron; todos se corrompieron. No hay ni uno que haga lo bueno, ¡ni uno solo! (Página 459)

Reflexión: *El pecado es cualquier cosa que pensamos, decimos o hacemos que desagrada a Dios. No somos tan malos como podríamos ser, pero somos totalmente incapaces de hacer algo lo suficientemente bueno como para avanzar un paso hacia la aceptación por parte de Dios. Él es perfecto y por lo tanto sus estándares son perfectos. Comparémonos con Cristo.*

¿Cuán grave es el pecado?

Romanos 6:23 Pues la paga que deja el pecado es la muerte… (Página 228)

Salmo 51:4 Contra ti y sólo contra ti he pecado; he hecho lo que es malo ante tus ojos. Quedará demostrado que tienes razón en lo que dices y que tu juicio contra mí es justo. (Página 458)

Reflexión: *El pecado puede herir a muchas personas, pero lo que lo hace verdaderamente espantoso es que siempre ofende a Dios. Es por esto que no existe un «pecado pequeño», no hay un Dios pequeño contra quien pecar. La muerte de Jesús en la cruz demostró el odio de Dios por el pecado y su amor por los pecadores.*

¿Cómo puedo estar libre de pecado?

Romanos 5:8 Pero Dios mostró el gran amor que nos tiene al enviar a Cristo a morir por nosotros cuando todavía éramos pecadores. (Página 227)

Romanos 10:9 Si confiesas con tu boca que Jesús es el Señor y crees en tu corazón que Dios lo levantó de los muertos, serás salvo. (Página 234)

Salmo 19:12-13 … Límpiame de estas faltas ocultas. ¡Libra a tu siervo de pecar intencionalmente! No permitas que estos pecados me controlen. Entonces estaré libre de culpa… (Página 434)

Reflexión: *Para poder recibir el regalo de la salvación que Dios nos hace, debemos creer que Jesús murió por nuestros pecados, y luego debemos seguirlo.*

Tito 3:7 Por su gracia él nos declaró justos y nos dio la seguridad de que vamos a heredar la vida eterna. (Página 336)

Reflexión: *El Inocente fue declarado culpable y recibió la pena de muerte, de manera que nosotros los culpables pudiésemos ser justificados y salir libres.*

Romanos 8:1-14 ... Por lo tanto, permitir que la naturaleza pecaminosa les controle la mente lleva a la muerte. Pero permitir que el Espíritu les controle la mente lleva a la vida y a la paz... (Página 230)

1 Juan 1:9 Pero si confesamos nuestros pecados a Dios, él es fiel y justo para perdonarnos nuestros pecados y limpiarnos de toda maldad. (Página 381)

Promesa de Dios: Hechos 13:39. Todo el que cree en él es declarado justo ante Dios... (Página 194)

PERDÓN

¿Qué significa realmente ser perdonado?

Hechos 8:22-23 ... Tal vez él perdone tus malos pensamientos, porque puedo ver [...] que el pecado te tiene cautivo. (Página 185)

Romanos 4:7 «Oh, qué alegría para aquellos a quienes se les perdona la desobediencia, a quienes se les cubren los pecados». (Página 225)

Colosenses 1:21-23 ... ustedes son santos, libres de culpa y pueden presentarse delante de él sin ninguna falta... (Página 306)

Colosenses 2:13-14 Ustedes estaban muertos a causa de sus pecados y porque aún no les habían quitado la naturaleza pecaminosa. Entonces Dios les dio vida con Cristo al perdonar todos nuestros pecados. Él anuló el acta con los cargos que había contra nosotros y la eliminó clavándola en la cruz. (Página 307)

Tito 3:3-7 En otro tiempo nosotros tambien éramos necios y desobedientes. Fuimos engañados y nos convertimos en esclavos de toda clase de pasiones y placeres. Nuestra vida estaba llena de maldad y envidia, y nos odiábamos unos a otros. Pero: «Cuando Dios nuestro Salvador dio a conocer su bondad y amor, él nos salvó, no por las acciones justas que nosotros habíamos hecho, sino por su misericordia...». (Página 336)

Reflexión: *El perdón es otorgado a aquellos que no lo merecen, escasamente lo reconocen y con dificultad lo aprecian. El perdón de Dios nos libera de la esclavitud al pecado, nos da gozo y vida eterna y abundante. Es por esto que debemos comprometernos a vivir para él.*

¿Cómo recibimos el perdón amoroso de Dios?

Salmo 51:17 El sacrificio que sí deseas es un espíritu quebrantado; tú no rechazarás un corazón arrepentido y quebrantado, oh Dios. (Página 459)

Reflexión: *El confesar nuestros pecados a Dios de manera honesta y humilde nos abre la puerta al perdón.*

Promesa de Dios: 1 Juan 1:9. Pero si confesamos nuestros pecados a Dios, él es fiel y justo para perdonarnos nuestros pecados y limpiarnos de toda maldad. (Página 381)

SABIDURÍA

¿Quién es la fuente de la sabiduría?

Salmo 119:97-108 ... Tus mandatos me hacen más sabio que mis enemigos [...] Tus mandamientos me dan entendimiento [...] Tu palabra es una lámpara que guía mis pies y una luz para mi camino... (Página 514)

Proverbios 2:6 ¡Pues el SEÑOR concede sabiduría! De su boca provienen el saber y el entendimiento. (Página 534)

Proverbios 3:5-6 Confía en el SEÑOR con todo tu corazón, no dependas de tu propio entendimiento. Busca su voluntad en todo lo que hagas, y él te mostrará cuál camino tomar. (Página 535)

Reflexión: *La fuente de toda la sabiduría es Dios, quien no tiene límites, es omnisciente y perfecto. Sólo él provee la sabiduría necesaria para la correcta interpretación de la realidad.*

1 Corintios 1:19-21, 25 Como dicen las Escrituras: «Destruiré la sabiduría de los sabios y desecharé la inteligencia de los inteligentes». Así que, ¿dónde deja eso a los filósofos, a los estudiosos y a los especialistas en debates de este mundo? Dios ha hecho que la sabiduría de este mundo parezca una ridiculez [...] Ese plan «ridículo» de Dios es más sabio que el más sabio de los planes humanos, y la debilidad de Dios es más fuerte que la mayor fuerza humana. (Página 246)

Reflexión: *El cristianismo no se opone al conocimiento y a la educación. Dios nos creó con el fin de que fuésemos inquisitivos, investigáramos y recopiláramos conocimientos. Sin embargo, alejados de Jesús, no tenemos la más mínima clave de cómo usar adecuadamente el conocimiento que obtenemos. El conocimiento sin discernimiento puede ser utilizado con fines perversos, mientras que el conocimiento unido a la sabiduría bíblica será utilizado para la gloria de Dios.*

¿Qué resultados se obtienen al vivir con sabiduría?

Mateo 7:24-25 Todo el que escucha mi enseñanza y la sigue es sabio, como la persona que construye su casa sobre una roca sólida. Aunque llueva a cántaros y suban las aguas de la inundación y los vientos golpeen contra esa casa, no se vendrá abajo porque está construida sobre un lecho de roca. (Página 12)

Santiago 3:16-17 Pues, donde hay envidias y ambiciones egoístas, también habrá desorden y toda clase de maldad. Sin embargo, la sabiduría que proviene del cielo es, ante todo, pura y también ama la paz; siempre es amable y dispuesta a ceder ante los demás. Está llena de compasión y de buenas acciones. No muestra favoritismo y siempre es sincera. (Página 364)

Reflexión: *¿Hay paz en nuestro hogar, en nuestra ciudad, en nuestro vecindario y en nuestra iglesia? Si no es así, observemos la semillla que estamos sembrando. Si es la de la ambición egoísta o la de la envidia, cosecharemos desorden y toda clase de maldad. Sembremos la sabiduría de Dios y cosecharemos paz.*

Promesa de Dios: Santiago 1:5. Si necesitan sabiduría, pídansela a nuestro generoso Dios, y él se la dará; no los reprenderá por pedirla. (Página 361)

SANACIÓN

¿Cuáles son los resultados de vivir en un mundo quebrantado?

Mateo 24:7 Una nación entrará en guerra con otra, y un reino con otro reino. Habrá hambres y terremotos en muchas partes del mundo. (Página 39)

Marcos 1:40 Un hombre con lepra se acercó, se arrodilló ante Jesús y le suplicó que lo sanara… (Página 52)

Lucas 8:42 Su única hija, que tenía unos doce años, estaba muriendo… (Página 100)

Salmo 55:20 En cuanto a mi compañero, él traicionó a sus amigos… (Página 461)

Reflexión: *Sufrimos enfermedades, violencia y guerra, traición y pérdida.*

¿Cómo sana Dios?

Lucas 10:30-37 Se le acercó y le alivió las heridas con vino y aceite de oliva, y se las vendó… (Página 105)

Reflexión: *Toda sanación viene finalmente de Dios, aunque con frecuencia él utiliza medios tales como el cuidado médico.*

Marcos 3:1-6 ... Entonces le dijo al hombre: «Extiende la mano». Así que el hombre la extendió, ¡y la mano quedó restaurada! (Página 54)

Lucas 5:12-13 ... —¡Señor! —le dijo—, ¡si tú quieres puedes sanarme y dejarme limpio! Jesús extendió la mano y lo tocó: —Sí quiero —dijo—. ¡Queda sano! Al instante, la lepra desapareció. (Página 92)

Reflexión: *Algunas veces Dios sana a través de milagros.*

Marcos 2:1-5, 11-12 ... Como no podían llevarlo hasta Jesús debido a la multitud, abrieron un agujero en el techo, encima de donde estaba Jesús […] Al ver la fe de ellos, Jesús le dijo al paralítico: «Hijo mío, tus pecados son perdonados» […] «¡Ponte de pie, toma tu camilla y vete a tu casa!»… (Página 53)

Reflexión: *Dios utiliza la fe y las oraciones de los amigos para sanar.*

Santiago 5:13-16 … ¿Alguno está enfermo? Que llame a los ancianos de la iglesia, para que vengan y que oren por él... (Página 365)

Salmo 6:2 … sáname, SEÑOR, porque mis huesos agonizan. (Página 425)

Reflexión: *La oración siempre debe jugar un papel importante en la búsqueda de sanación por parte de Dios.*

¿Por qué Dios no siempre sana a las personas?

2 Corintios 12:8-10 En tres ocasiones distintas, le supliqué al Señor que me la quitara. Cada vez él me dijo: «Mi gracia es todo lo que necesitas; mi poder actúa mejor en la debilidad». Así que ahora me alegra jactarme de mis debilidades, para que el poder de Cristo pueda actuar a través de mí. Es por esto que me deleito en mis debilidades, y en los insultos, en privaciones, persecuciones y dificultades que sufro por Cristo. Pues, cuando soy débil, entonces soy fuerte. (Página 278)

Reflexión: *Pablo sufría de una dolencia no identificada que Dios rehusó sanar. De su experiencia aprendemos que uno de los motivos por los cuales Dios decide no sanar es para prevenir que nos enorgullezcamos de nuestras bendiciones o logros. Otro motivo es el demostrarnos que su poder es más evidente en nosotros a través de nuestras debilidades.*

Promesa de Dios: 2 Corintios 4:16-17. Es por esto que nunca nos damos por vencidos. Aunque nuestro cuerpo está muriéndose, nuestro espíritu va renovándose cada día. Pues nuestras dificultades actuales son pequeñas y no durarán mucho tiempo. Sin embargo, ¡nos producen una gloria que durará para siempre y que es de mucho más peso que las dificultades! (Página 270)

SOLEDAD

Salmo 23:4 Aun cuando yo pase por el valle más oscuro [...] tú estás a mi lado... (Página 437)

Reflexión: *La soledad no implica que tengamos una deficiencia o una falta que impide que nos amen. Tenemos valor porque Dios nos creó, nos ama y promete nunca abandonarnos.*

Romanos 12:4-5 ... Nosotros somos las diversas partes de un solo cuerpo y nos pertenecemos unos a otros. (Páginas 236-237)

Reflexión: *Comparta su tiempo con otros creyentes y únase a una iglesia local que enseñe la Biblia y cómo seguir los pasos de Jesús.*

Juan 14:18 No los abandonaré como a huérfanos; vendré a ustedes. (Página 160)

2 Corintios 6:18 Y yo seré su Padre, y ustedes serán mis hijos e hijas, dice el SEÑOR Todopoderoso. (Página 272)

2 Timoteo 4:16-18 La primera vez que fui llevado ante el juez, nadie me acompañó. Todos me abandonaron; que no se lo tomen en cuenta. Pero el Señor estuvo a mi lado y me dio fuerza [...] él me libró de una muerte segura... (Página 332)

Reflexión: *Dios era la realidad dominante en la vida de Pablo. Él estaba profundamente consciente de la presencia de Dios en sus tribulaciones, así que perdonó a quienes lo abandonaron.*

Salmo 27:10 Aunque mi padre y mi madre me abandonen, el SEÑOR me mantendrá cerca. (Página 439)

Reflexión: *Las personas de quien dependemos pueden abandornarnos o rechazarnos. Siempre podemos confiar en Dios pues él nunca nos abandonará.*

Promesa de Dios: Hebreos 13:5. ... pues Dios ha dicho: «Nunca te fallaré. Jamás te abandonaré». (Página 357)

SUFRIMIENTO

Romanos 5:12 Cuando Adán pecó, el pecado entró en el mundo. El pecado de Adán introdujo la muerte, de modo que la muerte se extendió a todos, porque todos pecaron. (Página 227)

Reflexión: *Dios creó un mundo perfecto. Cuando los primeros seres humanos se rebelaron en contra de Dios, una maldición cayó sobre sus descendientes y su medio ambiente. Todo el sufrimiento y lo malo que sucede en este mundo es causado directa o indirectamente por esta rebelión. Ese terrible evento se denomina la Caída. Sin embargo, el amor compasivo de Dios nos acompaña en los tiempos de sufrimiento.*

Salmo 10:2 Con arrogancia los malvados persiguen a los pobres... (Página 428)

Reflexión: *Algunas veces no sufrimos por nuestros pecados sino por los de otros.*

Juan 9:1-3 ... Rabí, ¿por qué nació ciego este hombre? —le preguntaron sus discípulos—. ¿Fue por sus propios pecados o por los de sus padres? —No fue por sus pecados ni tampoco por los de sus padres —contestó Jesús—... (Página 150)

Reflexión: *Algunas veces, el sufrimiento proviene de vivir en un mundo caído. La forma en que reaccionemos al fuego de la aflicción determinará si nos convertiremos en cenizas o en esmeraldas.*

Hebreos 12:11 Ninguna disciplina resulta agradable a la hora de recibirla. Al contrario, ¡es dolorosa! Pero después, produce la apacible cosecha de una vida recta para los que han sido entrenados por ella. (Página 356)

Salmo 119:71 El sufrimiento me hizo bien, porque me enseñó a prestar atención a tus decretos. (Página 513) (Ver también Salmo 94:12-13 [pág. 492]).

Proverbios 3:11-12 Hijo mío, no rechaces la disciplina del SEÑOR [...] Pues el SEÑOR corrige a los que ama, tal como un padre corrige al hijo que es su deleite. (Página 535)

Reflexión: *Dios utiliza a veces el sufrimiento para disciplinarnos cuando pecamos. Él nos ama y de esta manera nos protege de consecuencias aún más dolorosas y abre el camino a la restauración de nuestra relación con él.*

1 Pedro 4:12-14 Queridos amigos, no se sorprendan de las pruebas de fuego por las que están atrevasando [...] estas pruebas los hacen ser partícipes con Cristo de su sufrimiento... (Página 371)

Reflexión: *El mundo odia a Cristo, así que, cuando lo seguimos, debemos esperar que aquel mundo que lo persiguió nos persiga a nosotros.*

¿Puede surgir algún bien del sufrimiento?

Romanos 5:3-4 También nos alegramos al enfrentar pruebas y dificultades porque sabemos que nos ayudan a desarrollar resistencia. Y la resistencia desarrolla firmeza de carácter... (Página 226)

2 Corintios 12:9-10 Cada vez él me dijo: «Mi gracia es todo lo que necesitas; mi poder actúa mejor en la debilidad». Así que ahora me alegra jactarme de mis debilidades, para que el poder de Cristo pueda actuar a través de mí [...] Pues, cuando soy débil, entonces soy fuerte. (Página 278)

2 Timoteo 2:10 Por eso estoy dispuesto a soportar cualquier cosa si esta traerá salvación y gloria eterna en Cristo Jesús a los que Dios ha elegido. (Página 330)

Reflexión: *Dios permite que los problemas y las tribulaciones nos enseñen a confiar en él y a desarrollar un carácter fuerte y santo. El sufrimiento no es en vano cuando Dios lo transforma para nuestro bien y el de otros y para su gloria.*

¿Cómo puedo permanecer cerca de Dios en medio del sufrimiento?

Marcos 15:34 ... «Dios mío, Dios mío, ¿por qué me has abandonado?». (Página 79)

Lucas 24:26 ¿Acaso no profetizaron claramente que el Mesías tendría que sufrir todas esas cosas antes de entrar en su gloria? (Página 131)

Hebreos 12:1-3 ... corramos con perseverancia la carrera que Dios nos ha puesto por delante. Esto lo hacemos al fijar la mirada en Jesús, el campeón que inicia y perfecciona nuestra fe. Debido al gozo que le esperaba, Jesús soportó la cruz, sin importarle la vergüenza que ésta representaba [...] Piensen en toda la hostilidad que soportó por parte de pecadores, así no se cansarán ni se darán por vencidos. (Página 356)

Reflexión: *Recuerde que Cristo sufrió las agonías de la cruz; no sólo el sufrimiento físico insoportable sino también la angustia de cargar con los pecados del mundo y la separación de Dios. Es por esto que él entiende nuestro sufrimiento y tentaciones y nos ayuda en nuestras tribulaciones.*

Apocalipsis 21:4 Él les secará toda lágrima de los ojos, y no habrá más muerte ni tristeza ni llanto ni dolor. Todas esas cosas ya no existirán más. (Página 417)

Reflexión: *El sufrimiento no dura para siempre. Jesús promete una eternidad maravillosa sin lágrimas a todos aquellos que lo reconozcan como Salvador.*

2 Corintios 4:7-9, 17-18 ... Por todos lados nos presionan las dificultades, pero no nos aplastan. Estamos perplejos pero no caemos en la desesperación. Somos perseguidos pero nunca abandonados por Dios. Somos derribados, pero no destruidos... (Página 270)

Salmo 22:24 Pues no ha pasado por alto ni ha tenido en menos el sufrimiento de los necesitados; no les dio la espalda, sino que ha escuchado sus gritos de auxilio. (Página 436)

Salmo 126:5-6 Los que siembran con lágrimas cosecharán con gritos de alegría. Lloran al ir sembrando sus semillas, pero regresan cantando cuando traen la cosecha. (Página 519)

Promesa de Dios: 2 Corintios 1:3-4. Toda la alabanza sea para Dios, el Padre de nuestro Señor Jesucristo. Dios es nuestro Padre misericordioso y la fuente de todo consuelo. Él nos consuela en todas nuestras dificultades para que nosotros podamos consolar a otros. Cuando otros pasen por dificultades, podremos ofrecerles el mismo consuelo que Dios nos ha dado a nosotros. (Página 267)

1 Pedro 5:10 En su bondad, Dios los llamó a ustedes a que participen de su gloria eterna por medio de Cristo Jesús. Entonces, después de que hayan sufrido un poco de tiempo, él los restaurará, los sostendrá, los fortalecerá y los afirmará sobre un fundamento sólido. (Página 372)

TEMOR

¿De dónde sacamos fuerzas para seguir adelante cuando el temor nos sobrecoge?

Juan 14:27 Les dejo un regalo: paz en la mente y en el corazón [...] Así que no se angustien ni tengan miedo. (Página 160)

Salmo 46:1-2, 10 Dios es nuestro refugio y nuestra fuerza, siempre está dispuesto a ayudar en tiempos de dificultad. Por lo tanto, no temeremos cuando vengan terremotos y las montañas se derrumben en el mar [...] «¡Quédense quietos y sepan que yo soy Dios!... (Páginas 454-455)

Salmo 56:4 Alabo a Dios por lo que ha prometido. En Dios confío, ¿por qué habría de tener miedo? ¿Qué pueden hacerme unos simples mortales? (Página 461)

Salmo 62:5-6, 8 Que todo mi ser espere en silencio delante de Dios, porque en él está mi esperanza. Sólo él es mi roca y mi salvación, mi fortaleza donde no seré sacudido [...] Oh pueblo mío, confía en Dios en todo momento; dile lo que hay en tu corazón, porque él es nuestro refugio. (Página 465)

Reflexión: *Dios promete paz a aquellos que lo buscan cuando sienten temor. Tenemos la certeza de que él está con nosotros en cada circunstancia.*

Mateo 10:28 No teman a los que quieren matarles el cuerpo; no pueden tocar el alma. Teman sólo a Dios, quien puede destruir tanto el alma como el cuerpo en el infierno. (Página 16)

Reflexión: *Podemos sobreponernos al miedo a los hombres violentos mirando a Dios, confiando en su fidelidad y teniendo presente que ningun simple* *mortal puede hacernos más daño que el que Dios le permita. Al final, lo peor que puede hacernos un hombre es matarnos, lo que significa que llegaremos al Cielo más rápido.*

Mateo 6:25-33 ... ¿Y por qué preocuparse por la ropa? Miren cómo crecen los lirios del campo. No trabajan ni cosen su ropa; sin embargo, ni Salomón con toda su gloria se vistió tan hermoso como ellos. Si Dios cuida de manera tan maravillosa a las flores silvestres que hoy están y mañana se echan al fuego, tengan por seguro que cuidará de ustedes. ¿Por qué tienen tan poca fe? Así que no se preocupen por todo eso diciendo: "¿Qué comeremos?, ¿qué beberemos?, ¿qué ropa nos pondremos?". Esas cosas dominan el pensamiento de los incrédulos, pero su Padre celestial ya conoce todas sus necesidades. Busquen el reino de Dios por encima de todo lo demás y lleven una vida justa, y él les dará todo lo que necesiten. (Páginas 10-11)

Filipenses 4:6-7 No se preocupen por nada; en cambio, oren por todo. Díganle a Dios lo que necesitan y denle gracias por todo lo que él ha hecho. Así experimentarán la paz de Dios, que supera todo lo que podemos entender. La paz de Dios cuidará su corazón y su mente mientras vivan en Cristo Jesús. (Página 303)

Promesa de Dios: 2 Timoteo 1:7. Pues Dios no nos ha dado un espíritu de temor y timidez sino de poder, amor y autodisciplina. (Página 329)

VALENTÍA

¿En dónde encuentro valor para enfrentar los obstáculos abrumadores?

1 Corintios 16:13 Estén alerta. Permanezcan firmes en la fe. Sean valientes... (Página 264)

Salmo 27:1, 14 El SEÑOR es mi luz y mi salvación, entonces ¿por qué habría de temer? [...] Espera con paciencia al SEÑOR; sé valiente y esforzado; sí, espera al SEÑOR con paciencia. (Páginas 439-440)

Salmo 31:24 Así que, ¡sean fuertes y valientes, ustedes los que ponen su esperanza en el SEÑOR! (Página 442)

Reflexión: *El verdadero valor viene de Dios, quien es más fuerte que nuestros más poderosos enemigos.*

¿La falta de valor trae consecuencias?

Lucas 23:20-25 ... y sus voces prevalecieron. Entonces Pilato sentenció a Jesús a muerte como la gente reclamaba... (Página 128)

Reflexión: *Defender las causas justas puede acarrearnos problemas con la gente corrupta. No defender las causas justas puede acarrearnos problemas con Dios.*

Proverbios 29:25 Temer a la gente es una trampa peligrosa, pero confiar en el SEÑOR significa seguridad. (Página 569)

Promesas de Dios . . . *página 592*

Reflexión: *Cuando sentimos temor de la gente no estamos confiando plenamente en Dios. Sólo a Dios debemos temer, es decir, en él debemos confiar y sólo a él debemos amar y obedecer.*

Promesa de Dios: Hebreos 13:5-6. ... Dios ha dicho: «Nunca te fallaré. Jamás te abandonaré». Así que podemos decir con toda confianza: «El SEÑOR es quien me ayuda, por eso no tendré miedo. ¿Qué me puede hacer un simple mortal?». (Página 357)

El camino revolucionario de Jesucristo

ADORACIÓN A DIOS

¿Por qué debemos adorar a Dios?

Salmo 86:10 Pues tú eres grande y haces obras maravillosas; sólo tú eres Dios. (Página 486) (Ver también Salmo 95:1-5 [pág. 493]; Salmo 100 [pág. 495] y Hebreos 12:28-29 [pág. 357]).

Salmo 89:14 La rectitud y la justicia son el cimiento de tu trono… (Página 488) (Ver también Salmo 92:15 [pág. 491]).

Salmo 99:5 ¡Exalten al SEÑOR nuestro Dios! ¡Póstrense ante sus pies porque él es santo! (Página 495)

Salmo 103:3-5, 10-12 Él perdona todos mis pecados y sana todas mis enfermedades. Me redime de la muerte y me corona de amor y tiernas misericordias. Colma mi vida de cosas buenas […] No nos castiga por todos nuestros pecados; no nos trata con la severidad que merecemos. Pues su amor inagotable hacia los que le temen es tan inmenso como la altura de los cielos sobre la tierra. Llevó nuestros pecados tan lejos de nosotros como está el oriente del occidente. (Página 497)

Reflexión: *La adoración a Dios no satisface un vacío en él sino que es un privilegio y un acto de amor hacia el ser más maravilloso y admirable del universo. Por ser quien es y por lo que ha hecho por nosotros es digno de nuestra alabanza.*

¿De qué manera debemos adorar a Dios?

Marcos 12:28-31 … Jesús contestó: —El mandamiento más importante es: "¡Escucha, oh Israel! El SEÑOR nuestro Dios es el único SEÑOR…". (Página 72)

1 Corintios 6:9-10 … Los que […] rinden culto a ídolos […] ninguno de esos heredará el reino de Dios. (Página 250)

Salmo 24:3-6 … ¿Quién puede estar en su lugar santo? Sólo los de manos limpias y corazón puro, que no rinden culto a ídolos y nunca dicen mentiras… (Página 437)

Reflexión: *Ni nosotros mismos, ni otras personas ni ningún objeto deben ocupar un lugar más alto que Dios.*

Mateo 2:11 Entraron en la casa y vieron al niño con su madre, María, y se inclinaron y lo adoraron. Luego abrieron sus cofres de tesoro y le dieron regalos… (Página 4)

Hechos 2:46-47 Adoraban juntos en el templo cada día […] y compartían sus comidas con gran gozo y generosidad, todo el tiempo alabando a Dios y disfrutando de la buena voluntad de toda la gente… (Página 176)

Salmo 5:7 … adoraré en tu templo con la más profunda reverencia. (Página 425)

Salmo 95:1-7 ¡Vengan, cantemos al SEÑOR! […] Arrodillémonos delante del SEÑOR, nuestro creador… (Página 493)

Reflexión: *Algunos piensan que sólo la música o las oraciones recitadas son una forma de adoración. Sin embargo, el punto central de la verdadera adoración debe ser la lectura atenta y la prédica de la Palabra de Dios (2 Timoteo 3:16 – 4:5 [págs. 331-332]). El estudio y la lectura de las Escrituras también deben ser la parte fundamental de nuestro tiempo de devoción personal. (Ver «PALABRA DE DIOS» [pág. 629], en particular los versículos del Salmo 119 [pág. 511] sobre amar, obedecer y ser renovado por las promesas de Dios).*

1 Corintios 14:26-33 … Pero cada cosa que se haga debe fortalecer a cada uno de ustedes […] Pues Dios no es Dios de desorden sino de paz… (Página 260)

Reflexión: *Nuestra alabanza y adoración deben ser alegres pero tienen que llevarse a cabo de manera ordenada y no caótica.*

Verdad de Dios: Juan 4:23-24. Pero se acerca el tiempo —de hecho, ya ha llegado— cuando los verdaderos adoradores adorarán al Padre en espíritu y en verdad. El Padre busca personas que lo adoren de esa manera. Pues Dios es Espíritu, por eso todos los que lo adoran deben hacerlo en espíritu y en verdad. (Página 140)

ALIENTO

Hechos 11:22-23 Cuando la iglesia de Jerusalén se enteró de lo que había pasado, enviaron a Bernabé a Antioquía. Cuando él llegó y vio las pruebas de la bendición de Dios, se llenó de alegría y alentó a los creyentes a que permanecieran fieles al Señor. (Página 191) (Ver también Romanos 14:19 [pág. 239] y Hebreos 10:25 [pág. 353]).

Gálatas 6:9 Así que no nos cansemos de hacer el bien. A su debido tiempo, cosecharemos numerosas bendiciones si no nos damos por vencidos. (Página 287)

Efesios 4:29 No empleen un lenguaje grosero ni ofensivo. Que todo lo que digan sea bueno y útil, a fin de que sus palabras resulten de estímulo para quienes las oigan. (Página 295)

1 Tesalonicenses 5:11 Así que aliéntense y edifíquense unos a otros, tal como ya lo hacen. (Página 314) (Ver también 2 Corintios 13:11 [pág. 279]).

Salmo 138:3 En cuanto oro, tú me respondes; me alientas al darme fuerza. (Página 523)

Proverbios 10:21 Las palabras del justo animan a muchos, pero a los necios los destruye su falta de sentido común. (Página 544)

Proverbios 12:25 La preocupación agobia a la persona; una palabra de aliento la anima. (Página 547)

Algunas palabras de aliento de la Biblia para compartir con otros: *Juan 14:1-4 (pág. 159), Filipenses 4:6-7 (pág. 303), Santiago 1:12 (pág. 361), Apocalipsis 21:3-4 (pág. 417), Salmo 3:3-6 (pág. 424), Salmo 18:1-3 (pág. 432), Salmo 23:1-4 (pág. 437), Salmo 27:1-3 (pág. 439) y Salmo 42:5 (pág. 452).*

Promesa de Dios: Mateo 11:28. Luego dijo Jesús: «Vengan a mí todos los que están cansados y llevan cargas pesadas, y yo les daré descanso...». (Página 18)

AMOR

¿Por qué debemos amar a los demás?

Juan 13:34-35 Así que ahora les doy un nuevo mandamiento: ámense unos a otros. Tal como yo los he amado, ustedes deben amarse unos a otros. El amor que tengan unos por otros será la prueba ante el mundo de que son mis discípulos». (Página 159)

Colosenses 3:14 Sobre todo, vístanse de amor, lo cual nos une a todos en perfecta armonía. (Página 308)

1 Juan 2:9 Si alguien afirma: «Vivo en la luz», pero odia a un hermano en Cristo, esa persona aún vive en la oscuridad. (Página 382)

1 Juan 4:7-12 ... ya que Dios nos amó tanto, sin duda nosotros también debemos amarnos unos a otros [...] si nos amamos unos a otros, Dios vive en nosotros y su amor llega a la máxima expresión en nosotros. (Página 384)

¿Qué es el amor?

Juan 15:13 No hay un amor más grande que el dar la vida por los amigos. (Página 161)

1 Corintios 13:4-7 El amor es paciente y bondadoso. El amor no es celoso ni fanfarrón ni orgulloso ni ofensivo. No exige que las cosas se hagan a su manera. No se irrita ni lleva un registro de las ofensas recibidas. No se alegra de la injusticia sino que se alegra cuando la verdad triunfa. El amor nunca se da por vencido, jamás pierde la fe, siempre tiene esperanzas y se mantiene firme en toda circunstancia. (Página 259)

1 Pedro 4:8 ... el amor cubre gran cantidad de pecados. (Página 371)

Proverbios 10:12 El odio provoca peleas, pero el amor cubre todas las ofensas. (Página 543)

Reflexión: *El amor es el compromiso y la voluntad infatigable de procurar el bienestar de otra persona, a pesar de nuestros sentimientos.*

Mateo 5:43-46 Han oído la ley que dice: "Ama a tu prójimo" y odia a tu enemigo. Pero yo digo: ¡ama a tus enemigos! ¡Ora por los que te persiguen! De esa manera, estarás actuando como verdadero hijo de tu Padre que está en el cielo. Pues él da la luz de su sol tanto a los malos como a los buenos y envía la lluvia sobre los justos y los injustos por igual. Si sólo amas a quienes te aman, ¿qué recompensa hay por eso? Hasta los corruptos cobradores de impuestos hacen lo mismo. (Página 9)

¿En verdad nos ama Dios?

Juan 3:16 Pues Dios amó tanto al mundo que dio a su único Hijo, para que todo el que crea en él no se pierda, sino que tenga vida eterna. (Página 139) (Ver también 1 Juan 4:7-12 [pág. 384]).

Romanos 5:5 ... [Dios] nos ha dado el Espíritu Santo para llenar nuestro corazón con su amor. (Página 226)

Reflexión: *Dios nos ama tanto que envió a Jesús para que nos liberara de la esclavitud al pecado y de sus consecuencias: la muerte y el infierno. Jesús nos amó tanto que abandonó su gloria en el cielo y vino a la tierra a sufrir y a experimentar una muerte espantosa para pagar nuestra deuda con Dios. Podemos conocer su amor al reconocer nuestra necesidad de ser perdonados y al aceptar su sacrifico por nuestros pecados. En la medida en que lo busquemos, su amor será cada vez más real para nosotros.*

¿Cómo debemos mostrar nuestro amor por Dios?

Mateo 10:42 Y si le dan siquiera un vaso de agua fresca a uno de mis seguidores más insignificantes, les aseguro que recibirán una recompensa. (Página 17)

Marcos 12:28-31 ... Amarás al SEÑOR tu Dios con todo tu corazón, con toda tu alma, con toda tu mente y con todas tus fuerzas... (Página 72)

Juan 14:21 Los que aceptan mis mandamientos y los obedecen son los que me aman... (Página 160)

Juan 21:15-17 ... ¿me amas más que estos? [...] alimenta a mis corderos [...] cuida de mis ovejas... (Página 169)

Hebreos 6:10 ... No olvidará [...] cómo han demostrado su amor por él sirviendo a otros creyentes... (Página 347)

Salmo 122:1 Me alegré cuando me dijeron: «Vayamos a la casa del SEÑOR». (Página 517)

Reflexión: *Expresamos nuestro amor a Dios al obedecerlo, adorarlo y alabarlo, no sólo en la iglesia sino en la vida cotidiana; al amar a nuestro prójimo, de palabra y con hechos.*

Promesa de Dios: Romanos 8:38-39 ... nada en toda la creación podrá jamás separarnos del amor de Dios, que está revelado en Cristo Jesús nuestro Señor. (Página 231)

ARREPENTIMIENTO Y CONFESIÓN

¿Qué es el arrepentimiento?

Mateo 4:17 ... Jesús comenzó a predicar: «Arrepiéntanse de sus pecados y vuelvan a Dios, porque el reino del cielo está cerca». (Página 7) (Ver también Mateo 3:1-8 [pág. 5]).

Reflexión: *Arrepentirnos significa lamentar nuestros pecados y comprometernos con una nueva manera de vivir, obedeciendo y sirviendo a Dios.*

Lucas 19:8 ... Zaqueo se puso de pie delante del Señor y dijo: —Señor, daré la mitad de mi riqueza a los pobres y, si estafé a alguien con sus impuestos, le devolveré cuatro veces más. (Página 120) (Ver también Lucas 3:8 [pág. 88]).

Reflexión: *El arrepentimiento se comprueba en el cambio de comportamiento y, cuando es posible, en la restauración de los errores cometidos en el pasado.*

¿Por qué es necesario el arrepentimiento?

Lucas 13:1-5 ... Y ustedes también perecerán a menos que se arrepientan de sus pecados y vuelvan a Dios... (Página 111) (Ver también Romanos 2:5 [pág. 223]).

2 Corintios 7:10 ... la clase de tristeza que Dios desea que suframos nos aleja del pecado y trae como resultado salvación [...] Pero la tristeza del mundo, al cual le falta arrepentimiento, resulta en muerte espiritual. (Página 273)

Reflexión: *El corazón no arrepentido rechaza a Dios y permanece esclavizado por el pecado.*

1 Juan 1:8 Si afirmamos que no tenemos pecado, lo único que hacemos es engañarnos a nosotros mismos y no vivimos en la verdad. (Página 381)

Salmo 51:16-17 ... El sacrificio que sí deseas es un espíritu quebrantado; tú no rechazarás un corazón arrepentido y quebrantado, oh Dios. (Página 459)

Reflexión: *Un cristiano nunca puede perder su salvación, pero el pecado daña su relación con Dios y con los demás. El arrepentimiento y la confesión restauran estas relaciones.*

¿A quién debemos confesar nuestros pecados?

1 Timoteo 2:5 Pues hay sólo un Dios y sólo un Mediador que puede reconciliar a la humanidad con Dios, y es el hombre Cristo Jesús. (Página 322)

Santiago 5:16 Confiésense los pecados unos a otros y oren los unos por los otros, para que sean sanados... (Página 365)

1 Juan 1:9 Pero, si confesamos nuestros pecados a Dios, él es fiel y justo para perdonarnos nuestros pecados y limpiarnos de toda maldad. (Página 381) (Ver también Salmo 32:1-6 [págs. 442-443]).

Reflexión: *Confesamos nuestros pecados primero a Dios porque únicamente él puede perdonar el pecado. Debemos confesar nuestros pecados personales sólo a Dios. Cuando cometemos una ofensa en contra de otra persona debemos restaurar la relación con la persona ofendida y con Dios mediante la admisión de nuestra falta. Una confesión pública puede ser necesaria cuando cometemos un pecado en contra de un grupo (por ejemplo, en contra de la iglesia).*

¿Es tarde alguna vez para recibir el perdón de Dios?

Filipenses 2:10-11 ... para que, ante el nombre de Jesús, se doble toda rodilla en el cielo y en la tierra y debajo de la tierra, y toda lengua confiese que Jesucristo es el Señor para la gloria de Dios Padre. (Página 301)

Hebreos 9:27 ... cada persona está destinada a morir una sola vez y después vendrá el juicio... (Página 352)

Apocalipsis 20:15 Y todo el que no tenía su nombre registrado en el Libro de la Vida fue lanzado al lago de fuego. (Página 417)

Reflexión: *Un día todo el mundo se inclinará y confesará que Jesucristo es el Señor; los que lo han rechazado sólo lo harán renuentemente antes de ir al infierno, como lo han escogido. ¡Pero qué tragedia sería hacer esta confesión después de morir, cuando ya es demasiado tarde para arrepentirse y ser salvo!*

Promesa de Dios: Romanos 10:9. Si confiesas con tu boca que Jesús es el Señor y crees en tu corazón que Dios lo levantó de los muertos, serás salvo. (Página 234)

COMPASIÓN

¿Quiere Dios que seamos compasivos?

Lucas 6:36 Deben ser compasivos, así como su Padre es compasivo. (Página 95)

1 Pedro 3:8 ... Compadézcanse unos de otros. Ámense como hermanos y hermanas. Sean de buen corazón y mantengan una actitud humilde. (Página 370) (Ver también Efesios 4:31-32 [pág. 295] y Filipenses 2:1-2 [pág. 300]).

¿Cómo podemos demostrar compasión hacia los demás?

Lucas 10:36-37 —Ahora bien, ¿cuál de los tres te parece que fue el prójimo del hombre atacado por los bandidos? —preguntó Jesús. El hombre contestó: —El que mostró compasión. Entonces Jesús le dijo: —Así es, ahora ve y haz lo mismo. (Página 105)

Colosenses 3:12-15 ... ustedes tienen que vestirse de tierna compasión, bondad, humildad, gentileza y paciencia. Sean comprensivos con las faltas de los demás... (Página 308)

Hebreos 10:33 Algunas veces los ponían en ridículo públicamente y los golpeaban, otras veces ustedes ayudaban a los que pasaban por lo mismo. (Página 353) (Ver también Mateo 10:42 [pág. 17] y Mateo 25:31-46 [págs. 42-43]).

Hebreos 13:3 Acuérdense de aquellos que están en prisión, como si ustedes mismos estuvieran allí. Acuérdense también de los que son maltratados, como si ustedes mismos sintieran en carne propia el dolor de ellos. (Página 357)

1 Juan 3:17 Si alguien tiene suficiente dinero para vivir bien y ve a un hermano en necesidad pero no le muestra compasión, ¿cómo puede estar el amor de Dios en esa persona? (Página 383)

Promesa de Dios: Salmo 103:13. El SEÑOR es como un padre con sus hijos, tierno y compasivo con los que le temen. (Página 497)

CONFIANZA (Ver también «FE Y SEGURIDAD DE SALVACIÓN» [pág. 606])

Gálatas 2:16 ... nosotros hemos creído en Cristo Jesús para poder ser declarados justos ante Dios por causa de nuestra fe en Cristo y no porque hayamos obedecido la ley. Pues nadie jamás será declarado justo ante Dios mediante la obediencia a la ley. (Página 283) (Ver también Juan 3:36 [pág. 139]).

Reflexión: *Nuestra confianza en Dios comienza cuando creemos que únicamente Cristo puede darnos la salvación y que no podemos ser rectos mediante nuestro propio esfuerzo.*

1 Pedro 1:8 ... Aunque ahora no lo ven, confían en él y se gozan con una alegría gloriosa e indescriptible. (Página 367)

Salmo 33:21 En él se alegra nuestro corazón, porque confiamos en su santo nombre. (Página 444)

Proverbios 3:5 Confía en el SEÑOR con todo tu corazón, no dependas de tu propio entendimiento. (Página 535)

Reflexión: *Confiar en Dios significa obedecer sus mandamientos aun cuando no entendamos sus planes, y depender de él en toda circunstancia y en todo momento. La obediencia a Dios viene acompañada de bendición, gozo y paz.*

¿Es Dios confiable?

2 Tesalonicenses 3:3 ... el Señor es fiel; él los fortalecerá y los protegerá del maligno. (Página 318)

2 Timoteo 2:13 Si somos infieles, él permanece fiel, pues él no puede negar quién es. (Página 330)

Salmo 9:10 Los que conocen tu nombre confían en ti, porque tú, oh SEÑOR, no abandonas a los que te buscan. (Página 427)

Salmo 33:11 Pero los planes del SEÑOR se mantienen firmes para siempre; sus propósitos nunca serán frustrados. (Página 443)

Salmo 145:15-18 ... El SEÑOR es justo en todo lo que hace; está lleno de bondad. El SEÑOR está cerca de todos los que lo invocan... (Página 528)

Reflexión: *Podemos confiar en Dios porque él es todopoderoso, fiel y bondadoso; sus planes son buenos y siempre los cumple, al igual que sus promesas.*

Salmo 44:1 Oh Dios, lo oímos con nuestros propios oídos, nuestros antepasados nos han contado de todo lo que hiciste en su época, hace mucho tiempo atrás. (Página 452)

Reflexión: *La Biblia registra los hechos poderosos de Dios ocurridos en el pasado a favor de su gente. Estas obras maravillosas son el registro perfecto de cómo actúa Dios, y nos dan la seguridad para confiar en que hoy en día él también actuará a nuestro favor.*

Promesa de Dios: Hebreos 6:18-19. ... los que hemos acudido a él en busca de refugio podemos estar bien confiados aferrándonos a la esperanza que está delante de nosotros. Esta esperanza es un ancla firme y confiable para el alma... (Página 348)

CONSECUENCIAS

Dios nos da la libertad de tomar nuestras propias decisiones; siendo así, ¿pecar intencionalmente trae consecuencias?

Romanos 6:23 Pues la paga que deja el pecado es la muerte... (Página 228)

Reflexión: *La consecuencia más grave del pecado es la muerte espiritual, que es la separación de Dios, la Fuente de la vida. Para aquellos que rehúsan aceptar a Jesús como Salvador, esta separación será eterna.*

Mateo 15:19 Pues del corazón salen los malos pensamientos, el asesinato, el adulterio, toda inmoralidad sexual, el robo, la mentira y la calumnia. (Página 25)

Gálatas 6:7-8 No se dejen engañar: nadie puede burlarse de la justicia de Dios. Siempre se cosecha lo que se siembra... (Página 287)

Reflexión: *Las ideas y los deseos conducen a las acciones, y las acciones tienen consecuencias. El pecado, aunque placentero por un momento, es malo y a largo plazo produce inevitablemente malas consecuencias.*

¿Son tan graves las consecuencias de lo que decimos como de lo que hacemos?

Mateo 12:36 Les digo lo siguiente: el día del juicio, tendrán que dar cuenta de toda palabra inútil que hayan dicho. (Página 20)

Marcos 14:66-72 ... Pedro juró: —¡Que me caiga una maldición si les miento! ¡No conozco a ese hombre del que hablan! Inmediatamente, el gallo cantó por segunda vez [...] y se echó a llorar. (Página 77)

Proverbios 18:21 La lengua puede traer vida o muerte; los que hablan mucho cosecharán las consecuencias. (Página 555)

Reflexión: *Los espías que envían información vital son tan culpables de la muerte de personas inocentes como aquellos que aprietan el gatillo. Nuestras palabras nos condenan tanto como nuestras acciones.*

Verdad de Dios: Proverbios 17:13. Si pagas mal por bien, el mal nunca se irá de tu casa. (Página 553)

DISCIPLINA Y DOMINIO PROPIO

¿Por qué es importante la disciplina?

Gálatas 6:7-8 No se dejen engañar [...] Siempre se cosecha lo que se siembra. Los que viven sólo para satisfacer los deseos de su propia naturaleza pecaminosa cosecharán, de esa naturaleza, destrucción y muerte; pero los que viven para agradar al Espíritu, del Espíritu, cosecharán vida eterna. (Página 287) (Ver también Romanos 8:6 [pág. 230]).

Santiago 1:26 Si afirmas ser religioso pero no controlas tu lengua, te engañas a ti mismo y tu religión no vale nada. (Página 362)

2 Pedro 1:5-8 ... esfuércense al máximo por responder a las promesas de Dios complementando su fe con una abundante provisión de excelencia moral; la excelencia moral, con conocimiento; el conocimiento, con control propio; el control propio, con perseverancia; la perseverancia, con sumisión a Dios [...] Cuanto más crezcan de esta manera, más productivos y útiles serán en el conocimiento de nuestro Señor Jesucristo. (Página 375)

Proverbios 12:1 Para aprender, hay que amar la disciplina; es tonto despreciar la corrección. (Página 546)

¿Cómo podemos ser disciplinados?

Efesios 4:29 No empleen un lenguaje grosero ni ofensivo. Que todo lo que digan sea bueno y útil, a fin de que sus palabras resulten de estímulo para quienes las oigan. (Página 295)

Salmo 119:9 ¿Cómo puede un joven mantenerse puro? Obedeciendo tu palabra. (Página 511)

Proverbios 10:19 Hablar demasiado conduce al pecado. Sé prudente y mantén la boca cerrada. (Página 544)

Proverbios 13:3 Los que controlan su lengua tendrán una larga vida; el abrir la boca puede arruinarlo todo. (Página 547)

Reflexión: *El dominio propio incluye, primero que todo, conocer las normas de Dios reveladas en la Biblia para llevar una vida recta. Para tener dominio propio, se necesita saber qué hay que controlar y cómo hacerlo. La lectura habitual y constante de la Palabra de Dios graba en nuestra mente y en nuestro corazón las normas que él ha establecido para llevar una vida equilibrada y recta.*

Romanos 8:1-14 ... permitir que el Espíritu les controle la mente lleva a la vida y a la paz... (Página 230)

Romanos 12:1-2 ... les ruego que entreguen su cuerpo a Dios por todo lo que él ha hecho a favor de ustedes. Que sea un sacrificio vivo y santo, la clase de sacrificio que a él le agrada... (Página 236)

Romanos 13:14 Más bien, vístanse con la presencia del Señor Jesucristo. Y no se permitan pensar en formas de complacer los malos deseos. (Página 238)

Gálatas 2:20 … Ya no vivo yo, sino que Cristo vive en mí. Así que vivo en este cuerpo terrenal confiando en el Hijo de Dios, quien me amó y se entregó a sí mismo por mí. (Página 283)

Verdad de Dios: 1 Corintios 9:25-27. Todos los atletas se entrenan con disciplina. Lo hacen para ganar un premio que se desvanecerá, pero nosotros lo hacemos por un premio eterno. Por eso yo corro cada paso con propósito. No sólo doy golpes al aire. Disciplino mi cuerpo como lo hace un atleta, lo entreno para que haga lo que debe hacer… (Página 254)

EGOÍSMO

¿Por qué es tan destructivo el egoísmo?

Santiago 3:15-16 Pues la envidia y el egoísmo […] son terrenales, puramente humanas y demoníacas. Pues, donde hay envidias y ambiciones egoístas, también habrá desorden y toda clase de maldad. (Página 364)

¿Cuál es el antídoto para el egoísmo?

1 Corintios 13:4-7, 13 … El amor […] no exige que las cosas se hagan a su manera […] El amor nunca se da por vencido… (Página 259)

Reflexión: *El amor perfecto de Dios nos rescata del egoísmo.*

Romanos 15:2-3 Deberíamos ayudar a otros a hacer lo que es correcto y edificarlos en el Señor. Pues ni siquiera Cristo vivió para agradarse a sí mismo… (Página 239)

Filipenses 2:3-7 … No se ocupen sólo de sus propios intereses, sino también procuren interesarse en los demás. Tengan la misma actitud que tuvo Cristo Jesús […] renunció a sus privilegios divinos; adoptó la humilde posición de un esclavo… (Página 300)

Reflexión: *El mejor antídoto para un corazón egoísta es pensar primero en los demás y luego en uno mismo, y dar no sólo dinero, sino amor, tiempo y talentos. Jesús es el ejemplo perfecto del amor generoso.*

Mateo 16:24-25 Luego Jesús dijo a sus discípulos: «Si alguno de ustedes quiere ser mi seguidor, tiene que abandonar su manera egoísta de vivir, tomar su cruz y seguirme. Si tratas de aferrarte a la vida, la perderás, pero si entregas tu vida por mi causa, la salvarás. (Página 27)

Verdad de Dios: 1 Corintios 10:31-33. … No hago sólo lo que es mejor para mí; hago lo que es mejor para otros a fin de que muchos sean salvos. (Página 256)

ENOJO

Efesios 4:31 Líbrense de toda amargura, furia, enojo, palabras ásperas, calumnias y toda clase de mala conducta. (Página 295)

Santiago 1:19-20 Mis amados hermanos, quiero que entiendan lo siguiente: todos ustedes deben ser rápidos para escuchar, lentos para hablar y lentos para enojarse. El enojo humano no produce la rectitud que Dios desea. (Página 362)

Salmo 145:8 El SEÑOR es misericordioso y compasivo, lento para enojarse… (Página 528)

Proverbios 16:32 Mejor es ser paciente que poderoso; más vale tener control propio que conquistar una ciudad. (Página 552)

¿Cuáles son las consecuencias del enojo?

Efesios 4:26-27 … No permitan que el sol se ponga mientras siguen enojados, porque el enojo da lugar al diablo. (Página 295)

Proverbios 14:17 Los que se enojan fácilmente cometen locuras, y los que maquinan maldad son odiados. (Página 549)

Proverbios 15:18 El que pierde los estribos con facilidad provoca peleas; el que se mantiene sereno, las detiene. (Página 550)

Proverbios 22:24-25 No te hagas amigo de la gente irritable, ni te juntes con los que pierden los estribos con facilidad, porque aprenderás a ser como ellos… (Página 560)

¿Cuáles son los resultados de controlar el enojo?

Proverbios 15:1 La respuesta apacible desvía el enojo, pero las palabras ásperas encienden los ánimos. (Página 550)

ENVIDIA Y CELOS

¿A dónde conducen los celos y la envidia?

Proverbios 14:30 La paz en el corazón da salud al cuerpo; los celos son como cáncer en los huesos. (Página 549)

Proverbios 24:1-2 No envidies a la gente malvada, ni desees su compañía. Pues en su corazón traman violencia y sus palabras siempre traen problemas. (Página 561)

Proverbios 27:4 … la ira es como una inundación, pero los celos son aún más peligrosos. (Página 565)

Reflexión: *La envidia es lo opuesto al contentamiento y a la gratitud; contamina las relaciones y destruye los placeres puros al hacernos pensar que lo que tiene el vecino es mejor.*

Marcos 15:10 Pues ya se había dado cuenta de que los principales sacerdotes habían arrestado a Jesús por envidia. (Página 78)

Hechos 5:17-18 El sumo sacerdote y sus funcionarios, que eran saduceos, se llenaron de envidia. Arrestaron a los apóstoles y los metieron en la cárcel pública. (Página 180) (Ver también Hechos 17:5-6 [pág. 200]).

Santiago 4:1-3 ... Desean lo que no tienen, entonces traman y hasta matan para conseguirlo. Envidian lo que otros tienen, pero no pueden obtenerlo, por eso luchan y les hacen la guerra para quitárselo. Sin embargo, no tienen lo que desean porque no se lo piden a Dios. Aun cuando se lo piden, tampoco lo reciben porque lo piden con malas intenciones: desean solamente lo que les dará placer. (Página 364)

Reflexión: *La envidia lleva al descontento, a la amargura y a la ira, los cuales impulsan a la persona a hacer el mal, incluso a dañar o a matar a alguien.*

¿Cuáles son los beneficios de sentirnos satisfechos?

Gálatas 5:22-26 Pero la clase de fruto que el Espíritu Santo produce en nuestra vida es: amor, alegría, paz, paciencia, gentileza, bondad, fidelidad, humildad y control propio... (Página 287)

Filipenses 4:12-13 Sé vivir con casi nada o con todo lo necesario. He aprendido el secreto de vivir en cualquier situación, sea con el estómago lleno o vacío, con mucho o con poco. Pues todo lo puedo hacer por medio de Cristo, quien me da las fuerzas. (Página 303) (Ver también 1 Timoteo 6:6-10 [pág. 325]).

Proverbios 23:17-18 No envidies a los pecadores, en cambio, teme siempre al SEÑOR. Si lo haces, serás recompensado; tu esperanza no se frustrará. (Página 560)

Reflexión: *Cuando nos esforzamos por adquirir las características que proceden del Espíritu Santo, evitamos los celos mezquinos, el enojo y la amargura que resultan del deseo de obtener honor, poder y popularidad.*

Promesa de Dios: Salmo 37:1, 5, 8. No te inquietes a causa de los malvados ni tengas envidia de los que hacen lo malo... Entrega al SEÑOR todo lo que haces; confía en él, y él te ayudará... (Página 447)

FAMILIA

Reflexión: *La familia fue una idea de Dios y ninguna otra institución es tan influyente y poderosa. Una familia fuerte produce individuos sanos e íntegros y es la base de una sociedad estable. Por el contrario, el abuso y la negligencia pueden dañar a un niño para toda la vida. Lo que los padres enseñan a sus hijos de palabra o con hechos, por comisión u omisión, afecta directamente la relación futura de los hijos con Dios y con los demás.*

¿Qué dice la Biblia a los padres?

1 Timoteo 5:8 Aquellos que se niegan a cuidar de sus familiares, especialmente los de su propia casa, han negado la fe verdadera y son peores que los incrédulos. (Página 324)

Salmo 127:3 Los hijos son un regalo del SEÑOR; son una recompensa de su parte. (Página 519)

Reflexión: *Los hijos son una bendición, no una carga o una fuente de ingreso. Nos son dados por un tiempo y somos responsables ante Dios por su bienestar espiritual, emocional y físico.*

Proverbios 10:1 Un hijo sabio trae alegría a su padre; un hijo necio trae dolor a su madre. (Página 543)

Proverbios 22:6 Dirige a tus hijos por el camino correcto, y cuando sean mayores, no lo abandonarán. (Página 559)

Reflexión: *No hay responsabilidad más grande que enseñar y modelar a nuestros hijos según las verdades y los valores de la Biblia. No espere a que ellos se encuentren al borde de un precipicio para dirigirlos hacia el camino correcto.*

Proverbios 3:12 Pues el SEÑOR corrige a los que ama, tal como un padre corrige al hijo que es su deleite. (Página 535)

Proverbios 29:15 Disciplinar a un niño produce sabiduría, pero un hijo sin disciplina avergüenza a su madre. (Página 568)

Reflexión: *La corrección paciente, los límites constantes y el amor son los componentes más importantes en la crianza de los hijos. La corrección, al igual que la de Dios hacia nosotros, debe ser motivada por el amor porque de otra manera no será efectiva. El propósito de la disciplina no es forzar su voluntad sobre los hijos, o descargar su frustración en ellos, sino guiarlos sabiamente y protegerlos del mal.*

Efesios 6:4 ... Padres, no hagan enojar a sus hijos con la forma en que los tratan. Más bien, críenlos con la disciplina e instrucción que proviene del Señor. (Página 296)

Colosenses 3:21 Padres, no exasperen a sus hijos, para que no se desanimen. (Página 308)

Reflexión: *No espere que sus hijos desempeñen las responsabilidades de un adulto. No corrija a sus hijos cuando esté enojado, porque criará jóvenes amargados y frustrados. La crítica constante, las palabras destructivas, la intransigencia y la indiferencia son desagradables a Dios; además encenderán el resentimiento en sus hijos, lo cual les causará daño a ellos y a otros. Por el contrario, el amor y la constancia combinados con firmeza y límites claros estimularán la formación de hijos íntegros, felices, seguros y estables, quienes se sentirán atraídos por un Dios bueno y justo.*

¿Qué dice la Biblia a los hijos?

Salmo 68:5 Padre de los huérfanos [...] éste es Dios... (Página 468) (Ver también Salmo 10:14 [pág. 428]).

Reflexión: *Recuerde que aunque no tenga padres o éstos lo hayan abandonado, Dios lo ama y quiere ser su Padre.*

Efesios 6:1-3 Hijos, obedezcan a sus padres porque ustedes pertenecen al Señor, pues esto es lo correcto. «Honra a tu padre y a tu madre». Ese es el primer mandamiento que contiene una promesa: si honras a tu padre y a tu madre, «te irá bien y tendrás una larga vida en la tierra». (Página 296) (Ver también Colosenses 3:20 [pág. 308]).

Proverbios 6:20-23 Hijo mío, obedece los mandatos de tu padre, y no descuides la instrucción de tu madre [...] Cuando camines, su consejo te guiará [...] Cuando despiertes, te orientará. Pues su mandato es una lámpara y su instrucción es una luz; su disciplina correctiva es el camino que lleva a la vida. (Página 539)

Reflexión: *La obediencia a los padres trae bendición, aun cuando los padres no honren a Dios. Sin embargo, la fidelidad a Dios es nuestra mayor prioridad. Cuando la voluntad de los padres está en conflicto con la voluntad de Dios, debemos obedecer primero a Dios.*

¿Qué dice Jesús acerca de los niños y jóvenes?

Mateo 18:5-6, 10 ... Y todo el que recibe de mi parte a un niño pequeño como éste, me recibe a mí; pero, si hacen que uno de estos pequeños que confía en mí caiga en pecado, sería mejor para ustedes que se aten una gran piedra de molino alrededor del cuello y se ahoguen en las profundidades del mar [...] Cuidado con despreciar a cualquiera de estos pequeños. Les digo que, en el cielo, sus ángeles siempre están en la presencia de mi Padre celestial. (Página 29)

Marcos 10:13-14 Cierto día, algunos padres llevaron a sus niños a Jesús para que los tocara y los bendijera, pero los discípulos regañaron a los padres por molestarlo. Cuando Jesús vio lo que sucedía, se enojó con sus discípulos y les dijo: «Dejen que los niños vengan a mí. ¡No los detengan! Pues el reino de Dios pertenece a los que son como estos niños». (Página 67) (Ver también Mateo 19:13-15 [pág. 31] y Lucas 18:15-16 [págs. 118-119]).

Reflexión: *Se nos ha ordenado amar y guiar a todos los niños, es decir, protegerlos física y emocionalmente, y formarlos y nutrirlos espiritualmente. Jesús condena a quienes maltratan a los niños.*

FE Y SEGURIDAD DE SALVACIÓN (Ver también «CONFIANZA» [pág. 599])

Hebreos 11:1, 6 La fe es la confianza de que en verdad sucederá lo que esperamos [...] De hecho, sin fe es imposible agradar a Dios. Todo el que desee acercarse a Dios debe creer que él existe y que él recompensa a los que lo buscan con sinceridad. (Página 354)

Hebreos 11:8, 10 Fue por la fe que Abraham obedeció cuando Dios lo llamó para que dejara su tierra y fuera a otra que él le daría por herencia. Se fue sin saber adónde iba... (Página 354)

Hebreos 11:26-27 ... Fue por la fe que Moisés salió de la tierra de Egipto sin temer el enojo del rey. Siguió firme en su camino porque tenía los ojos puestos en el Invisible. (Página 355)

Hebreos 13:5-6 ... pues Dios ha dicho: «Nunca te fallaré. Jamás te abandonaré»... (Página 357)

Reflexión: *La fe es dependencia absoluta de Dios, quien es digno de confianza. La fe nos abre las puertas de los tesoros divinos que nos dan fuerza y perseverancia para vencer y ser como Jesús.*

Si hemos aceptado a Jesús, ¿podemos estar seguros de nuestra salvación eterna?

Juan 5:24 Les digo la verdad, todos los que escuchan mi mensaje y creen en Dios, quien me envió, tienen vida eterna… (Página 142)

Juan 10:27-28 Mis ovejas escuchan mi voz; yo las conozco, y ellas me siguen. Les doy vida eterna, y nunca perecerán. Nadie puede quitármelas… (Página 153) (Ver también Hechos 16:31 [pág. 199]).

Romanos 8:1, 38-39 Por lo tanto, ya no hay condenación para los que pertenecen a Cristo Jesús […] Ni la muerte ni la vida […] Ni siquiera los poderes del infierno […] nada en toda la creación podrá jamás separarnos del amor de Dios, que está revelado en Cristo Jesús nuestro Señor. (Páginas 230, 231)

Tito 3:7 Por su gracia él nos declaró justos y nos dio la seguridad de que vamos a heredar la vida eterna. (Página 336) (Ver también Tito 1:1-2 [pág. 335]).

1 Juan 5:11-13 Y este es el testimonio que Dios ha dado: él nos dio vida eterna, y esa vida está en su Hijo. El que tiene al Hijo tiene la vida; el que no tiene al Hijo de Dios no tiene la vida. Les he escrito estas cosas a ustedes, que creen en el nombre del Hijo de Dios, para que sepan que tienen vida eterna. (Página 385)

Reflexión: *La salvación no puede perderse una vez que se obtiene, pues depende por completo de Jesús y no de nosotros. No es una oración o un acto externo de nuestra parte lo que nos salva; es la obra que Jesucristo cumplió cabalmente en la cruz. A nosotros nos corresponde arrepentirnos y apartarnos del pecado, confiar en Jesús y aceptar su sacrificio por nuestros pecados. Si no está seguro acerca de dónde pasará la eternidad, o si no está seguro de lo que significa la salvación, por favor lea «Pasos hacia la paz con Dios», página 655.*

¿Es malo cuestionar nuestra fe?

Juan 20:27-29 … Ya no seas incrédulo. ¡Cree!… (Páginas 168-169)

Santiago 1:6 … una persona que duda tiene la lealtad dividida y es tan inestable como una ola del mar que el viento arrastra y empuja de un lado a otro. (Página 361)

Salmo 95:9 Allí sus antepasados me tentaron y pusieron a prueba mi paciencia, a pesar de haber visto todo lo que hice. (Página 493)

Salmo 145:9, 17 El SEÑOR es bueno con todos […] El SEÑOR es justo en todo lo que hace; está lleno de bondad. (Página 528)

Reflexión: *Dios nos da suficiente evidencia para creer en él. El enemigo nos impulsa a ser ingratos, a ignorar todo lo que Dios nos ha dado y a enfocarnos* *en aquello que no tenemos. Debemos confiar en la bondad y el poder de Dios, no en los sentimientos, las emociones o las circunstancias.*

Marcos 9:24 Al instante el padre clamó: —¡Sí, creo, pero ayúdame a superar mi incredulidad! (Página 66)

Reflexión: *La fe no tiene que ser perfecta para ser genuina.*

1 Pedro 3:15-16 ... adoren a Cristo como el Señor de su vida. Si alguien les pregunta acerca de la esperanza cristiana que tienen, estén siempre preparados para dar una explicación; pero háganlo con humildad y respeto... (Página 370) (Ver también Hechos 19:8-10 [pág. 203]).

Reflexión: *Se nos dice que amemos a Dios con todo nuestro corazón, con toda nuestra alma y con toda nuestra mente (Mateo 22:37 [pág. 37], Lucas 10:27 [pág. 105]). Debemos examinar las Escrituras y obtener razones contundentes para fundamentar nuestra esperanza en Cristo Jesús. La fe no es ciega, es la confianza en el poder y el carácter inmutable de Dios vistos en las Escrituras, en la creación, en la historia y en nuestras propias vidas.*

2 Tesalonicenses 1:3 Amados hermanos, no podemos más que agradecerle a Dios por ustedes, porque su fe está floreciendo, y el amor de unos por otros, creciendo. (Página 317)

Reflexión: *Como cualquier otro aspecto de la vida cristiana, la fe debe desarrollarse. Al igual que los músculos, se fortalece mediante el ejercicio. No es de extrañar que surjan dudas ocasionales cuando nuestra fe es reciente o cuando enfrentamos dificultades. De lo que nunca debemos dudar es del amor y el carácter intachable de Dios, sobre los cuales tenemos suficiente evidencia.*

Verdad de Dios: Colosenses 2:13-14. Ustedes estaban muertos a causa de sus pecados y porque aún no les habían quitado la naturaleza pecaminosa. Entonces Dios les dio vida con Cristo al perdonar todos nuestros pecados. Él anuló el acta con los cargos que había contra nosotros y la eliminó clavándola en la cruz. (Página 307)

GENEROSIDAD

¿Por qué debemos dar?

Juan 3:16 Pues Dios amó tanto al mundo que dio a su único Hijo, para que todo el que crea en él no se pierda, sino que tenga vida eterna. (Página 139)

Proverbios 1:19 Así terminan todos los que codician el dinero, esa codicia les roba la vida. (Página 534)

¿Cómo se manifiesta la generosidad?

Marcos 12:43-44 Jesús llamó a sus discípulos y les dijo: «Les digo la verdad, esta viuda pobre ha dado más que todos los demás que ofrendan [...] ella, con lo pobre que es, dio todo lo que tenía para vivir». (Página 73)

Hechos 2:44 Todos los creyentes se reunían en un mismo lugar y compartían todo lo que tenían. (Página 176) (Ver también Hechos 4:32-35 [pág. 179]).

2 Corintios 8:2-3 Estas iglesias están siendo probadas con muchas aflicciones y además son muy pobres; pero a la vez rebosan de abundante alegría, la cual se desbordó en gran generosidad. Pues puedo dar fe de que dieron no sólo lo que podían, sino aún mucho más... (Página 273)

¿Cómo debemos dar?

1 Corintios 16:1-2 ... consideremos la pregunta acerca del dinero que se está juntando para el pueblo de Dios en Jerusalén [...] El primer día de cada semana, cada uno debería separar una parte del dinero que ha ganado... (Página 263)

Reflexión: *En el Antiguo Testamento, se requería dar un diezmo (10% del ingreso) a la obra del Señor. Pablo también hace énfasis en donaciones habituales; no especifica el porcentaje, pero ya que los que vivían bajo la ley daban el 10%, ¿cómo podemos dar menos nosotros, los que vivimos bajo la gracia?*

Mateo 6:1-4 ... No hagan sus buenas acciones en público para que los demás los admiren, porque perderán la recompensa de su Padre, que está en el cielo [...] Entrega tu ayuda en privado y tu Padre, quien todo lo ve, te recompensará. (Página 9)

2 Corintios 9:6-8 Recuerden lo siguiente: un agricultor que siembra sólo unas cuantas semillas obtendrá una cosecha pequeña. Pero el que siembra abundantemente obtendrá una cosecha abundante. Cada uno debe decidir en su corazón cuánto dar; y no den de mala gana ni bajo presión, «porque Dios ama a la persona que da con alegría». Y Dios proveerá con generosidad todo lo que necesiten... (Página 275)

1 Timoteo 6:17-18 Enséñales a los ricos de este mundo que no sean orgullosos ni que confíen en su dinero, el cual es tan inestable. Deberían depositar su confianza en Dios, quien nos da en abundancia todo lo que necesitamos para que lo disfrutemos. Diles que usen su dinero para hacer el bien. Deberían ser ricos en buenas acciones, generosos con los que pasan necesidad y estar siempre dispuestos a compartir con otros. (Página 326)

¿A quién debemos dar?

Gálatas 6:10 ... hagamos el bien a todos, en especial a los de la familia de la fe. (Página 288)

Salmo 112:4-5, 9 La luz brilla en la oscuridad para los justos; son generosos, compasivos y rectos [...] Comparten con libertad y dan con generosidad a los necesitados... (Página 507)

¿Cuáles son los beneficios de la generosidad?

Lucas 6:38 Den, y recibirán. Lo que den a otros les será devuelto por completo: apretado, sacudido para que haya lugar para más, desbordante y derramado sobre el regazo. La cantidad que den determinará la cantidad que recibirán a cambio. (Página 95)

Salmo 112:5-8 Les va bien a los que prestan dinero con generosidad y manejan sus negocios equitativamente. A estas personas no las vencerá el mal [...] confían plenamente en que el SEÑOR los cuidará... (Página 507)

Proverbios 28:27 Al que ayuda al pobre no le faltará nada, en cambio, los que cierran sus ojos ante la pobreza serán maldecidos. (Página 567)

GRATITUD

¿Por qué debemos dar gracias al Señor?

Lucas 17:16 Y cayó al suelo, a los pies de Jesús, y le agradeció por lo que había hecho... (Página 117)

1 Corintios 15:57 ¡Pero gracias a Dios! Él nos da la victoria sobre el pecado y la muerte por medio de nuestro Señor Jesucristo. (Página 263)

2 Corintios 9:15 ¡Gracias a Dios por este don que es tan maravilloso que no puede describirse con palabras! (Página 275)

1 Timoteo 4:4 Ya que todo lo que Dios creó es bueno, no deberíamos rechazar nada, sino recibirlo con gratitud. (Página 323)

Salmo 103:10-13 No nos castiga por todos nuestros pecados; no nos trata con la severidad que merecemos. Pues su amor inagotable hacia los que le temen es tan inmenso como la altura de los cielos sobre la tierra. Llevó nuestros pecados tan lejos de nosotros como está el oriente del occidente. El SEÑOR es como un padre con sus hijos, tierno y compasivo con los que le temen. (Página 497)

Salmo 111:1-2 ¡Alabado sea el SEÑOR! Daré gracias al SEÑOR con todo mi corazón al reunirme con su pueblo justo. ¡Qué asombrosas son las obras del SEÑOR!... (Páginas 506-507)

¿Cómo debemos mostrar a Dios nuestro agradecimiento?

Juan 14:15 Si me aman, obedezcan mis mandamientos. (Página 160)

Colosenses 3:16 ... Canten salmos e himnos y canciones espirituales a Dios con un corazón agradecido. (Página 308) (Ver también Salmo 147:7 [pág. 529]).

Salmo 100:4 Entren por sus puertas con acción de gracias; vayan a sus atrios con alabanza. Denle gracias y alaben su nombre. (Página 495)

Salmo 116:17 Te ofreceré un sacrificio de agradecimiento... (Página 509)

¿Cuándo debemos dar gracias al Señor?

Lucas 9:16 Jesús tomó los cinco panes y los dos pescados, miró hacia el cielo y los bendijo… (Página 102)

Colosenses 3:15 ... sean siempre agradecidos. (Página 308)

Salmo 92:2 Es bueno proclamar por la mañana tu amor inagotable y por la noche tu fidelidad. (Página 491)

Verdad de Dios: 1 Tesalonicenses 5:18. Sean agradecidos en toda circunstancia, pues esta es la voluntad de Dios para ustedes, los que pertenecen a Cristo Jesús. (Página 314)

HONRADEZ

Reflexión: *Deshonestidad es obtener algo mediante el engaño, o tomar algo que no nos pertenece. Otros tipos de deshonestidad incluyen la destrucción de la reputación, la inocencia o la autoestima de otra persona; es igualmente deshonesto explotar la debilidad de alguien para beneficio propio, o desarrollar cualquier relación para obtener regalos, influencia, poder o placer. La honestidad es justa, transparente e íntegra.*

¿Por qué es importante que seamos honestos?

Mateo 5:8 Dios bendice a los que tienen corazón puro, porque ellos verán a Dios. (Página 7)

Mateo 12:33 A un árbol se le identifica por su fruto. Si el árbol es bueno, su fruto será bueno. Si el árbol es malo, su fruto será malo. (Página 20)

Lucas 16:10 ... pero si son deshonestos en las cosas pequeñas, no actuarán con honradez en las responsabilidades más grandes. (Página 115)

Proverbios 12:22 El SEÑOR detesta los labios mentirosos, pero se deleita en los que dicen la verdad. (Página 547) (Ver también Proverbios 6:16-19 [Página 539]).

Reflexión: *Las acciones honestas revelan nuestro carácter. Nos ganan la confianza de otros y permiten que Dios nos dé mayores responsabilidades.*

¿Qué significa ser honesto?

Colosenses 3:9-10 No se mientan unos a otros, porque ustedes ya se han quitado la vieja naturaleza pecaminosa y todos sus actos perversos. Vístanse con la nueva naturaleza y se renovarán a medida que aprendan a conocer a su Creador y se parezcan más a él. (Página 308)

1 Tesalonicenses 4:6-7 Nunca hagan daño ni engañen a un hermano cristiano en este asunto, teniendo relaciones sexuales con su esposa, porque el Señor toma venganza de todos esos pecados… (Página 313)

Proverbios 12:19 Las palabras veraces soportan la prueba del tiempo, pero las mentiras pronto se descubren. (Página 546)

Proverbios 16:11 El SEÑOR exige el uso de pesas y balanzas exactas, él es quien fija los parámetros de la justicia. (Página 551) (Ver también Proverbios 11:1 [pág. 544]).

¿Cuáles son los beneficios de la honestidad y las consecuencias de la deshonestidad?

Hechos 5:1-11 ... «Le mentiste al Espíritu Santo [...] ¡No nos mentiste a nosotros sino a Dios!». En cuanto Ananías oyó estas palabras, cayó al suelo y murió... (Página 179)

Salmo 119:165 Los que aman tus enseñanzas tienen mucha paz y no tropiezan. (Página 516)

Proverbios 11:3 La honestidad guía a la gente buena; la deshonestidad destruye a los traicioneros. (Página 544)

Proverbios 14:25 El testigo veraz salva vidas... (Página 549)

Proverbios 15:27 El avaro causa mucho dolor a toda la familia, pero los que odian el soborno vivirán. (Página 551)

Proverbios 29:4 El rey que hace justicia da estabilidad a su nación, pero uno que exige sobornos la destruye. (Página 568)

HUMILDAD

Reflexión: *La humildad es la admisión honesta de lo que somos ante Dios, y de lo que seríamos sin su gracia y su amor. Es la comprensión de que todo lo que tenemos y todo lo bueno que somos proviene de él; por lo tanto, no tenemos razón para jactarnos. El orgullo nos ciega a nuestras propias fallas y magnifica las de los demás. Cuando nos elevamos por encima de otros o incluso de Dios, corremos el riesgo de caer. La humildad no significa considerarnos menos que los demás, ¡sino pensar menos en nosotros mismos!*

¿Cuál es el retrato bíblico de la humildad?

Mateo 18:3-4 Entonces dijo: —Les digo la verdad, a menos que se aparten de sus pecados y se vuelvan como niños, nunca entrarán en el reino del cielo. Así que el que se vuelva tan humilde como este pequeño, es el más importante en el reino del cielo. (Página 29)

Lucas 9:46-48 Entonces los discípulos comenzaron a discutir entre ellos acerca de quién era el más importante [...] Luego [Jesús] les dijo: «... El más insignificante entre ustedes es el más importante». (Página 103)

Efesios 4:2 Sean siempre humildes y amables. Sean pacientes unos con otros y tolérense las faltas por amor. (Página 294)

Filipenses 2:3-9 ... Sean humildes, es decir, considerando a los demás como mejores que ustedes. No se ocupen sólo de sus propios intereses, sino también procuren interesarse en los demás. Tengan la misma actitud que tuvo Cristo Jesús. Aunque era Dios, no consideró que el ser igual a Dios fuera algo a lo cual aferrarse. En cambio, renunció a sus privilegios divinos [...] se humilló a sí mismo en obediencia a Dios y murió en una cruz como morían los criminales... (Página 300)

¿Cuáles son los frutos de la humildad y las consecuencias del orgullo?

Lucas 14:11 Pues aquellos que se exaltan a sí mismos serán humillados, y los que se humillan a sí mismos serán exaltados. (Página 113)

Santiago 4:6 ... «Dios se opone a los orgullosos pero muestra su favor a los humildes». (Página 364) (Ver también 1 Pedro 5:5-6 [pág. 372]).

Proverbios 18:12 La arrogancia va delante de la destrucción; la humildad precede al honor. (Página 554)

IMITACIÓN DE CRISTO

Reflexión: *El deseo de Dios es que todos aquellos que hemos aceptado a su Hijo como Salvador nos parezcamos cada vez más a Cristo. Somos una obra en formación y este proceso no finalizará en esta vida. Sin embargo, en nuestro vivir debemos demostrar amor, bondad, paciencia y otros frutos del Espíritu Santo.*

¿Cómo podemos vivir como Cristo?

2 Corintios 3:18 ... el Señor [...] nos hace más y más parecidos a él a medida que somos transformados a su gloriosa imagen. (Página 270)

Gálatas 2:20 Ya no vivo yo, sino que Cristo vive en mí. Así que vivo en este cuerpo terrenal confiando en el Hijo de Dios, quien me amó y se entregó a sí mismo por mí. (Página 283)

Gálatas 5:22-23 En cambio, la clase de fruto que el Espíritu Santo produce en nuestra vida es: amor, alegría, paz, paciencia, gentileza, bondad, fidelidad, humildad y control propio... (Página 287)

Efesios 5:18 No se emborrachen con vino, porque eso les arruinará la vida. En cambio, sean llenos del Espíritu Santo. (Página 296)

Reflexión: *La plenitud significa estar bajo control y motivado, al igual que un barco cuando se llenan sus velas con el viento. Recibimos al Espíritu Santo cuando aceptamos a Jesús como nuestro Salvador, pero para que él pueda llenarnos y controlarnos debemos entregarnos en cuerpo y alma diariamente a él. Esto requiere una rendición total de nuestra voluntad a la voluntad de él.*

¿Qué debemos hacer para cooperar con el Espíritu Santo?

Reflexión: *El poder divino del Espíritu Santo y nuestra responsabilidad humana trabajan en conjunto.*

Juan 17:17 Hazlos santos con tu verdad; enséñales tu palabra, la cual es verdad. (Página 163)

Romanos 12:1-2 ... les ruego que entreguen su cuerpo a Dios [...] Que sea un sacrificio vivo y santo, la clase de sacrificio que a él le agrada [...] No imiten las conductas ni las costumbres de este mundo, más bien dejen que Dios les transforme en personas nuevas al cambiarles la manera de pensar … (Página 236)

2 Pedro 3:18 … crezcan en la gracia y el conocimiento de nuestro Señor y Salvador Jesucristo. ¡A él sea toda la gloria ahora y para siempre! Amén. (Página 378)

Reflexión: *Cuanto más conocemos al Señor a través de lo que la Biblia nos revela, más podemos imitarlo y ser como él.*

Promesa de Dios: 1 Juan 3:2. Queridos amigos, ya somos hijos de Dios, pero él todavía no nos ha mostrado lo que seremos cuando Cristo venga; pero sí sabemos que seremos como él, porque lo veremos tal como él es. (Página 383)

JUSTICIA

¿Es justo Dios?

Salmo 7:11 Dios es un juez honrado; todos los días se enoja con los malvados. (Página 426)

Salmo 10:17-18 SEÑOR, tú conoces las esperanzas de los indefensos; ciertamente escucharás sus clamores y los consolarás. Harás justicia a los huérfanos y a los oprimidos, para que ya no los aterre un simple mortal. (Página 428)

Salmo 68:5 Padre de los huérfanos, defensor de las viudas, éste es Dios y su morada es santa. (Página 468)

Salmo 146:5-9 … Hace justicia al oprimido y da alimento al que tiene hambre […] El SEÑOR levanta a los agobiados […] Cuida de los huérfanos y las viudas… (Página 529)

Reflexión: *Cuando alguien nos hace mal, clamamos por justicia; cuando hacemos mal a Dios, pedimos misericordia. Dios se compadece de un corazón arrepentido, pero, desgraciadamente, un día su juicio recaerá sobre quienes persisten en sus propios caminos y lo rechazan.*

2 Tesalonicenses 1:5-6 Y Dios usará esa persecución para mostrar su justicia […] En su justicia él les dará su merecido a quienes los persiguen. (Página 317)

Salmo 37:16-17 Es mejor ser justo y tener poco que ser malvado y rico. Pues la fuerza de los malvados será destrozada, pero el SEÑOR cuida a los justos. (Página 447)

Reflexión: *¿Por qué sufren los que quieren hacer el bien, mientras tantos que hacen el mal prosperan? Lo que sucede es que sólo vemos una minúscula parte de la realidad y poco de la historia completa; debemos tener la certeza de que la justicia de Dios finalmente siempre prevalece.*

¿Cuáles son las consecuencias de la injusticia?

Proverbios 22:8 Los que siembran injusticia cosecharán desgracia, y su régimen de terror se acabará. (Página 559)

Proverbios 29:4 El rey que hace justicia da estabilidad a su nación, pero uno que exige sobornos la destruye. (Página 568)

Reflexión: *Ningún líder o movimiento perdurará si siembra terror e injusticia, no importa qué tan poderoso sea. Al final, la justicia de Dios prevalecerá.*

¿Cómo debemos reflejar la justicia de Dios?

Romanos 13:7 ... paguen los impuestos y demás aranceles a quien corresponda, y den respeto y honra a los que están en autoridad. (Página 237)

Santiago 1:27 La religión pura y verdadera [...] consiste en ocuparse de los huérfanos y de las viudas en sus aflicciones, y no dejar que el mundo te corrompa. (Página 362)

Salmo 82:3 Hagan justicia al pobre y al huérfano; defiendan los derechos de los oprimidos y de los desposeídos. (Página 483) (Ver también Proverbios 22:22 [pág. 560]).

Reflexión: *Dios nos ordena seguir las leyes de nuestros gobiernos siempre y cuando estas no sean contrarias a sus mandatos. Siempre debemos obedecer la ley superior de Dios y aceptar las consecuencias terrenales. Si queremos vivir para Dios, debemos mantener la verdad a cualquier costo. De otra manera seremos cómplices de la injusticia.*

¿Cómo debemos responder a la injusticia?

Romanos 12:17-21 Nunca devuelvan a nadie mal por mal. Compórtense de tal manera que todo el mundo vea que ustedes son personas honradas. Hagan todo lo posible por vivir en paz con todos. Queridos amigos, nunca tomen venganza. Dejen que se encargue la justa ira de Dios [...] «Yo tomaré venganza; Yo les pagaré lo que se merecen», dice el SEÑOR. En cambio, «Si tus enemigos tienen hambre, dales de comer...». No dejen que el mal los venza, más bien venzan el mal haciendo el bien. (Página 237)

Proverbios 20:22 No digas: «Me voy a vengar de este mal»; espera a que el SEÑOR se ocupe del asunto. (Página 557)

Proverbios 24:11-12 Rescata a los que están injustamente condenados a morir, sálvalos mientras van tambaleando hacia su muerte. No te excuses diciendo: «Ay, no lo sabíamos». Pues Dios conoce cada corazón y él te ve. El que cuida tu alma sabe bien que tú sabías. Él pagará a cada uno según merecen sus acciones. (Página 562)

Proverbios 31:8-9 Habla a favor de los que no pueden hablar por sí mismos [...] Sí, habla a favor de los pobres e indefensos... (Página 571)

Promesa de Dios: Salmo 58:11. Entonces, por fin, todos dirán: «Es verdad que hay recompensa para los que viven para Dios; es cierto que existe un Dios que juzga con justicia aquí en la tierra». (Página 463)

El camino revolucionario de Jesucristo . . . *página 616*

JUVENTUD

Aborto

Salmo 51:5 Pues soy pecador de nacimiento, así es, desde el momento en que me concibió mi madre. (Página 458)

Salmo 139:13-16 ... me entretejiste en el vientre de mi madre. ¡Gracias por hacerme tan maravillosamente complejo! Tu fino trabajo es maravilloso [...] Tú me observabas mientras iba cobrando forma en secreto, mientras se entretejían mis partes en la oscuridad de la matriz. Me viste antes de que naciera. Cada día de mi vida estaba registrado en tu libro. Cada momento fue diseñado antes de que un solo día pasara. (Página 524)

Reflexión: *Cuanto más avanza la ciencia, más aprendemos del maravilloso desarrollo de un bebé en el vientre de su madre. Mucho antes de que la medicina comprobara que el corazón de un bebé comienza a latir tres semanas después de la concepción, estos salmos ya consideraban al feto como un ser viviente. El amor que Dios demuestra por los bebés que aún no han nacido, estableciendo cada día de sus vidas, significa que también nosotros tenemos una responsabilidad con ellos.*

Identidad

Salmo 139:1-18 Oh SEÑOR, has examinado mi corazón y sabes todo acerca de mí. Sabes cuándo me siento y cuándo me levanto; conoces mis pensamientos [...] Me ves cuando viajo y cuando descanso en casa. Sabes todo lo que hago. Sabes lo que voy a decir incluso antes de que lo diga, SEÑOR. Vas delante y detrás de mí. Pones tu mano de bendición sobre mi cabeza [...] si habito junto a los océanos más lejanos, aun allí me guiará tu mano y me sostendrá tu fuerza [...] Y cuando despierto, ¡todavía estás conmigo! (Página 524)

Reflexión: *Fuimos creados a la imagen de Dios, con la habilidad de razonar, de amar y de conocer a nuestro Creador.*

Juan 3:18 No hay condenación para todo el que cree en él, pero todo el que no cree en él ya ha sido condenado por no haber creído en el único Hijo de Dios. (Página 139) (Ver también Juan 3:36 [pág. 139]).

Reflexión: *Si no ha aceptado a Jesús como su Salvador y Señor, su identidad es la de un pecador en guerra contra Dios, incapaz de conocerlo o complacerlo.*

Romanos 5:8-9 ... pero Dios mostró el gran amor que nos tiene al enviar a Cristo a morir por nosotros cuando todavía éramos pecadores. Entonces como se nos declaró justos a los ojos de Dios por la sangre de Cristo, con toda seguridad él nos salvará de la condenación de Dios. (Página 227)

Romanos 8:15-17 Y ustedes no han recibido un espíritu que los esclavice al miedo. En cambio, recibieron el Espíritu de Dios cuando él los adoptó como sus propios hijos. Ahora lo llamamos «Abba, Padre». Pues su Espíritu se une a nuestro espíritu para confirmar que somos hijos de Dios. Así que, como somos sus hijos, también somos sus herederos... (Página 230) (Ver también 1 Juan 3:1 [pág. 383]).

Reflexión: *Si le ha pedido a Jesús que perdone sus pecados y le ha entregado el control de su vida, su identidad se define ahora como la de un hijo de Dios. Está limpio ante él porque Jesús se sacrificó a sí mismo para hacer posible su amnistía. Ha sido adoptado por Dios; es parte de su familia y heredero de todas sus riquezas espirituales.*

Romanos 8:29 Pues Dios conoció a los suyos de antemano y los eligió para que llegaran a ser como su Hijo... (Página 231)

1 Corintios 12:27 Todos ustedes en conjunto son el cuerpo de Cristo, y cada uno de ustedes es parte de ese cuerpo. (Página 258)

Gálatas 4:6 Y debido a que somos sus hijos, Dios envió al Espíritu de su Hijo a nuestro corazón, el cual nos impulsa a exclamar «Abba, Padre». (Página 285)

Reflexión: *Una vez que pertenezca a Jesús, su identidad no será determinada por su estado socioeconómico, ni por su belleza física, ni por la aceptación o el rechazo de los demás. Usted es invaluable para Jesús, quién murió por usted, vive en usted y lo está transformando en una joya preciosa.*

Juan 15:15 Ya no los llamo esclavos [...] Ustedes ahora son mis amigos... (Página 161)

Romanos 7:4 Por lo tanto, mis amados hermanos, la cuestión es la siguiente: ustedes murieron al poder de la ley cuando murieron con Cristo y ahora están unidos a aquel que fue levantado de los muertos... (Página 228)

Romanos 8:30-39 ... nada en toda la creación podrá jamás separarnos del amor de Dios, que está revelado en Cristo Jesús nuestro Señor. (Página 231)

Gálatas 2:20 Mi antiguo yo ha sido crucificado con Cristo. Ya no vivo yo, sino que Cristo vive en mí. Así que vivo en este cuerpo terrenal confiando en el Hijo de Dios, quien me amó y se entregó a sí mismo por mí. (Página 283)

Reflexión: *Ahora que somos cristianos, estamos unidos con Cristo, quien vive en nosotros. Cuanto más cerca estemos de él, mayor será su poder para transformarnos.*

Romanos 5:5 ... sabemos con cuánta ternura nos ama Dios, porque nos ha dado el Espíritu Santo para llenar nuestro corazón con su amor. (Página 226)

1 Corintios 6:19 ¿No se dan cuenta de que su cuerpo es el templo del Espíritu Santo, quien vive en ustedes y les fue dado por Dios? Ustedes no se pertenecen a sí mismos. (Página 251)

2 Corintios 1:22 ... nos identificó como suyos al poner al Espíritu Santo en nuestro corazón... (Página 268)

Reflexión: *Como hijos de Dios, el Espíritu Santo vive en nosotros y nos da el deseo y la fuerza para llegar a ser como Jesús. Pidámosle constantemente* *que nos inculque los deseos y los pensamientos correctos para hacer lo que es bueno en aquellas áreas difíciles de nuestra vida.*

Juan 8:32, 36 ... y conocerán la verdad, y la verdad los hará libres... Así que, si el Hijo los hace libres, ustedes son verdaderamente libres. (Página 149)

2 Corintios 5:17 ... todo el que pertenece a Cristo se ha convertido en una persona nueva... (Página 271)

Efesios 2:10 Pues somos la obra maestra de Dios. Él nos creó de nuevo en Cristo Jesús, a fin de que hagamos las cosas buenas que preparó para nosotros tiempo atrás. (Página 292)

Efesios 4:22-24 Desháganse de su vieja naturaleza pecaminosa y de su antigua manera de vivir, que está corrompida por la sensualidad y el engaño. En cambio, dejen que el Espíritu les renueve los pensamientos y las actitudes. Pónganse la nueva naturaleza, creada para ser a la semejanza de Dios, quien es verdaderamente justo y santo. (Página 295)

Colosenses 1:13 Pues él nos rescató del reino de la oscuridad y nos trasladó al reino de su Hijo amado. (Página 305)

1 Tesalonicenses 5:5 Pues todos ustedes son hijos de la luz y del día; no pertenecemos a la oscuridad y a la noche. (Página 314)

Reflexión: *Como cristianos tenemos una nueva identidad. Una vez que conocemos a Jesús, quien es la verdad, somos verdaderamente libres; libres del pecado y del infierno, que es la separación eterna de Dios. Las adicciones, los malos hábitos, y los malos deseos ya no nos esclavizarán. Jesús también nos libera de nuestros temores e inseguridades, y de los pecados que otros han cometido en contra de nosotros. ¡Los planes de Dios para nosotros son grandes y buenos! Confiemos en él y sigámoslo.*

Efesios 2:14-17 ... Cristo reconcilió a ambos grupos [judíos y no judíos] con Dios en un solo cuerpo por medio de su muerte en la cruz, y la hostilidad que había entre nosotros quedó destruida. Cristo les trajo la Buena Noticia de paz tanto a ustedes, los gentiles, que estaban lejos de él, como a los judíos, que estaban cerca. (Página 293)

Reflexión: *Como cristianos, no diferenciamos entre las personas de acuerdo a su raza, clase social, educación, etnicidad o antecedentes. Todos los creyentes somos uno en Jesucristo, quien es nuestra paz. Ahora comprendemos que las personas pertenecen a dos grupos distintos, aquellos que conocen a Cristo y los que necesitan conocerlo, pero Jesús nos ordena amar a todos.*

Sexo

Proverbios 5:15 ... comparte tu amor sólo con tu esposa. (Página 538)

Reflexión: *El sexo es un maravilloso regalo dado por Dios a un hombre y una mujer comprometidos entre sí para toda la vida. Fue diseñado por Dios para ser una expresión de amor íntimo y exclusivo en el matrimonio. Es una joya demasiado valiosa para ser ofrecida de forma casual. Además, el sexo nos* *provee el fabuloso privilegio de colaborar con nuestro Creador en la creación de una nueva vida.*

1 Corintios 6:18-20 ... ¿No se dan cuenta de que su cuerpo es el templo del Espíritu Santo, quien vive en ustedes y les fue dado por Dios? Ustedes no se pertenecen a sí mismos, porque Dios los compró a un alto precio. Por lo tanto, honren a Dios con su cuerpo. (Página 251) (Ver también Efesios 5:3 [pág. 295] y 1 Tesalonicenses 4:1-8 [pág. 313]).

1 Corintios 10:13 Las tentaciones que enfrentan en su vida no son distintas de las que otros atraviesan. Y Dios es fiel; no permitirá que la tentación sea mayor de lo que puedan soportar. Cuando sean tentados, él les mostrará una salida, para que puedan resistir. (Página 255)

Hábitos

Efesios 5:4 Los cuentos obscenos, las conversaciones necias y los chistes groseros no son para ustedes... (Página 295)

Efesios 5:15-18 Así que tengan cuidado de cómo viven. No vivan como necios sino como sabios. Saquen el mayor provecho de cada oportunidad en estos días malos. No actúen sin pensar, más bien procuren entender lo que el Señor quiere que hagan. No se emborrachen con vino, porque eso les arruinará la vida. En cambio, sean llenos del Espíritu Santo. (Página 296)

2 Timoteo 2:22 Huye de todo lo que estimule las pasiones juveniles... (Página 331)

Salmo 119:9 ¿Cómo puede un joven mantenerse puro? Obedeciendo tu palabra. (Página 511)

Reflexión: *No debemos jugar con fuego. Las consecuencias dolorosas y destructivas siempre son más duraderas que el placer momentáneo del pecado.*

1 Timoteo 4:8-10, 12 «El entrenamiento físico es bueno, pero entrenarse en la sumisión a Dios es mucho mejor, porque promete beneficios en esta vida y en la vida que viene» [...] No permitas que nadie te subestime por ser joven. Sé un ejemplo para todos los creyentes en lo que dices, en la forma en que vives, en tu amor, tu fe y tu pureza. (Página 324)

Proverbios 13:4 Los perezosos ambicionan mucho y obtienen poco, pero los que trabajan con esmero prosperarán. (Página 547)

Cómo seleccionar las amistades

1 Corintios 15:32-33 ... las malas compañías corrompen el buen carácter. (Página 262)

2 Timoteo 2:22 ... Disfruta del compañerismo de los que invocan al Señor con un corazón puro. (Página 331)

Proverbios 1:10-18 ... si los pecadores quieren engatusarte, ¡dales la espalda! [...] ¡Hijo mío, no vayas con ellos! Mantente alejado de sus caminos. Ellos corren a cometer malas acciones... Si un pájaro ve que le tienden una trampa, sabe que tiene que alejarse. En cambio esa gente se tiende una emboscada a sí misma, pareciera que busca su propia muerte. (Páginas 533-534)

Proverbios 10:12 ... el amor cubre todas las ofensas. (Página 543)

Reflexión: *Elijamos cuidadosamente a nuestras amistades y a nuestros consejeros. Si realmente queremos hacer una diferencia en este mundo, actuemos con firmeza y seamos los abanderados de la bondad, la verdad y la justicia. Si nuestro deseo es ser revolucionarios, sigamos a Jesús. Él es digno de nuestra lealtad, ¡y nuestra recompensa es eterna!*

Cómo correr la maratón

Hebreos 12:1-3 ... quitémonos todo peso que nos impida correr, especialmente el pecado que tan fácilmente nos hace tropezar. Y corramos con perseverancia la carrera que Dios nos ha puesto por delante. Esto lo hacemos al fijar la mirada en Jesús, el campeón que inicia y perfecciona nuestra fe. Debido al gozo que le esperaba, Jesús soportó la cruz, sin importarle la vergüenza que ésta representaba [...] Piensen en toda la hostilidad que soportó por parte de pecadores, así no se cansarán ni se darán por vencidos. (Página 356)

Proverbios 13:1 ... el burlón se niega a escuchar la corrección. (Página 547)

Proverbios 15:1 La respuesta apacible desvía el enojo, pero las palabras ásperas encienden los ánimos. (Página 550)

Proverbios 18:2 A los necios no les interesa tener entendimiento; sólo quieren expresar sus propias opiniones. (Página 554)

Proverbios 23:19-23 ... presta atención y sé sabio: mantén tu corazón en el camino recto. No andes de juerga con borrachos [...] porque van camino a la pobreza [...] Adquiere la verdad y nunca la vendas; consigue también sabiduría, disciplina y buen juicio. (Página 561)

MATRIMONIO

¿Quién inventó el matrimonio?

Mateo 19:1-6 ... Jesús respondió: —¿No han leído las Escrituras? Allí está escrito que, desde el principio, "Dios los hizo hombre y mujer"—y agregó—: "Esto explica por qué el hombre deja a su padre y a su madre, y se une a su esposa, y los dos se convierten en uno solo" [...] que nadie separe lo que Dios ha unido. (Páginas 30-31)

¿Por qué debemos ser fieles? ¿Acaso no tenemos derecho a ser felices?

Hebreos 13:4 Honren el matrimonio, y los casados manténganse fieles el uno al otro... (Página 357)

Proverbios 5:15-20 ... comparte tu amor sólo con tu esposa... (Página 538)

Proverbios 6:32 Pero el hombre que comete adulterio es un necio total, porque se destruye a sí mismo. (Página 539)

Proverbios 7:1-27 ... Él la siguió de inmediato, como un buey que va al matadero [...] Era como un ave que vuela directo a la red, sin saber que le costará la vida... (Páginas 540-541)

Reflexión: *La infidelidad destruye los matrimonios, los hijos y las relaciones futuras de los hijos. La disolución de la familia desbarata el tejido de la sociedad y contribuye a una multitud de problemas sociales como el embarazo en adolescentes, las pandillas, la violencia y la pobreza. Debemos ser fieles porque Dios es fiel, y nos ordena que nosotros lo seamos. Dios cumple grandes hazañas a través de aquellos que le son fieles.*

¿Cuáles son las cualidades de la esposa ideal?

Efesios 5:21-24 ... sométanse unos a otros por reverencia a Cristo. Para las esposas, eso significa: sométase cada una a su marido como al Señor, porque el marido es la cabeza de su esposa como Cristo es cabeza de la iglesia... (Página 296)

Reflexión: *Este pasaje es un llamado tanto a esposos como a esposas a practicar "una mutua sumisión". La idea no es que uno domine al otro sino que cada uno esté al servicio del otro. La relación entre marido y mujer debe reflejar la relación entre el creyente y Jesucristo. El Señor es la cabeza y nos sometemos a él gustosos, pero él ejerce su liderazgo con amor infinito.*

Efesios 5:33 ... y la esposa debe respetar a su marido. (Página 296)

Tito 2:4-5 Esas mujeres mayores tienen que instruir a las más jóvenes a amar a sus esposos y a sus hijos, a vivir sabiamente y a ser puras... (Página 336)

Proverbios 27:15-16 Una esposa que busca pleitos es tan molesta como una gotera continua en un día de lluvia. Poner fin a sus quejas es como tratar de detener el viento... (Página 566) (Ver también Proverbios 19:13 [pág. 555]).

Reflexión: *Una esposa sabia utiliza palabras que edifican, animan y comparten la verdad en amor.*

Proverbios 31:10-30 ... Su marido puede confiar en ella, y ella le enriquecerá en gran manera la vida [...] El encanto es engañoso, y la belleza no perdura, pero la mujer que teme al SEÑOR será sumamente alabada. (Página 571)

¿Cuáles son las cualidades del esposo ideal?

Efesios 5:25 Para los maridos, eso significa: ame cada uno a su esposa tal como Cristo amó a la iglesia. Él entregó su vida por ella... (Página 296)

Colosenses 3:19 Maridos, ame cada uno a su esposa y nunca la trate con aspereza. (Página 308)

1 Pedro 3:7 De la misma manera, ustedes maridos, tienen que honrar a sus esposas. Cada uno viva con su esposa y trátela con entendimiento.

Ella [...] participa por igual del regalo de la nueva vida que Dios les ha dado. Trátala como es debido, para que nada estorbe tus oraciones. (Página 370)

Proverbios 5:18-19 Que tu esposa sea una fuente de bendición para ti. Alégrate con la esposa de tu juventud [...] Que sus pechos te satisfagan siempre. Que siempre seas cautivado por su amor. (Página 538)

¿Cuál es la clave de un matrimonio feliz y sólido?

Efesios 4:26 ... No permitan que el sol se ponga mientras siguen enojados. (Página 295)

Efesios 5:21 ... sométanse unos a otros por reverencia a Cristo. (Página 296)

Reflexión: *Resuelvan los desacuerdos y perdónense el uno al otro las faltas antes de terminar el día. Las grandes murallas están construidas de bloques pequeños.*

Efesios 4:15, 31 ... hablaremos la verdad con amor [...] Líbrense de toda amargura, furia, enojo, palabras ásperas, calumnias y toda clase de mala conducta. (Página 295)

Proverbios 24:3-4 Una casa se edifica con sabiduría y se fortalece por medio del buen juicio. Mediante el conocimiento se llenan sus cuartos de toda clase de riquezas y objetos valiosos. (Página 561)

Reflexión: *Las palabras duras y la amargura pueden dañar tanto como los puños. Construyan con palabras de amor, sabiduría y paz. No dejen que la amargura se arraigue en sus corazones.*

Romanos 15:5, 7 Que Dios, quien da esa paciencia y ese ánimo, los ayude a vivir en plena armonía unos con otros, como corresponde a los seguidores de Cristo Jesús [...] Por lo tanto, acéptense unos a otros, tal como Cristo los aceptó a ustedes, para que Dios reciba la gloria. (Página 239)

1 Corintios 7:3-5 El esposo debe satisfacer las necesidades sexuales de su esposa, y la esposa debe satisfacer las necesidades sexuales de su marido. La esposa le da la autoridad sobre su cuerpo a su marido, y el esposo le da la autoridad sobre su cuerpo a su esposa. No se priven el uno al otro de tener relaciones sexuales, a menos que los dos estén de acuerdo en abstenerse de la intimidad sexual por un tiempo limitado para entregarse más de lleno a la oración. Después deberán volverse a juntar, a fin de que Satanás no pueda tentarlos por la falta de control propio. (Página 251)

1 Corintios 13:4-8 El amor es paciente y bondadoso. El amor no es celoso ni fanfarrón ni orgulloso ni ofensivo. No exige que las cosas se hagan a su manera. No se irrita ni lleva un registro de las ofensas recibidas. No se alegra de la injusticia sino que se alegra cuando la verdad triunfa. El amor nunca se da por vencido, jamás pierde la fe, siempre tiene esperanzas y se mantiene firme en toda circunstancia [...] ¡Pero el amor durará para siempre! (Página 259)

Efesios 5:33 ... cada hombre debe amar a su esposa como se ama a sí mismo, y la esposa debe respetar a su marido. (Página 296)

Reflexión: *Jesús, la fuente de sabiduría y amor, es el único cimiento sólido para el matrimonio y la familia. Mientras más se acerquen los esposos a Jesús, más se acercarán entre ellos mismos.*

MEDIO AMBIENTE

¿Qué dice Dios acerca de su creación?

Génesis 1:10-31 (Antiguo Testamento) ... Entonces Dios miró todo lo que había hecho, ¡y vio que era muy bueno!

Proverbios 8:27-31 ... cuando demarcó los cimientos de la tierra, era [la sabiduría] la arquitecta a su lado [...] ¡Qué feliz me puse con el mundo que él creó...! (Página 542)

Reflexión: *Dios dedicó varios días a crear las plantas y las criaturas de la tierra, y dijo que su trabajo era muy bueno.*

¿Qué responsabilidad tenemos con la creación?

Génesis 2:15 (Antiguo Testamento) El SEÑOR Dios puso al hombre en el jardín de Edén para que se ocupara de él y lo custodiara.

Proverbios 12:10 Los justos cuidan de sus animales, pero los perversos siempre son crueles. (Página 546)

Reflexión: *No debemos adorar ni a la naturaleza ni a los animales, pero, al igual que con cualquier otro regalo del Señor, debemos apreciar la creación y cuidar de ella sabiamente para así glorificar a Dios.*

¿Qué planes tiene Dios para la creación?

Romanos 8:19-22 Pues toda la creación espera con anhelo el día futuro en que Dios revelará quiénes son verdaderamente sus hijos. Contra su propia voluntad, toda la creación quedó sujeta a la maldición de Dios. Sin embargo, con gran esperanza, la creación espera el día en que se unirá junto con los hijos de Dios a la gloriosa libertad de la muerte y la descomposición. Pues sabemos que, hasta el día de hoy, toda la creación gime de angustia como si tuviera dolores de parto. (Páginas 230-231)

2 Pedro 3:13 Pero nosotros esperamos con entusiasmo los cielos nuevos y la tierra nueva que él prometió, un mundo lleno de la justicia de Dios. (Página 378)

Apocalipsis 21:1-4 Entonces vi un cielo nuevo y una tierra nueva, porque el primer cielo y la primera tierra habían desaparecido [...] Él les secará toda lágrima de los ojos, y no habrá más muerte ni tristeza ni llanto ni dolor... (Página 417)

Reflexión: *Un día la creación será liberada y restaurada de la maldición causada por el pecado de Adán; Jesús renovará todas las cosas.*

MISERICORDIA

¿Con quién es misericordioso Dios?

Mateo 5:7 Dios bendice a los compasivos, porque serán tratados con compasión. (Página 7)

Hechos 2:21 Pero todo el que invoque el nombre del SEÑOR será salvo. (Página 175) (Ver también 1 Timoteo 1:15-16 [pág. 322]).

¿Cómo demuestra Dios su misericordia?

Efesios 2:4-7 Pero Dios es tan rico en misericordia y nos amó tanto que, a pesar de que estábamos muertos por causa de nuestros pecados, nos dio vida… (Página 292)

Tito 3:5-8 … él nos salvó, no por las acciones justas que nosotros habíamos hecho, sino por su misericordia […] Él derramó su Espíritu sobre nosotros en abundancia por medio de Jesucristo nuestro Salvador […] y nos dio la seguridad de que vamos a heredar la vida eterna… (Páginas 336-337)

Salmo 103:2-18 … Él perdona todos mis pecados […] me redime de la muerte […] colma mi vida de cosas buenas… (Página 497)

¿Qué espera Dios como respuesta a su misericordia?

Mateo 12:7 … «Quiero que tengan compasión, no que ofrezcan sacrificios». (Página 19)

Mateo 18:21-35 … ¿No deberías haber tenido compasión de tu compañero así como yo tuve compasión de ti?... (Página 30)

Judas 1:21-23 … Deben tener compasión de los que no están firmes en la fe… (Página 394)

Promesa de Dios: Lucas 1:50. Él muestra misericordia de generación en generación a todos los que le temen. (Página 85)

OBEDIENCIA

¿Requiere Dios obediencia absoluta?

Juan 14:15-16, 21-24 Si me aman, obedezcan mis mandamientos… (Página 160)

Efesios 5:6 … porque el enojo de Dios caerá sobre todos los que lo desobedecen. (Página 295)

Colosenses 2:6-7 Por lo tanto, de la manera que recibieron a Cristo Jesús como Señor, ahora deben seguir sus pasos. Arráiguense profundamente en él y edifiquen toda la vida sobre él… (Página 307)

Hebreos 11:7-10 … Fue por la fe que Abraham obedeció… (Página 354)

Salmo 99:5, 9 ¡Exalten al SEÑOR nuestro Dios! ¡Póstrense ante sus pies porque él es santo!... (Página 495)

Reflexión: *La obediencia se arraiga en la fe, en la confianza que tenemos en la bondad de Dios y en su poder para cumplir sus planes para su gloria y nuestro beneficio.*

¿Qué significa temer a Dios?

2 Corintios 7:1 ... procuremos alcanzar una completa santidad porque tememos a Dios. (Página 273)

Hebreos 10:31 ¡Es algo aterrador caer en manos del Dios vivo! (Página 353)

Hebreos 12:9-11 ... la disciplina de Dios siempre es buena para nosotros, a fin de que participemos de su santidad. Ninguna disciplina resulta agradable a la hora de recibirla. Al contrario, ¡es dolorosa! Pero después, produce la apacible cosecha de una vida recta para los que han sido entrenados por ella. (Página 356)

Hebreos 12:29 ... porque nuestro Dios es un fuego que todo lo consume. (Página 357)

Salmo 2:11 Sirvan al SEÑOR con temor reverente y alégrense con temblor. (Página 423)

Reflexión: *El cristiano ya no teme al juicio de Dios ni a la separación eterna de él. Lo que el cristiano ahora teme es deshonrarlo o desagradarlo debido a que su camino es perfecto. Sin embargo, Dios disciplina con amor a sus hijos para el bien de ellos.*

¿Trae bendiciones el temor a Dios?

Salmo 34:9-10 Teman al SEÑOR, ustedes los de su pueblo santo, pues los que le temen tendrán todo lo que necesitan... (Página 444)

Salmo 103:11, 13, 17 ... El SEÑOR es como un padre con sus hijos, tierno y compasivo con los que le temen [...] el amor del SEÑOR permanece para siempre con los que le temen. (Página 497)

Salmo 145:19 Él concede los deseos de los que le temen; oye sus gritos de auxilio y los rescata. (Página 528)

Proverbios 1:7 El temor del SEÑOR es la base del verdadero conocimiento... (Página 533)

Reflexión: *Debemos tener un temor sano y reverente por Dios puesto que él es poderoso y justo, santo y puro, y en sus manos está el poder de la vida y la muerte. Un temor sano nos motiva a buscar la santidad, la verdad y la rectitud. Nos ayuda a mantener una perspectiva correcta de nuestra relación con Dios y con los demás.*

Promesa de Dios: Hebreos 8:10. Pero éste es el nuevo pacto que haré con el pueblo de Israel en ese día, dice el SEÑOR: Pondré mis leyes en su mente y las escribiré en su corazón. Yo seré su Dios, y ellos serán mi pueblo. (Página 350)

OBRAS

¿Pueden nuestras buenas obras conseguirnos la entrada al cielo?

Romanos 3:23-24, 27-28 … ¿Podemos, entonces, jactarnos de haber hecho algo para que Dios nos acepte? No, porque nuestra libertad de culpa y cargo no se basa en la obediencia a la ley. Está basada en la fe. Así que somos declarados justos a los ojos de Dios por medio de la fe y no por obedecer la ley. (Página 225)

Gálatas 2:16-21 Sin embargo, sabemos que una persona es declarada justa ante Dios por la fe en Jesucristo y no por la obediencia a la ley. Y nosotros hemos creído en Cristo Jesús para poder ser declarados justos ante Dios por causa de nuestra fe en Cristo y no porque hayamos obedecido la ley. Pues nadie jamás será declarado justo ante Dios mediante la obediencia a la ley… (Página 283)

Tito 3:4-7 … Cuando Dios nuestro Salvador dio a conocer su bondad y amor, él nos salvó, no por las acciones justas que nosotros habíamos hecho, sino por su misericordia. Nos lavó, quitando nuestros pecados, y nos dio un nuevo nacimiento y vida nueva por medio del Espíritu Santo… (Páginas 336-337)

Reflexión: *La Ley a la que se hace referencia es la Ley de Dios resumida en los Diez Mandamientos. Esto significa que no podemos justificarnos ante Dios siendo buenos ni mediante nuestras buenas obras. La obediencia a las leyes morales, éticas y civiles es buena, y nos beneficia a todos, pero nunca podrá salvarnos. La salvación no se gana, es un regalo.*

Entonces, ¿de qué sirven las buenas obras?

Efesios 2:8-10 Dios los salvó por su gracia cuando creyeron […] somos la obra maestra de Dios. Él nos creó de nuevo en Cristo Jesús, a fin de que hagamos las cosas buenas que preparó para nosotros tiempo atrás. (Página 292)

Reflexión: *Cuando Dios derrama sobre nosotros su gracia nos transforma de manera que nuestro deseo sea el de complacerlo. Así entonces, las buenas obras no son la causa de nuestra salvación sino el resultado de ella.*

2 Tesalonicenses 3:13 … amados hermanos, nunca se cansen de hacer el bien. (Página 319)

Tito 3:1, 8, 14 … quiero que insistas en estas enseñanzas, para que todos los que confían en Dios se dediquen a hacer el bien… (Páginas 336-337)

Reflexión: *Las buenas obras son los actos que Dios cumple a través de nosotros. Las hacemos, no para ganar el favor de Dios, sino por amor y gratitud por todo lo que él ha hecho por nosotros, y por el deseo de compartir su bondad con los demás.*

¿Qué actitud deberíamos tener al hacer buenas obras?

Mateo 6:1 ¡Tengan cuidado! No hagan sus buenas acciones en público para que los demás los admiren, porque perderán la recompensa de su Padre, que está en el cielo. (Página 9)

ORACIÓN

¿Qué es la oración?

Marcos 1:35 A la mañana siguiente, antes del amanecer, Jesús se levantó y fue a un lugar aislado para orar. (Página 52)

Filipenses 4:6-7 No se preocupen por nada; en cambio, oren por todo. Díganle a Dios lo que necesitan y denle gracias por todo lo que él ha hecho. Así experimentarán la paz de Dios, que supera todo lo que podemos entender. La paz de Dios cuidará su corazón y su mente mientras vivan en Cristo Jesús. (Página 303)

1 Juan 1:9 ... pero si confesamos nuestros pecados a Dios, él es fiel y justo para perdonarnos nuestros pecados y limpiarnos de toda maldad. (Página 381) (Ver también Salmo 38:15-18 [pág. 449]).

Salmo 9:1-2 Te alabaré, SEÑOR, con todo mi corazón [...] cantaré alabanzas a tu nombre, oh Altísimo. (Página 427)

Reflexión: *La oración es un acto de adoración en el cual buscamos a Dios de todo corazón. Mediante la oración confesamos con humildad nuestros pecados, le agradecemos por sus múltiples bendiciones y le pedimos su provisión para todas nuestras necesidades. Lo extraordinariamente maravilloso es que Dios, quien gobierna el universo, oye y contesta las oraciones de todos sus hijos.*

¿Cómo y por qué debemos orar?

Mateo 6:5-13 ... apártate a solas, cierra la puerta detrás de ti y ora a tu Padre en privado [...] Ora de la siguiente manera: Padre nuestro que estás en el cielo, que sea siempre santo tu nombre. Que tu reino venga pronto. Que se cumpla tu voluntad en la tierra como se cumple en el cielo... (Páginas 9-10)

Lucas 18:1-8 Cierto día, Jesús les contó una historia a sus discípulos para mostrarles que siempre debían orar y nunca darse por vencidos... (Página 118) (Ver también Mateo 7:11 [pág. 11]).

Reflexión: *La oración tiene que ser constante y persistente, pidiéndole siempre a Dios que nos guíe.*

Mateo 26:41 ... oren para que no cedan ante la tentación ... (Página 44) (Ver también Lucas 22:40, 46 [págs. 126, 127]).

Marcos 9:26-29 ... El muchacho quedó como muerto [...] Pero Jesús lo tomó de la mano, lo levantó, y el muchacho se puso de pie. Más tarde, cuando Jesús quedó a solas en la casa con sus discípulos, ellos le preguntaron: —¿Por qué nosotros no pudimos expulsar ese espíritu maligno? Jesús contestó: —Esa clase sólo puede ser expulsada con oración. (Página 66)

Lucas 6:12-13 ... Jesús subió a un monte a orar y oró a Dios toda la noche. Al amanecer, llamó a todos sus discípulos y escogió a doce de ellos para que fueran apóstoles... (Página 94)

Reflexión: *Debemos orar para vencer las tentaciones y las barreras demoníacas. Debemos orar al tomar decisiones importantes.*

Hechos 12:5 ... mientras Pedro estaba en la cárcel, la iglesia oraba fervientemente por él. (Página 191)

Efesios 6:18-19 ... Manténganse alerta y sean persistentes en sus oraciones por todos los creyentes en todas partes [...] Pídanle a Dios que me dé las palabras adecuadas para poder explicar con valor su misterioso plan... (Página 297) (Ver también Efesios 1:15-19 [págs. 291-292]).

Reflexión: *Ore por las decenas de millones de cristianos que son perseguidos hoy en día por seguir a Jesús. Ore por las necesidades de otros creyentes, especialmente por su desarrollo espiritual, y por la salvación de los no creyentes.*

1 Timoteo 2:2-4 Ora [...] por los reyes y por todos los que están en autoridad, para que podamos tener una vida pacífica y tranquila, caracterizada por la devoción a Dios y la dignidad. Esto es bueno y le agrada a Dios nuestro Salvador, quien quiere que todos se salven y lleguen a conocer la verdad. (Página 322)

¿Responde siempre Dios a las oraciones?

Santiago 5:13-18 ... oren los unos por los otros, para que sean sanados. La oración ferviente de una persona justa tiene mucho poder y da resultados maravillosos... (Página 365)

1 Juan 5:14-15 Y estamos seguros de que él nos oye cada vez que le pedimos algo que le agrada... (Página 385)

Reflexión: *Podemos tener la certeza de que Dios siempre oye y responde a nuestras oraciones cuando nos sometemos a su voluntad.*

2 Corintios 12:7-10 ... En tres ocasiones distintas, le supliqué al Señor que me la quitara. Cada vez él me dijo: «Mi gracia es todo lo que necesitas; mi poder actúa mejor en la debilidad»... (Página 278)

Reflexión: *A veces Dios no nos da lo que pedimos: 1) porque nuestras peticiones no son buenas, 2) porque nuestros corazones no son puros o 3) porque no es el momento, en cuyo caso su respuesta no es "no", sino "espera". A veces responde a los deseos de nuestro corazón concediéndonos algo diferente a lo que imaginábamos. Puesto que Dios es todopoderoso y bueno, su respuesta, cualquiera que sea, será la mejor para nosotros.*

Promesa de Dios: 1 Pedro 3:12. Los ojos del Señor están sobre los que hacen lo bueno, y sus oídos están abiertos a sus oraciones... (Página 370)

PACIENCIA

¿Cómo podemos ser más pacientes?

Romanos 15:5 Que Dios, quien da esa paciencia y ese ánimo, los ayude a vivir en plena armonía unos con otros… (Página 239)

1 Corintios 13:4 El amor es paciente y bondadoso… (Página 259)

Gálatas 5:22-23 En cambio, la clase de fruto que el Espíritu Santo produce en nuestra vida es: amor, alegría, paz, paciencia… (Página 287)

Colosenses 1:11 También pedimos que se fortalezcan con todo el glorioso poder de Dios para que tengan toda la constancia y la paciencia que necesitan… (Página 305)

Reflexión: *La paciencia es producto de la presencia y la obra del Espíritu Santo en nuestro corazón.*

¿Cuáles son los frutos de la paciencia?

Santiago 5:7-8 … tengan paciencia mientras esperan el regreso del Señor. Piensen en los agricultores, que con paciencia esperan las lluvias en el otoño y la primavera. Con ansias esperan a que maduren los preciosos cultivos. Ustedes también deben ser pacientes. Anímense, porque la venida del Señor está cerca. (Página 365)

2 Timoteo 2:24-25 Un siervo del Señor no debe andar peleando, sino que debe ser bondadoso con todos, capaz de enseñar y paciente con las personas difíciles. Instruye con ternura a los que se oponen a la verdad. Tal vez Dios les cambie el corazón, y aprendan la verdad. (Página 331)

PALABRA DE DIOS

¿Por qué es tan importante leer la Biblia?

Juan 8:32 ... y conocerán la verdad, y la verdad los hará libres. (Página 149)

Juan 12:50 Y sé que sus mandatos llevan a la vida eterna… (Página 158)

Hechos 17:11 Y los de Berea tenían una mentalidad más abierta que los de Tesalónica y escucharon con entusiasmo el mensaje de Pablo. Día tras día examinaban las Escrituras para ver si Pablo y Silas enseñaban la verdad. (Página 200)

Reflexión: *La Biblia nos ayuda a distinguir entre la verdadera y la falsa enseñanza, y nos da palabras de vida eterna.*

Salmo 119:9 ¿Cómo puede un joven mantenerse puro? Obedeciendo tu palabra. (Página 511)

Salmo 119:19 No soy más que un extranjero en la tierra. ¡No escondas de mí tus mandatos! (Página 511)

Salmo 119:24 Tus leyes me agradan; me dan sabios consejos. (Página 511)

Salmo 119:50, 52 Tu promesa renueva mis fuerzas; me consuela en todas mis dificultades… Medito en tus antiguas ordenanzas; oh SEÑOR, ellas me consuelan. (Página 512)

Salmo 119:105 Tu palabra es una lámpara que guía mis pies y una luz para mi camino. (Página 514)

Proverbios 6:22 Cuando camines, su consejo te guiará. Cuando duermas, te protegerá. Cuando despiertes, te orientará. (Página 539)

Reflexión: *La Biblia provee buenos consejos para nuestros problemas, sabiduría para vivir correctamente y consuelo.*

Promesa de Dios: Lucas 11:28. Jesús respondió: «Pero aún más bendito es todo el que escucha la Palabra de Dios y la pone en práctica». (Página 107)

PAZ (Ver también «VIOLENCIA» [pág. 636])

¿Debemos tomar la iniciativa para hacer la paz?

Mateo 5:9, 44 Dios bendice a los que procuran la paz, porque serán llamados hijos de Dios […] ¡ama a tus enemigos! ¡Ora por los que te persiguen! (Páginas 7, 9)

Romanos 12:17-19 Nunca devuelvan a nadie mal por mal […] Hagan todo lo posible por vivir en paz con todos […] nunca tomen venganza. Dejen que se encargue la justa ira de Dios… (Página 237)

2 Corintios 13:11 ... Anímense unos a otros. Vivan en paz y armonía. Entonces el Dios de amor y paz estará con ustedes. (Página 279)

Efesios 4:3 Hagan todo lo posible por mantenerse unidos en el Espíritu y enlazados mediante la paz. (Página 294)

Colosenses 3:15 Y que la paz que viene de Cristo gobierne en sus corazones. Pues, como miembros de un mismo cuerpo, ustedes son llamados a vivir en paz… (Página 308)

Santiago 3:17-18 ... la sabiduría que proviene del cielo […] ama la paz; siempre es amable y dispuesta a ceder ante los demás […] los que procuran la paz sembrarán semillas de paz y recogerán una cosecha de justicia. (Página 364)

Promesa de Dios: Salmo 37:37. … a los que aman la paz les espera un futuro maravilloso. (Página 448)

PERDÓN

¿Por qué debemos perdonar?

Mateo 5:43-47 … ¡ama a tus enemigos! ¡Ora por los que te persiguen! De esa manera, estarás actuando como verdadero hijo de tu Padre que está en el cielo. Pues él da la luz de su sol tanto a los malos como a los buenos y envía la lluvia sobre los justos y los injustos por igual. Si sólo amas a quienes te aman, ¿qué recompensa hay por eso? Hasta los corruptos cobradores de impuestos hacen lo mismo... (Página 9)

Lucas 17:4 Aun si la persona te agravia siete veces al día y cada vez regresa y te pide perdón, debes perdonarla. (Página 117)

Efesios 4:2 Sean siempre humildes y amables. Sean pacientes unos con otros y tolérense las faltas por amor. (Página 294)

Efesios 4:32 Por el contrario, sean amables unos con otros, sean de buen corazón, y perdónense unos a otros, tal como Dios los ha perdonado a ustedes por medio de Cristo. (Página 295)

Colosenses 3:12-15 Dado que Dios los eligió para que sean su pueblo santo y amado por él, ustedes tienen que vestirse de tierna compasión, bondad, humildad, gentileza y paciencia. Sean comprensivos con las faltas de los demás y perdonen a todo el que los ofenda. Recuerden que el Señor los perdonó a ustedes, así que ustedes deben perdonar a otros... (Página 308)

1 Tesalonicenses 5:15 Asegúrense de que ninguno pague mal por mal, más bien siempre traten de hacer el bien entre ustedes y a todos los demás. (Página 314)

Proverbios 25:21-22 Si tus enemigos tienen hambre, dales de comer. Si tienen sed, dales agua para beber [...] y el SEÑOR te recompensará. (Páginas 563-564)

Reflexión: *Dios nos ha perdonado todos nuestros pecados y nos ordena perdonar a los demás. El Señor recompensa a quienes perdonan y viven en paz.*

¿Acaso no hay justicia?

Romanos 12:17-21 Nunca devuelvan a nadie mal por mal [...] Hagan todo lo posible por vivir en paz con todos. Queridos amigos, nunca tomen venganza. Dejen que se encargue la justa ira de Dios. Pues dicen las Escrituras: «Yo tomaré venganza; Yo les pagaré lo que se merecen», dice el SEÑOR... (Página 237)

¿Cuál es el resultado de negarse a perdonar?

Mateo 6:14-15 Si perdonas a los que pecan contra ti, tu Padre celestial te perdonará a ti; pero si te niegas a perdonar a los demás, tu Padre no perdonará tus pecados. (Página 10) (Ver también Mateo 18:23-35 [pág. 30]).

2 Corintios 2:10-11 Si ustedes perdonan a este hombre, yo también lo perdono. Cuando yo perdono lo que necesita ser perdonado, lo hago con la autoridad de Cristo en beneficio de ustedes, para que Satanás no se aproveche de nosotros. Pues ya conocemos sus maquinaciones malignas. (Página 268)

Reflexión: *Negarse a perdonar puede darle un espacio al diablo en nuestra vida. También obstaculiza nuestra relación con Dios y con otros.*

PERSEVERANCIA

1 Timoteo 6:11 ... Persigue la justicia y la vida sujeta a Dios, junto con [...] la perseverancia... (Página 326)

Reflexión: *La perseverancia es obediencia a Dios aun cuando no entendamos su dirección o cuando esa dirección no produzca los resultados deseados.*

Romanos 5:1-4 ... nos alegramos al enfrentar pruebas y dificultades porque sabemos que nos ayudan a desarrollar resistencia. Y la resistencia desarrolla firmeza de carácter, y el carácter fortalece nuestra esperanza segura de salvación. (Página 226)

Santiago 1:2-4 ... siempre que se pone a prueba la fe, la constancia tiene una oportunidad para desarrollarse... (Página 361)

2 Pedro 1:5-8 ... esfuércense al máximo por responder a las promesas de Dios complementando su fe [...] con perseverancia; la perseverancia, con sumisión a Dios [...] Cuánto más crezcan de esta manera, más productivos y útiles serán en el conocimiento de nuestro Señor Jesucristo. (Página 375)

Reflexión: *Las dificultades y el sufrimiento son dos de las mejores herramientas utilizadas por Dios para desarrollar nuestro carácter y acercarnos a él. Dios siempre nos da la fortaleza para perseverar en medio de estos.*

Hebreos 12:1-3 ... quitémonos todo peso que nos impida correr, especialmente el pecado que tan fácilmente nos hace tropezar. Y corramos con perseverancia la carrera que Dios nos ha puesto por delante. Esto lo hacemos al fijar la mirada en Jesús, el campeón que inicia y perfecciona nuestra fe. Debido al gozo que le esperaba, Jesús soportó la cruz, sin importarle la vergüenza que ésta representaba [...] Piensen en toda la hostilidad que soportó por parte de pecadores, así no se cansarán ni se darán por vencidos. (Página 356)

Promesa de Dios: Hebreos 3:14. Pues, si somos fieles hasta el fin, confiando en Dios con la misma firmeza que teníamos al principio, cuando creímos en él, entonces tendremos parte en todo lo que le pertenece a Cristo. (Página 345)

PROMESAS

¿Por qué es tan importante que cumplamos nuestras promesas?

Salmo 145:13 ... El Señor siempre cumple sus promesas... (Página 528) (Ver también Hebreos 6:18 [pág. 348] y Salmo 146:6 [pág. 529]).

Reflexión: *Debemos cumplir con nuestras promesas pues Dios cumple las suyas.*

Salmo 55:20 En cuanto a mi compañero, él traicionó a sus amigos; no cumplió sus promesas. (Página 461)

Reflexión: *El cumplimiento de las promesas es la base para el desarrollo de la confianza, que es fundamental para mantener relaciones sanas y buenas.*

Verdad de Dios: Hebreos 10:23. Mantengámonos firmes sin titubear en la esperanza que afirmamos, porque se puede confiar en que Dios cumplirá su promesa. (Página 353)

RIQUEZA

¿Es malo ser rico?

Proverbios 10:22 La bendición del SEÑOR enriquece a una persona... (Página 544)

Proverbios 22:4 La verdadera humildad y el temor del SEÑOR conducen a riquezas, a honor y a una larga vida. (Página 559)

***Reflexión:** La riqueza adquirida de manera honesta es un regalo de Dios. El asunto es si ésta se obtiene honorablemente y si se usa con generosidad.*

¿Cuál debe ser nuestra actitud hacia el dinero?

1 Timoteo 6:8-10 ... Pero los que viven con la ambición de hacerse ricos caen en tentación y quedan atrapados por muchos deseos necios y dañinos que los hunden en la ruina y la destrucción. Pues el amor al dinero es la raíz de toda clase de mal; y algunas personas, en su intenso deseo por el dinero, se han desviado de la fe verdadera y se han causado muchas heridas dolorosas. (Páginas 325-326)

Hebreos 13:5 No amen el dinero; estén contentos con lo que tienen, pues Dios ha dicho: «Nunca te fallaré. Jamás te abandonaré». (Página 357) (Ver también Lucas 12:15-21 [pág. 109]).

Proverbios 11:28 El que confía en su dinero, se hundirá, pero los justos reverdecen como las hojas en primavera. (Página 545)

***Reflexión:** El dinero no es malo, pero el amor a éste sí lo es, al igual que a cualquier otra cosa que reemplace a Dios. Debemos adorar y confiar solamente en Dios.*

Mateo 25:29 A los que usan bien lo que se les da, se les dará aún más y tendrán en abundancia; pero a los que no hacen nada se les quitará aun lo poco que tienen. (Página 42)

Lucas 12:48 ... Alguien a quien se le ha dado mucho, mucho se le pedirá a cambio; y alguien a quien se le ha confiado mucho, aún más se le exigirá. (Página 110)

***Reflexión:** Tenemos la responsabilidad de usar para la gloria de Dios: el dinero, el tiempo, las habilidades y todo otro don que él nos haya dado.*

Mateo 6:19-21, 24-33 ... Donde esté tu tesoro, allí estarán también los deseos de tu corazón [...] Nadie puede servir a dos amos [...] No se puede servir a Dios y al dinero [...] Así que no se preocupen por todo eso diciendo: «¿Qué comeremos?, ¿qué beberemos?, ¿qué ropa nos pondremos?» [...] su Padre celestial ya conoce todas sus necesidades. Busquen el reino de Dios por encima de todo lo demás y lleven una vida justa, y él les dará todo lo que necesiten. (Páginas 10-11)

Filipenses 4:11, 13, 19 ... he aprendido a estar contento con lo que tengo [...] Pues todo lo puedo hacer por medio de Cristo, quien me da las fuerzas [...] Y este mismo Dios quien me cuida suplirá todo lo que necesiten, de las gloriosas riquezas que nos ha dado por medio de Cristo Jesús. (Página 303)

¿Cómo debemos administrar el dinero?

Romanos 13:8 No deban nada a nadie, excepto el deber de amarse unos a otros. Si aman a su prójimo, cumplen con las exigencias de la ley de Dios. (Página 238)

Salmo 37:21 ... los justos dan con generosidad. (Página 448)

Proverbios 6:1-5 Hijo mío, si has salido fiador por la deuda de un amigo o has aceptado garantizar la deuda de un extraño, si quedaste atrapado por el acuerdo que hiciste [...] sigue mi consejo y sálvate, pues te has puesto a merced de tu amigo. Ahora trágate tu orgullo; ve y suplica que tu amigo borre tu nombre... (Página 538)

Proverbios 21:20 ... pero los necios gastan todo lo que consiguen. (Página 558)

Reflexión: *La Biblia no prohíbe pedir dinero prestado, pero nos advierte sobre los peligros de hacerlo e insiste en que se devuelva lo que se haya pedido prestado. La única obligación que nunca se paga por completo es la de amar. También debemos dar regularmente a la obra del Señor y ahorrar para el futuro.*

TENTACIÓN

¿Tienta Dios a la gente?

Marcos 7:14-23 ... Es lo que sale de su interior lo que los contamina... (Página 62)

Santiago 1:12-15 ... Dios nunca es tentado a hacer el mal y jamás tienta a nadie. La tentación viene de nuestros propios deseos, los cuales nos seducen y nos arrastran. De esos deseos nacen los actos pecaminosos, y el pecado, cuando se deja crecer, da a luz la muerte. (Página 361)

2 Pedro 2:19 Prometen libertad, pero ellos mismos son esclavos del pecado y de la corrupción porque uno es esclavo de aquello que lo controla. (Página 377)

Reflexión: *La artimaña de Satanás es hacer que el pecado parezca agradable y aceptable. A menudo comienza como un placer inofensivo, pero pronto nos esclaviza, nos abruma y nos destruye.*

¿Cómo podemos evitar caer en la tentación?

Lucas 22:40, 46 ... «Oren para que no cedan a la tentación»... (Páginas 126, 127) (Ver también Mateo 6:13 [pág. 10]).

Hebreos 4:15-16 Nuestro Sumo Sacerdote [Jesús] comprende nuestras debilidades, porque enfrentó todas y cada una de las pruebas que enfrentamos nosotros, sin embargo él nunca pecó. Así que acerquémonos con toda confianza al trono de la gracia de nuestro Dios. Allí recibiremos su misericordia y encontraremos la gracia que nos ayudará cuando más la necesitemos. (Página 346)

Proverbios 1:10-19 Hijo mío, si los pecadores quieren engatusarte, ¡dales la espalda!... (Páginas 533-534)

Promesa de Dios: 1 Corintios 10:13. Las tentaciones que enfrentan en su vida no son distintas de las que otros atraviesan. Y Dios es fiel; no permitirá que la tentación sea mayor de lo que puedan soportar. Cuando sean tentados, él les mostrará una salida, para que puedan resistir. (Página 255)

TRABAJO

¿Es el trabajo parte de la maldición del pecado?

Génesis 2:15 (Antiguo Testamento) El Señor Dios puso al hombre en el jardín de Edén para que se ocupara de él y lo custodiara.

Reflexión: *Antes de que los primeros seres humanos pecaran, el trabajo era un deleite. Fue sólo después del pecado que el trabajo se convirtió en una carga y en una dificultad. El trabajo honesto es un regalo de Dios que nos permite colaborar con él usando las habilidades y los dones que nos ha dado.*

2 Tesalonicenses 3:10-12 Incluso mientras estábamos con ustedes les dimos la siguiente orden: «Los que no están dispuestos a trabajar que tampoco coman». Sin embargo, oímos que algunos de ustedes llevan vidas de ocio, se niegan a trabajar y se entrometen en los asuntos de los demás. Les ordenamos a tales personas y les rogamos en el nombre del Señor Jesucristo que se tranquilicen y que trabajen para ganarse la vida. (Página 319)

Reflexión: *Nuestro trabajo le importa a Dios. Todo trabajo honesto es digno y una oportunidad de glorificar a Dios.*

¿Qué bendiciones trae el trabajo?

Hechos 20:35 Y he sido un ejemplo constante de cómo pueden ayudar con trabajo y esfuerzo a los que están en necesidad. Deben recordar las palabras del Señor Jesús: «Hay más bendición en dar que en recibir». (Página 206)

1 Tesalonicenses 4:11-12 Pónganse como objetivo vivir una vida tranquila, ocúpense de sus propios asuntos y trabajen con sus manos, tal como los instruimos anteriormente. Entonces la gente que no es cristiana respetará la manera en que ustedes viven, y no tendrán que depender de otros. (Página 313) (Ver también 1 Timoteo 5:8 [pág. 324]).

Proverbios 12:11 El que se esfuerza en su trabajo tiene comida en abundancia... (Página 546)

Proverbios 14:23 El trabajo trae ganancias, ¡pero el sólo hablar lleva a la pobreza! (Página 549)

Reflexión: *El trabajo nos da la posibilidad para proveer para nuestra familia y de dar a los necesitados.*

¿Cómo debemos trabajar?

Efesios 6:7 Trabajen con entusiasmo, como si lo hicieran para el Señor y no para la gente. (Página 297)

Colosenses 3:23-25 Trabajen de buena gana en todo lo que hagan, como si fuera para el Señor y no para la gente. Recuerden que el Señor los recompensará con una herencia y que el Amo a quien sirven es Cristo… (Página 308)

1 Tesalonicenses 5:14 Hermanos, les rogamos a que amonesten a los perezosos. (Página 314)

Proverbios 16:8, 11 Es mejor tener poco con justicia, que ser rico y deshonesto […] El SEÑOR exige el uso de pesas y balanzas exactas, él es quien fija los parámetros de la justicia. (Página 551)

Reflexión: *La manera en que hacemos nuestro trabajo comprueba la profundidad de nuestra relación con Cristo. Se nos exhorta a trabajar honestamente, dando lo mejor de nuestras capacidades y de todo corazón. Si somos perezosos, deshonestos, o irresponsables, deshonramos a Jesús y reflejamos una mala imagen de él a aquellos para quienes y con quienes trabajamos.*

VIOLENCIA (Ver también «PAZ» [pág. 630])

Mateo 26:52 «Guarda tu espada —le dijo Jesús—. Los que usan la espada morirán a espada». (Página 45)

Salmo 11:5 … El SEÑOR […] aborrece a los que aman la violencia. (Página 429)

Salmo 37:37 … a los que aman la paz les espera un futuro maravilloso. (Página 448)

Salmo 55:9-10, 11 Confúndelos, Señor, y frustra sus planes, porque veo violencia y conflicto en la ciudad. Día y noche patrullan sus murallas para cuidarla de invasores, pero el verdadero peligro es la maldad que hay dentro de la ciudad […] las amenazas y el engaño abundan por las calles. (Página 460)

Proverbios 3:31-32 No envidies a las personas violentas, ni imites su conducta. El SEÑOR detesta a esa gente perversa; en cambio, ofrece su amistad a los justos. (Página 536)

VOLUNTAD DE DIOS

¿Es verdad que Dios tiene un plan para nuestra vida?

Salmo 32:8 El SEÑOR dice: «Te guiaré por el mejor sendero para tu vida; te aconsejaré y velaré por ti». (Página 443) (Ver también Salmo 37:23 [pág. 448]).

Salmo 138:8 El SEÑOR llevará a cabo los planes que tiene para mi vida… (Página 524)

Salmo 139:3 Me ves cuando viajo y cuando descanso en casa. Sabes todo lo que hago. (Página 524)

¿Cómo podemos descubrir la voluntad de Dios para nuestra vida?

Santiago 1:5 Si necesitan sabiduría, pídansela a nuestro generoso Dios, y él se la dará; no los reprenderá por pedirla. (Página 361)

Salmo 119:105 Tu palabra es una lámpara que guía mis pies y una luz para mi camino. (Página 514)

Salmo 143:8, 10 … Muéstrame por dónde debo andar, porque a ti me entrego […] Enséñame a hacer tu voluntad, porque tú eres mi Dios. Que tu buen Espíritu me lleve hacia adelante con pasos firmes. (Página 527)

Proverbios 2:3-11 Clama por inteligencia y pide entendimiento. Búscalos como si fueran plata, como si fueran tesoros escondidos. Entonces comprenderás lo que significa temer al SEÑOR […] ¡Pues el SEÑOR concede sabiduría!... (Páginas 534-535)

¿Qué sabemos con certeza acerca de la voluntad de Dios?

Marcos 10:43-45 … Pues ni aun el Hijo del Hombre vino para que le sirvan, sino para servir a otros… (Página 69)

1 Corintios 14:1 ¡Que el amor sea su meta más alta!... (Página 259)

1 Tesalonicenses 4:3-8 La voluntad de Dios es que sean santos, entonces aléjense de todo pecado sexual. Como resultado cada uno controlará su propio cuerpo y vivirá en santidad y honor […] Nunca hagan daño ni engañen a un hermano cristiano en este asunto teniendo relaciones sexuales con su esposa, porque el Señor toma venganza de todos esos pecados... (Página 313)

1 Tesalonicenses 5:16-18 Estén siempre alegres. Nunca dejen de orar. Sean agradecidos en toda circunstancia, pues esta es la voluntad de Dios para ustedes, los que pertenecen a Cristo Jesús. (Página 314)

1 Pedro 2:15 La voluntad de Dios es que la vida honorable de ustedes calle a la gente ignorante que los acusa sin fundamento alguno. (Página 369)

Reflexión: *La voluntad de Dios es que amemos y sirvamos a otros antes que a nosotros mismos, y que vivamos una vida marcada por la justicia y la santidad.*

Gálatas 5:22-25 ... la clase de fruto que el Espíritu Santo produce en nuestra vida es: amor, alegría, paz, paciencia, gentileza, bondad, fidelidad, humildad y control propio... (Página 287)

Efesios 6:6 ... hagan la voluntad de Dios con todo el corazón. (Página 297)

Proverbios 16:3 Pon todo lo que hagas en manos del SEÑOR, y tus planes tendrán éxito. (Página 551)

El mal y la injusticia parecen quedar impunes, pero los planes de Dios son buenos. ¿Cuáles prevalecerán al final?

Salmo 33:10-11 El SEÑOR frustra los planes de las naciones y hace fracasar todas sus intrigas. Pero los planes del SEÑOR se mantienen firmes para siempre; sus propósitos nunca serán frustrados. (Página 443)

Proverbios 19:21 Puedes hacer todos los planes que quieras, pero el propósito del SEÑOR prevalecerá. (Página 556)

Proverbios 21:30 No hay sabiduría humana ni entendimiento ni proyecto que puedan hacerle frente al SEÑOR. (Página 559)

Promesa de Dios: Apocalipsis 10:7. ... el misterioso plan de Dios se cumplirá. Sucederá tal como él lo anunció a sus siervos los profetas. (Página 406)

Grandes acontecimientos del Nuevo Testamento

Pasajes de ánimo e instrucción

Índice del carácter de Dios

Índice del carácter de Dios . . . *página 644*

¿Quién es Jesucristo?

Dios el Hijo tiene muchos nombres y desempeña muchas funciones en las Escrituras. Aprendemos que Jesús es mayor que los ángeles (Hebreos 1:4-2:8), que los profetas (Mateo 12:39-41) y que los líderes religiosos (Hebreos 5:1-10, Hebreos 7:24-28). Demuestra su poder sobre la ley natural (Marcos 4:35-41, Marcos 6:33-56, Juan 6:16-25), las enfermedades (Mateo 8, Mateo 20:29-34), los demonios y el mal (Mateo 12:22, Mateo 17:14-18, Marcos 5:1-20, Lucas 4:1-13), la muerte (Mateo 9:18-26, Juan 11, Lucas 24, 1 Corintios 15:54-55) y el infierno (Apocalipsis 1:18).

¿Quién es el Espíritu Santo?

Dios el Espíritu Santo tiene muchos nombres y desempeña muchas funciones en las Escrituras.

Planes de lectura

Durante siglos la Biblia ha ejercido una influencia extraordinaria y revolucionaria en la vida de innumerables personas, y hoy en día esa influencia continúa. Para que nosotros también experimentemos la influencia de la Biblia en nuestra vida, debemos entenderla. Debemos leer y reflexionar cuidadosamente acerca de su mensaje. Una de las mejores maneras de hacerlo es con un plan de lectura.

El plan más sencillo para abarcar la lectura total del Nuevo Testamento es leer tres capítulos por día, comenzando por Mateo (el primer libro), continuando con Marcos (el segundo libro) y luego seguir leyendo el resto de los libros en su orden de escritura hasta el final. A este paso terminará en aproximadamente noventa días.

El plan de noventa días que mostramos más abajo y que incluye la lectura de un capítulo diario, le provee una visión global del Nuevo Testamento. Este plan incluye el Evangelio de Juan (una de las cuatro biografías de Jesús), Hechos (una historia del emocionante principio de la iglesia), y varias cartas importantes de los apóstoles Pablo, Pedro y Juan.

Asimismo encontrará otro plan de treinta días, que comprende la lectura de un capítulo diario de tres libros fundamentales del Nuevo Testamento. Este plan incluye igualmente el Evangelio de Juan, una carta del apóstol Pablo y una carta del apóstol Pedro.

Por último, encontrará otro plan de treinta días que lo guiará a través de los libros de Salmos y Proverbios. También podría combinar los dos planes de treinta días y leer un capítulo a diario de los libros del Nuevo Testamento con extractos de los libros de Salmos y Proverbios. Muchos de los grandes de la fe practicaron la lectura mensual de estos libros de sabiduría del Antiguo Testamento adhiriéndose a este plan y lo consideraron una experiencia transformadora. Así que, ¡usted también puede hacerlo!

Plan de lectura de 90 días del Nuevo Testamento (un capítulo por día):

- ❑ Día 1: **Juan 1** . . . . *pág. 135*
- ❑ Día 2: **Juan 2** . . . . *pág. 137*
- ❑ Día 3: **Juan 3** . . . . *pág. 138*
- ❑ Día 4: **Juan 4** . . . . *pág. 139*
- ❑ Día 5: **Juan 5** . . . . *pág. 141*
- ❑ Día 6: **Juan 6** . . . . *pág. 143*
- ❑ Día 7: **Juan 7** . . . . *pág. 146*
- ❑ Día 8: **Juan 8** . . . . *pág. 148*
- ❑ Día 9: **Juan 9** . . . . *pág. 150*
- ❑ Día 10: **Juan 10** . . . . *pág. 152*
- ❑ Día 11: **Juan 11** . . . . *pág. 153*
- ❑ Día 12: **Juan 12** . . . . *pág. 156*
- ❑ Día 13: **Juan 13** . . . . *pág. 158*
- ❑ Día 14: **Juan 14** . . . . *pág. 159*
- ❑ Día 15: **Juan 15** . . . . *pág. 160*
- ❑ Día 16: **Juan 16** . . . . *pág. 161*
- ❑ Día 17: **Juan 17** . . . . *pág. 163*
- ❑ Día 18: **Juan 18** . . . . *pág. 164*

❑ Día 19: **Juan 19** . . . . *pág. 165*
❑ Día 20: **Juan 20** . . . . *pág. 167*
❑ Día 21: **Juan 21** . . . . *pág. 169*
❑ Día 22: **Hechos 1** . . . . . . *pág. 173*
❑ Día 23: **Hechos 2** . . . . . . *pág. 174*
❑ Día 24: **Hechos 3** . . . . . . *pág. 176*
❑ Día 25: **Hechos 4** . . . . . . *pág. 177*
❑ Día 26: **Hechos 5** . . . . . . *pág. 179*
❑ Día 27: **Hechos 6** . . . . . . *pág. 181*
❑ Día 28: **Hechos 7** . . . . . . *pág. 182*
❑ Día 29: **Hechos 8** . . . . . . *pág. 184*
❑ Día 30: **Hechos 9** . . . . . . *pág. 186*
❑ Día 31: **Hechos 10** . . . . . *pág. 188*
❑ Día 32: **Hechos 11** . . . . . *pág. 190*
❑ Día 33: **Hechos 12** . . . . . *pág. 191*
❑ Día 34: **Hechos 13** . . . . . *pág. 192*
❑ Día 35: **Hechos 14** . . . . . *pág. 195*
❑ Día 36: **Hechos 15** . . . . . *pág. 196*
❑ Día 37: **Hechos 16** . . . . . *pág. 198*
❑ Día 38: **Hechos 17** . . . . . *pág. 200*
❑ Día 39: **Hechos 18** . . . . . *pág. 201*
❑ Día 40: **Hechos 19** . . . . . *pág. 203*
❑ Día 41: **Hechos 20** . . . . . *pág. 205*
❑ Día 42: **Hechos 21** . . . . . *pág. 206*
❑ Día 43: **Hechos 22** . . . . . *pág. 208*
❑ Día 44: **Hechos 23** . . . . . *pág. 210*
❑ Día 45: **Hechos 24** . . . . . *pág. 211*
❑ Día 46: **Hechos 25** . . . . . *pág. 212*
❑ Día 47: **Hechos 26** . . . . . *pág. 214*
❑ Día 48: **Hechos 27** . . . . . *pág. 215*
❑ Día 49: **Hechos 28** . . . . . *pág. 217*
❑ Día 50: **Romanos 1** . . . . . *pág. 221*
❑ Día 51: **Romanos 2** . . . . . *pág. 222*
❑ Día 52: **Romanos 3** . . . . . *pág. 224*
❑ Día 53: **Romanos 4** . . . . . *pág. 225*
❑ Día 54: **Romanos 5** . . . . . *pág. 226*
❑ Día 55: **Romanos 6** . . . . . *pág. 227*
❑ Día 56: **Romanos 7** . . . . . *pág. 228*
❑ Día 57: **Romanos 8** . . . . . *pág. 230*
❑ Día 58: **Romanos 9** . . . . . *pág. 232*
❑ Día 59: **Romanos 10** . . . . *pág. 233*
❑ Día 60: **Romanos 11** . . . . *pág. 234*
❑ Día 61: **Romanos 12** . . . . *pág. 236*
❑ Día 62: **Romanos 13** . . . . *pág. 237*
❑ Día 63: **Romanos 14** . . . . *pág. 238*
❑ Día 64: **Romanos 15** . . . . *pág. 239*
❑ Día 65: **Romanos 16** . . . . *pág. 241*
❑ Día 66: **Gálatas 1** . . . . *pág. 281*
❑ Día 67: **Gálatas 2** . . . . *pág. 282*
❑ Día 68: **Gálatas 3** . . . . *pág. 283*
❑ Día 69: **Gálatas 4** . . . . *pág. 285*
❑ Día 70: **Gálatas 5** . . . . *pág. 286*
❑ Día 71: **Gálatas 6** . . . . *pág. 287*
❑ Día 72: **Filipenses 1** . . . . . *pág. 299*
❑ Día 73: **Filipenses 2** . . . . . *pág. 300*
❑ Día 74: **Filipenses 3** . . . . . *pág. 301*
❑ Día 75: **Filipenses 4** . . . . . *pág. 302*
❑ Día 76: **Colosenses 1** . . . . *pág. 305*
❑ Día 77: **Colosenses 2** . . . . *pág. 306*
❑ Día 78: **Colosenses 3** . . . . *pág. 307*
❑ Día 79: **Colosenses 4** . . . . *pág. 308*
❑ Día 80: **Tito 1** . . . . *pág. 335*
❑ Día 81: **Tito 2** . . . . *pág. 336*
❑ Día 82: **Tito 3** . . . . *pág. 336*
❑ Día 83: **2 Pedro 1** . . . . . . *pág. 375*
❑ Día 84: **2 Pedro 2** . . . . . . *pág. 376*
❑ Día 85: **2 Pedro 3** . . . . . . *pág. 377*
❑ Día 86: **1 Juan 1** . . . . *pág. 381*
❑ Día 87: **1 Juan 2** . . . . *pág. 381*
❑ Día 88: **1 Juan 3** . . . . *pág. 383*
❑ Día 89: **1 Juan 4** . . . . *pág. 384*
❑ Día 90: **1 Juan 5** . . . . *pág. 385*

Plan de lectura de 30 días del Nuevo Testamento (un capítulo por día):

❑ Día 1: **Juan 1** . . . . *pág. 135*
❑ Día 2: **Juan 2** . . . . *pág. 137*
❑ Día 3: **Juan 3** . . . . *pág. 138*
❑ Día 4: **Juan 4** . . . . *pág. 139*
❑ Día 5: **Juan 5** . . . . *pág. 141*
❑ Día 6: **Juan 6** . . . . *pág. 143*
❑ Día 7: **Juan 7** . . . . *pág. 146*
❑ Día 8: **Juan 8** . . . . *pág. 148*
❑ Día 9: **Juan 9** . . . . *pág. 150*
❑ Día 10: **Juan 10** . . . . *pág. 152*
❑ Día 11: **Juan 11** . . . . *pág. 153*
❑ Día 12: **Juan 12** . . . . *pág. 156*

- ❑ Día 13: **Juan 13** . . . . *pág. 158*
- ❑ Día 14: **Juan 14** . . . . *pág. 159*
- ❑ Día 15: **Juan 15** . . . . *pág. 160*
- ❑ Día 16: **Juan 16** . . . . *pág. 161*
- ❑ Día 17: **Juan 17** . . . . *pág. 163*
- ❑ Día 18: **Juan 18** . . . . *pág. 164*
- ❑ Día 19: **Juan 19** . . . . *pág. 165*
- ❑ Día 20: **Juan 20** . . . . *pág. 167*
- ❑ Día 21: **Juan 21** . . . . *pág. 169*
- ❑ Día 22: **Gálatas 1** . . . . . . *pág. 281*
- ❑ Día 23: **Gálatas 2** . . . . . . *pág. 282*
- ❑ Día 24: **Gálatas 3** . . . . . . *pág. 283*
- ❑ Día 25: **Gálatas 4** . . . . . . *pág. 285*
- ❑ Día 26: **Gálatas 5** . . . . . . *pág. 286*
- ❑ Día 27: **Gálatas 6** . . . . . . *pág. 287*
- ❑ Día 28: **2 Pedro 1** . . . . . . *pág. 375*
- ❑ Día 29: **2 Pedro 2** . . . . . . *pág. 376*
- ❑ Día 30: **2 Pedro 3** . . . . . . *pág. 377*

Plan de lectura de 30 días de Salmos y Proverbios:

- ❑ Día 1: **Salmos 1–5** . . . . . . *pág. 423*
  Proverbios 1 . . . . . *pág. 533*
- ❑ Día 2: **Salmos 6–10** . . . . . *pág. 425*
  Proverbios 2 . . . . . *pág. 534*
- ❑ Día 3: **Salmos 11–15** . . . . *pág. 429*
  Proverbios 3 . . . . . *pág. 535*
- ❑ Día 4: **Salmos 16–20** . . . . *pág. 430*
  Proverbios 4 . . . . . *pág. 536*
- ❑ Día 5: **Salmos 21–25** . . . . *pág. 435*
  Proverbios 5 . . . . . *pág. 537*
- ❑ Día 6: **Salmos 26–30** . . . . *pág. 438*
  Proverbios 6 . . . . . *pág. 538*
- ❑ Día 7: **Salmos 31–35** . . . . *pág. 441*
  Proverbios 7 . . . . . *pág. 540*
- ❑ Día 8: **Salmos 36–40** . . . . *pág. 446*
  Proverbios 8 . . . . . *pág. 541*
- ❑ Día 9: **Salmos 41–45** . . . . *pág. 451*
  Proverbios 9 . . . . . *pág. 542*
- ❑ Día 10: **Salmos 46–50** . . . . *pág. 454*
  Proverbios 10 . . . . *pág. 543*
- ❑ Día 11: **Salmos 51–55** . . . . *pág. 458*
  Proverbios 11 . . . . *pág. 544*
- ❑ Día 12: **Salmos 56–60** . . . . *pág. 461*
  Proverbios 12 . . . . *pág. 546*
- ❑ Día 13: **Salmos 61–65** . . . . *pág. 464*
  Proverbios 13 . . . . *pág. 547*
- ❑ Día 14: **Salmos 66–70** . . . . *pág. 467*
  Proverbios 14 . . . . *pág. 548*
- ❑ Día 15: **Salmos 71–75** . . . . *pág. 472*
  Proverbios 15 . . . . *pág. 550*
- ❑ Día 16: **Salmos 76–80**. . . . . *pág. 477*
  Proverbios 16. . . . . *pág. 551*
- ❑ Día 17: **Salmos 81–85**. . . . . *pág. 483*
  Proverbios 17. . . . . *pág. 552*
- ❑ Día 18: **Salmos 86–90**. . . . . *pág. 486*
  Proverbios 18. . . . . *pág. 554*
- ❑ Día 19: **Salmos 91–95**. . . . . *pág. 490*
  Proverbios 19. . . . . *pág. 555*
- ❑ Día 20: **Salmos 96–100**. . . . *pág. 493*
  Proverbios 20. . . . . *pág. 556*
- ❑ Día 21: **Salmos 101–105**. . . *pág. 495*
  Proverbios 21. . . . . *pág. 557*
- ❑ Día 22: **Salmos 106–110**. . . *pág. 501*
  Proverbios 22. . . . . *pág. 559*
- ❑ Día 23: **Salmos 111–115**. . . *pág. 506*
  Proverbios 23. . . . . *pág. 560*
- ❑ Día 24: **Salmos 116–120**. . . *pág. 509*
  Proverbios 24. . . . . *pág. 561*
- ❑ Día 25: **Salmos 121–125**. . . *pág. 517*
  Proverbios 25. . . . . *pág. 563*
- ❑ Día 26: **Salmos 126–130**. . . *pág. 518*
  Proverbios 26. . . . . *pág. 564*
- ❑ Día 27: **Salmos 131–135**. . . *pág. 520*
  Proverbios 27. . . . . *pág. 565*
- ❑ Día 28: **Salmos 136–140**. . . *pág. 522*
  Proverbios 28. . . . . *pág. 566*
- ❑ Día 29: **Salmos 141–145**. . . *pág. 525*
  Proverbios 29. . . . . *pág. 568*
- ❑ Día 30: **Salmos 146–150**. . . *pág. 528*
  Proverbios 30–31. . *pág. 569*

PASOS HACIA LA PAZ CON DIOS

PRIMER PASO
EL PROPÓSITO DE DIOS: PAZ Y VIDA

Dios lo ama y desea que tenga paz y vida abundante y eterna.

La Biblia dice...

«Por lo tanto, ya que fuimos declarados justos a los ojos de Dios por medio de la fe, tenemos paz con Dios gracias a lo que Jesucristo nuestro Señor hizo por nosotros», *Romanos 5:1.*

«Pues Dios amó tanto al mundo que dio a su único Hijo, para que todo el que crea en él no se pierda, sino que tenga vida eterna», *Juan 3:16.*

«El propósito del ladrón es robar y matar y destruir; mi propósito es darles una vida plena y abundante», *Juan 10:10.*

Ya que Dios planeó que tuviéramos paz y vida abundante, ¿por qué la mayoría de la gente no las tiene?

SEGUNDO PASO
NUESTRO PROBLEMA: LA SEPARACIÓN DE DIOS

Dios nos creó a su imagen para que tengamos una vida abundante. No nos hizo como robots para que automáticamente lo amáramos y obedeciéramos; más bien nos dio voluntad propia y libre albedrío.

Nosotros decidimos desobedecer a Dios y seguir nuestro propio camino. Aún continuamos haciendo lo mismo. El resultado es nuestra separación de Dios.

La Biblia dice...

«Pues todos hemos pecado; nadie puede alcanzar la meta gloriosa establecida por Dios», *Romanos 3:23.*

«Pues la paga que deja el pecado es la muerte, pero el regalo que Dios da es la vida eterna por medio de Cristo Jesús nuestro Señor», *Romanos 6:23.*

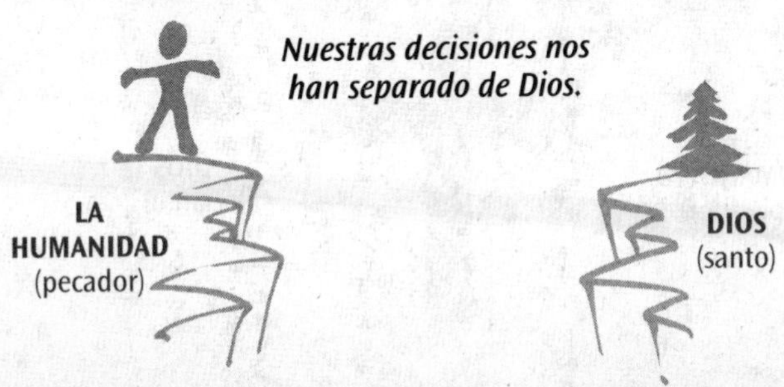

A través de la historia, la gente, de muchas maneras, se ha esforzado por alcanzar a Dios, pero sin éxito…

La Biblia dice...

«Delante de cada persona hay un camino que parece correcto, pero termina en muerte», *Proverbios 14:12.*

«Son sus pecados los que los han separado de Dios. A causa de esos pecados, él se alejó y ya no los escuchará», *Isaías 59:2.*

Nuestros esfuerzos por alcanzar a Dios.

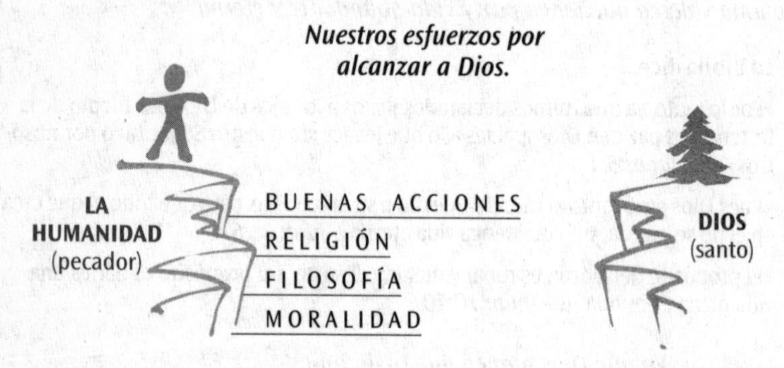

TERCER PASO

LA SOLUCIÓN DE DIOS: LA CRUZ

Jesucristo es la única solución a este problema. Él murió en la cruz y resucitó, pagó por nuestros pecados y puso fin a la separación entre Dios y la humanidad.

La Biblia dice...

«Pues hay sólo un Dios y sólo un Mediador que puede reconciliar a la humanidad con Dios, y es el hombre Cristo Jesús», *1 Timoteo 2:5.*

«Cristo sufrió por nuestros pecados una sola vez y para siempre. Él nunca pecó, en cambio, murió por los pecadores para llevarlos a salvo con Dios», *1 Pedro 3:18.*

«Pero Dios mostró el gran amor que nos tiene al enviar a Cristo a morir por nosotros cuando todavía éramos pecadores», *Romanos 5:8.*

Hay una sola solución a este problema de la separación.

CUARTO PASO
NUESTRA RESPUESTA: RECIBIR A CRISTO

Debemos creer en Jesucristo como Señor y Salvador, y recibir su invitación personal…

La Biblia dice...

¡Mira! Yo estoy a la puerta y llamo. Si oyes mi voz y abres la puerta, yo entraré y cenaremos juntos como amigos», *Apocalipsis 3:20.*

«Pero a todos los que creyeron en él y lo recibieron, les dio el derecho de llegar a ser hijos de Dios», *Juan 1:12.*

«Si confiesas con tu boca que Jesús es el Señor y crees en tu corazón que Dios lo levantó de los muertos, serás salvo», *Romanos 10:9.*

Dios ha dado el único camino.
Tenemos que decidir.
¿Cuál es su decisión?

¿Qué razón tiene para no recibir a Jesucristo ahora mismo?

Cómo encontrar la paz con Cristo:

1. Reconozca su necesidad. (*Soy un pecador*).
2. Apártese de su pecado. (*Arrepiéntase*).
3. Crea que Jesucristo murió por usted en la cruz y que resucitó.
4. Con una oración, invite a Jesucristo a venir a su vida y a controlarla por medio del Espíritu Santo. (*Recíbalo como su Señor y Salvador*).

Cómo orar:

Señor Jesús, reconozco que soy un pecador y te pido perdón. Sí, creo que moriste por mis pecados y que resucitaste. Me aparto de mis pecados y te invito a vivir en mi corazón y a tomar el control de mi vida. Quiero confiar en ti y seguirte como mi Señor y Salvador. En tu nombre, Amén.

________________ ______________________________

Fecha Firma

LA GARANTÍA DE DIOS: SU PALABRA

Si hizo esta oración...

La Biblia dice...

«Pues "todo el que invoque el nombre del SEÑOR será salvo"», *Romanos 10:13.*

¿Pidió sinceramente que Jesucristo entrara en su vida?
¿Dónde está él? ¿Qué le ha dado a usted?

«Dios los salvó por su gracia cuando creyeron. Ustedes no tienen ningún mérito en eso; es un regalo de Dios. La salvación no es un premio por las cosas buenas que hayamos hecho, así que ninguno de nosotros puede jactarse de ser salvo», *Efesios 2:8-9.*

«El que tiene al Hijo tiene la vida; el que no tiene al Hijo de Dios no tiene la vida. Les he escrito estas cosas a ustedes, que creen en el nombre del Hijo de Dios, para que sepan que tienen vida eterna», *1 Juan 5:12-13.*

Cuando recibimos a Cristo, nos volvemos parte de la familia de Dios por medio del trabajo sobrenatural del Espíritu Santo, el cual habita en cada creyente. Esto significa que somos regenerados, es decir, que «nacemos de nuevo».

Esto es sólo el comienzo de una nueva vida en Cristo. Para estrechar esta comunión:

1. Lea su Biblia todos los días para conocer mejor a Cristo.
2. Hable con Dios en oración todos los días.
3. Hable a otros acerca de Cristo.
4. Adore, comparta y sirva con otros cristianos en una iglesia que predique acerca de Cristo Jesús.
5. Siendo un representante de Cristo Jesús en un mundo con necesidad, demuestre su nueva vida por medio de su amor y compasión hacia los demás.

Notas